ISBN 978-0-428-42124-3
PIBN 11214677

This book is a reproduction of an important historical work. Forgotten Books uses state-of-the-art technology to digitally reconstruct the work, preserving the original format whilst repairing imperfections present in the aged copy. In rare cases, an imperfection in the original, such as a blemish or missing page, may be replicated in our edition. We do, however, repair the vast majority of imperfections successfully; any imperfections that remain are intentionally left to preserve the state of such historical works.

FB &c Ltd, Dalton House, 60 Windsor Avenue, London, SW19 2RR.
Company number 08720141. Registered in England and Wales.

For support please visit www.forgottenbooks.com

Verhandlungen

des

zoologisch-botanischen Vereins

in Wien.

Band V.

Jahr 1855.

Mit 19 Tafeln.

WIEN, 1855.
In Commission in W. Braumüller's k. k. Hof-Buchhandlung.

Vorwort.

Die P. T. Mitglieder erhalten hier den V. Band der Vereinsschriften. Er mag einerseits sowohl als Antwort auf manche Frage dienen, wie die Vereinsleitung bemüht ist, ihre Aufgabe würdig zu lösen, als auch anderseits den Beweis liefern, was in Eintracht vereinte Kräfte zu leisten im Stande sind, so wie die namhafte Erweiterung Zeugniss gibt von dem ungeschmälerten Eifer für den Aufschwung dieses wissenschaftlichen Denkmals unsers schönen Vaterlandes.

Durch die freiwillige Betheiligung und Unterstützung des grösseren Theils der Mitglieder waren die hinreichenden Mittel geboten, überdiess diesem Bande noch den Bericht über die österreichische naturwissenschaftliche Literatur aus den Jahren 1850 — 1853 den Vereinsgliedern unentgeltlich zu übergeben.

Es liegt in allem diesen wohl die sichere Bürgschaft, dass der Verein unerschüttert fortschreitend, festbegründet der Zukunft entgegengeht.

Die Redaction.

Inhalt.

Sitzungsberichte.

Abhandlungen.

Verzeichniss der Abbildungen.

Regelmässige Versammlungen.

1856.

2. Jänner.
6. Februar.
5. März.
2. April.
9. April Jahresversammlung.
7. Mai.
4. Juni.
2. Juli.
6. August.

September. Ferien.

1. October.
5. November.
3. December.

Druckfehlerverzeichniss.

Sitzungsberichte.

Seite	9	Zeile	15	v. u.	statt	*alpina*	lies	*aliena*
„	23	„	10	v. u.	„	*ornithopodoides*	„	*ornithopodioides*
„	45	„	15	v. o.	„	Ph.	„	S. V.
„	58	„	16	v. u.	„	eine	„	ein
„	—	„	8	v. u.	„	*musculi*	„	*musculus*
„	64	„	11	v. o.	„	*crescentinum*	„	*crescentium*
„	85	„	11	v. u.	„	*jodrensis*	„	*jadrensis*
„	114	„	20	v. u.	„	angeführte	„	eingeführte
„	115	„	1	v. o.	„	*Caryophyllum*	„	*Caryophyllus*
„	128	„	5	v. o.	„	Villachthales	„	Vellachthales

Abhandlungen.

Seite	93	Zeile	14	v. u.	statt	*Althamantae*	lies	*Athamanthae*
„	104	„	17	v. u.	„	Tafel 2	„	Tafel 1
„	105	„	14	v. o.	„	Fig. 1	„	Fig. 4
„	106	„	8	v. u.	„	Fig. 3	„	Fig. 5
„	112	„	11	v. u.	„	*Cuspidea*	„	*Cuspida*
„	116	„	21	v. o.	„	*Rignata*	„	*Riguata*
„	118	„	12	v. o.	„	Taf. 6 Fig. 1	„	Taf. 2 Fig. 6
„	147	„	8	v. u.	„	*Plecticus*	„	*Ptecticus*
„	181	„	18	v. u.	streiche h vor *Nymphalides.*			
„	182	„	9	v. o.	statt	*Cylius*	lies	*Lylius*
„	257	„	5	v. o.	„	R. L.	„	L. R.
„	327	„	19	v. o.	nach	pechschwarz	setze das Stirnfeld und	
„	508	„	5	v. u.	statt	von	lies	bei
„	509	„	15	v. u.	„	-ickt	„	dickt
„	521	„	16	v. o.	„	Spitzen	„	Spitzer
„	522	„	16	v. o.	„	*Erisphorum*	„	*Eriophorum*
„	—	„	17	v. o.	„	*arex*	„	*Carex*
„	—	„	24	v. u.	„	*aryophyllum*	„	*Caryophyllum*
„	—	„	6	v. u.	ist: zu auszulassen			
„	523	„	10	v. o.	statt	reicht	„	erreicht
„	—	„	12	v. u.	„	7,5,6°	„	7,65°

*

Seite 524	Zeile	18 v. o.	statt Vegetationsfähigkeit	lies Vegetationsthätigkeit
„ 525	„	4 v. o.	„ *Fartesia*	„ *Farsetia*
„ 526	„	21 v. u.	nach in	setze ein
„ 530	„	9 v. o.	statt Queue	lies Quais
„ 531	„	18 v. u.	„ *Genistae*	„ *Genista*
„ 533	„	18 v. o.	„ *Rostonica*	„ *Restonica*
„ 535	„	20 v. o.	„ *Htylas*	„ *Hylas*
„ 541	„	2 v. u.	vor *Scrophularivora*	setze *Cucullia*
„ 542	„	2 v. u.	statt M	lies *Mi*
„ 558	„	18 v. u.	vor *Abrasana*	setze *Sciaphila*
„ 559	„	8 v. o.	statt *Aphoma*	lies *Aphonia*
„ 560	„	20 v. o.	„ *Ancylois*	„ *Ancylosis*
„ 563	„	18 v. u.	„ Vorderrandes, die Vorderflügel sind	„ Vorderrandes der Vorderflügel, sind
„ 564	„	22 v. u.	„ *Radiella*	„ *Badiella*
„ —	„	19 v. u.	„ *Altricornella*	„ *Atricornella*
„ 567	„	15 v. o.	nach Rosensträucher	setze *Vesperella* Koll. l. l. H. S.
„ 569	„	9 v. u.	statt *Tischera*	lies *Tischeria*
„ 701	„	13 v. o.	u. auch später statt Leidig	„ Leidy
„ 703	„	11 v. o.	nach *Sialis*	setze Larven
„ 708	„	4 v. o.	nach Abschnitt setze: und enthält im vordern kugligen Theile grosse Drüsen	
„ —	„	20 v. u.	statt drei lies vier	
„ —	„	9 v. u.	ist die Stelle: an seiner untern u. s. f. bis zu Zeile 4 v. u. auszulassen, dafür setze: die parige Samenblase ist weit und läuft nach vorne in zwei Zipfel aus, eine Art Gabel, deren Spitzen von beiden Seiten sich zu einander biegen. An den innern Zipfel mündet der Samenleiter auf jeder Seite. Nach hinten wird die Samenblase einfach. Siehe die betreffende Abbildung.	
„ 717	„	14 v. o.	bis Zeile 16 ganz auszulassen.	
„ 722	zwisch. Zeile 10 u. 11 v. o.		einzusch.: 3. **Sericostomoidea**.	
„ 724	Zeile	11 v. o.	statt *linicformis*	lies *tineiformis*
„ 731	„	8 v. u.	„ Schreiber's	„ Schreibers
„ 739	„	17 v. o.	„ *oblignus*	„ *obliquus*
„ —	„	21 v. o.	„ *Helephorus*	„ *Helophorus*
„ —	„	22 v. o.	„ *Lacrobius*	„ *Laccobius*
„ 746	„	6 v. u.	„ *scrabiculus*	„ *scabriculus*
„ 751	„	10 v. o.	„ *subulosum*	„ *sabulosum*

VERZEICHNISS

DER

MITGLIEDER DES ZOOLOGISCH-BOTANISCHEN VEREINS IN WIEN.

Vereinsleitung.

1856.

Präsident: (Gewählt bis Ende 1857.)

Se. Durchl. Herr *Richard* Fürst zu *Khevenhüller-Metsch.*

Vicepräsidenten: (Gewählt bis Ende 1856.)

Herr Dr. *Eduard Fenzl.*
„ *Franz R. v. Hauer.*
„ *Jakob Heckel.*
„ *Ludwig R. v. Heufler.*
„ *Vincenz Kollar.*
„ *August Neilreich.*

Secretäre:

Herr *Georg Frauenfeld.* (Gewählt bis Ende 1856.)
„ Dr. *Gustav Mayr.* (Gewählt bis Ende 1860.)

Rechnungsführer: (Gewählt bis Ende 1856.)

Herr *Johann Ortmann.*

Bibliothekar:

Herr Dr. *Ignaz Tomaschek.*

Ausschussräthe: (Gewählt bis Ende 1857.)

Herr *Bach*, Dr. *August.*
„ *Egger* Dr. *Johann.*
„ *Ettingshausen* Dr. *Constantin v.*

Herr *Haidinger Wilhelm.*
„ *Hampe* Dr. *Clemens.*
„ *Hörnes* Dr. *Moriz.*
„ *Kner* Dr. *Rudolf.*
„ *Kotschy Theodor.*
„ *Leithner Josef*, Freiherr.
„ *Miller Ludwig.*
„ *Partsch Paul.*
„ *Pokorny* Dr. *Alois.*
„ *Redtenbacher* Dr. *Ludwig.*
„ *Reissek* Dr. *Siegfried.*
„ *Schiner* Dr. *J. R.*
„ *Schlecht* Dr. *Leopold*, Hochw.
„ *Simony Friedrich.*
„ *Unger* Dr. *Franz.*

Auswärtige Mitglieder.

Herr *Auerswald Bernhard*, Lehrer an der ersten Bürgerschule in Leipzig.
„ *Bamberger Georg*, Apotheker in Zug, Schweiz.
„ *Bendella Aristides v.*, Dr. der Med., Primararzt des Centralspitals in Jassy.
„ *Bianconi* Dr. *Josef*, Professor an der Universität zu Bologna.
„ *Bigot*, in Paris.
„ *Bilharz* Dr. *Theodor*, Prof. an der mediz. Schule in Cairo.
„ *Bremi Wolf, J. J.*, in Zürch.
„ *Celi* Dr. *Hector*, Prof. u. Direct. des königl, atestinischen Herbariums in Modena.
„ *Chiari Gerardo*, k. k. Vice-Consul beim General-Consulate in Alexandrien.
„ *Davidson Thomas*, in London.
„ *Doderlein* Dr. *Pietro*. Prof. an der Universität zu Modena.
„ *Dohrn C. A.*, Präsident des Stettiner entomol. Vereins.
„ *Dolleschal Ludwig*, Dr. d. Med.
„ *Dufour Léon*, in Paris.
„ *Effendi Ibrahim*, Dr. d. Med., Oberst der kais. Armee in Syrien.
„ *Fahrer* Dr. *Johann*, in München.
„ *Fairmaire Léon*, Custos-Adjunct der entom. Gesellschaft zu Paris.
„ *Förster Arnold*, Oberlehrer an der höheren Bürgerschule zu Aachen.
„ *Gemminger* Dr. *Max*, Assistent am zoolog. Museum in München.
„ *Gerstäcker Adolf*, Dr. d. Med. in Berlin.
„ *Gödel Rudolf*, k. k. österr. General-Consul in Beirut.

Herr *Hagen* Dr. *Hermann*, in Königsberg.
„ *Heer Oswald*, Professor in Zürch.
„ *Heldreich* Dr. *Theodor v.*, Direct. des botan. Gartens in Athen.
„ *Herrich-Schäffer*, Dr., Prof. in Regensburg.
„ *Heydenreich v.*, Dr., Superintendent in Weissenfels.
„ *Hopffer* Dr. *C.*, in Berlin.
„ *Huber Christian Wilhelm*, k. k. Ministerialrath, General-Consul von Egypten zu Alexandrien.
„ *Huguenin*, Prof. und Director des bot. Gartens in Chambery.
„ *Javet Charles*, in Paris.
„ *Karatheodory Stefan*, Prof. d. Botanik, kais. Leibarzt Sr. Majestät des Sultans Abdul-Medjid, in Constantinopel.
„ *Keferstein A.*, Gerichtsrath in Erfurt.
„ *Kelch August*, Oberlehrer am k Gymnasium zu Ratibor.
„ *Kirschbaum*, Prof. in Wiesbaden.
„ *Kraatz* Dr. *G.*, in Berlin.
„ *Kuczuran* Dr. *Georg v.*, pract. Arzt zu Jassy.
„ *Landolfi Nik.*, Ritter von, Professor an der k. Universität zu Neapel.
„ *Lavizzari* Dr. zu Mendrisio, Cant. Ticino.
„ *Leibold Friedrich*, in München.
„ *Lindermayer* Dr. *Anton R. v.*, Leibarzt Sr. Majestät Königs Otto in Athen.
„ *Lochmann Johann*, Magister der Pharmacie in Jassy.
„ *Löw* Dr. *Heinrich*, in Meseritz.
„ *Martius Karl*, *Ritt. v.*
„ *Milde*, Maler in Lübeck.
„ *Mnischek Graf v.*, in Paris.
„ *Motschulsky Victor v.*, kais. russischer Oberst, Director des Museums für angewandte Naturgeschichte zu St. Petersburg.
„ *Mühlig G. G.*, Verwalter zu Frankfurt a. M.
„ *Neustädt August*, Kaufmann in Breslau.
„ *Nylander* Dr. *Wilh.*, in Paris.
„ *Ohlert E.*, Dr., Conrector an der Burgschule zu Königsberg in Preussen.
„ *Osten-Sacken Carl Robert*, Freih. v., in Petersburg.
„ *Pancic* Dr. *Josef*, Prof. d. Naturgesch. am Lyceum zu Belgrad.
„ *Pirazzoli Eduard* in Imola.
„ *Raskovich Michael*, Professor d. Chemie und Technologie am Lyceum zu Belgrad.
„ *Rondani Camill*, in Parma.
„ *Roth* Dr. *Joh. Ludw.* Prof. an der Universität in München.
„ *Sandberger* Dr. *Fridolin*, Prof. d. Mineralogie zu Karlsruhe.
„ *Schäffer Ignaz*, *Ritt. v.*, k. k. Kanzler beim General-Consulate in Alexandrien.

Herr *Scharenberg* Dr., Prof. an der Universität in Breslau.
" *Schaum* Dr. *Hermann*, am Museum in Berlin.
" *Schenk*, Prof. in Weilburg, Grossherzogthum Nassau.
" *Schieferdecker*, Dr. d. Med. in Königsberg.
" *Schneider W. G.*, Dr. Phil. in Breslau.
" *Schuchardt* Dr. *Phil.*, in Dresden.
" *Sester*, kais. türk. Hofgärtner in Constantinopel.
" *Sichel*, Dr. Med., Präsident der entom. Gesellschaft zu Paris.
" *Siebold Theod. v.*, Dr. u. Prof. in München.
" *Signoret*, Dr. in Paris.
" *Smith Friedrich Esq.*, Assistent am britischen Museum zu London.
" *Speyer Adolf*, Dr., zu Arolsen im Fürstenthum Waldeck.
" *Speyer August*, zu Arolsen im Fürstenthume Waldeck.
" *Stierlin Gustav*, Dr. der Medicin in Schaffhausen.
" *Theodori Carl*, Dr., geheimer Secretär und Kanzleirath Sr. königl. Hoheit des Herrn Herzogs Max in Baiern, in München.
" *Tischbein*, Oberförster in Herrstein in Preussen.
" *Wagner Andreas*, Dr. u. Prof. an der Universität in München.
" *Waltl* Dr., Professor in Passau.
" *Wimmer*, Prof. in Breslau.
" *Winnertz J.*, in Crefeld.
" *Wirtgen* Dr. *Philipp*, in Coblenz.
" *Zeller P. C.*, Prof. in Glogau.
" *Zirigovich Jakob*, k. k. Vice-Consul in Adrianopel.

Mitglieder der Jahre 1851 — 1855.

Herr *Abl* Dr. *Friedrich*, k. k. Feld-Apotheken-Official in Prag.
" *Abel Ludwig*, Handelsgärtner, in Wien, Landstrasse Nr. 162.
" *Adolph Friedrich*, Pharmaceut.
" *Aichinger v. Aichenhain Josef*, k. k. pens. Major in Gratz.
" *Alpers Mauritius*, Hochw., Prof. im Stifte Melk.
" *Alschinger Andreas*, k. k. Prof. der griech. Sprache am Obergymnasium und der Botanik in Zara.
" *Ambrosi Franz*, *in Borgo di Valsugana.*
" *Andorfer Josef*, in Langenlois.
" *Anker Ludwig*, in Ofen.
" *Antoine Franz*, k. k. Hofgärtner.
" *Arenstein* Dr. *Josef*, k. k. Prof., Wien, Stadt, Heiligenkreutzerhof Nr. 677.
" *Aschner Theodor*, Hochw., Prof. der Naturwissenschaften am erzbischöfl. Gymnasium zu Tirnau.

Herr *Bach Alexander*, *Freih. v.*, k. k. Minister des Innern, Curator der kais. Akademie der Wissenschaften in Wien, Excell.
„ *Bach* Dr. *August*, k. k. Notar, Wien, Stadt Wollzeile Nr. 772.
„ *Balsamo Crivelli nob. Giuseppe*, Prof. der Naturgeschichte in Pavia.
„ *Bartscht Ambros*, k. k. Beamter, in Hernals Nr. 21.
„ *Baumann Franz*, Dr., Regimentsarzt im k. k. 8. Dragoner-Regimente in Oedenburg.
„ *Bayer Johann*, Beamter der k. k. priv. österr. Staats-Eisenbahn-Gesellschaft, Wien, Alservorstadt Nr. 1.
„ *Bayer Vincenz*, k. k. Commissär, Wien, St. Ulrich, Rofranogasse Nr. 59.
„ *Becziczka Ambros*, Hochw., Abt des Stiftes Lilienfeld.
„ *Beer J. G.*, Wien, Landstrasse, Hauptstrasse Nr. 138.
„ *Benedek Franz*, Hochw., Professor der Physik am k. k. Ober-Gymnasium zu Eperies.
„ *Bergner Eduard*, k. k. Tribunalrath in Zara.
„ *Berman Josef*, priv. Kunsthändler, Wien, am Graben.
„ *Bernard Josef*, bürgl. Handelsmann.
„ *Beroldingen Franz* Graf, Landmarschalls-Stellvertreter, Excell.
„ *Bertolini Stefano di*, Conceptspract. d. k. k. Statthalterei in Innsbruck.
„ *Betta Nob. Edoardo Cav. de*, in Verona.
„ *Betta Heinrich*, *Edl. v.*, Dr. d. Med. im k. k. allgem. Krankenhause.
„ *Biasoletto* Dr. *Bartolomäus*, in Triest.
„ *Biatzovsky Johann*, Dr. d. Med., k. k. Prof. in Salzburg.
„ *Bielz E. A.*, Finanz-Landesdir. Conc. in Hermannstadt.
„ *Bilimek Dominik*, Hochw., Prof. d. Naturgeschichte am k. k. Kadeten-Institute zu Krakau.
„ *Bittersmann Ant. Vinc.*, Musikdirector in Botzen.
„ *Bör Johann*, Dr. d. Med. in Wien, Josefstadt, Florianigasse, Nr. 139.
„ *Boos Josef*, k. k. Hofgärtner, Wien, Landstrasse, Waggasse Nr. 664.
„ *Botteri Matthäus*.
„ *Boué Ami*, Mitgl. d. kais. Akad. der Wissenschaften in Wien, Wieden Schlösslgasse Nr. 594.
„ *Bozdéch* Dr. *Gustav*, k. k. Prof. d. Naturgeschichte, Wien, Wieden, Schaumburgergasse Nr. 3,
„ *Brachelli Hugo Fr.*, k. k. Beamter, Wien, Spittelberg Nr. 134.
„ *Brauer Friedrich*, Wien, Stadt, Wollzeil Nr. 781.
„ *Braun Ernst*, Dr. d. Med., Wien, Stadt, Kohlmarkt, Nr. 1152.
„ *Braun* Dr. *Gustav*, Assistent an der Gebärklinik.
„ *Braunendal Ferdinand v.*, k. k. Ministerial-Concipist.
„ *Braunhofer Ferdinand*, Inspector am k. k. Theresianum.
„ *Breineder Pius*, Hochw., in Weikendorf.
„ *Brittinger Christian*, Apotheker in Steyer.
„ *Breuner Graf August*, k. k. Sectionschef.
Breuner Graf August jun.

Herr *Breuner Graf Josef.*
" *Breunig* Dr. *Ferdinand*, Hochw., Prof. am Schottengymnasium.
" *Bruckner Anton*, Professor an der k. k. Ober-Realschule in Brünn.
" *Burkhardt Anton Ulrich*, Assistent an der k. k. Centralanstalt für Meteorologie, in Wien.
" *Businelli Franz*, Dr. d. Med. im k. k. allg. Krankenhause in Wien.
" *Castelli* Dr. *Ignaz Franz*, Wien, Stadt Heiligenkreuzerhof Nr. 677.
" *Chimani* Dr. *Ernst*, k. k. Oberfeldarzt.
" *Chotek* Graf *Otto*.
" *Chotek* Graf *Rudolf*.
" *Copanizza Anton*, Hochw., Domherr in Ragusa.
" *Cornalia* Dr. *Emil*, in Mailand.
" *Coronini Graf Carl*, in Zara.
" *Cubich Johann*, Dr. d. Med., k. k. Bezirksarzt in Veglia.
" *Czagl Anton*, k. k. Beamter, Wien, Wieden, Maierhofgasse Nr. 931.
" *Czech Theodor*, Cand. der Med.
" *Czermak Josef*, fürstl. Wirthschaftsverwalter in Kammerburg.
" *Czermak Johann*, Hochw., Prof. der Naturgeschichte am Josefstädter Gymnasium.
" *Czerny Florian R.*, Apotheker in Mährisch-Trübau.
" *Czerwiakowski Ignaz*, Dr. d. Med., Prof. d Botanik in Krakau.
" *Czizek Julius*, Magister der Pharmacie, Salinen-Apotheker zu Wieliczka.
" *Czörnig Karl*, Bar. v., Wien, Stadt, Altenfleischmarkt Nr. 689.
" *Daubrawa Ferdinand*, Apotheker in Mähr.-Neustadt.
" *Dechant Norbert*, Hochw., Prof. am Schottengymnasium.
" *Demel Johann*, absolv. Zögling des polyt. Instituts, Wien, Wieden, Schmöllerlgasse Nr. 953.
" *Deschmann Carl*, Custos am Museum in Laibach.
" *Dier Ludwig*, Hochw., Prof. am kath. Gymnasium zu Unghvar.
" *Diesing* Dr. *Karl Moriz*, Mitgl. der kais. Akademie der Wissenschaften, Wien, Stadt, Teinfaltsstrasse Nr. 74.
" *Dimic Theophil*, Prof. am Gymnasium zu Carlowitz.
" *Dittel Leopold*, Dr. der Medicin und Chirurgie.
" *Dollner Georg*, Dr. der Med., in Idria.
" *Domas Stefan*, Hochw., Prof. der Realschule in Mähr.-Trübau.
" *Dorfmeister Vincenz*, Wien, Rossau, lange Gasse Nr. 128.
" *Dorfmeister Georg*, Revident der k. k. Landes-Baudirection in Gratz.
" *Drasche* Dr. *Anton*, Secundar-Arzt im k. k. allgem. Krankenhause.
" *Dudik* Dr. *Beda*, Prof. in Brünn.
" *Eberhardt Eduard*, Dr. der Med. in Gloggnitz.
" *Eberstaller Josef*, Kaufmann in Gresten.
" *Eder Wilhelm*, Hochw., Abt des Stiftes Melk.
" *Eder* Dr. *Albin*, Wien, Stadt, Kärthnerstrasse Nr. 946.
" *Egger Johann*, Dr. d. Med., k. k. Hof-Wundarzt in der k. k. Hofburg.

Herr *Ehrenreich Moriz Norbert*, Wien, Stadt, Adlergasse Nr. 648.
„ *Ehrlich Karl*, Custos am vaterländischen Museum in Linz.
„ *Eisenstein Anton Ritt. v.*, Dr. d. Med., Wien, Stadt, Spiegelgasse, Nr. 1102.
„ *Eitz Johann B.*, Wien, Leopoldstadt, Praterstrasse Nr. 579.
„ *Emminger* Dr. *Josef Wilhelm*, k. k. Statthalter von Nieder-Oesterreich, Excell.
„ *Engel Heinrich*, Hochw., k. k. Professor in Linz.
„ *Erber Josef*, Wien, Landstrasse, Haltergasse Nr. 786.
„ *Erdinger Karl*, Hochw., Coop. in Scheibbs.
„ *Ertl Johann*, Dr. d. Med.
„ *Ettingshausen* Dr. *Constantin v.*, k. k. Prof., Wien, Alservorstadt, Währingergasse Nr. 222.
„ *Ettinger Josef*, k. k. Waldbereiter in Kovil.
„ *Felder* Dr. *Cajetan*, k. k. Notar, Wien, Stadt Kohlmarkt Nr. 1150.
„ *Felder* Dr. *Carl*, Wien, Stadt Schönlaterngasse Nr. 681.
„ *Feldmann Johann*, Wien, Stadt, obere Bräunerstrasse Nr. 1137.
„ *Felsenreich* Dr. *Gottfried*, k. k. Hof-Wundarzt, Wien, Laimgrube Nr. 1.
„ *Fenzl* Dr. *Eduard*, Prof. u. Direct. am k. k. botan. Museum, Mitglied der k. Akad. d. Wissensch., Wien, Rennweg Nr. 638.
„ *Ferrari Angelo Conte de*, Wien, Neubau, Herrngasse Nr. 279.
„ *Feyerfeil Carl*, Hochw., Professor am Josefstädter Gymnasium.
„ *Finger Julius*, Wien, Gumpendorf, Bräuhausgasse Nr. 520.
„ *Fischer Carl*, k. k. Bezirksamts-Actuar, Wien, St. Ulrich, Nr. 42.
„ *Fiskali Ferdinand*, Prof. der Forstschule in M. Aussee.
„ *Fitzinger* Dr. *Leopold*, Custosadjunct am k. k. zoologischen Museum, Mitgl. d. k. Akad. d. Wissenschaften.
„ *Flatz Franz*, Wien, Alservorstadt, Florianigasse Nr. 321.
„ *Fleischer Stefan*, in Prag.
„ *Fleischhacker Carl*, Controllor der k. k. Gutsverwaltung Esslingen.
„ *Foetterle Franz*, Assistent der k. k. geologischen Reichsanstalt.
„ *Forster* Dr. *Leopold*, im k. k. Thierarzneiinstitut.
„ *Frank Alfred*, Ritter von, k. k. Major in Pension zu Wr.-Neustadt.
„ *Frappart Victor*, k. k. Justizbeamter in Neunkirchen.
„ *Frauenfeld Eduard*, Stadtbaumeister, Wien, Wieden, Hauptstrasse Nr. 348.
„ *Frauenfeld Georg*, Custosadjunct am k. k. zoologischen Museum, Wien, Wieden, Hauptstrasse Nr. 347.
„ *Freier Heinrich*, Custos am Museum in Triest.
„ *Friedenfels Eugen v.*, k. k. Ministerialrath in Ofen.
„ *Friedenwagner Jacob*, Dr. d. Med.
„ *Friese Franz*, k. k. Conceptsadjunct, Wien, Landstrasse, Ungargasse Nr. 363.

Herr *Fritsch* Dr. *Carl*, Adjunct am k. k. Central-Institut für Meteorologie in Wien.
„ *Fritsch Anton*, Custos-Adjunct am naturhistorischen Museum in Prag.
„ *Frivaldszky* Dr. *Emerich v.*, emer. Custos des k. National-Museums in Pesth.
„ *Frivaldszky Johann v.*, Custos am k. National-Museum in Pest.
„ *Fuchs Rudolf*, Hochw., Professor und Präfect des Convictes zu Heiligenkreuz.
„ *Fürstenwärther Freih. v.*, k. k. Statthalterei-Sekretär in Gratz.
„ *Fuss Karl*, Prof. in Hermannstadt.
„ *Fuss Michael*, Prof. in Hermannstadt.
„ *Gall Leopold*, Wien, Neubau, Wenzelsgasse Nr. 160.
„ *Gallenstein Meinrad v.*, k. k. Gymnasial-Professor in Klagenfurt.
„ *Garovaglio Sanzio*, Professor in Pavia.
„ *Gassner Theodor*, Hochw., k. k. Gymnasialdirector in Ofen.
„ *Gelentser Privatus*, Prior der Barmherzigen in Ofen.
„ *Georgens* Dr. *Johann Fried.*, Wien, Stadt, Adlergasse Nr. 723.
„ *Gerenday* Dr. *Josef*, k. k. Professor und Director des botanischen Gartens in Pesth.
„ *Gerlach Benjamin*, Hochw., Professor d. Physik in Stuhlweissenburg.
„ *Gerliczy Josef*, Freih. v., k. k. Feldmarschall-Lieut., Herrschaftsbesitzer zu Ragusa, Excell.
„ *Geussau Karl, Bar. v.*, k. k. Major, Gutsbesitzer zu Engelstein.
„ *Ginzkey Franz.*
„ *Giraud Josef*, Dr. d. Med., Wien, Stadt Josefsplatz Nr. 1156.
„ *Girtler* Dr. *Gottfried*, Apotheker, Wien, Stadt Freiung Nr. 137.
„ *Giuriceo Nicolaus*, k. k. Kreisgerichtsrath in Ragusa.
„ *Gleiss Franz*, Hochw., Prof. im Stifte Melk.
„ *Glückselig* Dr. *August*, in Elbogen.
„ *Gobanz Josef*, Wien, Landstrasse, Nr. 388.
„ *Gollmann Wilhelm*, Dr. d. Med. u. Chirurgie, Wien, Stadt, Tuchlauben Nr. 557.
„ *Gottwald Johann*, Hochw., Pfarrer in Josefsberg.
„ *Gözsy Gustav v.*, Dr. d. Med.
„ *Graf Rainer*, Hochw., k. k. Professor in Klagenfurt.
„ *Grailich* Dr. *Josef*, Wien, Landstrasse Nr. 104.
„ *Gredler Vincenz*, Hochw., Prof. in Botzen.
„ *Greising Karl v.*, Dr. d. Med.
„ *Grimus R. v. Grimburg Franz*, Apotheker in St. Pölten.
„ *Grossbauer Franz*, k. k. Prof. in Mariabrunn.
„ *Grosz Ludwig*, Dr. d. Med., Alservorstadt, Kaserngasse Nr. 363.
„ *Gruber Alois*, Dr. d. Med. in Wien, Stadt, Herrngasse Nr. 251.
„ *Grüner* Dr. *Julius*, Stadtphysikus in Iglau.

Herr *Grzegorzek* Dr. *Adalbert*, k. k. Professor in Tarnow.

" *Guth Franz*, Hochw., Director an der Hauptschule im Piaristen-Collegium zu Horn.

" *Gutsch Joachim*, k. k. Militär-Verpflegsverwalter in Gratz.

" *Guttmann Wilhelm*, Wien, Stadt Himmelpfortgasse Nr. 962.

" *Haberler* Dr. *Franz Ritter v.*

" *Haidinger Wilhelm*, k. k. Sectionsrath, Mitglied der kais. Akad. der Wissenschaften, Wien, Landstrasse, Ungargasse Nr. 363.

" *Haidvogel Leopold*, k. k. Bankbeamter.

" *Haimhoffen Gustav Ritt. v.*, k. k. Staatshauptkassen-Adjunct, Wien, Alservorstadt, Währingergasse Nr. 54.

" *Hakher Josef, Freih. v.*, zu Hart, k. k. Concipist im Finanzministerium, Wien, Stadt Himmelpfortgasse Nr. 951.

" *Haller Friedrich*, Wien, Stadt, obere Bräunerstrasse Nr. 1137.

" *Hampe Clemens*, Dr. d. Med., Wien, Stadt, Bauernmarkt Nr. 587.

" *Hampe Hermann*, k. k. Beamter in Hermannstadt.

" *Hanf Blasius*, Hochw., Pfarrer in Mariahof.

" *Hanselmann Nicolaus*, Dr. d. Med.

" *Hardenroth Friedr. Ludwig*, k. k. Beamter, Wien, Margarethen Nr. 60.

" *Hasel Franz*, Hochw., Dr. d. Theologie, Wien, Stadt, Nr. 1097.

" *Haubner Johann*, Dr. der Med., Wien, Leopoldstadt, Neugasse Nr. 122.

" *Hauer Franz R. v.*, k. k. Bergrath, Wien, Landstrasse, Lagergasse Nr. 744.

" *Hauer Karl, Ritter v.*

" *Hauer Albert*, k. k. Postadministrator in Stockerau.

" *Hauffen Heinrich*, in Laibach.

" *Haunold Franz*, k. k. Förster am Anninger.

" *Hausmann Franz Freih. v.*, zu Botzen.

" *Haynald Ludwig*, Dr. d. Theol., Bischof zu Carlsburg, Excell.

" *Hazslinszky Friedrich*, Prof. d. Naturgeschichte zu Eperies.

" *Härdtl August*, Dr. d. Med., Wien, Stadt Nr. 726.

" *Heeger Ernst*, in Maria-Enzersdorf.

" *Heckel Jakob*, Custos-Adjunct am k. k. zoologischen Museum, Mitgl. der kais. Akad. der Wissenschaften, Wien, Landstrasse Waggasse Nr. 512.

" *Heine Gustav*, Eigenthümer des Fremdenblattes.

" *Heinrich Wilhelm Gottfried*, Handelsmann.

" *Heintl Franz, R. v.*, Dr. d. Phil. u. Rechte, k. k. Finanzrath u. Kanzleidirector der Steueradministration in Wien, Stadt, Tuchlauben Nr. 563.

" *Heintl Karl, R. v.*, Dr. der Phil. und Rechte, Universitäts-Syndikus und Kanzlei-Director in Wien, Stadt, Bäckerstrasse Nr. 749.

" *Heinzel Ludwig*, Dr. der Medicin, Wien, Schottenfeld Nr. 500.

" *Heiser Josef*, Eisenwaaren-Fabriksbesitzer in Gaming.

Herr *Heller Johann Georg*, Obergärtner der Gartenbau-Gesellschaft, Wien, Landstrasse, Haltergasse Nr. 253.
„ *Heller Karl*, k. k. Gymnasial-Prof. in Gratz.
„ *Heller* Dr. *Camill*, Assistent am k. k. Josefinum, Wien, Alservorstadt, Quergasse Nr. 307.
„ *Heller* Dr. *Johann Florian*, Wien, Alservorstadt Nr. 352.
„ *Helfert* Dr. *Josef*, *Alex. Freiherr von*, k. k. Unterstaatssecretär.
„ *Henikstein Wilhelm R. v.*, niederländischer Generalconsul.
„ *Hepperger Carl v.*, in Botzen.
„ *Herbich* Dr. *Franz*, emer. Regimentsarzt in Czernowitz.
„ *Hesser Anton*, Cand. d. Med., in Hernals.
„ *Heuffel Johann*, Dr. d. Med., in Lugos.
„ *Heufler Ludwig Ritter von*, k. k. Sectionsrath, Wien, Landstrasse, Waggasse Nr. 747.
„ *Hierschel Gioachino*, Privatier, Wien, Stadt, Bräunerstrasse. Nr. 1130.
„ *Hierschel Oscar*, Privatier in Triest.
„ *Hiess Anton*, Klassenlehrer.
„ *Hillebrand Franz*, k. k. Hofgärtner im oberen Belvedere.
„ *Hingenau Otto Freih. v.*, k. k. Bergrath, Wien, Stadt, Seilerstätte Nr. 804.
„ *Hinterberger Josef*, ständ. Beamter in Linz.
„ *Hinterlechner Georg*, Hochw., k. k. Prof., Wien, Landstrasse Nr. 500.
„ *Hinteröcker Johann N.*, Hochw., Prof. der Naturgeschichte am Seminarium in Linz.
„ *Hirner Corbinian*, Wien, Rossau Nr. 172.
„ *Hirsch* Dr *Rudolf*, k. k. Hofkoncipist.
„ *Hochstetter* Dr. *Ferdinand*
„ *Hofer Josef*, Professor an der Realschule in der Leopoldstadt.
„ *Hoffer Johann*, k. k. theresian. akadem. Turnlehrer, Wien, Wieden, Schmöllerlgasse Nr. 922.
„ *Hofmann Josef*, Hochw., Prof. in Brixen.
„ *Hoffmann Josef*, k. k. Beamter, Wien, Landstrasse Nr. 74.
„ *Hoffmann Franz W.*, Wirthschaftsrath, Wien, Landstrasse, Rabengasse Nr. 483.
„ *Hoffmann N.*, in Laibach.
„ *Hofstädter Gotthard*, Hochw., Kapitular des Stiftes Kremsmünster.
„ *Höfer Franz*, Lehrer zu Pillichsdorf.
„ *Hollerung Carl*, evangel. Prediger zu Modern.
„ *Holzinger Josef Bonav.*, Hörer der Rechte.
„ *Hormuzaki Eudoxius v.*, Gutsbesitzer, Wien, Stadt Nr. 237.
„ *Hormuzaki Alexander v.*, Gutsbesitzer in Czernowitz.
„ *Hormuzaki Georg v.*, Gutsbesitzer in Czernowitz.
„ *Hornig Johann von*, Secretär der k. k. priv. österr. Staats-Eisenbahn-Gesellschaft, Fünfhaus Nr. 231.

Herr *Hornig Emil*, k. k. Prof., Wien, Stadt, Wallfischgasse Nr. 1020.
„ *Hornung Carl*, in Kronstadt.
„ *Horváth Sigismund*, Hochw., Professor der Mathematik und Physik in Erlau.
„ *Hölzl Michael*, Apotheker in Maria-Zell.
„ *Hörnes* Dr. *Moriz*, Custos-Adjunct am k. k. Mineralienkabinet.
„ *Huber Joh.* Dr. d. Med. u. Chir. in Wien, Stadt Nr. 1044.
„ *Huber Wilhelm*, k. k. Förster in Dornbach.
„ *Hügel Franz*, Dr. der Medicin, Director des Kinderspitals, Wien, neue Wieden Nr. 481.
„ *Hyrtl* Dr. *Josef*, k. k. Prof., Mitgl. d. kais. Akademie der Wissenschaften, Wien.
„ *Jakob Josef*, Handlungsgesellschafter.
„ *Jahn Auremundus*, Hochw., Prior d. Conventes d. Barmherzigen in Wien.
„ *Jan Georg*, Professor und Director des Museums in Mailand.
„ *Jechl Franz*, Hochw., Prof. d. Theologie in Budweis.
„ *Jeitteles Ludwig.*
„ *Jermy Gustav*, Prof. d. Naturgeschichte zu Kis-sy-Szallas.
„ *Jesovits Heinrich*, Apotheker, Wien, Stadt, Wollzeile Nr. 866.
„ *Joly Franz*, Wien, Landstrasse Nr. 572.
„ *Josst Franz*, Obergärtner Sr. Exc. des hochgeb. Herrn Grafen von Thun-Hohenstein zu Tetschen.
„ *Juratzka Jakob*, k. k. Ministerial-Rechnungs-Assistent.
„ *Kaar Jakob*, k. k. Beamter, Wien, Spittelberg, Johannesgasse Nr. 81.
Frau *Kablik Josefine*, Apothekers-Witwe in Hohenelbe.
Herr *Kaczkowsky Anton R. v.*, Dr. d. Med., Wien, Stadt, Tuchlauben Nr. 562.
„ *Kaczkowsky Michael R. v.*, Dr. d. Med., Wien, Stadt, Blutgasse Nr. 847.
„ *Kadich Franz*, k. k. Waldbereiter in Kovil.
„ *Kaerle* Dr. *Josef*, Hochw., k. k. Professor, Wien, Landstrasse, Hauptstrasse Nr. 358.
„ *Kahl Ubald*, Hochw., Prof. in Leipnik.
„ *Kalbrunner Herrmann*, Apotheker in Langenlois.
„ *Kammerer Karl*, Wien, Neubau, Stuckgasse Nr. 154.
„ *Kappeller Ludwig*, Mechaniker, Wien, Gumpendorf Nr. 2.
„ *Kästner Adalbert*, k. k. Beamter, Wien, Schottenfeld, Seillergasse Nr. 514.
„ *Kautezky Emanuel*, Handelsmann in Wien, St. Ulrich Nr. 58.
„ *Keglevich Graf Johann*, Excell.
„ *Keil Franz*, in Lienz in Tirol.
„ *Kempelen Ludwig v.*, k. k. Beamter, Wien, Leopoldstadt, Donaustrasse Nr. 136.
„ *Kempen Johann Freiherr v. Fichtenstamm*, k. k. F. M. L., Chef der obersten Polizeibehörde, Excellenz.
„ *Kerner* Dr. *Anton*, Prof. an der k. k. Oberrealschule in Ofen.

Herr *Kerner Josef*, k. k. Bezirksamts-Actuar, Wien, Rossau Nr. 118.
" *Khevenhüller-Metsch*, *Fürst Richard zu*, Durchl.
" *Khevenhüller-Metsch*, *Graf Albin*, k. k. Rittmeister.
" *Khevenhüller-Metsch*, *Graf Othmar*.
" *Khuen Andreas*, Rechnungs-Official.
" *Khüenburg Graf Ferdinand*.
" *Kinzel Franz*, Cand. der Med.
" *Kirchmayer Franz*, k. k. Kreisgerichts-Präsident in Ragusa.
" *Kirchner Leopold*, Magister der Chirurgie in Kaplitz.
" *Kirchner Anton*, Wien, Wieden, Alleegasse Nr. 65.
" *Klement Johann*, Prof. d. Mathem. u. Physik, Wien Spittlberg Nr. 87.
" *Klessl Prosper*, Hochw., Hofmeister des Stiftes Vorau.
" *Klug Eugen*, Hochw., Curatvikär der Metropolitankirche in Olmütz.
" *Klug Jos. Vinz.*, Prof. am Untergymnasium in mähr. Trübau.
" *Kner* Dr. *Rudolf*, k. k. Professor, Wien, Landstrasse, Hauptstr. Nr. 355.
" *Koch Karl*, Ottakring, Reinhartsgasse Nr. 190.
" *Koch* Dr. *Heinrich*, Direktor hon. des städt. zool. Museums in Triest.
" *Kodermann Cölestin*, Hochw., Custos im Stifte St. Lambrecht.
" *Kodermann Richard*, Hochw., k. k. Prof. zu St. Paul.
" *Kokeil Friedrich*, k. k. Landes-Hauptcassa-Official in Klagenfurt.
" *Kolenati* Dr. *Friedrich*, k. k. Prof. in Brünn.
" *Kolisko Eugen*, Dr. Med. Primararzt im k. k. allg. Krankenhause.
" *Kollar Vincenz*, Director am k. k. zoologischen Museum, Mitglied der kais. Akademie der Wissenschaften, Wien, Stadt, Krugerstrasse Nr. 1006.
" *Koller* Dr. *Marian*, Hochw., Capitular des Benedictiner-Stiftes Kremsmünster, k. k. Ministerialrath, Mitglied der kais. Akademie der Wissenschaften in Wien.
" *Komarek* Dr. *Josef*, Regiments-Arzt im k. k. 36. Linien-Infanterie-Regimente zu Jung-Bunzlau.
" *Komáromy Edmund*, Hochw., Abt des Stiftes Heiligenkreuz.
" *Kopp Josef*, Dr. d. Med., Wien, Alservorstadt, Hauptstrasse Nr. 149.
" *Kornhuber* Dr. *Andreas*, Professor der Naturgeschichte in Pressburg.
" *Kotschy Theodor*, Custos-Adjunct am k. k. botanischen Museum, Wien, Josefstadt, Rofranogasse Nr. 78.
" *Kovats Julius v.*, Custos am Pesther National-Museum.
" *Kozénn Blasius*, k. k. Gymnasial-Professor in Görz.
" *Köchel* Dr. *Ludwig Ritt. v.*, k. k. Rath in Salzburg.
" *Kölbl Josef*, in Wr.-Neustadt.
" *Kratter* Dr. *Heinrich*, Kreisphysikus in Zloczow.
" *Kratky Josef*, k. k. Beamter, Wien, Leopoldstadt, Ferdinandsgasse Nr. 635.
" *Kratky Anton*, Partikulier in Budweis.
" *Krauss Philipp*, Freih. v., Stadt, Wallnerstrasse Nr. 267.

Herr *Kreutzer Karl*, k. k. Bibliotheksbeamter, Wien, Stadt Nr. 1055.
„ *Krieger Franz*, Förster am Sommerhof.
„ *Krist Josef*, Prof. der k. k. Ober-Realschule in Ofen.
„ *Krumhaar Josef*, k. k. Prof., Wien, Landstrasse, Gärtnergasse Nr. 41.
„ *Kubinyi August v.*, kais. Rath und Director des Pester Nationalmuseums.
„ *Kundrat Josef*, k. k. Hausofficier, Wien, Laimgrube Nr. 2.
„ *Kundt Emanuel*, Dr. d. Med. in Oedenburg.
„ *Kurz Carl*, Müllermeister in Purkersdorf.
„ *Kusebauch Wenzl*, Hochw., Hauskaplan im k. k. Militär-Knaben-Erziehungshause in Prerau.
„ *Kutschera Franz*, k. k. Beamter, Wien, Josefstadt, Schmidgasse Nr. 62.
„ *Küss Ferdinand*, Inspector des Nationalbank-Gebäudes.
„ *Lallich Nicolaus*, k k. Präsident des Landesgerichtes in Zara.
„ *Lang Franz*, Apotheker in Neutra.
„ *Lang* Dr. *Emil*, in Neutra.
„ *Langer* Dr. *Karl*, k. k. Professor in Pesth.
„ *Lanza* Dr. *Franz*, Professor in Spalato.
„ *Laudyn Ferdinand Ludwig v.*, erzherz. Forstmeister in U.-Altenburg.
„ *Lederer Julius*, Wien, Stadt, Wipplingerstrasse Nr. 393.
„ *Lederer Camill*, Dr. d. Med., Wien, Stadt Singerstrasse Nr. 878.
„ *Lehofer Josef*, Dr. der Medicin, Wien, Laimgrube Nr. 179.
„ *Leinweber Conrad*, k. k. Hof-Gärtner in Laxenburg.
„ *Leite* Dr. *Friedrich*, Wien, Leopoldstadt Nr. 750.
„ *Leithner Josef*, *Freih. v.*, k. k. Beamter, Wien, Alservorstadt, Thurmgasse Nr. 310.
„ *Lenk Franz*, Dr. der Medicin, Wien, Stadt Neumarkt Nr. 1154.
„ *Leydolt* Dr. *Franz*, k. k. Professor am polytechnischen Institute. Wien, Landstrasse Nr. 500.
„ *Lichnowsky-Werdenberg*, *Fürst Carl*, Durchl.
„ *Lichnowsky Graf Robert*, hochw. römischer Prälat und Domherr in Olmütz.
„ *Liebel Josef*.
„ *Linde Franz X.*, Apotheker in Melk.
„ *Linhardt Wenzl*, Dr. d. Med., Wien, Stadt, Singerstrasse Nr. 898.
„ *Linzbauer Franz*, k. k. Prof., Wien, Stadt, Annagasse Nr. 1001.
„ *Lobkowitz Fürst Ferdinand*, Durchl.
„ *Lobkowitz Fürst Johann*, Durchl.
„ *Lorenz* Dr. *Josef*, Professor der Naturgeschichte in Fiume.
„ *Lorenzutti Anton*, Dr. der Medicin, Ritter des Franz Josefs-Ordens, k. k. Director des allgemeinen Civil-Krankenhauses in Triest.
„ *Loudon Olivier*, *Freih. von*.
„ *Loudon Ernst*, *Freih. von*.
„ *Löw Franz*, Dr. der Med. in Heiligenstadt.

Herr *Lunkanyi Carl v.*, in Oedenburg.
„ *Macchio Wenzl v.*, k. k. Oberst, Wien, Stadt Nr. 628.
„ *Machatschek Adolf*, k. k. Prof. der Ober-Realschule auf der Landstrasse, Nr. 338.
„ *Machdiak Gustav*, k. k. Landesgerichts-Offizial, Wien Stadt Nr. 934.
„ *Machold Josef*, Dr. d. Med., Wien, Landstrasse Nr. 98.
„ *Markl Carl*, k. k. Hauptmann im Geniecorps zu Ofen.
„ *Maeber Carl*, k. k. Concepts-Adj. im Finanzministerium, Wien, Stadt, Plankengasse Nr. 1062.
„ *Mahler Eduard*, Hüttenamts-Verweser zu Aloisthal.
„ *Majer Mauritius*, Hochw., Prof. d. Naturgesch. zu Stuhlweissenburg.
„ *Maltz Friedrich v. Maltenau*, k. k. Hofconcipist, Wien Stadt Nr. 378.
„ *Mann Josef*, Wien, Hundsthurm, Schlossplatz Nr. 63.
„ *Mandl Franz*, Dr. der Medicin, Corpsarzt der k. k. Trabanten - Leibgarde, Wien, Laimgrube Nr. 200.
„ *Mansbart Josef.*
„ *Marschall Graf August*, Archivar der k. k. geologischen Reichsanstalt, Wien, Stadt Wollzeile Nr. 789.
„ *Masch* Dr. *Anton*, k. k. Professor in Ung.-Altenburg.
„ *Massalongo* Dr. *A.*, Professor in Verona.
„ *Masur Franz*, Dr. der Medicin in Brunn am Gebirge.
„ *Matz Alexander*, Hochw., Pfarrer in Angern.
„ *Matz Maximilian*, Hochw., Pfarrer in Höbersbrunn.
„ *Mautner Karl*, Wien, Landstrasse Nr. 572.
„ *Mayer Alois*, k. k. Hof-Gestütbeamter zu Kladrub.
„ *Mayer Robert.*
„ *Mayr Gustav*, Dr. d. Med. Wien, Landstrasse Hauptstrasse Nr. 125.
„ *Meissner Franz*, Wund- und Geburtsarzt, Wien, Gumpendorf, Hauptstrasse Nr. 217.
„ *Mendel Gregor*, Hochw., Stiftspriester zu St. Thomas in Brünn.
„ *Micksch Ludwig*, Hochw., Coop. in Znaim.
„ *Migazzi Graf Wilhelm*, Wien, Stadt Ballgasse Nr. 928.
„ *Miklitz Franz*, k. k. Förster in Tolmein.
„ *Miller Ludwig*, k. k. Beamter, Wien, Landstrasse Nr. 91
„ *Miskovits Anastasius*, Hochw., Prof. d. Physik zu Grosswardein.
„ *Moser* Dr. *Ignaz*, k. k. Professor in Ung.-Altenburg.
„ *Mösslang* Dr. *Carl*, Neulerchenfeld Nr. 112.
„ *Much Ferdinand*, Dr. d. Med., Wien Mölkerbastei Nr. 1166.
„ *Müller Wenzl Adolf*, Hochw., Pfarrer an der Wienerherberge.
„ *Müller Florian*, Hochw., im Stifte Melk.
„ *Müller* Dr. *Adolf*, k. k. Hof- und Gerichts-Advocat in Wien, Stadt, Bäckerstrasse Nr. 763.
„ *Müller Anton*, Wien Leopoldstadt Nr. 38.
„ *Müller Carl*, Apotheker zu Kronstadt.
„ *Mürle Carl*, Professor im k. k. Kadeten-Institute zu Marburg a. d. Drau.

Herr *Nagy Josef*, Dr. d. Med., k. k. Comitatsarzt in Neutra.
„ *Natterer Johann*, Dr. d. Med., Wien, Leopoldstadt Sterngasse Nr. 578.
„ *Navarre Carl v.*, Rentmeister in Fronsburg.
„ *Navarre Christian v.*, Forstmeister in Kammerburg.
„ *Nave Johann*, in Brünn.
„ *Nawratil Josef*, k. k. Gymnasial Prof. in Salzburg.
„ *Neilreich August*, k. k. Oberlandes-Gerichtsrath, Wien, Stadt Bauernmarkt Nr. 580.
„ *Neilreich August* jun.
„ *Netoliczka* Dr. *Eugen*, k. k. Gymnasial-Professor in Brünn.
„ *Newald Johann*, Forstdirector in Gutenstein.
„ *Nickerl* Dr. *Franz*, k. k. Professor in Prag.
„ *Niessl von Meyendorf Josef*, k. k. Oberstlieutenant.
„ *Niessner Adolf*, k. k. Oberlieutenant, in Aussee.
„ *Nigris Philipp S.*, Director der Gremial-Handelsschule in Wien, Mitglied mehrerer Akademien.
„ *Noë Heinrich*, Gymnasial-Supplent.
„ *Nöstelberger Franz*, Hochw., Pfarrer zu Unter-Olberndorf.
„ *Noy Cäsar Ritter v.*, k. k. Ministerialrath, Wien Stadt Nr 237.
„ *Nütten Alexander*, Kaufmann, Wien, Leopoldstadt, Donaustrasse Nr. 662.
„ *Ofenheim Heinrich*, k. k. Oberlieutenant.
„ *Opitz* Dr. *Cölestin*, Prior der Barmherzigen in Prag.
„ *Ortmann Johann*, k. k. Beamter, Wien, Landstrasse Bockg. Nr. 351.
„ *Pach Ignaz*, Wien, Stadt, Jordangasse Nr. 403.
„ *Pacher David*, Hochw., Pfarrer in Tröpolach.
„ *Palliardi Anton Alois*, Dr. d. Med. Medicinalrath in Franzensbad.
„ *Parreiss Ludwig*, Wien, Landstrasse, Sterngasse Nr. 308.
„ *Partsch Paul*, Director am k. k. Mineralienkabinet, Mitgl. d. kais Akademie der Wissenschaften.
„ *Patruban* Dr. *Carl von*, k. k. Professor, Wien, Josefstadt Kaiserstrasse Nr. 97.
„ *Pazzani Alexander*, k. k. Beamter, Wien, Landstrasse Nr. 125.
„ *Pellischek Thomas Friedrich*, Dr. d. Med., Wien Stadt Riemerstrasse Nr. 816.
„ *Pelzer Josef von Fürnberg*, Candidat der Medizin.
„ *Pelzeln August von*, Assistent am k. k. zoolog. Museum.
„ *Pergen Anton*, *Graf und Herr zu.*
„ *Perger Anton R. v.*, Prof. an der Akademie der bildenden Künste. Wien, Wieden, Heugasse Nr. 133.
„ *Pernhofer Gustav*, Dr. d. Med. im k. k. allg. Krankenhause.
„ *Peters* Dr. *Carl*.
„ *Petrowicz* Dr. *Christoph v.*, Ritter des kaiserl. österr. Franz Josef-Ordens, Präsident der Landwirthschafts-Gesellschaft, Gutsbesitzer in Czernowitz.

Herr *Petteneyy Carl Baron v.* jub. k. k. Landesgerichts-Präsident, Wien, Stadt Nr. 850.

„ *Petter Carl*, Wien, Laimgrube Nr. 23.

„ *Petter Alexander*, Magister der Pharmacie, Wien, Wieden Nr. 327.

„ *Peter Anton*, k. k. Sectionsrath im Finanzministerium.

„ *Peyl Josef*, Obergärtner des hochgeb. Hrn. Grafen Chotek, in Katschin.

„ *Philipp Heinrich*, Küster d. evang. Kirche, Wien Stadt Nr. 1113.

„ *Pianta Franz*, Wien, Stadt, Krugerstrasse Nr. 1009.

„ *Pick* Dr. *Hermann*, k. k. Prof. am akad. Gymnasium in Wien, Stadt, Goldschmidgasse Nr. 594.

„ *Pillwax* Dr. *Johann*, Professor am k. k. Thierarznei-Institute.

„ *Pittoni Josef Claudius, Ritter von Dannenfeldt*, k. k. Truchsess, St. Verordneter in Gratz.

„ *Plenker Georg*, k. k. Ministerial-Rath, Wien, Stadt, Seilerstätte Nr. 801.

„ *Pluskal* Dr. *F. X.*, in Lomnitz.

„ *Poduschka Franz*, Architect, Wien, Landstrasse, Heumarkt Nr. 744.

„ *Poetsch Ignaz Sigm.*, Dr. d. Med., Stiftsarzt in Kremsmünster.

„ *Pokorny* Dr. *Alois*, Professor am k. k. academischen Gymnasium, Wien, Stadt Teinfaltstrasse Nr. 74.

„ *Pokorny* Dr. *Franz*, k. k. Hof- und Gerichts-Advokat, Wien, Stadt Teinfaltstrasse Nr. 74.

„ *Pokorny Rudolf*, Wien, Stadt, Dorotheergasse Nr. 1117.

„ *Pokorny Johann*, Beamter in Prag.

„ *Pongratz Gerard v.*, Hochw., Director zu Nagy Bánya.

„ *Pozza Graf Lucian*, Präses der Ackerbau-Gesellschaft zu Ragusa.

„ *Prasil Wenzel*, Dr. d. Med., Badearzt zu Gleichenberg.

„ *Pregl Michael*, in Gratz.

„ *Prevost Ferdinand*, Wirthschaftsverwalter.

„ *Preyssinger* Dr. *Heinrich*, Secundar-Arzt im k. k. allg. Krankenhause.

„ *Prugger Franz Sal.* Hochw., Dir. des Taubstummen-Instituts in Gratz.

„ *Pullich Georg*, Hochw., Dr. der Theologie, Mitglied der höheren Bildungsanstalt zum heil. Augustin in Wien, emer. Professor der Naturgeschichte, Director des Ober-Gymnasiums in Zara.

„ *Punzmann Theodor*, Wien, Alservorstadt, Währingergasse Nr. 210.

„ *Quadrio Moritz, Edl. v. Aristarchi*, k. k. Finanzcommissär, Mitglied der gelehrten Gesellschaft des Athenäums zu Bergamo, in Teschen.

„ *Rabl Johann*, Dr. d. Med., Wien, Stadt Nr. 401.

„ *Ranzoni Josef*, fürstl. Metternich'scher Güterverwalter, Wien, Stadt Nr. 1100.

„ *Raspi Alois*, Dr. d. Med. u. Chirurg., Wien, Stadt, Altenfleischmarkt Nr. 694.

Herr *Raspi Felix*, Cassa-Controllor.
„ *Rath Paul*, Hochw., in Königswart.
„ *Rauch Franz*, k. k. Hofgärtner im Belvedere.
„ *Rauscher* Dr. *Robert* in Wien, Wieden, Meierhofgasse Nr. 931.
„ *Redtenbacher* Dr. *Ludwig*, Custos-Adjunct am k. k. zoologischen Museum.
„ *Reichardt Heinrich* in Wien, Alservorstadt, Johannesgasse Nr. 36.
„ *Reichardt Johann*, k. k. Oberlieutenant und Professor der Artillerie-Regiments-Schule in Olmütz.
„ *Reinegger Gabriel*, Hochw., Pfarrer in Traiskirchen.
„ *Reiss Franz*, Dr. der Medicin in Kirling.
„ *Reissek* Dr. *Siegfried*, Custos-Adjunct am k. k. botanischen Museum.
„ *Reuss* Dr. *Emanuel*, k. k. Prof. in Prag.
„ *Richter* Dr. *Vincenz*, k. k. Hof- und Gerichts-Advocat, Wien, Leopoldstadt Nr. 314.
„ *Riefel Franz, Freih. v.*, Concepts-Adjunct im Finanzministerium, Wien, Stadt Nr. 592.
„ *Rogenhofer Alois*, Wien, Josefstadt, Kaiserstrasse Nr. 98.
„ *Rollet Carl*, Dr. der Medicin in Baden.
„ *Rottensteiner Franz*, Wirthschaftsverwalter in Fronsburg.
„ *Rziha Alois*, Waldmeister zu St. Gotthard.
„ *Saga Carl*, Dr. d. Med. in Prag.
„ *Salzer Friedrich*, Dr. d. Med. im allgemeinen Krankenhause.
„ *Salzer Michael*, k. k. Gymnasial-Professor zu Mediasch.
„ *Sartorius August*, Wien, Wieden Taubstummengasse Nr. 63.
„ *Schaitter Ignaz*, Kaufmann in Rzeczow.
„ *Scharler Franz*, Lehrer der Prinzessinnen L i e c h t e n s t e i n, Wien, Landstrasse Nr. 543.
„ *Schaschl Johann*, in Ferlach bei Klagenfurt.
„ *Schedl Christian*, Wien, Wieden Meierhofgasse Nr. 931.
„ *Scheffer Josef*, Bürgermeister in Mödling.
„ *Scheffler Carl*, Sparkassa-Beamter.
„ *Schelivsky Gustav*, Wien, Stadt, Bauernmarkt Nr. 584.
„ *Scherf Michael*, Controllor der k. k. Gutsverwaltung in Purkersdorf.
„ *Schiedermayr Carl*, Dr. der Med. zu Kirchdorf.
„ *Schill Athanas v.*, Hochw., Prof. d. Naturg. in Erlau.
„ *Schindler Heinrich*, Dr. d. Med. zu Floridsdorf.
„ *Schiner* Dr. *J. R.*, k. k. Ministerial-Concipist, Wien, Stadt, Bürgerspital Nr. 1100.
„ *Schink Josef*, k. k. Beamter, Wien, Landstrasse, Waggasse Nr. 669.
„ *Schlecht* Dr. *Leopold*, Hochw., Professor und Director am Josefstädter Gymnasium.
„ *Schlecht Josef*, Bandfabrikant, Ottakring Nr. 275.
„ *Schleicher Wilh.*, Privatier in Gresten.

Herr *Schlesinger Hermann*, Dr. d. Med., Wien, Stadt, Darvarhof Nr. 698.
„ *Schlosser* Dr. *Josef*, Physikus in Agram.
„ *Schmidek Carl*, Hochw., k. k. Gymnasial-Professor in Znaim
„ *Schmidel Anton*, Lehrer der k. k. Normal-Haupt-Realschule in Wien. Josefstadt, Schmiedgasse Nr. 50.
„ *Schmidt Coloman*, Hochw., Prof. zu Eperies.
„ *Schmidt Ferdinand sen.* in Schischka.
„ *Schmuck J. v.*, Magister der Pharmacie in Brixen.
„ *Schneider* Dr. *Josef* in Přestic.
„ *Schneller August*, k. k. Rittmeister in Pressburg.
„ *Schober Johann*, Director d. Realschule in der Leopoldstadt, Angartenstrasse Nr. 170.
„ *Schott Heinrich*, k. k. Hofgarten-Director zu Schönbrunn.
„ *Schott Ferdinand*, Dr. d. Med., Alservorstadt, Thurngasse Nr. 313.
„ *Schön Moriz*, k. k. Beamter, Wien Rossau Weissebahngasse Nr. 12.
„ *Schön Rudolph*, Lithograph, Wien, Landstrasse, Waggasse Nr. 514.
„ *Schön Alexander*, k. k. Rechnungsführer in Schönbrunn.
„ *Schramek Vinc Herm*, Oberapotheker der Barmherzigen in Pressburg.
„ *Schrattenbach v.*, Wien Stadt Nr. 658.
„ *Schreitter Gottfried*, Hochw., Pfarrvik. zu St. Lorenz am Wechsel.
„ *Schreyber Franz, S. Edl. v.*, Hochw., Capit. und Prof. des Stiftes Klosterneuburg.
„ *Schröckinger-Neudenberg Julius Ritter v.*, k. k. Ministerial-Sekretär, Wien Wieden Heugasse Nr. 106.
„ *Schrötter Anton*, Sekretär der kais. Akademie der Wissenschaften, Professor am k. k. polytechnischen Institute, Wien, Wieden Paniglgasse Nr. 51.
„ *Schuler Johann Jacob*, Wien, Schottenfeld Kirchengasse Nr. 423.
„ *Schulzer von Müggenburg Stefan*, k. k. Hauptmann in Caransebes.
„ *Schuttag Franz*, Professor am röm.-kath.-bisch. Ober-Gymnasium zu Karlsburg.
„ *Schwab Adolf*, Apotheker in Mistek.
„ *Schwarz Gustav Edl. v. Mohrenstern*, Wien, Leopoldstadt, Praterstrasse Nr. 47.
„ *Schwarzenberg Fürst Adolf*, Durchl.
„ *Schwarzmann Ludwig Ritter v.*, k. k. Major, Commandant des k. k. Filial-Invalidenhauses in Lerchenfeld.
„ *Seelos Gustav* in Botzen.
„ *Sedlaczek W. F.*, Privatier in Kremsmünster.
„ *Sedlitzky Wenzl*, Apotheker, Wien, Schottenfeld Kirchengasse Nr. 304.
„ *Sekera W. J.*, Mag. d. Pharm., Apotheker in Münchengrätz.
„ *Semeleder August*, Wien, Stadt Bauernmarkt Nr. 579.
„ *Semeleder Friedrich*.

Herr *Senoner Adolf*, Wien, Landstrasse, Haltergasse Nr. 687.
„ *Setzer Franz*, Hochw., Domprediger bei St. Stefan, Inhaber des goldenen Verdienstkreuzes.
„ *Sigmund Wilhelm* in Reichenberg.
„ *Simetin-Terzia Michael*, Dr. d. Med.
„ *Simony Friedrich*, k. k. Professor, Wien, Landstrasse Waggasse Nr. 508.
„ *Simonics Gabriel*, Hochw., k. k. Professor in Oedenburg.
„ *Sittig Heinrich*, k. k. Gymnasial-Professor in Teschen.
„ *Skacel Libor*, k. k. pens. Militär-Appellationsrath, Wien, Leopoldstadt, Schöllerhof.
„ *Skofitz* Dr. *Alexander*, Redacteur des botanischen Wochenblattes, Wien, Wieden, Neumannsgasse Nr. 331.
„ *Soltész Maximilian*, Dr. d. Med. im St. Rochus Spitale in Pest.
„ *Somlyai Johann v.*, k. k. Hofrath in Ruhestand, Wien, Stadt Nr. 136.
„ *Spitzer Ludwig*, Dr. d. Med., Wien, Josefstadt Nr. 11.
„ *Stadler Anton*, Dr. d. Med. in Wr.-Neustadt.
„ *Standthartner* Dr. *Josef*, Primararzt im k. k. allgem. Krankenhause.
„ *Stauffer Vinzenz*, Hochw., Professor im Stifte Melk.
„ *Steinhauser Anton*, k. k. Rath im Ministerium f. Cultus u. Unterricht.
„ *Steininger Augustin*, Hochw., Abt des Stiftes Zwettl.
„ *Stellwag Carl, Edl. v. Carion*, Dr. d. Med., k. k. Oberfeldarzt, Wien, Währingergasse Nr. 274.
„ *Stenz Anton* in Neusiedel am See.
„ *Stephanowicz Cajetan v.*, Gutsbesitzer.
„ *Stephanowicz Nikolaus v.*, Gutsbesitzer.
„ *Steyrer Raimund*, Hochw., Pfarrer in der Lasnitz.
„ *Stimpel Anton*, Gymnasial-Director in Triest.
„ *Stohl Lucas*, Dr. d. Med., Wien, Landstrasse, Waggasse Nr. 670.
„ *Streffleur Valentin*, k. k. Ministerialsecretär, Wien, Landstrasse, Waggasse Nr. 661.
„ *Streinz* Dr. *Wenzl*, k. k. Gubernialrath und Protomedicus in Gratz.
„ *Streintz Josef Anton*, Dr. d. Med., Wien, Stadt Nr. 1100.
„ *Strobel Pelegrino v.*, Bibliotheks-Coadjutor in Pavia.
„ *Strohmayer Johann*, Lithograf, Wien, Leopoldstadt Nr. 550.
„ *Stur Dionys*, Wien, Landstrasse, Adlergasse Nr. 416.
„ *Suess Eduard*, Assistent am k. k. Mineralienkabinet, Stadt, Wollzeil Nr. 773.
„ *Supanz* Dr. *Bartholomäus*, Wien, Laimgrube, Gardegasse Nr. 188.
„ *Suppan Joachim*, Hochw., Abt des Stiftes St. Lambrecht.
„ *Suttner Gustav R. v.*, Wien, Stadt, Freiung Nr. 157.
„ *Szenczy Emericus*, Hochw., Gymnasial-Director zu Stein am Anger.
„ *Sztruka Gabriel*, Hochw., Prof. des Gymnasiums zu Keszthely.
„ *Tacchetti Carl*, *Edl. v.*
„ *Tappeiner Franz*, Dr. der Med. in Meran.

Herr *Tempsky Friedrich*, Buchhändler in Prag.
„ *Tereba Wilhelm*, k. k. Förster in Orsowa.
„ *Tessedik Franz v.*, Studierender, Wien, Leopoldstadt Nr. 689.
„ *Tetzer Max Josef*, Hörer d. Med., Wien, Neubau, Rittergasse Nr. 185.
„ *Thun Graf Leo*, k. k. Minister des Unterrichts, Excell.
„ *Thinnfeld Ferdinand, Ritter v.*, Excell.
„ *Titius Pius*, Hochw., Prof. in Spalato.
„ *Tkany Wilhelm*, jubilirter Statthalterei-Rath in Brünn.
„ *Tomaschek* Dr. *Ignaz*, Scriptor der k. k. Universitäts-Bibliothek.
„ *Tomaschek Anton*, k. k. Gymnasial-Prof. in Cilly.
„ *Tommasini Mutius Josef*, Podesta in Triest.
„ *Tomek Josef*, Dr. der Med. in Kammerburg.
„ *Tornau Wilhelm*, Wien Favoritenstrasse Nr. 291.
„ *Tost Johann*, Conceptsadjunct im k. k. Finanzministerium.
„ *Totter Vincenz*, Hochw., Priester bei den P. P. Dominikanern.
„ *Tschek Karl*, in Wien, Stadt, Haarmarkt Nr. 646.
„ *Türk Rudolf*, k. k. Conceptsadjunct im Handelsministerium, Wien, Stadt, Schottenbastei Nr. 1167.
„ *Uhl Gustav*, k. k. Beamter, Hernals Nr. 203.
„ *Ujhely Emerich v.*, Domherr, k. k. Marine-Pfarrer in Venedig.
„ *Ulleram Anton, Edler von*, Ottakring, Reinhartsgasse Nr. 134.
„ *Unger* Dr. *Franz*, k. k. Professor der Botanik, Mitgl. d. k. Akad. der Wissenschaften, Wien, alte Wieden. Nr. 101.
„ *Ussner Alexander*, Beamter am k. k. zool. Hofkabinete.
„ *Valenta Alois*, Dr. d. Med., k. k. Oberfeldarzt.
„ *Valmagini Julius v.*, Bothschafts-Ceremonier am k. k. österr. Hofe, Wien, Stadt Nr. 419.
„ *Ventura* Dr. *Sebastian*.
„ *Vest Eduard v.*, Dr. d. Med. u. Chir. in Wien, Stadt, Himmelpfortgasse Nr. 948.
„ *Vivenot Rudolf, Edler von*, Dr. der Medicin, Wien, Stadt am Graben Nr. 1134.
„ *Vlahovits* Dr. *Paul*, k. k. Professor in Padua.
„ *Vogl August*, k. k. Josefs-Akademiker, Wien, Alservorstadt, Bethovengasse Nr. 337.
„ *Vuexl Wilhelm*, in Wr.-Neustadt.
„ *Vukotinovic Ludwig v. Farkas*, k. k. Landesgerichts-Präsident in Agram.
„ *Wachtelhofer Severin*, Hochw., Dr. der Medicin und Philosophie bei den Barnabiten.
„ *Wagner Eduard*, in Wien, Wieden, Maierhofgasse Nr. 932.
„ *Walcharz Franz*, Wirthschaftsverwalter zu Ladendorf.
„ *Walter Josef*, Klassenlehrer, Wien, Wieden Alleegasse Nr. 57.
„ *Wastler Josef*, Prof. der k. k. Ober-Realschule in Ofen.
„ *Wawra Heinrich*, Dr. d. Med., k. k. Marine-Oberarzt.

Herr *Weiglsperger Franz*, Hochw., Benefiziat in Pöchlarn.
„ *Weinberger Rudolf*, Dr. d. Med., Wien, Alservorstadt Nr. 24.
„ *Weiner* Dr. *Anton*, k. k. Prof. am Ober-Gymnasium zu Iglau.
„ *Weinke Franz Karl*, Dr. d. Med., Wien, Stadt Nr. 1150.
„ *Weiss Emanuel*.
„ *Weitlof Moriz*, Wien, Stadt, Haarmarkt Nr. 646.
„ *Weil Wilhelm, Edler von*, k. k. Ministerialrath im Ministerium für Cultus und Unterricht.
„ *Wellal Franz*, k. k. Verpflegs-Adjunct, Wien, Stadt Nr. 21.
„ *Werdoliak Hieronymus Alois*, Hochw., Dr. d. Theol., emer. Professor in Almissa.
„ *Werner Timotheus*, Hochw., Pfarrer in Ober-Grafendorf.
„ *Weselsky Friedrich*, k. k. Oberlandes-Gerichtsrath in Eperies.
„ *Wessely Josef*, Director der Forstschule in M. Aussee.
„ *Wessely Josef*, Hochw., Stadtkaplan zu Jamnitz.
„ *Widerspach-Thor, Freih. von, in Finzingen und Grabenstadt*, k. k. Hauptmann in Krems.
„ *Wildner Friedrich*, Oekonomie-Verwalter zu Hainstetten.
„ *Willy Bartholomäus*, Erzieher der Grafen Fünfkirchen, Wien, Stadt Nr. 774.
„ *Winkler Franz*, Wien, Alservorstadt, Wickenburggasse Nr. 20.
„ *Winkler Moriz*, in Neusee.
„ *Wladarz* Dr. *Michael*, k. k. Notar in Murau.
„ *Wladika Eugen*, Hochw., Professor am Gymnasium zu Wr. Neustadt.
„ *Wodzicki Graf Casimir*, in Krakau.
„ *Wohlmann* Dr. *Bruno*, Wien, Stadt, Tuchlauben Nr. 440.
„ *Zahn* Dr. *Franz*, Correpetitor am k. k. Thierarzneiinstitute.
„ *Zawadzky* Dr. *Alexander*, k. k. Professor in Brünn.
„ *Zeilner Franz*, k. k. Professor der Ober-Realschule auf der Landstrasse, Nr 53.
„ *Zekeli* Dr. *Friedrich L.*, Privatdocent an der k. k. Universität, Wien. Landstrasse Nr. 747.
„ *Zelebor Johann*, Präparator am k. k. zoologischen Museum.
„ *Zelenka Julius*, Hochw., Pfarrer in Salingstadt.
„ *Zeni Fortunato*, in Roveredo.
„ *Zenner Ferdinand*, Hochw., Katechet zu St. Anna, Wien, Stadt Nr. 1100.
„ *Zepharovich Victor, Ritt. v.*
„ *Zichy Graf Johann sen.*, Wien, Stadt Kärnthnerstrasse Nr. 1017.
„ *Zika Anton*, Forstmeister in Fronsburg.
„ *Zippe* Dr. *Franz*, k. k. Professor, Mitglied der kais. Akademie der Wissenschaften, Wien, Landstrasse, Hauptstrasse Nr. 96.
„ *Zipser Eduard*, Rector der Stadtschule in Bielitz.
„ *Zlámál Wilh.*, Prosector im Josefinum.
„ *Zsigmondi A.*, Dr. der Med., Wien, Leopoldstadt Donaustrasse Nr. 32.

Ausgetreten.

Herr *Becker Otto*,
„ *Beranek Rudolf*,
„ *Ehrmann Martin*,
„ *Epperle Kilian*,
„ *Falb Eduard*,
„ *Frutschnigg Engelbert*,
„ *Fuchs Franz*,
„ *Gruscha* Dr. *Anton*,
„ *Hollosy Justinian*,
Herr *Kerndl Franz*,
„ *Leschtina Franz*,
„ *Schawel Johann*,
„ *Sydy Georg*,
„ *Veskoy Sigmund*,
„ *Weber Heinrich*,
„ *Weidenhofer Ignaz*, Dr.,
„ *Wertheim* Dr. *Gustav*.
„ *Wimmer Leopold*.

Abfall.

Herr *Belteki* Dr. *Johann v.*,
„ *Elpons Wilhelm v.*,
„ *Giegl* Dr. *Ludwig*,
„ *Hussa* Dr. *Alois*,
„ *Kinsky Graf Christian*.
„ *Kircher Ignaz*,
„ *Klemensiewicz Ludwig*,
„ *Kölbl Carl*,
Herr *Krippl Ferdinand*,
„ *Manganotti* Dr. *Anton*,
„ *Neumayer Josef*,
„ *Petershofer Camil*,
„ *Popowitz Michael v.*,
„ *Schmidl* Dr. *Adolf*,
„ *Volarich Franz*,
„ *Zachar* Dr. *Anton*.

Gestorben.

Herr *Augusti Carl*,
„ *Braun Franz*,
„ *Charpentier v. Jean*,
„ *Doblika Karl*,
„ *Dükelmann* Dr. *Josef*,
„ *Kegeln Franz v.*,
„ *Kleyle Joachim Ritter v.*,
„ *Klug Friedrich*,
Herr *Petényi Johann Salomon v.*,
„ *Preidel Florian*,
„ *Röll Anton*,
„ *Schmidt Franz*,
„ *Schwach Johann*,
„ *Vaiss* Dr. *Josef*,
„ *Venanzio* Dr. *Friedrich*.

Lehranstalt, welche gegen Erlag des Jahresbeitrages die Vereinsschriften erhält:

K. K. kath. Gymnasium zu Teschen.

Verzeichniss der wissenschaftlichen Anstalten, mit welchen Schriftentausch stattfindet.

Altenburg: Naturforschende Gesellschaft des Osterlandes.
Amsterdam: *Académie royale des sciences.*
Athen: Königl. Gesellschaft der Wissenschaften.
Augsburg: Naturhistorischer Verein.

Bamberg: Naturforschender Verein.
Basel: Naturforschende Gesellschaft.
Berlin: Königl. Akademie der Wissenschaften.
„ Verein zur Beförderung des Gartenbaues in den königl. preussischen Staaten.
„ Redaction des Wiegman'schen Archiv's in Berlin.
Bern: Allgemeine Schweizerische naturforschende Gesellschaft.
„ Naturforschende Gesellschaft.
Bologna: Redaction der: *Nuovi Annali delle scienze naturali.*
Bonn: Naturforschender Verein der preussischen Rheinlande.
Boston: *American Academy.*
„ *Society of Natural History.*
Breslau: Verein für schlesische Insectenkunde.
„ Schlesische Gesellschaft für vaterländische Kultur.
Brünn: K. K. mähr. schles. Gesellsch. für Ackerbau, Natur- u. Landeskunde.
Bruxelles: *Académie royale des sciences, des lettres et des beaux-arts de Belgique.*
Czernowitz: Verein für Landescultur und Landeskunde im Herzogthume Bukowina.
Danzig: Naturforschende Gesellschaft.
Elberfeld: Naturwissenschaftlicher Verein zu Elberfeld und Barmen.
Emden: Naturforschende Gesellschaft.
Frankfurt a. M.: Senckenberg'sche naturforschende Gesellschaft.
Freiburg: Gesellschaft für Beförderung der Naturwissenschaften zu Freiburg im Breisgau.
Florenz: *Accademia economico-agraria dei Georgofili.*
Genf: *Société de Physique et d'histoire naturelle.*
Giessen: Oberhessische Gesellschaft für Natur- und Heilkunde.
Görlitz: Naturforschende Gesellschaft.
Göttingen: Königl. Gesellschaft der Wissenschaften.
Halle: Naturwissenschaftlicher Verein für Sachsen und Thüringen.
„ Naturforschende Gesellschaft.
Hamburg: Naturwissenschaftlicher Verein.
Hanau: Wetterau'sche Gesellschaft für Naturkunde.
Helsingfors: *Société de sciences de Finlande.*
Hermannstadt: Siebenbürgischer Verein für Naturkunde.
Klagenfurt: K. K. Gesellschaft zur Beförderung des Ackerbaues und Industrie in Kärnten.
„ Naturhistorisches Landesmuseum von Kärnten.
Leipzig: Königl. sächs. Gesellschaft der Wissenschaften.
Lemberg: K. K. galiz. Landwirthschaftsgesellschaft.
Linz: Museum Francisco-Carolinum.
London: *Linnean Society.*
„ *Entomological Society.*

Luxembourg: *Société de sciences naturelles.*
Lüttich: *Société Royale des sciences.*
Madison: *Wisconsin State, Agricultural Society.*
Mailand: *J. R. Istituto lombardo di scienze, lettere ed arti.*
Manchester: *Literary and Philosophical Society.*
Mannheim: Verein für Naturkunde.
Meklenburg: Verein der Freunde der Naturgeschichte.
Michigan *State, Agricultural Society.*
Modena: *Reale Accademia di scienze, lettere ed arti.*
Moskau: Kais. Gesellschaft der Naturforscher.
Nassau: Verein für Naturkunde im Herzogthume Nassau.
Neapel: K. Akademie der Wissenschaften.
New-Orleans: *Academy of Natural Sciences.*
New-York: *Lyceum of Natural History.*
„ *State Agricultural Society.*
Nürnberg: Naturhistorische Gesellschaft.
Ohio *State, Agricultural Society.*
Paris: *Société entomologique de France.*
Pest: K. ung. Gesellschaft der Naturforscher.
Petersburg: Kais. Akademie der Wissenschaften.
Pfalz: Naturwissenschaftlicher Verein der baierischen Pfalz. (*Pollichia.*)
Philadelphia *Academy of Natural Sciences.*
Prag: K. böhmische Gesellschaft der Wissenschaften.
„ Naturwissenschaftlicher Verein „Lotos“.
Regensburg: K. botanische Gesellschaft.
„ Zoologisch-mineralogischer Verein.
Riga: Naturwissenschaftlicher Verein.
San Francisco: *Californian Academy of Natural Sciences.*
Stettin: Entomologischer Verein.
Stockholm: K. schwedische Akademie der Wissenschaften.
Strassbourg: *Société du Museum d'histoire naturelle.*
Stuttgard: Würtembergischer Verein für Naturkunde.
Upsala: *Société royale des sciences.*
Venedig: I. *R. Istituto veneto di scienze lettere ed arti.*
Washington: *Smithsonian Institution.*
„ *United States Patent Office.*
Wernigerode: Naturwissenschaftlicher Verein des Harzes.
Wien: Kais. Akademie der Wissenschaften.
„ K. K. geologische Reichsanstalt.
„ K. K. Gesellschaft der Aerzte.
Würzburg: Kreiskomité des landwirthschaftlichen Vereines für Unterfranken und Aschaffenburg.
Zürch: Naturforschende Gesellschaft.

Sitzungsberichte.

Band V.

1853.

Versammlung am 3. Jänner.

Vorsitzender: Vicepräsident Herr Dr. E. Fenzl.

Neu eingetretene Mitglieder:

Als Mitglied *P. T.* Herr	bezeichnet durch *P. T.* Herrn
Falb Eduard, k. k. Ministerial-Concipist, Dr. der Rechte	*K. v. Tacchetti* u. *G. Frauenfeld.*
Heine Gustav, Eigenthümer d. Fremdenbl.	Dr. *Schmidl* u. *G. Frauenfeld.*
Heller Dr. *Johann Flor.*, Vorstand des Wiener k. k. patholog.-chemisch. Laboratoriums	Dr. *Schiner* u. *A. Rogenhofer.*
Kirchner Anton, Hörer des naturhistor. Lehrkurses	Dr. *Schiner* u. Dr. *Arenstein.*
Löw Dr. *Herman*, in Meseritz bei Posen	Dr. *Schiner* u. Dr. *A. Bach.*
Much Dr. *Ferdinand*	Dr. *A. Kerner* u. Dr. *Salzer.*
Preysinger Dr. *Heinrich*, Secundar-Arzt im allgemeinen Krankenhause	Dr. *A. Kerner* u. *G. Frauenfeld.*
Schill Athanas. v., Hochw., Cist. Prof. der Naturgeschichte zu Erlau	*M. Majer* u. *G. Frauenfeld.*
Schmidek Karl, Hochw., k. k. Gymnasial-Professor zu Znaim	*V. Totter* u. Dr. *Raspi.*
Schuttag Franz, Prof. am bischöfl. Obergymnasium in Karlsburg	*E. A. Bielz* u. *G. Frauenfeld.*
Weinberger Dr. *Rudolf*	Dr. *A. Kerner* u. Dr. *Stohl.*

Eingegangene Gegenstände:

Lotos, Zeitschr. f. Naturwissensch. Prag 1854. Oct. Nov. 8.

Mittheilungen üb. Gegenst. d. Landw. u. Industrie in Kärnthen 1854. Nov. 4.

Bericht üb. die Verh. d Gesellsch. der Naturw. zu Freiburg. 1854. Nr. 5.

Jahrb. d. k. k. geol. Reichsanst. Wien 1854. V. 3. 4.

Schriftentausch.

Fritsch C. Beobacht. über period. Ersch. im Thier- und Pflanzenreich. Wien 1855. 4.

Geschenk des Herrn Verfassers.

A*

Fritsch A. Vögel Europa's. Taf. 7. 8. Prag. Fol.
Flora d' Italia sett. e Tir. merid. colla fisiotipia. Trento I. 2. 8.
Vereinsschrift für Forst-, Jagd- und Naturkunde. Prag 1854. 6. 8.
Fortsetzung der Zeitungen.

Geschenk der k. k. obersten Polizeibehörde.

Da durch die mit ämtlicher Beförderung erfolgte Uebersetzung des Herrn von Hornig nach Prag die Nothwendigkeit eines Ersatzes für dieses Sekretariat eintrat, so hat der Ausschuss in dessen voriger Sitzung Herrn Dr. A. Kerner eingeladen, sich dieser Mühewaltung bis zur definitiven Besetzung bei der nächsten Wahlperiode zu unterziehen, in Folge dessen sich derselbe zu dieser Uebernahme freundlichst bereit erklärte.

Herr Schaschl in Ferlach trägt den Vereinsmitgliedern einen Tausch in Koleopteren an, und wird sein Doublettenverzeichniss an den Verein einsenden. Jene Herren, welche hierauf Rücksicht nehmen wollen, können dieses Verzeichniss sodann daselbst einsehen, oder sich mit diesem Herrn unmittelbar in Verkehr setzen.

Um bei der Fortsetzung seines Verzeichnisses der österreichischen Diptera recht vollständig sein zu können, ersucht Dr. J. R. Schiner seine verehrten Herren Collegen recht freundlich und dringend, ihm vorläufig ihre in Oesterreich gesammelten Diptera aus der Familie der *Stratiomyden* zur Einsicht gefälligst mitzutheilen und verpflichtet sich gleichzeitig hierfür ihre Vorräthe aus den Familien der *Asiliden*, *Stratiomyden*, *Syrphiden* und *Xylophagiden* bereitwilligst zu determiniren.

Herr G. Frauenfeld hält folgenden Vortrag:

Herr Bergrath v. Hauer hat in voriger Versammlung jene bisher noch immer unentzifferten Gebilde aus einer verschollenen Zeit der Erde vorgelegt, die durch die höchst überraschende Wiederholung einer, den Gedanken an Zufälligkeit entschieden ausschliessenden Planmässigkeit der Formen den denkenden Naturforscher stets von neuem anspornen, fragend zu ihnen zurückzukehren, bis es ihm gelingt, ihnen eine Antwort auf seine Frage abzuzwingen, da sie ihm vielleicht ein neues Blatt für die Geschichte jener Tage versprechen, deren stumme Hieroglyphen die Natur ihm in jenen räthselhaften Gebilden überlieferte.

Wenn ich es wage, hier jenen Gegenstand abermals zu berühren, so geschieht es keineswegs in der Hoffnung, diese Antwort geben zu können, sondern nur einen Gedanken auszusprechen, der schon beim ersten Anblick dieser Gebilde unwillkürlich in mir erwachte. Zu wenig auf dem Felde der Paläontologie und in dem riesenhaften Raume ihres bisher erreichten Umfanges heimisch, hätte ich wohl kaum versucht, demselben Worte zu geben, wenn nicht der gänzliche Mangel einer Andeutung dieser Vermuthung in den ausgesprochenen Vergleichen mich dazu bewegte.

Nachdem manche asterienartige Formen veranlassten, auf diese hin zu deuten, so lag es doch nahe, weiter zu gehen, und auch der Quallen zu gedenken. Sollen jene Urmeere keine gesehen haben? Ich möchte gerade sie für eine der zahlreichsten Abtheilungen in jenen vorweltlichen Perioden halten. Wo aber sind Ueberreste derselben bekannt? Wo bis jetzt irgend ein paläozoischer Fund, den man für analog halten, den man damit vergleichen konnte?

Wer sich nur immer mit diesen Thieren beschäftigte, weiss, dass sie, in Weingeist bewahrt, nur formlose Klumpen darstellen, die kaum eine Ahnung übrig lassen, welch' wunderbare staunenswerthe Formen sie im Leben besitzen. Gleich wie bei Mollusken ist die leiseste Berührung, die mindeste Störung hinreichend, ihre Zusammenziehung zu veranlassen, nur dass sie noch unförmlicher erscheinen, wie die derbhäutigeren Schnecken. Und dennoch ist es ein gewisses Wiederkehren einer besondern Zusammenschrumpfung in einem bestimmten Formenkreise, die uns Aktinien, Physalien oder andere Quallen zeigen, wenn sie auch ihre wahre Gestalt im Leben nimmer wieder erkennen lassen.

Dass diesen Gebilden solche organische Formen zu Grunde liegen, dürfte seine weitere Bestätigung in den Steinkernen von Schnecken und Muscheln finden. Wer würde in diesen ganz homogenen, mit dem einschliessenden Gesteine oft vollkommen übereinstimmenden Massa ohne die mindeste Spur einer Organisation, die wohl nur nach und nach erfolgte Ausfüllung eines von einem organischen Wesen eingenommenen Raumes erklären wolle n, wenn sie nicht zugleich der Abdruck des festen umgebenden Gerüstes wäre. Selbst die geringe Zahl, Zustand und Erhaltung der weit festen aber nicht durch Gehäuse geschützten Annulaten kann dafür sprechen, dass wir es hier mit durchaus weichen, zusammenschrumpfenden Schleimgebilden zu thun haben, die keine andere Spur ihrer Anwesenheit zu hinterlassen vermochten, als diese gänzlich unorganisirte Erfüllungsmasse, und selbst die wohl nur in sehr günstigen Fällen.

Ob je ein glücklicher Fund diese Meinung zur festbegründeten Thatsache erheben wird, ist wohl nicht leicht zu hoffen, immer aber wird es bei einem so unsichern Anhalte kaum möglich sein, eine bestimmte Zurückführung ins einzelnste Detail vorzunehmen, zumal da, wo vielleicht die Analogien der Jetztwelt uns verlassen, und nur der vergleichende Ueberblick der grösstmöglichsten Zahl dieser Gebilde wird hier und da etwas schärfer umgränzende Schlüsse erlauben.

Ferner theilt Herr G. Frauenfeld mit:

Von unserm verehrten Veteranen Herrn Ferdinand Schmidt in Schischka habe ich abermals wieder mehrere neue Höhlenthiere zugesandt erhalten, von denen er zwei, nemlich einen Käfer: *Adelops Milleri* und eine Schnecke: *Helix Hauffeni*, vollständig beschrieben (siehe Abhandlungen) hier mittheilt. Die übrigen, mehrere neue Adelops und Anderes, wurde seiner Anordnung gemäss Herrn T. Miller übergeben, der die Bekanntmachung derselben in unserm Vereine freundlichst zusagte. Ueber die Carychien und übrigen Schnecken behalte ich mir vor, später umständlich zu berichten, da ich durch die Gefälligkeit des schon mehrfach erwähnten, äusserst thätigen Herrn Hauffen 24 Nummern aus verschiedenen Krainer-Grotten erhielt, die ich dabei nebst den von ihm beigegebenen Beschreibungen und Bemerkungen einzubeziehen gedenke.

Ausser diesen sandte mir Herr Schmidt auch mehrere Grottenasseln und Krustenthiere, deren nähere Untersuchung ich erst nach Beendigung einiger begonnener Arbeiten vorzunehmen vermag.

Herr A. Neilreich beginnt in einem Vortrag eine längere Abhandlung: Geschichte der Botanik in Niederösterreich, welche er in den spätern Versammlungen fortsetzen wird. (S. Abhandlungen.)

Herr Dr. Egger gab neue Dipteren der österreichischen Fauna. (Siehe Abhandlungen.)

Versammlung am 7. Februar.

Vorsitzender: Vicepräsident Herr **L. Ritt. v. Heufler.**

Neu eingetretene Mitglieder:

Als Mitglied P. T. Herr	bezeichnet durch P. T. Herrn
Dier Ludwig, Hochw., Gymnas.-Professor der Mathematik und Physik am k. k. katholischen Gymnasium zu Unghvar in Ungarn	*V. Totter* u. Dr. *A. Raspi.*
Eberstaller Josef, Kaufmann in Gresten. .	*W. Schleicher* u. Dr. *Pötsch.*
Gall Leopold, Philosof	*K. v. Tachetti* u. Dr. *A. Kerner.*
Holzinger Josef Bonaventura, Hörer der Rechte...........................	Dr. *F. Pluskal* u. *G. Frauenfeld.*
Machatschek Adolf, k. k. Professor der Ober-Realschule auf der Landstrasse	Dr. *Arenstein* u. Dr. *Schiner.*
Niessner Adolf, k. k. Armee-Oberlieuten.	Dr. *Arenstein* u. Dr. *Schiner.*
Sztraka Gabriel, Hochw., Chorherr des Prämonstratenser-Ordens zu Csorna in Ungarn, Professor der Geschichte zu Stein am Anger	*V. Totter* u. Dr. *A. Raspi.*
Vogl August, Hörer des höhern Lehrkurses der k. k. Josefsakademie	Dr. *F. Pluskal* u. *G. Frauenfeld.*

Eingegangene Gegenstände:

Sitzungsberichte der kais. Akademie der Wissenschaften in Wien. 1854. Bd. XIV. 1. Heft, und Mitgliederverzeichniss.

Zeitschrift der k. k. Gesellschaft der Aerzte in Wien. 12. Hft. 1854, 1. Hft. 1855.

Lotos. Zeitschrift für Naturwissenschaften. Prag 1854 Dezember. 1855 Jänner.

31. Jahresbericht der schlesischen Gesellschaft für vaterländiche Kultur in Breslau 1853.

Correspondenzblatt des naturforschenden Vereines in Riga. 1853—54.

Abhandlungen der naturforschenden Gesellschaft zu Halle 1854. II. Band. 2. — 3. Quart.

Mittheilungen über Gegenstände der Landwirthschaft und Industrie Kärntens. Klagenfurt. 11. Jahrgang. 1854. Nr. 12.

Schriftentausch.

Abl Dr. Fr. Zur Pharmacognosie. Ueber Thier-Pflanzen und Erd-Wachs.

Farkas-Vukotinovic L. v. Ueber die Formen der Blätter und die Anwendung der naturhistorischen Methode auf die Phytographie.

Geschenk der Herren Verfasser.

Flora. Herausgegeben von der k. baier. botan. Gesellschaft in Regensburg. Jahrg. 1854. Nr. 37—48.

Schriftentausch.

Eine Partie Algen und Conchylien.

Von Herrn Pius Titius.

Oesterreichische Vierteljahresschrift für Forstwesen. Wien 2. Bd. 4. Heft 1852., 3. Bd. 2.—4. Hft. 1853., 4. Bd. 1.—3. Hft. 1854.

Wiener Vierteljahresschrift für Wissenschaft und Kunst. Wien 1853. 1.—3. Hft.

Kurzgefasste practische Anleitung zur Nutzenbringenden Seidenraupenzucht.

Gera Dott. Fr. *L'atrofia contagiosa malattia delle farfalle del baco da seta. Venezia 1854.*

Bonzanini Eman. *Malattia della vite. Milano 1855.*

Grigolato G. *Illustrazione delle piante vascolari spontanee. Rovigo 1854.*

Antoine. 4 Tafeln, Nr. 2, 3, 4, 7., Abbildungen.

Die Fortsetzung der Zeitungen.

Geschenk der k. k. obersten Polizeibehörde.

Herr Secretär Dr. A. Kerner theilt folgende Stelle aus einem Briefe des Herrn G. Frauenfeld mit:

Meine unvorhergesehene schnelle Abreise nach dem rothen Meere, die mir durch die gnädige Bewilligung und Unterstützung des hohen k. k. Oberstkämmereramtes möglich gemacht wurde, ist Ursache, dass ich sowohl einige von Vereinsmitgliedern in Händen habende Arbeiten und Angelegenheiten zurückzulegen genöthigt bin, als es mir unmöglich war, dieserwegen mündlich eine weitere Verständigung zu pflegen. Indem ich um gütige Nachsicht bitte, erlaube ich mir, allen verehrten Mitgliedern mit der frohen Zuversicht einer glücklichen Wiederkehr ein inniges herzliches Lebewohl hiermit zuzurufen.

Herr G. Mayr sprach über den Werth bestimmter Merkmale, welche gewöhnlich zur Characteristik der Gattungen der Insecten benützt werden.

Durch den in der letzten Sitzung von unserem verehrten Mitgliede Herrn Dr. Egger unter dem Titel: „Beobachtungen über die Wandelbarkeit des Flügelgeäders einiger Dipteren und folgeweise Unanwendbarkeit desselben bei Bestimmung einiger Gattungen und Arten" gehaltenen Vortrage angeregt, erlaube ich mir, meine Beobachtungen, die ich in dieser Beziehung bei Ameisen gemacht habe, anzuführen.

Bei den meisten Ordnungen der Insecten spielt das Flügelgeäder bei Feststellung der Gattungen mit Recht eine sehr wichtige Rolle, und es ist um so wichtiger, als sich oft ohne Zerlegung keine anderen sicheren generischen Charactere auffinden lassen und man nicht immer in der Lage ist, mikroskopische Untersuchungen der Mundtheile vorzunehmen, ohne aber behaupten zu wollen, dass die Mundtheile ausser Acht zu lassen sind und nicht untersucht werden sollen, sondern sie stehen mit dem Flügelgeäder zum Behufe der Characteristik in gleichem Range, und sind insbesondere in denjenigen Fällen von Bedeutung, wo die Unterscheidungsmerkmahle an anderen Organen zwei Gattungen nicht hinreichend scharf trennen.

Es kommmt aber nicht so selten vor, dass einzelne Individuen einer gewissen Species öfters Abnormitäten zeigen, wodurch dieses Exemplar nach unserer Characteristik bei Betrachtung des abnormen Organes in eine andere Gattung gestellt werden sollte, doch zeigen die andern Unterscheidungsmerkmahle, zu welcher Gattung das Exemplar gestellt werden muss.

Nach meinen bisherigen Beobachtungen fand ich an Anomalien des Flügelgeäders bei Ameisen bloss ein theilweises oder gänzliches Ausbleiben der *Vena recurrens*, jenes Aederchens, welches die *Vena cubitalis* mit dem inneren Aste der *Vena externo-media* verbindet, wodurch die sonst geschlossene Discoidalzelle offen ist. Diese Anomalie kommt nicht bei allen Ameisenarten vor, sondern bleibt auf gewisse Arten beschränkt, so dass man bei der einen Species diese Anomalie oft findet, bei einer andern kommt sie selten, bei einer dritten kommt sie gar nicht vor. Man findet sie insbesondere bei Männchen, und zwar besonders häufig bei *Formica flava* F. weniger häufig bei *Formica nigra* Ltr., *F. alpina* Först. und *F. umbrata* Nyl.; bei Weibchen fand ich sie erst einmal an einem Exemplare der *Formica flava* F., welches ich durch Herrn Ferdinand Schmidt aus Krain erhielt, und an einem Exemplare der *Acrocoelia Rediana* L. Duf. Unser geschätztes Mitglied Herr Miklitz in Grosslobming in Steiermark sandte mir eine Anzahl Männchen der *Formica flava* F. alle, aus einer Colonie stammend, die er auf einer Wiese bei Grosslobming auffand, bei welchen insgesammt durch Fehlen der *Vena recurrens* die Discoidalzelle offen war. Manchmal findet man diese Anomalie nur auf einem Flügel, manchmal auf beiden Flügeln, in sehr seltenen Fällen ist die *Vena recurrens* nur zur Hälfte vorhanden. Obwohl die grosse Anzahl von Arten der Gattung *Formica* sehr leicht, besonders durch die offene oder geschlossene Discoidalzelle in zwei Gruppen geschieden wird, so wird man doch nie versucht werden, ein Männchen der *Formica flava* F. mit offener Discoidalzelle in die erste Gruppe zu stellen, weil die andern Charactere dagegen sprechen, und es bleibt die Scheidung der Arten der Gattung *Formica* in die zwei Gruppen doch eine sehr natürliche.

Man begegnet aber auch nicht selten Anomalien an anderen Organen. So fand ich z. B. bei einem Weibchen der *Acrocoelia Rediana* L. Duf. einen eilfgliedrigen Fühler, während diese Art in der Regel zwölfgliederige Antennen hat. Die Puppen der *Formicariae* und *Myrmicariae* unterscheiden sich dadurch, dass die Puppen der ersteren in ein aus verzweigten dicht verflochtenen Fäden gebildetes länglich-ovales Gespinnst eingehüllt sind, während die der letzteren eines solchen entbehren. Doch wurden von Professor Schenck in Weilburg, Meyer in Hamburg und von mir ausnahmsweise Puppen gefunden, welche verschiedenen Arten der Gattung *Formica* angehören, und dennoch in keine Cocons eingehüllt waren.

Leider habe ich unter meinen mikroskopischen Präparaten die mir schon öfters vorgekommenen abnormen Mundtheile nicht aufbewahrt, erinnere mich aber genau an Anomalien in der Anzahl der Glieder der Maxillartaster. Ich besitze zwei Arbeiter der *Formica cunicularia* Ltr., deren Thorax abnormerweise demjenigen der Weibchen ziemlich ähnlich sieht.

Dergleichen Beobachtungen machte ich früher häufig bei verschiedenen Insecten, hatte aber damals dergleichen nicht notirt, und so konnte ich specielle Fälle bloss von der Insectenfamilie anführen, mit der ich mich seit einiger Zeit insbesondere beschäftige.

Ich wollte hiermit nur so viel sagen, dass, wenn auch manchmal Anomalien an Organen, die allgemein zur Characteristik verwendet werden, vorkommen, man doch nicht umhin kann, diese Organe weiterhin als Unterscheidungsmerkmahle zu benützen, weil Anomalien wohl an allen Organen vorkommen; doch sind hier Ausnahmen nicht so selten, indem bei einer Insectenfamilie diess Organ, bei einer andern ein anderes Organ häufigeren Anomalien unterworfen ist, und der Entomolog den Werth eines Organes als Unterscheidungsmerkmal bei den verschiedenen Insectenfamilien kennen muss.

Herr A. v. Neilreich gibt die Fortsetzung seines Vortrages über Geschichte der Botanik in Niederösterreich. (S. Abhandlungen).

An eingegangenen Manuscripten wird von dem Herrn Secretär Dr. A. Kerner vorgelegt:

a) Beitrag zur Insectengeschichte von G. Frauenfeld.

b) Beschreibung eines neuen Schmetterlings: *Grapholitha Hornigiana* von Julius Lederer. (Siehe beide in den Abhandlungen.)

Versammlung am 7. März.

Vorsitzende: Präsident: Se. Durchlaucht Herr **Richard Fürst zu Khevenhüller-Metsch.**

Vicepräsident: Herr **L. Ritt. v. Heufler.**

Neu eingetretene Mitglieder:

Als Mitglied P. T. Herr	bezeichnet durch P. T. Herrn
Hauer Karl Ritter von	*Fr. R. v. Hauer* u. *L. R. v. Heufler.*
Haunold Franz, k. k. Förster am Anninger	*K. Kurz* u. *G. Frauenfeld.*
Hoffer Johann, Candidat der Medicin ..	*A.* u. *F. Semeleder.*
Ujhely Emerich v., Hochw., k. k. Marine-Pfarrer, Domherr in Venedig	*L. Miller* u. *G. Mayr.*
Weiss Emanuel.....................	*G. Mayr* u. Dr. *A. Kerner.*
Zepharovich Victor Ritter v.	*Fr. R. v. Hauer* u. *L. R. v. Heufler.*

Eingegangene Gegenstände:

Sitzungsberichte der kais. Akademie der Wissenschaften in Wien. 1854. Bd. XIV. 2.—3. Heft.

Mittheilungen über Gegenstände der Landwirthschaft und Industrie Kärntens. Klagenfurt. 12. Jahrgang. 1855. Nr. 1.

Rendiconti delle adunanze della R. Accademia economico-agraria dei Georgofili di Firenze 1855. *Gennajo.*

Bulletin de la Société imperiale des naturalistes de Moscou. Année 1854. *Nr. III.*

Zeitschrift der k. k. Gesellschaft der Aerzte in Wien. 1855. 2. Heft.

Schriftentausch.

Verhandlungen des Vereins zur Beförderung des Gartenbaues in den königl. preuss. Staaten. Berlin 1854. 2. Jahrg. Jänner bis Juni.

Anschluss zum Schriftentausch.

Garovaglio S. *Enumeratio muscorum omnium in Austria inferiore. Viennae* 1840.

— *Catalogo di alcune Crittogame raccolte nella provincia di Como e nella Valtellina. Parte I.—III.* 1837—42.

Geschenke des Herrn L. R. v. Heufler.

Massalongo Prof. A. *Frammenti Lichenografici Verona* 1855.
— *Geneacaena Lichenum. Veronae* 1855.

Geschenk des Herrn Verfassers.

Sur les fasciculus de Lichens d'Europe, publiés par M. le Dr. Hepp. Observations critiques par M. le Dr. W. Nylander. 1854.

Sandberger Dr. Guido. Zwei naturwissenschaftliche Mittheilungen. Wiesbaden 1855.

Geschenke der Herren Verfasser.

Kner Dr. Rudolf. Leitfaden zum Studium der Geologie mit Inbegriff der Paläontologie. Wien 1855.

Ambrosi Franz. Flora. Vol. I. P. II.

Verhandlungen der k. k. galiz. agronom. Gesellschaft Lemberg 1855. Bd. 17.

Trummer Frz. Nachtrag zur systematischen Classification und Beschreibung der im Herzogthume Steiermark vorkommenden Rebensorten. Gratz 1854.

Massalongo A. *Frammenti Lichenografici.* Verona 1855.

Die Fortsetzungen der Zeitungen.

Geschenke der k. k. obersten Polizeibehörde.

Herr August Neilreich gibt die Fortsetzung seines Vortrages: Geschichte der Botanik in Niederösterreich. (S. Abhandl.)

Herr Eduard Suess theilt mit, dass er eine umfangreiche Abhandlung: „Entwurf einer Classification der *Brachyopoden*, von Th. Davidson, aus dem Englischen übersetzt von F. A. Grafen Marschall, theilweise umgearbeitet und mit vielen neuen Zusätzen versehen durch Th. Davidson und Eduard Suess“ zur Veröffentlichung vorbereitet habe und fügt Folgendes bei: Der Zweck dieser Umarbeitung ist, dem deutschen Publicum eine für den Zoologen, wie für den Paläontologen, gleich wichtige Arbeit zugänglich zu machen. — Die *Brachyopoden* bilden eine überaus zahlreiche Thierklasse, deren Arten jedoch fast durchaus der erloschenen Thierwelt angehören, und welche in unserer jetzigen Schöpfung nur durch einige wenige, gleichsam überlebende Formen vertreten sind, die eben hinreichen um die weit zahlreicheren fossilen Reste zu deuten. Im Inneren des zweiklappigen Gehäuses dieser Thiere findet man ein oft sehr complicirtes Gerippe, bestimmt entweder die einzelnen Organe des Thieres zu tragen und zu schützen.

oder den kräftigen Muskeln Stützpuncte zu bieten. Die Anordnung der einzelnen Theile dieses Gerippes ist in verschiedenen Formen sehr verschieden, und bietet daher ein vortreffliches Mittel, um die Tausende von Arten zu classificiren. Das einzige Hinderniss, das einer solchen Classification bisher im Wege stand, war nur die ausserordentliche Schwierigkeit, alle einzelnen Theile dieses Gerippes in dem harten, die Klappen der fossilen Muscheln erfüllenden Gesteine wiederzuerkennen. Das hohe Verdienst Davidson's besteht darin, mit unermüdlichem Fleisse eine grosse Menge glücklicher Präparate dargestellt zu haben. Vieles ist dann auch von nacheifernden Freunden mitgetheilt worden, weil die grosse Masse des Materiales von einem einzelnen Forscher kaum hätte bewältigt werden können.

Vor zwei Jahren erschien nun diese merkwürdige Arbeit, und der Verfasser sah seine grosse Mühe durch einen ungetheilten Beifall belohnt. Vielfach wurde seither zu einer deutschen Bearbeitung aufgefordert, und da namentlich an Hrn. Suess von mehreren Seiten Aufforderungen ergangen waren, und er selbst seither manche neue Beobachtung gemacht hatte, wandte sich derselbe an Herrn Grafen Marschall, welcher sich der grossen Mühe unterzog, das ganze Davidson'sche Buch zu übersetzen. Der Verfasser selbst nun und Herr Suess haben alle seitherigen Beobachtungen beigefügt und einen nicht unbedeutenden Theil vollkommen umgearbeitet.

Herr Dr. J. R. Schiner legt im Namen des Herrn J. von Friwaldsky die Beschreibung eines neuen *Stratiomyden*: *Nemotelus signatus* Friv. vor. (Siehe Abhandlungen.)

Herr Josef Berman spricht über ein von ihm aufgefundenes *Melampyrum*:

Ich gebe mir die Ehre Ihnen meine Herren hier ein *Melampyrum* vorzulegen, welches ich im verflossenen Jahre in den Voralpenwäldern nächst Guttenstein auffand. Dasselbe hält die Mitte zwischen *Melampyrum sylvaticum* und *M. nemorosum*, hat mit jenem die Form der Blätter und des Kelches, mit diesem die Form und Farbe der Deckblätter gemein. Der Stengel ist aufrecht, einfach oder wenig ästig, die Blätter kurzgestielt, lineallanzettlich, ganzrandig in Deckblätter übergehend. Diese sind blau gefärbt, eilanzettförmig, lang zugespitzt, an der Basis abgerundet, am

Rande fiederspaltig gezähnt. Blüthenstand eine lockere einerseitswendige Aehre. Kelch längs den Nerven mit sparsamen weisslichen Haaren versehen. Blumenkronröhre so lang oder nur weniges länger als der Kelch.

Da diese Pflanze theils Merkmahle des *Melampyrum nemorosum*, theils solche von *M. sylvaticum* an sich trägt, da sie ferner ein nur so beschränktes Vorkommen zeigt und an ihrem Standorte sich die beiden verwandten Arten gleich häufig vorfanden, drängt sich wohl die Vermuthung auf, dass vorliegende Exemplare Bastardformen von *M. sylvaticum* und *M. nemorosum* sein dürften, doch muss wohl eine Bestätigung dieser Vermuthung ebenso wie der Ansicht, dass dieselben vielleicht Uebergangsformen zwischen den beiden obengenannten verwandten Arten seien, weiteren Forschungen vorbehalten bleiben; namentlich werden Versuche über die Keimfähigkeit der Samen der Pflanze hierüber Aufschluss zu geben im Stande sein, und ich erlaube mir daher dieses Pflänzchen der ganz besonderen Aufmerksamkeit der Herren Botaniker anzuempfehlen.

Herr Secretär Dr. A. Kerner spricht über den Einfluss der Temperatur des Quellenwassers auf die im Rinnsale der Quellen wachsenden Pflanzen. (Siehe Abhandlungen.)

Von Herrn Jacob Heckel ist folgende Mittheilung: „Ueber verirrte wilde Schwäne" eingelangt und vom Herrn Secretär vorgelesen worden:

In einem Schreiben vom 23. Februar 1855 berichtet Herr Pater Berthold Dangl, Schaffner des Stiftes Göttweig, an das k. k. zoologische Kabinet, dass am 20. d. M. in dem Stift-Göttweiger Forstreviere Brunnkirchen ein wilder Schwan erlegt wurde, und trägt im Namen des Stiftes diesen seltenen Vogel als Geschenk für die kaiserlichen Sammlungen an, welches mit vielem Dank angenommen wurde.

Wir glaubten diesen Fall nicht mit Stillschweigen übergehen zu sollen, da er immerhin einen schätzbaren Beitrag zu den Wanderungen nordischer Vögel liefert. Es gehört überhaupt zu den seltenen Erscheinungen, dass wilde Schwäne in besonders kalten Wintern sich zu uns verirren. Diese Verirrten sind dann gewöhnlich junge Thiere, die gleichsam noch unerfahren von den regelmässig in südwestlicher Richtung gehenden Zügen sich absondern.

Noch viel seltener und auffallender ist aber die Ankunft eines alten wilden Schwanes für unsere Gegenden, und wir wüssten uns keines einzigen Falles zu erinnern.

Das eingeschickte Exemplar ist ein völlig ausgewachsenes, rein weisses Männchen des Singschwanes *(Cygnus musicus)* und wurde mit Hasenschrott erlegt, wovon ein Korn, wie die Obduction zeigte, bis in die Nähe des Herzens drang.

Wir haben in den öffentlichen Blättern vor einigen Wochen gelesen, dass beim Eintritte der grossen Kälte bei Korneuburg auf der Donau ein Schwan gesehen wurde, vielleicht derselbe, welcher sich nun in dem k. k. Kabinete befindet.

Der Singschwan wohnt und brütet, wie bekannt, mit den Stammältern des unsere Gartenteiche zierenden stummen Schwanes *(Cygnus Olor)* in den gemässigten Norden von Europa, Asien und Amerika. Weniger bekannt dürfte es sein, dass der Singschwan auch in den untern Donaugegenden seinen bleibenden Wohnsitz habe und namentlich in den unzugänglichen Sümpfen bei Pantschowa nebst dem Pelikan *(Pelicanus onocrotalus)* und anderen seltenen Sumpf- und Wassergeflügel brüte.

Das in der k. k. Menagerie zu Schönbrunn lebende Exemplar des Singschwanes stammt aus der letztgenannten Gegend.

Herr G. L. Mayr zeigt eine für jeden Naturforscher, der sich mit Mikroskopie beschäftigt, höchst wichtige Zusammenstellung, nämlich die Combination des Hagenow'schen Dikatopters mit dem Mikroskope vor, bei deren Benützung der Beobachter gleichzeitig das Bild des untersuchten Objectes und des vor dem Mikroskope liegenden Papieres sieht. Hierdurch glaubt derselbe, das Object auf das Papier gezeichnet und auf demselben den Bleistift liegen zu sehen, wodurch es ihm leicht möglich ist, den Conturen des Objectes nachzufahren. Nachdem Herr G. Mayr noch die Vortheile, die dieser Apparat vor ähnlichen, wie z. B. dem Sömmering'schen Spiegel oder dem durchbohrten Spiegelchen hat, hervorgehoben hatte, lud er die Mitglieder der Versammlung ein, diese Zusammenstellung näher zu besichtigen.

An eingegangenen Manuscripten wird von dem Herrn Secretär Dr. A. Kerner vorgelegt:

a) Fortsetzung der sibirischen Schmetterlinge von J. Lederer.

b) Fortsetzung zur Abhandlung über einige Zygaenen Steiermarks von G. Dorfmeister. (Siehe beide in den Abhandlungen).

Zum Schlusse theilt Se. Durchlaucht Fürst zu Khevenhüller zwei merkwürdige Fälle aus der Vögelwelt mit. In dem einen Falle hatte sich eine Schwalbe bei ihrer Jagd nach Insecten auf einem Blitzableiter dergestalt selbst angespiesst, dass sie sich nicht mehr losmachen konnte und trotz der möglichsten Hülfeleistung ihrer Schwestern daselbst zu Grunde gehen musste. In dem anderen Falle flüchtete sich eine durch den Lärm der Treiber erschreckte Waldschnepfe in den vom Walde eine nicht unbedeutende Strecke entfernten Pfarrhof, wo sie sich unter einem Bürtelhaufen versteckte. Als sie auch hier von den Hausleuten beunruhigt worden war, flog sie nicht in das Weite, sondern suchte in der Hausflur und weiters im offenen Zimmer des Caplans eine Zuflucht, wo sie dann unter dem Bette des Caplans erhascht und erschlagen wurde. Wenn der erste Fall einen Beweis liefert, wie unter besonderen Verhältnissen auch den geschicktesten Seglern ein Unfall begegnen kann, so ist der zweite ganz geeignet, einen Blick in die Psyche des Vogellebens zu werfen und den Beweis herzustellen, dass auch der Schreck dort heimisch ist, und dass von diesem befallen, die natürlichen Triebe und instinctmässigen Anlagen des Vogels ausnahmsweise andere Richtungen und Wege einzuschlagen gestatten.

Versammlung am 4. April.

Vorsitzender: Vicepräsident: Herr **L. Ritt. v. Heufler.**

Neu eingetretene Mitglieder:

Als Mitglied *P. T.* Herr	bezeichnet durch *P. T.* Herrn
Braun Dr. *Gustav*, Assistent an der k. k. Gebärklinik, Leibarzt Sr. kön. Hoheit des Herzogs von Sachsen-Coburg-Gotha	Dr. *F. Salzer* u. Dr. *A. Kerner.*
Geusau Karl, Baron v., k. k. Major, Gutsbesitzer zu Engelstein	*J. Zelenka* u. *J. Ortmann.*
Kolisko Dr. *Eugen*, Primar-Arzt im k. k. allg. Krankenhause	Dr. *J. R. Schiner* u. Dr. *A. Bach.*
Mahler Eduard, Hüttenamts-Verweser zu Aloisthal in Mähren	Dr. *C. Hampe* u. Dr. *A. Kerner.*
Mühlig G. G., Verwalter zu Frankfurt a./M.	*A. Rogenhofer* u. *W. v. Macchio.*
Sekera W. J., Magister der Pharmacie, Apotheker zu Münchengrätz	*J. Bayer* u. *J. Ortmann.*
Strohmayer Johann, Lithograph	*A. Rogenhofer* u. *M. Schön.*

Eingegangene Gegenstände:

Heufler *Ludovicus eques de: Specimen Florae Cryptogamae vallis Arpasch Carpatae Transilvani. Viennae Austriae 1853.*

Garovaglio S. *Delectus specierum novarum vel minus cognitarum. Ticino 1838.*

Fuss Mich. Bericht über den Stand der Kenntniss der Phanerogamen-Flora Siebenbürgens am Schlusse des Jahres 1853.

Geschenke des Herrn L. R. v. Heufler.

Sendtner Otto. Die Vegetations-Verhältnisse Südbaierns. München 1854.

Geschenk Sr. Exc. des Herrn Grafen Leo Thun.

Maly J. C. *Enumeratio plantarum phanerogamicarum imperii austriaci universi.* Vindobonae 1848.

Eiselt Dr. J. N. Geschichte, Systematik und Literatur der Insectenkunde von den ältesten Zeiten bis auf die Gegenwart. Leipzig 1836.

P r ö l l Alois. Versuch einer Anleitung, die essbaren Schwämme Oesterreichs und die ihnen ähnlichen giftigen durch eigene Untersuchung zu bestimmen. Wien 1839.

Geschenk des Herrn Dr. W. S t r e i n z.

S c h n e i d e r Dr. G. Th. *Monographia generis Rhaphidiae Linnaei. Vratislaviae* 1843.
S c h u r Dr. F. *Sertum Florae Transilvaniae.*
T r o s c h e l Dr. F. H. Berichte über die Leistungen im Gebiete der Naturgeschichte, während der Jahre 1841—54.

Geschenke der Herren Verfasser.

Sitzungsberichte der kais. Akademie der Wissenschaften in Wien. 1855. Bd. XV. 1. Heft.
Mittheilungen über Gegenstände der Landwirthschaft und Industrie Kärntens. Klagenfurt. 12. Jahrgang. 1855. Nr. 2.
Mittheilungen der k. k. mähr.-schles. Gesellschaft zur Beförderung des Ackerbaues, der Natur- und Landeskunde in Brünn. Jahrg. 1854.
Rendiconti delle adunanze della R. Accademia economico-agraria dei Georgofili di Firenze 1855. *Febbrajo.*

Schriftentausch.

P e c i r k a Dr. J. Grundlinien der Pflanzenkunde. Prag 1855. 1. Lief.
Saggio curativo nella malattia dell'uva. Como 1855.
P o l o n i a A. F. *Rimedio proposto per la guarigione delle viti. Padova* 1855.
A m b r o s i Fr. Flora. Vol. I. Punt. III.
C a n t o n i Dr. G. *Trattato completo d'agricoltura. Milano* 1855.
Quadri sinottici di Zoologia per uso Scolastico. Pavia, Fasc. IV.
C o r n a l i o Dott. E. *L'eria o il bruco del ricino (Saturnia Cynthia) ne' suoi rapporti scientifici ed industriali. Milano* 1855.
S z a b ó D. Weinbau auf der Hegyaljai. Pest 1855.
Verhandlungen der Forst-Section für Mähren und Schlesien. Brünn 1855. 1.—2. Heft.
Landwirthschaftliche Mittheilungen. Pest 1855. 1. Heft.
Die Fortsetzungen der Zeitungen.

Geschenke der k. k. obersten Polizeibehörde.

Mehrere Alpenpflanzen.

Geschenk des Herrn G. S e e l o s.

Herr August N e i l r e i c h beschliesst seine Vorträge über die Geschichte der Botanik in Nieder-Oesterreich. (Siehe Abhandlungen.)

Herr Dr. I. R. Schiner begehrt nach Beendigung des Vortrages das Wort und spricht Folgendes:

Entschuldigen Sie mich, meine Herren, wenn ich es wage, das Wort zu ergreifen, um den verehrten Herrn Vorredner, der uns mit seinen Vorträgen über die Geschichte der Botanik in Nieder-Oesterreich schon durch mehrere Abende in eben so geistreicher als gründlicher Weise zu fesseln vermochte, einer kleinen Ungerechtigkeit zu beschuldigen.

Ich habe Ihnen bereits vor mehreren Jahren durch meine Mittheilungen über Zahlbruckner gezeigt, dass mich neben der eigentlichen Naturwissenschaft insbesondere auch das Biographische über die Naturforscher selbst im hohen Grade interessire. Seitdem habe ich mir denn auch manche Notiz über die *perscrutatores naturae* in meinem Tagebuche angemerkt und ich bin desshalb dem Vortrage des verehrten Herrn Vorredners mit der gespanntesten Aufmerksamkeit gefolgt. Am Schlusse desselben muss ich nun bekennen, dass er leider einen der hervorragendsten und verdienstvollsten Botaniker Oesterreichs allzuleicht und oberflächlich abgefertiget habe.

Ehe ich meine Behauptung näher begründe, erlauben Sie mir, Ihnen einen kurzen Rückblick auf meine eigenen botanischen Leiden und Freuden vorauszuschicken.

Ich habe sehr früh Pflanzen gesammelt und sie mit grösstentheils unrichtiger Bezeichnung, oder wohl auch ohne Namen in mein Herbarium eingelegt. In Krems, wo ich mich damals befand, gab es keinen Botaniker und von literarischen Behelfen stand mir nur Funke's Kunst- und Naturlexikon und ausnahmsweise und als besondere Begünstigung Vietz grosses Werk über die Arzneipflanzen zu Gebote. Das war wenig und fast genügend um einem die *scientia amabilis* gänzlich zu verleiden. Nur die Aussicht, in Wien, wohin ich seiner Zeit übersiedeln würde, über reichlichere Hilfsquellen verfügen zu können, hielt meinen Muth aufrecht. Doch fand ich auch hier die Bahnen bei Weitem nicht geebnet. Der damalige botanische Garten enthielt beinahe nichts, von jenen ganz gemeinen Pflanzen, an deren Determinirung dem Anfänger am meisten gelegen ist, und in den angerühmten Determinationsschlüsseln vermisste ich überall die gewünschte Klarheit und Consequenz, während ich in Persoon's, Gaudin's und Reichenbach's Floren nur selten Aufklärung fand und selbst Koch's Meisterwerk mich oftmals in Zweifel liess.

Da ich keine Gelegenheit hatte mit tüchtigen Botanikern in Verbindung zu treten und fast daran verzweifelte, je auf eigenen Füssen meine botanischen Studien vorwärts zu bringen, so war ich nahe daran, dieselben gänzlich aufzugeben.

In dieser Lage spielte mir ein glücklicher Zufall ein Buch in meine Hände, das mit einem Male allen meinen Wünschen und Anforderungen vollständig entsprach.

Ich kann Ihnen den Eindruck nicht schildern, welchen der Inhalt dieses Buches auf mich machte. Täglich dankte ich dem verehrten Verfasser für die viele Beruhigung und Belehrung, welche mir sein Werk verschaffte im Stillen, und gestehe hier laut und offen, dass ich erst von diesem Zeitpuncte an eine richtigere und klarere Einsicht in die Pflanzenwelt gewann.

Brauche ich Ihnen, meine Herren, noch zu sagen, dass dieses Buch kein anderes war, als Neilreich's Flora von Wien?

Viele von Ihnen haben gewiss dasselbe erlebt und empfunden, was Ihnen der Einzelne hier offenbarte und gewiss zweifelt Niemand daran, dass dieses Buch in einer Geschichte der Botanik Oesterreichs als epochemachend anzuführen gewesen wäre.

Zur Begründung dessen brauche ich nur anzuführen, dass sich seit dem die Zahl der Botaniker und die richtige Kenntniss unseres Florengebietes verhundertfachte, dass wir mit diesem Buche, das ferne von jeder compilatorischen Oberflächlichkeit nur das in der eigenen Hand Gewogene und mit den eigenen Augen Geprüfte anführet, ein ganz zuverlässiges Repertorium der in unserem Gebiete vorkommenden Pflanzen und zugleich das Mittel besitzen, diese leicht und sicher zu determiniren.

Erwarten Sie nicht, dass ich hier in eine nähere Beurtheilung des wissenschaftlichen Werthes der „Flora Wiens" eingehe, ich fühle mich hierzu nicht als competent, auch hat die strengste Kritik über dasselbe bereits ihr ehrendes und rückhaltloses Admittitur ausgesprochen. Nur über den practischen Werth derselben finde ich mich aufgefordert, hier Einiges kurz anzuführen.

Die Einleitung bringt ein Bild des Florengebietes, in welchem alle Verhältnisse, welche auf das Vorkommen der Pflanzen auf die geographische Verbreitung derselben u. s. w. Einfluss nehmen, klar und kurz angeführet sind.

Jeder denkende Forscher, der das Buch benützet, wird sich durch diese Beigabe angeregt fühlen, seine Studien von einem höheren Standpuncte aus fortzutreiben; er wird hierdurch unwillkürlich von einem trockenen nomenclator vivus zu einem wahren Forscher hinübergeleitet. Im Texte selbst ist Alles geboten, was zur leichten und sicheren Determinirung der Pflanzen beitragen kann. Ganz eigenthümlich und characteristisch erscheint mir aber die Anführung der sogenannten trivialen Merkmale, die jedem Beobachter mit dem Habitus der Pflanze zuerst und sogleich entgegentreten und die nur von einem so scharfsinnigen Beobachter der Natur, wie Herr von Neilreich ist, so glücklich in Worte gefasst werden konnten.

Neilreich hat den Usus gewöhnlicher Floristen nicht nachgeahmt, welche ihren Compilationen durch Aufnahme neuer Arten mehr Werth zu verleihen suchen, im Gegentheile spricht sich bei ihm überall das Bestreben aus, blosse Uebergangsformen als unberechtigte Arten einzuziehen, die genuinen Arten aber desto richtiger und bestimmter zu begränzen. Was er hiermit den Anfänger — was er der wahren Wissenschaft genützt, wird nicht leicht verkannt werden können.

— Ich habe nicht das Glück gehabt, den hochverehrten Herrn Verfasser der „Flora Wiens" in früheren Zeiten näher zu kennen und nur ein einziges Mal, im Sterbejahre seines Freundes Emanuel Mickschick (1838) begegnete ich denselben zufällig bei Letzterem.

Doch konnte ich durch die Güte des Herrn Hofrathes Enderes, der mir die Benützung seiner eben so vollständig als gewissenhaft geführten Tagebücher gestattete, jede botanische Excursion, welche Neilreich mit diesem hochgeachteten Botaniker ausführte, im Gedanken mitbegleiten. Ich habe mir denn — von jenem denkwürdigen 13. März 1831 angefangen, an welchem Neilreich, als Anfänger sich an dem Anblicke von *Galanthus nivalis* und *Bellis perennis* ergötzte — bis in die neueste Zeit herüber so manche Notiz gesammelt und von dem freundlichen Besitzer jener Tagebücher so manche mündliche Aufklärung erhalten, aus denen ich zu der Ueberzeugung gelangte, dass Neilreich durch seinen Eifer und seine Kenntnisse die botanischen Freunde sehr bald überflügelte, und dass sein kritischer Scharfblick bei Unterscheidung der Arten und seine Gewissenhaftigkeit bei der Angabe neuer Standorte sehr bald zu jenen Hoffnungen berechtigten, welche sich bei dem Erscheinen der „Flora Wiens" in so glänzender Weise erfüllet haben.

Die grossen Verdienste Neilreich's um unseren Verein führe ich nicht besonders an. Sie sind ja, meine Herren, selbst Zeugen gewesen, wie derselbe vom Beginne bis zum heutigen Tage consequent und unverdrossen die Vereinszwecke erfüllen half. Auch die äusseren Lebensumrisse übergehe ich hier, und behalte mir vor, sie in den Vereinsschriften kurz anzuführen *). Doch möchte ich zum Schlusse noch den Wunsch aussprechen, dass uns Herr von Neilreich in seinem so erspriesslichen Wirken noch lange erhalten werden möge und dass er in meiner heutigen Interpellation eine Huldigung und Anerkennung seiner grossen Verdienste erblicken möchte, die ihm alle meine Herren Collegen mit mir, gewiss aus dem Grunde

---

*) August Neilreich, k. k. Oberlandesgerichtsrath in Wien, ist geboren zu Wien am 12. December 1803, und absolvirte die juridischen Studien an der Wiener Hochschule, worauf er seine practische Laufbahn bei dem Wiener Magistrate begann und im Jahre 1853 zu dem gegenwärtigen Range befördert wurde. Vor der „Flora Wiens" erschien von ihm keine literarische naturwissenschaftliche Schrift; seitdem hat er mehrere Aufsätze in den Vereinsschriften und kleinere Mittheilungen im botanischen Wochenblatte durch den Druck bekannt gegeben. Herr Dr. Eduard Fenzl verewigte das Andenken desselben durch die Aufstellung der Gattung *Neilreichia* (S. Abhandl. der k. k. Akademie der Wissenschaften) und Herr J. Ortmann durch die Benennung einer österreichischen Pflanzenart: *Anthemis Neilreichii*.

A. d. V.

ihres Herzens darbringen und welche ihm um so mehr gebühret, da er in seiner allbekannten, so wohlthuenden Bescheidenheit neben den vielen *Diis minorum gentium*, welche er in seiner Geschichte anführte sich selbst beinahe ganz zu übergehen, sich veranlasst fand.

Nachdem die Anwesenden ihre Zustimmung zu dem letzten Theile der Anrede des Sprechers gegeben hatten, ergriff Herr Aug. Neilreich das Wort, dankte für die ihm gewordene Huldigung und insbesonders dem Herrn Vorredner, und ersuchte die Herren Botaniker, sein in Arbeit begriffenes grösseres Werk über die Flora Nieder-Oesterreichs eben so günstig aufzunehmen, wie die Flora Wiens, an welcher er selbst schon hie und da Manches auszustellen und abzuändern sich veranlasst gesehen hätte.

Herr Friedrich Brauer berichtet Folgendes:

Durch eine Notiz veranlasst, welche in den meisten öffentlichen Blättern war, dass in der Schweiz an mehreren Orten ein schwarzer Schnee gefallen sei, dessen Farbe bei näherer Betrachtung als von kleinen Insecten herrührend sich zeigte, sendete Herr Dr. Karl Schiedemayr aus Ober-Oesterreich, Kerfe an unseren Verein, welche er von Holzarbeitern aus Steinbach am Ziehberg, zwei Stunden von Kirchdorf, erhielt, und welche von diesen Schneeflöhe genannt wurden, und auf frisch gefallenem Schnee im heurigen Winter nicht selten gewesen sein sollen, aber in einigen Stunden oft schon wieder verschwanden. — Schon die Anschauung zeigt, dass diese Thiere den *Poduriden* angehören.

Ich habe diese Thiere einer Untersuchung unterzogen und so viel man aus Poduren im Weingeist erkennen kann, sie der Gattung *Isotoma* Bourlet. *Desoria* Nicol. Podura aut. Annales d. l. soc. ent. de France. t. 5. 1847. angehörig gefunden.

Bekanntlich ist die Erscheinung dieser Thiere auf Schnee nichts Neues und das älteste mit darauf hindeutenden Abbildungen versehene Werk ist das von Moller 1673. Meditatio de Insectis quibusdam Hungaricis prodigiosis anno proxime praeterito ex aere una cum nive in agros delapsis. Frankfurti ad Moenum apud D. Fieret.

Die Lebensweise der Poduren ist so weit bekannt, dass es keiner Erklärung bedarf, woher die Poduren auf den Schnee kommen; was jedoch den Grund dieser Erscheinung betrifft, so wird wohl hierüber noch viel beobachtet werden müssen, um ein sicheres Urtheil abgeben zu können.

Vergleicht man die Species mit denjenigen derselben Gattung, so zeigt sich grosse Aehnlichkeit mit *Isotoma Gervasii* Nic. Ich enthalte mich jeder Species-Bestimmung, da zu wenig Species genau beschrieben und bekannt und zudem die eingesendeten Exemplare in Weingeist viel Charactere verloren haben, und lasse die Beschreibung derselben hier folgen:

Gattung *Isotoma Bourlet* Spec. dunkel grünlich grau, um die schwarzen Augen ein lichter Ring, zwischen denselben ein dunkler Fleck. Pro-, Meso- und Metathorax oben zwei schwarze Flecke, ebenso 1. u. 2. Hinterleibssegment, 3. am Vorderrande drei schwarze Puncte, 4. u. 5. oben zwei divergirende lichte Linien. 1. Glied der Springgabel am Ende braun. Jedes Hinterleibssegment vom folgenden durch einen lichteren Hinterrand abgegrenzt. Die vier letzten Segmente tragen seitlich eine lange, nach rückwärts gebogene Borste. Beine normal; Tarsen mit zwei ungleichen Krallen. Der ganze Körper mit kleineren Haaren besetzt.

Unterseite lichter gefärbt, blass gelbgrau, wie die Gabel.

Fühler viergliedrig normal. Länge mit Fühler und Gabel 5^{mm}, Fühler 1^{mm}, Kopf und Brust zusammen $1\frac{1}{2}^{mm}$, Hinterleib $1\frac{1}{2}^{mm}$, Gabel 1^{mm}.

Vielleicht zu *Isotoma glacialis* Nicol. (p. 58 pl. 5, fig. 10 Des. saltans. Agassiz in Nicolet Bibl. univ. de Genev. XXXII., 384, av. pl. 1841) gehörig.

Herr A. Röll spricht „über das Vorkommen der Trüffeln." (Siehe Abhandlungen.)

Herr J. Ortmann hält einen Vortrag „über *Heleocharis carniolica* Koch und *Carex ornithopodoides* Hausm. (S. Abhandl.)

Hierauf ergreift Herr Dr. E. Fenzl das Wort und spricht über den Werth der zur Unterscheidung der *Cyperaceen* bisher angewendeten Charactere, von denen er die von der Zahl und Länge der sogenannten Perigonial-Borsten wie auch der Narben entnommenen nicht immer als ganz verlässlich bezeichnet.

Zum Schlusse legt Herr Secretär Dr. A. Kerner eine von Herrn J. v. Hornig aus Prag eingesandte Abhandlung: „Ueber die ersten Stände einiger *Lepidopteren*" vor, welche für die Vereinsschriften bestimmt ist. (Siehe Abhandlungen.)

JAHRES-VERSAMMLUNG

am 10. April 1855.

Vorsitzender: Vicepräsident Herr Dr. **E. Fenzl.**

Eröffnungsrede,

gehalten von Herrn Director Dr. E. Fenzl.

Meine Herren!

Die statutenmässige Erstattung des jährlichen Ausweises über den Vermögensstand unseres Vereines, welchen ich Ihnen heute, am Jahrestage seiner Gründung, vorzulegen die Ehre haben werde, hat mich noch jedes Mal veranlasst, Sie mit den angenehmen Ereignissen, welche unseren Verein im Laufe eines Jahres zunächst berührten, wie mit den Wünschen und Erwartungen, welche wir zu hegen berechtigt waren, bekannt zu machen. Auch diessmal will ich die passende Gelegenheit, sie übersichtlich zusammengestellt Ihnen vorzuführen, mir nicht entgehen lassen, obgleich ich dem Früheren des Neuen nicht viel hinzuzufügen, des Unangenehmen oder Betrübenden aber noch weniger als vordem zu erwähnen haben werde. Glauben Sie aber darum ja nicht, dass dem Vereine aus dem Mangel besonders wichtiger und erfreulicher Ereignisse in dem abgelaufenen Jahre irgend ein Nachtheil erwachsen, das Interesse im gebildeten Publicum für ihn erkaltet, oder wohl gar eine unliebsame Lauigkeit im Schosse des Vereines für dessen Interessen sich dadurch kund gegeben habe. Weder das Eine noch das Andere ist der Fall, sondern weit mehr das Gegentheil, zu dem wir uns nur Glück wünschen dürfen. Unbeirrt von allen äusseren Verhältnissen, welche die Gemüther fortwährend in ängstlicher Spannung halten und störend in Handel und Gewerbe eingreifen, wandelt unser Verein, sein fest gestecktes Ziel im Auge behaltend, geräuschlos auf geebnetem Wege fort, und gewinnt sich täglich mehr Theilnehmer und Gönner im In- wie in dem Auslande. Die Zweifler an seinem Bestehen sind bereits längst verstummt, die Spötter sind bekehrt, theilweise in unser eigenes friedliches Heereslager übergetreten, oder regen sich nicht mehr, während eine gelehrte Gesellschaft um die andere Anknüpfungspunkte mit unserem Vereine sucht und

Behörden wie Private der wachsenden Thätigkeit desselben ihre Aufmerksamkeit zuwenden und mit Beifall dessen Leistungen verfolgen. Selbst ausgezeichnete Gelehrte des Auslandes, wie Hagen aus Königsberg, Ohlert und Löw aus Posen, haben denselben durch Einsendung von Original-Abhandlungen für dessen Schriften erfreuet. Was in den ersteren Jahren noch als Ereigniss anzusehen war, fällt gegenwärtig schon in das Bereich der inneren Wirksamkeit des Vereines, und hat nur den Reiz der Neuheit für uns eingebüsst, ohne desshalb aufgehört zu haben, eine willkommene Bereicherung unserer Mittel und Kräfte zu sein. Die aussergewöhnlichen Ereignisse werden bei dem geregelten Gang der inneren Verwaltung und äusseren Thätigkeit des Vereines daher mit jedem Jahre seltener werden und mein jährlicher Bericht in dieser Hinsicht wird an solchen immer ärmer ausfallen. Lauter wird dagegen der Rechenschaftsbericht zu Gunsten der einen, sowie die veröffentlichten Schriften des Vereines zu Gunsten der anderen Seite seiner Wirksamkeit und Bedeutung sprechen.

Unter solchen Auspicien, wie ich sie eben angedeutet, lassen Sie uns meine Herren voll des besten Muthes fortschreiten, stets eingedenk der Wahrheit des sinnigen Wahlspruches „*numquam otiosus*", unserer ältesten deutschen gelehrten Gesellschaft, der kaiserlichen Leopoldinisch-Carolinischen Akademie der Naturforscher, welche treu an ihm haltend, alle Stürme dadurch bestand, welche seit 200 Jahren über sie hinweggingen. Wenn man fragt, mit welchen Mitteln sie ihre segensreiche Mission vollführte, so muss man staunen, mit welchen geringen sie selbe begann und wie viel des Guten sie damit leistete. Unserem Verein stehen jetzt schon mehr und bessere Kräfte zu Gebote als dieser seiner Zeit, und welche Ausdehnung, welche Zukunft ist jenem schlichten Vereine durch die blosse wissenschaftliche Thätigkeit ihrer Mitglieder und kluge Verwendung ihrer spärlichen Geldmittel später geworden! Lassen Sie daher, meine Herren, unser Werk je nach den Mitteln und den Fähigkeiten, über die der Einzelne frei verfügen kann, nach Kräften fördern, die einen durch freiwillige grössere Jahresbeiträge, die andern durch wissenschaftliche Arbeiten für unsere Schriften, die dritten durch Mittheilung von Sammlungsgegenständen. An alle richte ich die Bitte: Lassen Sie nicht ab von dem Eifer, den Sie bisher bewiesen, stärken und unterstützen sie ihn wechselseitig in der Nähe und in der Ferne; lassen Sie sich nie durch persönliche Rücksichten, Missverständnisse, ja selbst Fehlgriffe von Seite ihrer Geschäftsleiter abhalten, den Tribut der Wissenschaft zu zollen, den sie von jedem, der ihr im Herzen huldigt, mit Recht verlangen kann, den unser grosses reiches Vaterland von Ihnen fordert und den es tausendfältig wieder an die Millionen zurückgibt, ohne zu fragen um das Mass, mit dem der Einzelne ihm seinen geistigen Tribut einst zurückerstatten wird. Beherzigen Sie wohl, dass der Verein gegenwärtig schon in seinen Schriften den meisten seiner Mitglieder ein weit grösseres materielles Aequivalent im Geldeswerthe bietet, als diese seinen Zwecken in der kleinen

Summe des Jahresbeitrages spenden. Der Verein kann stolz darauf sein, dass er diess vermag; um diesem erfreulichen Ergebnisse seiner Thätigkeit ohne Erhöhung des Jahresbeitrages auch fürder entsprechen zu können, ist es jedoch nöthig, dass jeder, wer es nur immer vermag, freiwillig an Geldesmitteln, Arbeitskraft oder Sammeleifer mehr beisteuere, als bisher nöthig erschien. Dass diese meine, im Interesse der Wissenschaft, offen ausgesprochene Bitte nicht unbeachtet und unerwiedert bleiben werde, dafür bürgt mir Ihr reger Eifer, welchen Sie seither bethätiget, wie Ihr Stolz, einem grossen, einigen und durch seine Einigkeit mächtigen Kaiserstaate als Bürger anzugehören.

Schlüsslich noch meinen wärmsten herzlichen Dank an Sie alle, die Sie durch Ihr einträchtiges Zusammenwirken den Verein immer mehr festigen, die Leitung des Ganzen fördern, die Lust, an den Arbeiten Theil zu nehmen, bei Vielen wecken halfen: meinen nicht geringeren persönlichen noch unserem grossmüthigen Herrn Präsidenten, meinen verehrten Herren Amts-Collegen und Ausschussmitgliedern für Ihre Aufopferung und Nachsicht, die Sie mir unter allen Verhältnissen angedeihen liessen.

Rechenschaftsbericht für das abgelaufene Vereinsjahr 1854.

Zu den wahrhaft erfreulichen Zeichen der wissenschaftlichen Thätigkeit des Vereines gehört vor Allem der namhafte Zuwachs an Original-Abhandlungen zu dessen Schriften und ihrer Bedeutsamkeit für die Systematik, Morphologie und Biologie der beiden Naturreiche. Abgesehen von der grösseren Verbreitung derselben durch die wachsende Zahl der beitretenden Mitglieder und dem Verkehre mit anderen naturhistorischen Instituten nimmt der Absatz derselben im Wege des Buchhandels ausser den Gränzen Oesterreichs entschieden zu, so dass die Auflage der beiden ersten Bände nahezu erschöpft erscheint, und eine erhöhte Auflage unserer Verhandlungen in diesem Jahre bereits eintreten musste. Durch den mit dem reich dotirten Smithsonian-Institute zu Boston angeknüpften Schriftenaustausche haben sich unsere Publicationen jetzt schon einen Weg nach Nord-Amerika gebahnt, und die Zeit dürfte nicht ferne liegen, in welcher unser Verein auch noch mit anderen aussereuropäischen gelehrten Gesellschaften in Verbindung treten wird.

Als ein bedeutsames Ergebniss seiner Thätigkeit und Vorsorge für die Veröffentlichung lange vorenthaltener seltener Studienfrüchte österreichischer Naturforscher habe ich Ihnen die bereits gesicherte Drucklegung der „Flora norica" Wulfen's zu bezeichnen. Durch Herrn Sectionsrath Ritter v. Heufler in Anregung gebracht und auf das grossmüthigste durch den hochwürdigsten Herrn Abt Ferd. Steinringer zu St. Paul in Kärnten unterstützt, gelang es mir die Buchhandlung Gerold zur Uebernahme der

Heräusgabe dieses Werkes zu bewegen, nachdem sich unser verehrtes Mitglied Herr Professor Rainer Graf zu Klagenfurt bereit erklärte, dessen Redaction zu besorgen. Das dem k. k. botanischen Hofkabinete gehörige Wulfen'sche Manuscript liegt bereits seit heute druckfertig in meinen Händen und wird in Bälde der Druckerei überantwortet werden. Unser Verein darf mit gerechtem Stolze auf die Veröffentlichung dieses für die Geschichte der Botanik in Oesterreich hochwichtigen und für das kritische Studium der Arten selbst noch nach mehr als 50 Jahren unentbehrlichen Werkes eines unserer gründlichsten Gelehrten blicken und sie als die erste und edelste Frucht seines zeitgemessenen Wirkens beanspruchen können.

Die Anlage der Typen-Sammlung neu aufgestellter oder kritisch bearbeiteter Arten, die Vervollständigung des Bibliotheks-Cataloges, die Ordnung des Herbares und der übrigen Sammlungen schreiten nach Massgabe der verfügbaren Geldmittel und der Zeit der sich hierbei betheiligenden Mitglieder allmälig fort. Zu ganz besonderem Danke fühlt sich der Verein in dieser Hinsicht dem Herrn Bibliothekar Dr. Tomaschek, den beiden Herren Medicinae Candidaten Reichardt und von Pelser, wie Herrn Secretär Dr. Kerner verpflichtet.

An sehr ansehnlichen Mittheilungen von naturhistorischen Gegenständen fehlte es im Laufe dieses Jahres wahrlich nicht. Unter den freundlichen Gebern befinden sich die Namen Bayer, Blasius, Felder, Fritsch, Hölzl, Lederer, Nawratil, Reichardt, Schwab und Theodori. Durch die Herren Botteri und Wirtgen erhielt der Verein im Austausche gegen seine Schriften äusserst schätzbare Mittheilungen an Pflanzen und zoologischen Gegenständen. Die grösste und werthvollste, 6749 Arten Phanerogamen und 526 Arten Cryptogamen enthaltende Pflanzen-Sammlung nebst mehreren grösseren und kleineren Werken spendete aber unser greiser, für alles Gute und Nützliche so lebhaft noch wie in jüngeren Jahren erglühende Menschenfreund und Dichter Castelli. Ihm gebührt als wahren Mäcenaten unseres Vereines die erste Palme!

An neu dem Vereine im Laufe des Jahres 1854 beigetretenen Mitgliedern zählen wir 84; durch freiwilligen Austritt, Erlöschung der Genossenschaft wegen Nichtleistung des Jahresbeitrages und Tod verlor der Verein 40 Mitglieder. Die Gesammtsumme derselben bezifferte sich zu Ende des abgelaufenen Sonnenjahres mit 639.

Mit grossen Bedauern sahen wir unseren thätigen zweiten Vereins-Secretär Herrn J. v. Hornig in Folge seiner Versetzung nach Prag, aus der Zahl der Directionsmitglieder scheiden. Möge seine neue ämtliche Stellung ihm nur erlauben, auch von dort aus dem Vereine seine dankenswerthe Thätigkeit noch ferner zuzuwenden.

Seine Stelle übernahm bis zur definitiven Wahl Hr. Med. Dr. Kerner und versieht während der Abwesenheit unseres ersten Herrn Secretärs Frauenfeld gegenwärtig auch dessen Geschäfte in bereitwilligster Weise.

Die Zahl der mit unserem Vereine im Verkehr stehenden gelehrten Gesellschaften und ähnlichen Institute belief sich bis zu jenem Zeitabschnitte auf 68. Der neue Zuwachs in dem gedachten Jahre beträgt im Vergleich mit dem des vorhergehenden um 16 mehr. Den detaillirten Bericht wird Herr Vereins-Secretär Dr. A. Kerner Ihnen vorzutragen die Ehre haben.

Der Zuwachs an neuen Werken, welche die Vereinsbibliothek im Laufe jenes Jahres erhielt, beträgt, ungerechnet der Einzelhefte und Bände, 160 Nummern. Die Gesammtsumme aller Werke im Besitze der Vereinsbibliothek beläuft sich somit auf 633. Von der k. k. Polizeihofstelle erhielt der Verein allein 138 Werke und Fortsetzungen von 21 verschiedenen Zeitschriften. Durch unsern verehrten Herrn Präsidenten, der nie mit den Mitteln kargt, wo es gilt dem Vereine unter die Arme zu greifen, erhielt die Bibliothek durch Küster's europäische Käfer eine werthvolle Bereicherung.

An Sammlungsgegenständen mag der Verein gegenwärtig nahe an 8000 Arten Phanerogamen und 1000 Cryptogamen besitzen, zu deren Vermehrung wesentlich die grossmüthige Schenkung unseres verehrten Mitgliedes Castelli beitrug.

Auch der Zuwachs an zoologischen Gegenständen ist nicht so ganz unbedeutend, obgleich nicht so gross als in früheren Jahren, wie sich diess nach dem Berichte des Herrn Vereinssecretärs herausstellen wird.

Der Stand der Vereinskasse ist, wie Sie aus dem näheren Berichte des Herrn Cassiers noch besser entnehmen werden, trotz der bedeutenden Geldmittel, welche die umfangreicher gewordenen Verhandlungen unseres Vereines in Anspruch nahmen, immer noch ein sehr günstiger geblieben. Dank diess der verdienstlichen Fähigkeit des Ausschusses bei Bewilligung der Gelder, der musterhaften Rechnungsführung unseres Herrn Cassiers und der weit pünktlicheren Einzahlung der Jahresbeiträge gegen früher von Seite der Herren Mitglieder.

Die Gesammtsumme aller Einnahmen betrug mit Ablauf des Solar-Jahres 1854 . . . . 2485 fl. 25 kr.
nebst einer hinterlegten Metall.-Obligation per . . . 1000 „ — „
Die Gesammtsumme aller Auslagen dagegen . . 1878 „ 28 „

Es verbleiben somit an Kassarest im Baaren . . 606 „ 57 „
nebst der hinterlegten Metall-Obligation per . . . . 1000 „ — „

Im Rückstande mit ihren Einzahlungen blieben aus
den Jahren 1853 und 1854 . . . 20 Mitglieder
und aus dem Jahre 1854 . . . . 46 „

Im Ganzen daher nur . . . 66 Mitglieder mit 265 fl. 20 kr., von welchen übrigens bis zur Stunde die meisten ihrer Verpflichtung bereits nachgekommen sind; ein Ergebniss so erfreulicher und dabei zugleich so seltener Art bei freien Vereinen, dass man dessen Bedeutung nicht hoch genug anschlagen kann. Vergleicht man den Restanten - Ausweis aus den früheren Jahren bei geringerer Anzahl von Mitgliedern mit dem diessjährigen Ergebnisse, so ergibt sich, dass, während zu Ende des Vereinsjahres 1851/52

bei einer Gesammtzahl . .	von 295	Mitglied.	an Restanten	69 Mitglied.
zu Ende des Solarjahres 1852	„ 448	„	„ „	107 „
„ „ „ „ 1853	„ 585	„	„ „	88 „

ausgewiesen wurden, mit Ablauf des Solarjahres 1854 bei einer beinahe zweimal grösseren Anzahl von Mitgliedern als im ersten Jahre, dem ungeachtet die Zahl der Restanten die des Jahres 1851—52 nicht erreichte.

Ein glänzenderes Zeugniss verständigen und einträchtigen Zusammenwirkens hätte wohl niemand dem Vereine, wie dessen Finanzverwalter ausstellen können, als er sich durch dieses Zahlenergebniss selbst ertheilte.

Wenn sich die Summe der Empfänge zu Ende des

Jahres 1854 pr.	2485 fl.	25 kr.
gegen die des Vorjahres pr.	3953 „	14 „
niedriger herausstellt um	1467 fl.	49 kr.

so bildet diese Differenz doch nur scheinbar einen Ausfall in den Einnahmen, da in dem vom Jahre 1852 auf 1853 übertragenen Kassareste per 1747 fl. 22 kr. zugleich der Betrag für die angekaufte Metall-Obligation miteinbegriffen war, später aber aus der ganzen Einnahme ausgeschieden und für sich aufgeführt wurde.

Rechnung und Kassestand wurden bei der von mir am Jahresschlusse vorgenommenen Prüfung und Scontrirung richtig gestellt und ordnungsmässig belegt befunden. Ich werde selbe wie in früheren Jahren den zu bestellenden Censoren zur weiteren Berichterstattung zuweisen.

Bericht des Herrn Vereins-Secretärs Dr. A. Kerner.

Die Anzahl der Vereins-Mitglieder belief sich mit Ablauf des Jahres 1853 auf 595

Im Jahre 1854 sind demselben beigetreten:

im Jänner	15
Februar	7
März	8
April	10
Mai	5
Juni	12
Juli	4
October	17
November	3
Dezember	3

Zusammen 84

welches eine Gesammtzahl gibt von 679
hiervon die im Laufe des Jahres Gestorbenen und Ausgetretenen abgerechnet mit 40

verbleibt am Ende des Jahres 1854 die Anzahl von 639

Die Zahl der gelehrten Gesellschaften und Vereine, mit welchen wir im wissenschaftlichen Verkehre stehen, hat sich am Jahresschlusse 1854 auf 68 erhoben, von welchen folgende im Laufe des Jahres neu zugewachsen sind:

1. *Accademia economico-agraria dei georgofili in Firenze.*
2. Verein für schlesische Insectenkunde in Breslau.
3. Schlesische Gesellschaft für vaterländische Cultur in Breslau.
4. *The Smithsonian Institution at Washington.*
5. Naturhistorisches Landesmuseum von Kärnthen in Klagenfurt.
6. Naturforschende Gesellschaft in Danzig.
7. *Accademia delle Scienze di Bologna.*
8. *Societé de Sciences naturelles de Luxembourg.*
9. *Reale Accademia di Scienze, lettere ed arti di Modena.*
10. *Société du Muséum d'histoire naturelle de Strassbourg.*
11. Senkenberg'sche naturforschende Gesellschaft zu Frankfurt a. M.
12. Naturforschender Verein in Bamberg.
13. Kreiscomité des landwirthschaftlichen Vereines für Unterfranken und Aschaffenburg zu Würzburg.
14. *Entomological Society of London.*
15. *Lyceum of natural history of New-York.*
16. *Wisconsin state, Agricultural Society of Madison.*

Was den Stand der Bibliothek anbelangt, so ist derselbe aus dem Berichte des Herrn Vereins-Bibliothekars Dr. I. Tomaschek zu ersehen.

Der IV. Band der Verhandlungen des zoologisch-botanischen Vereins enthält in seiner ersten Abtheilung, den Sitzungsberichten, 50 Vorträge, und in der zweiten Abtheilung 32 Abhandlungen, die der Mehrzahl nach die Fauna und Flora von Oesterreich betreffen und denen 11 Tafeln beigegeben sind.

Die Acquisitionen für die naturhistorischen Sammlungen des Vereines während dem Laufe des Jahres 1854 sind sehr beträchtlich. Namentlich hat der Umfang des Herbariums durch Herrn Dr. J. F. Castelli, der sein ganzes 7500 Arten enthaltendes Herbarium dem Vereine schenkte, so wie durch die Herren Mitglieder M. Hölzl, Reichardt, Bayer, Nawratil, Fritsch, Wirtgen, Stur, und ganz besonders durch die grosse Sendung dalmatinischer Pflanzen von Botteri auf erfreuliche Weise zugenommen. Herr H. Reichardt unterzog sich der mühevollen Arbeit, das angesammelte Materiale zu ordnen und ihm verdanken wir ganz vorzüglich die gegenwärtige geordnete Aufstellung des Herbariums, welches auch, was die Ausstattung desselben anbelangt, nichts zu wünschen übrig lässt. Gegenwärtig umfasst dasselbe 3397 Species in beiläufig 18.500 Exemplaren. Die fast durchgehends gut erhaltenen Exemplare sind auf halben Bogen grossen weissen Schreibpapiers mittelst Papierstreifchen aufgeklebt und jede einzelne Art in einem besonderen Umschlagsbogen von braunem Naturpapier eingelegt. Das Herbarium wurde, da es fast ausschliesslich Pflanzen aus der österreichischen Monarchie enthält, nach Maly's „Flora austriaca" geordnet, und kann schon jetzt als eine wichtige Fundgrube für die Flora unseres Vaterlandes angesehen werden.

Die zoologischen Sammlungen befinden sich noch beiläufig im status quo, da es die Vereinsmittel bisher nicht gestatteten, die Gläser und sonstigen Utensilien zur systemmässigen Aufstellung herbeizuschaffen, und die bereits vorhandenen Kästen vollständig zu adaptiren. Die Acquisitionen für dieselben sind auch in diesem Jahre nicht unbedeutend.

Da seit dem Vereinsjahre 1853 sehr genaue Acquisitions-Verzeichnisse angefertigt wurden, so dürfte es genügen, hier nur im Allgemeinen dieselben anzuführen. Besonders erwähnenswerth sind die Beiträge Sr. Durchl. des Fürsten Khevenhüller für die ornithologischen und ichthyologischen Sammlungen, jene der Herren Schwab, Hanf und Finger für die ornithologischen, und der Herren Dorfmeister, Hornig, Lederer, Schmidt und Schuler für die entomologischen Sammlungen.

Beiträge für fast alle Abtheilungen der zoologischen Sammlungen hat ferner der Verein durch eine bedeutende Sendung des Herrn Botteri aus Dalmatien erhalten.

Auch die Typensammlung erhielt einen Zuwachs durch zwei Exemplare *Tritomurus scutellatus* vom Herrn Secretär G. Frauenfeld.

Bericht des Herrn Vereins-Bibliothekars Dr. Ignaz Tomaschek.

Am Schlusse des Jahres 1854 erhielt die Vereinsbibliothek 633 Nummern oder Werke in 1117 Bänden und Heften. Hiervon betrafen die allgemeine

Naturgeschichte	131
die Zoologie	127
die Botanik	152
die Oekonomie und Technologie	166
die Mineralogie und Geognosie	37
und verschiedenen Inhalt	20
Werke, somit obige Summe von	633
wodurch sich im Vergleiche mit dem Stande der Bibliothek am Schlusse des Jahres 1853 per	573
Nummer ein Zuwachs von	160

Werken ergibt, welcher zum Theil auf Schriftentausch, auf Geschenke der k. k. obersten Polizeibehörde und der Mitglieder beruht.

Diese Bücher sind im Vereinslokale systematisch geordnet aufgestellt, und in einem die Nachsuchung erleichternden alphabetischen Titelcopiencataloge verzeichnet und bieten besonders wegen Vorhandensein von den periodischen Schriften so vieler gelehrter Gesellschaften des In- und Auslandes, dann bei dem Umstande, dass die Pflichtexemplare zoologischbotanischen Inhalts der ganzen Monarchie, durch die Municenz der k. k. obersten Polizeibehörde dem Verein zufliessen, ein besonderes Interesse.

Bericht des Hrn. Rechnungsführers J. Ortmann:

Kassa-Ergebniss mit Ende 1854.

Einnahmen.

Anfänglicher Kassarest nebst Einer 5% Metall-Obligation im Nominalwerthe von 1000 fl.	296 fl.	1 kr.
Jahresbeiträge . . . pro 1852 von 4 Mitgliedern . .	12 „	— „
„ „ 1853 „ 55 „ . .	274 „	19 „
„ „ 1854 „ 512 „ . .	1694 „	36 „
„ „ 1855 „ 29 „ . .	59 „	40 „
Vereinsschriften-Bezug „ 1851 „ 6 „ . .	18 „	— „
„ „ 1852 „ 8 „ . .	24 „	— „
„ „ 1853 „ 6 „ . .	20 „	— „
Durch den Verkauf von illuminirten Schmetterlingstafeln	21 „	30 „
Druckkosten-Ersatz für Separatabdrücke einzelner Abhandlungen	2 „	6 „
Interessen von der 5% Metall-Obligation pr. 1000 fl. und den in der Wiener Sparkasse theilweise angelegten Beträgen	62 „	53 „
Summe: 1000 fl. und	2485 fl.	25 kr.

Ausgaben.

Besoldung für den Vereinsdiener	360 fl.	— kr.
Neujahrsgelder	5 „	— „
Druckkosten	910 „	53 „
Lithographien und Kupferdruck-Arbeiten	201 „	17 „
Buchbinder-Arbeiten	134 „	20 „
Tischler- „	11 „	— „
Glaser- „	17 „	— „
Mahler- „	11 „	40 „
Zum Ankauf des Brennholzes	33 „	48 „
Für Beistellung der Papiermassatafeln zu Insectenkästen .	14 „	12 „
Fürtrag:	1699 fl.	12 kr.

Uebertrag:	1699 fl. 12 kr.
An Porto	139 „ 39 „
Verschiedene und zwar Kerzen, Heizerlohn, Schreibmaterialien, Siegellack etc. etc.	39 „ 37 „
Summe:	1878 „ 28 „

Schliesslicher Cassarest: Eine 5% Metall-Obligation von 1000 fl. und	606 fl. 57 kr.
Nach Hinzurechnung der in einem eigenen Ausweise dargestellten Rückstände von 20 Mitgliedern aus den Jahren 1853 und 1854, dann von 46 Mitgliedern aus dem Jahre 1854 von	265 „ 20 „
würde sich der Kassarest beziffern mit einer Obligation von 1000 fl. und	872 „ 17 „
Der Werth der bisher angeschafften und im Vereinslocale befindlichen Utensilien stellt sich laut Requisiten-Inventar des Jahres 1854 auf	645 „ 53 „
Mit Ausschluss der Cassareste betragen die Einnahmen des Jahres 1853	2205 „ 52 „
„ „ 1854	2189 „ 24 „
die Ausgaben des Jahres 1853	3657 „ 13 „
„ „ „ „ 1854	1878 „ 28 „
Im letzteren Jahre sind daher gesunken die Einnahmen um	16 „ 28 „
die Ausgaben um	1778 „ 45 „

Das Sinken der Einnahmen beruht vorzugsweise auf dem geringeren Absatze der Vereinsschriften für die früheren Jahre, während das Fallen der Ausgaben von den ausserordentlichen Auslagen im Jahre 1853, als: für angeschaffte Inventarialgegenstände, Papier für das Vereins-Herbarium, Unterstützungs-Beiträge zu naturhistorischen Reisen, für die angekaufte Obligation zusammen pr. 1577 fl. 57 kr., ferner daher rührt, weil die definitive Verrechnung der Druckkosten für das 3. und 4. Quartal 1854, so wie der Bezug der Neujahrsgelder in das Jahr 1855 hinüber fällt.

Anderseits lassen einzelne Ausgabsrubriken gegen das Vorjahr ein Steigen entnehmen, als:

Die Besoldung des Vereinsdieners von 300 fl. auf 360 fl., die Buchbinder-Arbeiten von 10 fl. auf 134 fl. 20 kr., die Porto-Auslagen von 82 fl. 51 kr. auf 139 fl. 39 kr.

Die Erhöhung der genannten Besoldung erfolgte im Grunde eines der h. Versammlung bereits bekannt gegebenen Beschlusses der Vereinsleitung. Das Steigen der Buchbinderarbeiten beruht auf der immer grösseren Ausbreitung der Vereins-Bibliothek, gleichwie die Zunahme der Porto-Auslagen von dem immer grösseren Aufschwunge und der Thätigkeit des Vereines das glänzendste Zeugniss gibt.

Der Restanten-Ausweis enthält mit Ende 1853 88 Mitglieder mit einem Ausstande von 336 fl.; jener mit Ende 1854 nur 66 mit 165 fl. 20 kr., ungeachtet die Anzahl der Mitglieder sich im letzten Jahre nicht unbedeutend vermehrte.

Stand der Mitglieder:

Ende 1853	595		
Zuwachs	84		
Zusammen:	679		
Abfall 1854	40	u. z. durch freiwilligen Austritt . .	19
		wegen Nichtberichtigung der dreijährigen Beiträge	14
		durch Todesfälle	7

Verbleiben mit Ende 1854: 639 Mitglieder.

Auf diese Rückstände sind indessen bis zum heutigen Tage, den 10. April bereits 164 fl. eingezahlt.

Die documentirte Cassarechnung, die der Geschäftsordnung gemäss im Laufe des Jahres 1854 viermal von Seite des, die Controlle ausübenden Präses-Stellvertreters, Herrn Directors Fenzl, der Liquidirung unterzogen wurde, lege ich hiermit nebst einem vollständig detaillirten Ausweise über den finanziellen Stand der Vereinsangelegenheiten vor, damit diese Rechnungs-Objecte der entsprechenden Revision unterzogen werden.

Schliesslich kann ich nicht umhin, mich der angenehmen Pflicht zu entledigen, allen Gönnern, welche zur Förderung der Vereins-Interessen durch höhere Einzahlungen beigetragen haben, im Namen der Vereinsleitung den innigsten Dank auszudrücken.

Die Namen derselben sind am Schlusse des erwähnten Ausweises mit den geleisteten Beträgen besonders ersichtlich gemacht und in der Jahres-Versammlung publicirt worden.

Das Mitglied Herr Anton Röll zeigt Photographien nach lebenden Pflanzen vor, welche Herr A. Braun, Manufacturzeichner zu Dornach im Dep. Oberrhein, anfertigte. Diese Photographien haben zwar nur den Zweck den Zeichnern für gewerbliche Zwecke gute Modelle zur Nachbildung zu liefern, um endlich die so manirirten und von den gewiss schönen Formen der Natur weit abweichenden Gestalten zu verdrängen, nichts desto weniger zeigen diese Tafeln, auf welchen verschiedenartige Blumen, Gräser, zum Theil auch Farren in meist sehr geschmackvoll arrangirten Bouquets, Kränzen und Guirlanden dargestellt sind, dass von der Photographie auch für wissenschaftliche Zwecke in gewissen Fällen eine Anwendung gemacht werden könne. Schon viele Photographen haben Aehnliches versucht, haben sich aber durch die Schwierigkeiten abschrecken lassen. Herrn Braun aber ist es gelungen, durch Ausdauer, Studium und vielfältige Versuche äusserst erfreuliche und oft wahrhaft überraschende Resultate zu erhalten, von welchen sich die Anwesenden durch die Einsicht der vorgezeigten 50 Blätter (die ganze Sammlung besteht aus 300 Blättern) überzeugten und sich darüber einstimmig äusserst lobend aussprachen, denn die Klarheit, Reinheit und Schärfe des Bildes, sowie der angenehme, die zartesten Schattirungen ausdrückende Farbenton lassen bei der grössern Mehrzahl der Blätter nichts zu wünschen übrig.

Was die Preise betrifft, so sind dieselben keineswegs überspannt, denn die ganze Sammlung von 300 Blättern kostet 1200 Frank, ein Blatt somit 4 Frank, das ist ohne Berücksichtigung des Coursaufschlages 1 fl. 36 kr. C. M. Wenn man jedoch nicht die ganze Sammlung abnimmt, sind die Preise etwas erhöht, so dass das Minimum, welches Herr Braun ablässt, nämlich ein Band von 50 Blättern 250 Frank, ein Blatt somit 5 Frank, gleich 2 fl. 10 kr. C. M. kostet.

Herr Braun hat ausserdem es versucht, einzelne Pflanzen, Blüthen, Blätter u. s. w. in Naturgrösse darzustellen, damit dieselben als Zeichnungsvorlagen in den Schulen dienen können und ist dabei ebenfalls zu sehr erfreulichen Resultaten gelangt.

Schliesslich erwähnte der Redner, dass auch für die Zoologie die Photographie bereits eine Anwendung gefunden habe, indem die Herren Rousseau und Deveria die Methode der Herren Niepce und Lemaître, auf einer präparirten Stahlplatte ein Bild zu erzeugen, welches nach einigen Zwischenoperationen directe Abdrücke zu nehmen erlaubt, benützen, um die zoologischen Schätze des Jardin des plantes in einem Werke, welches den Titel „Photographie zoologique" führt, zu veröffentlichen; und glaubte am Ende die Meinung aussprechen zu dürfen, dass die Photographie erst anfange, eine nützliche Entdeckung zu sein, und dass ihr noch eine grosse Zukunft bevorstehe.

Versammlung am 2. Mai.

Vorsitzender: Vicepräsident: Herr **Vincenz Kollar.**

Neu eingetretene Mitglieder:

Als Mitglied *P. T.* Herr	bezeichnet durch *P. T.* Herrn
Emminger Dr. *Josef Wilhelm*, k. k. Statthalter von Nieder-Oesterreich, Excell. .	*Das Präsidium.*
Haynald Ludwig, Dr. d. Theol., Bischof zu Karlsburg, Excell.	*Das Präsidium.*
Martius, Karl Ritter v.	*Das Präsidium.*
Dufour Léon, correspondirendes Mitglied der kais. Akademie der Wissenschaften in Paris, zu St. Sever	Dr. *J. Giraud* u. Dr. *J. R. Schiner.*
Fairmaire Léon, Custosadjunct der entom. Gesellschaft in Paris	*G. L. Mayr* u. Dr. *A. Kerner.*
Förster Arnold, Oberlehrer an der höheren Bürgerschule zu Aachen	*G. L. Mayr* u. Dr. *A. Kerner.*
Greissing Karl v., Dr. der Medicin . . .	Dr. *Haubner* u. Dr. *F. Salzer.*
Müller Anton	Dr. *R. v. Eisenstein* u. Dir. *Kollar.*
Signoret Dr. in Paris	*G. L. Mayr* u. Dr. *A. Kerner.*
Valmagini, Don Julius v., Bothschafts-Ceremoniär am k. k. österr. Hofe zu Wien	*V. Totter* u. *S. v. Schreyber.*
Waltl Dr., Professor in Passau	Dr. *A. Kerner* u. Dr. *I. R. Schiner.*
Winnertz Johann, in Crefeld	Dr. *J. R. Schiner* u. Dr. *J. Egger.*

Eingegangene Gegenstände:

Naumania, Archiv für die Ornithologie, Stuttgart 1852—54, 2.—4. Band.

Geschenk Sr. Durchlaucht des Herrn Präsidenten.

Cornalia Dott. E. *L'eria o il bruco del Ricino (Saturnia Cynthia Dr.) ne suoi rapporti scientifici ed industriali. Milano* 1855.

— *Monografia del Bombice del gelso. (Bombyx mori Lin.) Milano* 1854.

Geschenk des Herrn Verfassers.

Mittheilungen über Gegenstände der Landwirthschaft und Industrie Kärntens. Klagenfurt. 12. Jahrgang. 1855. Nr. 3.

Flora. Herausgegeben von der k. baier. botan. Gesellschaft in Regensburg. Jahrg. 1855. Nr. 1—12

Sitzungsberichte der kais. Akademie der Wissenschaften in Wien. 1855. Bd. XV. 2. Heft.

Zeitschrift der k. k. Gesellschaft der Aerzte in Wien. 1855. 3.—4. Heft.

Rendiconti delle adunanze della R. Accademia economico-agraria dei Georgofili di Firenze 1855. *Marzo.*

Bulletin de la Classe physico-mathématique de l'Académie impériale des sciences de Saint-Pétersbourg. Tome XIII. Nr. 1—12.

Schriftentausch.

The Transactions of the Linnean Society of London. Volume XXI. Part. 1—3. 1852—54.

Proceedings of the Linnean Society of London. Nr. 38—58.

Address of Thomas Bell. Esq., the President, read at the anniversary Meeting of the Linnean Society. London 1854.

List of the Linnean Society. 1853—1854.

Anschluss zum Schriftentausch.

Jahrbuch des naturhistorischen Landesmuseums von Kärnten. Klagenfurt 1854.

Verhandlungen der Forst-Section für Mähren und Schlesien. Brünn 1855. 3.—4. Heft.

Liebisch Christof, Boden-Statik für Forst- und Landwirthschaft. Prag 1855,

Klos Josef. Die Riesenmöhre. Jägerndorf 1855.

Gross Josef. Anleitung zur künstlichen Erziehung der vorzüglicheren Waldbaumpflanzen in Saat und Pflanzenbeeten.

Storia naturale illustrata del regno animale. Venezia 1854—1855. *Vol. I. Fasc.* 15—18.

Cobelli Bortolo. *Causa che produce la malattia del calcino nei bachi da seta. Milano* 1855.

Istruzione pratica per la coltivazione dei gelsi. Trento.

Die Fortsetzungen der Zeitungen.

Geschenke der k. k. obersten Polizeibehörde.

Herr Dr. I. R. Schiner theilt mit, dass er im heurigen Jahre Rohrstengel mit den beiden Arten *Lipara lucens* und *L. similis* besetzt gefunden habe, und dass sich die letztere, von ihm neu aufgestellte Art auch schon durch die Art und Weise der Deformirung des Stengels von der Meigen'schen unterscheiden lasse. Die leeren Wohnungen der *Lipara*-Larven fand er in vielen Fällen mit den Larven eines *Hymenopterons* besetzt, die schichtenweise übereinander lagerten.

Ferners ist er der Ansicht, dass die drei bisher als verschieden bekannten *Piophila*-Arten: *P. Casei* Fall., *atrata* Mg. und *petasionis* L. Duf. eine und dieselbe Art sein dürfte, was er durch die Beobachtungen einer Menge solcher Fliegen, die er zu Tausenden aus Schinkenfett gezogen hatte, nachzuweisen sucht.

Endlich legte er eine von Herrn Dr. H. Löw, aus Preussen, eingesendete Monographie der Gattung *Sargus* vor und bespricht deren Inhalt. (Siehe Abhandlungen.)

Herr Director Kollar theilt hierauf nachfolgende Skizzen aus Briefen, welche Herr Vereins-Secretär G. Frauenfeld an seine Freunde aus Egypten und vom rothen Meere geschrieben, mit.

Skizzen aus G. Frauenfeld's Briefen an seine Freunde aus Egypten und vom rothen Meere.

Samstag den 10. Februar um halb fünf Uhr Nachmittag verliess Frauenfeld mit günstiger Bora den Hafen von Triest. Obschon ausserhalb des Hafens mit conträrem Winde ringend, ging Alles gut bis Sonntag den 11. vier Uhr Nachmittag. Da hob sich der Wind und wuchs zum Sturme der fürchterlichsten Art, welcher dreissig Stunden anhielt, so dass das Schiff, statt Montag um drei Uhr, erst Dinstag um diese Stunde in Corfu anlangte. Von Corfu bis Alexandrien war die Fahrt, was die Witterung betrifft, angenehm, doch entsetzlich eintönig.

Den 16. halb zehn Uhr fand die Landung in Alexandrien statt. Der Eindruck, den das Land und die Stadt, nämlich das Frankenquartier machen, ist ein europäischer, nur die Züge der Kamele, die gespenstischen Gestalten der Araber und die zierlichen Dattelpalmen tragen das fremde afrikanische Gepräge. Mit Mühseligkeiten und Beschwerden habe der Fremde vielfach zu kämpfen; Alles koste ein wahnsinniges Geld. Im Hotel du Nord, einem der wohlfeilsten, mussten 30 Piaster, d. i. 3 fl. Silber pr. Tag gezahlt werden und in gleichem Verhältnisse stehen die Preise von allen Lebensbedürfnissen.

Von Naturproducten neu waren für unsern Reisenden die Bananen, die nicht übel schmecken, frische Datteln gab es noch nicht.

Von dem Elend und der Erbärmlichkeit der arabischen Dörfer könne man sich keinen Begriff machen. Ein viereckiger Raum auf der nackten Erde von der Grösse eines gewöhnlichen Wohnzimmers, von Wänden aus Koth und Steinen eingefasst, mit flachem Dach und einer 2½ Fuss breiten und 4—5 Fuss hohen, durch eine Thür zu schliessenden Oeffnung, bildet ein Haus. Mehrere solche Häuser in einer Reihe neben einander liegend, machen ein Dorf aus. Selten hat hier und da eines einen Stock aufsitzen. Katzen, Schafe und Tauben wohnen traulich mit den Menschen darin; Hunde haben in Egypten ohnehin Strassenrecht und liegen in zahlloser Menge herum. Alle Bedürfnisse werden unmittelbar vor der Thür abgemacht.

Die Hitze war schon ziemlich bedeutend, am 17. Februar 18° R. im Schatten, und schon den 15. stellte sich der erste Chamsin ein, wo doch sonst diese heissen Wüsten-Winde erst mit April beginnen.

Am Safte der Dattelpalmen an der Seeküste wimmelte es bereits von Dipteren, leider konnte der Reisende nicht viel sammeln, da er sein Gepäck vom Schiff noch nicht erhalten hatte.

In dem kleinen Netz, das er stets mitführte, barg er vorläufig eine *Ulidia*, *Lispe* und mehrere andere Fliegen.

Am Meeresstrande war wegen des beständigen Wellenschlages wenig zu sammeln; die ausgeworfenen Algen waren ganz gewöhnliche Arten. Am Mareotis-See traf er viele Möven und Strandläufer, aber keine Flamingo's, obwohl, wie man ihn versicherte, sie auch zuweilen vorkommen.

Ueber Cairo, wo Frauenfeld theilweise mit Eisenbahn und mittelst Dampfschiff am 24. Februar ankam, schreibt er: Cairo ist der erste Punct den ich von hohem Interesse finde, durch sein rein arabisches Gepräge, durch seine Grossartigkeit. Hier stehe ich im schwindelnden Gewühle der uralten Kalifenstadt auf silberglänzender Fläche des heiligen Stromes, unter dem Laubdach fremder Palmen, doch hat mich das Land des Lotos und der Gazellen noch nicht schwärmen gelehrt, hat mich bisher kalt gelassen, dass ich mit nüchternen Fingern den Schleier hebe, den eine übertriebene Fantasie um das wenig reizende Bild geworfen. Ihnen von dem Gewühle hier eine Beschreibung zu machen, übersteigt alle Möglichkeit.

Denken Sie sich Strassen, deren grösste die Krugerstrasse an Breite kaum übertrifft, krumm, winklig, finster, da sie meist alle mit Sparren und Lappen überdeckt sind, darinnen tausende Menschen, hunderte Esel, Kamele, Wagen, zwischen den Füssen Hunde; alles rennt, trabt, stösst, drängt, lärmt, schreit entsetzlich bunt und verwirrt durcheinander, und Sie haben den Begriff einer Strasse von Cairo!

Wir haben heute die Citadelle besucht, von wo man Cairo tief zu seinen Füssen liegen sieht. In dem Palast des Vicekönigs herrscht die üppigste Pracht, neben schlechter Sudelei, der schönste Glanz neben der schmutzigsten Unreinlichkeit, der herrlichste Marmor neben zerbrochenem rohen Holzwerk; es ist wirklich characteristisch nicht eine Sache zu finden, wo nicht das Ausgezeichnetste mit der nachlässigsten Erbärmlichkeit und Unreinlichkeit sich gepaart fände.

Die Moschee, in welche uns ebenfalls der Eintritt gestattet wurde, ist ausserordentlich grossartig. Uebrigens sieht man, wie das Raffinement bei den Türken schon Fortschritte macht. Es ist verboten die Moscheen anders als in Socken zu betreten. Um nun den Franken das lästige Stiefelausziehen zu ersparen, da der Besuch doch ein schönes Backschisch trägt, packt man beim Eingang den Fremden und zieht ihm leinene Fetzen als Socken über die Stiefel, und siehe da, Profet und Muselmann sind zufrieden gestellt.

Am 25. haben wir einen Ritt nach den Pyramiden gemacht, und die grösste, jene des Keops, bestiegen, so wie deren Inneres besucht.

Es ist allerdings sehr interessant, sie einmal zu besteigen, aber wirklich beinahe um sagen zu können, man habe sie bestiegen. Ich weiss nicht, bin ich so prosaisch, so wenig poetisch; aber mir waren die Fledermäuse das Liebste in den Pyramiden, zumal ich auf einem dieser Pelzflatterer eine geflügelte *Nycteribia*, leider nur ein einziges Exemplar gefunden.

Weit unermesslicher sind die Bauten unter der Erde rings umher, so tief, dass man beinahe eine Pyramide hineinstellen könnte mit Gemächern und Gängen.

Es überfällt einem heiliger Schauer, welch ungeheuere Verschwendung an Kräften da nutzlos vergraben liegt! Einen tieferen Eindruck hat die Wüste auf mich gemacht, dieses starre, leblose Sandmeer, diese grauenvolle todbringende Oede!

Eben so sehr interessirten mich die sparsam zerstreuten Pflanzen; es war mir ein eigenthümliches Gefühl, jede Pflanze, die ich in die Hand nahm, fremd zu finden.

Ich habe mit vielen Schwierigkeiten zu kämpfen, um mein Ziel zu erreichen. Wie sich das zieht und Tag für Tag verrinnt, ohne dass ich weiter komme; jeder Tag, den ich hier zubringe, ist unersetzlicher Verlust, da die Zeit schon so weit vorgerückt ist, dass ich gerade die allerschlechteste zu geniessen bekomme; denn der April und Mai sind die ungünstigsten Monate für diese Gegenden, weil da die Chamsine herrschen, durch die der Mensch so ausserordentlich leidet.

Ich bin nun rüstig daran, den Ort meiner Bestimung baldigst zu erreichen, mit steter Zubereitung meiner Apparate beschäftigt. Ich nähe und schneidre darauf los, allein das geht schlecht; das Reiten habe ich besser erlernt, das geht ganz gut, und da man jeden Weg zu Esel machen muss, so sitze ich sehr oft auf diesem Sinnbild der Demuth und Geduld.

Ich komme eben von der Besichtigung der Thiere zurück, welche Dr. Heuglin für die kaiserliche Menagerie in Schönbrunn zusammengebracht. Der *Bos caffer* ist ein schönes Thier, drei Geppard, *Felis serval*, eine Angola-Katze, drei Gattungen Antilopen, ein Maki und einige andere Affen, mehrere Adler, Haus-Ziegen aus dem Innern Afrika's, dann ein junger Löwe und zwei Strausse sind das, was wir sahen.

Eine Verkümmerung der Blattknospen von *Mimosa nilotica* entstellt hier die ganzen Bäume, unzweifelhaft eine *Cecidomyia*. Ob ich sie ziehen werde können, weiss ich nicht, da die Maden noch sehr klein sind.

Wir haben heute (27. Februar) einen Ritt nach Heliopolis gemacht, zu dem Baume, unter dem der Sage nach die heilige Maria auf der Flucht nach Egypten ausgeruht haben soll.

Bei der Rückkehr von Heliopolis war die Sonne bereits unter den Horizont gesunken, der Mond stand leuchtend am Himmel, der Abend war wundervoll lau und mild, reiche, üppig wogende Saaten ringsum, Sträucher in Hecken und Alleen erschienen in dem magischen Halbdunkel ganz wie europäisch. Ich ritt fern von der Gesellschaft ganz allein und meinte eine Stunde lang, ich sei in der Heimath und kehre vom nahen Ausflug zu den Angehörigen zurück, bis ein schmaler Streif der Sandwüste, bis Karawanen der Kamele mich aufschreckten aus meinem Irrthum und mich hinausstiessen ins ferne afrikanische Land.

Ich verlasse jetzt den letzten Punkt, wo Land und Leben mir noch Bürgschaft für Sicherheit gewährt, dann steh ich allein, umringt von den feindlichen Elementen jener unwirthlichen Fluren und ihrer Bewohner.

Heut um Mittag (8. März) kam ich wohlbehalten in Suez an, und denken Sie sich, was vielleicht Tausenden von Reisenden nicht widerfährt — mit Regen! Freilich war das so ein Regen, den man wie Naschwerk nur in winzigen Portionen vorsetzt; während Boden und Atmosphäre mit lechzender Zunge darnach schnappten und die Feuchtigkeit hinwegtranken, dass man in fünf Minuten nicht wusste, ob man denn doch nicht geträumt habe, oder ob etwa hier in dem Lande des Truges und der Unverlässlichkeit der Regen gar nicht nass sei? — Man traut seinen Sinnen nicht, die man voll Unwillen Lügen strafen muss, denn ich hatte, kaum 100 Schritte vorher, gefühlt, dass mein Tarbusch und meine Kufieh — Sie sehen ich bin schon ganz Araber — nass waren, wovon nun nicht eine Spur mehr.

Eben so sprachlos vor Erstaunen sieht man die Luftspiegelungen. Ganze Seen mit wogender Bewegung, und kaum reitet man eine kleine Strecke, ist's der dürrste trostloseste Sand; dahinter eine Hügelreihe, mitten durchbrochen mit weiter, weiter Fernsicht und nach Kurzem sind Berge und Ebene wieder anders wohin versetzt und die Fernsicht verschwunden.

Befremdend ist's für den Bewohner nördlicherer Gegenden, dass es hier keinen flammenden Morgen, keinen Sonnenaufgang gibt. Abends noch hoch am Himmel, verschwindet die Sonne plötzlich, und tritt erst spät Morgens ein bleicher, glanzloser Körper aus der dicken grauen Atmosphäre heraus, unheimlich durchscheinend und doch mit sengendem Brande. Man sagt mir, es sei diess nur in der Zeit der Chamsine so, es gäbe schon auch klare Morgen.

Es ist doch etwas Eigenthümliches so eine Wüstenreise. — Schweigend ziehen die Kamele mit langsam gemessenem Schritte dahin, nur beim Auf- und Abladen oder, wenn sie sich sonst niederlegen sollen um etwas an dem Gepäck zu richten, geben sie mit grollendem Gekrächze ihren Unwillen zu erkennen, der einzige Laut, der die tiefe Stille unterbricht.

Ich war mit meinem Esel immer weit voraus, so dass ich Zeit genug gewann seitwärts abzulenken, um mir das zwar sparsam zerstreute, doch nicht unbedeutende organische Leben zu betrachten.

Bei jeder Pflanze, die weil sie unseren Fluren fremd, im hohen Grad mein Interesse spannte, schwebten mir doch immer und immer unsere reichen grünen Matten vor den Augen, mit Wehmuth daran denkend, ob und wann ich sie wieder durchstreichen würde.

Den zweiten Tag unserer Wüsten-Reise mussten wir der grossen Hitze wegen (32° R.) von 10 bis 4 Uhr Nachmittags Halt machen, wobei mein Zelt aufgeschlagen wurde, da wir den Schatten des einzigen Baumes, den wir seit dem 30stündigem Marsche erblickten, einer Karawane überliessen, die nach Mekka mit Weib und Kindern pilgerte und kein Zelt hatte; auch Wasser, das wir reichlich besassen und um das sie uns baten, liessen wir ihnen bereitwillig ab.

Wir haben heut von Suez aus einen Ausflug nach der 3—4 Stunden entfernten Oase „Ain el Musa" gemacht. Es sind diess mitten in dem sandigen Hügelmeere liegende Quellen eines säuerlichen Wassers, welche einen beiläufig 40—50 Joch grossen Fleck bewässern und so der Wüste ein Stück grünen mit Bäumen bepflanzten Landes abgezwungen haben. Es gehört 8—9 Suezanern, die das einzige frische Gemüse von dort bekommen, das hier verzehrt wird. Dieses Wüsten-Eiland ist sehr belebt: Spazen, weisse Bachstelzen und mehrere Sylvien treiben sich in den Tamarisken, Dattelpalmen, Granatäpfeln, Rosen und Mimosen herum.

Es ist staunenswerth, wie sich so viel Leben auf dem kleinen fruchtbaren Fleck, meilenweit von Wüste umgeben, zusammenfindet. Die Thiere hängen sich an das Leben, das der Mensch hervorruft und wandern mit ihm.

Die Wüste zwischen Cairo und Suez hat 15 Stationen und bei mehreren hörte ich Nachts Fledermäuse, die erst da Fuss fassen konnten, als diese Gebäude errichtet wurden.

Da sitz' ich nun schon den vierten Tag (11. März) in Suez und warte auf guten Wind um nach Tor, dem Orte meiner Bestimmung zu gehen.

Suez ist einer der erbärmlichsten Flecken auf Gottes Erdboden; man ist versucht schnurstracks umzukehren und durch die Wüste wieder zurück zu laufen; es ist hier noch tausendmal ärger als in der Wüste: Sand und nichts als Sand, selbst das Meer bietet nichts, da es meist sandiges Ufer hat. Ich renne den ganzen Tag Ufer auf Ufer ab und nichts ist zu finden, wohin ich schaue starrer Tod, leere Oede!

In den Strassen übrigens Lärm und Geschrei in reichem Masse. Tausende von Ballen liegen auf der Erde zwischen den Häusern und harren der Verladung. Ganz Suez ist nur ein ungeheures Warenlager unter freiem Himmel. Nichts ist hier zu finden, alles muss von Cairo oder durch indische Schiffe gebracht werden. Selbst Fische gibt es hier nicht und werden diese erst 18—20 Stunden weit gefangen. Trinkwasser wird von der Sinai-Halbinsel in 12 Stunden Entfernung geholt, wozu eigene Kamele gehalten werden, die regelmässig die Schläuche hin und her tragen und so den Ort versorgen.

Durch die Wüste reis'ten wir dritthalb Tage zu Kamel, ich ritt, wie bereits erwähnt, einen Esel, um nach Belieben abzusteigen und mich nach Pflanzen und Insecten umzusehn, die man immerhin findet, meist aber nicht eher sieht, als bis man schon dabei steht.

Es ist eine wirklich trostlose Sache um so eine Wüste! Wie das die Juden vierzig Jahre aushielten, begreife ich nicht, mir sind drei Tage schon verzweifelt lang geworden: und nun gar hier, wo ich nichts zu thun habe, nichts zu finden ist.

Nicht einmal die Raubvögel, die Cairo in zahlloser Menge umkreisen, finden sich hier. Die todten Kamele, die rings um die Stadt liegen, verfaulen ohne gefressen zu werden. Nicht einmal Käfer finden sich an so einem Aase, das ist doch zum verzweifeln! In einem andern ehrlichen Lande wäre das ein Gewimmel, dass man nicht wüsste, wo zuerst zugreifen. Dagegen in den Wohnungen Fliegen, Flöhe und Wanzen in Abundanz; das ist wirklich fürchterlich, ich bin stets wie gegeisselt.

Kotschy, der mich bis hierher begleitete, ist heute nach Cairo zurück. Bei seinem Abschied war es mir, als risse der letzte Faden, an dem ich noch hoffend festgehalten. Mitten unter fremden Lauten, fremden Menschen, mit vollen Sinnen wie taub und stumm unter der Menge — es ist ein erdrückendes Gefühl!.

Um den letzten Trost, der mich in meiner Verlassenheit erquicken sollte, musste ich mich selbst bringen: da die Verbindungen nach den Orten, wohin ich gehe zu unbestimmt und unsicher sind, zog ich es vor, alle Briefe, die an mich kommen dürften, bis zu meiner Rückkehr in Cairo liegen zu lassen. Diess ist wohl das härteste, das ich erdulde!

Herr Director Kollar übergibt hierauf einen von Herrn G. Frauenfeld aus Tor auf der sinaitischen Halbinsel, welchen Ort derselbe für einige Zeit zum Mittelpuncte seiner Ausflüge auserwählte, eingesendete Notiz: Beobachtungen über Insectenmetamorphosen. (Siehe Abhandlungen.)

Herr Director Dr. E. Fenzl spricht über *Dasylirion graminifolium* eine auf den dürren steinigen Hügelabhängen in Mexico gesellschaftlich mit riesigen *Liliaceen* vorkommenden Pflanze, die heuer zum ersten Male im k. k. botanischen Garten ihre Blüthen entfaltete und die von demselben im Versammlungsorte nebst einigen andern verwandten Arten vorgezeigt wird. Er bespricht die Eigenthümlichkeiten der Fruchtbildung, durch welche sich diese Pflanzen von den *Liliaceen* wesentlich unterscheiden und hält sie für nahe verwandt mit den binsenartigen Gewächsen.

Herr L. Ritter von Heufler theilt einen höchst interessanten Zug aus dem Leben einer Nachtigall mit: Der Portier im k. k. Banko-Gebäude in Wien hatte seit Jahren eine Aunachtigall, die sich durch ihren schönen Schlag auszeichnete, in einem Käfig bei seinem Fenster aufgehängt. Vor sieben Jahren wurde dieselbe am 13. März durch vorbeigehende Menschen mittelst Stangen sammt ihrem Bauer von der Wand herabgeschlagen und hörte von diesem Augenblicke zu schlagen auf. Erst im Spätherbst fing sie wieder zu schlagen an und sang bis zu dem verhängnissvollen Tage, an welchem ihr im verflossenen Jahre jener Unfall begegnet war. Schon am Morgen unruhig geworden, hörte sie um die erste Stunde nach Mittag, um welche Tagesstunde ihr der Unfall begegnet war, zu schlagen auf, und diese Erscheinung wiederholte sich jährlich auf gleiche Weise. Im verflossenen Jahre verkaufte der erwähnte Portier Johann Schöffel diesen Auvogel und weiss seitdem nicht mehr, was aus ihm geworden ist.

Durch den Herrn Vereins-Secretär Dr. A. Kerner wird folgende von Herrn P. J. N. Hinteröcker in Linz eingesendete Notiz, betreffend die in letzter Zeit von ihm im Gebiete der Fauna und Flora von Linz gemachten Entdeckungen, vorgelesen:

Im verflossenen Jahre war es mir gegönnt, einige für den Freund der vaterländischen Insectenfauna nicht uninteressante Entdeckungen zu machen, die ich des allgemeinen Interesses wegen zur öffentlichen Kenntniss bringe:

Von *Coleopteren* fand sich im verflossenen Hochsommer an Einem Tage auf dem *Cynanchum Vincetoxicum* R. Br. auf der Welser Haide in der Nähe von Linz der schöne *Chrysochus pretiosus* E. aus der Familie der *Chrysomelen*. Bisher wurde diese Species nach dem Zeugnisse des Herrn Entomologen Knörlein in Ober-Oesterreich gar nicht beobachtet. Dieselbe Species bot sich auf einem Hügel in Spitz unterhalb Melk im Donauthale aber wieder nur auf dem *Cynanchum Vincetoxicum*. Dr. Redtenbacher gibt in seiner Fauna von Oesterreich den *Chrysochus* als selten und den Gebirgsgegenden Oesterreichs unter der Enns angehörig an, erklärte aber bei einer Unterredung, ihn nur auf der Neustädter-Haide gefangen zu haben.

Von *Lepidopteren* bekam ich nun schon das zweite Exemplar von *Bombyx dumeti* L.; beide sind Weibchen. Das erste wurde lebend von einem Zöglinge aus der unmittelbaren Nähe des Freienberges gebracht; das zweite erhielt ich frisch ausgekrochen auf der Welser Haide ganz nahe bei Linz.

Brittinger führt diese Species unter seinen „Schmetterlingen von Linz" gar nicht auf.

Als der unmittelbaren Linzer Fauna angehörig, können ausserdem folgende Species aufgeführt werden, die in Einem oder mehreren Exemplaren entweder gefangen oder gezogen wurden, und von Brittinger unter den Schmetterlingen Ober-Oesterreich's zwar angeführt, aber nicht der Linzer Gegend zugewiesen werden:

Polyommatus Hiera F. Pfennigberg.
Lycaena Meleager E.
Argynnis Ino E. Pfennigberg.
Erebia Medusa F. Wiesenabhänge zwischen Kirchschlag und Hellmannböd.
Brephos Notha H. Freienberg.
Odezia tibialaria B. Pfennigberg.
Cilix spinula Ph.
Spelotis pyrophila F.
Xylina vetusta H.
Hadena genista B.
Orthosia pistacina F.
— *rubricosa* F.
Anarta arbuti H.
Euclidia mi L.

Was die Linzer Flora betrifft, war ich so glücklich die Standplätze von *Linum flavum* L. und *Stachys germanica* L. auf dem Pfennigberge wieder aufzufinden, die von zweien der vorzüglichsten Botaniker von Linz zwar auf dem Pfennigberge angegeben wurden, deren bestimmte Standplätze aber ihnen nicht mehr bekannt waren. Beide wachsen oberhalb der Uferlände vom ersten Steinbruche rechts, wenn man von der Strasse den Hügel hinaufsteiget, ziemlich nahe bei einander, das *Linum* jedoch höher, schon im Gebüsche.

Schlüsslich wird von dem Herrn Vicepräsidenten Director V. Kollar an die Versammlung die Mittheilung gemacht, dass bei dem Umstande, dass der Werthbetrag der durch den Verein veröffentlichten Druckschriften ein grösserer sei, als der jährliche Beitrag der Mitglieder, der Ausschuss in seiner Sitzung vom 30. April l. J. beschlossen habe, eine freiwillige Subscription auf Mehrbeträge bei den Herren Mitgliedern zu eröffnen.

Weiter wird von demselben mitgetheilt, dass der provisorische zweite Secretär Herr Dr. A. Kerner zu Folge der in der letzten Ausschusssitzung vorgenommenen Revision der eingelaufenen Wahlzettel einstimmig zum wirklichen Secretär des zoologisch-botanischen Vereines gewählt worden sei.

Versammlung am 6. Juni.

Vorsitzender: Vicepräsident: Herr **August Neilreich.**

Neu eingetretene Mitglieder:

Als Mitglied *P. T.* Herr	bezeichnet durch *P. T.* Herrn
Betta Heinrich, *Edl. v.*, Dr. der Med. u. Chir.	Dr. *A. Kerner* u. *H. Preyssinger.*
Bilharz Dr. *Theodor*, Professor an der medicinischen Schule in Cairo	*G. Frauenfeld* u. Dr. *A. Kerner.*
Businelli Franz, Dr. d. Medic. u. Chir.	Dr. *A. Kerner* u. Dr. *Salzer.*
Chiari Gerardo, k. k. Vice-Consul beim General-Consulate in Alexandrien	*G. Frauenfeld* u. *Th. Kotschy.*
Effendi Ibrahim. Dr. d. Med., Oberst der kais. Armee in Syrien	*G. Frauenfeld* u. Dr. *A. Kerner.*
Friedrich Adolf, Pharmazeut	*W. Sedlitzky* u. *G. Frauenfeld.*
Gollmann Wilhelm, Dr. d. Med. u. Chir.	Dr. *R. Weinberger* u. Dr. *Schiner.*
Heydenreich v., Dr., Superindentent in Weissenfels	*J. Lederer* u. *A. Stentz.*
Huber Christian Wilhelm, k. k. Ministerialrath, General-Consul für Egypten, in Alexandrien	*G. Frauenfeld* u. Dr. *A. Kerner.*
Kusebauch Wenzl, Hochw., Hauskaplan des k. k Militär-Knaben-Erziehungshauses in Znaim	*L. Micksch* u. *V. Totter.*
Machdiak Gustav, k. k. Landesgerichts-Official	Dr. *Kopp* u. Dr. *Schiner.*
Noë Heinrich, Gymnasial-Supplent in Znaim	Dr. *A. Kerner* u. *H. Reichardt.*
Pellischek Thomas Fried., Dr. d. Med. u. Chir.	Dr. *L. Fitzinger* u. *G. Frauenfeld.*
Pokorny Johann, Beamter in Prag	*J. v. Hornig* u. *G. Frauenfeld.*
Pfund Dr. *Johann*, practischer Arzt in Alexandrien	*Th. Kotschy* u. *G. Frauenfeld.*

Als Mitglied *P. T.* Herr	bezeichnet durch *P. T.* Herrn
Saga Karl, Dr. der Med. in Prag . .	*J. v. Hornig* u. *G. Frauenfeld*.
Schäffer Ignaz, *Ritt. v.*, k. k. Kanzler beim General-Consulate in Alexandrien	*G. Frauenfeld* u. *Th. Kotschy*.
Schröckinger-Neudenberg Julius, Ritt. v., Secretär im k. k. Finanz-Ministerium .	Dr. *M. Hörnes* u. Dr. *A. Kerner*.
Spitzer Ludwig, Dr. d. Med. u. Chir. .	Dr. *A. Kerner* u. *F. Salzer*.
Stellwag, Edl v. Carion Karl, Dr. der Med., k. k. Oberfeldarzt	Dr. *F. Salzer* u. *H. Preyssinger*.
Tessedik Franz v., Studierender . . .	*A. Neilreich* u. Dr. *A. Kerner*.

Eingegangene Gegenstände:

Zachold Ernst A. *Bibliotheca historico-naturalis physico-chemica et mathematica.*

Betta Ed. nob de: *Catalogo dei molluschi viventi sul monte baldo nella provincia di Verona. Pavia.*

Bizio Giovanni. *Sopra il passagio del turtrato di rame dallo stato polveroso a quello di cristalli. Venezia 1855.*

— *Scoperta dell'arsenico nell'acqua ferruginosa di civillina detta acqua catulliana. Venezia 1855.*

Strobel P. v., *Giornale di Malacologia. Pavia 1854. Anno II.*

Gredler M. V. Die Käfer von Passeier. Innsbruck 1854.

Effendi Dr. Ibrahim. Leitfaden zur Kenntniss der Naturkörper nach neuerm Standpuncte der Wissenschaft, in arabischer Sprache.

Geschenke der Herren Verfasser.

Antoine F. und Th. Kotschy. Coniferen des cilicischen Taurus. Wien 1854. Folio.

Geschenk des Herrn F. Antoine.

Berichte über die Verhandlungen der naturforschenden Gesellschaft in Basel. Jahrgang 2, 3, 5—10, 1836—52.

Nachrichten von der Georg-Augusts-Universität und der königl. Gesellschaft der Wissenschaften zu Göttingen. 1854.

Korrespondenzblatt des zoologisch-mineralogischen Vereins in Regensburg. 8. Jahrgang 1854.

Neueste Schriften der naturforschenden Gesellschaft in Danzig 1855. 5. Band 2. Heft.

Jahrbuch des naturhistorischen Landesmuseums von Kärnten. Klagenfurt 1854. 3. Jahrgang.

Würtembergische naturwissenschaftliche Jahreshefte. 1855, 11. Jahrgang 1. Heft.

Mittheilungen über Gegenstände der Landwirthschaft und Industrie Kärntens. Klagenfurt. 12. Jahrgang. 1855. Nr. 4.

Bulletin de la Société imperiale des naturalistes de Moscou. Année 1854. *Nr. IV.*

Sitzungsberichte der kais. Akademie der Wissenschaften in Wien. 1855. Bd. XV. 3. Heft.

Verhandlungen des naturhistorischen Vereins der preussischen Rheinlande und Westphalens. Bonn 1854. XI. Jahrgang N. 25—31.

Rendiconti delle adunanze della R. Accademia economico-agraria dei Georgofili di Firenze 1855. *Aprile.*

Schriftentausch.

100 Arten Gräser.

Geschenk des Herrn J. Ortmann.

11 Nummern Bücher, und

Die Fortsetzungen der Zeitungen.

Geschenke der k. k. obersten Polizeibehörde.

Erlass des k. k. Ministeriums für Cultus und Unterricht.

An die Vorstehung des zool.-botan. Vereins in Wien.

Ich bewillige dem zoologisch-botanischen Vereine in Wien über das Ansuchen vom 7. l. M. und als Anerkennung seiner erfreulichen Bestrebungen zunächst für die Dauer von drei von heuer an zu rechnenden Jahren eine Unterstützung von jährlichen zweihundert Gulden gegen dem, dass der Verein in Gemässheit der gegebenen Zusicherung bereits vorhandene und ihm noch weiters zukommende Doubletten von präparirten Thieren und Pflanzen in geeigneter Auswahl für die Lehrmittelsammlungen an Gymnasien und Realschulen abtrete und zwar an solche, deren Betheilung dem Verein nach unmittelbarer Kenntniss am zweckmässigsten erscheint, oder für welche das Ministerium die Betheilung als besonders wünschenswerth bezeichnen wird.

Ich gewärtige dagegen, dass der Verein zu diesem Behufe so viel als möglich wirksam sein und am Schlusse eines jeden Jahres mir die im Verlaufe desselben stattgefundenen Betheilungen nachweisen werde. Das k. k. Universal-Kameralzahlamt als Verlagskasse für Cultus und Unterricht wird demnach gleichzeitig angewiesen, die gedachte Subvention für das heurige Jahr sogleich, für die beiden nächsten Jahre aber stets mit 1. Mai über Anmelden gegen die von der Vorstehung des Vereins ausgestellte und gehörig gestempelte Quittung zu erfolgen.

Wien, am 23. Mai 1855. Thun.

Der Herr Vorsitzende knüpft hieran die Bitte, dass die P. T. Mitglieder sich mit Beiträgen zoologischer und botanischer Objecte ja recht eifrig betheiligen möchten, um dem in dem hohen Erlasse gestellten Ansinnen auf eine würdige und umfassende Weise zu entsprechen im Stande zu sein, so wie er bemerkt, nicht unterlassen zu können, nochmal der Aufforderung einer freiwilligen Zeichnung von Mehrbeträgen zu gedenken, um die schon den doppelten Werth des gewöhnlichen Jahresbeitrages überschreitenden Vereinsschriften dieser Repräsentanz des Vereins nach aussen, deren höchstes Lob in vielen Zuschriften vorliegt, auf derselben ehrenvollen Höhe erhalten zu können.

Herr H. W. Reichardt hielt sodann folgenden Vortrag:

Ich nehme mir die Freiheit, dem geehrten Vereine heute zwei Mittheilungen zu machen.

Die erste betrifft das Phanerogamen-Herbar des Vereines.

Da die Ordnung desselben vollendet ist, dürfte es nicht uninteressant sein, etwas Näheres über seinen gegenwärtigen Stand zu erfahren.

Den Stand des Cryptogamen-Herbars, werde ich nach vollendeter Ordnung desselben, in einer der nächsten Sitzungen näher auseinander zu setzen die Ehre haben.

Seine Entstehung verdankt das Phanerogamen-Herbar des Vereines den Schenkungen folgender Herren, die sich durch Beiträge an demselben betheiligten:

Vor allen glaube ich des Herrn Sectionsrathes Ludwig Ritter von Heufler erwähnen zu müssen, der jedes wissenschaftliche Institut aus allen Kräften zu unterstützen gewohnt, schon 1852 dem Vereine sein Herbar siebenbürgischer Phanerogamen zum Geschenke machte, welches beiläufig 1500 Arten aus der so interessanten Flora dieses Landes enthält. Ausserdem verdankt der Verein der Liberalität des Hrn. Ritters von Heufler noch den die österreichischen Kronländer mit Ausnahme von Tirol umfassenden Antheil seines Phanerogamen-Herbars, welches 1762 Species in ungefähr 3000 Nummern enthält, und endlich gegen 400 phanerogamische Pflanzen aus dem Küstenlande.

Nicht minder freigebig zeigte sich Herr Dr. Castelli, welcher dem Vereine sein ganzes Herbarium übergab. Dasselbe enthält nach Ausschluss der exotischen und cultivirten Arten 2825 Species aus der österreichischen Flora, unter anderen auch die *flora Dalmatiae essiccata* von Pr. Petter.

Hr. Hölzl lieferte eine Flora von Maria-Zell.

Hr. Dr. Wirtgen übersendete dem Vereine sein Herbarium rheinischer Menthen, und mehrere andere für die Rhein-Flora charakteristische Arten.

Ausserdem liefen noch von folgenden Herren Pflanzen-Sendungen aus den angeführten Gegenden für das Vereins-Herbarium ein: Von

Herrn Bayer aus der Flora von Tscheitsch in Mähren;
„ Freiherrn von Fürstenwärther aus Steiermark,
„ Graf Rainer aus Kärnthen,
„ Gottwald aus den Alpen,
„ Hasslinsky aus der Flora der Karpathen,
„ Dr. Kerner aus Unterösterreich,
„ Leybold Raritäten der Tiroler-Flora,
„ Dr. Löw *Scolymus hispanicus* von Wien,
„ Mayr Gustav aus Unterösterreich und den Alpen,
„ Navratil aus Mähren,
„ Ortmann die Gramineen und Cyperaceen aus Unterösterreich,
„ Ritter von Pittoni aus Steiermark,
„ Pr. Alois Pokorny aus dem böhmisch-mährischen Gebirge,
„ Reichardt aus der Iglauer Flora und den Rubusarten Nordböhmens,
„ Dr. Schiner Raritäten aus dem Marchfelde,
„ Seelos Seltene Pflanzen Tirols,
„ Senoner Pflanzen aus seiner Tauschanstalt,
„ Simoni aus den Alpen,
„ Stur aus den Alpen,
„ Freiherrn v. Farkas-Vukotinovic aus Kroatien,
„ Wawra aus der Brünner Flora.

Endlich kaufte der Verein von Hrn. Botteri eine so ziemlich vollständige Flora von Dalmatien in sehr schönen und instructiven Exemplaren an.

Durch so reichliche Zuflüsse von Seite der Herren Vereins-Mitglieder musste der Umfang des Vereins-Herbariums ein bedeutender werden.

Dasselbe enthält jetzt in 72 Fascikeln 3,397 Species in beiläufig 18.500 Exemplaren, somit fehlen, wenn man Maly's „Enumeratio" als massgebend annimmt, nur beiläufig 500 Arten.

Von den in Mehrzahl eingesendeten Pflanzen wurde eine nicht unbedeutende Anzahl aus Doubletten ausgeschieden, um zu kleineren Herbarien für Gymnasien und Realschulen zusammengestellt zu werden.

Die Ausstattung des Herbariums ist eine in jeder Beziehung eben so geschmackvolle als zweckmässige zu nennen.

Die einzelnen Exemplare sind auf halbe Bogen grossen Schreibpapieres je nach ihrer Grösse gelegt, und wurden von einem Buchbinder mit schmalen Gummipapier-Streifen aufgeklebt.

Jede einzelne Art wird von einem besonderen Bogen braunen Naturpapieres umfasst. Die Arten einer jeden Gattung haben wieder einen gemeinschaftlichen Gattungsbogen, von demselben Papiere wie die Speciesbogen.

Die Artbogen tragen unten links, die Gattungsbogen unten rechts kalligraphisch geschrieben auf den Vereins-Etiquetten den Namen der eingeschlossenen Art oder Gattung.

Dadurch erhält das Vereins-Herbarium ein sehr nettes Aussehen, und man kann jede betreffende Pflanze mit Leichtigkeit aufsuchen. Diess geschieht um so leichter, da das Herbarium nach Maly's „Enumeratio" geordnet wurde, und sowohl die Genera als auch die Species mit Malys Nummern versehen sind.

Einen grossen Werth besitzt die Sammlung, weil in ihr sehr viele kritische Arten enthalten sind. So finden sich in derselben sehr viele Hostische Species vor, die dem Herbarium des Hrn. Ritters von Heufler durch Dolliner, einem Begleiter Host's auf seinen Excursionen, einverleibt wurden.

Ferner ist das Herbar auch aus dem Grunde interessant, weil vorzüglich jene Länder reich vertreten sind, die in botanischer Beziehung noch wenig durchforscht wurden. So sind die Floren von Siebenbürgen und Dalmatien vortrefflich vertreten, die erstere durch die Sendungen der Herren Fuss Kayser und Schur, welchen der Verein der Güte des Hrn. Ritter von Heufler verdankt, die letztere durch die in den Herbarien der Herren R. v. Heufler und Castelli enthaltenen Petter'schen Sendungen, und Herrn Botteri's Lieferung. Endlich ist das Vereins-Herbarium schon jetzt als eine wichtige Fundgrube für eine Flora der österreichischen Monarchie anzusehen, und liefert wesentliche Anhaltspuncte für die geographische Verbreitung der einzelnen Arten. Die Wichtigkeit des Herbars in dieser Beziehung muss sich mit jedem neuen Beitrage steigern.

Jene Arten, welche in den Vereinsschriften als neu publicirt wurden, bilden die Typensammlung. Sie enthält, da die von Herrn R. v. Heufler aufgestellten Algen-Arten den Cryptogamen angehören, *Salix Wimmeri* von Herrn Dr. Kerner, *Anthemis Neilreichii* von Herrn Ortmann, und *Melampyrum sylvatico-nemorosum* von Herrn Bermann.

Bei der Durchsicht des Herbariums stellte sich heraus, dass die Flora von Wien verhältnissmässig am schwächsten vertreten ist; ich stelle daher an die Herren Botaniker die dringende Bitte, sich mit Beiträgen zum Herbar gefälligst betheiligen zu wollen.

Vielleicht dürfte es angezeigt sein, ein Verzeichniss der dem Vereine fehlenden Arten zu veröffentlichen, und diesen Desideraten-Catalog den Herren Mitgliedern in den betreffenden Provinzen zur gefälligen Beachtung zu empfehlen.

Schliesslich erlaube ich mir die Familien der *Saxifrageen* und *Euphorbiaceen*, welche am besten geeignet sein dürften, den Reichthum des Vereins-Herbariums an seltenen Pflanzen zu zeigen, der geehrten Versammlung vorzulegen.

Von den 53 *Saxifragen*, welche Maly aufführt, fehlen nur 9 Species.

Wie reich jede einzelne Art vertreten ist, möge die Angabe der Standorte einiger beispielshalber angeführten *Saxifragen* zeigen

Saxifraga bryoides L. besitzt das Vereins-Herbar von Alpen um Sagritz, vom rothen Horne, von der Kraxalpe, von Lienz, vom Bösenstein, vom Hundskogel, vom Radstädter Tauern, vom Brunnkogel im Oetzthale, vom Gebatschsferner, vom Eisenhut und endlich von Arpascher Alpen in Siebenbürgen.

Saxifraga muscoides Wulfen findet sich vor von dem Hochschwab, dem Sonnleithsteine, dem steinernen Meere, dem Eisenhute, der Veitschalpe, dem Grossglockner, dem Tatra, und dem Kuhhorne in Siebenbürgen.

Saxifraga rotundifolia L. ist vertreten durch Exemplare von den steirischen Alpen, dem Zinken-Veitsch, dem Krainer Schneeberge, den Maria-Zeller Alpen und dem Szura und den Arpascher Alpen in Siebenbürgen.

Zahlbrucknera paradoxa Rchb. endlich wurde eingesendet: vom Lavantthale, von der Koralpe, vom Gamsgraben.

Meine zweite Mittheilung betrifft einen der eifrigsten Botaniker Nordböhmens, der am 8. Mai d. J. zu Iglau starb, nämlich Herrn Johann Christian Neumann.

Da es im Plane des Vereins liegt, Biographien vaterländischer Naturforscher zu besitzen, so will ich die kurze Skizze, welche ich im vorigen Jahre als Einleitung in seine Beiträge zur Flora Nordböhmens veröffentlichte, etwas erweitern, und das botanische Wirken des Herrn Neumann detaillirter auseinandersetzen.

Herr Johann Christian Neumann wurde im Jahre 1784 zu Georgswalde geboren, und beendete seine Gymnasial-Studien zu Pilsen 1801 mit Auszeichnung. Schon damals sammelte er, von Liebe zur Botanik getrieben, eifrig. 1802 bezog er die Prager Universität, um Medicin zu studieren. Doch bald verliess er diese Laufbahn, trat zur philosophischen Facultät über, und widmete sich den Naturwissenschaften. In der Botanik hörte er die Vorträge des Pr. Novotvorsky. Während seines Prager Aufenthaltes machte Herr Neumann mit den Herren Opiz und Tausch, seinen Jugendfreunden, viele gemeinschaftliche Excursionen in Prag's Umgebungen, von welchen er manche seltene Pflanze mitbrachte.

Nach ehrenvoll beendeten Studien erhielt er auf Dr. Pohl's Empfehlung hin, die Stelle eines Gartens-Directors zu Hlubosch. Dass der dortige Garten damals sehr reich an seltenen Pflanzen war, ist dem umsichtigen Wirken des Herrn Neumann zuzuschreiben.

Während seines Aufenthaltes zu Hlubosch machte Herr Neumann viele Excursionen, und sammelte unter anderen schon 1816 an Teichrändern um Wooseck im Pilsner Kreise *Coleanthus subtilis* Seidel. 1819 übernahm Herr Neumann die Leitung des Gartens zu Friedersdorf, welcher damals im Besitze des Barons von Leibnitz war. Selbst Botaniker, gab sich derselbe alle Mühe seinen Garten zu einem der reichhaltigsten zu machen. Besonders wurde auf nordamericanische Sträucher sehr viel verwendet, und dieselben direct aus ihrem Vaterlande bezogen. Herr Neumann war auch bald in der Lage so manche neue Species an Pr. Tausch für seine

Dendrotheca exotico-bohemica exsiccata zu senden, und derselbe beschrieb *Betula latifolia* (Flora 1838, p. 751) und *carpinoides*, *Ceanothus Neumanni* (Flora 1838 p. 738), *Aronia Neumanniana* (Flora 1838, Beilage Nr. 5, p. 76), *Wangenheimiana* (Flora 1838 p. 714) und *Bartramiana* (Flora 1838 p. 714) in der Flora als neu.

Bald nach seiner Ankunft in Friedersdorf machte Herr Neumann die Bekanntschaft des damals in Nixdorf weilenden Herrn Franz Alois Fischer, mit dem er die umliegenden Gegenden durchforschte. Die ihnen zweifelhaften Pflanzen wurden Herrn Hofrath Reichenbach in Dresden gesendet, mit dem Herr Neumann auf einem Ausfluge nach Sachsens Residenz bekannt geworden war.

Die hauptsächlichsten Ergebnisse seiner Excursionen sind:

1819 fand Herr Neumann das damals erst vor wenigen Jahren von Hochstetter bei Mönitz in Mähren entdeckte *Taraxacum leptocephalum* Rchb. an Teichrändern um Sullovic.

1826 machte Herr Neumann mit Fischer eine Excursion in die Habichtsteiner und Hirschberger Sümpfe und fand daselbst unter Sträuchern im Wasser zwischen Dammmühle und Habichtstein die für Deutschland neue *Ligularia sibirica* Cass., ein Fund, der damals in der botanischen Welt das grösste Aufsehen erregte.

In demselben Jahre fiel ihm eine *Potentilla* auf, die er an sonnigen Orten im Lehmboden an der Strasse bei Benatek fand. Er sendete sie Herrn Hofrath Reichenbach; dieser beschrieb sie in seiner »Flora Germaniae excursoria« (n. 3836) als *Potentilla Neumanniana*.

Sie steht der *Potentilla patula* W. K. am nächsten, unterscheidet sich aber von ihr durch die anliegende Behaarung des Stengels, durch die verkehrt eiförmige Gestalt der einzelnen Blättchen, und durch die lanzettlichen Kelchzipfel.

Bald darauf publicirte Herr Opiz in Prag eine *Potentilla Neumanni*, die aber nach Herrn Neumann's eigener Aussage nichts, als eine unbedeutende Varietät von *Potentilla verna* L. ist, und desshalb wohl nicht als Synonym zu *Potentilla Neumanniana* Rchb. gezogen werden dürfte, wie es Dr. Maly in seiner »Enumeratio« (p. 341) thut.

1829 fand Herr Neumann an sonnigen Abhängen um Lobosic das für Böhmens Flora neue *Hypericum elegans* Stephan.

Im Jahre 1836 entdeckte er an quelligen Stellen in lichten Wäldern um Nixdorf eine interessante Form von *Glechoma hederacea* L., die Reichenbach als *Glechoma hederacea* L. *β acutilobum* in seiner Flora Sachsens (n. 886) beschrieb.

Während der ganzen Zeit beschäftigte sich Herr Neumann auch mit Cryptogamen, und es ist gewiss eines seiner grössten Verdienste, dass wir durch ihn die Leber- und Laubmoose Nordböhmens so ziemlich genau kennen. Auch für Sachsens Flora lieferte Herr Neumann, wie aus Reichenbach's »Flora saxonia« ersehen kann, viele interessante Beiträge. Ich will hier nur erwähnen, dass er es war, der 1839 für Sachsen der Erste die seltene *Bruchia palustris* C. Müll. in Abzugsgräben der Friedersdorfer Torfstecherei auffand. Diese Verdienste erkannte Herr Hofrath Reichenbach dadurch an, dass er ein neues Genus aus der Familie der *Oenothereen* nach ihm *Neumannia* benannte. (Rchb. Herbarienbuch n. 6362, 8). Da aber schon eine *Neumannia* Brogn. aus der Familie der *Amaryllideen* (Endlicher gen. pl. suppl. II. 1305, 1) und eine zweite von Richard aus der Familie der *Bixaceen*, die gleich *Aphloia* Benn ist, (Endl. g. pl. sppl. II. 5072, 2) existirt, so muss dieses Genus leider wegfallen.

1840 übersiedelte Herr Neumann nach Kleinskal und beschäftigte sich von nun an sehr eifrig mit den *Rubus*-Arten Nord-Böhmens. Er hatte die Absicht eine Monographie derselben zu schreiben, und es ist sehr zu bedauern, dass er durch die Ungunst der Verhältnisse daran gehindert wurde, denn ein Mann von seinen Kenntnissen und von seiner kritischen Genauigkeit hätte gewiss viel Licht in dieses, trotz so vieler Bearbeitung doch noch immer dunkle Genus gebracht.

1849 übersiedelte er nach Iglau, und durchforschte die dortige Gegend mit demselben Eifer wie früher Nord-Böhmen. Die Früchte seines Fleisses findet man in Herrn Pr. Alois Pokorny's Vegetations-Verhältnissen von Iglau aufgezeichnet. Leider wurde Herr Neumann schon 1851 im Herbste so krank, dass er von nun an zu jeder botanischen Arbeit unfähig, mir die Revision seines Herbars und die Zusammenstellung der Ergebnisse seiner Forschungen in Nord-Böhmen, übergab. Ich hatte voriges Jahr die Ehre, dieselben in den Schriften des geehrten Vereins bekannt zu geben.

Am 8. Mai starb der verdiente Botaniker an Altersschwäche.

Ich schliesse die kurze Skizze seines Lebens mit dem Wunsche, dass sein Andenken in der botanischen Welt erhalten, und ihm so ein Plätzchen unter Oesterreichs Naturforschern gesichert werden möge.

Der Vorsitzende beantragt den Dank des Vereines an Herrn Reichardt für dessen Bemühungen um das Vereinsherbar.

Herr Julius Finger gibt unter Vorzeigung zweier ausgestopfter Exemplare des unten besprochenen Vogels Folgendes:

Die ehrenwerthe Versammlung erlaube mir, Ihre Aufmerksamkeit auf ein ornithologisches Object zu lenken, dessen Vorkommen in Oesterreich und Deutschland, bis jetzt immer für ein Wunder gegolten, und von dem der gründlichste Beobachter, der Altvater der Ornithologen, Naumann selbst sagt: er glaube es nur Einmal und zwar am Tage, im Verfolgen eines Fischreihers begriffen gesehen zu haben.

Es ist dies *Strix uralensis*, die Habichtseule.

Eine interessante, wenig bekannte Eigenthümlichkeit dieser Eule wird es entschuldigen, wenn ich um einige Jahre zurückgehe und einer ornithologischen Excursion erwähne, die ich im Jahre 1850 durch Ober-Oesterreich und einen Theil Baierns machte. — In Gegenden, welche mir besonders gefielen, und die günstige Localitäten für die Vogelwelt boten, hielt ich mich gewöhnlich längere Zeit auf, um sie nach allen Richtungen hin für meine Zwecke zu durchsuchen. Dies war auch der Fall bei der gräflich Arco'schen Besitzung Sanct Martin, einem Marktflecken im Innviertel, in dessen Nähe ausgedehnte herrliche Nadelwälder beginnen, die mir eine gute Ausbeute versprachen.

Bei einem bewaffneten Spaziergange durch diese Wälder, fiel mir eines Tages, es war der 20. März 1850 mitten im Walde, vier Stunden vom Markte entfernt, das Mekern einer Ziege auf. Es konnte wohl eine verlaufene Ziege sein, obwohl ich mich nicht erinnerte, derartige Thiere in den umgebenden Ortschaften gesehen zu haben; als ich aber nach längerem Herumsuchen nichts gefunden hatte, hielt ich das Gehörte für Sinnestäuschung und achtete nicht weiter darauf. Aber dieselben Töne wiederholten sich, ich war ihnen jetzt näher gekommen, und hörte sie klar und volltönend, es war ein deutliches anhaltendes Mekern, keine Täuschung mehr möglich, — doch sonderbar, das Mekern schien von der Höhe herabzukommen; das war jedenfalls untersuchungswürdig. Ich ging gerade darauf zu, komme auf eine Waldwiese, deren Mitte eine Gruppe der schönsten riesigsten Tannen ziert. Im Augenblicke des Hinaustretens auf die Wiese verstummen die Töne; hier musste ihre Quelle sein, so viel war gewiss. Auf dem moosreichen Rasen finde ich nichts, ich beginne also die Bäume zu durchmustern, und sehe zu meinem Erstaunen auf einem der mittleren Seitenarme einer Tanne, nahe am Hauptstamme, in steifer und gerader Richtung, mit eng angezogenem Gefieder eine grosse graue Eule sitzen, wie ich eine ähnliche noch nie gesehen, und die ich auch allsogleich herabschiesse.

Auf den Schuss flog von demselben Baume eine zweite gleich grosse Eule weg, die ich aber in der Aufregung fehle.

Mein Entzücken war masslos, als ich in der geschossenen Eule *Strix uralensis*, die grösste ornithologische Seltenheit für Deutschland, erkannte und ich bereute um so schmerzlicher den Fehlschuss, als mir durch ihn wahrscheinlich der Gefährte entkommen.

Also diese sonderbaren Laute, dieses täuschend ähnliche Ziegengemeker soll aus der Kehle einer Eule gekommen sein? Es war so, ohne Zweifel, ich hatte mich vollkommen von der Abwesenheit aller Wesen überzeugt, deren Stimmen nur annähernd der erwähnten glichen; mit dem Tode der einen und dem Vertreiben der andern Eule hatte das Mekern aufgehört, ich bekam es nicht mehr zu hören und reiste endlich nach zweitägigem fruchtlosem Suchen ab.

Die Präparation der Eulenleiche zeigte, dass sie ein Weibchen gewesen, der Eierstock war bedeutend angeschwollen, der vollgepfropfte Magen enthielt Gewölle und Knochen kleinerer Säugethiere. Mäuse.

Als ich auf meiner Rückreise durch Kremsmünster kam, und die dortige Stifts-Sammlung (zum grössten Theil Local-Sammlung) besah, fand ich auch diese Eule in vier Exemplaren aufgestellt; darunter eines im Jugendkleide.

Auf mein Befragen, wie man zu diesen Vögeln gekommen, erhielt ich die Antwort, dass sie sämmtlich in der Nähe geschossen und eingeliefert wurden, dass sie in der ganzen Umgebung und zu allen Jahreszeiten zu finden seien, folglich auch hier brüten. Ueber die Lebensweise derselben wusste man nichts anzugeben.

Eine Eule also, in deren Besitz bis jetzt nur die felsigsten Gegenden der uralischen Gebirge und das nördlichste Schweden ein Monotinon zu haben schienen, kommt auch in Oesterreich und gar nicht selten, in Ebenen vor.

Durch fünf Jahre hörte ich nichts mehr über diese Eule, bis zur vergangenen Woche, in der ich die vorliegende merkwürdige dunkelbraune Varietät aus der Steiermark erhielt. Der Ueberbringer derselben war der Naturalist Pregl aus Gratz, dessen Freund sie vor ungefähr sechs Wochen bei Friedau in einer Ebene am hellen Tage im Fluge geschossen.

Herr Pregl, ein guter Beobachter, dem wir die Bekanntschaft einer neuen *Sylvie* zu danken haben, erzählte mir von der Uraleule, dass sie in Steiermark ziemlich häufig ist, wo sie am hellen Tage in den Ebenen nach Mäusen jagt. Wie alle Eulen, steht auch sie dort, obwohl unschuldig, in einem bösen Rufe, den ihr der Aberglaube angedichtet, der ein Verdienst daraus macht, eine gefangene oder geschossene Eule zum abschreckenden Beispiel an ein Scheunenthor zu nageln. Der bezeichnende Volksausdruck nennt sie Habergaiss wegen ihrer mekernden Stimme, die sie oft, besonders zur Paarungszeit hören lässt.

Mit grosser Befriedigung finde ich also meine frühere Beobachtung bestätigt und wage es hiermit sie zu veröffentlichen.

„In der Lebensgeschichte dieser Tageule muss demnach ihre „sie characterisirende Stimme angeführt und zur Rubrik der geografischen Verbreitung hinzugefügt werden, dass diese Eule nicht nur „in Oesterreich vorkömmt, sondern daselbst nicht einmal zu den grossen „Seltenheiten gehört, dass sie hier Standvogel ist und brütet."

Strix uralensis in diesem abnormen Kleide *) dürfte freilich zu den ausserordentlichsten Erscheinungen gehören, ich glaube damit ein Unicum zu besitzen, wenigstens habe ich nirgends gelesen oder gehört, dass irgend wo noch ein solches zweites Exemplar existire.

---

*) Ganz einfärbig dunkel schwarzbraun.

Herr Prof. R. Kner zeigte zuerst einen Aal aus der Gattung *Muraenophis* als Belegstück der grossen Lebenszähigkeit vor, durch welche sich diese häufig auszeichnen. Derselbe hatte ein beträchtlich langes Stück groben Zeuges verschluckt, von welchem ein kleiner Theil noch an den scharfen Zähnen der Mundhöhle hängen geblieben war, während die Hauptmasse des Lappens bereits den Weg durch den Verdauungskanal zurückgelegt und den Afterdarm derart ausgefüllt hatte, dass er nicht nur ihn wurstförmig ausdehnte, sondern auch die Analöffung in einem enormen Grade. Bei etwas geringerer Grösse des Lappens wäre es dem kräftigen nisus expellendi sicher gelungen, sich desselben völlig zu entledigen, so aber machte eine Darmruptur diesen vergeblichen Bemühungen und ohne Zweifel auch dem Leben des Thieres ein Ende. Prof. Kner fügte bei: „Wenn auch der hier vorgezeigte Fall einen ausländischen (brasilischen) Fisch betreffe, so dürfte die Mittheilung desselben in diesem Vereine doch insoferne gerechtfertigt erscheinen, als auch von unsern inländischen Aalen und anderen Fischen sich nicht wenige Beispiele anführen liessen, die von der grossen auch diese Thierklasse oft auszeichnenden Lebenszähigkeit Zeugniss geben."

Hierauf bespricht Prof. Kner die eigenthümliche Beweglichkeit der Rückenflosse, durch welche sich die Büschelkiemer, namentlich die Seepferdchen (*Hippocampus*) auszeichnen. Durch die Einzelbeweglichkeit ihrer Strahlen wird nämlich eine äusserst schnelle undulatorische Bewegung der Flosse hervorgebracht, welche unwillkürlich an die Räderorgane der Wimpernkrebse (*Rotatorien*) erinnert.

„Dass dieser auffallenden Bewegung, fuhr Kner fort, eine von andern Fischen abweichende Musculatur der Dorsale zu Grunde liegen müsse, liess sich im Voraus vermuthen, da mir aber hierüber keine nähern Angaben bekannt waren, so unternahm ich die Untersuchung derselben um so mehr, als mein hochverehrter Freund Heckel mir zu meinem Befremden mittheilte, dass er auch bei einem unserer inländischen Süsswasserfische, dem vielfach interessanten Hundsfische, *Umbra (Cyprinodon) Krameri* eine ähnliche Beweglichkeit der Dorsale beobachtet habe. Der Umstand, dass eine so eigenthümliche Anordnung bei Fischen aus zwei einander so entfernt stehenden Familien sich vorfindet, liess mich die Untersuchung noch desshalb lockender erscheinen, als dadurch für meine oft ausgesprochene principielle Ansicht: dass kein Merkmal für sich allein einen a priori bestimmten absoluten Werth für die Characteristik und Systematik besitze, eine neue Stütze in Aussicht stand. Ich untersuchte daher zu diesem Behufe die drei Gattungen : *Syngnathus*, *Hippocampus* und *Umbria* . und erlaube mir die Ergebnisse in Kürze mitzutheilen, die bei jeder der drei genannten Gattungen mehr oder minder abweichende waren.

Am wenigsten auffallend ist die Anordnung der eigenen Muskeln für die Strahlen der Rückenflosse bei *Syngnathus*, deren Dorsalbewegung ich übrigens an lebenden Exemplaren nicht selbst beobachtete. Nach Entfernung des Hauptpanzers liegt hier zunächst eine dünne Schichte oberflächlicher Längsmuskeln; unter und von ihr durch eine schwarz pigmentirte seidenglänzende Scheide getrennt, bemerkt man erst nach Wegnahme der letztern die musculi proprii radiorum, die kaum von einander isolirt und fast alle parallel verlaufen. Diess fällt insoferne auf, als gerade bei dieser Gattung die langen Flossenträger am Skelete in fächerartig auslaufende Bündel gestellt sind, und zwar sitzen bei *Syng. rubescens* acht solcher Bündel, deren jedes aus 3—5 Flossenträgern besteht, auf eben so vielen Wirbeln auf. Die einzelnen musculi proprii bestehen zwar aus zwei meist deutlich zu sondernden Muskelbündeln, enden aber an der Flossenbasis nicht in dünne Sehnen. — Bei *Hippocampus* sind dagegen die langen Flossenträger fast parallel, nur die vordern und hintern etwas divergirend und die Flosse sitzt (wenigstens bei *Hipp. guttulatus*) bloss auf drei Wirbeln auf, deren obere Schenkelbögen statt einfache Dornfortsätze zu bilden, sich sogleich in drei kurze strahlig auslaufende Knochenfasern zertheilen, auf welchen die Flossenträger sodann aufsitzen.

Auch hier scheinen die noch längern Bündel der musculi proprii einfach, d. h. für jeden Strahl ist jederseits nur eine Muskel vorhanden, der nach oben in eine ziemlich lange dünne Sehne endet. Nach abwärts gegen die Wirbelsäule convergiren aber diese Eigenmuskeln derart, dass sie sich in drei den Wirbeln entsprechende Fascikeln vereinigen; auch treten hier drei eigene Nervenstämme (unter welchen der mittlere der grösste ist) in diese Fascikeln ein, deren Zweige die Einzelmuskeln eines jeden der drei Bündel versorgen. — Bei der Gattung *Umbra*, von der ich leider kein Skelet zur Hand habe, lehnt sich an die Flossenträger sämmtlicher fünfzehn Strahlen jederseits ein breiter kräftiger musculi proprius, der aus zwei Bündeln besteht, die namentlich nach oben deutlich in ein vorderes und hinteres (*levator* und *depressor*) gesondert sind und mit sehr kurzen Sehnen an die Gelenkenden der Strahlen sich befestigen."

Diese Mittheilung wurde durch Vorzeigung von Präparaten erläutert.

Herr Dr. C. Hampe zeigt einen neuen Käfer vor, und gibt dessen Beschreibung (siehe Abhandlungen).

Herr Vereins-Secretär Dr. A. Kerner spricht über Volksnamen der Pflanzen. (Siehe Abhandlungen.)

Herr J. Juratzka legt *Carex filiformis* mit Folgendem vor:

Ich erlaube mir, der geehrten Versammlung eine, gelegentlich eines am 27. Mai d. J. nach Moosbrun unternommenen Ausfluges aufgefundene Segge vorzulegen, die seit Host und Garovaglio (Wien. Fl. p. 74) im Wiener Florengebiet nicht wieder gefunden worden zu sein scheint, und auch desshalb in den Nachträgen zur Flora von Wien (p. 95) von dem geehrten Herrn Verfasser gestrichen wurde. Es ist diess die *Carex filiformis* L. Sie findet sich, obwohl spärlich in einem der Wassergräben auf der östlichen Seite des Dorfes mit *Carex panicea* L. *stricta* Good und *paludosa* Good.

Von *Carex nutans* Host, mit welcher sie verwechselt werden könnte, unterscheidet sie sich hauptsächlich durch die kurzhaarig flaumigen Früchte und durch die gerinnelten fadenförmigen steifaufrechten Blätter, die kaum breiter als der Halm sind.

Nicht ohne Interesse ist ferner in der sumpfigen Au an der Piesting vor Moosbrunn, das Vorkommen der *Cardamine pratensis* L. mit gefüllten und fast durchweg weissen Blüthen, von welchen jedoch die schönsten Exemplare wegen der Tiefe des Wassers sehr schwer zu erreichen sind.

Herr Director Kollar erwähnt das Erscheinen einer Wildkatze in der Nähe von Wien.

In der Fauna der österreichischen Monarchie ist bekanntlich das Katzengeschlecht nur durch die beiden Arten *Felis catus* und *F. lynx* vertreten. Beiden Arten wird, da sie keine willkommenen Gäste für Jagdreviere sind, auf alle mögliche Art nachgestellt, so zwar, dass sie in vielen Gegenden völlig ausgerottet und nur noch hier und da in weit ausgedehnten Waldungen einzeln angetroffen werden.

Um so überraschender muss das Auftreten einer dieser Katzen-Arten in der Nähe der Residenz erscheinen.

Im heurigen Winter, in welchem uns, wie an dieser Stelle seiner Zeit berichtet wurde, seltene Gäste aus der Classe der Vögel heimgesucht haben, wurde auch am 5. Februar eine völlig ausgewachsene Wildkatze in Plankenberg bei Neulengbach, einer Besitzung Sr. Durchlaucht des Fürsten Carl von Liechtenstein von dem Revierförster Franz Cziska geschossen.

Seine Durchlaucht hat dieses prachtvolle Exemplar, als eine vaterländische Seltenheit den Sammlungen des k. k. zoologischen Hof-Kabinetes verehrt.

Herr G. Frauenfeld legt ein Molluskenverzeichniss von Tirol von den Gebrüdern von Strobel gesammelt, und eine Schmetterlingsfauna von Cypern und Kleinasien von J. Lederer (siehe beide in den Abhandlungen) vor, und gibt schliesslich eine Uebersicht seiner diessjährigen Reise an das rothe Meer.

Versammlung am 4. Juli.

Vorsitzender: Vicepräsident: Herr **Dr. E. Fenzl.**

Neu eingetretene Mitglieder:

Als Mitglied *P. T.* Herr	bezeichnet durch *P. T.* Herrn
Drasche Dr. *Anton*, Secundar-Arzt im k. k. allgemeinen Krankenhause . .	Dr. *G. Mayr* u. Dr. *A. Kerner.*
Ertl Johann, Dr. d. Med. u. Chir. . . .	Dr. *L. Heinzel* u. Dr. *A Kerner.*
Herrich-Schäffer, Dr., Prof. in Regensburg	Dr. *G. Mayr* u. *G. Frauenfeld.*
Leinweber Konrad, k. k. Hofgärtner in Laxenburg	Dr. *Schiner* u. *G. Frauenfeld.*
Standthartner Dr. *Josef*, Primar-Arzt im k. k. allgemeinen Krankenhause . .	Dr. *J. Haubner* u. Dr. *A. Kerner.*
Weinke Franz Carl, Dr. d. Medicin . .	*J. Lederer* u. *J. Schuler.*
Wildner Friedrich, Oekonomie-Verwalter zu Heinstetten	Dr. *L. Forster* u. Dr. *Schiner.*

Eingegangene Gegenstände:

Villa Ant. e Giov. *Catalogo dei Coleotteri della Lombardia. Milano* 1844.
— *Rivista delle obiezioni publicate dai Signori Don Carlo Bassi e Canonico Bellani su due memorie. Milano* 1846.
— *Degli insetti carnivori adoperati a distruggere le specie dannose all'agricultura. Milano* 1845.
— *Osservazioni entomologiche durante l'eclisse del* 9. *Ottobre* 1847.
— *Catalogo dei molluschi della Lombardia. Milano* 1844
— *Dispositio systematica Conchyliarum terrestrium et fluviatilium quae adservantur in collectione. Mediolani* 1841.

Villa Ant. e Giov. *Notizie intorno al genere Melania memoria malacologica. Milano* 1855.

— *Comparsa periodica delle efimere nella brianza. Milano* 1817.

Leybold Fr. *Stirpium in alpibus orientali-australibus nuperrime repertarum nonnullarumque non satis adhuc expositarum Icones quibus brevem ex recentissimis observationibus derivatam adjunxit descriptionem auct. Fr. L. Monacensis, Ratisbonne* 1855.

Nylander Dr. W. *Etudes sur les Lichenes de l'Algérie. Cherbourg* 1854.

Martius Dr. Carl F. Beitrag zur Natur- und Literär-Geschichte der *Agaveen.* München 1855.

Diesing Dr. K. M. Sechzehn Gattungen von Bienenwürmern und ihre Arten. Wien 1855.

Fenzl Dr. E Ein Beitrag zur näheren Kenntniss des relativen Werthes der Differential-Charactere der Arten der Gattung *Cyperus.* Wien 1855.

— Bericht über die von Herrn Dr. Constant. Reitz, k. k österr. Vice-Consul für Inner-Afrika auf seiner Reise von Chartum nach Gondár in Abyssinien gesammelten geografisch-statistischen Notizen. Wien 1855.

Geschenke der Herren Verfasser.

Mittheilungen über Gegenstände der Landwirthschaft und Industrie Kärntens. Klagenfurt. 12. Jahrgang. 1855. Nr. 5.

Verhandlungen und Mittheilungen des siebenbürgischen Vereines für Naturwissenschaften zu Hermannstadt 1854. 5. Jahrg.

Rendiconti delle adunanze della R. Accademia economico-agraria dei Georgofili di Firenze 1855. *Maggio, Giugno.*

Sitzungsberichte der kais. Akademie der Wissenschaften in Wien. 1855. Bd. XVI. 1. Heft.

Die feierliche Sitzung der kais. Akademie der Wissenschaften in Wien am 30. Mai 1855.

Berichte über die Verhandlungen der Gesellschaft für Beförderung der Naturwissenschaften zu Freiburg im Breisgau. 1855, 1. Heft. Nr. 6—9.

Jahrb. d. k. k. geol. Reichsanst. Wien 1854. V. 4. 4.

Bulletin de la Classe physico-mathématique de l'Académie impériale des sciences de Saint-Pétersbourg. Tome XIII. Nr. 12—24.

Zeitschrift der k. k. Gesellschaft der Aerzte in Wien. 1855. 5.—6. Heft.

Abhandlungen der naturforschenden Gesellschaft zu Halle 1854. II. Band. 2. — 3. Quart.

Schriftentausch.

Herbarium Ruborum rhenanorum. I. Nr. 1—30.

Wirtgen Dr. Ph. Erläuterung zu den rheinischen Menthen.

Geschenk des Herrn Dr. Wirtgen.

Eine Partie Pflanzen von 85 Species in 586 Exemplaren aus der Flora des Riesengebirges.

Geschenk der Frau Josefine Kablik.

100 Exemplare des Pilzes: *Cytispora rubescens* Fr.

Geschenk des Herrn L. R. v. Heufler.

Ambrosi F. *Flora del tirolo meridionale* Vol. I. Punt. IV.

Netolička Dr Eugen. Lehrbuch der Botanik. Brünn 1855.

— Elemente der Pflanzenphysiologie. Brünn 1855.

Fenzl Dr. Ed. Bildliche Naturgeschichte des Pflanzenreiches in Umrissen nach seinen wichtigsten Ordnungen. Pest 1855.

Verhandlungen der Forst-Section für Mähren und Schlesien. Brünn 1855. 3. Heft.

Karafiat Dr. Gustav. Landwirthschaftliche Mittheilungen. Pest 1855.

Scalini Carlo. *Metodo pratico preservativo contro i danni della Crittogama. Memoria dell'ingegnere. Como* 1855.

Storia naturale illustrata del regno animale. Venezia 1855. Volume I. Fasc. 19—20.

Die Fortsetzungen der Zeitungen.

Geschenke der k. k. obersten Polizeibehörde.

Herr Dr. A. Kerner hält einen Vortrag über die geografische Vertheilung der Weiden und die Weidenbastarde Oesterreichs, und verspricht den ausführlichen Aufsatz für die Abhandlungen später zu liefern.

Herr von Heufler legte als Beitrag zu den Sammlungen, welche der Verein als Entgelt zu der vom hohen Ministerium für Cultus und Unterricht angewiesenen Geldsumme sich vorgenommen hat, an Gymnasien und Realschulen zu vertheilen, 100 Exemplare des Kernpilzes *Cytispora rubescens* Fr. vor und gibt dazu folgende Erläuterungen:

Herr Wirthschaftsrath Hoffmann hat im vorigen Monate aufmerksam gemacht, dass eine von den hiesigen Obstgärtnern „schwarzer Brand" genannte Krankheit die Aprikosenbäumchen des Landwirthschaftsgartens (Landstrasse, Haltergasse) verwüste. Der Pilz, welcher, hierbei eine Rolle spielend, zwischen Holz und Rinde nistet, letztere bersten macht und zur Zeit der Sporenreife über Nacht die Sporen, in eine röthliche rankenartige Schleimmasse gebettet, herausschnellt, ist nach Fries S. M. II. 542 als *Cytispora rubescens* bestimmt worden. Der Name „schwarzer

Brand" kömmt von der schwarzen Farbe der Perithecien des Pilzes, welche beim Anschneiden massenhaft sichtbar werden.

Cytispora rubescens wird weder in Opiz „Seznam Rostlin Květeny České", einem Verzeichnisse der Flora Böhmens, welches das čechische Museum im Jahre 1852 in Prag veröffentlicht hat, noch in Pokorny's „Systematischer Aufzählung der in der bisherigen Literatur angeführten Kryptogamen von Unter-Oesterreich", welche im vorigen Jahre in unseren Vereinsschriften (Abhandlungen 50—168) erschienen ist, erwähnt. Dieser Pilz ist daher als neuer Bürger der Flora von Unter-Oesterreich und wahrscheinlich auch des ganzen Reiches anzusehen.

Herr von Heufler zeigte überdiess folgende vor Kurzem in und um Wien gesammelte Pilze vor:

Cytispora carphosperma Fr. S. M. II. 543.

Unter der Rinde von abgedorrten Zweigen eines Birnbaumes im landwirthschaftlichen Garten zu Wien. Gleichzeitig mit *Cytispora rubescens* von Hflr. gesammelt und gleich dieser aus den angeführten Gründen für Nieder-Oesterreich und wahrscheinlich auch für das ganze Kaiserthum neu.

Chrysomyxa Abietis Unger B z. v. P. 24.

Auf Fichtennadeln bei Merkenstein vom Wirthschaftsrath Hoffmann Anfangs Juni 1855 gesammelt.

In Pokorny's Verzeichnisse Nr. 325 wird ein Pilz als *Aecidium abietinum* mit einem Fragezeichen an der Stelle des Namengebers auf das Zeugniss des Med. Drs. und Professors der Naturgeschichte und Thierheilkunde Josef Hayne angeführt, welcher hierüber in seinem Büchlein „Gemeinnützlger Unterricht über die schädlichen und nützlichen Schwämme. Wien 1830." S. 8 folgende Nachricht gibt: *Aecidium abietinum*. Kelchbrand der Fichte. Auf den ziegelrothen unförmlichen Flecken an den Nadeln der Fichten brechen mehrere Bläschen hervor, die einen gelben Staub ausstreuen. Die Bäume sehen von dem zerstreuten Staub gelb aus. In nassen Jahren ist dieser Pilz sehr gemein und verursacht vielen Schaden." Da jedoch weder Hayne im Texte, noch Trattinick in der bezüglichen Vorrede aussagt, dass die ohne einen bestimmten österreichischen Standort erwähnten Pilze, welche die grosse Mehrzahl ausmachen, dennoch von ihm oder Anderen in Unter-Oesterreich oder überhaupt im Kaiserthume gefunden worden seien, so kann Hayne als sicherer Gewährsmann für die unterösterreichische Heimat dieses Pilzes nicht citirt werden, eine Bemerkung, welche Pokorny selbst in der Vorrede zu seinem Verzeichnisse, S. 44. nicht verschweigt, die Aufnahme der Hayne'schen ohne Standort erwähnten Pilze in das Verzeichniss der Flora Unter-Oesterreich's hingegen dadurch zu begründen sucht, dass des Verfassers Aufenthalt in Wien war und auch Trattinick ein empfehlendes Vorwort dazu geschrieben habe, wesswegen die Wahrscheinlichkeit, dass dieselben sämmtlich von Hayne in Unter-Oesterreich beobachtet worden seien, eine sehr grosse sei.

Aecidium abietinum A. et Schw. Ag. Nisk 120 (*Caeoma Piceatum* Link in W. S. P. VI. .II. 62.) wird weder in Wallroth's „Flora cryptogamica," noch in Rabenhorst's „Handbuch der Cryptogamenflora," noch in Fries' „Summa vegetabilium Scandinaviae" erwähnt. Auch Link hat es nur getrocknet gesehen („v. s." l. c.), so dass es nach den mir vorliegenden Quellen mit Sicherheit nur von Albertini und Schweinitz in der Oberlausitz bobachtet worden und in neuester Zeit von den Floristen ganz mit Stillschweigen übergangen worden ist. Es ist jedoch kein Grund vorhanden, die Existenz dieser Pflanze, welche durch Beschreibung und Abbildung von zwei solchen Gewährmännern, wie die Verfasser des klassischen „Conspectus fungorum in Lusatiae superioris agro niskiensi crescentinum" sind, constatirt worden ist, in Zweifel zu ziehen, und aus dem Systeme zu streichen.

Ob *Chrysomyxa Abietis*, welche sich von *Aecidium abietinum* durch den Mangel eines *Peridium's* und durch den Umstand unterscheidet, dass keine Sporen zur Entwicklung kommen, von Hayne unter dem Namen *Aecidium abietinum* verstanden worden sei, lässt sich mit Sicherheit nicht entscheiden. Wenn angenommen werden darf, dass die zitirte Stelle in Hayne's Arbeit auf eigene Beobachtung sich gründete, so kann *Chrysomyxa abietis* nicht gemeint gewesen sein, und es ist also auch dieser Pilz als eine neue Species der unter-österreichischen Flora festzustellen. Hayne hat entweder wirklich das *Aecidium abietinum* A. et Schw. beobachtet, dessen sichere Wiederauffindung, dem Obigen zufolge, höchst interessant wäre, oder, was noch merkwürdiger wäre, er hat jene sporenlose Uredinee, welche Unger als *Chrysomyxa abietis* beschrieben hat, in einer höheren sporentragenden Entwicklung, somit als wirkliche „*Uredo*" gefunden. Grund genug, um kranke Fichtennadeln fleissiger als es bisher geschehen ist, zu beobachten!

Peridermium elatinum Kunze et Schmidt exs. N. 141.

Auf jungen Nadeln frischer Triebe der Weisstanne im Walde hinter Kalksburg, gefunden Anfangs Juni von den Herrn Ministerialofficial Szlavik, einem neuen Jünger der österreichischen Pilzkunde.

Auch dieser Pilz ist von Pokorny in das erwähnte Verzeichniss nur auf das Zeugniss Hayne's aufgenommen worden, welcher am angeführten Orte keinen Standort angibt.

Aus dem Kaiserthume ist er auch aus Siebenbürgen bekannt (Hflr. Spec. Fl. cr. v. Arpasch. 48).

Uredo Sempervivi Alb. et Schw. Ag. N. p. 126.

Auf einem kleinen *Sempervivum* im k. k. Garten der österreichischen Flora zu Wien. Vom Gärtner Hillebrand im Mai d. J. beobachtet und gütigst mitgetheilt.

Fehlt in Pokorny's zitirtem Verzeichnisse.

Aethalium septicum Fr. em. Wallr. Fl. cr. II. 340.

In Menge auf Gärberlohe zwischen der Belvedere- und St. Marxer-Linie zu Wien, Ende Juni. Im schmierigen Jugendzustande von einem eigenthümlichen abscheulichen Gestank. Lässt sich auch in diesem Zustande mit Beibehaltung der birnartigen Gestalt seiner Oberfläche aufbewahren, wenn man die Stücke unversehrt, z. B. über Nacht auf die Platte eines bei Tag geheizten Sparherds legt.

Mit Beschränkung der Species *Aethalium septicum* auf jene, welche die Gärberlohe bewohnt, ist auch von dieser Species nur die Angabe von Hayne ohne Erwähnung eines näheren Standortes bisher für Unter-Oesterreich bekannt gewesen.

Phallus impudicus Linn. Cod. 8487.

Im jugendlichen Alter noch in der geschlossenen Form eines Eies (Teufelsei) in einem Hainbuchenwald am Fusse des Buchberges unweit Wien von dem bereits erwähnten Herrn Ministerialoffizial Karl Szlavik gefunden. Ende Juni.

Herr Dr. Schiner gibt folgenden Beitrag zur Characteristik der Fauna des Neusiedlersees:

Die Ufer des Neusiedlersees haben durch ihre eigenthümliche Flora und Fauna die Aufmerksamkeit der Botaniker und Coleopterologen schon längst auf sich gezogen. Seit wir durch die Eisenbahn mit demselben in nähere Verbindung gekommen sind, so dass selbst ein einziger Tag genügt, um einen, gar nicht sehr gehetzten Ausflug dahin machen zu können, sind viele und seltene Pflanzen und Käfer von dort her in unsere Sammlungen gewandert. Es gewähret auch ein eigenes Interesse, wenige Stunden von Wien Pflanzen zu treffen, welche sonst nur in unseren südlichen Provinzen angetroffen werden und die sich bis zum Haglersberg hin verbreitet haben, wie z. B. die herrliche *Artemisia camphorata* Vill. oder die zarte *Molinia serotina* Lk. Für den Coleopterologen sind die dort vorkommenden selteneren *Carabiciden*, wie: *Drypta emarginata* Fabr., *Odacantha melanura* L., *Aëtophorus imperialis* Meg., *Stenolophus elegans* Dej. u. A. jederzeit eine erwünschte Ausbeute, und gewiss überrascht ihn das Treiben der schönen *Cicindela littoralis* Fabr., welche an sandigen Stellen häufig zu treffen ist eben so sehr, wie den Botaniker die hier und da ganze Flächen bedeckenden *Halophyten*.

Als ich mich noch mit der Botanik beschäftigte und auch fleissig Käfer sammelte, besuchte ich diese Localität sehr oft. Seit ich aber ausschliessend den Dipteren nachgehe, bin ich durch Verhältnisse veranlasst, nicht mehr an den Neusiedlersee gekommen, ja im letzten Jahre musste ich einen Ausflug dahin, den ich schon bis Bruck an der Leitha ausgeführt hatte, des ungünstigen Wetters wegen unterbrechen.

Im heurigen Jahre endlich und zwar am Pfingstsonntage (27. Mai) besuchte ich denselben und war durch den Reichthum und die Eigenthümlichkeit der dortigen Fliegenfauna so sehr überrascht, dass ich in Gesellschaft meines verehrten Freundes Dr. Johann Egger, der im Laufe der Woche bereits allein dort gewesen war, am darauffolgenden Sonntag (3. Juni) meinen Ausflug dahin wiederholte.

Ich beabsichtige nun, Ihnen, meine verehrten Herren, über die Dipterenfauna des Neusiedlersees, nach den Resultaten dieses dreimaligen Besuches einen kurzen Bericht zu geben, um zu zeigen, dass diese Localität auch den Dipterologen grosses Interesse gewähre und um meine Herren Collegen, die sich mit anderen Zweigen der Entomologie beschäftigen, auf dieselbe insbesondere aufmerksam zu machen.

Bekanntlich braucht man von Bruck aus zwei kleine Wegstunden, um den See zu Fusse zu erreichen. Wir wählten den herrlichen Fussweg durch den sogenannten „Spittelwald" und steuerten, auf der Höhe des Bergrückens angelangt, dem Orte Yoyss zu, von wo aus wir dann durch die üppigen Seewiesen uns gegen Winden zuwendeten, wo wir jedesmal unsere Excursion beschlossen. Schon im „Spittelwalde" gab es Ausbeute in Hülle und Fülle. Auf den Blättern der Gesträuche sassen seltene Tachinarien, worunter ich *Nemoraea pellucida* Meig. desshalb besonders erwähne, weil wir das Weibchen, welches Meigen als *Tachina neglecta* beschrieb, mit den Männchen zugleich und in Copula in grosser Menge antrafen *).

Im Grase neben dem Waldrande trieben mehrere *Asilus*-Arten ihr räuberisches Handwerk, darunter *Lophonotus praemorsus* Löw., *forcipula* Zeller, *bimucronatus* Löw, *spiniger* Zeller, u. A., während *Dasypogon teutonus* L. und *Dioctria oelandica* L. lauernd an niederen Blättern hingen. Die interessanteste Ausbeute lieferte uns der in Blüthe stehende *Crataegus Oxyacantha* L. Hier begegneten wir zuerst einzelnen Exemplaren der herrlichen *Odontomyia ornata* Meig., ferners *Criorrhina asilica* Fall.

---

*) An dem Zusammengehören beider Arten kann gar nicht gezweifelt werden. Schon Rondani hat diess beobachtet und beide Arten unter einen neuem Namen *Nemoraea conjuncta* aufgeführt. Dem stimmen wir nicht bei und vindiciren der Art den Namen, welchen Meigen dem Männchen gab: *Nemoraea pellucida*, wozu als Synonyme folgende Arten gezogen werden müssen:

♂ *Tachina pellucida* Meig.
♀ „ *neglecta* Meig.
♀ *Nemoraea bombylans* Rob-Desv.
♀ „ *affinis* Rob-Desv.
♂ „ *fulva* Rob-Desv.
♂ „ *pellucida* Meig. Macq. Zett.
♀ „ *neglecta* Meig. Macq.
♂ et ♀ „ *conjuncta* Rond. u. Macq.

Milesia vespiformis L., *bombylans* Fabr. und *speciosa* Fabr. und dem seltenen *Doros conopseus* Fabr. Auf der Heide ausser dem Walde fing ich in einem sandigen Graben *Sarcophaga mortuorum* L., die ich nur desshalb besonders erwähne, weil fast alle eingefangenen Exemplare der viel selteneren Varietät mit grünem Hinterleibe angehörten. An den Blüthen von *Anthemis* wimmelte es von *Ploas virescens* Fabr. und die einzelnen Stauden lieferten zwei Arten von *Thereva*, während hier und da die Silberpuncte von *Bombylius ater* L. den alleuthalben rüttelnden Trauerschweber verriethen. In den Wiesen gegen Yoyss zu sammelten wir einige gewöhnliche *Cheilosien* (vorherrschend *Ch. flavimana* Meig.) und in Unzahl *Chrysogaster metallica* Fabr. ♂ et ♀ *), während *Ch. viduata* L. nur selten zu treffen war. An den Doldenblumen, welche den Rand der Wassergräben bedeckten, und an den Blüthen von *Chrysanthemum Leucanthemum* L. schienen mehrere *Stratiomyden*-Arten ganz und gar zu Hause zu sein. *Nemotelus pantherinus* L. und *uliginosus* L., *Odontomyia viridula* Fabr. und *ornata* Meig., *Stratiomys Chamaeleon* Deg., *furcata* Fabr. und *longicornis* Scop. waren hier in Menge zu treffen. Zwischen dem üppigen Grase flog ungemein zahlreich *Merodon spinipes* Fabr., von dem wir eine Menge von Exemplaren sammelten, unter denen jedoch nicht ein einziges anzutreffen war, welches der als Varietät angesprochenen Rondanischen Art *Merodon nigritarsis* entsprochen hätte.

Der Fliegenreichthum, den wir an den Ufern des Sees selbst antrafen, überstieg alle unsere Erwartung.

An den Pfützen wimmelte es von *Lispe*-Arten und die Dolden und Blüthen strotzten im wahren Sinne des Wortes von *Stratiomyden*, worunter ausser den oben genannten auch noch *Nemoletus nigrinus* Fall. und *globuliceps* Löw., *Odontomyia tigrina* Fabr. und obwohl selten *Stratiomys Cenisia* Meig., vor allen aber der von J. v. Frivaldsky erst jüngst in unseren Schriften neu aufgestellte *Nemotelus signatus* besonders zu erwähnen sind. Dieser Letztere war gar nicht sehr selten und scheint, obwohl er in allen Hauptmerkmalen mit dem echten *N. signatus* v. Friv. übereinstimmt, als eine sehr distinguirte Grössenvarietät. Die Rückenflecke auf der Mitte des Hinterleibes sind bei dem Männchen auch nicht so deutlich wie an den typischen Exemplaren, welche ich hier gleichzeitig dem Vereine für die Sammlungen zu übergeben die Ehre habe.

Auffallend schien uns das relativ seltenere Vorkommen von *Syrphiden*, obwohl wir auch aus dieser Familie einzelne ganz ausgezeichnete Arten antrafen.

Ich nenne darunter *Merodon clavipes* Fabr., *Helophilus peregrinus* Lw., *frutetorum* Fabr. und *versisolor* Löw. Von *H. peregrinus* Lw. fanden wir auch das bisher noch unbeschriebene Weibchen. Die Gattung *Chry-*

---

*) Das ♀ ist von Meigen unter dem Namen *Chr. discicornis* als besondere Art beschrieben.

soloxum war durch die Arten *Chr. sylvarum* Wied., *festivum* L. (= *arcuatum* Meig.) und *vernale* Löw., doch nicht sehr zahlreich vertreten. Dr. Egger fing ein einzelnes Exemplar von *Sphegina clunipes* Fall. und die ganz schwarze Varietät des Weibchens von *Merodon clavipes*.

Ueber unsere Ausbeute aus anderen Familien habe ich nichts mitzutheilen, weil wir bei den wenigen dipterologischen Excursionen, die wir bisher an den Neusiedlersee ausgeführt haben, unmöglich Alles sammeln und berücksichtigen konnten und weil die ungeheure Menge von *Stratiomyden* und die genannten *Syrphiden* uns vollends in Anspruch genommen hatten. Wir fingen übrigens auch aus anderen Familien Einzelnes und Ausgezeichnetes und werden darüber, vielleicht im Spätherbste, wenn wir unsere Besuche am See öfters wiederholt haben werden, Bericht zu erstatten im Stande sein.

Vorläufig über den Charakter der Dipterenfauna des Neusiedlersees überhaupt nur so viel, dass auch sie durch Repräsentanten südlicher Arten, wie des in Sicilien aufgefundenen *Helophinus peregrinus* und des in Italien und unserem Littorale nicht seltenen *Merodon clavipes*, auffallend charakterisirt erscheint, und dass der Reichthum an Individuen Alles übersteigt, was uns seit unserem fünfjährigen, sehr fleissigen Durchforschen unseres Faunengebietes bisher vorgekommen ist.

Zum Schlusse erlaube ich mir die Beschreibung des Weibchens von *Helophilus peregrinus* hier anzufügen.

Helophilus peregrinus Löw.

(Entom. Zeitg. von Stettin. 7. Jahrg. (1846) pag. 118.)

♀ Die Augen sind durch die ziemlich breite Stirne getrennt. Untergesicht und Stirne weiss behaart; letztere mit einer glänzenden schwärzlichen Strieme, welche hinten den ganzen Raum zwischen den Augen einnimmt und vorne sich verschmälernd bis zu den Fühlern reicht. Der hintere Augenrand weiss. Die Thoraxstriemen mehr weisslich als bei den ♂; die beiden mittleren vereinigen sich vor dem Schildchen zu einem breiten Bändchen, von dessen Mitte nach vorhin ein kurzes, spitziges Strichelchen ausgeht. Die Hinterleibszeichnung. wie bei den ♂, doch sind die gelben Seitenflecke viel dunkler, und die glänzenden Stellen an den Einschnitten breiter. Die Tarsen der Vorder- und Hinterbeine sind schwarz, an den Mittelbeinen ist die Wurzel des ersten Gliedes gelb. Die Behaarung im Allgemeinen kürzer und sparsamer als bei den ♂. Alles Uebrige wie bei den ♂.

Sodann spricht Herr Dr. Schiner noch über die Fortsetzung seiner „Diptera austriaca“, von denen er die Aufzählung der Stratiomiden und Xylophagiden für die Abhandlungen später vorzulegen verspricht.

Herr Director Dr. E Fenzl zeigt ein von dem k. k. Gärtner im Host'schen Garten, Herrn Hillebrand gezogenes Sedum, welches er im Tolnaer Komitat im Flugsand gefunden, blühend vor, und setzt dessen Unterschiede von *S. acre* und *sexangulare* auseinander, behält sich jedoch bevor, erst nach der Fruchtreife dieses Exemplars die Artrechte und den Namen derselben festzustellen.

Herr Fr. Brauer gibt Beiträge zur Kenntniss der Verwandlung der Neuropteren. (Siehe Abhandlungen.)

Herr H. W. Reichardt übergibt einen Nachtrag zur Flora von Iglau. (Siehe Abhandlungen.)

Herr G. Frauenfeld legt einen Aufsatz des Herrn L. Miller über neue Käfer aus den Grotten Krains vor. (Siehe Abhandlungen.)

Versammlung am 1. August.

Vorsitzender: Vicepräsident: Herr **L. R. v. Heufler.**

Neu eingetretene Mitglieder:

Als Mitglied P. T. Herr	bezeichnet durch P. T. Herrn
Anker Ludwig in Ofen	*J. Lederer* u. *G. Frauenfeld.*
Feldmann Johann	Dr. *L. Fitzinger* u. *G. Frauenfeld.*
Haller Friedrich	Dr. *L. Fitzinger* u. *G. Frauenfeld.*
Hierschel Gioachino, Privatier in Wien .	Dr. *L. Stohl* u. Dr. *A. Kerner.*
Hierschel Oscar, Privatier in Triest . .	Dr. *L. Stohl* u. Dr. *A. Kerner.*
Kratky Anton, Partikulier in Budweis .	Dr. *F. Jechl* u. *G. Frauenfeld.*
Schindler Heinrich, Dr. der Medicin in Floridsdorf	Dr. *L. Stohl* u. Dr. *A. Drasche.*

Eingegangene Gegenstände:

Raspi Dr. Alois. Die jod- und bromhältigen Heilquellen von Castrocaro im Grossherzogthume Toskana. Wien 1847.

— Mittheilungen über einige der vorzüglichsten Heilquellen des Grossherzogthumes Toskana. Wien 1851.

Geschenk des Herrn Verfassers.

Berichte über die Verhandlungen der königl. sächsischen Gesellschaft der Wissenschaften zu Leipzig. 1854. I. — II

Bericht 15., über das Museum Francisco-Carolineum in Linz. 1855.

Mittheilungen über Gegenstände der Landwirthschaft und Industrie Kärntens. Klagenfurt. 12. Jahrgang. 1855. Nr. 6 — 7.

Entomologische Zeitung. Stettin 1854. 15. Jahrgang.

Linnaea entomologica. Berlin 1854. IX. Band.

Vom entomologischen Verein in Stettin.

Flora, Zeitschrift der königl. bair. bot. Gesellschaft zu Regensburg. 1855. 13 — 26.

Preisfrage der kais. Leopoldinisch-Carolinischen Akademie der Naturforscher. Breslau 1855.

Extrait du Programme de la Société Hollandaise des sciences à Harlem pour l'année 1855.

Rozprawy C. K. galicyjskiego Towarzystwa Gospodarskiego. Lemberg 1846—54. Tom. I.—XVI.

Katechizm rolniczy Lemberg 1847.

Nauka pomiaru gruntów. Lemberg 1853.

Wohlmeinung der k. k. galiz. Landwirthschafts-Gesellschaft, über die vom hohen Ministerium des Ackerbaues und Bergwesens projectirte, und in Galizien zu errichtende Forstschule. Lemberg 1850.

Von der k. k. galiz. Landwirthschafts-Gesellschaft in Lemberg.

Kongl. Vetenskaps-Akademiens Handlingar, för Ar 1852—1853.

Oefversigt af kongl. Vetenskaps-Akademiens Förhandlingar. Stockholm 1853 —1854.

Verslagen en Mededeelingen der koninkl. Akademie van Wetenschappen. Amsterdam 1854—1855. Deel II. Stuck III, D. III. St. I.—II.

Catalogus der Boekerij, van de koninkl. Akademie van Wetenschappen gevestigd te Amsterdam. 1855.

Koninklijk Besluit tot vorming der Akademie van Wetenschappen. Amsterdam 1855.

Verhandelingen der koninkl. Akademie van Wetenschappen. Amsterdam 1855. Deel II.

Bulletin de la Société impériale des naturalistes de Moscou. Année 1855. *Nr. I.*

Schriftentausch.

Mittheilungen aus dem Osterlande zu Altenburg. Band XI., XII., XIII. 1. Hft.

Anschluss zum Schriftentausch.

Unger Dr. F. Anatomie und Physiologie der Pflanzen. Pest 1855.

Veith J. E. Die Naturgeschichte der nutzbaren Haussäugethiere. Wien 1855.

Mohr H. Die Singvögel der Umgebung von Brixen. 1855.

Flora dell'italia settentrionale e del tirolo meridionale rappresentata colla fisiotipia. Trento. Cent. I. Disp. 5—10.

Vereinsschrift für Forst- Jagd- und Naturkunde. Prag 1855. 8. Heft.

Terzo volume a compimento e seguito dei quattro regni della natura il moderno buffon storia naturale geologia. Milano. Disp. 9—10.

Die Fortsetzungen der Zeitungen.

Geschenke der k. k. obersten Polizeibehörde.

11 Exemplare *Mus rattus* und eine Schachtel mit Insecten.

Geschenk des Herrn A. Senoner.

Der Ausschuss, stets bemüht, den einträchtigen Verkehr und Geselligkeit unter den Mitgliedern zu fördern, hat in der Sitzung am 30. Juli folgenden Beschluss gefasst:

„Nachdem gesellschaftliche Excursionen anerkannt eines der geeignetsten Mittel sind, den Sinn und Eifer für naturwissenschaftliche Beobachtungen zu heben, so wie die Mitglieder einander zu nähern, so werden diese freundlichst aufgefordert, sich zu derlei Ausflügen zu vereinigen. Zur Erleichterung der Kenntnissnahme der beabsichtigten Excursionen für die Mitglieder wird im ständischen Gebäude, Stadt, Herrngasse Nr. 30, unter dem Eingange links nächst der Wohnung des Portiers ein Briefkasten mit einer Anschlagetafel befestiget werden, worin jeder die Ankündigung hierzu unter persönlicher Unterschrift mit Bezeichnung des Ortes wohin, dann Ort, Tag und Stunde der Zusammenkunft mittheilen wolle.

Ferner wurde folgender Erlass beschlossen:

Dem unterzeichneten Vereine wurde von dem hohen Ministerium für Cultus und Unterricht eine jährliche Subvention von 200 fl. für drei Jahre zur Förderung der Vereinszwecke gegen dem bewilligt, dass derselbe Doubletten seiner zoologischen und botanischen Sammlungen an die Lehranstalten der österreichischen Monarchie abzugeben habe.

Um diesem hohen Auftrage nachkommen, und die Betheilung, der gnädigst bewilligten Subvention enstprechend veranlassen zu können, so werden die P T. Mitglieder gebeten, aus ihren Sammlungen entbehrliche Doubletten geschenkweise dem Vereine gütigst zu überlassen, da nur durch eine solche freundliche Mitwirkung seiner Mitglieder demselben möglich wird, dieser Verpflichtung würdig nachzukommen.

Der Herr Secretär bemerkt hierbei, dass Herr Dr. J. Egger in Folge dessen sein Herbar österreichischer Pflanzen von beiläufig 10—12 Centurien dem Vereine zu diesem Zwecke überlassen habe.

Die kaiserlich Leopoldinisch Carolinische Akademie der Naturforscher hat einige Programme der von dem Fürsten Anatol von Demidoff für den 13. Juli 1856 ausgesetzten Preisfrage mit dem Ersuchen hierher eingesandt, dieselbe durch die Vereinsschriften bekannt zu machen. Diese betrifft

„Eine durch eigene Untersuchungen geläuterte Schilde-
„rung des Baues der einheimischen *Lumbricinen.*" —

und fordert diese Akademie sonach

„Eigene Untersuchungen über den äussern wie innern „Bau, die Fortpflanzung und Entwicklung einheimischer „Regenwürmer-Arten, welche sich, neben einer genü„genden Erörterung ihrer Unterschiede nach Arten, Gat„tungen und Familien, besonders die histologische Seite „ihrer innern Organisation und die Feststellung solcher „Organe angelegen sein lassen müssten, deren Existenz „oder Bedeutung bisher noch gar nicht nachgewiesen „oder ungenügend angenommen worden war."

Der Preis ist 200 Thaler, und kann Näheres oder solche Programme bei dem Adjuncten dieser Akademie Herrn Director Dr. E. Fenzl entgegengenommen werden.

Die 7 Tafeln zu Herrn J. Lederer's neuesten Arbeiten mit 84 Abbildungen von Schmetterlingen, in diesem fünften Bande der Verhandlungen enthalten, sind um den Betrag von 2 fl. 40 kr. illuminirt zu beziehen. Jene Herren, welche dieselben in Farben illustrirt wünschen, werden ersucht, sich unter Erlag dieses Betrages in dem hier und später im Vereinslocale aufgelegten Subscriptionsbogen einzuzeichnen, da nur so viele Exemplare angefertigt werden, als Bestellungen erfolgen.

Herr Baron Leithner hat Verzeichnisse einer „Flora Graeca exsiccata" von 350 Arten mit Folgendem zur Vertheilung übergeben.

Zu Folge eines mündlichen Uebereinkommens im August 1853 hat Herr Theodor v. Heldreich, Director des botanischen Gartens zu Athen sich bereit erklärt, die interessanteren Pflanzen Griechenlands in vollständigen Exemplaren zu sammeln, schön zu trocknen, gut aufzulegen und an Obigen zur Herausgabe einzusenden, und sind von ihm die bereits eingesendeten in dem Verzeichnisse enthaltenen Pflanzen 3½ Centurie gegen Erlag von 6 Thl. = 9 fl. CM. in Silber für die Centurie zu beziehen.

Sodann zeigt der Herr Secretär an, dass von Sr. Excellenz dem hochwürdigsten Herrn Bischof Dr. Ludwig Haynald als Mitglied des Vereins zur Förderung der Vereinszwecke ein Beitrag von Einhundert Gulden eingesendet wurde.

Herr Dr. G. Mayr übergibt eine Fauna der österreichischen Ameisen, in welcher auch jene in Deutschland, der Schweiz und Italien vorkommenden Arten aufgeführt werden (siehe Abhandlungen) und erläutert den Inhalt derselben.

Herr Dr. A. Brehm las aus seinem noch im Drucke befindlichen Reisewerke einige sehr interessante Stellen, die Wüsten Nord-Afrika's betreffend, mit erläuternden Bemerkungen.

Herr Dr. S. Reissek gibt Beiträge zur Flora Wien's, theils seltener, theils aus diesem Gebiete zeitweise verschwundener Phanerogamen, unter Vorzeigung der getrockneten Exemplare. (Siehe Abhandlungen.)

Herr Director V. Kollar zeigt Wespenbaue vor, welche Herr J. Mann heuer aus Ajaccio mitgebracht, nebst den daraus gezogenen Insecten, so wie den Erdbau einer *Mygale* ebenfalls von dort. Ferner berichtet er über einen ihm mitgetheilten Fall eines angeblichen Erbrechens mehrerer *Blaps mortisaga* von einem Mädchen, der selbstverständlich nur auf Täuschung beruhen kann, und verspricht die Abhandlung später zu übergeben.

Herr A. Röll übergibt Beiträge zur Kryptogamenflora Unter-Oesterreichs. (Siehe Abhandlungen.)

Herr Dr. A Kerner übergibt eine pflanzengeografische Skizze des Jauerling (siehe Abhandlungen).

Herr Dr. Egger gibt einen Bericht über eine Ende Juli 1855 im dipterologischen Interesse von ihm und Custos-Adjuncten Herrn G. Frauenfeld unternommenen Excursion an den Neusiedler-See.

Die Gegend, die von uns besucht wurde, ist die kleine Strecke Uferlandes zwischen Göys und Winden am Fusse des in botanischer Beziehung so viel berühmten Haglersberg, und die Uebergangsstelle von der Stadt Bruck nach Winden über die sogenannten Zeilerbrüche (Brüche von ausgezeichnet schönem Sandstein) im Leithagebirge.

Sie werden sich erinnern meine verehrten Herren! dass in der letzten Sitzung Hr. Dr. Schiner Bericht erstattete über von uns an dieselbe Stelle, nur mit einem andern Uebergangspuncte gemachte Excursionen und in diesem Berichte nebst der Grossartigkeit der Dipteren-Fauna vorzüglich ihren eigenthümlichen ganz südlichen Character hervorhob.

Es ist nun mein Zweck diesen von uns gemeinsam gemachten Ausspruch mit neuen und zwar höchst interessanten Ergebnissen zu belegen.

Das flache Terrain, auf welchen ich und Frauenfeld sammelten, ist stellenweise mit *Pastinaca sativa* L. wie übersäet. Der ganze Fuss des Haglersberg mit Weinbergen und gewöhnlichem Gebüsche umkränzt.

Die Thiere, die wir sammelten und die einer südlichen Fauna angehören, sind:

Helophilus peregrinus Löw. Löw fing den ersten *Helophilus peregrinus* bei Syrakus; hier kömmt er häufiger als die übrigen *Helophilus*-Arten ja fast ausschliesslich, und zwar auf den Dolden von *Pastinaca* vor.

Helophilus versicolor Löw und *Helophilus frutetorum* Fabr. Die bisher in grösserer Zahl durch Herrn Frauenfeld und Mann nur aus dem Süden kamen. *Micropalpus vulpinus* Fall. und *Myobia aurea* Fall. früher ebenfalls durch Herrn Frauenfeld aus Dalmatien.

Anthrax fimbriatus M. auf den Haglersberg selbst.

Zu den grössten Seltenheiten gehört *Zeuxia cinerea* Meig. Meigen der sie zuerst beschrieb, war das Vaterland unbekannt, und *Mallota vitatta* Meg. Bisher stammte das einzige sich in Oesterreich befindliche Exemplar von Herrn Custos-Adjuncten Frauenfeld, der sich nicht mehr erinnert, wo er es gefangen. Dieses Exemplar ging durch Herrn Schiner in die Hände des Professor Löw über. Das zweite Exemplar fing Dr. Schiner am Neusiedler See, ich in dieser Excursion das dritte Stück. Auch Meigen's Exemplar, das gegenwärtig in Frankreich sich befindet, stammt aus Oesterreich und wurde ihm durch Herrn Custos Megerle von Mühlfeld übersendet.

Weiters ein noch nicht determinirter *Bombylius*, der in die Nähe des *Bomb. ambustus* Wied. gehört, oder es vielleicht selbst ist.

Ausserdem ergab die Sammlung eine grosse Anzahl seltener *Stratiomyden, Syrphiden* und Raubfliegen, die wohl anderwärts in Oesterreich auch vorkommen, hier aber durch ihre grosse Zahl überraschen, wie z. B. der sonst seltene *Holopogon dimidiatus* Meg.

Auf dem Uebergangspuncte von Winden nach Bruck bei den sogenannten Zeilerbrüchen, fanden sich auf *Daucus Carota* L. beinahe alle bisher in Oesterreich aufgefundenen Arten der Gattung *Phasia* Meig.

Ausserdem eine *Eristalis* von etwas eigentlichem Benehmen, schöner Farbe und starkem Glanze, sonst haargleich der frequentesten *Eristalis* der *Eristalis tenax*, so zwar, dass wir sie zu unserm spätern Bedauern bald nicht eingesammelt hätten, denn bei genauer Untersuchung stellte es sich heraus, dass es eine höchst eigenthümliche Species, nämlich *Eristalis pratorum* Meg. ist.

Im k. k. zoologischen Museum ist der Standort des typischen Exemplares nach Sitte des Herrn Custos Megerle von Mühlfeld nicht angegeben, die neben dem Typen-Exemplare steckenden identischen Thiere aber stammen alle aus sehr südlichen Gegenden Italiens und Griechenlands, und sind grösstentheils durch Herrn Mann dem Museum zugewachsen.

Noch eines schönen Dipterous muss ich erwähnen, das Frauenfeld auf dem Uebergangswege über das Leithagebirge in einem Jungmais auf Grasstengeln fing, diess ist die ebenso seltene als schöne *Phtiria maculata* Meg.

Es muss Ihnen meine Verehrtesten aufgefallen sein, so oft und immer bei den seltensten Dipteren den Namen Megerle zu hören. Megerle von Mühlfeld, Custos am k. k. Hof-Naturalien-Kabinet war seinerzeit ein höchst tüchtiger Dipterolog. Meigen und Wiedemann erhielten zahlreiche und höchst interessante Mittheilungen von ihm, und die jetzt lebenden österreichischen Dipterologen haben grosse Ursache, in ihrem Gedächtnisse dem Verblicheuen eine Ehrensäule zu setzen.

Zum Schlusse, meine Herren! dem Haglersberg und seiner Umgebung von den Botanikern wie auch von Dipterologen ein Hoch!

Obwohl nicht in diesen Bericht gehörig, kann ich des grossen Interesses halber nicht umhin Ihnen hier auch mitzutheilen, dass ich am 27. Juli d. J. so glücklich war, bei einer Excursion auf den Schneeberg am Fusse des sogenannten Alpels die für Oesterreich neue äusserst schöne *Echinomyia Marklini* Zetterst. aufzufinden und einzusammeln.

Aus eingegangenen Mittheilungen theilt der Secretär Herr G. Frauenfeld über einen von Herrn R. v. Haimhoffen an *Alyssum incanum* L. aufgefundenen Wurzelauswuchs nebst dessen Erzeuger, dessen Beobachtungen mit (siehe Abhandlungen), so wie unter Vorzeigung des Objectes als Beitrag zum Vorkommen der Fadenwürmer in Insecten von Herrn E. Mahler aus Aloisthal in Mähren Folgendes:

In der Stettiner entomologischen Zeitung, Jahrgang 1854, bringt Herr Professor C. Th. v. Siebold in München pag. 112—121 ein Verzeichniss über alle ihm zur Zeit bekannt gewordenen Insecten, in welchen Fadenwürmer als Schmarotzer beobachtet wurden und es erscheint dort aus dem Bereiche der Coleopteren vorläufig nur die Familie der *Carabicinen* vertreten.

Eine erst kürzlich zurückgelegte, entomologische Excursion in die mährischen, nördlichen Hochgebirge verschaffte mir Gelegenheit, das Vorkommen der Fadenwürmer auch in der Familie der *Staphylinen* zu constatiren und zwar an einem

Ocypus megacephalus Nord.

dessen Vorkommen im Bereiche des Spieglitzer Schneeberges unter Steinen ein ziemlich seltenes ist.

Als ich nämlich einen dieser Käfer ins Aetherfläschchen brachte, entwand sich während dem Todeskampfe aus dessen Mundöffnung ein Fadenwurm, dessen ebenfalls schneller Tod es ihm nicht gestattete, sich seinem Wirthe vollkommen zu entwinden.

Der aus dem Käfer hervorgetretene Theil des Wurmes misst 3″ 10‴.

Ob nun dieser Fadenwurm ein *Gordius* und welche Species ist? diess zu bestimmen, finde ich mich nicht competent und indem ich das besprochene Exemplar als Beleg zu diesem Berichte gleichzeitig an den sehr verehrlichen zoologisch-botanischen Verein übergebe, möge solches ein Plätzchen in der dortigen Vereinssammlung finden und somit Gelegenheit zur genaueren Bestimmung des Fadenwurmes bieten.

Bei diesem Anlasse erlaube ich mir noch zu bemerken, dass ich das Schmarotzen der Fadenwürmer im Herbste 1851 auch in der Raupe von

Amphidasis betularia,

welche in dem Eingangs bezogenen Aufsatze des Herrn Prof. v. Siebold eben auch nicht aufgeführt erscheint, zu beobachten Gelegenheit hatte.

Von eilf solchen zur Zucht bestimmten Raupen waren drei mit Fadenwürmern behaftet.

Eine derselben machte mich auf ihren krankhaften Zustand dadurch aufmerksam, dass sie durch längere Zeit unbeweglich sitzen blieb, ohne Futter zu sich zu nehmen und ohne sich, wie die übrigen, in die Erde zur Verpuppung zu begeben.

Eines Tages fand ich sie in heftigen Windungen, die auf grossen Schmerz hindeuteten, in dem mit Erde gefüllten Behältnisse herumschnellen, bis sie endlich ermüdet ruhig blieb und sich der Afteröffnung ein 5″ 3‴ langer Fadenwurm entwand, der sich zugleich in die Erde einzubohren versuchte und welcher, nachdem diess von mir verhindert worden war, bald darauf bewegungslos und todt blieb.

Bei näherer Untersuchung fanden sich in derselben Raupe noch zwei kürzere Fadenwürmer.

Eine andere dieser Raupen hatte sich zwar zur Verpuppung in die Erde begeben, war aber von ihrem Gaste an dieser Verwandlung verhindert worden, denn ich fand im nächsten Frühjahre diese Raupe im Zustande der Verwesung und ihr zur Seite einen todten, zu einem Knäuel gewickelten Fadenwurm, welchen ich in Spiritus aufbewahrt halte.

Zum Schlusse berichtet Herr G. Frauenfeld noch:

Herr Apotheker F. Doubrawa in Policzka hat folgende Notiz an den Verein eingesendet:

„Ich erlaube mir im Interesse der Belehrung des hiesigen Volkes beifolgend einige schwarze Körner einzusenden, die sich im Frühjahr, wenn der Schnee thaut, an jenen Blättern des Kopfkohl vorfinden, welche in Fäulniss übergehen, oder in dem am Felde zurückgebliebenen Strünken, und vom Landvolke allgemein am Maria Verkündigungstage den 25. März mit grossem Fleisse gesammelt für den besten Krautsamen gehalten und gesäet werden. Sie scheinen, eh sie dem Zutritt von Luft und Licht ausgesetzt sind, weiss oder schwach gelblich zu sein, und erst unter dem Einfluss benannter Agentien die dunkle Farbe zu erlangen.“

Die dieser Notiz beigelegten kohlsamenähnlichen Körner waren der wohl allgemein bekannte Knopfpilz, der sich an Stengel und Blattrippen aller faulenden *Brassica*-Arten an dumpfen Orten und bei längerer nasser kalter Witterung selbst schon im Herbste im freien Lande bildet, und wahrscheinlich der Form und Grösse wegen den Namen *Sclerotina Semen* erhielt, obwohl ich sie auch bis zur Erbsengrösse beobachtet und gesammelt habe.

Dass von einer Keimkraft und Entwicklung zu Krautpflanzen keine Rede sein kann, begreift sich von selbst; es wäre nur die vielleicht erprobte und nicht umzustossende Thatsache, wenn sie mit wirklichen Samen vermischt, gesäet werden, diese kräftigere Pflanzen liefern, zu erklären. Und diese Erklärung liegt wohl nicht so fern, wenn wir wissen, dass dünne Aussaat den Pflanzen mehr Raum und Nahrung, daher üppigeren Wuchs gewährt, was bei Gärtnern durch Beimischung von Sand u. dgl. vorzüglich bei feinen Samen längst schon in Anwendung steht. Eine andere Frage wäre wohl noch, ob nicht die Zersetzung des Pilzes beim Keimen erregend auf die Samen wirkt. Wir haben noch wenig Versuche in dieser Richtung und die unbedeutenden Anwendungen von Säuren zu schnellerm Keimen, von Beizen bei Kornfrüchten sind alles hier zu erwähnende, denn die unter verschiedenem Lichte und andern Agentien angestellten höchst interessanten Keimungsversuche gehören keineswegs hierher. Der Gegenstand selbst aber wäre wohl anziehend und wichtig genug; denn dass die erste Entwicklung den Grund für besseres Gedeihen in späterem Lebensalter bildet, ist ausser allem Zweifel, jede mögliche Steigerung dieser Entwicklungsfähigkeit daher reicher Gewinn. Was die Frage einer Belehrung in dieser Sache betrifft, die Herr Daubrawa in seinem Briefe noch anregt, so können nur directe Beweise solche eingewurzelte Vorurtheile und irrige Begriffe bekämpfen. Diese Körner, von Sachverständigen gesammelt, dass sie bestimmt nicht mit wirklichen Samen vermischt werden, wiederholt, wie gewöhnlich aber allein gesäet, sodann zu klarer vergleichender Anschauung unbedeckt, ohne Erde, auf befeuchteten Wollenlappen gestreut, stets jedoch getrennt, und wobei die wahren Samen sicher keimen, muss wohl endlich Ueberzeugung bewirken.

Ein weiteres mir von unserm Bibliothekar Herrn Dr. Tomaschek übergebenes Schreiben seines Bruders enthält Folgendes:

„Ich habe eine Schachtel mit todten Fledermäusen aus der Adelsberger Grotte erhalten. Dieselben fingen bereits an in Verwesung überzugehen, dennoch hatte ich beim Oeffnen der Schachtel, aus der mir heftiger Gestank entgegendrang, das Vergnügen, einige dieser fabelhaften flügellosen Dipteren, welche die Fledermäuse bewohnen, aus deren Haaren hervortauchen, herumlaufen und wieder verschwinden zu sehen. So zähe ist daher das Leben dieser Parasiten, dass sie den Tod ihrer Wohnthiere so lange überdauern. Wunderbar ist es, wie fest sie sich an den Haaren der Fledermäuse zu halten vermögen; es gehört Mühe dazu, sie davon loszubringen. Da ich gerade eine lebende besass, so suchte ich sie zu übertragen. Das gelang jedoch nur sehr schwer, da sie auch an der Hand sich so anklammerte, dass ich sie nicht abzustreifen vermochte, sie lief lebhaft darauf herum, und ich musste warten, bis sie auf eigenen Antrieb sich hinüber begab. Es war interessant zu sehen, wie sie sich daselbst so heimisch fühlte. Sie lief nach allen Seiten an dem Thiere herum, als wolle sie sich orientiren, wo sie sei, kam zuletzt an die Spitze des Flügelarmes, wo sie verschwand. Sie verbarg sich nämlich unter den Achseln am liebsten. Dort ist gleichsam ihr Zufluchtsort, ihr Wohnzimmer. An der Unterseite der Flatterarme, an der Flughaut scheinen sie ihre Metamorfose durchzumachen, da ich daselbst bei den damit behafteten Fledermäusen eine Menge Häute hängen sah, welche mir von ihnen herzurühren schienen. Schon nach einigen Minuten schien es mir Blut gesogen zu haben, da es viel voller aussah. Die Fledermaus ging leider bald zu Grunde, und mit ihr der Parasit. Sie sind übrigens sehr zahlreich, und ich werde wohl Gelegenheit haben, die Lebensweise bald weiter zu verfolgen."

Die Lebensweise der *Coriaceen*, vorzüglich der *Nycteribien*, ist noch in so tiefes Dunkel gehüllt, dass auch die geringsten Ergebnisse darüber von Werth sind. Möchte sich Herr Tomaschek, da er so gute Gelegenheit hat, ja recht eifrig damit beschäftigen. Namentlich ist es ein Punct, den ich vor allem heraushebe, nämlich die Bemerkung über die Häute an der Flughaut. Mir sind sie, so viele Fledermäuse ich untersuchte, noch nie vorgekommen, und es wäre sehr wünschenswerth, wenn Herr Tomaschek dieselben aufbewahrt hätte. Sind die *Nycteribien* durchaus und stets pupipar, so können die Häute nicht von ihnen herrühren, und es müsste ein Irrthum dabei unterlaufen sein. Zwar fehlt es noch an einem gänzlichen Abschluss des Cyclus der Entwicklungsgeschichte dieser Insecten, und haben uns die niederen Thiere in neuester Zeit so überraschende Beweise der unerwartetsten Abweichungen von den bisher geltenden Normalien, vorzüglich bei den parasitisch lebenden gebracht, so dürften sie vielleicht bei diesen durch ihre Lebensweise als Schmarotzer so verwandten Thiere nicht mehr ganz unerwartet erscheinen.

Auch die gleich Anfangs erwähnte Lebenszähigkeit dürfte zu Versuchen auffordern. Ich habe die *Nycteribien* höchst empfindlich gefunden, und gleich *Braula* stets nur wenige Stunden vom Wohnthiere entfernt sterben sehen. Geschlecht und vollzogene Begattung mögen wohl auch hier, wie bei den andern Insecten den bedeutendsten Einfluss auf solchen Unterschied haben. Die andere Abtheilung der *Coriaceen*, die *Hippoboscen*, ist, so weit ich sie kenne, viel ausdauernder, und schadet ihnen die Entfernung vom Wohnthiere viel weniger.

Eine von mir in Afrika in zwei Arten entdeckte geflügelte höchst interessante Fledermausfliege, welche, mitten inne zwischen jenen beiden einander sehr fernen Abtheilungen stehend, dieselben verbindet, zeigte sich eben so empfindlich, und ich konnte keinen dieser Parasiten von den Fledermäusen entfernt, länger, als einige Stunden am Leben erhalten.

Versammlung am 3. October.

Vorsitzender: Vicepräsident: Herr V. Kollar.

Neu eingetretene Mitglieder:

Als Mitglied P. T. Herr	bezeichnet durch P. T. Herrn
Aschner Theodor, Hochw., Prof. der Naturwissenschaften am erzbischöfl. Gymnasium zu Tyrnau	*G. Frauenfeld* u. Dr. *A. Kerner.*
Hinteröcker Joh. N., Hochw., Prof. der Naturgeschichte am Seminarium zu Linz	Dr. *E. Fenzl* u. *G. Frauenfeld.*
Hoffmann N., in Laibach	*F. Schmidt* u. *G. Frauenfeld.*
Keferstein A., Gerichtsrath in Erfurt	*J. Lederer* u. *G. Frauenfeld.*
Klement Johann, Lehrer der Mathematik und Physik in Wien	Dr. *A. Raspi* u. *V. Totter.*
Leite Dr. *Friedrich*	Dr. *Heinzel* u. Dr. *A. Kerner.*
Miskovits Anastasius, Hochw., Prof. der Physik zu Grosswardein	*G. Frauenfeld* u. Dr. *A. Kerner.*
Motschulsky Victor v., k. russ. Oberst, Director des Museums für angewandte Naturgeschichte der kais. freien ökon. Gesellschaft zu Petersburg	*F. Schmidt* u. *G. Frauenfeld.*
Müller Karl, Apotheker in Kronstadt	Dr. *E. Fenzl* u. *G. Frauenfeld.*
Pernhofer Dr. *Gustav*	Dr. *A. Kerner* u. Dr. *F. Salzer.*
Pettenegg Karl, Freih. v., jub. k. k. Landesgerichts-Präsident in Wien	*H. Reichardt* u. Dr. *A. Kerner.*
Pongrátz Gerard v., Hochw., Director zu Nagy Bánya	*S. Horvath* u. *V. Totter.*
Salzer Michael, Professor am Gymnasium zu Mediasch	Dr. *A. Kerner* u. Dr. *F. Salzer.*
Schön Rudolf, Lithograf	Dr. *J. Egger* u. *A. Rogenhofer.*
Schrattenbach v.	*J. Finger* u. *G. Frauenfeld.*
Tempsky Friedrich, Buchhändler in Prag	*L. R. v Heufler* u. Dr. *Kerner.*
Weiner Dr *Anton*, k. k. Professor am Obergymnasium zu Iglau	*H. Reichardt* u. Dr. *A. Kerner.*
Werdoliak Hieronymus Alois, Hochw., Dr. d. Theol. emer. Prof. in Almissa	Dr. *F. Lanza* u. *G. Frauenfeld.*

Eingegangene Gegenstände:

Abhandlungen der k. k. geologischen Reichsanstalt. Wien 1855. II. Band.
Jahrb. d. k. k. geol. Reichsanst. Wien 1855. VI. 4. 1.
Abhandlungen der naturforschenden Gesellschaft zu Halle 1855. III. Band. 2. Quart.
Abhandlungen der naturforschenden Gesellschaft zu Görlitz. 1855. 7. Band. 1. Heft.
Verhandlungen des naturhistorischen Vereins der preussischen Rheinlande und Westphalens. Bonn 1855. XII. Jahrgang Nr. 1—2.
Sitzungsberichte der kais. Akademie der Wissenschaften in Wien. 1855. Bd. XVI. 2. Heft. — Bd. XVII. 1.—2. Heft.
Zeitschrift der k. k. Gesellschaft der Aerzte in Wien. 1855. 7.—8. Heft.
Zeitschrift für Entomologie. Herausgegeben von dem Vereine für schlesische Insectenkunde in Breslau. 6. Jahrg. 1852, 8. Jahrg. 1854.
Monatsberichte der königl. preuss. Akademie der Wissenschaften zu Berlin. August 1854 — Juni 1855.
Mittheilungen der naturforschenden Gesellschaft in Zürch. 1854 — 1855. 8. — 9. Heft.
Mittheilungen der naturforschenden Gesellschaft in Emden. 1855.
Jahresbericht der naturforschenden Gesellschaft in Emden. 1854.
Mittheilungen über Gegenstände der Landwirthschaft und Industrie Kärntens. Klagenfurt. 12. Jahrgang. 1855. Nr. 8 — 9.
Bulletin de la Société impériale des naturalistes de Moscou. Année 1853. III. — IV., 1854. I.
Würtembergische naturwissenschaftliche Jahreshefte. 1855, 11. Jahrgang 2. Heft.
Jahresbericht, 21., des Mannheimer Vereins für Naturkunde. 1855.
Bericht, 8., des naturhistorischen Vereines in Augsburg. 1855.
Berichte über die Verhandlungen der Gesellschaft für Beförderung der Naturwissenschaften zu Freiburg im Breisgau. 1855, 1. Heft. Nr. 9 — 11.
Korrespondenzblatt des zoologisch-mineralogischen Vereins in Regensburg. 1853. 7. Jahrg.
Neueste Schriften der naturforschenden Gesellschaft in Danzig 1855. 5. Band 3. Heft.

Schriftentausch.

Fritsch C. Resultate der im Jahre 1854 in Wien und in einigen anderen Orten des österreichischen Kaiserstaates angestellten Vegetationsbeobachtungen.
— Beobachtungen über periodische Erscheinungen im Pflanzen- und Thierreiche 1855.
Schaschl J. Die Coleopteren der Umgebungen von Ferlach.

Fritsch Anton. Catalog der Säugethiere und Vögel des böhmischen Museums zu Prag. 1854.
Hörnes Dr. M. Die fossilen Mollusken des Tertiär-Beckens von Wien.
Nylander Dr. W. *Essai d'une nouvelle Classification des Lichenes. Juin 1855. (second Mémoire).*

Geschenke der Herren Verfasser.

Fenzl Dr. Ed. Bildliche Naturgeschichte des Pflanzenreiches in Umrissen nach seinen wichtigsten Ordnungen. Pest 1855. 1.—2. Lief.
Aichhorn Dr. Sigm. Das Mineralien-Kabinet am steierm. st. Joanneum zu Gratz mit besonderer Berücksichtigung der mineralogischen Schausammlung. Gratz 1855.
Cantoni Dott. G. *Trattato completo d'agricoltura. Milano* 1855.
Peluso Dott. F. *Annali d'agricoltura. Milano* 1855. Nr. 16—17.
Terzo volume a compimento e seguito dei quattro regni della natura il moderno buffon storia naturale geologia. Milano, Disp. 11—12.
Cerato-Orsini M. *Raccolta delle varie maniere di uccellagioni.* Vicenza 1855.
Vince M. *Az állatan Alapvonalai.* Pest 1855. (Zoologie für Schulen.)
Rozprawy C. K. galicyjskiego Towarzystwa Gospodarskiego. Lemberg 1855. Tom. XVIII.
Rozprawy sekcyi lesnej C. K towarzystwa gospodarskiego galicyjskiego. Lemberg 1855.
Vereinsschrift für Forst-, Jagd und Naturkunde. Prag 1855. N. F. 7. Heft.
Jahresschrift des westgalizischen Forstvereines. Bielitz 1855.
Verhandlungen der am 18. August 1855 zu Neusiedl am See abgehaltenen Ausschusssitzung des Obstbau-Vereines. Oedenburg 1855.
Die Fortsetzungen der Zeitungen.

Geschenke der k. k. obersten Polizeibehörde.

Gecarcinus fluviatilis Lmk. 2 Stücke.

Geschenk des Herrn C. v. Tacchetti.

15 Cartons für die Bibliothek.

Geschenk des Herrn Dr. J. Tomaschek.

Zur Vertheilung an Lehranstalten.

Vögel, ausgestopft, 52 Stücke, von Herrn A. Schwab aus Mistek.
Fliegen, von Herrn Dr. J. Egger und Dr. I. Schiner.
Ameisen, von Herrn Dr. G. Mayr.
Schmetterlinge, von Herrn A. Rogenhofer.
Verschiedene Insecten, von Herrn K. v. Tacchetti.
Pflanzen, von den Herren Farkas-Vukotinovich, Reichardt, Rittmeister Schneller und J. Juratzka.

Herr Secretär G. Frauenfeld theilt nach diesen Eingängen Folgendes mit:

Die kaiserlich naturforschende Gesellschaft in Moskau hat an mich folgendes Schreiben gerichtet:

„Die kais. naturforschende Gesellschaft in Moskau wird in dem nächsten Monate zu dem Zeitpuncte ihres fünfzigjährigen Bestehens und wissenschaftlicher Thätigkeit gelangen, und in Folge dessen diesen für sie so wichtigen und ehrenvollen Moment durch eine ausserordentliche öffentliche Sitzung am 23. December 1855 feiern."

„Ich halte mich für verpflichtet, Sie hochgeehrter Herr Sekretär auf diesen für uns so wichtigen Zeitpunct aufmerksam zu machen, und erlaube mir Ihnen durch diese Zeilen anzudeuten, wie hoch erfreut wohl unsere kais. naturforschende Gesellschaft sein würde, von dem zool.-bot. Vereine in Wien zu dieser Epoche ein Zeichen ihrer, unserer kais. Gesellschaft schon seit so vielen Jahren bewiesenen freundlichen und uns ehrenden Gesinnungen zu erhalten."

Staatsrath Dr. Renard.

Ich erlaube mir diess hiermit zur Kenntniss zu bringen, falls irgend ein Mitglied eine naturwissenschaftliche Abhandlung als Begrüssung an jene geehrte Gesellschaft, wie diess bei solchen Festen üblich, zu überreichen geneigt sein sollte, die Zusendung durch den Verein vermittelt werden würde.

Auf Anregung des geehrten Mitgliedes Herrn J. Bayer, für dessen erfolgreiche Bemühungen demselben der öffentliche Dank hiermit dargebracht wird, sind dem Verein in Folge des vom Vorstande veranlassten Ansuchen sowohl von der k. k. priv. österr. Staatseisenbahn-Gesellschaft als von der priv. Kaiser-Ferdinands-Nordbahn einige Freikarten ertheilt worden, welche im Monat September von Herrn G. Mayr zu einer Excursion nach Szegedin, von Herrn Zelebor zu einer Durchsuchung der Slouper Höhle benützt wurden. Beide sind sehr befriedigend ausgefallen; über die wissenschaftlichen Resultate und dem Vereine zugewachsenen Sammlungen wird ersterer selbst in einer der nächsten Sitzungen berichten. Ueber Herrn Zelebor's Ausbeute will ich nur erwähnen, dass er aus jener Höhle sieben Arten von Fledermäusen, worunter sehr interessant *Synotus barbastellus* und *Rhinolophus clivosus*, beide für jene Gegend neu, sich befanden. Ueber die Mollusken an 100 Arten, also eine beinahe vollständige Fauna von dort, worunter *Helix faustina*, bisher noch nicht so nahe bei Wien aufgefunden, wird das Verzeichniss später folgen. Von fossilen Knochen hat er ein riesiges Becken und Schenkelknochen des Höhlenbären, vielleicht die grössten bisher gefundenen mitgebracht.

In Folge der vom Vereine geschehenen Aufforderung um Einsendung von Naturalien zur Betheilung der Lehranstalten sind eine grosse Menge Beiträge schon eingegangen und noch angezeigt. Namentlich hat Herr Dr. Egger mehrere schon geordnete Sammlungen von Fliegen, Herr G. Mayr ebenso Ameisen, Herr Rogenhofer Schmetterlinge, Herr Taçchetti verschiedene Insecten, Herr G. Schwab aus Mistek prachtvoll ausgestopfte Vögel, die Herren Vukotinovich und Reichardt Pflanzen, so wie letzterer freundlichst aus den vorhandenen Doubletten mehrere Sammlungen zusammengestellt und übergeben, wofür ihnen hiermit der Dank erstattet wird.

Dieselben werden in abgetheilten Partien baldigst ihrer Bestimmung zugeführt, und das weitere seiner Zeit hierüber mitgetheilt werden.

Es wurde von dem Mitgliede Herrn Tribunalrath E. Bergner aus Zara hierher berichtet, dass der dortige Professor Herr Alschinger, Verfasser der „Flora jodrensis“ ein Exemplar eines Herbarium florae dalmatiae mit 1000 Pflanzen für 60 fl. abzulassen gedenkt, und sich darauf Reflectirende daher an ihn wenden wollen.

Die zwei dem III. Quartale beigelegten Tafeln zu Herrn F. Brauer's: Beiträge zur Verwandlungsgeschichte der Neuropteren und neuen Fliegen von Löw und Frivaldsky kosten illuminirt 25 kr. Wer dieselben wünscht, wolle es gefälligst unter Einsendung des Betrages bekannt geben.

Herr C. v. Tachetti übergibt zwei Exemplare von *Gecarcinus fluviatilis* Lk. mit der Bemerkung, dass derselbe zur Sommerszeit in den Gräben der Niederungen von Verona lebt, und daselbst durch die Durchlöcherung der Dämme der in die bebauten Reisfelder geleiteten Bewässerungscanäle grossen Schaden anrichtet, und dadurch weit den geringen Nutzen überwiegt, dass er vom gemeinen Volke manchmal als Nahrungsmittel benützt wird.

Herr Dr. Hörnes legt das 9. Heft der „Fossilen Mollusken des Tertiärbeckens von Wien" vor und gibt eine Uebersicht des Inhaltes desselben:

In diesem Hefte sind sechzig Arten, welche den Geschlechtern *Cerithium*, *Turritella*, *Phasianella*, *Turbo*, *Monodonta*, *Adeorbis*, *Xenophora* und *Trochus* angehören, beschrieben und auf fünf Tafeln abgebildet.

Bruguière gebührt das Verdienst das Geschlecht *Cerithium* in der jetzigen Begränzung und auf gute und feste Charactere gegründet zu haben, denn Adanson hatte in seinem Geschlechte *Cerithium* noch die *Turritellen* stehen. Lamarck und Deshayes haben keine wesentlichen Aenderungen in der Begränzung desselben vorgenommen.

Die *Cerithien* spielten einstens in der Meeresbucht, die wir gegenwärtig das Wiener Becken nennen, eine wichtige Rolle; da sie sich, wie gegenwärtig, ungemein leicht vermehrten, so findet man mächtige Schichten, die zum grösstentheile bloss aus *Cerithien* bestehen, und daher mit Recht *Cerithien* - Schichten genannt werden. Von den 26 Arten, welche im Wiener Becken vorkommen, sind es insbesondere drei: *C. pictum* Bast., *C. rubiginosum* Eichw. und *C. disjunctum* Sow., welche wesentlich zur Bildung dieser Schichten beigetragen haben, und es ist stets die erstere Art, die bei weitem häufigere. Mit den *Cerithien* kommt nur eine ganz kleine Anzahl von Arten anderer Geschlechter in diesen Schichten vor, und die Fauna bleibt sich bei einer grossen Verbreitung dieser Ablagerung stets gleich. Diese Schichten bilden daher einen trefflichen Horizont zur Deutung der darüber und darunter liegenden Vorkommnisse. Der *Cerithien*-Sand und Sandstein bezeichnet im Wiener Becken stets die obersten Glieder der marinen Ablagerungen; über denselben liegt nur der obere oder *Congerien*-Tegel, welcher seine Entstehung dem Brackwasser verdankt.

Mit dem Geschlechte *Turritella* beginnt die Familie der *Turbinaceen*, die sich bekanntlich durch den Mangel jedweder Ausrandung am Grunde der Schale auszeichnet. Die *Turritellen* gehören ebenso, wie die *Cerithien* zu den häufigsten Vorkommnissen im Wiener Becken allein, wie gewisse Arten der *Cerithien* die oberen Schichten des Wiener Beckens characterisiren, findet man die *Turritellen* nur in den tieferen. Dieses Geschlecht gibt sehr gute Merkmale für Unterscheidung der Arten. Nach dem einfachen Typus einer sich erweiternden Röhre gebaut, entwickelt sich ihre Schale mit geometrischer Symetrie in fünfzehn bis zwanzig Umgängen, deren Zahl bei jeder Art sich gleich bleibt, und die eine scharf zugespitzte Schraube bilden. Die Umgänge sind zuweilen plattgedrückt oder concav, und da sie sich immer berühren, findet man keine Spur eines Nabels. Es bilden sich darauf keine Erhöhungen (Varices) oder Höcker wie bei *Cerithium*, und an dem Mundrande keine periodische Entwicklung einer Wulst. Die Rippen und Streifen der *Turritellen* laufen in die Quere, d. h. spiralförmig, nie nach der Länge und selten sind die Umgänge mit Körnern oder Knoten besetzt. Die besten Merkmale zur Unterscheidung der Arten liegen nach Reeve in den ersten acht oder zehn Umgängen von der Spitze abwärts, eine Erfahrung, zu der auch der Verfasser bei dem Studium der Wiener Formen gelangt ist; unter dieser Grenze ändert sich nämlich die Sculptur etwas, es treten häufig mehrere Reifen hinzu, und die Umgänge gewinnen ein von den früheren ganz verschiedenes Ansehen, je mehr sich die Schale der Mündung nähert.

Im Wiener Becken kommen neue Arten vor, die fast sämmtlich zu den häufigsten Vorkommnissen gehören.

Von dem Geschlechte *Phasianella*, das Lamarck für eiförmige, glatte, glänzende, lebhaft gefärbte Schalen, deren Schlusswindung viel grösser als die früheren und deren Mündung schief gegen die Basis der Spindel geneigt ist, aufgestellt hat, hat sich bis jetzt im Wiener Becken nur eine Art *Ph. Eichwaldi* Hörn. aber diese ziemlich häufig bei Steinabrunn gefunden.

Das Geschlecht *Turbo* begriff bei Linné die heterogensten Dinge und es sind nach und nach *Turritella, Scalaria, Pupa, Clausilia, Litorina, Delphinula* u. s. w. davon abgetrennt worden. Bei Lamarck sind noch die *Litorina*-Arten damit vermengt, welche jedoch Deshayes in seiner neuen Ausgabe von Lamarck's Werk bereits zu trennen beflissen war. Eine merkwürdige Erscheinung bei diesem Geschlechte ist die Verschiedenheit des Deckels, der bald kalkig, bald hornartig ist. Diese Verschiedenheit veranlasste Gray das Geschlecht *Turbo* in sieben Genera zu zerspalten, während Reeve im Gegentheile behauptet, die Deckel gäben in der Familie der *Turbinaceen* kein Gattungsmerkmal ab, seien aber bei Unterscheidung der Arten sehr beachtenswerth.

Im Wiener Becken kommen nur drei Arten vor, und zwar *T. rugosus* Linn., *T. tuberculatus* Serr. und *T. carinatus* Bors. Von denen aber die erste *T. rugosus* L. zu den gemeinsten Vorkommnissen im Wiener Becken gehört und die auch gegenwärtig noch im mittelländischen und adriatischen Meere in grosser Anzahl lebt. Bei dieser Art stellt sich die Thatsache abermals auf eine auffallende Weise heraus, dass die Zurückführung der fossilen Formen auf die lebenden Arten zu den grössten Schwierigkeiten im Fache der Paläontologie gehöre; daher ist es auch erklärlich, dass gegenwärtig noch die verschiedensten Ansichten in dieser Beziehung unter den Paläontologen herrschen. Während die einen, wie Agassiz und d'Orbigny, jede oder fast jede Identifizirung läugnen, sind andere gleich bereit aus ziemlich entfernten Aehnlichkeiten auf dieselbe Art zu schliessen. Hier nun den Mittelweg zu finden, ist die Aufgabe. Einerseits muss man zugeben, dass zwischen den fossilen und lebenden Formen so auffallende Verschiedenheiten statt finden, dass man wie Agassiz hinlänglich bewiesen, auch bei fast gleichen Formen Verschiedenheiten aufzufinden vermag; andererseits variiren jedoch auch die lebenden Formen untereinander so stark, dass man die fossilen ganz gut als Varietäten der lebenden gelten lassen kann. Im Allgemeinen zeichnen sich alle fossilen Formen, welche von den ersten Autoritäten für identisch mit lebenden betrachtet werden, durch eine gedrungenere Gestalt, durch eine intensivere Bildung aller Erhabenheiten der Oberfläche und durch eine dickere Schale aus. Strenge Consequenz mit genauer und sorgfältiger Beachtung sämmtlicher Verhältnisse kann hier allein zum Ziele führen.

Lamarck hat das Geschlecht *Monodonta* für Formen aufgestellt, die im Allgemeinen den Habitus von *Turbo* haben, sich jedoch von denselben dadurch unterscheiden, dass sie mehr oder weniger genabelt sind und an ihrer Innenlippe eine zahnartige Verdickung zeigen. Es ist nicht zu läugnen, dass die Begründung des Geschlechtes *Monodonta* auf einer sehr schwachen Grundlage beruhe, denn man bemerkt auch öfters an wirklichen *Trochus*-Arten eine derlei zahnartige Verdickung der Innenlippe; andererseits ist wieder nicht in Abrede zu stellen, dass die typischen Formen von *Monodonta* einen so auffallenden und von *Trochus* ganz verschiedenen Bau des Spindelrandes zeigen, dass eine generische Trennung wohl gerechtfertigt erscheint. Der Verfasser fühlt sich nicht berufen, hier irgend eine Ansicht darüber auszusprechen, da die Entscheidung in dieser Angelegenheit lediglich den feineren anatomischen Untersuchungen der Zoologen überlassen werden muss. Deshayes behauptet zwar zwischen den Thieren von *Monodonta*, *Turbo*, *Trochus* u. s. w. gar keine Verschiedenheiten auffinden zu können; allein es ist mehr als wahrscheinlich, dass die anatomische Untersuchung der Thiere noch nicht auf jenen Punct angelangt sei, der zur schärferen Trennung erforderlich ist. Unstreitig muss jeder bedeutenderen Verschiedenheit der Schale auch eine Verschiedenheit der inneren Organisation des Thieres zu Grunde liegen. Man erinnere sich nur in Betreff der Mannigfaltigkeit der inneren Organe auf die Untersuchungen von Lovén über den merkwürdigen und höchst verschiedenartigen Bau der Zungen der Mollusken u. s. w.

Die *Monodonten* sind Meerschnecken; sie leben in grosser Anzahl an den Küsten des mittelländischen und adriatischen Meeres; es mögen ungefähr 25 lebende und ein Dutzend fossile Arten bekannt sein. Im Wiener Becken kommen drei Arten vor: *M. arvonis* Bast., *M. mamilla* Andrz. und *M. angulata* Eichw., von denen die erste und letzte höchst wahrscheinlich gegenwärtig noch im mittelländischen Meere leben.

Das Geschlecht *Adeorbis* wurde von Wood für kleine halbkugelförmige, zusammengedrückte, genabelte, mit einer erweiterten gegen die Axe schief stehenden Mündung versehene Schalen aufgestellt, die im Crag von England vorkommen und deren Einordnung in ein bekanntes Molluskengeschlecht dem Begründer unmöglich war. Im Wiener Becken hat sich bis jetzt nur eine einzige Art dieses Geschlechtes gefunden, die der Verfasser zu Ehren des Begründers *Adeorbis Woodi* benannt hat.

Fischer von Waldheim hat zuerst das Geschlecht *Xenophora* in seiner Beschreibung des Museums Demidoff im Jahre 1807 aufgestellt. Da dieses Werk jedoch den wenigsten Conchyliologen zugänglich war, so hatte man früher für diese Formen zum Theil den im Jahre 1810 von Montfort vorgeschlagenen Namen *Phorus* gebraucht, bis Philippi jenen älteren Namen auffand, und in seinem Handbuche der Conchyliologie im Jahre 1853 den Gesetzen der Priorität zu Folge annahm. Bei den älteren Conchyliologen waren die hierher gehörigen Formen zu *Trochus* gestellt, wie z. B. *Trochus conchyliophorus* Born u. s. w.; die neueren nahmen zum Theil das Geschlecht *Phorus* an, ja Philippi benützte dasselbe wegen der ganz verschiedenen Beschaffenheit der Thiere und wegen der auffallenden Erscheinungen, die an den Schalen beobachtet werden, zur Aufstellung einer neuen Familie der *Xenophoreen*, welche in seinem Systeme zwischen den *Naricaceen* und *Calyptraceen* zu stehen kommt. Man kennt gegenwärtig nach Philippi eilf Arten, die nur in den heissen Meeren leben. Deshayes vermuthete zwar, dass die so häufig an den Küsten von Sicilien vorkommende *Xen. crispa* König im mittelländischen Meere lebe, allein Philippi hat in Erfahrung gebracht, dass dies ein Irrthum sei, der dadurch entstanden ist, dass die trefflich erhaltene Schale dieser Art von dem Meerwasser aus den lockeren Thonschichten an den Küsten, in denen sie eingeschlossen sind, ausgewaschen, dann von Seekrebsen als Wohnungen benützt werden, und so in die Netze der Fischer gelangen. Im Wiener Becken kommen drei Arten vor, nämlich *X. Deshayesi* Micht., *X. cumulans* Brong und *X. testigera* Bronn, welche alle mehr oder weniger Seltenheiten sind.

Seitdem Linné das Geschlecht *Trochus* aufgestellt hat, besteht es heutigen Tages noch fast ganz in seiner ursprünglichen Begränzung. Lamarck hat nur die Genera *Solarium* und *Rotella* ausgeschieden. Es sind konische Schalen mit mehr oder weniger erhabenen Gewinden mit eckigen oder gekieltem Rande, der oft dünn und schneidend ist. Am auffallendsten ist bei diesem Geschlechte der Deckel beschaffen. Deshayes fand bei allen *Trochiden* bald einen hornigen, vielwindigen, bald einen hornigen wenigwindigen, bald einen kalkigen Deckel. Da Deshayes dieselbe Beobachtung auch bei *Turbo* machte, so stellte er die Frage, ob es nicht natürlicher wäre, die generische Unterscheidung zwischen *Turbo* und *Trochus* nicht mehr nach der äusserlichen Form, sondern nach der Natur des Deckels festzustellen, indem man zu *Trochus* alle jene Arten mit hornigem Deckel zählt und zu *Turbo* alle mit kalkigem Deckel. Allein Betrachtungen über die Verschiedenheit des Deckels bei dem Geschlechte *Natica* veranlassten Deshayes von dieser Ansicht abzugehen, um so mehr, da ein genaues Studium der Thiere lehrte, dass sämmtliche Geschlechter *Turbo*, *Monodonta*, *Trochus*, *Delphinula* zusammengefasst werden müssen, und dass es in Zukunft gestattet werden dürfe, Gruppen in diesem grossen Geschlechte zu unterscheiden. Im Gegensatze zu dieser Verminderung der Zahl der Geschlechter hat Gray aus dem Geschlechte *Trochus* allein 22 Genera gemacht. Philippi hat das Geschlecht etwas enger als Linné begränzt und 15 Gruppen in denselben unterschieden. Im Wiener Becken kommen vierzehn Arten vor, von denen zum mindesten noch zwei gegenwärtig häufig im mittelländischen Meere leben, nämlich *T. fanulum* und *T. conulus* Linn. Von zwei anderen Arten *T. turricula* und *T. miliaris* Brocc. ist es noch zweifelhaft ob sie nicht im Mittelmeere lebenden Formen als Varietäten angeschlossen werden dürfen. Sechs Arten gehören den *Cerithien*-Schichten an, nämlich: *T. Podolicus*, *T. Poppelacki*, *T. Orbignyanus* Hörn., *T. pictus* Eichw.. *T. quadristriatus* Dubois und *T. papilla* Eichw., von denen wieder der erste am häufigsten und zugleich am bezeichnendsten für diese Schichten ist. Die übrigen Arten kommen am häufigsten mit Ausnahme des *Trochus patulus* in den Tegelschichten bei Steinabrunn, die dem Leythakalke angehören, vor. Dieser letztere gehört, so wie allenthalben in den neogenen Tertiärschichten Europa's zu den gemeinsten Vorkommnissen, liebt aber im Wiener Becken vorzüglich die Sandschichten, denn in den eigentlichen Tegelschichten ist er bisher gar nicht oder nur höchst selten vorgekommen.

Schliesslich gedachte der Verfasser dankbar der freundlichen Hilfe, die ihm auch bei diesem Hefte Herr Professor Doderlein in Modena durch Uebersendung seiner Originalexemplare mit Angabe der wichtigsten literarischen Notizen erwies.

Herr A. Neilreich legt einen Beitrag zur Flora des V. U. M. B. von H. Kalbruner in Langenlois (siehe Abhandlungen) vor, dessen hohes Interesse er bespricht, und Folgendes noch hinzufügt:.

Bei dieser Gelegenheit bin ich so frei zu bemerken, dass das Studium der vaterländischen Botanik in einer viel versprechenden aber wenig bekannten Gegend einen neuen Jünger gewonnen hat. Es ist dies der hochwürdige Herr Franz Oberleitner, Cooperator zu Neustift, Bezirks-Amt Weyr in Ober-Oesterreich, hart an der Grenze des n.-ö. Bezirks-Amtes

Seitenstetten. Als Erstlinge seiner Entdeckungen übergebe ich dem Vereine durch Kalbrunner's Vermittlung *Orobus luteus* L. und *Bupleurum longifolium* L., welche Arten er auf dem grossen Alpkogel (4774') südwestlich von Weyr gefunden hat. Es sind diess zwar keine neuen Entdeckungen, denn *Orobus luteus* wird schon in Sailer's Flora von Ober-Oesterreich II. p. 106 auf den Mondseer Alpen und *Bupleurum longifolium* von Sauter in der Flora 1850 p. 595 im Traunkreise angegeben, allein die Auffindung dieser letzten Pflanze auf dem grossen Alpkogel hat auch für die Flora von Nieder-Oesterreich Bedeutung.

Von meinem Freunde Karl Erdinger, Cooperator in Scheibbs, habe ich nämlich erfahren, dass im Herbarium des verstorbenen Menhart in Gresten ein Exemplar des *Bupleurum longifolium* mit dem Standorte *Hollenstein an der Ibbs* (also aus Nieder-Oesterreich) liege, dass er aber über die Richtigkeit des Standortes nicht ganz im Reinen sei. Da nun der grosse Alpkogel von Klein-Hollenstein nur zwei Meilen entfernt ist, dieselbe geognostische Beschaffenheit (Kalk) und wahrscheinlich auch ganz dieselben Vegetations-Verhältnisse, wie das Thal der Ibbs bei Hollenstein hat, so dürfte das Vorkommen des *Bupleurum longifolium* auch in Nieder-Oesterreich konstatirt sein und wir haben sonach durch Oberleitner's interessanten Fund zwei neue Standorte dieser Art gewonnen.

Herr Dr. A Kerner bespricht die seit uralten Zeiten in Bauerngärten gepflegten Pflanzen, die in einer Verordnung Kaiser Karl des Grossen schon aufgezählt erscheinen, und verspricht den Aufsatz für die Abhandlungen nachträglich zu geben.

Herr J. Juratzka theilt Folgendes mit:

Zu den bereits dem Vereine übergebenen Pflanzen erlaube ich mir noch einige, zum Theil als Ergebniss eines Ausfluges beizufügen, den ich in Begleitung unseres geehrten Vereins-Mitgliedes Herrn Dr. Fr. Pokorny auf dessen freundliche Einladung mitmachte.

Das Ziel dieses, zu Ende Juli unternommenen Ausfluges war Thernberg, bekannt durch das Vorkommen von *Hieracium amplexicaule* L. und *Struthiopteris germanica* Willd. Letztere fanden wir nur steril, ersteres aber in der schönsten Entwicklung, und zwar nicht allein auf den Felsen und alten Mauern des Schlosses, sondern auch an den höhern nordwestlich gelegenen Theilen des sogenannten Habachtsberges bis nahe an seinen Gipfel, sowohl zerstreut, als auch truppweise in abgeholzten Waldpartien.

Eben daselbst kommt auch sehr häufig das für die Flora Wiens seltene *Thesium montanum* Ehrh. vor, für welches jedoch die Zeit der Blüthe und an etwas sonnigen Orten, selbst der Fruchtreife schon vorüber war.

Eine andere seltene, jedoch wie es scheint, den Standort sehr wechselnde Pflanze, sammelten wir am Wege von Thernberg zum Schlosse, an unkultivirten Orten, längs des in den Schlatenbach sich ergiessenden Hofaubaches, nemlich die *Silene gallica* L. u. z. jene Form, welche in der »Synopsis« von Koch, als Var. *anglica* beschrieben ist.

Endlich fanden wir auf dem Wege von Neunkirchen nach Thernberg an einem nassen Strassengraben bei Gleissenfeld, ein *Cirsium* von fremdartigem Aussehen und üppigem Wuchse. Das Vorkommen von *Cirsium oleraceum* Scop. und *C. palustre* Scop. in dessen Umgebung, der Umstand, dass es Merkmale beider an sich trägt, so wie das seltene Vorkommen — wir fanden nur Ein Exemplar — lässt keinen Zweifel übrig, dass dieses *Cirsium* ein Abkömmling der genannten Arten, nemlich ein *C. oleraceum-palustre* sei.

Schliesslich erlaube ich mir noch eine Bemerkung bezüglich der hier häufig vorkommenden *Linaria genistifolia* Mill. zu machen. Meines Wissens findet sich in keinem der bekannten botanischen Werke eine genügende oder richtige Angabe über die Beschaffenheit ihrer Wurzel, und wenn ich nicht irre, wird sie im allgemeinen für nicht kriechend gehalten. Diess ist jedoch nicht der Fall, wie die Exemplare, welche ich hier vorlege, zeigen. Die Wurzel treibt wagrecht kriechende, sehr verlängerte wurzelartige Ausläufer von wechselnder Stärke, die nebst den Fasern in entfernteren Zwischenräumen (gewöhnlich an knotigen Anschwellungen) mit Knospen besetzt sind, aus denen sich blüthetragende Stengel entwickeln.

Herr G. Frauenfeld liest aus einem Briefe des Herrn A. Schwab aus Mistek Folgendes:

„Ich beehre mich, dem löblichen Vereine folgende Notizen als Nachtrag zur zweiten Abtheilung der Fauna der Vögel, die in unserer Umgegend in Mähren am Zuge vorkommen, mitzutheilen:

1. *Turdus roseus* wurde ein altes Männchen im Dorfe Kunewald, eine halbe Stunde von Neutitschein entfernt, im Garten des Gutsbesitzers Herrn Schindler im Juni 1854 geschossen und ausgestopft.
2. *Turdus saxatilis*, einjähriges Männchen am 20. April 1855 im Schneegestöber bei Friedland in der Nähe der Eisenhämmer geschossen,
3. *Alauda alpina*, schönes altes Männchen am 22. Februar 1855 in der Vorstadt von Neutitschein in Gesellschaft von drei *Plectrophanes nivalis* bei einer Scheuer von meinem Bruder geschossen, befindet sich in seiner Sammlung.
4. *Haematopus ostralegus*, ausgefiedertes schönes junges Männchen. Dieser an der Ostsee vorkommende Austerdieb wurde von mir am 19. August 1854 bei unserer Schiessstätte, wo sich in Folge einer Ueberschwemmung weit umher Wasser befand, geschossen.

5. *Ibis falcinellus*. Auch von diesem seltenen Sichelvogel wurde ein altes Männchen an der Betschwa bei Korin am 12. October 1854 geschossen.
6. *Mergus merganser*, altes Weib am 22. Februar 1855 und
7. *Mergus serrator*, junges Männchen am 24. Februar an der Ostrawitza geschossen. Ferner erhielt ich
8. *Falco brachydactylus*, ein junges Männchen mit dunkelbraun geflecktem Gefieder am 26. November 1854, welches von einer Eiche am Bache Holeschna, eine halbe Stunde von Mistek geschossen wurde. Selbes hatte eine Eidechse und mehrere Heuschrecken verzehrt.

„Als bemerkenswerth theile ich noch Folgendes mit: Ich erhielt Anfangs August 1855 einen alten *Cypselus murarius* lebend, und gab ihn zwischen ein Doppelfenster, worin sich ein schon ziemlich ausgewachsenes sehr zahmes Eichhörnchen befand, welches mit Obst, Brot, Nüssen etc. gefüttert wurde. Beide vertrugen sich durch vier Tage ganz gut, den fünften Morgens hörte ich den Segler sehr zwitschern, und siehe da, das Eichhörnchen war auf den ruhig Sitzenden losgesprungen, biss ihn einige Male in den Kopf, bis er endete, und frass das Gehirn. Nach beiläufig einer Stunde nahm es die Hälfte der Brust und das Bein, nachdem es früher die Federn zum Theil rupfte, zu sich, und erst den andern Tag machte es sich über das übrige Fleisch, und nagte auch das Fett am Steisse ab. Ich gab später noch andere Vögel hinein, denen ich die Flügel stutzte, in der Meinung, dass sich das Eichhörnchen darüber machen werde, sie zu verzehren, allein es verhielt sich ruhig."

„Leider wurde es bald darauf erdrückt, und die Beobachtung hatte ein Ende. Mir scheint, dass das Fett die Veranlassung zum Tödten und Verzehren des Seglers gewesen, sonst wüsste ich keine Ursache dieses auffallenden Ereignisses, indem das Eichhörnchen genug verschiedene Nahrung im Fenster liegen hatte."

Ich erlaube mir in Bezug auf diese Mittheilung auf meine schon vor Jahren in den Freitagsversammlungen der Freunde der Naturwissenschaften berichtete ähnliche Erfahrung hinzuweisen, wonach nicht das Fett des Vogels, sondern überhaupt Raubgelüste nach Fleisch, die sich in dem von mir erlebten Falle zur Virtuosität in der Ausführung ausbildete, Veranlassung zu diesem Vorfalle war; und dieses vielleicht bei den Nagern mehr sich findet, als man bisher voraussetzte.

Ein Aufsatz über die Gattung *Eumerus* von Herrn Director Dr. Löw in Posen, so wie: „Catalogue des Insectes Coléoptères, recueillis par M. Gaetano Osculati, sur les bords du Napo et de l'Amazone.“ in französischer Sprache, bearbeitet von Herrn M. F. E. Guérin-Méneville, findet sich in den Abhandlungen. Es war dieses wichtige und interessante Verzeichniss, in welchem 64 neue Arten beschrieben sind, für Herrn Osculati's Reisewerk bestimmt; zu spät jedoch fertig geworden, konnte es alldort nicht mehr aufgenommen werden, und wurde daher von Herrn Cornalia in Mailand für unsere Schriften freundlichst eingesandt.

Ferner hat Herr J. Mann die lepidopterologische Ausbeute seiner heurigen Reise in Corsica verzeichnet dem Vereine übergeben. In derselben sind 24 neue Arten, und zwar: 3 Spanner, 1 Zünsler, 7 Wickler, 10 Schaben und 3 Federmotten beschrieben, deren Typen er, so weit es ihm möglich war, für die Vereinssammlung freundlichst übergeben hat. Ich erlaube mir aus derselben nur auf eine interessante Erfahrung bei *P. Ichnusa* aufmerksam zu machen. Bekanntlich sind die Suspensae unter den Tagfaltern im Puppenstande gestürzt an einem Gespinnste hängend befestigt. Nach meiner Erfahrung darf man sie nicht aus dieser Lage bringen, wenn man nicht nur durchaus Schmetterlinge mit verkrüppelten Flügeln bekommen will, ebenso wenig, als man *Saturnia* etc. aus ihren Gespinnsten nehmen darf, die dann dieselbe Erscheinung zeigen. Herr J. Mann hat nun, nachdem er alle früheren Aufzuchten verlor, die letzte Partie während der Rückreise in Moos verpackt transportirt, und gerade von diesen liegenden Puppen die schönsten Schmetterlinge erhalten. Es wäre sehr wünschenswerth, wenn in dieser Hinsicht eigens Versuche angestellt würden, um die Ergebnisse verschiedener Verhältnisse zu erproben, oder zu ermitteln, bei welchen Arten Ausnahmen stattfinden.

Dass ein Theil der Puppen durch Filarien zu Grunde gegangen, dürfte bestimmt unrichtig sein; es wäre diess der erste Fall, den ich kennen lerne, dass diese sich aus Puppen herausdrängen;

wahrscheinlich haben sich Dipteren-Larven durchgebohrt, wornach ein klebriger Faden von den Puppen sich herabgesenkt, der aufgetrocknet, so ziemlich vertrockneten Filarien glich *).

*) Die spätere mikroskopische Untersuchung jener Puppen und Fäden, die mir Herr Mann gütigst mittheilte, ergab, dass meine oben ausgesprochene Vermuthung richtig war.

G. Frauenfeld.

Zum Schlusse hielt der vorsitzende Vicepräsident Herr Director V. Kollar eine wichtige Mittheilung über *Apamea basilinea*, die als Getreideverwüster sehr schädlich aufzutreten und sich zu verbreiten beginnt. (Siehe Abhandlungen.) Er knüpft hieran eine Beobachtung über *Mantis religiosa*, deren Paarung, bisher unbekannt, er nicht dorsal, sondern lateral fand. Er hielt sie lebend, wo bald darauf das Weibchen dieses und noch ein zweites Männchen auffrass. Nach sechs Tagen legte es den bekannten Eicocon, dessen Bildung er ebenfalls beobachtete. An einem Vorhange sitzend mit dem Kopfe aufwärts, sonderte es am Afterende eine milchweisse Substanz ab, die es mit den Hinterfüssen abstreifte, und erst darin die Eier ablegte. Der Act dauerte von 11 bis 4 Uhr Nachmittags. Nach dem Eierlegen war der Umfang des Hinterleibes nicht geringer geworden, doch lebte es noch einen halben Monat, ohne weiter noch einen Cocon zu bereiten, wie es Zimmermann bei einer amerikanischen Art beobachtet hatte

Versammlung am 7. November.

Vorsitzender: Vicepräsident Herr Dr. E. Fenzl.

Neu eingetretene Mitglieder:

Als Mitglied P. T. Herr	bezeichnet durch P. T. Herrn
Bigot, in Paris	*Ch. Javet* u. Dr. *I. Schiner*.
Czerny Florian R., Apotheker in Mähr. Trübau	*J. Lederer* u. *G. Frauenfeld*.
Demel Johann, absolvirter Zögling des polytechnischen Instituts	*K. Fritsch* u. *G*, *Frauenfeld*.

Als Mitglied P. T. Herr	bezeichnet durch P. T. Herrn
Domas Stefan, Hochw., Professor der Realschule in Mähr. Trübau	*J. Lederer* u. *G. Frauenfeld.*
Gross Ludwig Dr. d. Med.	Dr. *A. Kerner* u. Dr. *F. Salzer,*
Guth Franz, Hochw., Director an der Hauptschule im Piaristen-Collegium in Horn	Dr. *L. Schlecht* u. *J. Czermak.*
Hinterberger Josef, ständ. Beamter in Linz	*J. Zelebor* u. *G. Frauenfeld.*
Peter Anton, k. k. Sections-Rath im Finanz-Ministerium	*Das Präsidium.*
Petter Alexander, Magister der Pharmacie	*A. Rogenhofer* u. *G. Frauenfeld.*
Philipp Heinrich, Küster der evang. Kirche	*Th. Kotschy* u. *V. Totter.*
Sichel, Dr. d. Med., Präsident der entomol. Gesellschaft in Paris	Dr. *G. Mayr* u. *G Frauenfeld.*
Willy Bartholomäus, Erzieher d. Grafen Fünfkirchen	Dr. *B. Wohlmann* u. *G. Frauenfeld.*

Eingegangene Gegenstände:

Menzel Gottf. Flora der Excell. gräflichen Clam-Gallas'schen Herrschaften Friedland, Reichenberg, Grafenstein und Lämberg. Prag 1830—1833. I. und II. Abth. 10 Hefte.

Geschenk des Herrn C. Bar. v. Czörnig.

Peters F. Karl. Schildkrötenreste aus den österreichischen Tertiär-Ablagerungen. Wien 1855.

Gerstäcker Dr. Bericht über die wissenschaftlichen Leistungen im Gebiete der Entomologie während des Jahres 1853. Berlin 1855.

Geschenk der Herren Verfasser.

Preis-Courant der verfügbaren Pflanzen vom Hause Burdin sen. & Comp. in Mailand.

Geschenk des Herrn A. Senoner.

Motschulsky Victor de. *Etudes entomologiques. Helsingfors 1852.*

Flora, Zeitschrift der königl. bair. bot. Gesellschaft in Regensburg. 1855. 25 — 36.

Bulletin de la Société imper. des Naturalistes de Moscou. Année 1855. Nr. II.

Zeitschrift der k. k. Gesellschaft der Aerzte zu Wien. 1855. 11. Jahrgang. 9. — 10. Heft.

Verhandlungen des Vereins zur Beförderung des Gartenbaues in den königl. preuss. Staaten. Berlin 1853—54. 1. Jahrg. neue Reihe.

Schriftentausch.

Annales de la Société entomologique de France. Paris 1854. Tome 1855. 1. — 2. Trim.

Brief der *Literary and Philosophical Society of Manchester.*

Anschluss zum Schriftentausch.

Farkas-Vukotinovic L. v. Die Botanik nach dem naturwissenschaftlichen System. Agram 1855.

Glos Dr. S. Monographie der Seegewächse. Neusohl 1855.

Oesterr. Vierteljahresschrift für Forstwesen. Wien 1855. 5. Bd. 3. Heft.

Verhandlungen der Forstsection für Mähren und Schlesien. Brünn 1855. 4. Heft.

Karasiat Dr. G. Landwirthschaftliche Mittheilungen. Pest 1855. 5.—6. Hft.

Pirona J. A. *Florae Forojuliensis Syllabus.*

Memorie dell' Accademia d'agricoltura commercio ed arti di Verona. 1855. Vol. 30.

Terzo volume a compimento e seguito dei quattro regni della natura il moderno buffon storia naturale Geologia. Disp. 13—14. Milan.

Peluso Dott. F. *Annali d'agricoltura e d'orticoltura. Milano 1855.* Nr. 18 — 19.

Fortsetzung der Zeitungen.

Geschenk der k. k. obersten Polizeibehörde.

51 Art. ungarischer Pflanzen.

Geschenk des Herrn Johann Bayer.

Zur Betheilung an Lehranstalten:

Käfer, Schmetterlinge, Libellen, Ameisen von den Herren J. Hoffmann, W. v. Macchio, K. v. Tacchetti, G. Mayr.

Cryptogamen von Herrn Reichardt.

Der Verein für schlesische Insectenkunde hat das Ansuchen gestellt, eine Aufforderung zu Insectenbeobachtungen behufs allgemeiner Theilnahme in den Vereinsschriften aufzunehmen. Obwohl in unsern Druckschriften in der Regel kein Wiederabdruck stattzufinden hat, so wurde vom Ausschusse in Anerkennung der wünschenswerthen grössten Ausdehnung solcher Beobachtungen beschlossen, diesen Aufsatz nachfolgend unverändert aufzunehmen, und die Entomologen aufzufordern, demselben ihre Aufmerksamkeit zu schenken.

Aufforderung zur Anstellung von Beobachtungen über die periodischen Erscheinungen in der Insectenwelt.

Jegliche Erscheinung in der Natur steht mit einer unzähligen Reihe anderer Phänomene in gesetzlicher Verbindung. Indem die Erde sich einmal um ihre Achse dreht, veranlasst sie den Wechsel von Tag und Nacht und theilt dadurch auch das Leben der Thiere und Pflanzen in zwei, öft sehr wesentlich verschiedene Epochen. Indem die Erde einmal ihre Bahn um die Sonne zurücklegt, veranlasst sie in unseren Breiten die Reihenfolge der Jahreszeiten, einen gesetzlichen Wechsel gewisser klimatischer Verhältnisse und führt gleichzeitig, und in Folge dessen, eine regelmässige Periode der Erscheinungen in der organischen Welt herbei. Die steigende Wärme im Frühjahr erweckt die Pflanzen aus ihrem Schlummer, in den die abnehmende Temperatur des Herbstes sie versenkt hatte; sie lockt gleichzeitig das Heer der Insecten aus ihrem Ei oder Puppenzustande, oder erweckt sie aus dem Schlafe, in welchem sie die nahrungslose Zeit des Winters zugebracht hatten; sie bringt die Zugvögel in ihre alten Nester zurück, die theils aus demselben Grunde, theils um die allzustrenge Kälte zu vermeiden, südlichere Striche aufgesucht hatten. Den entgegengesetzten Einfluss übt der Herbst auf Thier- und Pflanzenwelt aus.

Der Zusammenhang der Pflanzen mit den Bedingungen des Klima's ist ein einfacher, directer, indem jede Entwicklungsstufe einer jeden Pflanze die unmittelbare Folge eines gewissen Masses von Wärme, Licht und Feuchtigkeit ist, das ihr von aussen zukömmt. Die periodischen Erscheinungen in der Thierwelt sind zum Theil ebenfalls direct an diese klimatischen Bedingungen geknüpft, indem z. B. zum Ausbrüten der Eier eine gewisse Wärmemenge eine gewisse Zeitlang eingewirkt haben muss. Zum Theil stehen jedoch auch die Phänomene des Thierlebens, namentlich aber der Insectenwelt, in einem räthselhaften Zusammenhang mit der Entwickelung der Pflanzen, insofern nicht nur die Pflanzen von der Natur selbst in vielen Beziehungen, namentlich bei der Befruchtung an gewisse Insecten gewiesen scheinen, sondern auch umgekehrt in noch weit höherem Masse die Insecten zu ihrer Nahrung gewisser Pflanzen bedürfen und daher nicht eher zum Vorschein kommen, als bis diese ihnen hinreichende Subsistenz bieten können. Da aber die Entwickelung der Pflanze selbst wieder vom Klima abhängt, so sind im Grunde auch diejenigen Erscheinungen in der Insectenwelt, welche zunächst mit den Vegetationsphasen zusammenhängen, in letzter Instanz von den meteorologischen Bedingungen abzuleiten.

Bekanntlich sind diese meteorologischen Bedingungen in den verschiedenen Jahren in sehr verschiedener Weise vertheilt. In einem Jahre bleibt der Winter fast ganz aus, und das Leben der Natur erleidet fast gar keine Unterbrechung; in einem andern reicht der Winterschlaf bis in die Frühlingsmonate hinein. Damit der Erde eine bestimmte Menge Wärme von der Sonne zuströme, sind in dem einen Jahre mehr, in dem andern weniger Tage erforderlich. Ebenso verhält es sich mit der Feuchtigkeit, den Winden etc., die Jahr für Jahr dem unregelmässigen, scheinbar ganz willkürlichen Wechsel unterworfen sind.

Da nun aber die Entwicklungsepochen der Pflanzen stets eine bestimmte Menge Wärme und Feuchtigkeit bedürfen, so ist es klar, dass sie in dem einen Jahre früher, im andern später eintreten müssen. Es ist daher von Interesse den Zeitpunct aufzuzeichnen, in welchem alljährig die wichtigsten Entwicklungsstufen der wichtigsten Pflanzen eintreten, weil wir an ihnen ein Mass haben für den Character des Klimas, wie es in jedem Jahre sich dargestellt hat.

Aus diesem Grunde haben mehrere gelehrte Gesellschaften, und zwar zuerst die Brüsseler Academie der Wissenschaften, die Anstellung regelmässiger Beobachtungen veranlasst, welche die periodischen Erscheinungen der Pflanzenwelt zum Gegenstand und zur Erzielung möglichst zuverlässiger und unter sich vergleichbarer Angaben zum Zweck haben. In neuerer Zeit und im grössten Massstabe sind solche regelmässige Vegetationsbeobachtungen von der schlesischen Gesellschaft für vaterländische Cultur in einem grossen Theile von Deutschland veranlasst worden; seit Kurzem hat sich das Netz der Beobachter auch über Mecklenburg und ganz Oesterreich ausgedehnt.*

Der innige Zusammenhang, in welchem die periodischen Erscheinungen in der Thier- und zunächst in der Insectenwelt mit den Verhältnissen des Klimas im Allgemeinen und mit der Entwicklung der Pflanzen insbesondere steht, macht es in hohem Grade wünschenswerth, dass auch die ersteren in verschiedenen Jahren und Orten einer regelmässigen und zuverlässigen Beobachtung unterworfen werden möchten. Es sind zu diesem Zwecke bereits vor mehreren Jahren von dem berühmten belgischen Statistiker Quetelet Instructionen zur Beobachtung der periodischen Erscheinungen im Thierreich entworfen worden, und es gehen gemäss dieser Instruction bei der Brüsseler Academie jährlich eine Reihe Beobachtungen über Ankunft und Abreise gewisser Vögel, über das erste Erscheinen, die massenhafte Entwicklung, die Begattungszeit und das Verschwinden gewisser Insecten ein. Auch die k. k. Centralanstalt für Meteorologie und Erdmagnetismus in Wien unter der Leitung ihres tüchtigen Adjuncten Carl Fritsch hat seit einigen Jahren dergleichen Beobachtungen zu sammeln angefangen.

Aufgefordert durch die Secretäre der naturwissenschaftlichen Section der schlesischen Gesellschaft, Herrn Geheimrath Professor Göppert und Herrn Privatdocent Dr. Cohn, welche die Anstellung entomologischer Untersuchungen im Anschluss an die von ihnen geleiteten botanischen für wünschenswerth halten, erlaube ich mir die geehrten Mitglieder unseres Vereins so wie überhaupt alle für diese Sache sich interessirenden Entomologen Deutschlands und der angränzenden Länder zur Aufzeichnung ihrer Beobachtungen über die periodischen Erscheinungen in der Insectenwelt aufzufordern.

Es werden vorzugsweise solche Insecten zu berücksichtigen sein, deren Erscheinen sich auf einen kurzen Zeitraum beschränkt und die Entwicklung daher in inniger Beziehung mit den klimatischen Verhältnissen zu stehen scheint. Insecten, die das ganze Jahr anzutreffen sind, würden zwar, als für diesen Zweck nicht geeignet, auszuschliessen sein, jedoch wäre in anderer Beziehung ihre Beobachtung auch sehr erwünscht, um nemlich zu ermitteln, ob sich ihr immerwährendes Vorhandensein auf ungleiche Entwicklung der früheren Stände, oder aber auf sich oft und rasch wiederholende Generation gründet; solche, die bei uns in Bäumen etc. überwintern und daher an den ersten warmen Tagen schon hervorkommen, sind zu brauchbaren Beobachtungen ebenfalls nicht geeignet. Dagegen werden solche Thierchen, deren Eier im Herbst gelegt, im nächsten Jahre erst zur vollen Entwicklung kommen, oder deren Puppen überwintern, zu den werthvollsten und genauesten Untersuchungen Gelegenheit geben.

Von allen Insectenordnungen dürften sich die *Lepidoptern* vorzugsweise zu diesen Beobachtungen eignen, und werde ich am Schlusse ein Verzeichniss jener Gattungen oder einzelnen Arten geben, welche einer besonderen Berücksichtigung werth sind.

Nächst den *Lepidoptern* eignen sich die *Neuroptern* noch am meisten zu dergleichen Beobachtungen und zwar besonders jene Familien, deren Larven im Wasser leben, als die *Sialiden*, *Libelluliden*, *Ephemeriden* und *Phryganiden*.

Von *Coleoptern* dürften nur jene berücksichtigt werden, welche als ausgebildetes Insect oder als Larve sich von Blättern nähren und hiervon vorzugsweise die *Melolonthiden*, *Chrysomelinen* und ein Theil der *Curculioniden*.

Aus den übrigen Insectenordnungen verdienten zwar auch mehrere Familien der Berücksichtigung einer genauen Beobachtung, doch ist die Zahl derer, welche dieselben sammeln, leider zu gering um ein nur einigermassen günstiges Resultat der Beobachtungen erwarten zu dürfen, wesshalb wir es auch unterlassen, die betreffenden Familien namhaft zu machen, es vielmehr jenen, welche über einzelne Arten aus jenen Ordnungen Beobachtungen anstellen wollen, überlassen, sich die am geeignetsten erscheinenden Thiere hierzu selbst auszuwählen.

Sollen diese Beobachtungen ihrem Zweck entsprechen, so wird es darauf ankommen, die beiden wichtigsten Epochen ihrer Entwicklung, den Larvenzustand und das vollkommene Insect in ihrem ganzen Verlauf genau zu beobachten, besonders aber den Tag ihrer Entwicklung aus dem Ei, den der Verwandlung zur Puppe, aus dieser in das vollkommene Insect und das Verschwinden desselben genau zu verzeichnen. Eben so wird die Zeit der Begattung, eine kurze Characteristik des Fundortes nebst Angabe seiner geographischen Lage und die Höhe über dem Meeresspiegel zu interessanten Vergleichungen Anlass geben.

Wenn dergleichen Beobachtungen aus verschiedenen Orten in verschiedener geographischer Lage und Höhe an uns gelangen, so wird sich daraus constatiren lassen, ob die Entwicklung der Insecten nach denselben Gesetzen in grösserer Höhe oder Breite verzögert wird, die für die Vegetation schon festgestellt sind.

Es ist eine bekannte Erfahrung, dass gewisse Insecten in gewissen Jahren ganz besonders häufig sich entwickeln, während sie in anderen seltener oder gar nicht sich sehen lassen. Man hat behauptet, dass hier eine mehrjährige Periode vorhanden sei, doch fehlt es für die meisten Fälle an genügenden Nachweisen. Es wäre daher zu wünschen, wenn auch hierauf sich die Aufmerksamkeit der Herren Beobachter richte, und die Fälle ungewöhnlich massenhafter oder spärlicher Entwicklung bei den verschiedenen Arten aufgezeichnet würden. Wir machen hierbei unter den *Lepidoptern* namentlich auf *Papilio Cardui*, *Crataegi*, *Edusa*, *Sphinx Galii*, *Convolvuli*, *Atropos*, *Bombyx Prozessionea*, *Pinivora*, *Noctua Graminis*, etc.; unter den *Neuroptern* auf mehrere Arten aus den Gattungen *Libellula* und *Ephemera:* unter den *Coleoptern* auf die *Melolonthen* und einige *Coccinellinen* und unter den *Diptern* auf mehrere Mückenarten aus den Gattungen *Chironomus* und *Sciara* und auf *Dilopsus vulgaris* aufmerksam.

Die periodischen Erscheinungen der Thier- und Pflanzenwelt sind zwar in verschiedenen Jahren auf sehr verschiedene Zeiten vertheilt; bei genauer Untersuchung stellt sich jedoch heraus, dass diese Epochen sich stets innerhalb gewisser Grenzen bewegen, die zwar für verschiedene Orte verschieden sind, für denselben Ort sich aber ziemlich genau feststellen lassen. Es wird sich für jede einzelne Entwicklung jedes Thieres oder jeder Pflanze ein Zeitpunct der grössten Verfrühung und Verspätung aufstellen, es wird sich durch Vergleichung der Beobachtungen vieler Jahre eine mittlere Entwicklungszeit berechnen lassen.

Solche mittlere Entwicklungszeiten für die wichtigsten Pflanzen besitzen wir bereits für mehrere Orte, sie bestimmen den Pflanzenkalender des Ortes und stehen in der directesten Beziehung zu den mittleren Temperatur-Feuchtigkeits-Verhältnissen etc.

Solche mittlere Entwicklungszeiten auch für Insecten festzustellen ist die Aufgabe unseres Unternehmens, und es ist darum besonders wünschenswerth, dass die Beobachtungen durch mehrere Jahre und immer an denselben Fundorten fortgesetzt werden möchten. Dass hierbei aber die in Stuben oder überhaupt in geschlossenen Räumen erzielte Zucht nicht massgebend sein kann, bedarf wohl weiter keiner Auseinandersetzung, sie kann höchstens nur zur Ergänzung der betreffenden Daten, falls eine Beobachtung am Fundort selbst nicht möglich war, benützt werden, ist dann aber auf dem betreffenden Schema genau zu bemerken.

Es ist uns indess nicht unbekannt, dass die genaue Beobachtung aller Entwicklungsstufen im Freien bei den meisten Insecten schwierig, bei Vielen sogar ganz unmöglich ist und genügt es daher zu dem angegebenen Zweck vollkommen, wenn nur die eine der beiden Hauptepochen ihrer Entwicklung möglichst sorgfältig und genau beobachtet und verzeichnet wird.

Ohne Zweifel haben viele unserer Mitglieder so wie diejenigen Entomologen, welche sich bei diesen Beobachtungen betheiligen wollen, für sich schon seit Jahren über das Erscheinen der Insecten Aufzeichnungen gemacht, und wäre es sehr zu wünschen, wenn dieselben uns diese Notizen zukommen lassen wollten, damit wir aus ihnen die mittlere Entwicklungszeit für die betreffenden Thierchen berechnen könnten. Es werden sich möglicher Weise, gestützt auf die meteorologischen Erscheinungen, bei den beobachteten Insecten später auch Normen feststellen lassen, nach denen man ihr Erscheinen mit einer gewissen Wahrscheinlichkeit schon im Voraus wird berechnen können.

Die nach beigefügtem Schema verzeichneten Beobachtungen können am Schlusse jeden Jahres von den am Vereinstausch sich betheiligenden Mitgliedern mit den Doubletten- oder Desideraten-Verzeichnissen direct an mich, von den übrigen Beobachtern zur selben Zeit aber auch an die oben bezeichneten beiden Herren Secretäre der naturwissenschaftlichen Section, zur Weiterbeförderung an mich, eingesandt werden.

Die eingehenden Beobachtungen werden dann sofort bearbeitet und zusammengestellt und die wissenschaftlichen Ergebnisse derselben in unserer Zeitschrift veröffentlicht und den Herren Beobachtern zugestellt werden.

Breslau im März 1855.

A. Assmann, Lithograph.
Z. Z. Secretär des Vereins für schlesische Insectenkunde.

Verzeichniss

der für die anzustellenden Beobachtungen am geeignetsten erscheinenden Gattungen und Arten der Lepidopteren, geordnet nach dem am meisten bekannten System von Ochsenheimer-Treitschke.

Die bei den einzelnen Gattungen und Arten vorzugsweise zu beachtende Entwicklungsepoche ist für den Larvenzustand durch ein nachgesetztes L., für das vollkommene Insect durch I. bezeichnet, wo Nichts angegeben ist, sind beide Epochen gleich wichtig zu beobachten.

I. *Papilionidae*, Tagfalter.

Gen. *Melitaea* I.; G. *Argynnis* mit Ausschluss von *Selene* und *Latonia* I.; G. *Vanessa* nur *Prorsa* in beiden Generationen; G. *Limenitis* und *Apatura* I.; aus dem G. *Hipparchia* eignen sich am besten die in der ersten Familie *(Satyrus)* befindliche Arten, *Alcyone* und Verwandte, dann die in der vierten Familie *(Erebia)* wie *Medusa*, *Melampus* etc. zu Beobachtungen; von den *Lycaenen* die blauen Arten, welche auf der Unterseite kein rothgelbes Querband am Aussenrande der Hinterflügel haben, wie *Arion*, *Cyllarus* etc., ferner die kleingeschwänzten *(Thecla)* und von den Goldfaltern *(Polyommatus) Circe* und *Helle* I.; *Nemeobius Lucina* I.; G. *Papilio* und *Doritis*; im G. *Pontia* die Arten *Crataegi*, *Daplidice*, *Cardamines* und *Sinapis*; von *Colias Edusa*, *Myrmidone* und *Palaeno* I.; G. *Hesperia* die Arten *Tages*, *Paniscus*, *Comma*, *Lineola* und Verwandte I.

II. *Sphingidae*, Schwärmer.

Zygaena Meliloti, *Trifolii*, *Onobrychis*, I.; *Syntomis Phegea*, I.; *Sesia Apiformis*, I.; *Macroglossa Stellatarum*; *Deilephila Elpenor*, *Porcellus* und *Galii*; *Sphinx Pinastri* und *Convolvuli*, I.; *Acherontia Atropos*; G. *Smerinthus*.

III. *Bombycidae*, Spinner.

Von den Gen. *Saturnia*, *Aglia*, *Endromis*, *Harpyia*, *Notodonta* und *Pygaera*, L.; *Gastropacha Prozessionea*, *Pinivora*, *Everia*, *Lanestris*, *Neustria* und *Castrensis*; *Liparis Dispar*, *Monacha* und *Chrysorrhoea*; G. *Lithosia*; G. *Euprepia*.

IV. *Noctuidae*, Eulen.

Gen. *Acronycta*, L.; G. *Kymatophora*, I.; im G. *Hadena* die L., welche in den Samenkapseln oder doch von dem Samen der nelkenartigen Gewächse leben *(Dianthoecia)* z. B. *Cucubali*, *Capsincola*, *Echii* etc.; G. *Xanthia*; G. *Cosmia* und *Cucullia*, L.; G. *Asteroscopus*, I.; G. *Plusia* incl. *Gamma* und *Chrysitis*; G. *Acontia*, *Catocala* und *Brephos*, I.

V. *Geometridae*, Spanner.

Von diesen sind mehrere zu den Beobachtungen vorzüglich geeignet, und zwar alle jene Arten, deren Weibchen entweder gar keine oder doch nur verkümmerte Flügel besitzen, z. B. *Amphydasis Pomonaria* und *Hispidaria*, *Fidonia (Hibernia) Leucophaearia*, *Progemmaria Rupicapraria* etc., *Acidalia Brumata* und die auf den Hinterflügeln noch mit besonderen Lappen versehenen *(Lobophora)* wie *Lobulata*, *Hexapterata* etc.

Von den *Microlepidopteren* verdienen zwar auch viele genau beobachtet zu werden, doch würde sich dadurch die Zahl der zu beobachtenden Objecte zu sehr vermehren, und dem Ganzen eher Schaden als Nutzen bringen. Diejenigen, welche sich jedoch auch mit der Beobachtung dieser Kleinschmetterlinge befassen wollen, mögen vorzugsweise folgende Gattungen berücksichtigen.

Von *Pyraliden* das G. *Nymphula*; von *Tortriciden* die G. *Penthina*, *Tortrix* und *Teras*; von *Tineiden* die G. *Adela* und *Hyponomeuta* und von den *Pterophoriden* den allbekannten *Pter. pentadactylus*.

Damit diese Beobachtungen aber ein ihrem Zweck entsprechendes Resultat ergeben, ist es erforderlich, dass an allen Orten die gleichen Species beobachtet werden. Diese aber schon jetzt von hier aus einzeln namhaft zu machen ist nicht gut möglich; es wird sich vielmehr erst nach Eingang der Notizen des ersten Beobachtungsjahres herausstellen, welche Arten allgemein beobachtet wurden und sich daher am Besten zu dem angegebenen Zwecke eignen.

Schema

zur Eintragung der gemachten Beobachtungen.

Name des Insects.	Larve.				Vollk. Insect.				Fundort.				Besondere Bemerkungen.
	Die ersten Larven kommen aus dem Ei.	Alle Larven sind ausgekommen.	Die ersten sind versponnen oder verpuppt.	Alle sind versponnen oder verpuppt.	Die ersten vollk. Insect. sind ausgeschlüpft.	Alle vollk. Insect. sind ausgeschlüpft.	Begattung und Eierlegen wurde beobachtet.	Die letzten vollk. Ins. wurden bemerkt.	Name.	Dessen Terrainverhältnisse und Bodenbeschaffenheit.	Geographische Lage nach Länge und Breite.	Höhe über dem Meeresspiegel.	
	1	2	3	4	5	6	7	8	9	10	11	12	13

Da der bisherige zweite Secretär, Herr Dr. A. Korner, durch die Berufung als Professor nach Ofen von Wien abgegangen, so wurde dessen Stelle bis zur definitiven Wahl vom Ausschuss an Herrn Dr. G. Mayr provisorisch übertragen.

Herr Dr. Lindermayer, königl. Leibarzt in Athen, hat als Mitglied hierher angezeigt, dass er eine Partie Süsswasserfische aus dem Alpheus für den Verein schon vor einigen Monaten abgesendet hat. Leider sind dieselben bisher nicht eingelangt. Es ward bei Besprechung dieses Gegenstandes im Ausschusse erwähnt, dass es höchst wünschenswerth wäre, dass alle Sachen, welche via Triest gelangen, durch den österreichischen Lloyd, oder die Triester Börsendeputation vermittelt würden, indem diese beiden höchst achtbaren Institute bei ihrer besonderen Berücksichtigung wissenschaftlicher Angelegenheiten die grösste Bürgschaft für sichere Besorgung bieten.

Herr Professor A. Pokorny hält folgenden Vortrag:

Ein betrübendes Ereigniss ist die Veranlassung der gegenwärtigen Mittheilung. Der Verein hat eines seiner jüngsten aber thätigsten Mitglieder die Wissenschaft einen eifrigen vielversprechenden Anhänger verloren. Am 25. October laufenden Jahres verschied nämlich nach einer langen schmerzlichen Krankheit unser Vereinsmitglied Herr Anton Röll, absolvirter Hörer der philosophischen Facultätsstudien an der hiesigen Universität und approbirter Lehrer der Naturwissenschaften für Ober-Realschulen im 23. Lebensjahre.

Nur selten wird Jemand in seinem Alter so allgemein die Achtung und Freundschaft Aller, die ihn näher kennen lernten, durch seine vielseitigen Kenntnisse, verbunden mit der grössten Bescheidenheit sich erwerben; und hieraus erklärt sich auch die ungewöhnliche Theilnahme bei dem Ableben des zu den schönsten Hoffnungen berechtigenden jungen Mannes. Da ich durch gemeinschaftliche Arbeiten und verwandte Richtung im wissenschaftlichen Streben näher mit dem Verblichenen befreundet war, halte ich es für meine besondere Pflicht, für seine zahlreichen Freunde und im Interesse der Geschichte der Wissenschaft eine Skizze seines kurzen Lebenslaufes, welche ich seinem tiefbetrübten Vater, Herrn Professor Alois Röll, verdanke, und eine Uebersicht seiner wissenschaftlichen Thätigkeit dem Vereine mitzutheilen.

„Anton Röll ward am 24. November 1832 zu Jaroslau in Galizien geboren, wo dessen Vater technischer Lehrer der IV. Classe an der dortigen Hauptschule war, und erhielt den ersten Schulunterricht in seinem Geburtsorte.

In der frühesten Kindheit verrieth er ein, seinem Alter ganz ungewöhnlich scharfes Beobachten der Dinge und den Wunsch über diese vollkommene Aufklärung zu erhalten, wendete unermüdeten Fleiss auffallend ernsten Beschäftigungen zu, und war in seinem Glücke, wenn seine Wissbegierde befriediget wurde, oder er minder wissende Kinder belehren konnte.

Der sehnlichste Wunsch seiner Aeltern diesem hoffnungsvollen Kinde in der Folge auch die Gelegenheit zu höherer Ausbildung bieten zu können, ward schon im Jahre 1842 durch die Beförderung des Vaters nach Wien erreicht. An dem akademischen Gymnasium daselbst vollendete der Sohn vom Jahre 1843 bis zum Schlusse des Schuljahres 1848 die fünf Gymnasialklassen mit lobenswerthem Erfolge. Da nach diesem verhängnissvollen Jahre die Eröffnung des Gymnasiums nicht sogleich erfolgte, liess ihn der Vater in den eben erweiterten pädagogischen Lehrkurs an der Normal-Hauptschule zu St. Anna eintreten, wo er seine Studien trotz des in diesem Jahre überstandenen Typhus mit Auszeichnung zurücklegte. Nach höherer Ausbildung strebend, trat er seinem Wunsche gemäss im Schuljahre 1850 neuerdings in das akademische Gymnasium, wo er durch die Neugestaltung dieser Anstalt Lehrfächer fand, die seiner Neigung ganz zusagten. Hier widmete er sich eifrigst den Studien, insbesondere aber den Naturwissenschaften und der Mathematik, und trat, nach im Jahre 1852 mit Auszeichnung zurückgelegter Maturitätsprüfung, im nächsten Schuljahre an die Universität über.

Schon während der Gymnasial-Studien benützte er jede Gelegenheit die ausserordentlichen Vorlesungen an verschiedenen Lehranstalten zu hören, erwarb sich eine tüchtige Fertigkeit in der Stenographie und im Zeichnen und erweiterte auch seine Sprachkenntnisse.

Mit wahrhaft übermässigem Eifer widmete er sich bis zum Schluss des Schuljahres 1855 den historischen insbesondere aber den mathematischen physikalischen und naturwissenschaftlichen Fakultätsstudien, war auch ordentlicher Eleve im physicalischen Institute, hörte mehrere Lehrfächer am polytechnischen Institute mit bestem Erfolge und gewann durch sein eifriges, ruhiges und bescheidenes Benehmen die Achtung und Liebe seiner hochverehrten Professoren und Gönner, deren hoher Standpunct in der Wissenschaft ihm als Ziel seines Strebens vorleuchtete.

Unter der Leitung des Herrn Professors Unger und der Herren Directoren Fenzl und Kollar widmete er viele Stunden seines Lebens den Studien am Museum des botanischen Gartens und am Naturalienkabinete.

Im Jahre 1854 meldete er sich zu den Prüfungen für die Lehrfächer der Physik und Naturgeschichte an Ober-Realschulen. Unter den eifrigsten

Arbeiten an der Lösung der erhaltenen umfangreichen Hausarbeiten überraschte ihn im October die Cholera, von der er zwar genas, wahrscheinlich aber auch den Keim zu der späteren tödtlichen Krankheit erbte.

Kaum zur Kraft gelangt setzte er sein Prüfungs-Elaborat fort, unterzog sich bald der Klausurarbeit, der mündlichen Prüfung und der Probelection, erhielt ein ehrenvolles Befähigungszeugniss für die genannten Lehrfächer, und wurde zur Ablegung des Probejahres von der hohen Statthalterei an die Landstrasser Ober-Realschule gewiesen.

Gleichzeitig mit der Ablegung dieser strengen Prüfungen meldete sich Röll auch zu den Rigorosen für die philosophische Doctorswürde, wurde aber, da er das gesetzlich vorgeschriebene Trienium an der Universität noch nicht zurückgelegt hatte, unter der schmeichelhaftesten Anerkennung seiner ausgezeichnetsten Verwendung an der Universität auf den Ablauf des letzten Semesters verwiesen.

Diesen Semester vollendete er zwar, allein das Schicksal sandte neue Krankheiten über ihn, so dass er seinen sehnlichsten Wunsch, diese academische Würde zu erlangen, nicht erlebte.

Oeffentliche Beweise der rastlosen Thätigkeit legte der Verstorbene durch mehrere literarische Arbeiten ab, welche in den Verhandlungen des zoologisch-botanischen Vereins, in den Berichten der meteorologischen Centralanstalt, so wie im botanischen Wochenblatte von Dr. Skofitz niedergelegt sind.

In dem ersteren Werke sind enthalten:

1. Die Bearbeitung der Abtheilung der Pilze in Pokorny's Vorarbeiten zur Cryptogamenflora Unter-Oesterreichs. Jahrgang 1854.
2. Ueber das Vorkommen der Trüffel. Jahrgang 1854.
3. Ueber Photographie nach lebenden Pflanzen. Jahrgang 1855.
4. Beiträge zur Cryptogamenflora Unter-Oesterreichs. Jahrg. 1855.

In dem Jahresberichte der k. k. meteorologischen Central-Anstalt, II. Jahrgang 1854, sind enthalten:

5. Beobachtungen über die ersten Blüthen im Gebiete der Wiener Flora, so wie in den verschiedenen in der „Wiener Zeitung" veröffentlichten Beobachtungen dieser Anstalt Beiträge von ihm vorkommen.

Im botanischen Wochenblatte sind enthalten:

6. Recension über Wagner's Unternehmen. Jahrg. 1855, Nr. 6.
7. Ueber die chemischen Kenntnisse von den Cryptogamen. Jahrg. 1855, Nr. 12.
8. Ueber die Farbe des Meeres. Jahrg. 1855, Nr. 25.
9. Neue Stoffe zur Papierfabrication. Jahrg. 1855.
10. Ueber einen neuen Webstoff. Jahrg. 1855, Nr. 38.

Mit besonderer Sorgfalt beschäftigte sich der Verstorbene in letzter Zeit mit der Bearbeitung der Flora des Marchfeldes und mit einem grösseren Werke über die Pilzflora von Nieder-Oesterreich. Für beide Arbeiten hatte er viel Materiel vorräthig, doch bei der definitiven Zusammenstellung der ersteren Bogen dieser Werke überraschte ihn ein Anfall von Bluthusten, welcher trotz der Anfangs noch gehegten besten Hoffnungen am 25. October laufenden Jahres seinem Leben und hoffnungsvollen Wirken ein Ende machte.

Ein schönes Herbarium, eine zahlreiche Sammlung von Schmetterlingen, Käfern, Mineralien und sonstigen Naturproducten, eine ausgewählte Bibliothek wissenschaftlicher und belletristischer Werke blieb nach dem hoffnungsvollen jungen Manne als Beweis seiner Thätigkeit, seines Fleisses, seiner Sparsamkeit zurück."

Wie aus dem Mitgetheilten erhellt, hat Röll sich in verschiedenen Zweigen der Naturwissenschaften mit gleich grossem Eifer verwendet. Sein rastloser Fleiss setzte ihn nicht nur in den Stand, für seine eigene Bildung und für selbstständige Forschungen thätig zu sein; er förderte auch mit der grössten Bereitwilligkeit und Uneigennützigkeit fremde, ihm ferne liegende wissenschaftliche Interessen. An mehreren hiesigen Bildungsanstalten hat Röll werthvolle Andenken seiner Thätigkeit hinterlassen. So benützte er seine ausserordentliche Fertigkeit im Zeichnen und Mahlen, um für das k. k. akademische Gymnasium zu Wien mehrere Abbildungen im grossen Massstabe anzufertigen, worunter ich nur eine grosse Wandkarte des österreichischen Kaiserstaates nach theilweise origineller Ausführung, und Abbildungen essbarer Schwämme als besonders gelungen hervorhebe. Unter der Anleitung des Herrn Prof. Simony versuchte er sich auch im Landschaftzeichnen und in Zinkradirungen. Das k. k. botanische Museum verdankt dem Verstorbenen die Ordnung des kais. mykologischen Herbars. Gewiss hinderten ihn nur seine überhäuften Berufsarbeiten, die speciellen Zwecke des Vereins noch mehr zu fördern, als es ohnehin schon beim Beginne seiner eigentlichen wissenschaftlichen Wirksamkeit geschah.

Mit der grössten Vorliebe und dem besten Erfolge beschäftigte sich Röll mit einem Gebiete der Botanik, welches mehr als jedes andere eines selbstständigen tüchtigen Forschers bedarf — mit der Mykologie; und in dieser Beziehung ist sein Tod ein schwerer, nicht leicht zu ersetzender Verlust für die einheimische Wissenschaft, da sich nicht leicht die hierzu erforderlichen Eigenschaften eines geschickten Zeichners, geübten Mikroskopikers und gebildeten Botanikers in solchem Grade vereinigt vorfinden, wie es bei ihm der Fall war. Aus diesem Gebiete stammt auch die grösste literarische Publikation Röll's, nämlich die Bearbeitung der Pilze in meinen im verflossenen Jahre in den Vereinsschriften erschienenen Vorarbeiten zur Cryptogamenflora von Unter-Oesterreich. Ueberdiess befinden sich in seinem Nachlass, wie so eben mitgetheilt wurde, umfangreiche Materialien zu einer Pilzflora von Unter-Oesterreich und zu einem Bericht über die Leistungen auf dem Gebiete der Mykologie in den Jahren 1840—1855. Auch pflanzengeographische und phänologische Arbeiten nahmen ihn in letzterer Zeit in Anspruch. Eine erschöpfende Darstellung der Vegetationsverhältnisse des Marchfeldes wäre binnen Kurzem von ihm vollendet worden.

Es wäre sehr wünschenswerth, wenn der wissenschaftliche Nachlass des Verstorbenen von sachverständiger Hand geprüft und hierdurch manche werthvolle Notiz der Wissenschaft erhalten würde. Schliesslich glaube ich das Andenken meines jungen Freundes, der auch im Privatleben in jeder Beziehung als Muster aufgestellt zu werden verdiente, nicht besser ehren zu können, als wenn ich auf das öffentliche Urtheil Neilreich's aufmerksam mache, welcher in seiner Geschichte der österreichischen Botanik des Verblichenen auszeichnend erwähnt und ihn den ersten Mykologen Nieder-Oesterreichs nennt.

Herr H. Reichardt gibt folgende Mittheilung:

Als ich in der Juni-Sitzung mir erlaubte, der geehrten Versammlung den Stand des Phanerogamen-Herbars des Vereines etwas näher zu detailliren, versprach ich zugleich, in einer der nächsten Sitzungen über das Cryptogamen-Herbar zu berichten.

Dasselbe ist nun vollständig geordnet, so dass ich in die angenehme Lage versetzt bin, den Umfang desselben genau bezeichnen zu können.

Seine Entstehung verdankt die Cryptogamen-Sammlung des Vereins den Schenkungen folgender Herren:

Wohl den grössten und reichhaltigsten Beitrag lieferte Herr Dr. Castelli; denn der Theil seines dem Vereine so freigebig überlassenen Herbars, welcher die Cryptogamen umfasst, enthält 614 Species aus der österreichischen Flora; darunter sehr viele Meeres-Algen aus Dalmatien.

Ferner übersandte Herr Pius Titius eine sehr reichhaltige und schön conservirte Sammlung von Algen des adriatischen Meeres von ungefähr 600 Arten.

Ausser dem liefen noch Sendungen von folgenden Herren aus den angeführten Gegenden für das Vereins-Herbarium ein: Von

Herrn Bamberger Moose aus Tirol.
„ Bayer eine Centurie der von Dr. Pöch herausgegebenen Laubmoose Böhmens.
„ Fritsch Algen des adriatischen Meeres.
„ Dr. Grüner die *Mnia* der Iglauer Flora.
„ Sectionsrath Ludwig Ritter von Heufler 100 Exemplare von *Cytispora rubescens*.
„ Hölzl die Gefäss-Cryptogamen der Flora von Maria-Zell.
„ Juratzka *Struthiopteris germanica* Wld. von Wien.
Frau Josefine Kablik Gefäss-Cryptogame aus dem Riesengebirge.

Herrn Dr. Anton Kerner *Notochlaena Maranthae* R. Br. und *Asplenium Serpentini* Tsch. aus Unter-Oesterreich.

„ Mann Algen des adriatischen Meeres.

„ Dr. Gustav Mayr Gefäss-Cryptogamen aus Krain.

„ Prof. Alois Pokorny Cryptogamen aus Unter-Oesterreich und dem mährisch-böhmischen Gebirge.

„ Reichardt Cryptogamen aus der Flora Iglau's.

„ Schneller Gefäss-Cryptogamen der Pressburger Flora.

„ Prof. Simony *Aegagropila Sauteri* Nees aus dem Zeller See.

„ Dr. Wawra Cryptogamen aus der Brünner Flora.

Endlich ist noch eine reichhaltige und instructive Sammlung dalmatinischer Algen zu erwähnen, welche der Verein von Herrn Botteri ankaufte.

Der Freigebigkeit der obgenannten Herren ist es zu danken, dass das Cryptogamen-Herbar des Vereins einen relativ nicht unbedeutenden Umfang besitzt, denn es enthält in 16 Fascikeln 1203 Species in beiläufig 5000 Exemplaren.

Von den 1203 Arten Cryptogamen entfallen 624 auf die Algen, 122 auf die Flechten, 43 auf die Pilze, 78 auf die Laubmoose und endlich 61 auf die Gefäss-Cryptogamen.

Da wir keine Aufzählung der Cryptogamen Oesterreichs besitzen, welche für dieselben, eben so wie Maly's „Enumeratio" für die Phanerogamen massgebend sein könnte, so muss wohl eine Cryptogamen-Flora Deutschlands zur Richtschnur dienen. Nimmt man somit Rabenhorst's Werk als massgebend an, welcher im Ganzen 6708 Cryptogamen anführt, (und zwar: 1435 Algen, 434 Flechten, 4055 Pilze, 176 Lebermoose, 539 Laubmoose, und endlich 69 Gefäss-Cryptogamen), so stellt sich heraus, dass im Vereins-Herbarium die Gefäss-Cryptogamen beinahe vollständig vertreten sind, dass von den Algen, Laub- und Lebermoosen sich ungefähr die Hälfte, von den Flechten etwas mehr als der vierte Theil, von den, freilich theilweise schwer zu conservirenden Pilzen sich gar nur ein Hundertstel der deutschen Arten vorfindet.

Diese Zahlen-Verhältnisse sind wohl schon an und für sich die dringendste Aufforderung an alle Herren Botaniker, die sich mit Cryptogamen beschäftigen, dem Herbarium durch reichliche Beiträge die erwünschte Vollständigkeit zu geben.

Geordnet wurde die Sammlung nach Rabenhorst, (Cryptogamen-Flora, Leipzig 1844—1848), weil sich derselbe leichter als die betreffenden Monographien anschaffen lässt. Nur bei den Algen musste, da viele Dalmatien eigenthümliche Arten sich vorfinden, ein anderes Werk genommen werden.

Die *Fucoiden* und *Florideen* wurden nach Agardh (Species genera et ordines Algarum, Lundae 1848—1852), die übrigen Algen nach Kützing (Species Algarum, Lipsiae 1849) geordnet.

Die Ausstattung des Cryptogamen-Herbars ist im Wesentlichen dieselbe, wie des Phanerogamen-Herbars; nur wurden die einzelnen Exemplare nicht auf halbe Bogen, sondern je nach ihrer Grösse auf Octav- oder Quartblätter geklebt, weil diese Einrichtung grössere Uebersicht und Raumersparniss vereint.

Bietet die Cryptogamen-Sammlung auch nicht so viel des Interessanten wie die Phanerogamen-Sammlung, so findet sich doch in ihr viel des Seltenen und Beachtenswerthen. Ich will nur auf die reiche Sammlung von Meeres-Algen aufmerksam machen, welche im Herbarium des Herrn Castelli, so wie in den Sendungen der Herren Titius und Botteri enthalten waren.

Die Typen-Sammlung der in den Vereinsschriften neu aufgestellten Arten enthält: *Ulothrix latissima*, *Scytonema stygium*, *Anhaltia Flabellum*, *Leptothrix lutescens* Men. *β Streinzii* von Herrn Sectionsrathe Ludwig Ritter von Heufler, und *Cladophora Heufleri* von Zanardini.

Schliesslich erlaube ich mir, der geehrten Versammlung die Genera *Fucus* L., *Rhodymenia* Grev. und *Mnium* L. als Beispiele der Ausstattung und Einrichtung der Sammlung vorzulegen.

Herr V. Kollar berichtet, dass *Gelechia pyrophagella*, welche in Kornmagazinen bisher als sehr schädlich bekannt war, nun auch in Mais lebend aufgefunden wurde. Sowohl Herr J. Lederer hat sie daraus erzogen, als auch Herr V. Motschulsky aus Ungarn mitgebracht. In Betreff des Schutzes gegen solche Verheerungen erwähnt er nach Doyére die Erwärmung der Localitäten bis auf 48° R. so wie L. Dufour's, der sein Getreide in Fässer gefüllt, mit Steinen beschwert, vollkommen gesichert fand.

Herr F. Brauer übergibt Beiträge zur Kenntniss der Anatomie und Lebensgeschichte der Neuropteren. (Siehe Abhandlungen).

Herr Secretär G. Frauenfeld gibt folgenden Auszug eines Briefes des Mitgliedes Herrn J. Dolleschal auf Java an Herrn Director Kollar, dem er einen hier ebenfalls nachfolgenden Aufsatz über dortige Arzneiwissenschaft angeschlossen hatte:

Ihr verehrtes Schreiben vom 14. December 1854 bekam ich am 30. April d. J. Wie glücklich ich mich darüber fühlte, kann ich nicht genug mit Worten ausdrücken; es erinnerte mich an meine Heimat, aus der ich so selten Nachricht erhalte, und weckte mich aus meinem beginnenden indischen dolce farniente. Ich fühle mich darum verpflichtet, hier einige kleine Notizen beizufügen.

Man glaubt Java als ein an Naturproducten jeder Art überreiches Land, in dem man nur vor die Thür zu gehen brauche, um die Schätze gleichsam wie Heu mit dem Rechen zu häufen. Doch ist dem nicht so, in den so sehr cultivirten Theilen um mich her, wo man der Hilfsmittel ganz entbehrt, wo Raubinsecten unglaublich schnell alles vernichten, so dass ich mir jetzt alles in Branntwein oder Blechbüchsen zwischen Lagen von Papier bewahre; wo man durch die Javaner nichts sammeln lassen kann, während ich mich selbst nicht so lange zu entfernen vermag, um ausserhalb der Reis-, Indigo- und Cocosplantagen ins Gebirge zu kommen. Ausserdem ist es ferner von den Hafenplätzen schwer, eine Schiffsgelegenheit zu finden. Wenn es möglich wäre, mit einem Handelshause in Triest ein Abkommen zu treffen, so würde man wohl von Zeit zu Zeit mit der Landmaille kleine Kistchen senden können, und so vielleicht ganz gut selbst Lebendes nach Wien schicken. Würden Sie diess vermitteln können, so wäre wohl sehr damit gedient.

Bezüglich meiner geliebkosten *Arachniden* bin ich bis jetzt getäuscht worden, ausser einer kleinen Anzahl *Saltici* habe ich nichts gefunden, den weitverbreiteten *Buthus cyaneus* ausgenommen, so dass ich nun zu den *Dipteren* gegriffen habe, über die ich bis jetzt einiges in den Verhandlungen der Bataviasche Genootschap voor Naturkunde mitgetheilt habe.

Seit sieben Monaten befinde ich mich in der Residenz des noch theilweise unabhängigen Königreichs Dschokdschokarta, dem Sitze des Sultans, dem Sitze der Ueberreste ehemaliger javanischer Pracht und Fülle, in einem Lande das vor fünfundzwanzig Jahren noch von Urwäldern beschattet, jetzt tagtäglich an Civilisation zunimmt. Fünf Meilen nördlich vom Strande, im Osten von einer niedern Bergkette begränzt, bildet es mit seinen zahllosen Indigofeldern ein ausgebreitetes Thal, das jährlich enorme Schätze einbringt. Die Lage von Dschokdschokarta ist eine überaus reizende; beinahe am Fusse des fortwährend rauchenden Merapis, hinter dem der stumpfe Gipfel des G. Merbabu hoch in die Lüfte ragt, durchzogen von prächtigen Alleen riesiger Banianenbäume, in deren dunklen Laube unzählbare Schwärme von Reisvögeln nisten, und schon vor Sonnenaufgang ein die Ohren durchdringendes Gezwitscher erheben, lässt sich nur der Mangl grösserer Flüsse in der nächsten Umgebung beklagen.

Die brennende Sonne des Ostmonsun — seit fünf Monaten fiel kein Tropfen Regen — hat alles versengt, die ganze Natur schmachtet, und die bei meiner Ankunft prächtig grünen Rasen und Büsche haben ein fahlgelbes Ansehen, selbst Musquitos sind verschwunden, nur einzelne Bienen sieht man auf den spärlichen Blümchen nach Nahrung dürstend, herumschwärmen. Das schöngrüne Laub schmarotzender Farren und Asklepiadeen fällt trocken ab, oder hängt welk, der beseligenden Frische der Westmonsun entgegenschmachtend. Auf den Gebirgen sieht man abendlich ganze Streifen von brennenden Alang-Alang, die den Tiger aus seinen Schlupfwinkeln jagen, dass er seine Streifzüge bis in die Nähe der Landhäuser ausdehnt.

Die sonst so schönen Bambusgewächse stehen entlaubt, auf den stachligen Stämmen der *Erythrinen* allein prangen ganze Büsche feuerfarbner Blüten, eben so wie die jetzt blattlosen Riesenstämme der *Salmatia malabarica* von zahllosen grossen Blumen strotzen. Selbst die Vögel, deren Mauserzeit jetzt gekommen ist, schweigen und kränkeln wie die ganze ausgebrannte Natur. Der aus vulkanischer Asche bestehende Boden der Umgebung glüht bei der enormen Hitze von 90—98° Fahr. Beim leisesten Winde, dessen wir uns wenig zu erfreuen haben, erheben sich ganze Staubwolken. Glücklicher Weise sind die Nacht und Morgenstunden kälter; seit sechs Wochen zeigt mein Thermometer Morgens 5½ Uhr 62—64° Fahr., eine Temperatur, bei der sämmtliche Indier über Frost klagen, wo der Javane eingewickelt in seinen leichten Sarong am Boden kauernd sich unbehaglich fühlt; meine Hausvögel — einige kleine Turteltauben und Papageien — mit struppigem Gefieder die Tageswärme erwarten. Was übrigens das Klima betrifft, so ist es ein durchaus gesundes.

Ich habe hier Gelegenheit, Sitten und Gebräuche der ursprünglichen Javaner zu studieren, und auch schon manches Sehenswerthe erlebt. Wie Sie schon wissen, einen Fürst begraben, und einen andern anstellen sehen, wobei übrigens dieselben malerischen Aufzüge, dasselbe monotone Gambelangspiel, dieselben Waffentänze aufgeführt werden. Es ist diess auch die einzige Abwechslung, die in mein sonst einförmiges Leben gekommen.

Binnen Kurzem hoffe ich Beförderung und auf einen reicheren Posten zu gelangen, wo ich wieder mehr den Naturwissenschaften zu leben vermag.

Es ist natürlich, dass in einem Lande, woselbst die Gesundheitszustände nicht besonders günstig gestaltet sind; woselbst der Mensch in Folge der klimatischen Einflüsse mehreren und heftigeren Krankheiten ausgesetzt ist; selbst unter dem Volke eine gewisse Arzneiwissenschaft, oder vielmehr eine Kunst, Krankheiten zu genesen besteht. — Darum ist es begreiflich, wenn selbst unter dem uncivilisirten Volke Java's Individuen angetroffen werden, die sich mit dem Verabreichen von gewissen empyrisch bekannten Arzneien abgeben. Solcher Leute, hier „Dukons" genannt, findet man in jedem Kampong (Dorf) mehrere, denen die in Krankheiten so kleinmüthigen Javanen ihren Leib und ihre Seele übergeben, ungeachtet jeder mehr oder weniger mit den Heilkräften gewisser Körper vertraut ist, und an sich selbst pfuscht.

Seit einigen Jahren werden im Militär-Hospital zu Batavia jährlich einige javanische Jünglinge unterrichtet; es werden ihnen daselbst die nothwendigsten Kenntnisse aus Anatomie, Pharmacologie und der Behandlungslehre gegeben, um, wenn sie nach einem zweijährigen Cursus und abgelegter Prüfung, wonach ihnen eine Art Diploma ausgefertigt wird, in ihre

Heimat zurückkehren, die erste und nöthigste Pflege an Kranke geben zu können. In wiefern diese Leute dem Zwecke entsprechen, kann ich nicht angeben, da ich sie nur wenig zu sehen bekam. Die Examinations-Kommission sprach sich über ihre Leistungsfähigkeiten sehr vortheilhaft aus.

Es ist nicht mein Bestreben die Leistungen dieser halbgebildeten Volksärzte zu beurtheilen, meine Aufgabe ist hier die eigentliche Volksmedicin, wie sie in jedem Lande des Weltbodens besteht, in ihren allgemeinsten Umrissen zu schildern.

Entsprechend den javanischen Dukons, gibt es auch Apotheken, d. i. in jedem Dorfe befinden sich ein oder mehrere alte Weiber, die die probaten Arzneien öffentlich feilbieten. In diesen sind die letzteren theils artikelweise sortirt, theils in Päckchen gesondert, in deren jedem sich die Arzeneien für gewisse Krankheiten befinden; am häufigsten ist das der Fall, dass die Käufer die Krankheit nennen, worauf ihnen dann von der Apothekerin (?) charlatanartig die nöthigen Stoffe ausgesucht werden.

Die meisten Volksarzeneien stammen aus dem Pflanzenreiche, wobei die Javanen keine besondere Vorliebe für einzelne Pflanzentheile zeigen, sondern von verschiedenen Pflanzen verschiedene Theile gebrauchen. (Diess ist nicht immer bei allen Völkern der Fall; so glaube ich, dass besonders Alpenbewohner etc. ein besonderes Zutrauen den Pflanzenwurzeln schenken). Mit dem Einsammeln beschäftigen sich meistens auch alte Frauen, denen hier im Allgemeinen mehr Wissenschaft zugemuthet wird.

Viele dieser Arzeneien sind als wirksam erprobt auch in unsere Militär- Apotheke aufgenommen, und es dürften mit der Zeit, sobald mehr Experimente gestattet werden, mehre derselben viele unnütz aus Europa angeführte Medicamente verfangen können. So z. B. ist die Wurzel von *Moringa (Akar-keller)* unser bestes *rubefaciens*, und wird wo schnelle Wirkung erforderlich ist, immer statt *Sinapismen* verordnet.

Psidium pomiferum ist als *Adstringens* besonders nützlich, bei chronischen Diarrhöen und Dysenterien seit längerer Zeit in Anwendung. Von den Inländern und deren Abstämmlingen in Form von Thee getrunken, oder als Speise einige andere *Psidium*-Arten gedünstet genommen.

Die Blätter von *Hybiscus tiliaceus* ersetzen vollkommen die *Herba althaeae* und *H. malvae.*

Datura fastuosa und *D. ferox*, beide zur Bereitung von *Oleum hyoscyami* verwendet; ausserdem in Maisblätter gewickelt als Cigarren bei asthmatischen Zufällen benützt.

Das Holz von *Alyxia pellata (Aroi putassarie)* wird gegen die meisten Krankheiten gebraucht, so wie die *Siri* Blätter *(Chavica Betle)* auf jede Art Geschwür gelegt werden.

Wie complicirt zuweilen die Arzeneien gebraucht werden, habe ich an einem gegen Dysenterie üblichen Arzneipäckchen gesehen, das ich der Neugierde wegen kaufte. Es bestand aus nicht weniger als 35 verschiedenen meist vegetabilischen Stoffen, unter denen ich mit Gewissheit nur folgende erkannte: das Holz von *Ficus lutesceus*, die Frucht von *Poupartia mangifera*, das Holz von *Brucea sumatro*; *Caryophyllum aromaticus*, Blüthen von *Bidens*, Blumenblätter von *Gossypium arboreum*, Früchte von *Coryandrum*, die Wurzel von *Elettaria*; die Rinde von *Cinamomum Ceylanicum* etc. nebst einer geringen Menge von *Sulfas cuprii*, Schwefel und einige Stücke einer rothen Koralle (*Tubipora?*).

Beso ders häufig werden die Blüthenkolben von *Piper longum* gebraucht.

Gegen Helminthiasis, woran hier mit wenigen Ausnahmen alle Kinder kränkeln, und von der mir einige eclatante Beispiele vorgekommen sind, wo die Würmer in ganzen Ballen entlastet werden; scheinen sie wenig probate Mittel zu haben, da sie vorzüglich bei dieser Krankheit unsere Hülfe anrufen; ungeachtet viele *Anthelmintica* dem Volke bekannt sind, worunter vorzüglich die Früchte von *Areca Catechu*, die Säfte von *Convolvulus sp.*, *Gnetum* und *Calotropis* angeführt werden. Auch die Wurzelrinde von *Punica Granatum*, vorzüglich der weissblühenden Varietät, ist den Javanen nicht unbekannt.

Das häufigste Hautreizmittel ist gelöschter Kalk, wie sie den beim Siriekauen gebrauchen; meistens schmieren sie denselben zur Grösse einer kleinen Münze auf die der leidenden Stelle entsprechende Hautdecke, ja selbst innerlich habe ich ihn nehmen gesehen mit etwas Oel angemengt.

Zu Blutegeln haben sie sämmtlich viel Zutrauen, die sie hier in jedem Reisfelde in Menge aufsuchen können, wobei sie jedoch zuweilen übel ankommen, indem sie sie mit Pferdeblutegeln verwechseln, die sechs bis sieben Stunden festgesogen bleiben, und meist eiternde Ringwunden zurücklassen.

Aus eigener Erfahrung mag ich hier eines Kopfschmerz stillenden Mittels Erwähnung thun. Während eines im verflossenen Jahre überstandenen Typhus, litt ich an dem wüthendsten Kopfschmerz, gegen den ich mir keinen Rath wusste. Ein alter inländischer Aesculapier brachte mir einen braunen aus Pflanzenstoffen bereiteten Brei, der angenehm gewürzhaft roch, und applizirte ihn beiderseits auf meine Schläfen. Unbegreiflich, und doch wahr, war der Schmerz wie weggezaubert, einem angenehmen Kältegefühl weichend. Bald trocknete der heilsame Brei zu Crusten ein, fiel ab, und hinterliess einige Zeit zurückbleibende geröthete Hautstellen. Die Composition dieses Arcanum konnte ich leider nicht erfragen, wie eifrig ich mich auch darnach erkundigte.

Von Natur aus missformte Menschen scheint es wenige zu geben, die meisten Gebrechen sind nur Folge verkehrter Behandlung. Bei Knochenbrüchen legen sie ziemlich gute Verbände aus abgeschälten Pisangstücken an, ohne jedoch vorerst eine Einrichtung zu Stande gebracht zu haben. Dasselbe ist, vielleicht noch in einem höheren Grade über Augenkrankheiten zu sagen, und es ist nicht übertrieben, wenn ich anmerke, dass unter hundert Javanen einer wenigstens halbblind ist; es sind meistens staphylomateuse Entartungen und ausgebreitete Hornhauttrübungen, die Folgen vernachlässigter Ophthalma-Blenorhoeen sind. Die Quelle dieses letzteren mag wohl in den verschiedensten Schädlichkeiten, denen sie täglich ausgesetzt sind, als Rauch, Staub etc. zu suchen sein, ferner die Menge gelöschten Kalkes, den sie so zu sagen den ganzen Tag hindurch beim Siriekauen zwischen den Fingern haben. Ob Syphilis, die ziemlich verbreitet ist, auch einiges beiträgt, will ich nicht eben bezweifeln.

Welche Mittel die Javanen gegen Syphilis anwenden, konnte ich bis jetzt nicht ermitteln; jedenfalls scheinen sie solche zu besitzen, da es mir unbegreiflich vorkömmt, wie bei der undiätetischen Lebensweise und bei der Ausdehnung dieses Uebels nicht mehr secundäre Fälle vorkommen.

Den fruchtbarsten Boden zur Verbreitung geben hier jedenfalls die Volkstänzerinnen (Bajaderen) ab, die ihre Reize öffentlich zur Schau tragen, und auf's frivolste preisgeben. Auch die bei Chinesen herrschende Neigung lesbischer Liebe wird manches Opfer liefern.

Bemerkenswerth ist es, dass alle Formen von Syphilis beim Inländer viel leichter unseren Mitteln weichen als bei den Europäern, ungeachtet von Ersteren zuweilen ganz veraltete Fälle unter Behandlung kommen; soll hierzu die Mässigkeit der Ersteren in Speis und Trank das Nöthige beitragen? Unter dem gemeinen Volke sind einige condylomateuse Formen bekannt.

Krätze ist eine der häufigsten Hautkrankheiten, wenn man zu letzteren die verschiedenen Geschwüre nicht rechnet.

Bei den niedrigsten Ständen sieht man zahlreiche Balggeschwülste, zuweilen in einer ganz enormen Menge neben einander, meistens auf den unteren Gliedmassen angehäuft.

Die meisten Krankheiten sind caterrhale und gastrische; in den Regenmonsten intermittente Fieber, ungleich seltener Dysenterien, so dass man annehmen könnte, dass auf fünfzig europäische Dysenteristen kaum Ein Inländer kömmt. Phthisis ist nicht so selten als man in Europa hierüber zu denken pflegt; ebenso findet man Viele, die an organischen Herzkrankheiten leiden; nicht minder Asthmatiker, die diess Uebel dem Opiumrauche zu verdanken haben.

Bei alle dem, dass der Javane, krank geworden äusserst gefühlig ist, sieht er dem Tode mit Gelassenheit entgegen, auf die Prädestination glaubend; er geht, verurtheilt, dem Galgen tanzend, und mit Blumen behangen entgegen, und ist daher im Kriege, von einem tüchtigen Feldherrn geführt, ein brauchbarer Soldat.

Dessgleichen gibt Herr G. Frauenfeld eine Mittheilung des Herrn A. E. Zhishmann über die Milchkrankheit in den Sclavenstaaten Amerika's.

In einigen Gegenden der östlichen Hälfte der amerikanischen Union herrscht ein dem Ackerbaue, der Viehzucht und nicht minder der Gesundheit und dem Leben des Menschen nachtheiliges Uebel, dessen Ursache und Heilung ungeachtet vieler Nachforschungen und bedeutender von mehreren Staaten ausgeschriebener Prämien bis jetzt noch immer ein Geheimniss geblieben ist. Es ist unter dem Namen der Milchkrankheit „milk sickness" bekannt. Diese Krankheit beschränkt sich nur auf die gebirgigen Theile des Landes; die atlantische und Golf-Ebene, so wie das Mississippi-Thalgebiet und selbst die gebirgigen Theile der nördlichen Staaten scheinen davon gänzlich befreit zu sein. Vornämlich sind ihr ausgesetzt die fruchtbaren Thäler in den Staaten Tenessee, Nord-Carolina und Georgien. Kleine, muldenförmige gegen die Nordseite mehr offen gelegene, mithin feuchtere Vertiefungen — von den Einwohnern „coves" genannt — sind die am meisten gefürchteten Stellen. Derlei Räume werden von 12 — 15 Fuss hohen Einzäunungen umschlossen, welche die Thiere vom Eindringen abhalten und den Reisenden von der Einkehr in die Wohnungen des Menschen warnen.

Die von diesem Uebel heimgesuchten Gegenden bieten einen traurigen Anblick dar; die Thiere sehen abgemagert aus und schleichen mit gebücktem Nacken umher; der Mensch hat eine livide Farbe; allenthalben begegnet man verlassenen Feldern, zerfallenen Blockhütten, morschen Stegen und Brücken und von Winden niedergeschmetterten Einfriedungen.

Kühe, welche von dem endemischen Uebel befallen wurden, weiden in scheinbar guter Gesundheit auf den grasreichen Plätzen der Thäler, aber ihre Milch und die daraus gewonnene Butter enthalten ein gefährliches Gift, welches bei den sie Geniessenden oft eine unbewältbare gastritis erzeugt und eine lange Krankheit und nicht selten den Tod herbeiführt. Bei Kühen scheint die Milch den Giftstoff aus dem Körper zu leiten und das Leben weniger zu gefährden; Ochsen, Pferde und Schweine sterben oft in der kürzesten Zeit ab. Gefährlicher noch als der Genuss der Milch und der Butter ist das Fleisch eines von dem Gifte behafteten Thieres. Dessen Genuss tödtet nicht nur den Menschen, selbst Hunde und Aasgeier (*cathartes aura*), welche an den Körpern vergifteter Thiere zehrten, verenden. Man will die Beobachtung gemacht haben, dass mit der Zunahme der Cultur des Bodens die Krankheit milder auftrete. Diess mag sich jedoch nur auf die Lichtung der Wälder und deren wohlthätigen Wirkungen nicht aber auf die Urbarmachung der Giftstätten selbst beziehen, denn schon bebaute Stellen bleiben den Thieren noch immer gefährlich, sobald sie zu einem längeren Aufenthalte dahin verlockt werden.

Auch erzählt man, dass Thiere während der warmen Tageszeit, das ist nach dem Verschwinden des Morgenthaues und vor dem! Eintritte der Abendnebel innerhalb der gefährlichen Weide ohne Nachtheil gehalten werden können.

Die von dieser Plage am härtesten betroffene Gegend ist das reizende Jocassathal in der Nähe der weissen Wasserfälle, „White-water Falls", in dem Norden des Staates Süd-Carolina. Man hat dort Beispiele, wo Pferde nur wenige Stunden nach der Weide todt hinfielen. Um die Gesundheit der Schlachtthiere zu erfahren, jagt man dieselben vor der Tödtung über Berg und Thal, bis sie vollends ermüden, denn die heftige Bewegung der Thiere lässt die Symptome der Krankheit am sichersten hervortreten.

Beklagenswerth ist es aber noch, dass, bei dem Mangel aller Sanitäts-Polizei, die bittrige Butter des Giftthales nicht selten auf ferne Märkte gebracht wird, und schon so manche räthselhafte Seuche hervorrief.

Die Ursache dieser Krankheit schreiben Einige einer Art von *malaria* zu, andere einem unbekannten vegetabilischen Gifte, andere mineralischen Exhalationen, wie jene des Bleies, Schwefels oder Arseniks. Allein der enge Raum, in welchem die Krankheit zu herrschen pflegt und welcher oft nur ein halbes Joch Landes beträgt, wie auch die sorgfältigsten Untersuchungen der darin vorkommenden Gewächse scheinen den ersten Ansichten nicht günstig zu sein. Am wahrscheinlichsten ist es, dass die Ursache in einem mineralischen Giftstoffe liege. Die Erscheinungen der Krankheit sind nach dem Zeugnisse der Aerzte auffallend ähnlich den Vergiftungen durch Arsenik. Der Kranke fühlt erst eine ausserordentliche Mattigkeit, wonach Ekel und Erbrechen folgen; ferners einen grossen Druck am Epigastrium, einen heftigen Schmerz und starkes Brennen im Magen. Der Durst ist quälend, die Haut heiss und trocken, die Zunge schwarz, die Augen roth und glasig, ein eigenthümlicher Geruch strömt von der ganzen Oberfläche des Körpers. Der gemeine Mann hat den Glauben, dass das Bärenfett dem Kranken helfe; die Arzneikunde hat bis jetzt noch kein sicheres Mittel entdeckt.

Ferner liest Herr G. Frauenfeld eine briefliche Notiz des Herrn J. Finger:

Eine recht seltene Erscheinung habe ich diese Tage in einer blendend weissen Dohle gesehen, die einer meiner Bekannten von seiner Reise ins Erzgebirge mitgebracht.

Als lebhaftes, geschwätziges, und sehr kluges Wesen, wusste sie sich bei der Familie ihres Besitzers bald einzuschmeicheln. und man hat sie nun so lieb gewonnen, dass man sich um keinen Preis von ihr trennen würde, und sie daselbst gleichsam als Familienglied betrachtet. Ihr Käfig steht immer geöffnet, und erlaubt ihr freie Bewegung, was sie auch in ausgedehnter Weise benützt. Bei Tische fehlt sie nie, und würde es böse aufnehmen, wenn sie nicht von allem, was aufgetragen wird, bekäme. Je pikanter die Speise, desto erwünschter ist sie ihr, und Essigkren, Senf und Caviar liebt sie leidenschaftlich, desshalb schliesst sie aber süsse Leckerbissen nicht von ihren gastrischen Genüssen aus, und verschmäht z. B. eingesottene Früchte, Biscuit und anderes Zuckerwerk durchaus nicht. Die characterisirende Untugend ihrer Gattungsverwandten hängt ihr im hohen Grade an: sie stiehlt, verschleppt und versteckt alles, was sie nur immer findet, besonders glänzende Sachen.

Launenhaft, gleich einem denkenden Wesen, hat sie auch ihre bösen Stunden, und dann ist eben nicht mit ihr zu spassen. Mit weit ausgespreizten Beinen, gebogenem Rücken, hängenden Flügeln und Kopfe steht sie in solchen Momenten des Missmuths, und beisst empfindlich nach Jedem, der sich ihr nähert, ihre Günstlinge nicht ausgenommen. Doch lässt sie sich bald wieder beruhigen. Die Allmacht einer vorgehaltenen Lieblingsnahrung versetzt sie augenblicklich in rosige Laune, und sie wird dann sehr possirlich durch ihr Redetalent, das gewiss nicht unausgebildet geblieben. Kurze Wörter, wie: „Frau,“ „Jak,“ „Kren“ etc. spricht sie ganz vernehmlich aus, das „wart wart“, welches man ihr bei ihren häufigen Diebereien, freilich oft genug drohend zugerufen, weiss sie in den verschiedensten Modulationen zu geben, nur ist sie in der Anwendung dieser Worte eben nicht sehr wählerisch, und ruft oft ihrer Gebieterin statt mit „Frau“ mit „Dieb,“ „Kren“, „Jak“, „Hansl“ etc. zu, und das „wart wart“ schreit sie ungeschickt genug, gewiss immer dann heraus, wenn sie etwas gestohlen hat, wodurch sie sich immer als Dieb verräth.

Ihr Gefieder ist, wie schon oben gesagt, blendend weiss, und seidenartig weich, Schnabel und Füsse licht rosa, die Pupille schwarz. Das ganze Thier ist wunderlieb, und seine Manieren so artig, so nett, dass Jedermann entzückt werden muss.

Versammlung am 5. Dezember.

Vorsitzender: Secretär: Herr **Georg Frauenfeld.**

Neu eingetretene Mitglieder:

Als Mitglied P. T. Herr	bezeichnet durch P. T. Herrn
Casali Dr. *Pasquale*, Hochw., Weltpriester und Redacteur der dalmatinischen Landeszeitungen in Zara . . .	*G. Pullich* u. *E. Bergner*.
Cusmic Johann E., Magister der Pharmacologie, Lector der Theologie und Ordenspriester des Franziskaner-Klosters in Ragusa	detto
Fischer Karl, k. k. Bezirksamts-Actuar von Hernals	*J. Kerner* u. Dr. *G. Mayr*.
Gobanz Josef	*G. Frauenfeld* u. Dr. *G. Mayr*.
Grailich Dr. *Josef*	detto
Hochstetter Dr. *Ferdinand*	detto
Jermy Gustav, Professor der Naturwissenschaften zu Kis-sy-Szállás . . .	*F. Hazslinszky* u. *A. Senoner*.
Kelch, Oberlehrer am Gymnasium zu Ratibor	Dr. *G. Mayr* u. *G. Frauenfeld*.
Krist Josef, Professor der k. k. Ober-Realschule in Ofen	Dr. *A. Kerner* u. *G. Frauenfeld*.
Wastler Josef detto	detto

Eingegangene Gegenstände:

Motschulsky Victor v., Seidene Selbstgewebe. 1854.
— Ueber Theekultur und Theegebrauch. 1855.
— Ueber die Krankheit der Birken. 1855.
— Ueber den amerikanischen Zuckerahorn. 1855.

Hauer Fr. Ritt. v. Beiträge zur Kenntniss der *Cephalopoden*-Fauna der Hallstätter Schichten. Wien 1855.
— Ueber die *Cephalopoden* aus dem Lias der nördlichen Alpen. 1855.

Villa A. *Intorno alla malattia delle viti.* Milano 1855.

Heller Karl B. Das dioptrische Mikroskop, dessen Einrichtung und Behandlung. Wien 1856.

Geschenke der Herren Verfasser.

Pullich Dott. G. *Propedeutica filosofica ad uso dei Ginnasi compilata secondo lo spirata del piano d'organizzazione.* Milano et Trieste 1855.

— *Per l'occasione in cui compiendo il quarto anno di sua direzione ginnasiale.* Zara 1855.

Programma del' I. R. Ginnasio completo di prima classe in Zara. 1855.

Geschenk des Herrn Dr. Pullich.

Müller. Ueber den Bau des *Pentacrinus Caput Medusae.* Berlin. April 1840.

Baer Dr. K. E. Untersuchungen über die Seekuh *(Rytina Ill.).*

— Berichte über die *Zoographia Rosso Asiatica* von Pallas. Königsberg 1831.

— Anatomische und zoologische Untersuchungen über das Wallross *(Trichechus Rosmarus).*

— Das Gefäss-System des Braunfisches 1834.

— Ueber das Scelett der *Nawaga.*

— Das Klima der Kirgisensteppe 1840.

— Nochmalige Untersuchung der Frage über zwei Arten von wilden Stieren. Petersburg 1838.

— Ueber die Geflechte einiger grösserer Schlagadern der Säugethiere. 1853.

Baldamus E. *Naumannia.* Archiv für die Ornithologie. Köthen 1849—1850. 1. — 2. Heft.

Bechstein J. M. Ornithologisches Taschenbuch von und für Deutschland. Leipzig 1803.

Beneden P. J. van. *Exercices Zootomiques.* Bruxelles 1839.

Systematisches Verzeichniss der schweizerischen Vögel im Berner Museum. Bern 1824.

De Blainville. Rapp. sur les Coll. Zool. rec. par M. A. Delessert dans les Indes-Orientales 1840.

Blochii M. E. *Systema Ichthyologiae edidit J. G. Schneider.* Berolini 1801.

Bonaparte C. L. *Synopsis Vertebratorum Systematis.*

— *Un nuovo uccello messicano.*

— *Catalogo Metodico degli uccelli Europei.* Bologna 1842.

— *Systema Ornithologiae.*

— *Prodromus Systematis Herpetologiae.*

— *Osservazioni sulla stato della Zoologia in Europa.* Firenze 1842.

Vers

Vorsitzend

Als Mitg

Casali Dr. p
priester un
schen Land
Cusmic Joh
macologi
Ordenspr
sters in
Fischer K
von He
Gobanz J
Grailich
Hochste
Jermy
sensc
Kelch,
Ratib
Krist J
Real
Wastl

Mo

Hofmann C. E. Verzeichniss aller Geschlechter der europäischen Insecten. München 1834.
— Darstellung des Nutzens und Schadens aller europäischen Insecten. München 1834.
Jäger H. F. Anatomische Untersuchung des *Orycteropus capensis.* Stuttgart 1837.
Kalusa A. *Ornithologia Silesiaca.* Breslau.
— Kurze Beschreibung der schlesischen Säugethiere. Breslau.
Lamarre Piquot M. *Sur les collections zoologiques e d'antiquites indiennes.*
— *Réponse au rapport de Mr. C. Duméril sur mon mémoire concernant les Ophidiens.* Paris 1835.
L'Herminier. *Recherches sur l'appareil sternal des Oiseaux.* Paris 1828. II. Edit.
— *Mémoire sur le Guachaco (Steatornis caripensis Humb).*
Lesson *Réné Primeverre. Manuel de Mammalogie.* Paris 1827.
Leuckart F. S. Dr. Versuch einer naturgemässen Eintheilung der *Helminthen.* Heidelberg und Leipzig 1827.
Linné Car. *Systema naturae per regna tria naturae.* Lugduni 1789. Pars I. — III. Ed. 13.
Liechtenstein. Die Werke von Marcgrave und Piso über die Naturgeschichte Brasiliens. 1817. II. Abth.: Vögel.
— Dr. H. Ueber die Gattung *Mephitis.* Berlin 1838.
Lovén & Munk of Rozenschoeld. Om fäglarnes geographiska utbredning. Sund 1830.
Lund P. W. *De Genere Euphones.* Havniae 1829.
M'Clelland. *Catalogue of the Mammalia and Birds collected in Assam.* London 1840.
Malherbe Alf. *Faune ornithologique de la Sicilie.* Metz 1843.
Mehlis Ed. Dr. *Observationes anatomicas de Distomate hepatico et lanceolato.* Gottingae 1825.
Ménétries E. *Catal. des objects de Zoologie rec. au Caucase.* St. Petersbourg 1832.
— *Monographie de la famille des Myiotherinae.*
Meyer B. Dr. Zusätze zum Taschenbuch der deutschen Vogelkunde. Frankfurt a./M. 1822.
— Die Vögel Lief- und Esthlands. Nürnberg 1815.
Mitterbauer Ant. *De Lichene dissertatio inauguralis.* Vindob. 1836.
Müller Dr. Sal. *Over de Zoogdieren van den indischen Archipel.*
Nachrichten von den kais. österr. Naturforschern in Brasilien. Brünn 1820 und 1822.
Nees van Esenbeck. Uebersicht der vom Missouri gebrachten Pflanzen.
Neu Wied Max Prinz zu. Ueber einige Nager. 1839.
Nickerl F. Böhmens Tagfalter. Prag 1837.

Nilsson S. *Skandinaviska Fauna.* Foglarna 1. 2. Bd. Lund 1835.
— *Skandinaviska Nordens Urinvanare.* Christianstad 1838. 1.—2. H.
Ogilby W. M. *Memoir on the Mammalogy of the Himalayas.*
Pentland und Woodbine Parish. *Notices on the Bolivian Andes.* London 1835.
Owen R. *Description of the Lepidosiren annectens.* London 1839.
De Perron Charles Comte. *Système complètement neuf de Classification du Règne Animal.* Paris 1840.
Pictet F. J. *Notices sur les animaux nouveaux du Musée de Genève.* Genève 1841.
Prunner Leonardus de. *Lepidoptera Pedemontana.* Augusta Taurinorum 1798.
Queries respecting the Human Race. London 1839.
Reinhardt J. Prof. *Vaagmären. (Trachypterus Vogmarus).*
Risso A. *Ichthyologie de Nice.* Paris 1810.
Riess Dr. Felix. Beiträge zur Fauna der Infusorien. Wien 1840.
Rossi Dr. Friedr. Systematisches Verzeichniss der Tagfalter, Schwärmer und Spinner des Erzherzogthums Oesterreich. Wien 1842.
Rüppell Dr. Ed. Ornithologische Miscellen.
— Beschreibung abyssinischer Vögel. 1842.
— Monographie der Gattung *Otis.* 1837.
— Beschreibung mehrerer neuer Säugethiere der Senkenbergischen Sammlung.
Description du Saurothera californiana.
Schüch. *Memoria sobre algumas experiencias e empenhos mineralogicos e metallurgicos.* Rio de Janeiro 1840.
Verzeichniss der im Senkenberg'schen Museum aufgestellten Sammlungen. 1. Säugethiere und deren Scelette. Frankfurt a./M. 1842.
Siebold Ph. Fr. de. *Aperçu historique et physique sur les Reptiles du Japon.* Leide 1838.
The South African Quarterly Journal. Cape Town 1830—33.
Storch Fr. *Conspectus avium Salisburgensium.* Patavii 1839.
Sturm Jac. Catalog seiner Käfer-Sammlung. Nürnberg 1843.
Swainson W. Esq. *A Synopsis of the Birds discovered in Mexico by W. Bullock.* London.
— *The ornithological Drawings. Part. II. The Birds of Brasil.* London.
Syme P. *Werner's Nomenclature of Colours.* Edinburgh 1821. 2. Edit.
Temminck C. J. *Manuel d'Ornithologie.* Paris 1820—1835. 1.—2. Partie.
Valenciennes M. A. *Description d'une grande espèce de Squale.*
— *Description de plusieurs espèces Apogon.*
Vogt Dr. Carl. Zur Anatomie der Amphibien. Bern 1839.
Wagner Dr. And. Fossile Ueberreste einiger Säugethiere aus Griechenland.
— Beschreibung einiger neuer Nager. München.

Wagner Dr. And. Bericht über die Leistungen in der Naturgeschichte der Säugethiere während der Jahre 1839—40. München.

Waterhouse G. R. Esq. *On the Genus Galeopithecus*. 1838.

— *Description of a new Genus of Marsupialia*. London 1836.

Westrumb A. H. L. *De Helminthibus acanthocephalis*. Hanov. 1821.

White A. Esq. *Description of some Hemipterous Insects*. London.

— *Descriptions of new or little Known Arachnida*.

— *Description of a South American Wasp which collects Honey*.

Zetterstedt J. W. *Resa genom Ume a Lappmarker i Vesterbottens Län*. Oerebro 1833.

Zoological Miscellany.

Description of some new or little Known Mamdlia, principally in the British Museum Collection.

Catalogue of the Animals preserved in the Museum of the Zoological Society. London 1839.

List of the Animals in the Gardens of the Zoological Society. London 1835 — 1837.

A Companion to the Royal Surey Zoological Gardens. 1835.

Waterhouse G. R. *Catalogue of the Mammalia preserved in the Museum of the Zoological Society of London*. 1838.

Bonaparte C. L. *Prodromus systematis Ornithologiae*.

Maximilian Prinz zu Nied-Neuwied. Beitrag z. Naturgeschichte d. *Sariama*.

Wagner Dr. A. Bemerkungen über einen *Pongo*-Schädel.

Natterer Johann. Beitrag zur näheren Kenntniss der südamerikanischen *Alligatoren*.

— *Lepidosiren Paradoxa*.

Pallas P. S. *Icones ad Zoographiam Rosso-Asiaticam*. Fasc. I. — II.

Nebst Handzeichnungen und anderen Abbildungen und einer Anzahl Porträte des verstorbenen Johann Natterer.

Sämmtlich aus dem Nachlasse des Herrn Johann Natterer geschenkt von Herrn Julius Ritter von Schröckinger.

Mittheilungen über Gegenstände der Landwirthschaft und Industrie Kärntens. Klagenfurt. 12. Jahrgang. 1855. Nr. 10.

Jahresbericht der Wetterauer Gesellschaft für die gesammten Naturwissenschaften in Hanau. Vom August 1853 — 1855.

Jahrb. d. k. k. geol. Reichsanst. Wien 1855. VI. 4. 2.

Archiv des Vereines der Freunde der Naturgeschichte in Mecklenburg. Neubrandenburg 1855. 9. Heft.

Rendiconti delle adunanze della R. Accademia economico-agraria dei Georgofili di Firenze 1855. *Settembre*.

Nuovi annali delle science naturali. Bologna 1854. Tomo IX. Fasc. 3—10.

Société des sciences naturelles du grand-duche de Luxembourg. 1855. Tome troisième.

Schriftentausch.

Veith J. E. Die Naturgeschichte der nutzbaren Haussäugethiere. Wien 1856.
Oesterreichische Vierteljahresschrift für Forstwesen. Wien 1855.
Mittheilungen des ungarischen Forstvereins. Pressburg 1855. 2. Reihe. 1. Hft.
Landwirthschaftliche Mittheilungen. Pest 1855.
Peluso Dott. F. *Annali d'agricoltura e d'orticoltura. Milano* 1855. Nr. 20 — 21.
Apendice al catalogo degli ogetti esposti alla pubblica mostra agricola ad industriale.
Die Fortsetzungen der Zeitungen.

Geschenke der k. k. obersten Polizeibehörde.

Zur Vertheilung an Lehranstalten.

Mehrere Partien *Coleopteren* durch die Herren J. Erber, Dr. J. Giraud, J. Hofmann und J. Schaschl.
Vier Partien *Phanerogamen* durch die Herren J. Andorfer, H. Kalbrunner, R. Rauscher und Tkany.
Eine Partie *Cryptogamen* durch Herrn F. Haszlinszky.

Da der Verein keine Portofreiheit geniesst, so wird dringend ersucht, Druckschriften und Schriftpackete nicht mit der Briefpost, sondern mit der Frachtpost oder Buchhändlergelegenheit an den Verein (Herrngasse Nr. 30) gelangen zu lassen

Eben so ist der Verein genöthigt, alle überflüssigen Rückantworten zu vermeiden; die P. T. Mitglieder ersehen aus den Druckschriften den Empfang ihrer gefälligen Sendungen, so wie die Zustellung der Vereinsschriften als Bestätigung des erlegten Jahresbeitrages erscheint, da dieselben nur nach erfolgter Bezahlung desselben hinausgegeben werden.

Es werden hiermit zugleich sämmtliche P. T. Mitglieder dringend gebeten, den Jahresbeitrag im ersten Quartal des laufenden Jahres, wie statutenmässig bestimmt ist, einzusenden. Der Druck der Vereinsschriften, die jedes Mitglied nach erlegtem Beitrag unentgeltlich erhält, ist so hoch angewachsen, dass die grösste Sparsamkeit nöthig ist, daher nur so viele Exemplare aufgelegt werden, als den Einzahlungen entsprechend thunlich ist, wonach sich jedes Mitglied, welches zu spät einzahlt, selbst zuschreiben müsste, wenn der laufende Jahrgang nur unvollständig mehr abgegeben werden könnte.

Obwohl der Jahresband der Vereinsschriften ohnediess schon den doppelten Werth des Jahresbeitrages der Mitglieder erreicht, so wird ausser diesem noch heuer der Literaturbericht über die Oesterreich betreffenden naturhistorischen Schriften aus den Jahren 1850—1853 allen P. T. Mitgliedern als unentgeltliche Beilage erfolgt, ohne den statutenmässigen Jahresbeitrag zu erhöhen.

Da jedoch die Druckkosten dadurch bedeutend vermehrt werden, die Zusammenstellung derselben auch andere weitere Auslagen erfordert, so hat der Vereinsausschuss beschlossen, um diese wichtigen Berichte für die Zukunft fortzusetzen, und ihr regelmässiges Erscheinen als unentgeltliche Beilage zu sichern, die verehrten P. T. Mitglieder zur Subscription eines jährlichen freiwilligen Mehrbetrages einzuladen.

Man beehrt sich, diesen Beschluss zur gefälligen Rückäusserung mit geneigter Theilnahme hier mitzutheilen.

Die Tafel zu dem Aufsatze: „Neue Schmetterlinge des österr. Kaiserstaates" kostet illuminirt 10 kr., um welchen Betrag sie vom Vereine bezogen werden kann.

Zu verkaufen:

Eine Sammlung von meistens österreichischen Schmetterlingen, enthaltend bei 800 Arten in mehr als 2000 Exemplaren, welche nach Ochsenheimer und Treitschke geordnet und im besten Zustande erhalten sind. **(Nähere Auskunft ertheilt der Portier im Hause Nr. 1156 am Josefsplatze.)**

Ein Herbar, enthaltend bei 2400 Arten, wovon das Verzeichniss zur Einsicht im Vereinslokale aufliegt. **(Nähere Auskunft ertheilt Director Krüger, Rossau, Servitengasse Nr. 86.)**

Herr J. R. v. Schrökinger übergibt dem Vereine aus dem Nachlasse des brasilianischen Reisenden Johann Natterer eine grosse Anzahl Bücher und Abbildungen und fügt Nachrichten über dessen Wirken als Reisender und Naturforscher bei. (Siehe Abhandlungen.)

Herr J. Gobanz gibt Beiträge zur Coleopterenfauna der Steiner Alpen und des Villachthales. (Siehe Abhandlungen.)

Herr J. G. Beer liest aus seinem im Drucke befindlichen Werke über die *Bromeliaceen*.

Herr Friedrich Brauer trägt über die *Acanthaclisis occitanica* vor. (Siehe Abhandlungen.)

Von eingegangenen Notizen und Manuscripten trägt Herr G. Frauenfeld Folgendes vor:

Herr Gustav R. v. Haimhoffen hat eine sehr genaue vollständige Beobachtung eines von ihm aufgefundenen Auswuchses an *Alyssum incanum* L., dessen Erzeuger er gezogen, dem Vereine übergeben, welche ich die Ehre hatte, in seinem Namen in der Monatsversammlung des August d. J. vorzulegen.

Den Erzeuger, so wie einen daraus entwickelten Parasiten war er so freundlich, später für die Typensammlung des Vereins zu übergeben.

Der gründliche Hymenopterolog Herr Dr. Giraud war so gütig, deren Bestimmung zu übernehmen und hat dieselben, und zwar den Käfer als *Ceutorhynchus sulcicollis* Gyll. und den *Braconiden* als *Taphaeus conformis* Wsm. bezeichnet mir mit folgender Notiz zurückgestellt:

La découverte des moeurs des Taphoeus est un fait nouveau pour la science Entomologique; jusqu'à présent on ne savait rien, à ma connaissance, sur ce petit genre du groupe des *Braconides polymorphes*.

Wesmael, à qui nous devons la création du Genre, décrit cinq espèces nouvelles.

Ratzebourg fait mention d'une de ces espèces, mais sans pouvoir rien dire de positif sur sa manière de vivre.

Auszug aus einem Briefe des jubilirten Statthalterei-Rathes Herrn W. Tkany an Herrn J. Ortmann mit Notizen aus der Flora des Brünner Bezirkes:

Ich nenne Ihnen nachstehend einige hier neu aufgefundene Pflanzen und neue Standorte.

Gagea bohemica Zausch nahe bei Brünn auf den Pulverthürmen.

Ceratocephalus orthoceras DC. heuer sehr häufig am Spielberg.

Atropa (Nicandra) physaloides Jacq. an einem Damme beim Rossitzer Bahnhofe, wahrscheinlich nur verwildert.

Leersia oryzoides Sw. am Karthäuser Teich, ohne Zweifel bisher übersehen.

Nymphaea semiaperta Klgsgr. In einem kleinen Teich beim Struzer Strassenwirthshause, zwei Stunden von Brünn.

Cirsium hybridum Kch. und *C. tataricum* All. hinter Karthaus auf feuchten Wiesen in Gesellschaft von *C. palustre* Scp., *C. oleraceum* All. und *C. canum* M. B.

Lactuca saligna L. vor Julienfeld an einem Wegrain häufig.

Polycnemum verrucosum Lng. ober Karthaus häufig auf einem sterilen sandigen Acker.

Amaranthus sylvestris Duf. am Franzensberge.

Trigonella foenum graecum L. Ein Exemplar in den schwarzen Feldern.

Sisymbrium austriacum Jcq. in den Glaciswiesen.

Eine besondere interessante Ausbeute gewährte eine Excursion in die Gegend von Chirlitz, Othmarau, Mönitz und Mauchnitz; denn es fand sich: *Bupleurum tenuissimum* L. in Menge, *Melilotus dentata* W. K., *Crypsis aculeata* Ait., *Cr. alopecuroides* Schrd., *Taraxacum palustre* DC., *Senebiera coronopus* Poir., *Althaea officinalis* L, *Plantago maritima* L. alles vermischt auf einer Hutweide, ferner *Aster pannonicus* Jcq., *Kochia prostrata* Schrd., *Chaiturus marrubiastrum* Ehrh., *Chrysocoma Linosyris* L. und *Artemisia pontica* L. auf einer überschwemmt gewesenen Stelle in Unzahl.

Plantago carinata Schr.? wurde auf dem Pulverthurme gefunden, es sind daselbst drei Exemplare, die ich, da die Pflanze perennirend ist, sorgfältig bewache.

Xanthium spinosum L. ist nun bei uns in Brünn auf allen Vorstädten an Mist- und Kehrichthaufen verbreitet.

Ferner folgende drei Aufsätze: „Drei neue Schmetterlinge aus der Fauna des österreichischen Kaiserstaates“ beschrieben von J. Lederer und J. Mann; „Beitrag zur Phanerogamenflora der nächsten Umgebung Cilli's« von A. Tomaschek; und »Beiträge zur Kenntniss der Karpathenflora« von Fr. Hazslinszky. (Siehe alle drei in den Abhandlungen).

Herr Dr. I. Schiner gibt in Bezug auf die Beiträge zur Flora des V. U. M. B. von Herrn Kalbrunner nachträglich folgende Bemerkungen:

Angeregt durch die interessanten Mittheilungen unseres geehrten Collegen Herrn Kalbrunner über die Flora eines Theiles des V. U. M. B., der meines Wissens vor ihm noch von keinem Botaniker nach Gebühr gewürdiget worden ist, erlaube ich mir einige, den östlichen Abhang des Manhartsberges betreffende Daten, die ich in früheren Jahren gesammelt habe, in so weit sie sich auf dessen Flora beziehen, hier mitzutheilen. Wo noch beinahe gar Nichts geschehen ist, mögen auch die dürftigsten Fragmente einiges Interesse bieten.

Der Manhartsberg, den ich von Maissau bis zur Thaya hin genauer kenne, bildet eine natürliche „Vegetationsgränze" des Weinstockes, die so scharf gezogen ist, dass unmittelbar über dem Berge, nicht eine Spur von Weincultur mehr zu treffen ist, während an seiner östlichen Abdachung allenthalben Weinbau getrieben wird. Der Versuch, welcher in meinem Geburtsorte Fronsburg gemacht wurde, um reife Trauben zu erhalten, ist nur in seltenen Jahren, wie z. B. im Jahre 1834 gelungen, und doch liegt dieser Ort kaum eine Wegstunde von den Retzer Weinpflanzungen entfernt, die wie bekannt vortreffliche Landweine geben.

Die „Hinterwäldler" über dem Berge nennen das reizende Weinland drüben nur ganz einfach das „Land". Von der Schneide des Manhartsberges aus übersieht man beide in ihren landschaftlichen Character so verschiedenartige Gebiete. Gegen Osten hin ein mit reichen Dörfern und Märkten besetztes üppiges Weinland, gegen Westen zu hügeliges, monotones Kornland, von finsteren Kieferbeständen begränzt oder unterbrochen, nur hier und da einen prunklosen Kirchthurm oder wenige bescheidene Strohdächer den Blicken darbietend.

Der Manhartsberg erhebt sich nirgends zu bedeutender Höhe und ist hier und da durch enge tiefe Thäler derart durchbrochen, dass mehrere ober denselben entspringende Bäche den Hauptstock desselben durchschneiden und ihm auf diese Art den Character einer gleichzeitigen „Wassergränze" ganz und gar benehmen. So entspringt der von Herrn Kalbrunner erwähnte Pulkaubach drei Stunden über dem Manhartsberge in der Nähe Pernegg's und ganz nahe bei den Quellen des Mödringbaches, der zum Flussgebiete des Kamps gehöret.

Der Maigenbach und der nach seiner Vereinigung mit diesem nicht unbedeutende Schmiedabach durchschneiden gleichfalls den Hauptstock des Manhartsberges; ersterer zwischen dem Feldberg und Königsberg in der Nähe Roggendorfs; letzterer zwischen dem Stoizen- und Kugelberg in der Nähe der alten Stadt Eggenburg.

Der oberste meistens ziemlich breite Kamm des Berges, längs welchem sich die Gränze der beiden Kreise Ober- und Unter- dem Manhartsberge fortziehet, ist in dem bezeichneten Gebiete grösstentheils kahles Haideland, aus welchen hier und da lose Felsenklötze hervorragen. Zuweilen reichen die den Westabhang bedeckenden Kieferwälder auch bis zu demselben hinauf und stellenweise in unregelmässigen Aussprüngen noch am Ostabhange desselben hinab. *Calluna vulgaris* unterbricht hier das magere Grasland, bis zu welchen, aus den letzten westlichen Aeckern, hier und da *Spergula arvensis* und vorzüglich *Filago arvensis* vordringen, welches Letztere den Sandboden oft ganz und gar bedeckt und ihm von Ferne gesehen einen graubläulichen eigenthümlichen Anstrich verleihet. *Rapistrum perenne* leuchtet hier und da aus den Kornsaaten hervor, welche am Kamme des Berges so schütter gedeihen, dass man die einzelnen Halme leicht zählen könnte.

Jasione montana und *Armeria vulgaris* treten hier gleichfalls auf. Letztere beobachtete ich übrigens nur in dem nördlich vom Pulkaubache und bis zur Thaya hin gelegenen Gebiete. In den am Ostabhange gelegenen Aeckern ist mir *Asperula arvensis* und *Bupleurum rotundifolium*, und auf den sandigen Wegen *Lepigonum rubrum* aufgefallen. Die ersten Weinpflanzungen oberhalb Retz sind allenthalben mit Hecken von *Cydonia vulgaris* begränzt. Die landesübliche ausnehmend sorgfältige Pflege der Weingärten vereitelt fast jede Flora spontanea derselben. Characteristische Pflanzen sind daher nur an den steilen Terassen, die in das Flachland hinabsteigen oder an den breiten Schutzrainen, wohin auch das mit jedem Regengusse sich erneuernde Gerölle geschafft wird, anzutreffen. Ich bezeichne als solche *Aristolochia Clematitis*, *Dictam usalbus*, *Bryonia alba*, und stellenweise, wie z. B. bei Lendagger *Rosa gallica* und *Vicia Sepium*. Erwähnenswerth scheint es mir, dass *Ervum monanthos* L. und *Lathyrus sativus* L. in der Nähe Pulkaus und Eggenburgs auf hochgelegenen Sandfeldern kultivirt werden und dass ich im Jahre 1851 in der Nähe Zogelsdorfs ein wohlbestelltes Feld mit Krapp (*Rubia tinctorum* L.) antraf, der in früheren Zeiten in der Ebene um Schrattenthal und Retz nicht selten gebaut wurde. Die reichste Vegetation ist in den oben erwähnten Thälern anzutreffen. An den steilen Abhängen des vom Pulkaubach durchzogenen Thales fand ich *Genista pilosa*, *Astragalus austriacus*, *Dianthus prolifer*, *Euphrasia lutea*, *Sedum reflexum*, *Hieracium praealtum* mit den Formen *flagellare* und *congestum*, *Hypochaeris radicata*, *Allium sphaerocephalum*, *Gnaphalium dioicum* und *Ribes grossularia*. Letztere Pflanze schwerlich verwildert, da sie in der Nähe nirgends in grösserer Menge cultivirt wird. Für den Thalboden bezeichne ich *Vinca minor*, das in schattigen Haselgebüschen sehr gemein ist und *Asplenium septentrionale* in den Felsenritzen als dort gar nicht selten vorkommende Pflanzen.

An einem Bächlein fast am Kamme des Berges in der Nähe Eggenburgs fand ich *Stellaria uliginosa*. Von *Orchideen* kann ich das Vorkommen von *Cypripedium Calceolus*, das in den westlichen und östlichen Schichten des Berges stellenweise getroffen wird und *Orchis latifolia*, die ich bei Leodagger auf einer feuchten Wiese fand, bestätigen. In der Nähe von Retz traf ich (im Jahre 1851) ein weites Feld mit *Sinapis alba* bepflanzt. An den Weingarträndern wächst allenthalben *Diplotaxis muraria* und an Schuttstellen *Sysimbrium Loeselii*. Zwischen Retz und Znaim fiel mir insbesondere *Dianthus deltoides* auf, der in dichten Rasen ganze Flächen junger steilgelegener Waldbestände bedeckt. *Diotis ceratoides* W. die interessanteste Pflanze des Gebietes, welche nach Host's Zeugnisse bei Retz vorkommen soll, suchte ich vergebens.

Wem das Fragmentarische meines Fragmentes noch insbesondere auffällt, dem erlaube ich mir beizufügen, dass ich nur jene Pflanzen anführen wollte, die ich gegenwärtig noch in meinem Herbarium aufbewahre, und dass ich aus Besorgniss Unrichtiges zu bringen, es strenge vermied, auch die vielen andern zu nennen, die ich nur erinnerungsweise als hierher gehörig kenne.

Abhandlungen.

Band V.

1855.

Beschreibung zweier neuer Höhlenthiere,

eines Käfers und einer Schnecke,

von

Ferdinand Schmidt.

Adelops Milleri.

A. elongatus, angustatus, fusco-ferrugineus, pilis luteolis obtectus, pedibus antennisque elongatis, his fere longitudine corporis, elytris transversim rugosis, punctatisque. Long. 1¼ *lin*

Diese Art ist in mehrfacher Beziehung ausgezeichnet, sie weicht in ihrer länglichen, schmälern, an gewisse *Catops*-Arten *(angustatus, agilis)* erinnernden Form, und in der Länge der Fühler und hintern Füsse von den übrigen *Adelops* ab. Der ganze Körper ist mit gelben abstehenden Härchen bekleidet. Die Fühler sind sehr lang, fast von der Länge des Körpers. Das Halsschild ist etwas breiter als lang, hinten in weitem Bogen ausgerandet, an den Seiten bis zur Mitte gleichbreit, dann gegen die Spitze gerundet-verschmälert, die Vorderwinkel herabgebogen, vorspringend, die Hinterwinkel spitz. Die Flügeldecken sind sanft gewölbt, bis zur Mitte sehr schwach gerundet-erweitert, die Spitzen einzeln abgerundet, grob querrunzlich und ziemlich dicht punctirt. Die Füsse, besonders die hinteren, sind bedeutend verlängert.

Ich habe diese neue Art in der Pasiza-Grotte und in jener im Mokrizberge in Krain aufgefunden.

Helix Hauffeni.

H. Testa perspective umbilicata, depressa, lutescente-alba, eleganter costulata, apertura sinuosula perobliqua, peristomate acute subreflexo albo sublabiato. R. a¼‴, *L.* 1½—1¼‴, *anfractibus* 5.

Gehäuse perspectiv genabelt, gedrückt, von Farbe gelblich weiss, niedlich gerippt. Die Mündung etwas gebuchtet schief, der Rand scharf, kaum zurück gebogen, nur sehr schwach weiss gelippt.

Das Thier ist weiss, beinahe durchsichtig, und hat gleich den übrigen Landschnecken vier Fühler, nur konnte ich auf den langen Fühlern trotz aller Mühe, die ich mir bei der Beobachtung dieses höchst interessanten Thierchens an Ort und Stelle in den Grotten selbst, und auch zu Hause gegeben habe, keine Augenpunkte entdecken. Ich muss daher annehmen, dass es, sammt allen Höhlen-*Carychien*, gleich den Insecten, die sich als echte Höhlenbewohner erweisen, augenlos sei.

Das erste einzelne Exemplar wurde von dem Herrn Skubic, Gymnasialschüler, schon vor zwei Jahren in der Grotte von Duplice in Unterkrain gefunden; verflossenes Jahr fand der unermüdliche Herr Hauffen mehrere, leider leblose Exemplare in meiner Gegenwart bei dem Besuche der Grotte Jelince, unweit St. Katharina, zwei Stunden von Laibach entfernt, und suchte von diesem Augenblick an rastlos alle Grotten durch, bis es ihm und Herrn Math. Erjavetz endlich gelang, in der Grotte Mal bukuje unweit Dobrova lebende Exemplare dieser Schnecke zu finden, die den Namen des eifrigen Entdeckers tragen mag.

Inzwischen wurde diese Schnecke von Letzterem und dessen Bruder Franz Erjavetz auch noch in der Grotte von Obergurk, Podpac, so wie von mir in der Grotte am Krimberg gefunden.

Neue Dipteren

der

österreichischen Fauna.

Vom

Med. Dr. **Johann Egger.**

Stichopogon Frauenfeldi n. sp. *).

Untergesicht weiss, Knebelbart glänzend schneeweiss, Fühler schwarz, weisslich bestäubt, die zwei ersten Glieder spärlich mit weisslichen Härchen besetzt, Stirne graulich, mit zarter weisslicher Behaarung; die Haare des Kinns weiss, Hinterkopf weisslich bestäubt.

Die Oberseite des Thorax graulich bestäubt, mit Ausnahme zweier Flecken vor und ober der Flügelwurzel, welche viel lichter weiss sind. In der Mitte desselben zwei dunkler graue, nebeneinander liegende deutliche Striemen. An der Innenseite der Schulterecken etwas nach rück- und abwärts gerichtet liegt ein schön hellbrauner unregelmässiger Flecken, der Schulterstrieme der Gattung *Asilus* entsprechend; Brustseiten weissgrau bestäubt; Schildchen weiss bereift.

Die Grundfarbe des Hinterleibes ist sammtschwarz. Jeder Ring hat einen schmalen weisslichen, häutigen Hinterrands-Saum und ist silberweiss bestäubt; diese Bestäubung nimmt den ersten Ring bis auf einen länglichen Mittelfleck ganz ein; vom zweiten bis einschliessig sechsten Ring bildet sie am Hinterrande eine schmale ununterbrochene Binde, füllt die Hinterecken aus, zieht sich von da an den Seitenrand in die Vorderecken und bildet am Vorderrande ebenfalls eine schmale, aber durch die Grundfarbe in der Mitte unterbrochene Querbinde. Am siebenten Ringe lässt die Bestäubung nur in der Mitte ein keilförmiges schwarzes Fleckchen frei. Der achte Ring ganz weiss bestäubt. Die Genitalien ziemlich gross, abwärts gebogen, rostroth.

Beim Weibchen nimmt die weisse Bestäubung vom zweiten bis siebenten Ringe einen viel grösseren Raum ein, so dass von der schwarzen Grundfarbe weit weniger übrig bleibt, wodurch dasselbe vorherrschend weiss erscheint und scheinbar ein vom Männchen abweichendes Aussehen erhält.

---

*) Die hier folgenden drei Raubfliegen sind in Dr. Schiner's Aufzählung der Asiliden im IV. Bande dieser Verhandlungen anmerkungsweise schon angeführt.

Die Füsse sind schwärzlich. Das erste Hüftglied grauweiss, das zweite rothbraun ohne Bereifung. Schenkel schwärzlich, dicht weisslich bereift, die hintern an der Wurzel gelblich; Schienen gleichfalls gelblich an ihrer Spitze geschwärzt, was an den hinteren etwas höher hinaufreicht, schwach bereift, so dass die Grundfarbe sehr durchscheint. Erstes Tarsenglied gelb, die übrigen ebenso, doch an ihrer Basis geschwärzt.

Bauch grauweiss, nur bei abgeriebenen Exemplaren schwarz. Die Flügel sind wasserklar, an ihrer Spitze etwas getrübt. Grösse ♂ 1⅓‴, ♀ 2—2⅓‴.

Er sieht dem *Stichop. scaliger* Zell. und *tener* Löw. ziemlich ähnlich. Von ersterem unterscheidet er sich durch seine mindere Grösse und durch die schwarzen Fühler. Von *Stichop. tener*, dessen zweites Fühlerglied an der Basis gelb ist, ebenfalls durch die ganz schwarzen Fühler. Von beiden hauptsächlich durch die ganz verschiedene Zeichnung des Hinterleibes. Ausser diesen Abweichungen bieten noch die Beine des *Stichop. tener* mehrere Unterschiede, da dessen beide Hüftglieder und die Schenkel ganz schwarz sind

Herr Georg Frauenfeld, Custos-Adjunct am zoologischen Museum, den ich mit Stolz zu meinen Freunden zähle, fing die ersten Exemplare den 15. August 1854 auf dem Pflaster des Versicherungs-Dammes des Donau-Kanales im Prater. Ich glaubte seinen nie erlöschenden Eifer für die dipterologische Wissenschaft keinen schönern Dank und seinen ausgezeichneten Kenntnissen darin keine bessere Anerkennung von meiner Seite geben zu können, als dass ich die von ihm so glücklich aufgefundene schöne Raubfliege mit seinem Namen beehrte.

Machtherus Schineri n. sp.

Untergesicht schmal, weiss, Untergesichtshöcker verschwindend klein; der sehr sparsame Knebelbart ist weiss, sehr selten oben ein, zwei schwarze Haare, Kinn und Backenbart weiss, Stirne weiss behaart. Borstenkranz im Nacken schwarz, Fühler dessgleichen, das zweite Glied rostgelb, das erste grauweiss bestäubt mit weisslichen Haaren besetzt. Das dritte sammt der Geisel tiefschwarz. Die dunkle Mittelstrieme des Thorax deutlich, vorne etwas breiter. Seitenstriemen vollkommen; Schulterstriemen weniger deutlich; Behaarung des Thorax kurz, sparsam, schwärzlich; die wenigen Borsten auf dessen Hinterhälfte schwarz; das Schildchen grau bereift, kurz weisshaarig mit vier schwarzen Borsten. Hinterleib schwarz mit weissen Hinterrandssäumen der Ringe, die auch auf die glänzendschwarze graulich behaarte Bauchseite übergehen.

Die männlichen Genitalien gross, glänzend schwarz. Hinter der zahnartigen Oberecke jedes Haltzangen-Armes befindet sich ein kleiner Ausschnitt, darauf folgt ein lamellenartiges breites, dünnes Zähnchen, das in der Regel braunroth ist. Hinter diesem ein grösserer Ausschnitt, so dass die Unterecke etwas vorgezogen erscheint. An der Aussenseite jedes Armes ist ein grubenförmiger Eindruck.

Die unteren Lamellen aufwärts gekrümmt, etwas zugespitzt, mit rostgelber Spitze. Die Behaarung ziemlich lang und fahlgelb. Die Beine rothgelb. Das erste Hüftglied grau bereift, das zweite glänzend schwarz ohne Bestäubung; Schenkel und Schienen ohne aller Spur einer dunklern Färbung hellrothgelb. Das erste Tarsenglied an der Wurzel, die übrigen ganz schwarz. Die gewöhnlichen Stachelborsten sind sparsam und schwarz, nur an der Hinter- und Aussenseite der Schienen beider ersten Fusspaare einzelne ausnehmend lange fahlgelbe Borstenhaare. Grösse 5—6‴.

Er sieht unläugbar dem *Asilus pallipes (Mochtherus pallipes* M.) Mg. gleich, mit dem er zuversichtlich bisher zusammengeworfen wurde, unterscheidet sich jedoch durch das zweite gelbe Fühlerglied mit gleichzeitig ganz rein rothgelben Beinen ohne Spur einer dunklern Zeichnung an Schenkel und Schienen und durch die vier Borsten am Hinterrand des Schildchens, im Ganzen durch die hellgraue Bestäubung und etwas schlankere Form wesentlich.

Herr Frauenfeld fing ihn auf den Kalkbergen bei Mödling, und brachte ihn aus Dalmatien. Herr Mann ebenfalls von da, so wie aus Krain und Kärnthen. Alle diese Exemplare stimmen vollkommen überein, und bleiben sich in allen angegebenen Unterschieden gleich. Als Zeichen meiner Achtung dem Herrn Dr. Schiner gewidmet.

Lophonotus tridens n. sp.

Eine in jedem Geschlechte leicht kennbare Art. Untergesicht grau mit grossem weit hinaufreichendem Untergesichtshöcker. Der Knebelbart ist schwarz, unten am Mundrande weiss, und lässt kaum den fünften Theil des Untergesichtes frei Die Fühler sind schwarz, das erste Glied unterseits mit ausgezeichnet langen, schwarzen Borsten. Stirne schwarzhaarig, Scheitel schwarzborstig. Hinterkopf schmutzig fahlgelb behaart. Borstenkranz von derselben Farbe mit einzelnen schwarzen Borsten untermengt. Thorax sehr stark gewölbt, kapuzenartig gegen den Kopf vorgezogen. Mittelstrieme des Thorax schwarz, durch eine graue Linie deutlich getrennt, die Seitenstriemen vollständig und kaum minder dunkel. Die Behaarung des Thorax ist lang, schwarz, nur hinten weisslich, die langen schwarzen Borsten reichen bis ganz vorne hin, und sind hier fast am längsten. Schildchen dunkelgrau, mit langen fahlgelben Borstenhaaren. Hinterleib grau, bei veränderter Beleuchtung mit schwärzlichen Flecken. Die dünne Behaarung des Hinterleibes ist oben und unten zottig lang. Genitalien des Männchens; sind schwarz. Haltzange beinahe gerade, Oberecke in einen Zahn vorgezogen, darauf folgt ein kleiner Ausschnitt und hinter diesem ein zweiter Zahn; darnach ein weiterer tieferer Ausschnitt, und die Unterecke ist ebenfalls in einen langen Zahn vorgezogen. Diese drei Zähne greifen bei geschlossener Zange wie gekreuzte Finger in einander. Die untern Lamellen sind schwarz, am Hinterrande schief abgeschnitten, und an der Unterecke mit einem feinen Dörnchen versehen, welches in der Regel braunroth ist.

Legeröhre des Weibchens ist gross, breit, glänzend schwarz, das zweite Oberstück um Ein Drittel länger als das erste, was bis jetzt bei keiner beschriebenen *Lophonotus*-Art der Fall ist. Der untere Theil der Legeröhre an der Basis aufgeblasen, glänzend schwarz, vorne zusammengedrückt und abgerundet, beiderseits punctirt.

Die Behaarung der Genitalien ist bei beiden Geschlechtern fahlgelb, ziemlich lang; nur beim Weibchen stehen obenauf, einige kurze schwarze Härchen.

Beine durchgehends schwarz mit fahlgelber Behaarung, mit ausgezeichnet vielen fahlgelben Borsten, nur an der Vorderseite der ersten Schienenpaare steht eine Reihe kurzer schwarzer Borsten. Flügel an der Spitze und längs den Adern grau getrübt. Grösse 7—8'''.

Er wurde von mir im verflossenen Sommer häufig in der Brigittenau bei Wien in Gesellschaft des *Lophonotus spiniger* und *Machimus rusticus* gefangen. Er steht dem *Lophonotus praemorsus* Lw. am nächsten, unterscheidet sich aber nach dessen Beschreibung durch die drei Zähne am Hinterrande der Haltzange, so wie das Weibchen durch das um Ein Drittel längere zweite Oberstück der Legeröhre gegen das erste, wodurch die beiden Geschlechter dieser Art allsogleich erkannt werden können.

Onesia fulviceps n. sp. *).

Glänzend goldgrün, Stirnstrieme, Fühler, Untergesicht und Taster rothgelb, Beine schwarz, Flügel graulich mit gelber Wurzel.

Viridi-aurea, nitens; vitta frontalis, antennae, epistoma et palpi rufi; pedes nigri, alae cinereo-hyalinae, basi flavescentes.

Kopf niedergedrückt, Stirne sehr geneigt, lang, nicht hervortretend, beim Weibchen sehr breit, beim Männchen die Augen zusammenstossend. Die rothgelbe Stirnstrieme wird bei dem Weibchen gegen den Scheitel hin dunkler und liegen zu beiden Seiten derselben vom Stirnrande bis zum Scheitel zwei breite matt silberweisse Gürtel, die mit grössern und kleinern erhöhten schwarzgrün glänzenden Puncten besetzt sind, von denen jede eine mässig lange schwarze Borste trägt. Beim Männchen ist dieser schmale Raum etwas glänzender weiss, die Puncte kleiner und geringer. Am Hinterrande des Kopfes stehen bei dem Weibchen jederseits zwei längere dicke Borsten, welche bei dem Männchen nicht so ausgezeichnet sind. Die Fühler etwas kürzer als das Untergesicht, ganz rothgelb; drittes Glied dreimal

---

*) Die bei dem Vortrage im Original vorgezeigte Fliege ward nach Besichtigung von dem anwesenden Herrn Dr. Schiner sowohl für eine andere Gattung, nämlich *Idia*, als wahrscheinlich identisch mit *Idia cyanescens* Löw. (Entom. Ztg. 1844.) angesprochen. Der Autor bemerkt nach fernerer Prüfung jener Berufung Dr. Schiner's, dass die obige Fliege wohl in diese im Sinne Löw's umgränzte Gattung, und zwar Sect. II. C. zu stellen sei, was er nachträglich hier anzufügen ersucht. Ob dieselbe mit *cyanescens* zusammenfalle, mag der weitere Vergleich entscheiden.

Anmerkung der Redaction.

langer als das zweite, die Borste lang, zweigliederig, am Grunde rothgelb, und von da bis etwas über das erste Drittel mit kurzen, gleichlangen Härchen gefiedert, an der Spitze nackt. Untergesicht stark verlängert, in der Mitte ein wenig ausgehöhlt, rothgelb, auf jeder Wange ein dunklerer querer Streifen, zu beiden Seiten des obern Mundrandes einige Knebelborsten, von denen sich eine Einfassung mit schwarzen kurzen Borsten an die Seitenränder der Mundöffnung herabzieht. Taster gross, gerade, spatelförmig, gelb, mit schwarzen Härchen, Rückenschild vorne etwas weisslich schimmernd und wie der Hinterleib glänzend goldgrün, mit bläulichem Schimmer, Schildchen rein goldengelbgrün, mit kurzen schwarzen Borsten besetzt, zwischen denen sich am Rückenschild, wo sie reihenweise stehen, und am Rand des Schildchens grössere stärkere befinden. Hüften metallisch dunkelgrün, die Beine übrigens ganz matt schwarz mit schwarzen Dornen, Flügel graulich mit gelber Wurzel, rothbraunen Adern und einem schwachen Randdorn. Die Mittelzelle vor der Flügelspitze offen, die Spitzenquerader hinter dem Knie beinahe gerade, Schüppchen und Schwinger weisslich, Grösse: 4‴. Vaterland: Dalmatien.

Ein Weibchen fand sich in der von Herrn Botteri dem Vereine zugemittelten Dipterensammlung. Ein Männchen fing Herr Frauenfeld auf seiner dalmatinischen Reise in Stagno, in der üppig bewachsenen Niederung der Saline auf Dolden.

Diese Fliege sieht der *Lucilia fulvifacies* Mcq. Dipt. 30, 13 et Buff. II. 257. 26 ziemlich ähnlich. *Luc. fulvifacies* hat aber eine bis zur Spitze langgefiederte Fühlerborste, das Untergesicht nur an den Seiten roth, und die Spitzenquerader nicht gerade, sondern stark geschwungen.

Meigen hat in seiner systematischen Beschreibung der europäischen Zweiflügler, 7. Band, die Gattung *Onesia* Mcq., ich glaube mit Unrecht, zur Gattung *Lucilia* Mg. gezogen.

Beobachtungen über die Wandelbarkeit des Flügelgeäders einiger Dipteren und folgeweise Unanwendbarkeit desselben bei Bestimmung einiger Gattungen und Arten.

Von Med. Dr. *Johann Egger.*

Es ist bekannt, dass Meigen die Beschaffenheit der Mittelzelle, ob sie nämlich offen oder geschlossen ist, bei den *Tachinarien* als gutes Gattungs-, und bei den *Muscinen* als ein gutes Art-Merkmal nahm. Wer die Gattungs-Merkmale von *Macquartia* M. und *Panzeria* M. liest, und Thiere dieser Gattungen neben einander hält, wird finden, dass sie sich gegenseitig nicht sehr ausschliessen, bis auf die offene und geschlossene Mittelzelle.

Panzeria unterscheidet sich von *Macquartia* hauptsächlich durch die geschlossene Mittelzelle. Ich bin in der Lage gewesen, eine grosse Anzahl von *Panzeria lateralis* Fab., die ich theils selbst in den verschiedensten

Orten gefangen, theils aus den entferntesten Provinzen zugesendet, und theils aus Raupen gezogen erhielt, zu untersuchen, und habe gefunden, dass die Mittelzelle bei sich sonst auf ein Haar gleichenden Thieren sich höchst verschieden verhält. Bei vielen Exemplaren ist die Mittelzelle bald mehr, bald weniger weit offen, bei anderen ist sie geschlossen, und bei wieder anderen ist sie mehr oder weniger gestielt.

Wer nun streng an eine geschlossene, oder wie Meigen bei *Panzeria* sagt, an eine sehr kurzstielige Mittelzelle hält, der sieht sich genöthigt, die Thiere mit offener, ja oft mit weit offener Mittelzelle zur Gattung *Macquartia* zu stellen; wo sie, so weit mein Wissen reicht, eine neue Art bilden würden und müssten.

Um der Meinung zu begegnen, dass ein Leichtnehmen der andern Gattungsmerkmale es veranlasst haben könnte, dass die durch ihre Mittelzelle abweichenden Thiere doch entschieden einer andern Gattung angehören könnten, muss ich erwähnen, dass die meisten dieser abweichenden Thiere nicht nur untereinander gefangen wurden, sondern dass ich auch sechs Stück aus einer Raupe gezogen von unserm ehemaligen Vereinssekretär Herrn J. v. Hornig erhielt, von denen drei eine geschlossene, zwei eine weit offene, und eine eine enggeschlossene Mittelzelle haben Ja ich besitze ein Exemplar, bei dem auf dem einen Flügel eine offene, auf dem andern eine geschlossene Mittelzelle sich findet.

Um nun nicht genöthigt zu sein, gleiche Thiere wegen Unbeständigkeit des Flügelgeäders in andere Gattungen zu ziehen, habe ich in meiner Sammlung die abweichenden Thiere mit offener Mittelzelle als Varietät der *Panzeria lateralis* Fab. und zwar als *Panzeria laterialis* Fab. var. *aperta* gestellt. Wer sehr engherzig zu Werke gehen, und nur die mit sehr kurz gestielter Mittelzelle versehenen als genuine Spezies ansehen wollte, könnte auch noch eine Varietät mit langgestielter Mittelzelle annehmen.

In einer sehr zu berücksichtigenden Verbindung mit diesem abweichenden Baue der Mittelzelle von *Panzeria lateralis* Fab. Var. *aperta* scheint mir *Tachina argyreata* Meg. zu stehen

Meigen sagt IV. Band, Seite 316, Nr. 133 vom Männchen: „Es gleicht der *Tachina lateralis*, und kann leicht damit verwechselt werden", am Schlusse der Beschreibung, in der ich nichts wesentlich Verschiedenes von *Tachina lateralis* und besonders der Varietät mit offener Mittelzelle herauslese, sagt er: „Ich weiss nicht bestimmt, ob die Augen nackt sind oder haarig."

In seiner Anordnung der *Tachinarien* im 7. Bande stellt er diese *argyreata* Meg. zwar unter seine enger begränzte Gattung *Tachina*, er scheint sich also bis dorthin überzeugt zu haben, dass das Thier nackte Augen besitze.

Wenn ich aber nun recht bedenke, wie leicht es möglich ist, dass bei der ohnediess sehr weitschichtigen Behaarung von *Panzeria lateralis* durch Verfliegen diese verloren geht, und Jemand, der nicht viel Exemplare zur Beurtheilung besitzt, verleitet werden kann, sie für unbehaart zu halten, so scheint mir meine Vermuthung, ob dieses Thier nicht doch eins sei, mit

Panzeria lateralis Fab. Var. *aperta* nicht so ganz ungegründet, und jedenfalls berücksichtigungswerth.

Rechnet man nun noch dazu, dass diese *Tachina argyreata* Meg. durch Megerle aus der Wiener Gegend, wo meine *Panzeria lateralis* var. *aperta* in Menge vorkommt, stammt, so erscheint ein Anhaltspunct zu dieser Vermuthung mehr.

Emsiges Forschen und die Zeit werden darüber Aufschluss geben.

Eine ähnliche Abweichung im Baue der Mittelzelle, wie bei *Panzeria lateralis* Fab. findet sich auch bei *Tachina vertiginosa* Fall. Es gibt Exemplare mit offener, und solche mit geschlossener Mittelzelle.

Wer seine *Tachinarien* nach Meigen anordnet, der wird seine *Tachina vertiginosa* darnach in verschiedene Meigen'sche Gattungen einordnen, je nachdem ihm der Zufall Exemplare mit offener oder geschlossener Mittelzelle in die Hand spielte.

Diess ist auch wirklich schon geschehen. Professor Zetterstedt stellt in seinen Dipt. Scandinav. 3. Band, p. 1003, wo er seine beschriebenen *Tachinarien* in die Meigen'schen Gattungen einordnet, die *Tachina vertiginosa* Fall unter die Gattung *Baumhaueria* M., er muss also Exemplare mit geschlossener Mittelzelle gehabt haben.

In Dr. Med. Friedrich Rossi's systematischem Verzeichniss der zweiflügeligen Insecten des Erzherzogthums Oesterreich, pag. 53, steht *Tachina vertiginosa* unter *Frontina* Dr. Rossi hat also nur Exemplare mit offener Mittelzelle besessen

Wer nun also beide besitzt und streng zu Werke gehen will, der wird die einen unter *Frontina*, die anderen unter *Baumhaueria* stecken müssen.

Wohin sie Meigen selbst gestellt hat, ist unbekannt, indem er *Tachina vertiginosa* Fall. im 4. Bande seiner europäischen zweiflügeligen Insecten wohl beschreibt, sie aber im 7. Bande unter seinen enger begränzten und besonders auf das Flügelgeäder basirten Gattungen nicht aufführt.

Ich habe auch hier zu den oben angegebenen Aushilfsmitteln gegriffen, um nicht einer Unbeständigkeit des Flügelgeäders halber ein Thier in zwei Gattungen zu trennen, habe ich die *Tachina vertiginosa* Fall., so wie Zetterstedt zu *Baumhaueria* gestellt, und die Exemplare mit offener Mittelzelle als Varietät behandelt, nämlich *B. vertiginosa* Fall. Var. *aperta*.

Dass auch hier nichts als die Wandelbarkeit des Flügelgeäders zu Grunde liegt, scheint mir am klarsten zu beweisen, dass ich auch von *Baumhaueria vertiginosa* Fall. Exemplare besitze, deren Mittelzelle auf dem einen Flügel offen, auf dem andern geschlossen ist.

Bei den *Muscinen* habe ich die Wandelbarkeit des Offen- und Geschlossenseins der Mittelzelle vorzüglich bei *Pollenia rudis* Fabr. beobachtet.

Wenn man im ersten Frühlinge, wo diese Fliege bei uns in Unzahl vorkommt, eine ziemliche Anzahl derselben an einem engbegränzten Standorte, z. B. einem Baumstrunk, einfängt, so kann man sie sehr leicht in Thiere von drei verschiedenen Grössen sondern.

Die grössten haben eine weit geöffnete Mittelzelle, und sind offenbar die nicht zu verkennende *Pollenia rudis* Fab.

Die mittlern, jedoch viel kleinern haben bei sonst vollkommener Uebereinstimmung eine sehr eng geöffnete Mittelzelle.

Die kleinsten, gut um die Hälfte kleiner als die beschriebene *Pollenia rudis* Fab haben eine vollständig geschlossene Mittelzelle.

Bei denen von mittlerer Grösse kommen gar nicht selten Exemplare vor, die auf einem Flügel eine geschlossene, auf dem andern eine offene Mittelzelle haben.

Gleich hinter *Pollenia rudis* Fab. (*Musca rudis* Fab.) beschreibt Meigen in dem 4. Bande seiner europ. zweiflügeligen Insecten, eine *Musca varia (Pollenia varia)*, diese Fliege um die Hälfte kleiner, als *Pollenia rudis* sieht ihr aber, wie er selbst sagt, ganz ähnlich und unterscheidet sich nur durch die geschlossene Mittelzelle.

Es ist sich bei diesem Sachverhalt sicher nicht zu wundern, wenn ich auf den Gedanken kam, die *Musca varia* Meig. (*Pollenia varia*) sei am Ende doch nichts Anderes als eine kleine *Musca rudis* Fab. mit geschlossener Mittelzelle.

Dieselbe Vermuthung hegte ich in Bezug auf die *Pollenia intermedia* Macq.; die an der Wurzel rothgelben Fühler und die kaum geschlossene Mittelzelle liessen mich eine Beziehung zur mittleren Grösse der *Pollenia rudis* Fab. erblicken.

Indessen besitze ich weder von der einen, noch von der andern Art ein Originalexemplar, kann daher das Zusammengehören derselben in dieser Art nicht nachweisen. Es handelt sich aber auch hier nicht um diesen Beweis, denn angenommen, sie sind einerlei, in dem Sinne der von mir vorausgesetzten Determinirung, so finde ich in dem gänzlichen Mangel anderer Kriterien den Grund, dass die Beschaffenheit der Mittelzelle zur Unterscheidung der Art nicht genüge; sollte sich jedoch ergeben, dass die von den obigen Schriftstellern unterschiedenen Arten wirklich nicht zusammen gehören, das heisst also, deren Verschiedenheit noch auf anderen Gründen und Merkmalen beruht, so tritt doch für die von mir ausgesprochene Ansicht keine Aenderung ein, da bei den von mir angeführten kleinern Exemplaren, die ich von *Pollenia rudis* Fab. sonst durchaus nicht unterscheiden kann, sowohl eine kaum geschlossene, wie eine wirklich geschlossene Mittelzelle faktisch vorkommt.

Immer ist es vor der Hand gut, die durch ihre Grösse und Mittelzelle abweichenden Exemplare als Varietäten aufzuführen, und so habe ich die Thiere mittlerer Grösse als *Pollenia rudis* Var. *semiaperta* (deren Mittelzelle nur halb so weit geöffnet ist, als bei der gemeinen *Pollenia rudis* Fab.) und die kleinsten mit vollständig geschlossener Mittelzelle *Pollenia rudis* Fab. Var. *occlusa* bezeichnet.

Beitrag

zur

Insectengeschichte.

Von

Georg Frauenfeld.

(Aus der dalmatinischen Reise.)

Da ich seit frühester Zeit meiner Beobachtungen in der Thierwelt, der Metamorphose, namentlich wo sie mit Missbildungen in der Pflanzenwelt verbunden erschien, die grösste Aufmerksamheit geschenkt hatte, so war es wohl natürlich, dass ich bei meinem Aufenthalte in Dalmatien mein Augenmerk auch besonders darauf richtete, so wenig auch auf einer unstäten Reise, wo den einzelnen Orten stets nur wenige Tage der Anwesenheit gewidmet werden konnten, ein günstiges Resultat erwartet werden durfte.

Wer sich mit diesem Zweig der Naturgeschichte beschäftiget hat, weiss, dass die Abhangigkeit der Entwicklung bis zu einem gewissen Zeitpuncte durchaus von der ungestörten Vegetation des Pflanzenindividuums bedingt ist, an welchem sich die mit der Pflanzeng. schichte der betreffenden Insecten engverbundene Pflanzendeformität befindet; dass es daher immer ein glücklicher Zufall genannt werden muss, auf einer solchen Wanderung mehrere Gegenstände der Art in dem Stadium anzutreffen, wo diese Abhängigkeit beendigt erscheint. Wenn wir hierbei noch beachten, dass für ausgebildete Pflanzenauswüchse, die mit der Wachsthumsperiode der Unterlage, auf welcher sie wuchern, meist gleichen Schritt halten, natürlich die frühere Jahreshälfte die weniger ergiebige ist, so darf ich es gewiss besonders günstig nennen, wenn ich bei den meisten meiner hierher gehörigen Entdeckungen mich eines abgeschlossenen Ergebnisses erfreute.

Da dieselben, wie begreiflich, jedoch nur aphoristisch sein können, keineswegs auch so reichlich waren, dass eine schematische Gliederung thunlich erschien, so führe ich dieselben einfach in der Reihenfolge an, wie sie mir zu Gesichte kamen, wobei ich auch anderes der Lebensgeschichte Angehörige, von mir Beobachtete, mit einschliesse.

Schon in Triest, wo ich unfreiwillig mehrere Tage verweilen musste, die ich meist am Meeresstrande zubrachte, hatte ich die sonderbare Ueberraschung, beim Ablösen ganzer Gruppen unter dem Wasserspiegel an Steinen sitzender *Mytilus minimus* Poli kleine hellgelbliche *Tipularien* rasch entfliehen zu sehen. Es machte ziemlich viele Mühe, dieselben zu haschen, und ich musste, wenn ich kleine Partien dieser Muschel mit dem Messer losgetrennt hatte, beim Herausheben aus dem Wasser schnell das bereit gehaltene Glasröhrchen über die Thierchen stülpen, dass sie nicht entwischten. Die Grundlage der oft ziemlich ausgebreiteten Gruppen jener kleinen Miesmuschel bildet bis zu ein paar Linien Dicke ein filzig durchzogener Schlammpolster, in dem eine reichliche Menge von Borstenwürmern haust. Bis zur Tiefe einer Spanne unter dem Wasser, so weit ich nämlich darnach suchte, findet sich mitten darinnen dieses Thierchen ganz munter und beweglich. Obwohl ich bemüht war, nach deren allfälligen Larven zu suchen, so blieb mein Forschen darnach doch fruchtlos, ob wegen Nichtvorhandensein, oder zu geringer Genauigkeit für diesen minutiösen Gegenstand, weiss ich nicht zu sagen. (Anmerkung 1.)

Gleichfalls beinahe mitten in diesem fremdartigen Elemente fand ich eine zweite Fliege aus dieser Familie, die sich im Bereiche der hochaufspritzenden Wasser der brandenden Wogen an den aus dem Meere ragenden Felsen in grosser Zahl fand. Es ist auffallend, dass gerade die zarten *Tipularien* in solchen Sprühwässern, wie man sie auch bei Wasserfällen trifft, sich gerne aufhalten, während die viel derberen kurzhörnigen, wasserliebenden Fliegen die zahmen Fluten der Teiche und Flüsse aufsuchen, und den spritzenden Gischt vermeiden. (Anmerkung 2.)

Nach meiner Ankunft in Zara hatte ich nichts Eiligeres zu thun, als mich landeinwärts gegen die Höhe von Bocagnazzo zu begeben, um mir die auf der ganzen Fahrt durch den Kanal vorübergezogene öde, graue Steinwüste in der Nähe zu betrachten. Es ist ein eigener beklemmender Eindruck, keine Spur von jenem weichen warmen Grün unserer Matten und Wälder hier zu finden. Die kümmerlichen Anfänge von Alleen, mit alterndem Aussehen, aus *Morus*, *Broussonetia*, *Robinia* standen noch unbelaubt, so wie der hinter hohen breiten Steinwällen am Boden hingestreckte Rebstock noch zu wenig entwickelt war, um den rothen Boden, oder den weissgrauen Fels auch nur einigermassen zu decken.

Die meist aus *Paliurus australis* und *Pistacia Lentiscus* bestehenden Hecken zeigten einen düstern, bräunlichen Ton, der nur im Gegensatze zu dem noch traurigeren Grün des Oelbaumes sich einigermassen hob. Die

Weideplätze, weit entfernt mit zusammenhängender Pflanzendecke geschmückt zu sein, waren von einzelnen, niedern, armseligen Halmen sparsam bekleidet, unfähig diese Blösse zu decken. Selbst jenen Pflanzen, die in reichlicheren Polstern den Boden überziehen, fehlt das allerfrischende, belebende Grün. *Asphodelus ramosus*, obwohl eben im reichen Blüthenschmucke prangend, konnte diesen Mangel nicht vergessen machen, so wenig als ihn die kaum grün zu nennende *Euphorbia spinosa*, die blattlosen Stengel von *Genista junceum*, oder das weissfilzige *Gnaphalium angustifolium* zu ersetzen vermochten.

Dass mich alle diese Pflanzen, die ich zum erstenmale wildwachsend fand, lebhaft interessirten, ist wohl begreiflich, namentlich war diess bei der letzteren, dem schmalblätterigen Ruhrkraut der Fall, da ich bald einen Auswuchs, eine Zapfenrose darauf bemerkte, den ich augenblicks einem Insecte zuschrieb. Wie gross war meine Freude, als ich die meisten schon mit einem Puppentönnchen besetzt fand, das unstreitig einer Fliege angehörte, und aus dem ich, so fremdartig und unerwartet auch die Gallenform für *Trypeta* war, doch der Aehnlichkeit der Puppe sowohl, als der Bildung der Larve nach, eine Bohrfliege zu erhalten hoffte.

Da ich erst am Beginne der Reise war, so sandte ich sie wohlverpackt nach Wien, sie der gütigen Sorge des Herrn Directors Kollar, dessen besonderes Streben für Erforschung der Thiergeschichte längst bekannt und gewürdigt ist, anzuvertrauen, in Folge dessen ich auch wirklich nach meiner Rückkehr eine *Trypeta* in Mehrzahl entwickelt vorfand.

Nach Löw's vortrefflicher Monographie war ich wohl am ersten angewiesen, die in der Nähe der *Tr. stellata* stehende *Tr. Gnaphalii* Löw. vorzüglich ins Auge zu fassen, da der verwandte Wohnort dazu aufforderte. Allein die Abbildung zeigte sich in einigen Puncten so wesentlich verschieden, dass ich diese bis jetzt nur aus dem Norden bekannte Art, die auch auf einer ganz andern Art von *Gnaphalium* lebt, nicht mit ihr vereinen konnte. Uebrigens ist aus Löw's kurzer Angabe: „aus den Köpfen jener Pflanze“ nicht zu entscheiden, ob jene Art einen Auswuchs verursache, und ob er mit dem an *Gnaph. angustifolium* übereinstimme.

Dr. Egger bezog die entwickelte Fliege auf die in Tafel 50, Figur 10, Meigen's systemat. Beschreibung der europ. Zweiflügler abgebildete *Tr. terminata* Mg., die Löw in Germar's Zeitschrift V. pag. 410 noch apokryph nennt.

Obwohl ich nun allerdings gestehen muss, dass sie dieser Fliege jedenfalls am nächsten steht, so sind es doch einige Puncte, die mich diese Meinung nicht adoptiren liessen. Viel gewichtiger wird sie zwar noch dadurch, dass Löw selbst nach einem ihm zur Ansicht zugesandten Exemplar, das leider auf dem Transporte verunglückte, sie nach den Rudimenten ebenfalls für die typische *Trypeta terminata* Mg. erklärte. Trotz dem kann ich von meiner gegenstehenden Ansicht nicht abgehen, wobei der Sprung, den diese dalmatinische Fliege aus dem Süden bis nach dem Norden gemacht haben müsste, mir gewiss nicht ungünstig zur Seite steht. Eben so muss diese specifische Gallbildungs- und Nahrungsweise das unumgänglich nöthige Belege bilden, um die Identität beider festzustellen.

Fallen's wie Meigen's Beschreibung ist vollständig unbrauchbar zur Beweisführung sowohl dagegen wie dafür, es ist daher nur die Abbildung, die im Auge behalten werden kann. Bei der grossen Anzahl, die sich aus meinen Gallen entwickelten, ist auch nicht eine Fliege, welche weniger als zehn Strahlen von dem an der Spitzenhälfte des Flügels liegenden tiefschwarzen Flecke nach dem Flügelrande gehend, zeigte; d. h der in Meigen's Abbildung am Unterrande zu innerst liegende dicke Strahl ist stets getheilt, nie vereinigt, während die kleinern Glasfleckchen mehreren Veränderungen bis zum völligen Verschwinden unterworfen sind.

Ausser diesem findet sich in der hellen Wurzelhälfte des Flügels ohne Ausnahme eine deutliche ziemlich dunkle Querbinde in einzelne Flecke aufgelöst, wovon sich in der erwähnten Abbildung keine Spur findet.

Es wäre jedoch bemerkenswerth, dass Meigen gerade eine solche besondere Varietät, die sich bei mir unter einer ziemlichen Anzahl auch nicht annähernd zeigte, abgebildet hätte.

So viel in Betreff der von mir vorausgesetzten Verschiedenheit.

Angenommen aber auch, dass sich eine solche Uebereinstimmung ergebe, so hat Löw recht gut bemerkt, dass es tadelnswerth von Meigen war, einen irrigen synonymen Namen wieder zu verwenden, und sagt am angeführten Orte: „Wenn sich also die Artrechte der Meigen'schen *Trypeta terminata* bestätigen, so muss dieselbe, insofern kein älterer berechtigter Name für sie vorhanden ist, neu benannt werden.“ Ich habe sie daher in dankender Erinnerung der mir auf meiner Reise von dem Gouverneur jenes Landes so zuvorkommenden Aufnahme und Empfehlung: *Trypeta Mamulae* genannt. (Anmerkung 3.)

In Spalato fand ich *Scrophularia canina* mit denselben blasig aufgetriebenen deformirten Blüten, wie unsere Braunwurz sie nicht selten zeigt.

Die Untersuchung ergab, dass die Maden in denselben noch so klein waren, dass wohl kaum eine Hoffnung blieb, das Insect daraus zu ziehen. Wie sehr war ich nicht überrascht, als ich kaum acht Tage später in Ragusa dieselbe Missbildung, jedoch meist schon verlassen von der Fliege fand. Nur wenige entwickelten sich noch in den Schachteln, die ich auf der Reise mit mir führte, und lieferten eine *Cecidomyia*. Weit besonderer aber war es, dass ich tiefer unten sowohl südlicher als später in der Zeit in Castel nuovo diesen Auswuchs wieder theils mit Puppen, theils noch mit Maden wiederfand. Auch auf dem ganzen Rückwege in Macarsca, Sebenico, so wie in Zara begleitete er mich, und wie schon in meinem Reiseberichte bemerkt, immer nur auf dieser, und keiner andern Art der Gattung *Scrophularia*. (Anmerkung 4.)

Beim Herumklettern in Ragusa auf den rechts vom Castell hoch und steil in die See abstürzenden Felsenklippen, deren bewachsene Stellen von der prachtvollen *Phlomis fruticosa* L. reich überdeckt waren, fing ich an dieser Pflanze die *Trypeta femoralis* R. D unstreitig eine der schönsten Bohrfliegen Europas, so dass ich diesen weissfilzigen Strauch mit seinen grossen hochgelben gequirlten Rachenblüthen sicher für die Nährpflanze desselben hielt. Ich untersuchte sie, ob ich denn nirgends eine Deformität erblicken könne, aber keine Spur. Ich fing sonach an, mit dem Messer meine Untersuchung fortzusetzen, und bald war ich am Ziele. Ich fand nämlich am Grunde der nicht im mindesten in der Form veränderten oder angegriffenen Blüthen theils leere Puppenhülsen, theils noch unentwickelte Tönnchen und auch Maden von beingelber Farbe und der übereinstimmenden Trypetenform und zwar nur Eine in jeder Einzelblume.

Das Einzige, was noch auf ihre Anwesenheit allda aufmerksam machen konnte, war, dass die, solche Larven bergenden Corollen meist noch vor ihrer vollen Erschliessung zur Rachenblüthe braun und dürr wurden; allein keineswegs war ein sicherer Schluss daraus zu ziehen, denn ich fand vollkommen entwickelte Blumen von Larven bewohnt, so wie ungeöffnet abgestorbene, welche nichts enthielten. Nur wenn ein solcher Blüthenkopf fünf bis sechs derlei vertrocknete Blumen trug, waren zwei bis drei darunter, welche die Fliege beherbergten.

Die Zerstörung, die sie anrichtet, beschränkt sich blos auf die Samen, die ganz verzehrt, verschwunden sind.

Die Art und Weise, wie sich die samenfressenden *Trypeten* verhalten, ist noch nicht in ihrem vollen Umfange ermittelt. Ich kenne unsere Samenfresser nur aus Compositen, wo die in *Picris*, *Sonchus*, *Crepis*, *Aster* Lebenden meist sämmtliche Samen des Köpfchens zerstören, wobei die Larven frei in der, durch die zusammengeneigt bleibenden Schuppen des Aussenkelches gebildeten, durch schwarzen Mulm verunreinigten Höhle liegen; die in *Centaurea*, *Lappa*, *Tagetes*, meist kleinere Arten, nur einzelne Achenen bewohnen, deren mehr oder minder entartete Hülle sie schützend umgibt. Keine dieser vorstehenden bildet jedoch eine solche, den Fruchtboden ergreifende Deformität, wie sie wieder eine andere Abtheilung dieser Bohrfliegen an *Inula*, *Scorzonera* und all' den Distelarten erzeugt, bei denen die Samen selbst nur mittelbar und mehr oder weniger theilweise mit ergriffen werden.

Es ist daher, so viel ich weiss, diess die erste Rachenblume, die eine Bohrfliege bewohnt, und auch diess in einer von den andern abweichenden Weise. Wie nun diese so sehr verschiedenen Nahrungsverhältnisse im Zusammenhange mit den betreffenden Wohnthieren stehen, diess zu ermitteln wäre eine höchst lohnende Aufgabe, und für eine naturgemässe Gruppirung dieser allerdings noch aus heterogenen Elementen bestehenden Gattung von grosser Wichtigkeit.

Wie der Angriff auf die Samen hier geschieht, konnte ich nicht mehr ersehen, da sämmtliche Larven, die ich noch auffand, schon vollkommen erwachsen, und die vier Nüsschen überall ganz aufgezehrt waren. Die wässrig weissen Larven hatten ganz die Walzenform wie jene der *Tryp. cardui*, *stylata* etc., und standen aufrecht in der engen Blumenröhre; die Puppentönnchen waren schwarz und glänzend, bis 1½ Linien gross. Ich sandte eine Partie nach Wien, wo sie während mehrerer Wochen sich täglich entwickelten. (Anmerkung 5.)

Ein weiterer Auswuchs, den mir Ragusa lieferte, fand sich auf dem, die Berglehne gegen das Fort Imperialis zahlreich bekleidenden *Cytisus spinescens*, dessen Samenhülse in halber Entwicklung blasig aufgetrieben, gleich denen unserer Hauhechel, eine *Cecidomyia* enthielt. Diese fleischigen Anschwellungen kommen ausser an *Cytisus* noch an den Hülsen mehrerer *Papilionaceen*, wie *Dorycnium*, *Ononis*, *Spartium*, *Genista*, sämmtlich ziemlich nahe stehender Gattungen vor. Die merkwürdige Eigenthümlichkeit, wie man sie bei *Dorycnium* und *Ononis* ziemlich häufig findet, dass nämlich anstatt der Hülse die Zweigknospe selbst sich zu einem aufgedunsenen festschliessenden Schlauche umgestaltet, konnte ich hier nicht bemerken. Der grösste Theil, der nicht seltenen Missbildung war von seinem Erzeuger so wie dessen Schmarozern schon verlassen, und ich vermochte mit vielem Fleisse nur wenige aufzufinden, die mir die Fliege noch in Ragusa lieferten. (Anmerkung 6.)

Auf meiner Wanderung in der reizenden Bocche di Cattaro über Perzagno, Lastua, Cartolle nach Ponte rosa waren es abermal mehrere hierher gehörige Entdeckungen, wovon einige mich mit günstigen Resultaten erfreuten. Gleich auf der Höhe des ersten Bergrückens, den ich in der mit jenem wohlverwahrten Felsenthore schliessenden innersten Meeresbucht überschritt, fand ich die Reste abgestorbener vorjähriger Stengel von *Salvia officinalis*, welche noch die zu Auswüchsen entarteten festsitzenden Nüsschen, umgeben von wenigen Ueberbleibseln des zerfaserten Kelches trugen. Zu gleicher Zeit waren an den diessjährigen Trieben mit den theilweise schon weit aufgeblühten Aehren, der in dem Kelche eingeschlossene untere Theil der Blüthen nebst diesem sehr stark und fleischig aufgetrieben. Obwohl ich sie sämmtlich noch in so jungem Zustande fand, dass ich offenbar nicht erwarten konnte, sie zur Entwicklung zu bringen, so war ich doch einmal darauf aufmerksam, später bemüht, an dieser Pflanze auf meiner fernern Reise weiter besonders zu forschen. und fand auch wirklich in Sebenico denselben Auswuchs ganz ausgebildet, und sind gegenwärtig ausser einigen schon ausgeflogenen Schmarotzern, deren Erzeuger noch in vollkommen gutem Stande unverwandelt in ihren Kammern, so dass ich ihre Entwicklung noch erwarten darf.

Ich hatte Anfangs durch einige sehr interessante Uebergänge zwischen diesen beiden Missbildungen mich zu der Ansicht geneigt, dass sie beide denselben Erzeuger bergen, allein die spätere Untersuchung liess mich immer mehr diese Annahme bezweifeln.

Leider gaben mir die wenigen ersten bei Lastua gefundenen alten Gallen des vorhergegangenen Jahres keinen Erzeuger mehr, so dass, wenn sich auch die noch vorhandenen der später gefundenen Form nunmehr entwickeln, ich kein factisches Belege für ein oder die andere Vermuthung besitze, daher nur diese Bemerkung für eine spätere Nachforschung zur Bedachtnahme empfehlen kann.

Dass die Möglichkeit einer solchen Verschiedenheit der Gebilde von gleichen Mutterthieren vorhanden, kann ich gestützt auf mehrere Erfahrungen bestimmt aussprechen, so wie es leicht erklärlich ist, dass der erst nach weiter vorgeschrittener Entwicklung der Blüthe erfolgte Anstich, diese nicht mehr so allgemein zu ergreifen und zu deformiren vermag, und eben dadurch veränderte Erscheinungen bedingt. (Anmerkung 7.)

Die dichten Büsche der *Erica mediterranea* L. trugen, wie vielleicht alle unsere feinnadeligen Haidekräuter eine Zapfenrose, in grosser Anzahl, deren Entwicklung wohl nicht besonders vorgeschritten war, so dass ich erst nach meiner Rückkunft in einer ziemlichen Menge eingepackter und mitgenommener Zweige die wenigen Ueberreste einer *Cecidomyia* fand. Wie überhaupt die von Fliegen bewohnten Gallen weit schwieriger zu ziehen sind, als jene von Hymenoptern, so sind unter diesen wieder die, die Zapfenrosen bewohnenden *Tipularien* die empfindlichsten, und ist die Larve nicht vollständig ausgewachsen, so zieht das Vertrocknen dieser blätterigen Gebilde unausbleiblich deren Verderben nach sich. (Anm. 8.)

Das höchste Interesse gewährte mir jedoch ein Auswuchs, den ich äusserst häufig an den abgestorbenen Blüthenrispen eines Compositen fand, an dem die Fruchtböden bis zu Erbsengrösse angeschwollen mit *Trypeten*-Larven reichlich besetzt sich zeigten. Es war *Inula viscosa* L., das mir die Bewohner daselbst *Buscina* nannten, und mittheilten, dass das Kraut dieser Pflanze bei Verwundungen gebraucht werde.

Die Fliege, der, von mir seit einer langen Reihe von Jahren aus *Inula hybrida* und *ensifolia* gezogenen *Tr. Inulae* v. R. sehr nahe stehend, stimmte nach Abbildung und Beschreibung mit *Trypeta longirostris* Löw überein. Dennoch hegte ich noch gerechten Zweifel, da ein auffallendes ihr eigenthümliches Merkmal unter den wenigen, sonst schwerer zu unterscheidenden verwandten Arten, nämlich die mehr oder weniger ausgedehnte, aber stets bestimmt vorhandene rothe Färbung der Legeröhre von Löw gänzlich mit Stillschweigen übergangen war, allein sie waren dadurch aufgehoben, dass er sie selbst für identisch erklärte.

Die Form des Auswuchses weicht insofern von jenem unserer *Inula*-Arten ab, dass an diesem die bis ³/₄ Zoll im Durchmesser haltende Basis des Fruchtbodens, blos eine niedere kegelförmige Erhöhung bildet, während diese Anschwellung an der dalmatinischen Pflanze kuglich erscheint, und oben mit einigen oder einem ganzen Kranze von Hörnchen besetzt ist. (Anmerkung 9.)

In dem Paradiese der Bocché, dem üppigen, malerischen Berggelände zwischen und hinter Castel nuovo und Megline fesselte *Cistus monspeliensis* meine Aufmerksamkeit, an dessen längs der Zweigachse rythmisch entwickelten Blüthen eine ziemliche Anzahl zurückverblieb, die sich nicht geöffnet hatten, und an denen die grosslappigen Deckblätter wie an abgeblühten zusammengeklappt blieben, obwohl die Blumenblätter entweder gar nicht, oder in ihrer gewöhnlich eingerollten Knospenlage nur wenig vorgedrungen waren und missfärbig aussahen. Dabei erschienen sie etwas bauchig, so dass sie jenen abgeblühten täuschend glichen, in welchen die Fruchtbeere anzuschwellen begann, und nur der sehr geübte Blick vermochte sie als gar nicht aufgeblühte zu unterscheiden. Das leichteste Mittel sie aufzufinden war, den Strauch zu schütteln, da sie, als erkrankte Blüthen, nur lose festsassen, während die gesunden erst mit Gewalt weggebrochen werden mussten.

In der von den geschlossenen Blumenblättern gebildeten Höhle, ganz analog der bei unsern Apfelblüthen vorkommenden, lag eine kaum ³/₄‴ lange Larve von weisslicher Farbe, jenen in *Vicia, Trifolium*-Blüthen, in *Malva*, *Rumex*-Stengeln lebenden *Apionen* ähnlich. Die in Wien erfolgte Entwicklung lieferte den *Apion tubiferum* Dej., ein meines Wissens neuer Zuwachs für die österreichische Fauna, für mich um so erfreulicher, als diese Vermehrung nicht im blinden Herumtappen mit dem Hamen zufällig, sondern mit voller Ermittlung der Lebensgeschichte erfolgte. (Anmerk. 10.)

Dass der wohl nirgends noch sehr bepflügte Boden dieser Abtheilung der Naturgeschichte mir in so kurzer Zeit ein reiches Feld der Beobachtung darbot, geht aus Obigen genügend hervor. Noch ist es bei den vorhandenen armseligen Daten für keine einzige Art jener Pflanzengebilde möglich, auch nur annähernd etwas über deren Verbreitung oder andere vergleichende Schlüsse zu äussern, und auch ich konnte wohl, auf einer flüchtigen Reise von wenig Wochen, einen Gegenstand, der jahrelanges emsiges Forschen an Ort und Stelle bedingt, nur wenig fördern, dennoch will ich das Wenige mittheilen, was ich hierüber noch anzuführen vermag.

Die Bedeguare unserer Rose sowohl, wie deren an Blättern befindliche weiche fleischige Kugelgalle von tiefer Carminfarbe, oft mit Stachelspitzen verziert, fand ich in Dalmatien nicht selten.

Die schwammigen, vielkammerigen, ebenfalls oft röthlich bemalten Schlafäpfel der Eichen sammelte ich neben der gewöhnlichen von *Cyn. folii* L., der gemeinen, zur Dinte verwendeten, und der schönen Galle von *C. longiventris* H. in Val Breno bei Ragusa, erstere auch bei Zara. Auf *Hyssopus* Blatttaschen, wie sie *Stachys recta* bei uns zeigt, ober dem Fort Castel nuovo. Einen Wirrzopf von 4 bis 8 Zoll Länge, gleich denen an der babylonischen und mehreren andern unserer Weiden an *Laurus nobilis* bei Chotilje im Canal Stagno piccolo. Die von *Cecidomyien*-Larven besetzte Deformität der angeschwollen verdickten, kuglich geschlossenen Blüthen gleich unserer Clematisarten, an *Clematis viticella* L. bei Macarsca. Die kleinen knolligen Anschwellungen der Stengel und Triebspitzen aus der gleichen Abtheilung der Zweiflügler an *Cerastium*, *Galium*, *Asparagus officinalis*. Die von *Cecidomyien* verursachte Missbildung der Blüthen verschiedener Wollkräuter, vorzüglich an *Verbascum sinuatum* bei Zara. Ob diese mit dem Mutterthiere unserer Himmelbrandarten zusammenfällt, muss spätern Ermittlungen vorbehalten bleiben, da ich keinen Erzeuger erhielt. Den von mir in unsern Verhandlungen für *Laccometopus clavicornis* L. ermittelten Auswuchs auf *Teucrium chamaedrys* L. ganz mit demselben Gallenbildner bei Sebenico. Die von mir im H o s t'schen Garten im oberen Belvedere an *Pistacia* aufgefundene taschenartige Anschwellung der Blattränder, von *Aphiden* gesellig bewohnt, an der gleichen Pflanze bei den Castelli nächst Trau. Blatteinsackungen, wohl ebenfalls von Milben, hier an *Prunus* etc. so wie an einigen unserer *Labiaten* vorkommend, an *Salvia Sclarea* L. bei Spalato. Eine fleischige Auftreibung mitten im Blatte, wie sie von Blattwespen an unsern Weiden erzeugt wird, auf *Lycium* bei Macarsca. Eine kleine Zapfenrose, analog der unsers Wachholders, an *Juniperus phoenicea* in Val Breno, so wie am Primorie bei Macarsca.

Somit wären denn die wenigen Gallen, denen ich auf meiner Reise als Nebensache keine so ungetheilte Aufmerksamkeit zuwenden konnte, da ich vorzüglich die von mir am kais. Museum vertretene Abtheilung der Weichthiere zu berücksichtigen hatte, erschöpft. Ich will hier nur noch einer Minirfliege gedenken, deren Larven die grossen tiefgeschlitzten Blätter von *Delphinium Staphysagria* L. in vielfach verschlungenen Gängen durchzogen, und von denen 50 bis 60 in einem Blatte wohnten. Einige mitgenommene Blätter gaben mir während der Reise noch eine schwarze glänzende *Agromysa*. (Anmerkung 11.)

NB. Die für die Anmerkungen gesparten Beschreibungen, Benennungen und weiteren Details der betreffenden Insecten, die ich wegen meiner schnellen Abreise nicht mehr unter einem anzufügen vermag, behalte ich mir vor, nach meiner Rückkehr zu liefern.

Geschichte der Botanik

in

Nieder-Oesterreich.

Von

August Neilreich.

Die Autoren, welche eine allgemeine Geschichte der Botanik schreiben, beginnen mit dem Peripatetiker Theophrastos Eresios aus Lesbos (371—286 v. Chr.) und dem römischen Feldarzte Pedakios (Pedanios) Dioskorides aus Anazarbe in Cilicien (ungefähr 60 Jahre n. Chr.) oder auch noch früher. Sie schildern die so zu sagen despotische Herrschaft, welche das Werk des Letztern über die Arzneimittellehre (*περὶ ὕλης ἰατρικῆς*) durch mehr als 1500 Jahre auf das Studium der Botanik ausgeübt hat, so dass sich diese nie zur Höhe der Wissenschaft erheben konnte, sondern immer nur ein Nebenzweig der Arzneikunde blieb, bis es endlich den beiden Brüdern Johann und Kaspar Bauhin aus Basel zu Anfang des XVII. Jahrhunderts gelang, die mehr oder minder guten Leistungen ihrer Vorfahren zu sammeln und in ein geordnetes Ganzes zu vereinigen. Sie kommen endlich auf das classische Zeitalter von Linné und Jussieu, den Gründern des künstlichen und natürlichen Pflanzensystemes und die dadurch herbeigeführte völlige Umwälzung in allen Zweigen der Botanik. Aber alle diese Phasen früherer Zeiten berühren die Geschichte der Pflanzenkunde in Nieder-Oesterreich wenig oder gar nicht. Hier lassen sich nur drei Perioden unterscheiden, eine lange dunkle Vorzeit, dann die beiden Zeitalter, in welchen zuerst das künstliche, dann das natürliche System zur Herrschaft gelangten.

Drei Männer von hervorragendem Geiste durch ihr Wirken, durch ihre Werke unsterblich glänzen an der Spitze einer jeden dieser drei Perioden, gleichsam als belebendes Element, aus welchem die weiter wirkenden Kräfte hervorgingen: Clusius, Jacquin, Endlicher.

I. Die Vorzeit.

Diese Periode umfasst den eben so langen, als an botanischen Leistungen armen Zeitraum von dem Aufblühen der Wissenschaften in Nieder-Oesterreich überhaupt (im Jahre 1365, eigentlich 1384 wurde die Universität in Wien gestiftet) bis zu dem Zeitpuncte, wo das Linné'sche System in Nieder-Oesterreich Eingang fand. Wahrscheinlich waren auch hier Dioskorides Doctrinen massgebend, aber es fehlen hierüber nähere Berichte, und einheimische botanische Schriftsteller gab es damals nicht.

Der älteste bekannte Pflanzensammler in Nieder-Oesterreich war Dr. Michael Schrick, auch Puff genannt, von welchem man nichts weiter weiss, als dass er 1473, also unter der Regierung Kaiser Friedrich's III. starb (Denis *Buchdruck.-Gesch.* p. 547). Zwei der grössten Botaniker ihrer Zeit befanden sich ferner im XVI. Jahrhunderte als kaiserliche Leibärzte am Hofe der Beherrscher Oesterreichs zu Prag und Wien, Pet. Andreas Mattioli (geb. zu Siena 1500, gest. zu Trient 1577) unter Kaiser Ferdinand I. und Maximilian II. von 1555 bis 1565, dann Rembert Dodoens, gewöhnlich Dodonäus genannt (geboren zu Mecheln 1517, gestorben zu Leiden 1585) unter Maximilian II. und Rudolf II. von 1574 bis 1588, aber ihre Werke handeln nicht von den Vegetations-Verhältnissen Nieder-Oesterreichs. Gleichzeitig mit ihnen lebte zu Wien Paul Fabricius, Doctor der Medicin und Philosophie, k. Hofmathematicus und Professor, zugleich Dichter und Botaniker, der schon zwanzig Jahre vor Clusius in den Umgebungen Wiens Pflanzen sammelte und mit dem Senator Sebastian Magnus in Nürnberg in wissenschaftlichem Verkehre und Samenaustausche stand. Er schrieb *Catalogus stirpium circa Viennam crescentium*, *Viennae 1557 in 4.* nicht nur das älteste vaterländische Werk botanischen Inhalts, sondern auch eine der ältesten Localfloren überhaupt. Leider ist dieses Buch hier noch gar nicht aufgefunden worden, sondern nur aus dem Bücherverzeichnisse des k. k. Hofbibliotheks-Custos von Schwandner bekannt, so dass sich über dessen Werth gar nichts sagen lässt. (Denis *Buchdruck.-Geschichte*, p. 544, 547, 580.)

Unter diesen Umständen muss Clusius, unstreitig der grösste Naturforscher seiner Zeit und vielleicht aller Zeiten vor ihm, als der erste betrachtet werden, welcher Nieder-Oesterreich botanisch durchforscht und die Erfolge dieser Forschungen in seinen zwei berühmten Werken *Rariorum stirpium per Pannoniam et Austriam observatarum historia* und *Rariorum plantarum historia*, *Antwerpiae 1583* und *1601* der Nachwelt hinterlassen hat.

Charles de l'Ecluse, geboren den 19. Februar 1526. zu Arras, in der damals zu Spanien gehörigen Grafschaft Artois in Belgien, erhielt eine sehr sorgfältige Erziehung und studierte Anfangs Philosophie und die

Rechte in Löwen, Marburg und Wittenberg, in welcher letzteren Stadt er Melanchton kennen lernte und sich mit ihm innig befreundete. In einem Alter von vierundzwanzig Jahren kam er 1550 nach Montpellier, wo er im Hause des berühmten Arztes Wilhelm Rondelet von Liebe zur Naturkunde ergriffen, seine frühere Laufbahn verliess und sich mit einer seltenen Hingebung und Beharrlichkeit der Botanik widmete. Als Erstgebornen hätte ihm der Titel und der Besitz der väterlichen Seigneurie Watènes gebührt, er verzichtete aber auf beide und überliess die Herrschaft seinem Bruder. Die Umgebungen von Montpellier und Narbonne waren demnach der erste Schauplatz seiner botanischen Thätigkeit. Nachdem er an der Universität zu Montpellier das Licentiat (nicht Doctorat) der Medicin erlangt hatte, begab er sich 1555 durch die Schweiz und über Strassburg und Köln nach Antwerpen, und später 1560 nach Paris und 1563 nach Augsburg. Hier lernte er die beiden Brüder Fugger kennen und begleitete sie 1564—65 auf einer Reise durch Deutschland, Holland, Belgien, Frankreich, Spanien und Portugall, hatte aber das Unglück bei Gibraltar sich durch einen Sturz den rechten Arm und das Jahr darauf den rechten Fuss zu brechen. Von Spanien zurückgekehrt, verlebte er sieben Jahre abwechselnd in Brüssel, Löwen, Antwerpen und Mecheln, bis er 1571 nach England ging. Hier war es, wo ihn Kaiser Maximilian II. 1573 unter vortheilhaften Bedingungen nach Wien an seinen Hof berief, ihn zum k. Truchsesse*) ernannte und später in den Adelstand erhob. Clusius blieb auch unter Maximilian's Nachfolger Kaiser Rudolf II., im Ganzen vierzehn Jahre, in Wien (1573—1588). Während dieser Zeit mit den beiden Wiener Aerzten Dr. Paul Fabricius und Dr. Johann Aichholz innigst befreundet, mit den berühmtesten Naturforschern seiner Zeit, als: Rembert Dodoens k. Leibarzte, Joachim Camerarius erstem Stadtarzte in Nürnberg und seinem Schwestersohne Joachim Jungermann in Leipzig, Benedict Aretius Professor in Bern, Thomas Pennäus Arzte in London, Jakob Dalechamp Arzte in Leiden, Johann von Hooghelande in Leiden, Johann von Brancion und Johann Boisot in Brüssel, Mathias de L'Obel damals Arzte in Antwerpen, Jakob Plateau in Tournay, Johann Plaça Professor in Valencia, Johann Anton Cortusus Vorsteher des botanischen Gartens in Padua, Johann Pona Apotheker in Verona, Ulysses Aldrovandi Professor in Bologna, Alfons Pancius Hofarzte des Herzogs von Ferrara, Ferdinand Imperato Apotheker in Neapel, Honorius Bellus Arzte in Cydonia (Canea) auf Creta und Anderen in wissenschaftlichem Verkehre, von mehreren österreichischen Grossen und einflussreichen Männern, als den drei k. Botschaftern in Constantinopel Auger Ghislin de Bousbecq,

*) Clusius nennt sich selbst *Aulae familiaris*. Ungeachtet nun Truchsess auf lateinisch *Dapifer* heisst, so bedeutete *Aulae familiaris* wenigstens im österreichischen Curialstyle doch auch Truchsess, wie diess aus jedem Hof-Schematismus zu ersehen ist.

Karl Rym von Eckbecke, David Ungnad Freiherrn von Sonnegg und seiner Gemahlin, Paul Grafen von Trautsohn k. Hofmarschalle, Christian Karl Grafen von Heissenstein zu Starhemberg und Fischau und dessen Gemahlin, Balthasar Freiherrn von Batthyany Obertruchsesse von Ungarn, Ulrich Freiherrn von Königsberg, Hieronymus Beck Freiherrn von Leopoldsdorf, Damian Ritter von Goes, Wolfgang Christof v. Enzersdorf, Johann v. Vulcop französischem Gesandten in Wien, dem Geschichtschreiber Johann Sambucus freundlich unterstützt, durchwanderte er Nieder-Oesterreich, die norischen Alpen und Ungarn, so weit es nicht türkisch war, nach allen Richtungen, brach sich aber auf einem dieser Ausflüge in seinem fünfundfünfzigsten Jahre den linken Unterschenkel. Der Wechsel, Gans, Schneeberg, die Preiner Alpe, Schneealpe, Veitschalpe, der Oetscher und Dürrenstein, dann die Umgebungen von Wien, Hainburg, Pressburg, Stampfen, Enzersdorf im Thale, Himberg, Neustadt, Reichenau, Neuberg, Gaming, Lunz, Oedenburg und Güssing (Nemet-Ujvar) im Eisenburger Comitate werden in seinem Werke als vorzügliche Puncte seiner botanischen Forschungen bezeichnet. Nachdem er Geschäfte halber noch zweimal 1579 und 1581 in England war, und da ihm der Hof Kaiser Rudolf's II. nicht länger mehr behagte, verliess er 1588 Wien für immer und begab sich nach Frankfurt am Main, wo er von einem Jahrgehalte des Landgrafen Wilhelm von Hessen lebte, jedoch zum viertenmal so unglücklich war, sich die rechte Hüfte zu verrenken, so dass er von dieser Zeit an mit Krüken gehen musste. Noch in seinem 67. Jahre nahm er 1593 den Ruf als Professor nach Leiden an, wo er am 4. April 1609 sein für die Wissenschaft so erfolgreiches Leben in einem Alter von dreiundachtzig Jahren endete. Clusius war einer der gelehrtesten Männer seines Jahrhunderts, Naturforscher, Philolog (er sprach sieben Sprachen), Historiker und Geograph, sein Character eben so rein als edel. *Vir*, sagt Börhave. *quo candidiorem vix ipsa queat formare virtus. (Index altera horti lugdun. pag. 25.)* Ausser den vorerwähnten zwei Werken schrieb er *Rariorum stirpium per Hispaniam observatarum historia*, *Exoticorum libri X* und *Curae posteriores*, *Antwerpiae 1576*, *1605*, *1611*, dann einige Uebersetzungen verschiedenen Inhalts (J. J. Boissardus *Icones virorum illustrium*, *Francof. 1597 II. pag 21*, und E. Vorstii *Oratio funebris in obitum* Clusii *habita 7. Aprili 1609*, beide Abhandlungen in Clusii *Curae posteriores Append. p. 1—22*, dann C. Morren in der *Belgique Horticole III. 1853 p. V.—XIX.*)

Nach Vorstii *Oratio funebris p. 12* wäre Clusius mit der Leitung der kaiserlichen Gärten in Wien betraut gewesen, eine Angabe, die sich in allen späteren Lebensbeschreibungen desselben wieder findet, welche aber ganz sicher unrichtig ist, da Clusius in seiner *Historia plantarum* wohl sehr oft seines eigenen Gärtchens und des Gartens seines Freundes Dr. Aichholz und der in diesen Gärten angestellten Culturversuche erwähnt, niemals aber irgend etwas anführt, woraus sich schliessen liesse, dass ihm die kaiserlichen Gärten auch nur zur Verfügung gestanden wären. Ebenso unrichtig ist die Angabe Morren's, dass Clusius kaiserlicher Leibarzt gewesen sei, da er doch nie die Doctorswürde erlangt hatte.

Clusius hat eine grosse Menge neuer Arten entdeckt und beschrieben, deren Verzeichniss man in Sprengel's *Geschichte der Botanik*, I. p. 319—331 findet. Obschon er über Gattung und Art keinen streng geschiedenen Begriff hatte und obschon die Terminologie zu seiner Zeit noch höchst unvollkommen war, so sind die Beschreibungen der von ihm angeführten Arten doch so vortrefflich und die Angaben der Standorte so richtig, dass sich mit Hilfe der beigedruckten Abbildungen fast alle von ihm beschriebenen Pflanzen mit grosser Sicherheit erkennen lassen und dass man die meisten derselben noch jetzt an denselben Stellen findet, wo sie Clusius vor beinahe 300 Jahren zuerst entdeckte.

Clusius war für Oesterreich ein Phänomen im wahren Sinne des Wortes, das gleich einem Meteore nach seinem Schwinden die Finsterniss zurücklässt, welche es früher fand. Die traurigen Wirren und die beständigen Kriege, die mit Kaiser Rudolf II. begannen und erst unter Karl VI. endeten, waren nicht geeignet, eine erst aufkeimende Wissenschaft zu pflegen und so ist wohl erklärlich, dass von Clusius bis auf Van Swieten dem Restaurator der Naturwissenschaften in Oesterreich, durch einen Zeitraum von ungefähr 150 Jahren kein Werk mehr erschien, welches die Flora von Nieder-Oesterreich zum Gegenstand gehabt hätte, ja nicht einmal der Name eines einheimischen Pflanzensammlers bekannt geworden ist. Nur Dr. Joachim Burser, geboren zu Camenz in der sächsischen Lausitz, ein Schüler Kaspar Bauhin's, durchwanderte auf seinen vielen Reisen durch beinahe ganz Europa auch Nieder-Oesterreich, und zwar nicht lange nach Clusius, da seine gemachten botanischen Entdeckungen schon in C. Bauhin's *Prodromus* vom Jahre 1620 enthalten sind. Burser war in Wien, St. Pölten und Krems, er bestieg die Alpen Nieder-Oesterreichs und den Schneeberg, betrat auch der erste Botaniker das Waldviertel, wie dies aus obigem Werke Bauhin's p. 46 n. VII. zu entnehmen ist, denn er selbst schrieb hierüber nichts. Die Zahl der von ihm in Nieder-Oesterreich entdeckten Pflanzen ist indessen nur gering. (C. Bauhini *Prodr*: p. 49, 64, 83, 85, 93, 104, 119, 124, 127, 135—36, 146.)

Bei diesem Stande der Botanik konnten nur wenige wissenschaftliche Institute in Oesterreich tagen. **Botanische Gärten**, wie deren in Italien, Deutschland, Frankreich, Holland, England, Schweden und selbst zu Pressburg (seit 1664) bestanden, gab es hier nicht. Die zwei kaiserlichen Gärten in Wien (der eine in der Gegend von der Stallburg und dem Josefsplatze bis zur Schauflergasse, der andere auf der ehemaligen Burgbastei), das Lustschloss des Kaisers Maximilian II. bei Ebersdorf, das Neugebäude bei Simmering und selbst die Favorita Karl's VI. auf der Wieden (jetzt Theresianum) waren nur Lust- und Ziergärten, in denen mitunter auch ausländische, meistens von den österreichischen Gesandten in Constantinopel eingeschickte Bäume und Sträuche cultivirt wurden, in welchen man aber keine botanische Zwecke verfolgte. Dasselbe gilt von dem schon 1705 angelegten Garten des Fürsten Mannsfeld-Fondi (jetzt Schwarzenberg'schen Garten auf dem Rennwege) und von jenem des Prinzen Eugen von Savoyen (Belvedere). Der von Clusius stets mit vielem Lobe erwähnte Garten des Dr. Aichholz, in welchem er seine in den Umgebungen Wiens und auf den Alpen Nieder-Oesterreichs gefundenen Pflanzen cultivirte, so wie sein eigenes Gärtchen waren Privatanstalten, welche mit ihren Besitzern wieder verschwanden und von denen man nicht einmal weiss, wo sie standen. Nach einer Vermuthung J. Jacquin's dürfte der Aichholz'sche Garten auf dem terrassenförmigen Abhange des Schottenberges von der jetzigen Währingergasse gegen die Dreimohrengasse sich befunden haben (*Univ. Gart.* p. 10—11.)

Im Jahre 1665 gründeten die nied.-österr. Stände auf einem in der Rossau angekauften Grunde (jetzt Nr. 125—27 Lange Gasse) nicht nur einen Garten für Medicinalpflanzen, sondern auch eine Unterrichtsanstalt über die Kenntniss und die Cultur dieser Gewächse. Die Leitung der ganzen Anstalt wurde dem französischen Arzte Dr. Franz Billot aus Rheims, seit 1662 nied.-österr. Landschafts-Physicus, übergeben. Dr. Billot, welcher eigentlich gar kein Botaniker war, machte sehr pomphafte Versprechungen, scheint aber wenig gehalten zu haben und als er 1677 starb, ging das kaum begonnene Unternehmen, ohnehin nur ein Versuch zur Anlegung eines botanischen Gartens, wieder ein. Die Frage über die Errichtung eines botanischen Gartens in Wien wurde im Verlaufe dieser Periode nicht weiter mehr aufgenommen. (J. Jacquin *der Univ. Garten* 1825 p. 11—15.)

Das Alter der **Wiener-Universitäts-Bibliothek** reicht zwar bis in die ältesten Zeiten zurück und jedenfalls bestand sie schon im Jahre 1422, allein als Hilfsmittel zur Förderung der Botanik war sie erst in der folgenden Periode von ausgiebiger Wirkung. Gegenwärtig besitzt sie über 100.000 Bände. (*Oesterr. Encycl.* VI. p. 142.)

Auch die **k. k. Hofbibliothek** leitet ihren Ursprung schon aus den Zeiten Kaiser Maximilian's I. her und hatte die bekannten Schriftsteller Konrad Celtis und Johann Cuspinianus als erste Präfekten. Ihre jetzige Einrichtung erhielt sie jedoch erst 1726 unter Karl VI., zu welcher Zeit sie bereits über 100.000 (jetzt über 300.000) Bände besass. Ihre vorzüglichste botanische Merkwürdigkeit besteht in zwei handschriftlichen Exemplaren von Dioskorides Arzneimittel-Lehre in griechischer Sprache, die ältesten, welche es gibt. Das eine in Quarto aus dem fünften Jahrhunderte wurde von dem Augustiner Convente della Carbonaria in Neapel 1717 dem Kaiser Karl VI. zum Geschenke gemacht, das andere schönere in Folio aus dem VI. Jahrhunderte kam schon 1562 aus Constantinopel nach Wien, wo es Ghislain von Bousbecq aufgefunden und auf Rechnung des Kaisers Maximilian II. angekauft hatte (Mosel *Gesch. d. Hofbibl.* Wien 1835 p. 321—22.)

Das Licht der Wissenschaft, das Oesterreich unter Karl VI. zu erleuchten begann, warf auf die Botanik einen nur sehr matten Schein, aber die Zeit war nicht mehr ferne, wo Oesterreich plötzlich Naturforscher von europäischem Rufe aufzuweisen vermochte und mit den berühmtesten botanischen Anstalten des Auslandes ruhmvoll in die Schranken trat. Kaiser Karl's VI. grosse Tochter war es, welche diesen unerwarteten Aufschwung herbeiführte.

II. Zeitalter des Linné'schen Sexualsystems.

Unter der ruhmvollen Regierung der Kaiserin Maria Theresia, deren erhabene Regententugenden alle Zweige der Staatsverwaltung mit gleicher Sorgfalt umfassten, beginnt mit Van Swieten eine neue Aera für die Naturwissenschaften in Oesterreich. Gerhard Freiherr Van Swieten, geboren zu Leiden den 7. Mai 1700, Börhave's berühmtester Schüler, wurde 1745 von Maria Theresia als Professor der Medicin an die Wiener Universität berufen und bald darauf zum ersten Leibarzte, Director des gesammten Medicinalwesens in Oesterreich und Präfecten der k. Hof-Bibliothek ernannt. Seine hohe Stellung und den mächtigen Einfluss, den er bei der Kaiserin genoss, benützte er zur Hebung der Wissenschaften, besonders der Arznei- und Naturkunde und zur Verbreitung geistiger Aufklärung. Bestehende Gebrechen deckte er schonungslos auf, talentvolle Männer fanden bei ihm Unterstützung und Beförderung und viele wissenschaftliche Institute wurden von ihm neu ins Leben gerufen oder die bereits bestandenen zeitgemäss verbessert. Der Verlauf dieser Geschichte wird sein thätiges und erfolgreiches Wirken näher beleuchten. Er starb den 18. Juni 1772 zu Schönbrunn als geheimer Rath und Komthur des Stefansordens. (Kink Gesch. d. Univ. Wien. Wien 1854 I. p. 442—57, 501.)

Gleichzeitig mit ihm begann der grosse Schwede Karl von Linné ein neues auf das Geschlecht der Pflanzen gegründetes System (künstliches oder Sexualsystem) zu schaffen, die botanische Terminologie auf feste Grenzen zurückzuführen, den Begriff von Gattung und Art scharf zu sondern, die Arten durch Einführung von Trivialnamen, ein ebenso einfaches als naheliegendes und vor ihm doch von Niemanden geahntes Auskunftsmittel, auf eine sehr leichte und fassliche Weise zu bezeichnen, kurz eine vollständige Reformation des wissenschaftlichen Studiums der Botanik herbeizuführen. Seine Lehre fand in Nieder-Oesterreich eine unbegreiflich schnelle Aufnahme. Im Jahre 1753 erschien die erste Ausgabe von Linné's *Species plantarum* und schon drei Jahre darauf gab Wilhelm Heinrich Kramer aus Dresden *), Arzt zu Bruck an der Leitha, seinen *Elenchus*

*) Ich bedauere, dass es aller Nachforschungen ungeachtet nicht gelang, mir nähere biographische Notizen dieses für die Flora Nieder-Oesterreichs so verdienstvollen Mannes zu verschaffen.

vegetabilium, eine nach dem Linné'schen Systeme bearbeitete und in der Behandlung des Stoffes den *Species plantarum* nachgebildete Flora von Nieder-Oesterreich heraus, nicht nur das erste vaterländische Werk, welches den Grundsätzen Linné's in Nieder-Oesterreich Eingang und Geltung verschaffte, sondern auch die älteste noch immer werthvolle Specialflora dieses Landes. Als ein merkwürdiger Beweis, wie wenig Linné's geniale Erfindung der Trivialnamen damals noch Anklang fand, muss der Umstand hervorgehoben werden, dass Kramer, welcher doch ganz die Linné'sche Methode befolgte und die Diagnosen wörtlich aus den *Species plantarum* entnahm, die Trivialnamen als eine nach seiner Ansicht wahrscheinlich überflüssige Beigabe überall wegliess. Wenn man den damaligen Stand der Botanik in Nieder-Oesterreich und die ärmlichen Hilfsmittel erwägt, welche Kramer zu Gebote standen (S. *Elench.* p. 399), so muss man staunen, wie es ihm möglich war, in so kurzer Zeit eine Flora von Nieder-Oesterreich zu liefern, welche ungefähr zwei Drittel der jetzt bekannten Phanerogamen enthält, in der Bestimmung der Pflanzen mit höchst wenigen Ausnahmen richtig und in der Angabe der Fundorte sehr verlässlich ist. „*Est certo vir natus ad historiam naturalem*" Linné *Epist. ad Jacq.* p. 21.

So verdienstvoll aber auch Kramer's Wirken war, so wurde es gleichwohl von jenem seines grössern Nachfolgers frühzeitig in den Hintergrund gestellt und bald völlig verschlungen. Nikolaus Josef Freiherr von Jacquin, geboren zu Leiden den 16. Februar 1727, stammte ursprünglich aus einer französischen Familie. Er besu hte in seiner Jugend das Gymnasium zu Antwerpen und die hohen Schulen zu Löwen, Leiden und Paris, um sich den Studien der alten Klassiker und der Medicin zu widmen. In Leiden hörte er die Vorlesungen Van Royen's und des berühmten Muschenbroek's, in Paris jene von Anton Jussieu. Ein Zufall, nämlich der Anblick eines in voller Blüthe prangenden *Cactus speciosus* in Leiden, führte ihn endlich der Wissenschaft zu, welcher er die Kräfte seines Lebens zu weihen bestimmt war. Auf Van Swieten's Einladung kam er 1752 nach Wien und vollendete an der dortigen Universität seine medicinischen Studien, während er gleichzeitig in den Gewächshäusern des eben neu angelegten holländischen Gartens zu Schönbrunn Pflanzen untersuchte und sie nach Linné's System bestimmte. Hier in der Mitte seiner Schöpfungen lernte ihn Kaiser Franz I. kennen und übertrug ihm 1754 die Leitung einer wissenschaftlichen Reise nach Amerika zur Bereicherung des botanischen Gartens und der Menagerie in Schönbrunn. Am 1. Jänner 1755 schiffte sich Jacquin in Gesellschaft des Hofgärtners Richard van der Schot in Livorno ein, besuchte den Archipel von Westindien und die Terra firma von Carthagena (für die damalige Zeit ein grosses Unternehmen), und kehrte im Juli 1759 mit einer reichen Ausbeute Naturseltenheiten aller Art nach Wien zurück. Hier schrieb er 1760 die *Enumeratio plantarum in insulis Caribaeis*, sein erstes Werk, 1762 die *Enumeratio stirpium agri vindobonensis* und 1763 die berühmte *Selectarum stirpium americanarum historia.* Im Jahre 1763 als Bergrath und Professor der Chemie nach Schemnitz berufen, kehrte er schon 1768 nach Wien zurück und übernahm dort die Lehrkanzel der Botanik und Chemie, so wie die Leitung des kurz vorher angelegten Universitäts-Gartens. Von diesem Zeitpuncte an begann Jacquin's literarische Thätigkeit auf eine glänzende Weise sich zu entfalten und seinen Ruf durch ganz Europa zu verbreiten. Zwischen den Jahren 1764 bis 1811 erschienen von ihm die *Observationes botanicae* 1764—71, der *Hortus botanicus vindobonensis* 1770—76, die *Flora austriaca* 1773—78, ein Meisterwerk dem innern Gehalte und der äussern Ausstattung nach, die *Miscellanea et Collectanea* 1778—96, die *Icones plantarum rariorum* 1781—96, die Monographie *Oxalis* 1794, der *Hortus Schoenbrunnensis* 1797—1804, die *Stapelien* 1806, die *Fragmenta botanica* 1800—1809, die *Genitalia Asclepiadearum* 1811, sein letztes Werk, fast durchgehends Prachtwerke mit Tausenden von Abbildungen, zusammen 22 Bände in Folio und 8 Bände in Quarto, Leistungen, wie sie die neue Zeit in Oesterreich nicht mehr aufzuweisen vermag. Es war dies das goldene Zeitalter der Botanik im Geiste Linné's, durch Jacquin, Scopoli, Crantz, Wulfen, Mygind, Hänke, Hacquet und Andere verherrlicht. Leider besitzt Wien Jacquin's Herbarium nicht, da er es noch bei seinem Lebzeiten nach England verkauft hatte. Im Jahre 1796 überliess er die Lehrkanzel seinem Sohne und trat in den Ruhestand. In wissenschaftlichem Verkehre mit allen grossen Naturforschern seiner Zeit, Mitglied der meisten gelehrten Gesellschaften, in der glücklichen Lage die schöpferischen Produkte seines Geistes in herrlich ausgestatteten Werken der Nachwelt zu überliefern, von Maria Theresia 1774 geadelt, von Kaiser Franz 1806 mit dem Stefansorden geschmückt und in den Freiherrnstand erhoben, wohlhabend, bewundert von seinen Zeitgenossen, erlangte Jacquin alles, was nur immer den Ehrgeiz eines Gelehrten schmeicheln kann und starb nach einem glücklichen Leben zu Wien den 26. October 1817 in dem hohen Alter von neunzig Jahren. Er war Oesterreichs Linné. (Raimann *Gedächtnissrede am 9. Juni 1818* und Fitzinger in der *Oestr. Encycl.* III. p. 5.)

Grosse Männer wirken nicht nur durch die eigene Thatkraft, sondern sie bilden auch stets einen Kreis tüchtiger Schüler um sich, die das Werk des Meisters auf das kommende Geschlecht vererben. So war es auch bei Jacquin. Seine von Linné überkommene Schule lebte, obschon von dem vorgeschrittenen Geiste der Zeit längst überflügelt, noch ein ganzes Menschenalter fort und es bedurfte eines Endlicher, um der neuen Ansicht der Dinge Eingang zu verschaffen.

Josef Franz Freiherr von Jacquin, k. k. Regierungsrath, Professor der Botanik und Chemie in Wien, Ritter des Stefansordens, Sohn des vorigen, geboren zu Schemnitz den 7. Februar 1766, schrieb zwar nichts über die Vegetations-Verhältnisse von Nieder-Oesterreich, allein sein Haus war durch dreissig Jahre der Sammelplatz aller in- und ausländischer Gelehrten und Naturfreunde, so dass er als der Repräsentant aller Naturforscher Oesterreichs betrachtet wurde und fast alle Botaniker Wiens durch lange Zeit seine Schüler waren. Er starb zu Wien den 9. Dezember 1839. Seine zwei vorzüglichsten erst nach seinem Tode vollendeten Werke *Eclogae plantarum rariorum, Vindobonae 1811—44* und *Eclogae graminum rariorum, Vindobonae 1813—1844* handeln von ausländischen Gewächsen. (Fitzinger *Necrolog* in der Wien. Zeit. vom 23. Jänner 1840.)

Unter den Zeitgenossen und Mitarbeitern Jacquin's war Franz Xav. Freiherr von Wulfen, ein Mann von eben so tiefem Wissen als edlem Character, unstreitig der ausgezeichnetste. Geboren den 5. November 1728 in der damals österreichischen Stadt Belgrad in Serbien, wo sich sein Vater, der nachherige k. k. Feldmarschall-Lieutenant, Christian Friedrich Freiherr von Wulfen, als Adjutant des Generals Marulli eben aufhielt, widmete er sich schon in seiner Jugend dem geistlichen Stande und studirte zu Kaschau, Raab, Wien und Gratz. Im Jahre 1745 trat er als Noviz in das Jesuiten-Collegium zu Wien und legte 1763 die Gelübde ab. Nachdem er während dieser Zeit in Görz, am Theresianum in Wien und zu Laibach Grammatik, Philosophie und Physik gelehrt hatte, kam er 1764 nach Klagenfurt als Professor der Physik und Mathematik am dortigen Lyceum, wo er auch nach der 1773 erfolgten Aufhebung des Jesuitenordens als Weltpriester und Seelsorger bis an das Ende seines Lebens blieb, and als Gelehrter, Priester und Menschenfreund ein gleich rühmliches Andenken hinterliess. Sein glühender Wunsch, als Missionär nach einen fremden Erdtheil geschickt zu werden, wurde durch die Aufhebung des Jesuitenordens vereitelt. An Scharfsinn und Gelehrsamkeit gab er Jacquin nichts nach, (Frölich in Erlangen nannte ihn den Haller Kärntens) und wenn er weniger produktiv war als jener, so lag die Ursache darin, dass ihm in Klagenfurt nur sehr geringe Hilfsquellen zu Gebote standen und dass er sich nicht jener kräftigen Unterstützung der Staatsverwaltung zu erfreuen hatte, welche Jacquin in so hohem Grade zu Theil war. Wulfen's Wirken galt zwar vorzugsweise Kärnten, allein seine meisterhaften über die Flora dieses Landes in die *Miscellanea* und *Collectanea* Jacquin's (*Misc.* I. p. 147, II. p. 25, *Collect.* I. p. 186, II. p. 112, III. p. 3, IV. p. 227) unter der Aufschrift *Plantae rariores carinthiacae* eingerückten Abhandlungen betreffen grösstentheils Pflanzen, welche auf den Alpen Nieder-Oesterreichs ebenfalls vorkommen. Auch zu Jacquin's *Flora austriaca* lieferte Wulfen Beiträge, namentlich zu dem dem V. Bande beigegebenen Anhange über die in den angrenzenden Provinzen wachsenden Pflanzen. Später scheint er sich mit Jacquin entzweit zu haben; die *Collectanea* hörten auf und er trat mit J. J. Römer in Zürch in Verbindung, in dessen *Archiv für Botanik* auch seine letzten Abhandlungen *Cryptogamia aquatica* und *Plantae rariores* (III. 1803—5, p. 1—64, 311—426) abgedruckt sind. Sein Hauptwerk aber, dem er die Kräfte seines ganzen Lebens widmete, die *Flora norica*, hinterliess er nur im Manuskripte. Dieses, so wie sein Original-Herbarium befinden sich im Besitze des k. k. botanischen Hof-

Kabinets und die vom zoologisch-botanischen Vereine in Wien veranlasste Herausgabe der *Flora norica* ist eben im Zuge. Wulfen starb den 16. März 1805 in Klagenfurt, 77 Jahre alt. Er war auch Zoolog und Mineralog (Kunitsch *Biographie des Franz Xaver Freiherrn von Wulfen*. Wien 1810.)

Thaddäus Hänke, geboren zu Kreibitz in Böhmen den 5. Oktober 1761, studirte die Medicin in Prag und bereiste 1786—88 die Sudeten, Nieder- und Ober-Oesterreich, Steiermark, Kärnten, Tirol und einen Theil von Ungarn. Die sehr ergiebigen Resultate dieser botanischen Ausflüge beschrieb er in zwei gehaltvollen Aufsätzen in Jacq. *Collect*. II. p. 3—96 und in dem Werke *Beobachtungen auf einer Reise nach dem Riesengebirge* Dresden 1791 p. 31—159. Vom Könige von Spanien auf Jacquin's Empfehlung als Naturforscher zu einer wissenschaftlichen Reise um die Erde angestellt, verliess er erst 28 Jahre alt, 1789 Wien, um nie mehr wiederzukehren. Schon an der Küste Amerika's litt er Schiffbruch, durchzog den Süden dieses Erdtheiles von Buenos Ayres bis Valparaiso in Chili, schiffte sich dort wieder ein, drang längs den westlichen Gestaden Amerika's bis an das Eismeer vor, besuchte Mexico und Quito, bestieg den Chimborasso und schlug endlich 1795 in Cochabamba (damals in Peru) seinen Wohnsitz auf. In der Nähe dieser Stadt in Buxacaxey soll er 1817 gestorben sein. (*Oest. Encycl*. II. pag. 470, Presl *Reliquiae Hänkeanae* Praefat. p. 6—14.)

Von Jacquin hoch in Ehren gehalten waren der k. k. Commercien-Hofrath Franz von Mygind (S. *Fl. austr*. I Praefat. p. 4), dessen Andenken er die Gattung *Myginda* weihte (*Stirp. americ. hist*. p. 24), dann Graf Sigmund von Hohenwarth, damals Präfect am Theresianum, später Fürst-Erzbischof von Wien. Ebenso werden die Professoren Johann Jakob von Well und Sieghert Schiverek, die Doctoren der Medicin Valentin Brusati und Josef Lipp, der Piarist Boujard, Präfect und Professor am Theresianum, Andreas Zanutik und Andere als botanische Freunde in Jacquin's Werken öfter erwähnt.

Ebenfalls ein Zeitgenosse aber ein Gegner Jacquin's war Heinrich Johann Crantz, geboren 1722 zu Luxemburg, Doctor der Medicin, k. k. Regierungsrath und Professor der Physiologie und Materia medica an der Universität zu Wien, als Botaniker und Balneolog rühmlich bekannt. Nachdem er durch viele Jahre als Professor gewirkt und einen grossen Theil seines Vermögens für das Studium der Naturkunde verwendet hatte, wurde er 1778 pensionirt und 1781 in den Freiherrnstand erhoben. Er zog sich hierauf nach Steiermark zurück und brachte die letztere Zeit seines Lebens theils in Judenburg, theils auf seinem Eisenbergwerke bei Zeiring am Fuss der Rottenmaner Tauern zu, wo er auch 1799 starb. Seine *Stirpes austriacae* (Editio I. 1762—67, ed II. 1769) sind ein durch kritischen Geist, vortreffliche Beschreibungen, Aufstellung einiger neuer Arten und Angabe mehrerer Fundorte ausgezeichnetes Werk und seine Abhandlungen über die *Umbelli-*

feren und *Cruciformen* (1767 und 1769) enthalten viele scharfsinnige und richtige Verbesserungen: nur schade, dass die beständigen Ausfälle auf Linné und Jacquin (den er gewöhnlich nur den *Enumerator* nennt) verbunden mit einer gewissen aufgetragenen Bewunderung Haller's und die schon damals dämmernde Sucht, alten Arten neue Namen zu geben, seine Schriften verunzieren. Ausser den *Institutiones rei herbariae*, deren weiter unten erwähnt wird, schrieb er noch 1762 eine *Materia medica* und 1777 *Gesundbrunnen der österreichischen Monarchie*, das erste vaterländische Werk dieser Art.

Die gelehrten in verschiedenen Sprachen übersetzten Dissertationen des k. k. Hofrathes und Leibarztes Anton Freiherrn von Störk, (geboren 1731 zu Sulgau in Würtemberg, gestorben 1803 zu Wien) über die Anwendung mehrerer inländischer Giftpflanzen (*Cicuta*, *Colchicum*, *Datura*, *Hyoscyamus*, *Aconitum*, *Pulsatilla* 1760—61) als Heilmittel sind mehr medicinischen als botanischen Inhaltes.

Franz Josef Märter, Professor der Naturgeschichte an der Theresianischen Akademie und Leiter der naturgeschichtlichen Expedition, welche Kaiser Josef II. im Jahre 1783 nach Amerika schickte, wo er bis 1787 verweilte, lieferte 2 Abhandlungen über die österreichischen Bäume und Sträuche (1780—81) von jedoch nur untergeordneter Bedeutung.

Josef Jakob von Plenk, geboren zu Wien den 28. November 1738, Professor der Botanik an der medicinisch-chirurgischen Josefs-Akademie und Gründer des dortigen botanischen Gartens, gab in den Jahren 1788—1803 *Icones plantarum medicinalium* in 7 grossen kostspielig aufgelegten Foliobänden heraus, allein der Text ist ohne Werth und die Abbildungen sind meist Copien aus anderen Werken. Nach dem im Jahre 1807 erfolgten Tode des Verfassers erschien 1812 noch ein Supplementband von J. L. Kerndl.

Weit gehaltvoller, aber wenig benützt und selten vollständig zu finden, ist das Werk *Oesterreichs allgemeine Baumzucht* von Franz Schmidt (geboren zu Austerlitz 1751) früher Fürst Kaunitz'schen Gärtner in Mariahilf, später Professor der Naturgeschichte, Landwirthschaft und practischen Gartenkunde an der Theresianischen Akademie in Wien, mit schön ausgeführten naturgetreuen Abbildungen sowohl der in Oesterreich wild wachsenden als auch jener ausländischen Bäume und Sträuche, deren Anpflanzung empfehlenswerth ist. Die 3 ersten Bände kamen 1792—1800 heraus, worauf eine lange Stockung eintrat, denn die erste Hälfte des letzten und vierten Bandes erschien erst 1822, die zweite Hälfte im Jahre 1839 nach dem im Jahre 1834 erfolgten Tode des Verfassers und wurde von Trattinick besorgt, der auch den Text dazu verfasste.

Dem vorstehenden Werke im Plan der Anlage und in der äussern Ausstattung höchst ähnlich, sind die von einer Gesellschaft von Gartenfreunden 1792—1804 in 3 Bänden herausgegebenen und von F. J. Schultz gezeichneten *Abbildungen in- und ausländischer Bäume und Sträuche, welche in Oesterreich fortkommen*; ein seltenes niemals citirtes Werk, obschon die Abbildungen jenen Schmidt's wenig nachstehen und keine Copien sind.

Unter den Botanikern aus der Schule oder doch aus dem Zeitalter Jacquin's, welche aber erst nach dessen Culminationspuncte selbstständig auftraten, waren Host, Schultes und Trattinick bei weitem die vorzüglichsten. Ihre Geschichte ist die der Botanik in Nieder-Oesterreich durch 30 Jahre; ein Zeitraum, den die Ausartung des Linné'schen Systems bezeichnet und in welchem die Wissenschaft eher rückwärts schritt, bis sie durch Endlicher mit neuer Kraft sich emporhob.

Nikolaus Thomas Host, geboren zu Fiume den 6. Dezember 1761, k. k. Rath und Leibarzt des Kaisers Franz I., vollendete seine Studien an der Universität in Wien, wo er auch die Doctors-Würde erhielt. In seiner Jugend botanisirte er in Gesellschaft seines Freundes Josef von Jacquin fleissig in den Umgebungen Wiens, später bereiste er aber Oesterreich, Steiermark, Tirol, Illirien, das Littorale, Kroatien und Ungarn, und pflanzte die zahlreich mitgebrachten Vegetabilien in den Garten, den Kaiser Franz auf seinen Vorschlag im Jahre 1793 zur Gründung einer *Flora austriaca viva* nächst dem Belvedere hatte anlegen lassen. Vier Jahre darauf 1797 gab Host, gleichsam als Commentar zu diesem Garten, seine *Synopsis plantarum in Austria provinciisque adjacentibus sponte crescentium* heraus, ein mit grosser Genauigkeit und kritischem Geiste geschriebenes Handbuch, worin auch mehrere gute neue Arten aufgestellt sind. Bald darauf 1801—1809 folgte das Prachtwerk *Icones et descriptiones graminum austriacorum*, welches den Ruhm seines Verfassers für immerwährende Zeiten gesichert hat. Sind in diesem Werke auch mehrere neue Arten enthalten, welche sich als solche nicht bewährt haben, und entsprechen die Analysen auch nicht ganz den Anforderungen der jetzigen Zeit, so übertreffen doch die Abbildungen in der naturgetreuen Darstellung des Gesammteindruckes der Gräser alles, was in dieser Beziehung bisher geleistet wurde. „*Diese vortrefflichen Abbildungen*, bemerkt G. F. W. Meyer in der Flora von Hannover 1849 p. 665, *nicht wieder erreicht und in Wahrheit unübertrefflich, sind der Art, dass sie keine Zweideutigkeit zulassen.*" Weit weniger entsprach dagegen die 1827—1831 erschienene *Flora austriaca* den lange gehegten Erwartungen. Mit Recht warf man derselben nicht so sehr Mangel an Vollständigkeit vor (die damals noch gar nicht zu erreichen war), als vielmehr ein zu starres Festhalten an die veralteten Principien einer bereits abgestorbenen Schule und das nur in gewissen Gattungen oft massenhafte Aufstellen neuer ganz unhaltbarer Arten. Den werthvollsten Theil dieses Buches bilden daher die darin aufgeführten Pflanzen aus Istrien und Dalmatien, welche damals noch wenig oder gar nicht bekannt waren. Noch bevor die *Flora austriaca* vollendet war, erschien 1828 Host's letztes Werk *Salix*, Abbildungen und Beschreibungen der österreichischen *Weiden*. Wenn auch diesem einerseits auszustellen ist, dass alte längst bekannte Arten und bekannte Formen dieser Arten ohne allen Grund und nicht einmal unter Anführung der Synonyme anderer Autoren mit neuen Namen belegt werden, so muss doch wieder zugegeben werden, dass diese Abbildungen wie jene der Gräser in der Schönheit der Ausführung alle ähnliche Arbeiten weit hinter sich lassen.

Host, welcher in der letztern Zeit seines Lebens Kaiser Franz gewöhnlich während seines Sommeraufenthaltes auf den Donau-Herrschaften begleitete, starb den 13. Jänner 1834 zu Wien. Sein Herbarium, welches weder schön noch reichhaltig ist, befindet sich in dem vorerwähnten k. k. botan. Garten nächst dem Belvedere, von welchem später die Rede sein wird. Nur in wenig Fällen gibt es über die von ihm in der *Flora austriaca* neu aufgestellten Arten einen Aufschluss.

Josef August Schultes, geboren den 15. April 1773 zu Wien, wurde in seiner Erziehung sehr vernachlässigt und erwarb sich daher seine vielseitigen Kenntnisse durch eigenen Fleiss und angebornes Talent. Vom Baron Van Swieten (dem Sohne) unterstützt, studirte er unter Peter Frank die Medicin an der Wiener Universität und erhielt 1796 die Doctorswürde. In einem Alter von 24 Jahren wurde er 1797 zum Professor der Naturgeschichte am Theresianum und 1806 zum Professor der Botanik und Chemie an der Universität zu Krakau ernannt. Allein unzufrieden mit der österreichischen Regierung gab er diese Anstellung schon nach zwei Jahren auf und trat als Professor der Naturgeschichte zu Innsbruck 1808 in baierische Dienste. Seit dieser Zeit nahm er eine sehr gereizte feindselige Stimmung gegen sein Vaterland an, welche noch vermehrt wurde, als er als ein warmer Anhänger Napoleon's bei dem Aufstande in Tirol im Jahre 1809 in österreichische Gefangenschaft gerieth. Noch in demselben Jahre freigegeben, verlieh ihm der König von Baiern die Lehrkanzel der Botanik an der Universität in Landshut, wo er auch den 21. April 1831 als Hofrath und Director der dortigen chirurgischen Schule starb. Schultes hatte nicht nur einen grossen Theil der österreichischen Monarchie und Deutschlands, sondern auch Frankreich, Holland und England wissenschaftlich bereist. Erst 21 Jahre alt gab er noch vor Host's *Synopsis* 1794 anonym eine *Flora von Oesterreich* heraus, freilich ein höchst unreifes Werk voll irriger Angaben. Ebenso entbehrt das der *Beschreibung des Schneeberges* beigegebene *Verzeichniss der in der südwestlichen Umgebung Wiens vorkommenden Pflanzen-Arten* in beiden Ausgaben 1802 und 1807 aller kritischen Sichtung und kann daher nur mit grosser Vorsicht benützt werden. Die *Observationes botanicae* 1809 sind von geringer Bedeutung. Im Jahre 1814 erschien die II. Auflage der *Flora Oesterreichs*, welche Host's *Synopsis* wohl an Reichthum in der Aufzählung der Arten aber nicht an Gediegenheit der Arbeit übertraf, da darin eine grosse Menge in Böhmen, Ungarn und Galizien neu aufgefundener aber schwer zu enträthselnder Pflanzen aufgenommen wurde. Doch gebührt anderseits diesem Werke das Verdienst, dass Schultes darin der Erste die Botaniker Oesterreichs auf die neuesten ausgezeichneten Arbeiten der Engländer und Franzosen aufmerksam machte.

und so der Bekanntschaft mit der französischen Schule die erste Bahn brach. Diese II. Ausgabe der Flora Oesterreichs ist übrigens nach dem Linné-Thunberg'schen System geschrieben, was eben keine Zierde derselben ist. Seine übrigen grösseren Werke, welche eigentlich seinen Ruf begründet haben, als das theilweise mit J. J. Römer und seinem Sohne Julius Schultes herausgegebene *Systema vegetabilium*, Stuttgardae 1817—27, dann die *Geschichte der Botanik*, Wien 1817, wurden in Baiern geschrieben und gehören daher der österreichischen Literatur nicht mehr an. Viel gelesen und beliebt waren auch in früherer Zeit seine im launig-satyrischen Style geschriebenen Reisebeschreibungen. Ueberhaupt fand sich Schultes berufen, Alles zu tadeln, daher er sich auch überall verfeindete in Oesterreich wie in Baiern (*Leipzig. Convers. Lex.* 1836 IX. p. 888, *österr. Encyklop.* IV. p. 605.)

Leopold Trattinick, geboren zu Klosterneuburg den 26 Mai 1764, widmete sich anfangs den Rechtsstudien, folgte aber bald einem unwiderstehlichen Drange zur Naturkunde und wurde Entomolog, Mineralog und zuletzt durch das Beispiel seiner beiden Freunde Host und Schmidt angeeifert, Botaniker, in welcher Wissenschaft er sich bald einen solchen Ruf erwarb, dass er 1808 zum Custos am k. k. Hof-Naturalienkabinete ernannt wurde. Nicht bald hat ein Botaniker mit redlichem Eifer so viel unternommen und dabei so wenig Erfolg gehabt als Trattinick. Schon 1792 versuchte er der Erste in Oesterreich eine *Flora austriaca exsiccata* herauszugeben, allein es erschienen nur 5 Centurien. Hierauf veranstaltete er 1804—6 eine Ausgabe *österreichischer in Wachs gearbeiteter Pilze* sammt beschreibendem Texte. Diesem folgte 1809 ein Werk über *Oesterreichs essbare Schwämme*, das 1830 eine II. Auflage erlebte. Im Jahre 1805 begannen der *Thesaurus botanicus* und im Jahre 1811 sein Hauptwerk *Archiv der Gewächskunde* zu erscheinen, 2 Kupferwerke, welche in- und ausländische Pflanzen in beliebiger Reihenfolge darstellten, welche aber, da die meisten der darin aufgestellten neuen Arten von den spätern Autoren nicht anerkannt werden wollten, und da nur wenige Abbildungen Originale waren, keinen bleibenden Werth sich zu verschaffen wussten und schon nach einigen Jahren ins Stocken geriethen. Gleiches Schicksal hatten die zum Archiv gehörigen *Observationes* und die *Monographie über die Rosaceen* 1823—24. Die in den Jahren 1816—22 erschienene *Flora austriaca* blieb unvollendet, die Abbildungen sind dem Archive entnommen und der Text enthält nicht so sehr botanische als poetische Betrachtungen, die man nun freilich nicht in einer *Flora austriaca* suchen würde. Auch die 1821 durch Herausgabe eines *botanischen Taschenbuches* beabsichtigte Gründung einer botanischen Zeitschrift hatte keinen Erfolg und der erste Jahrgang war auch der letzte. Trattinick schrieb bis in sein Greisenalter und gab noch viele Werke heraus, als *Auswahl vorzüglicher Gartenpflanzen* 1821, *Genera nova* 1825, *Neue Arten von Pelargonien* 1825—43, Gedichte, Blumenkränze, poetisch-botanische Aufsätze u. dgl., allein sie betreffen die Flora Nieder-Oesterreichs nicht. Er hatte, wie gesagt, in den meisten seiner Unternehmungen kein Glück und vollendete die wenigsten seiner Werke, ungeachtet er dem Studium der Botanik die Kräfte seines Lebens und ein nicht unbedeutendes Vermögen zum Opfer brachte. Sein brauchbarstes Werk, das *Archiv*, findet sich meistens, ja merkwürdiger Weise selbst in allen öffentlichen Bibliotheken Wiens, unvollständig vor. Es bestehen davon 2 Ausgaben, eine uncolorirte 1811 — 16 mit 800 Tafeln und eine colorirte 1812 — 14 mit 449 Tafeln. Trattinick wurde 1836 pensionirt und starb den 24. Jänner 1849 zu Wien in hohem Alter. *(Oestr. Encycl.* V. p. 391.)

Ferdinand Bernhard Vietz, geboren zu Wien den 20. August 1772, Professor und Director am k. k. Thierarznei-Institute in Wien, gab 1800—1806 *Abbildungen aller medizinischen und ökonomischen Gewächse* heraus, allein bevor noch der IV. Band erschienen war, starb er den 25. Juli 1815 auf der Ueberfahrt von Triest nach Zara. J. L. Kerndl setzte 1817 das Werk fort und beendete es 1822 mit dem XI. Bande, da es aber keine Original-Abbildungen enthält, so erfreute es sich nur geringen Beifalls.

Anton Rollet, Wundarzt zu Baden, geboren daselbst den 2. August 1778, gestorben am 19. März 1842, Zoolog, Botaniker, und Mineralog, so wie durch seine naturgeschichtlichen und technischen Sammlungen bekannt, schrieb *Kleine Flora und Fauna von Baden*, Wien und Baden 1805 (anonym), dann *Hygieia für Badens Kurgäste*, Baden 1816 und *Baden, seine Quellen und Umgebungen*, Wien 1838, doch ist das diesen 3 Werken beigegebene Pflanzenverzeichniss weder vollständig noch kritisch.

Johann Emanuel Veith, geboren zu Kuttenplan in Böhmen den 10. Juli 1788, Doctor der Medicin, ehemals Director des k. k. Thierarznei-Institutes in Wien, später Weltpriester und Domprediger, ein als Arzt, Theolog, Dichter und Botaniker ausgezeichneter Mann und Schriftsteller in allen diesen Fächern, schrieb 1813 über die *Arzneigewächse der österreichischen Pharmakopöe* und einen *Abriss der Kräuterkunde für Thierärzte*, beide Werke jedoch von minderer Bedeutung.

Franz Strohmeier, Kreisarztes in St. Pölten, *Versuch einer physisch-medicinischen Topographie von St. Pölten*, Wien und St. Pölten 1813, ist sammt dem Verzeichnisse der um St. Pölten wachsenden Pflanzen ohne Werth.

Anton Sauter, Doctor der Medicin und k. k. Bezirksarzt in Salzburg, geboren den 18. April 1800 zu Grossarl in Salzburg, kam 1820 nach Wien, um an der Universität die Medicin zu studieren. Ein sechsjähriger Aufenthalt daselbst setzte ihn in den Stand als Inaugural-Dissertation 1826 eine *geographisch-botanische Schilderung der Umgebungen Wiens* und *eine Aufzählung der daselbst wachsenden Pflanzen* in einer bis dahin noch nicht erlangten Vollständigkeit zu schreiben. Noch in demselben Jahre (1826) verliess er jedoch Wien und kam als Landgerichts-Bezirks- und Kreisarzt 1828 nach Kitzbühel, 1830 nach Bregenz, 1831 nach Zell am See, 1836 nach Mittersill, 1839 nach Ried, 1840 nach Steyr und 1849 nach Salzburg. Er schrieb seit 1826 besonders in der Regensburger botanischen

Zeitschrift viele Abhandlungen über einzelne Pflanzenarten, Reiseberichte, Correspondenz-Nachrichten, Recensionen, vorzüglich aber pflanzengeographische Schilderungen seiner mannigfaltigen Aufenthaltsorte. Sauter ist als gründlicher Kenner der Alpenflora und der Kryptogamen rühmlich bekannt und hat auch mehrere neue Alpenarten entdeckt, allein sein Wirken betrifft vorzugsweise Salzburg und Tirol.

Franz Höss, k. k. Professor der Forstnaturkunde an der Forst-Lehranstalt zu Maria-Brunn, schrieb 1830 eine *Anleitung die Bäume und Sträuche Oesterreichs aus den Blättern zu erkennen*, 1831 eine vortreffliche *Monographie über die Schwarzföhre* (von ihm *Pinus austriaca* genannt) und 1833 eine *Abhandlung über den inneren Bau der Holzgewächse*.

Franz Lorenz, Doctor der Medicin und practischer Arzt zu Wiener-Neustadt, gab 1831 als Inaugural-Dissertation eine *geognostische Darstellung der Umgebungen von Krems* heraus, welche auch die Vegetations-Verhältnisse des Kreises O. M. B. berücksichtigt und als die erste botanische Schilderung dieses eigenthümlichen aber wenig bekannten Landstriches betrachtet werden muss.

Karl Mayrhofer, Stiftsarzt in Kremsmünster, geboren zu Eggendorf in Ober-Oesterreich, gestorben durch einen Sturz aus dem Wagen den 4. November 1833, schrieb 1832 als Inaugural-Dissertation *De Orchideis in territorio vindobonensi crescentibus*, eine sehr werthvolle Abhandlung, welche selbst Lindley in seinem berühmten Werke über die *Orchidaceen* benützt hat.

Josef Redtenbacher, Doctor der Medicin und Professor der Chemie an der Universität zu Wien, geboren zu Kirchdorf in Ober-Oesterreich den 12. März 1810, widmete sich während seiner Studienjahre in Wien der Botanik und schrieb 1834 als Inaugural-Dissertation eine Abhandlung über die Gattung *Carex* und die in den Umgebungen Wiens vorkommenden Arten derselben, in welcher er die von Professor Mohs in der Mineralogie über den Begriff der naturhistorischen Species aufgestellten Grundsätze auf das Pflanzenreich in Anwendung brachte. Leider verfolgte er das Feld der Botanik nicht weiter, sondern trat zur Chemie über, hörte 1839—1841 die Vorlesungen von Rose und Mitscherlich in Berlin, von Liebig in Giessen, bis er im Herbste 1841 als Professor dieser Wissenschaft nach Prag und 1849 nach Wien berufen wurde.

Franz Leydolt, Doctor der Medicin und Professor der Naturgeschichte am polytechnischen Institute in Wien, schrieb 1836 in gleicher Richtung wie Redtenbacher über die *Plantagineen*, doch hat er sich in späterer Zeit vorzugsweise dem Studium der Mineralogie gewidmet. (Leydolt und Machatschek, *Anfangsgründe der Mineralogie* Wien 1853.)

Während auf diese Art unter den Nachfolgern Jacquin's vorgenannte Schriftsteller durch ihre Werke das Studium der Botanik förderten, waren Andere nicht minder bedacht, Nieder-Oesterreich und die angrenzenden

Länder botanisch zu durchforschen und ihre gemachten Entdeckungen und Erfahrungen den Autoren des In- und Auslandes mitzutheilen. Auch sie haben sich um den Fortschritt der Botanik in Oesterreich wesentliche Verdienste erworben und zu manchem Werke das wichtigste Material geliefert, wenn ihre Leistungen auch oft übersehen oder verschwiegen wurden. Unter diese Männer sind vorzüglich folgende zu rechnen:

Franz Edler von Portenschlag-Ledermayer, Doctor der Rechte, geboren zu Wien 1772, widmete sich von seiner Jugend an bis zu seinem Tode der Botanik mit leidenschaftlichem Eifer und legte sogar, um derselben ungestört leben zu können, seine Advokatenstelle in Wien nieder. Er durchforschte die Umgebungen Wiens, die Marchkarpathen und die Alpen Nieder-Oesterreichs und der angrenzenden Steiermark genauer als irgend Jemand vor ihm und entdeckte viele für Nieder-Oesterreich neue Arten oder neue Standorte seltener Pflanzen. In den Jahren 1811 und 1814 begleitete er den Erzherzog Johann auf die Alpen von Steiermark, Ober-Oesterreich und Salzburg und im Jahre 1818 Kaiser Franz auf seiner Reise nach Dalmatien, ein damals ziemlich unbekanntes Land, auf dessen botanischen Reichthum er der Erste aufmerksam machte. Obschon er selbst nichts schrieb, so lieferte er doch zu Host's *Flora austriaca* und zu Trattinick's *Archiv* und dessen *Rosaceen* reichhaltige Beiträge. Er starb zu Wien den 7. November 1822. Sein werthvolles Herbarium wurde zwischen dem k. k. Hof-Naturalien-Kabinete und dem Joannäum in Gratz getheilt. Die Broschüre *Enumeratio plantarum in Dalmatia lectarum* a Fr. de Portenschlag Viennae 1824 rührt nicht von ihm her, sondern ist ein von seinen Freunden herausgegebenes biographisches Denkmal.

Johann Zahlbruckner, geboren zu Wien den 15. Februar 1782, widmete sich schon von Jugend an der Oekonomie und Naturkunde. Auf dem Schneeberg bei Gelegenheit einer botanischen Excursion lernte ihn 1805 Erzherzog Johann kennen, der ihn liebgewann und 1808 in seine Dienste nahm. Anfangs bei den naturgeschichtlichen Sammlungen des Erzherzogs in Gratz, dem nachherigen Joannäum angestellt, wurde ihm in den Jahren 1810—18 die ökonomische Leitung der erzherzoglichen Herrschaft Thernberg anvertraut und 1818 die Stelle eines Privatsecretärs vom Erzherzoge verliehen. In dieser Eigenschaft begleitete er den erlauchten Fürsten auf seinen häufigen Reisen durch Steiermark, Salzburg, Kärnten und Tirol und bestieg mit ihm die höchsten Alpengipfel. Im Jahre 1828 nach Wien zurückgekehrt, betheiligte er sich vorzüglich bei der Landwirthschafts-Gesellschaft und übernahm deren ökonomische Leitung. Er starb zu Gratz den 2. April 1851. Ausser einem Aufsatz über den von ihm wieder aufgefundenen *Ranunculus anemonoides* in der Regensburger botanischen Zeitschrift (1823 I. p. 220 und 1828 I. p. 270) und einem Verzeichnisse der auf dem Schneeberge wachsenden Pflanzen (in Schmidl's *Schneeberg*, Wien 1831 p. 42—47) schrieb Zahlbruckner noch 1832 eine sehr gelungene Pflanzengeographie von Nieder-Oesterreich, deren später ausführlicher erwähnt werden wird. Auch setzten ihn seine vielen Erfahrungen und Kenntnisse in der Alpenflora Oesterreichs in die Lage, zu H o s t's *Flora austriaca*, M a l y's *Flora styriaca* und selbst zu R e i c h e n b a c h's *Flora germanica* wichtige Beiträge zu liefern, so wie er denn als einer der ersten Alpenbotaniker seiner Zeit angesehen wurde. (*Oestr. Encycl.* VI. p. 214, S c h i n e r in den *Verhandl. des zool.-botan. Ver.* 1851 p. 152.)

Franz Wilhelm S i e b e r, geboren zu Prag den 30. März 1785, widmete sich ursprünglich der Baukunde, aber von einer unwiderstehlichen Reiselust und Liebe zur Natur fortgetrieben, gab er diese Beschäftigung bald auf und unternahm 1811—12 seine erste Reise durch die österreichischen Alpenländer nach Italien. In den Jahren 1814—16 studierte er zu Prag Chirurgie und Medicin nach eigenem Plan, vollendete aber seine Studien nicht und erlangte auch nie einen akademischen Grad. In Gesellschaft des Gärtners F. K o h a u t unternahm er hierauf 1817—18 seine zweite Reise nach Creta, Egypten und Palästina und stellte die gesammelten Alterthümer, Natur- und Kunstproducte 1819 in Wien öffentlich aus, verkaufte aber den werthvollern Theil derselben an die Akademie der Wissenschaften in München. Im Jahre 1822 ging er, aber schon mit Spuren von Irrsinn, nach Paris und trat von Marseille aus seine dritte Reise um die Erdkugel an, auf welcher vorzüglich Ile de France und Neuholland das Feld seiner Forschungen waren. Halb wahnsinnig kam er 1824 nach Europa zurück und lebte abwechselnd in Dresden, Prag, Wien, Zürch und Paris. Von Missmuth verzehrt, von Gläubigern verfolgt, mit der ganzen Welt verfeindet und stets mit wissenschaftlichen und Reise-Utopien und seinem Arcanum wider die Wasserscheu beschäftigt, wurde er 1830 in das Irrenhaus zu Prag gebracht, wo er den 17. December 1844 starb. S i e b e r war der erste österreichische Naturforscher, welcher Reisen in so ausgedehntem Umfange unternahm und Naturproducte aller Art besonders aber Pflanzen in so ungeheurer Menge sammelte. Ungeachtet so Vieles zu Grunde ging, so versah er doch das ganze wissenschaftliche Europa mit Sämereien und gut getrockneten Pflanzen und trug zur Kenntniss der österreichischen Alpenflora im Auslande wesentlich bei. Leider wurden seine in Wien befindlichen werthvollen naturhistorischen Sammlungen, darunter sein bei 200.000 Exemplare zählendes Herbarium, in Folge der über ihn verhängten Curatel versteigert und so grösstentheils zersplittert. S i e b e r schrieb sehr viel und vielerlei, als Pflanzenaufzählungen, Reisebeschreibungen und Reisepläne, über die egyptischen Mumien, Ausfälle wider Oesterreich u. dgl., doch hat nur seine *Reise nach Creta*, Leipzig 1823, einen wissenschaftlichen Werth. Obschon S i e b e r eigentlich Böhmen angehört, so konnte er doch seiner Verdienste wegen um die Alpenflora Oesterreichs überhaupt hier füglich nicht übergangen werden. (F. W. S i e b e r, *ein biograph. Denkstein* von G l ü c k s e l i g, Wien 1847.)

Ludwig Freiherr von W e l d e n, k. k. Feldzeugmeister, nicht so sehr als botanischer Schriftsteller sondern vielmehr als Reisender und Gönner der Botanik ausgezeichnet. Geboren zu Laupheim in Würtemberg den 10.

Juni 1782, studierte er anfangs die Rechte zu Würzburg, trat aber schon 1799 in österreichische Militärdienste, in denen er von Stufe zu Stufe bis zu dem hohen Posten stieg, welchen er zuletzt bekleidete. Was er als Militär und Feldherr geleistet, gehört der Geschichte an, hier nur von seinem Wirken im Gebiete der Naturkunde. Schon 1808 als Hauptmann erwachte in ihm in Braune's Umgange zu Salzburg die Liebe zur Botanik, welche sich nachher in Wien in Gesellschaft von J. Jacquin, Portenschlag, Sieber und Schott (Vater) vollends ausbildete. Seine militärische Stellung setzte ihn in die Lage, durch wissenschaftliche Reisen seine Kenntnisse ungemein zu erweitern und die berühmtesten Naturforscher Europa's persönlich kennen zu lernen. So durchforschte er 1821—24 als Oberst und Chef des österreichischen Generalstabes in Italien den höchsten Alpenzug Europa's vom Montblanc über den Monte Rosa bis zum Orteles, dann Neapel und Sicilien, im Jahre 1825 unternahm er eine botanische Alpenreise durch Steiermark, Salzburg, Tirol und die Schweiz, im Jahre 1838 war er in Frankreich und England, im Jahre 1843 das zweitemal in Tirol und in der Schweiz. Als er 1828 als General und Militär-Commandant nach Dalmatien kam, durchwanderte er nicht nur selbst dieses noch wenig bekannte Land, sondern war auch während seines dortigen dreijährigen Aufenthaltes allen Botanikern, welche Dalmatien besuchten, mit Rath und That behilflich. Im Jahre 1831 wurde er Militär-Commandant von Mainz, 1838 von Steiermark, 1843 von Tirol. In den Jahren 1848—49 nahmen ihn die blutigen Felder von Italien und Ungarn und das Militär-Gouvernement von Wien zu sehr in Anspruch, um für die Botanik mehr wirken zu können. Von Anstrengungen erschöpft, trat er 1851 in den Ruhestand, starb aber schon den 7. August 1853 in Gratz. Ausser seinem bekannten Werke über den *Monte Rosa*, Wien 1824, schrieb er in den Jahren 1820—41 mehrere zerstreute Aufsätze, meist botanische Reiseberichte, Correspondenz-Nachrichten und Notizen in der Regensburger botan. Zeitschrift und lieferte insbesondere Reichenbach viele Beiträge zur *Flora germanica*. Sein Herbarium hatte er schon bei Lebzeiten der botanischen Gesellschaft in Regensburg geschenkt. (Fürnrohr in der *Regensb. botan. Zeitschr.* 1853 p. 505 und *östr. botan. Wochenbl.* 1853 p. 321.)

Josef Hayne, Doctor der Medicin, früher Assistent der Botanik an der Wiener Universität, seit 1832 Professor der Botanik am Joannäum in Gratz, wo er schon 1835 starb, durchforschte vorzüglich die Umgebungen Wiens und die benachbarten Alpen, welche er nebst Portenschlag damals unter allen Botanikern am besten kannte, begleitete auch 1831 den Erzherzog Johann auf einer Alpenreise durch Salzburg und Kärnten. Im Jahre 1830 gab er einen *Unterricht über die nützlichen und schädlichen Schwämme* heraus.

Friedrich Welwitsch, Doctor der Medicin, geboren 1806 zu Maria-Saal bei Klagenfurt in Kärnten, kam der medicinischen Studien wegen nach Wien und betrieb während dieser Zeit die Botanik mit rastlosem Eifer und ungeachtet sehr geringer Mittel mit höchst erspriesslichem Erfolge. Er durchforschte nicht nur die Umgebungen Wiens und die Alpen Nieder-Oesterreichs, sondern 1832 auch den Kreis O. M. B. und machte der Erste auf die eigenthümliche bisher aber ganz vernachlässigte Flora des Waldviertels aufmerksam. Im Jahre 1836 erlangte er die Doctorswürde, aber vom würtembergischen Reisevereine zu einer naturgeschichtlichen Reise nach den canarischen Inseln berufen, verliess er 1839 Wien und ging nach Lissabon. Statt die Reise anzutreten, blieb er dort und wurde später Garten-Director des Herzogs von Palmella. Seit 1853 befindet er sich auf einer wissenschaftlichen Reise in Guinea. Welwitsch trug nicht nur durch die vielen von ihm selbst gemachten Entdeckungen zur Bereicherung der Flora Nieder-Oesterreichs vieles bei, sondern er brachte auch durch seine zahlreichen Verbindungen mit den berühmtesten Botanikern aller Länder die herrliche Flora unsers Vaterlandes zur Kenntniss des Auslandes, welches die botanischen Schätze Oesterreichs ehmals so wenig beachtete, dass Hoffmann in seinem Taschenbuche 1804 II. p. 307 es sehr natürlich und zweckmässig fand, dass er in seiner Flora Deutschlands die in Oesterreich eigenthümlichen Arten gar nicht aufgenommen habe. Die grossen Verdienste, die sich Welwitsch um die Kryptogamen-Flora erwarb, werden später berücksichtiget werden.

Obschon streng genommen nicht hierher gehörig, so muss doch des Oesterreichers Ferdinand Lucas Bauer als Reisenden, Botanikers und berühmtesten Pflanzenzeichners seiner Zeit erwähnt werden. Geboren zu Feldsberg den 20. Jänner 1760 und früh verwaist, bildete er sich ohne Anleitung durch Genie und Fleiss zum Künstler aus. Im Hause Nikolaus Jacquin's gastfreundlich aufgenommen, lernte er 1794 den Engländer Sibthorp kennen und begleitete ihn nach Griechenland, so wie in den Jahren 1801 —1806 den Capitän Flinders und Robert Brown nach Brasilien, dem Cap und Neuholland. Im Jahre 1812 verliess er London und kehrte in sein Vaterland zurück, wo er den 17. März 1836 in Hitzing starb. Seine Leistungen im Zeichnen gehen bis an das Unbegreifliche, denn er lieferte nicht nur zu mehreren Werken Jacquin's, zur *Flora graeca*, Lambert *Pinus*, Flinders *Voyage*, Lindley *Digitalis* und Mikan *Delectus florae brasiliensis* alle oder doch die meisten Abbildungen, sondern er hinterliess noch eine Sammlung von 2000 Handzeichnungen, *Illustrationes plantarum florae Novae Hollandiae*, in 3 Foliobänden, welche sich nebst seinem Herbarium im Besitze des k. k. Museums befindet. (Fitzinger in der *Oestr. Encycl.* VI. p. 357.)

Während im Verlaufe dieser Periode die phanerogame Flora in Nieder-Oesterreich mit Ausnahme jener des Marchgebietes und des Waldviertels beinahe schon vollständig bekannt war und während die österreichischen Autoren besonders aber Jacquin, Crantz, Wulfen und Host in der **phanerogamen Phytographie** bereits einen hohen Grad der Vollkommenheit erreicht und zahlreiche Prachtwerke mit den herrlichsten Abbildungen geliefert hatten, wurde in der Kryptogamie und in allen Zweigen der allgemeinen Botanik (Systematik, Morphologie, Physiologie und Anatomie der Pflanzen) weder Vieles noch Vorzügliches geleistet.

Das Studium der **Kryptogamie** befand sich noch im Zustande der Kindheit, denn ausser den fragmentarischen Aufzählungen in Kramer's *Elenchus*, Jacquin's *Enumeratio* und *Flora austriaca*, Schultes *östr. Flora* I. Ausgabe und Host's *Synopsis* und *Flora austriaca* beschäftigten sich die meisten österreichischen Kryptogamisten nur mit essbaren und giftigen Pilzen; so des k. k. Hofrathes und Leibarztes Karl von Krapf nach einem weitläufigen Plane angelegte aber unvollendete *Beschreibung der in Nieder-Oesterreich wachsenden Schwämme*, Wien 1782, so M. J. N. Fellner's ebenfalls unvollendeter *Prodromus ad historiam Fungorum agri vindobonensis*, Vindobonae 1775 und J. M. Finger *Dissertatio de Fungis*, Vindobonae 1831, so Trattinick und Hayne in ihren Seite 37 und 42 bereits angeführten Werken. In den Moosen, Flechten und Algen geschah eigentlich gar nichts.

Nicht viel besser sah es in der **Systematik** aus, obschon es in diesem Zweige der Pflanzenkunde wenigstens nicht an Versuchen fehlte, anstatt des Linnéischen neue natürliche Systeme zu schaffen. J. G. H. Kramer, österreichischer Militärarzt und Vater des Verfassers des *Elenchus*, schrieb schon zu Linné's Zeiten eine *Methodus Rivino-Tourneforliana* (Edit. I. Dresdae 1728. edit. II. Viennae 1744), ein wenig bekanntes völlig misslungenes Werk. Ebenso schrieben Crantz (Seite 33) *Institutiones rei herbariae juxta nutum naturae digestae ex habitu*, Viennae 1766, 2 Bände und Trattinick (Seite 37) *Genera plantarum methodo naturali disposita*, Vindobonae 1802, allein diese Versuche hatten wenig Glück und beide Systeme kamen schnell in Vergessenheit. Unter den **morphologischen Werken** gelangte nur Nikolaus Jacquin's *Anleitung zur Pflanzenkenntniss*, Wien 1785 zu einem höhern Rufe und erlebte 3 Auflagen (1800 und 1840), diente auch lange Zeit als Leitfaden zu den Vorlesungen auf der Wiener Universität. Auch Plenk's (Seite 34) *Physiologia et Pathologia botanica*, Viennae 1794, dann *Elementa terminologiae botanicae*, Viennae 1796 wurden in mehrere Sprachen übersetzt, mussten also wenigstens damals Anerkennung gefunden und sich als brauchbar erwiesen haben. Von höherer Wichtigkeit sind zwar die Schriften des Niederländers Johann Ingenhouss, welcher durch einige Zeit Leibarzt der Kaiserin Maria Theresia war, über das Ein- und Ausathmen und die Ernährung der Pflanzen (London 1779), allein er kann den österreichischen Botanikern nicht beigezählt werden. Dagegen erlangten nachstehende Werke, welche ebenfalls den allgemeinen Theil der Botanik behandelten, als: F. X. Hartmann *Primae lineae institutionum Crantzii*, Vindobonae 1766; F. J. Lipp *Enchiridion botanicum*, Vindobonae 1765; Samuel Augustin *Prolegomena in systema sexuale*, Viennae 1777 (alle 3 Inaugural-Dissertationen zur Erlangung der Doctorswürde); Johann Jakob von Well, Doctors der Arzneikunde und Professors der Naturgeschichte an der Wiener Universität, *Gründe zur Pflanzenlehre*, Wien 1785; Ernst Witmann, Professors der ökonomischen Botanik an der Wiener Universität, *Tabellarische Darstellung der Terminologie der Phanerogamisten*, Wien 1812; Emanuel Veith (Seite 38) *Abriss der Kräuterkunde*, Wien 1813; J. von K. (Kwiakowska) *Anfangsgründe der Botanik in Briefen*, Wien 1823; Johann Kachler, Samenhändlers in Wien, *Grundriss der Pflanzenkunde*, Wien 1830; F. J. v. Zimmermann k. k. Stabfeldarztes und Professors der Botanik am Josefinum, *Grundzüge der Phytologie*, Wien 1831; Michael von Erdelyi Doctors der Medizin und Professors am Thierarznei-Institute in Wien, *Anleitung zur Pflanzenkenntniss*, Wien 1835, nur geringe Verbreitung und wurden bald von ähnlichen Werken des Auslandes überflügelt. In der **Anatomie** der Pflanzen wurde gar nichts geleistet. Nur die **Pflanzengeographie**, obschon eine der neueren Disciplinen, fand eine entsprechende Bearbeitung. Nachdem Sauter in seiner Flora von Wien (Seite 38) und Lorenz in seiner geognostischen Schilderung von Krems (Seite 39) die ersten pflanzengeographischen Andeutungen über die Umgebungen dieser 2 Städte entworfen hatten, schrieb Zahlbruckner (Seite 40) in den Beiträgen zur Landeskunde Nieder-Oesterreichs 1832 I. Seite 205—268 eine *Darstellung der pflanzengeographischen Verhältnisse von Oesterreich unter der Enns* ganz schon im Geiste der neuern Schule, welche sich allgemeinen Beifalls erfreute und stets die Grundlage ähnlicher Arbeiten bilden wird. Das **natürliche System**, das in Frankreich bereits in voller Blüthe stand und in Deutschland immer mehr in Uebung kam, fand in Oesterreich noch immer keinen Anklang. Alle Werke dieses Zeitraumes waren in der Anschauungsweise Linné's geschrieben und überall das Sexualsystem zu Grunde gelegt. Nur Sauter und Zahlbruckner sind bei der Aufzählung der um Wien und in Nieder-Oesterreich wachsenden Pflanzen dem natürlichen Systeme gefolgt.

Die **Floren der Nachbarländer**, so wichtig zur Erklärung der Vegetationsverhältnisse des eigenen Landes, gelangten besonders gegen Ende dieser Periode zu einer höhern Entwicklung. Lumnitzer (1791) und Endlicher (1830) schrieben über die Flora von *Pressburg*, Graf Waldstein und Kitaibel in einem klassischen Prachtwerke (1802—12) über die Flora von *Ungarn*, Gebhart (1821) und Maly (1838) über jene von *Steiermark*, Sailer (1841) über *Ober-Oesterreich*, Schmidt (1793—94), Pohl (1810—15) und Presl (1819) über *Böhmen*, Rohrer und Mayer (1835), dann Schlosser (1843) über *Mähren*.

Den ungeheuren Aufschwung, welchen die Botanik gegen Ende des vorigen Jahrhunderts in Oesterreich genommen hatte, verdankte sie grossentheils der mächtigen Unterstützung, welcher sie sich von Seite der Herrscher Oesterreichs zu erfreuen hatte. Wenn man erwägt, wie Vieles Maria Theresia in ihren weiten Staaten zu verbessern und umzugestalten fand, so begreift man gar nicht, wie der grossen Kaiserin noch so viel Zeit erübrigte, ihre Sorgfalt der Botanik, einer damals in Oesterreich erst dämmernden Wissenschaft zuzuwenden, deren Nutzen überdiess so Wenige begriffen. Maria Theresia rief nicht nur jene grossartigen Institute ins Leben, von welchen weiter unten die Rede sein wird, und deren Ruf sich bald über ganz Europa verbreitete, sondern sie ging auch überall in das Einzelne ein und begünstigte jede Unternehmung zur Förderung der Wissenschaft. Jacquin hätte ohne diese kräftige Unterstützung niemals das zu leisten vermocht, was er geleistet. Kaiser Josef wirkte in dieser Richtung fort und suchte vorzüglich durch Veranstaltung botanischer Reisen die Kenntniss ausländischer Pflanzen zu erweitern. Ebenso war Kaiser Franz ein warmer Freund und Gönner der *Scientia amabilis* und die Schöpfungen seiner Vorfahren gelangten unter seiner Regierung zu voller Blüthe. Jacquin so wie Host erfreuten sich seiner besondern Gunst. Auch die Prinzen des kaiserlichen Hauses, namentlich die Erzherzoge Johann, Ludwig und Rainer liessen der Botanik bei jeder Gelegenheit ihren hohen Schutz angedeihen und betrieben persönlich das Studium derselben mit unausgesetzter Liebe. Erzherzog Johann insbesondere war Botaniker in vollem Sinn des Wortes, denn er erforschte die Natur in der Natur selbst und bestieg zu diesem Zwecke die höchsten Alpengipfel, die noch Keiner seines erlauchten Hauses vor ihm betreten. Das *Joanneum* in Gratz ist sein Werk, so wie überhaupt sein Wirken vorzugsweise Steiermark galt.

Unter den botanischen Instituten, deren Gründung in diese Periode fällt, nehmen der botanische Garten zu Schönbrunn und jener der Universität in Wien den ersten Platz ein

Der k. k. botanische Garten in Schönbrunn, früher holländischer Garten genannt, wurde auf Van Swieten's Vorschlag vom Kaiser Franz I., dem Gemahle Maria Theresia's, im Jahre 1753 gegründet und der Holländer Adrian Steckhoven aus Leiden als erster Gärtner bestellt *). Um diesen Garten seinem Zwecke entsprechend auszustatten, wurden zu verschiedenen Zeiten 6 wissenschaftliche Reisen auf kaiserliche Kosten unternommen, die erste von Nikolaus Jacquin und Richard van der Schot nach Westindien 1755—59 auf Befehl der Kaiserin Maria Theresia (Seite 30); die zweite vom Professor Märter, dem Mediciner Mathias Stupicz und den beiden k. k. Gärtnern Franz Boos und Franz Bredemayer nach den vereinigten Staaten, Florida und Westindien 1783—85; die dritte von Franz Boos und dem Gärtner Georg Scholl nach dem Vorgebirge der guten Hoffnung und den beiden Inseln Bourbon und Ile de France 1785—88, die vierte von Franz Bredemayer und dem Gärtner Josef Schücht nach Westindien und Venezuela 1785—88, alle 3 auf Befehl Kaiser Josef's II.; die fünfte von dem k. k. Hofgärtner Philipp Welle

*) Die Reihenfolge sämmtlicher Gartendirectoren von Schönbrunn ist folgende: Adrian Steckhoven 1753—1762, Richard van der Schot 1762—1790, Franz Boos 1790—1827, Franz Bredemayer 1827—1839, Philipp Welle 1839—1845, gegenwärtig Heinrich Schott.

1815—17 nach St. Helena bei Gelegenheit als sich der k. k. Commissär Baron Stürmer auf diese Insel zur Beaufsichtigung Napoleon's begab; die sechste vom Professor Johann Mikan, Dr. Johann Pohl, Assistenten Johann Natterer und k. k. Gärtner Heinrich Schott (Sohne) nach Brasilien 1817—21, beide auf Befehl des Kaisers Franz. Die von diesen Reisen mitgebrachten überaus reichhaltigen und für die damalige Zeit seltenen Pflanzensammlungen und die grosse Sorgfalt, die auf die Erhaltung des Gartens verwendet wurde, waren Ursache, dass derselbe in so kurzer Zeit die meisten andern, obschon ältern Anstalten dieser Art übertraf und den ersten Rang auf dem Continente einnahm. „*Hortus Schoenbrunnensis hac aetate* (1807) *omnibus aliis palmam praeripuit, quum munificentia imperatoris Francisci et studio laboribusque et itineribus longinquis summi Jacquini divitiis Americae et Africae prope immensis ornaretur. Dictu haud facile est, quot quantaque augmenta huic insigni instituto scientia nostra debeat.*" So Sprengel in der *Historia rei herbariae* II. p. 495. Im Jahre 1802 wurde auf Veranlassung des Erzherzogs Johann eine Alpenflora im sogenannten Tiroler Garten in Schönbrunn unter Bredemayer's Anleitung gegründet, welche aber später, als der Erzherzog 1810 die Herrschaft Thernberg kaufte, dorthin übertragen wurde, nun aber auch dort längst schon wieder eingegangen ist. (Jacquin *Hort. Schoenbrunnensis* Viennae 1797 und Josef Boos *Schönbrunns Flora* Wien 1816.)

Fast gleichzeitig mit dem holländischen Garten in Schönbrunn wurde zur Vervollständigung der von Van Swieten neu eingerichteten medizinischen Lehranstalt eine Lehrkanzel der Botanik an der Universität errichtet und der **akademische botanische Garten am Rennweg** 1754 gegründet. Der erste Professor der Botanik war der aus Nancy berufene Dr. Robert Laugier, der erste Gärtner Johann Rameth*). Im Jahre 1768 legte Laugier seine Professur nieder und begab sich nach Modena, die Lehrkanzel sowohl als die Leitung des Gartens ging hierauf an Nikolaus Jacquin und nach dessen 1796 erfolgten Pensionirung an seinen Sohn über, welcher sie bis zu seinem Tode bekleidete. Der rastlosen Thätigkeit der beiden Jacquin, die sich die inländischen Pflanzen aus den Umgebungen Wiens und von den Alpen selbst holten, die ausländischen aber theils aus Schönbrunn theils durch ihre zahlreichen Verbindungen mit den berühmtesten Botanikern ihrer Zeit verschafften, dann der Geschicklichkeit der beiden Obergärtner Josef van der Schot und Heinrich Schott gelang es, den Wiener Garten in kurzer Zeit auf eine mit den botanischen Gärten anderer Universitäten gleich ehrenvolle Stufe zu heben (Nic. Jacquin *Hort. bot.*

*) Die Reihenfolge sämmtlicher Obergärtner im botanischen Universitäts-Garten ist folgende: Johann Rameth 1754—1767, hierauf ein Franzose unbekannten Namens, der kaum ein Jahr blieb, Lorenz Koller 1769—1794, Josef van der Schot 1794—1802, Heinrich Schott (Vater) 1802—1819, seit 1820 Josef Dieffenbach.

vindob. Vindobonae 1770—76; Jos. Jacq. *der Univ. Garten*, Wien 1825; Endl. *Catal. hort. vindob.* Vindob. 1842—3.)

Der **botanische Garten der k. k. medizinisch-chirurgischen Josefs-Academie** in Wien besteht seit der Errichtung dieser letztern im Jahre 1785 und wurde ursprünglich vom Professor Plenk angelegt. Seine jetzige Gestalt erhielt er aber bei Gelegenheit der Restauration der Academie in den Jahren 1822—24 unter Professors Zimmermann Leitung, wo er über die Fuhrmannsgasse hinaus erweitert wurde. Er enthält vorzugsweise officinelle Gewächse.

Der **k. k. botanische Garten im Belvedere** wurde vom Kaiser Franz im Jahre 1793 auf Veranlassung und unter der Leitung Host's mit der ausdrücklichen Bestimmung gegründet, darin nur solche Pflanzen zu cultiviren, welche in der österreichischen Monarchie wild wachsen; eine eigenthümliche nachahmungswürdige Anstalt. „*Der Garten ist gewiss einer der interessantesten, welchen ein deutscher Botaniker sehen kann. Was ihm aber vorzüglich einen Werth gibt, er ist auch den Botanikern nutzbar.*" So schrieb 1806 Professor Bernhardi in Erfurt (Schrad. *Neues Journ.* I. 2. p. 148). Die ersten Anpflanzungen rührten grösstentheils von Host selbst her, der zu diesem Ende mehre Provinzen Oesterreichs durchreist hatte*). (Usteri *Annal.* VIII. 1794 p. 132—33.)

In der **Theresianischen Academie** (ehemals Favorita Kaiser Karl's VI.) bestand zwar ein botanischer Garten seit der Gründung dieser Anstalt im Jahre 1746, derselbe ging aber wieder ein, als Kaiser Josef II. das Theresianum 1782 aufhob. Erst als Kaiser Franz 1797 die Wiederherstellung dieser Anstalt anordnete, wurde der gegenwärtig bestehende botanische Garten unter der Leitung Franz Schmidt's (Seite 34) angelegt. Dort befand sich auch das damals berühmte Arboretum, in welchem Schmidt verschiedene Culturversuche unternahm und die Originale zu seinem dendrologischen Werke entnahm. Jetzt ist von dieser Anpflanzung nichts mehr zu sehen.

Der **botanische Garten der k. k. Forst-Lehranstalt zu Maria-Brunn** wurde 1813 unter Professor Höss angelegt und enthält vorzugsweise Forstgewächse. Der von dem Professor Veith gegründete Garten des schon seit 1778 bestehenden und 1823 ganz neu erbauten **Thierarznei-Institutes** auf der Landstrasse ist klein und minder bedeutend.

Der Garten der 1812 unter dem Protectorate des Erzherzogs Johann gestifteten **k. k. Landwirthschafts-Gesellschaft** in Wien, anfangs zu Vösendorf, dann zu Breitensee, seit 1837 in der Haltergasse auf der Landstrasse an der Stelle, wo sich ehemals der Privatgarten des Kaisers Franz

*) Directoren dieses Gartens waren: Host 1793—1834, J. Jacquin 1834—39, Heinrich Schott seit 1840; Gärtner: Wowzizka 1793—1815, Heinrich Schott 1815—17, Johann Mayer 1817—34, Franz Hillebrandt seit 1834.

befand, stand zur Zeit als Zahlbruckner die Leitung desselben besorgte, in hoher Blüte, da darin alle Cerealien-Arten, Futter- und Handelspflanzen und überhaupt alle Nutzgewächse, dann die edelsten Obst- und Rebensorten cultivirt wurden. Gegenwärtig werden aber nur pomologische Zwecke verfolgt. Die Gesellschaft besitzt ferner ein Herbarium agronomischer, ökonomischer und forstlicher Pflanzen, dann eine Sammlung der einschlägigen Früchte, Samen, Holzarten und Obstsorten, letztere in Wachs gearbeitet. In unmittelbarer Verbindung mit dem Garten der Landwirthschafts-Gesellschaft steht jener der 1837 gegründeten **Gartenbau-Gesellschaft** (ebenfalls ein Theil des ehmaligen Kaisergartens), welcher von dem Gärtner Johann Heller, Vater des Reisenden nach Mexico, im Jahre 1839 nach englischem Geschmacke neu angelegt wurde und in welchem vorzüglich Ziergewächse und Gemüse-Arten, in den grossen noch vom Kaiser Franz erbauten Treibhäusern auch ausländische Pflanzen cultivirt werden. Hier muss auch der von den beiden Freiherren Karl von Hügel und Sigmund von Pronay 1826 ins Leben gerufenen **Blumen- und Pflanzenausstellungen** erwähnt werden, welche im Mai eines jeden Jahres zur Förderung der Horticultur in den eben erwähnten Gewächshäusern der Gartenbau-Gesellschaft stattfinden und zur Hebung dieses früher ziemlich vernachlässigten Theils der Pflanzenkunde wesentlich beigetragen haben.

Unter den **Privatgärten**, welche im Verlaufe dieser Periode entstanden und obschon vorzugsweise nur Lust- und Ziergärten, doch auch ein wissenschaftliches Interesse darboten, müssen besonders folgende hervorgehoben werden: Der Garten des Hofapothekers Günther von Sternegg in der Rabengasse auf der Landstrasse, später dem Baron Harruker, jetzt dem Erzherzoge Maximilian von Oesterreich-Este gehörig; der von Kramer gefeierte Garten des Grafen Ernst von Harrach in Bruck an der Leytha, welcher besonders unter dem in Host's *Synopsis* öfter erwähnten Gärtner Lübek zu hohem Ansehen gelangte; der Garten des k. k. Regierungsrathes Karl Emil Freiherrn von der Lühe, des bekannten Dichters der *Hymne an Flora und Ceres* (Wien 1803) in der Alservorstadt zwischen der jetzigen Fuhrmannsgasse und dem Alserbache ungefähr an der Stelle, wo sich jetzt der neue botanische Garten des Josefinums befindet und der für die damalige Zeit besonders reich an Alpenpflanzen war (Usteri *Annal.* VIII. 1794 p. 105, 132); der Garten des Fürsten Kaunitz-Rittberg in Mariahilf (jetzt Esterhazy) unter dem nachherigen Professor am Theresianum Franz Schmidt; des Freiherrn von Görög in Grinzing mit seiner damals so berühmten Rebenschule, des Barons Pronay in Hetzendorf, des Freiherrn Karl von Hügel in Hietzing u. a., doch hatten alle diese Gärten nicht die Flora Nieder-Oesterreichs zum Gegenstande.

Das **k. k. Hof-Naturalienkabinet** wurde vom Kaiser Franz 1796 gestiftet, enthielt aber in seiner ersten Einrichtung nur zoologische, mineralogische und physikalische Sammlungen. Der Abbé Andreas Stütz war der erste Director desselben. Nach dessen 1805 erfolgtem Tode wurde sein Nachfolger Dr. Karl Ritter von Schreibers (geb. zu Pressburg den 15. August 1775, gest. zu Wien den 21. Mai 1852) mit der Reorganisation dieser Anstalt beauftragt, welchem Auftrage er auf das glänzendste entsprach, indem er das Naturalien-Kabinet nach dem Muster des Pariser Museums auf eine den Anforderungen der Wissenschaft angemessene Weise einrichtete, die naturgeschichtlichen Sammlungen beträchtlich vermehrte, eine botanische Abtheilung durch Anlegung eines Herbariums ins Leben rief und eine eigene Kabinets-Bibliothek gründete. Im Jahre 1808 wurde Trattinick zum Custos der botanischen Abtheilung ernannt.

Die von Kaiser Franz I. schon in seiner Jugend als Kronprinz von Toscana angelegte und bis zu seinem Tode mit grossem Kostenaufwande fortgesetzte **k. k. Familien-Bibliothek** zählt gegenwärtig 34.000 Bände und 70.000 Bildnisse berühmter Männer aller Zeiten. Sie ist besonders reich an seltenen und kostspieligen Werken botanischen Inhalts und Handzeichnungen von Pflanzen der kaiserlichen Gärten. Unter die erstern gehören vorzüglich Chaumeton *Flore médicale peinte par Madame* Panckoucke *et par* P. J. T. Turpin, Paris 1814—20, ein auf Pergament gemahltes Prachtexemplar, von welchem nur 3 existiren, ferner Kerner *Hortus sempervirens*, Stuttgardiae 1795—1826 mit 756 Tafeln, Sibthorp *Flora graeca*, Londini 1806—40 vollständig in 10 Foliobänden ein ebenso seltenes als kostbares Werk, von welchem nur 3 complete Exemplare auf dem Continente Europa's vorhanden sein sollen, Tussac *Flora Antillarum*, Parisiis 1808—27, ein nur in 150 Exemplaren aufgelegtes Werk, Descourtilz *Flore médicale des Antilles*, Paris 1821—29 und andere hier nicht näher zu erwähnende Prachtwerke. (Vergl. auch Pritzel *Thesaurus* p. 47, 66, 138, 276 et 303.)

Am Schluss dieser Periode muss noch der **zehnten Versammlung deutscher Naturforscher** erwähnt werden, welche im September 1832 in Wien stattfand (die erste war 1822 in Leipzig) und von 514 Gelehrten und Theilnehmern, darunter 52 Botanikern, besucht wurde. Präsident war Baron Josef Jacquin. Bekanntlich steht Wien eine abermalige solche Versammlung noch in diesem Jahre bevor.

III. Zeitalter des natürlichen Systems.

Der Ursprung des natürlichen Systems reicht weit über Linné's Zeiten hinaus. Schon Andreas Cesalpini aus Arezzo schrieb 1583 eine von physiologischen Grundsätzen ausgehende Eintheilung des Pflanzenreiches und sehr viele solche Systeme von höherem oder geringerem Werthe tauchten nach ihm auf, bevor noch Bernhard Jussieu den Garten zu Trianon 1774 nach der von ihm gefassten Idee eines natürlichen Systems anzulegen begann und sein Neffe Lorenz Anton Jussieu durch das von ihm 1789 zu

Paris veröffentlichte Werk *Genera plantarum* die Grundlage zu allen ähnlichen natürlichen Systemen der neuern Zeit aufgestellt hatte. Während De Candolle, Robert Brown und Lindley dies System vervollkommneten, brachten es Bartling, Reichenbach, Kunth und Andere auch in Deutschland zur Geltung. Nur in Oesterreich wollte dasselbe noch immer keinen Eingang finden, weil die Leiter der wichtigsten botanischen Institute und die Primaten der Botanik, wie J. Jacquin, Host, Trattinick, Bredemayer u. a. in der Schule Linné's aufgewachsen waren und mit Liebe und Ausdauer ein System festhielten, mit dem sie Ehre und Auszeichnung geerntet hatten. Ein Zufall wollte es, dass sie alle ungefähr gleichzeitig von dem Schauplatze ihres Wirkens abberufen wurden, um einer neuen Generation Platz zu machen. Im Jahre 1834 starb Host. Zwei Jahre darauf wurde der Custos der botanischen Abtheilung des Hof-Naturalien-kabinets Leopold Trattinick pensionirt, seine Stelle erhielt Endlicher, der wissenschaftlichen Welt damals mehr als Philolog, denn als Botaniker bekannt. Im Jahre 1839 stieg auch Josef Freiherr von Jacquin, der letzte Träger eines abgelaufenen, aber klassischen Zeitalters ins Grab und schloss eine Periode, die in der Geschichte der Botanik Oesterreichs unvergesslich bleiben wird. Endlicher folgte ihm in der Lehrkanzel nach, die Custos-stelle wurde dem Custos-Adjuncten Dr. Eduard Fenzl verliehen. Auch Bredemayer ging 1839 mit dem Tode ab und obschon sein Nachfolger Welle erst 1845 pensionirt wurde, so war die Leitung des k. k. botanischen Gartens in Schönbrunn doch factisch dem Hofgärtner Heinrich Schott anvertraut; durchaus Männer des wissenschaftlichen Fortschrittes und der aus dem natürlichen Systeme hervorgegangenen neuen Schule.

Stephan Ladislaus Endlicher, k. k. Regierungsrath, Professor der Botanik an der Universität zu Wien und Inhaber des preussischen Ordens Pour le mérite, wurde den 24. Juni 1805 in Pressburg, wo sein Vater als praktischer Arzt lebte, geboren. Ursprünglich widmete er sich dem geistlichen Stande und vollendete 1826 im erzbischöflichen Seminarium in Wien seine theologischen Studien. Obschon er diese Laufbahn wieder verliess, so war dadurch doch sein natürliches Sprachtalent und besonders Liebe zur orientalischen Linguistik geweckt. Nach Pressburg zurückgekehrt, verlegte er sich vorzugsweise auf die Kenntniss der griechischen und römischen Klassiker, dann auf das Studium der chinesischen Sprache. Tacitus war sein Lieblingsautor, er wusste ihn fast auswendig und ahmte seinen Styl, wenn er lateinisch schrieb, unverkennbar nach. Nebstdem betrieb er aber auch Grammatik, Geschichte, Numismatik und Botanik. Im Jahre 1828 trat er als Beamter der Hofbibliothek in kaiserliche Dienste, erhielt aber 1836, wie bereits erwähnt, die Custosstelle der botanischen Abtheilung am k. k. Naturalien-Kabinete und nach Jacquin's Tode 1840 die Professorsstelle an der Universität und die damit verbundene Leitung des botanischen Gartens. Seit seiner Anstellung im Naturalien-Kabinete nahm sein Geist auch eine entschieden botanische Richtung und er betrat von nun an eine Bahn, die seinen Namen der Unsterblichkeit geweiht. Es würde zu weit führen, alle seine Schriften, die er jährlich in die Welt sandte, hier anzuführen, daher es genügen mag, nur seiner grössern botanischen Werke zu erwähnen. Nachdem er 1830 eine *Flora posoniensis*, 1833 einen *Prodromus florae insulae Norfolk* und die *Atacta botanica*, dann 1835—38 gemeinschaftlich mit E. Pöppig 2 Bände des Prachtwerkes *Nova genera ac species plantarum quas in regno Chilensi Peruviano et in terra Amazonica legit* Poeppig herausgegeben hatte, erschienen 1836—40 seine berühmten den Manen Jussieu's geweihten *Genera plantarum*, in welchem er zugleich ein neues früher mit F. Unger entworfenes, auf den Entwicklungsgang der Pflanzen gegründetes natürliches System aufstellte. Diesen folgten 1837—40 *Iconographia generum plantarum*, 1841 *Enchiridium botanicum*, 1842 *die österreichischen Medicinalpflanzen* und *Catalogus horti vindobonensis*, 1842—43 *Mantissa generum plantarum I. et II.* (Suppl. II. et III.), 1843 gemeinschaftlich mit F. Unger *Grundzüge der Botanik*, 1843—45 gemeinschaftlich mit Alois Putterlick die Fortsetzung der *Genera plantarum florae germanicae*, über die er wie seine zwei Vorfahren Nees von Esenbeck und Spenner, sein Mitarbeiter Putterlick und sein Nachfolger Bischoff starb, 1847 *Synopsis Coniferarum* und *Generum plantarum supplementum IV.*, endlich sein letztes Werk *Supplementum V.*, welches erst nach seinem Tode herauskam. Aber nicht blos als Schriftsteller sondern auch als Vorsteher der Institute, welche seiner Leitung anvertraut wurden, zeigte sich sein schöpferischer ordnender Geist. Die botanische Abtheilung des k. k. Naturalien-Kabinets, die unter Trattinick's alternden Händen immer mehr ihrem Verfalle entgegenging, wurde von ihm neu belebt, fast neu geschaffen, und als sie 1845 in den akademischen botanischen Garten übertragen wurde, gründete er jenes herrliche Museum, welches eine der schönsten wissenschaftlichen Zierden Wiens geworden ist und von welchem später ausführlicher gesprochen werden wird. Auch der botanische Garten wurde von ihm umgestaltet und im neuern Geschmacke angelegt. Ebenso erfolgreich war sein Wirken als Professor. Indem er seinen Vorlesungen das natürliche System zu Grunde legte, lehrte er seinen Schülern zugleich Liebe zur Pflanzen-Physiologie und Anatomie und brach so einem Studium die Bahn, welches bisher in Oesterreich völlig brachgelegen war. Wie Jacquin vor 60 Jahren die Lehren Linné's nach Oesterreich verpflanzt und eingebürgert hatte, so war er Oesterreichs Jussieu, der Gründer des natürlichen Systems, und wie Jacquin sich der Gunst dreier Kaiser zu erfreuen hatte, so war auch er der Liebling Kaiser Ferdinands I. Endlicher stand noch nicht auf der Mittagshöhe seines Wirkens, als ihn plötzlich ein schneller Tod im besten Mannesalter am 28. März 1849 viel zu früh der Wissenschaft entriss, *„für die er,* wie Schleiden sagt, *mit stupender Gelehrsamkeit grossartig gewirkt.“* (Grundz. d. Bot. 1842 p. XVI.) Endlicher war wie bereits erwähnt, nicht blos Botaniker, sein gewaltiger Geist drang fast in jede Wissenschaft und wenn es bei dem jetzigen

Umfange unserer Kenntnisse überhaupt angemessen wäre, Jemanden einen Polyhistor zu nennen, so könnte man dies von Endlicher sagen, wie es denn überhaupt schwer zu entscheiden ist, ob er als Naturforscher oder als Philolog grösser gewesen. Im Wissen war er stark. Von ihm gilt Aristoteles berühmter Ausspruch: *Ἐπιστήμη ἡ δύναμις ἢ ἐνέργεία ἐστιν.*

Ein Glück für die Förderung der Pflanzenkunde in Oesterreich war es, dass seine Schöpfungen mit seinem Tode nicht nur nicht stille stehen blieben, sondern von seinen beiden Nachfolgern Fenzl und Unger in allen Richtungen auf das glänzendste fortgesetzt und vervollkommnet wurden.

Eduard Fenzl, Doctor der Medicin, Professor der Botanik an der Wiener Universität, Custos des k. k. botanischen Hofkabinets und Mitglied der k. Akademie der Wissenschaften, wurde zu Krummnussbaum bei Gross-Pöchlarn V. O. W. W., wo sein Vater herrschaftlicher Verwalter war, den 15. Februar 1808 geboren. Von frühester Kindheit an zum Reich der Pflanzen mächtig hingezogen, botanisirte er schon während seiner ersten Studienjahre in Krems (1820—25) mit günstigem Erfolge, obschon ihm Anfangs nur Bouché's *Zimmergarten*, Camerarius *Epitome Matthioli* und die erste Ausgabe von Schultes *Oesterreichs Flora* zu Gebote standen. Im Jahre 1825 kam Fenzl der medicinischen Studien wegen nach Wien. Hier lernte er Welwitsch, Dolliner, Zahlbruckner, Agardh, Host, Welden, Trattinick, Pohl und später durch Diesing auch Endlicher und Unger kennen. Im Umgange mit diesen Männern und durch eigenen Fleiss und natürlichen Scharfsinn wusste er sich bald einen solchen Ruf zu verschaffen, dass seiner bereits Host in der *Flora austriaca* rühmlich erwähnt und J. Jacquin ihn 1833 nach erlangtem Doctorate zum Assistenten an der Lehrkanzel der Botanik ernannte. Von Endlicher und Unger in das tiefere Studium der Pflanzenwelt eingeführt, wurde er 1836 zum Custos-Adjuncten und als Endlicher 1840 die Professur erhielt, zum Custos an der botanischen Abtheilung des k. k. Hof-Naturalien-Kabinets ernannt. Endlicher's Tod 1849 legte auch die Professur und die Leitung des botanischen Gartens in seine Hände. Mit dem Jahre 1840 begann seine glänzende in die Geschichte der Botanik Nieder-Oesterreichs tief eingreifende Laufbahn. Seine Werke haben zwar die Flora dieses Landes nicht zum unmittelbaren Gegenstande, aber mehrere derselben, als seine Inaugural-Dissertation *Ueber die geographische Verbreitung der Alsineen* 1833, dann die *Cyperaceen*, *Chenopodieen*, *Amarantaceen*, *Polygoneen*, *Portulaceen*, *Caryophylleen* und *Phytolacaceen*, welche er in Endlicher's *Genera*, dann die *Portulaceen*, *Gypsophila*, die *Alsineen* und *Salsolaceen*, die er in Ledebour's *Flora rossica* bearbeitete, ferner die Abhandlung über die Gattung *Tanacetum* in den Verhandlungen des zool.-botan. Vereines 1853, II. p. 321 haben Gattungen und Arten zum Gegenstande, welche in Nieder-Oesterreich auch vorkommen, und zudem hat der Verfasser seine auf österreichischem Boden gemachten Beobachtungen in diese Abhandlungen stets eingeflochten. Seine übrigen Werke (sie sind im *Almanach der kaiserl.*

Akademie der Wissenschaften 1851 p. 175 sämmtlich verzeichnet) betreffen theils Pflanzen, welche Kötschy in Syrien und am Taurus, dann Hügel in Neuholland entdeckten, theils amerikanische und afrikanische Gewächse, theils einzelne Familien *(Bignoniaceen, Gnaphalieen, Cyperaceen)* und sind theils in eigenen Werken, theils in botan. Zeitschriften, theils in den Verhandlungen der k. Akademie der Wissenschaften enthalten. Als Professor begnügt sich D. Fenzl nicht, die Botanik nur zu medicinischen Zwecken zu tradiren, sondern er verbindet damit auch das Studium der Morphologie, Physiologie und der natürlichen Systemkunde. Als Vorsteher des k. Museums strebt er vorzugsweise dahin, die Bibliothek zu vervollständigen, was ihm wie später gezeigt werden wird, in hohem Grade gelang. Wie Endlicher so hat auch Fenzl in seiner dreifachen Eigenschaft als Schriftsteller, Professor und Custos um das Emporblühen der rationellen Botanik in Nieder-Oesterreich sich wesentliche Verdienste erworben und indem er seinen Vorgänger an Zugänglichkeit und Liebenswürdigkeit des Umganges weit übertrifft, hat er die wissenschaftlichen Institute, denen er vorsteht, gemeinnütziger gemacht, als sie es jemals vor ihm waren, und hierdurch allein schon Liebe und Aufmunterung zur Botanik im Inlande geweckt und dem k. Museum die ihm gebührende Anerkennung des Auslandes verschafft. Nicht mit Unrecht hiess es eher in Deutschland „Wiens Museen sind reichlich ausgestattet, aber unzugänglich.“ Dass jetzt Niemand mehr diesen Vorwurf erheben kann, ist vorzugsweise Fenzl's Werk.

Franz Xaver Unger, Doctor der Medicin und der Philosophie, Professor der Botanik an der Wiener Universität und Mitglied der k. Academie der Wissenschaften, geboren in Amthof zu Leitschach in Steiermark den 30. November 1800, studirte Anfangs die Rechte in Gratz, aber eine früh erwachte Neigung für die Naturwissenschaften bestimmte ihn im Jahre 1821 seinen frühern Plan aufzugeben und sich der Arzneikunde zu widmen. Nachdem er an den Universitäten in Wien und Prag die medicinischen Studien vollendet und 1827 in Wien die Doctorswürde erlangt hatte, liess er sich 1828 als practischer Arzt in Stockerau nieder. Allein in Sauter's Umgange hatte er bereits die Botanik liebgewonnen und die physiologische Seite derselben lebhaft aufgegriffen, wie dies schon seine ersten botanischen Abhandlungen zeigen. Im Jahre 1830 wurde er Landgerichts-Physicus in Kitzbühel in Tirol, 1835 Professor der Botanik und Zoologie am Joannäum in Gratz und 1850 Professor der Botanik an der Wiener Universität. Unger hat die Geheimnisse der Natur mit einer eigenthümlichen Genialität aufgefasst und ist unstreitig der erste Pflanzen-Physiolog und Anatom Oesterreichs. Seine Werke *Exantheme der Pflanzen* 1833, *über den Einfluss des Bodens auf die Vertheilung der Gewächse* 1836 *über den Wachsthum des Dicotyledonenstammes* 1840, *die Pflanze im Momente der Thierwerdung* 1843, *Merimetische Zellbildung* 1844, *Grundzüge der Anatomie und Physiologie der Pflanzen* 1846, *Botanische Briefe* 1852, *die Pflanze und die Luft* 1853 beweisen, welche schwierige Materien er zum Gegenstande seiner Forschungen genommen und wie er kühn und glücklich ein Feld betreten habe, auf das man sich in Oesterreich vor ihm gar nicht oder nur mit grosser Schüchternheit gewagt hatte. (Ein vollständiges Verzeichniss seiner bis 1851 erschienenen Schriften ist im *Almanache der kais. Academie der Wissenschaften* 1851 p. 265 enthalten). Unger ist aber auch Geolog und Gründer der fossilen Flora in Nieder-Oesterreich, wovon weiter unten gehandelt werden wird.

Siegfried Reissek, Custos-Adjunct des k. k. botanischen Kabinets, geboren zu Teschen den 11. April 1819, fand sich seit seiner Kindheit zur Pflanzenwelt hingezogen und bildete sich schon während der philosophischen Studien in Brünn in Gesellschaft des Professors Diebl, des jetzigen Statthaltereirathes Tkany und des verstorbenen Rohrer zum Botaniker aus. Im Jahre 1838 kam er nach Wien und absolvirte daselbst die medicinischen Collegien. Hier lernte er durch Putterlick die Custoden des Naturalien-Kabinets Endlicher und Fenzl kennen und erhielt 1845 die durch Putterlick's Tod erledigte Custos-Adjuncten-Stelle. Nachdem er Anfangs verschiedene phytographische Arbeiten als Beiträge zu Endlicher's *Nov. stirp. Decades* 1839, die *Rhamneen* in dessen *Genera plantarum*, eine *Monographie der Gattung Pennantia* in der *Linnaea* 1842, *Beiträge zur Flora von Mähren und Wien* (in der *Regensburger botan. Zeitschrift* 1841 und 1842) ein Supplement zu Rohrer und Meyer's *Flora von Mähren* in den Mittheilungen der mähr.-schles. Gesellschaft 1842, dann mehrere Literatur-Berichte und Recensionen geliefert hatte, widmete er sich vorzugsweise dem Studium der Physiologie, Anatomie, Morphologie und Geographie der Pflanzen und den Untersuchungen der untersten bereits an das vegetabile Reich streifenden Thierbildungen. Mit natürlichem Scharfsinn und einer glücklichen Hand im Zeichnen begabt, gelang es ihm bald in microscopischen Untersuchungen höhere Erfolge als irgend einer seiner Vorgänger in Oesterreich zu erlangen und diesen bisher hier gar nicht beachteten Zweig volle Geltung zu verschaffen. In dieser Richtung schrieb er über die *Teratagnosie der Thesiumblüthe* und das *Wesen der Keimknospe* (in der *Linnaea* 1843), über die *Entwicklung der Pollenzelle* (in den Verhandlungen der Leop. Carol. Akad. 1845), über *Entophyten der Pflanzenzelle* (in Haid. Abhandl. 1847), *Entwicklungsgeschichte des Thieres und der Pflanze, über die Zellenbildung in gekochten Kartoffeln* und *über die Fäule der Mohrrübe* (in den Sitz. Ber. der k. Akad. d. Wissensch. 1851—52), endlich als Hauptwerk *Fasergewebe des Leins, des Hanfes und der Baumwolle* mit 14 Tafeln in Folio (Denkschriften der k. Akad. d. Wissensch. IV. 1852). Eine Pflanzengeschichte der Donau-Inseln und eine Physiognomik des Gewächsreiches haben wir noch von ihm zu erwarten.

Johann Georg Bill, Doctor der Medicin, geboren den 25. April 1813 zu Wien, trat 1840 in die Dienste des k. k. Naturalien-Kabinets, wurde 1842 Assistent der Lehrkanzel der Botanik an der Wiener Universität, 1847 Professor der Naturgeschichte am Theresianum und 1850 Professor der Botanik und Zoologie am Joannäum in Gratz. Als geschickter Zeichner lieferte er mehrere naturgeschichtliche Abbildungen zu Endlicher und Martius *Flora brasiliensis* und Russegger's *Reisebeschreibung* und schrieb *Grundriss der Botanik für Schulen*, Wien 1854, ein vortreffliches Lehrbuch mit sehr schön ausgeführten Holzschnitten.

Heinrich Wilhelm Schott, Director der k. k. Gärten und der Menagerie zu Schönbrunn, geboren zu Brünn den 7. Jänner 1794 und Sohn des verdienstvollen Universitäts-Gärtners in Wien Heinrich Schott, widmete sich schon von Jugend an der Naturkunde und vollendete seine Studien in Wien. Im Jahre 1813 Assistent seines Vaters und 1815 Gärtner im k. k. Garten der Flora austriaca nächst dem Belvedere, trat er 1817 in Gesellschaft der vom Kaiser Franz hierzu bestimmten Naturforscher seine wissenschaftliche Reise nach Brasilien an, von der er erst 1821 über Portugall, England und Frankreich nach Wien zurückkehrte. An den Hofgarten nach Schönbrunn berufen und 1828 zum k. k. Hofgärtner ernannt, wurde ihm die völlige Umstaltung des botanischen Gartens in Schönbrunn übertragen, welcher Aufgabe er sich auf das glänzendste entledigte. Nach dem Tode Jacquin's erhielt er 1840 auch die Leitung des vorerwähnten Gartens nächst dem Belvedere, welchen er ebenfalls zeitgemäss umänderte. Zur Belohnung seiner Verdienste wurde ihm 1845 seine gegenwärtige Stelle verliehen. Schott hat die Horticultur in einem höhern Sinne als bisher in Oesterreich aufgefasst und mit der Botanik in eine wissenschaftliche Verbindung gebracht. Wie Endlicher, Fenzl und Unger die grosse Reformation der Pflanzenkunde im Geiste des natürlichen Systems in Oesterreich auf der Lehrkanzel zur Ausführung brachten, so hat Schott den Lehren der neuen Schule in den kaiserlichen Gärten practische Geltung verschafft, dabei aber auch stets den Anforderungen des Geschmackes und der Zierlichkeit volle Rechnung getragen. Hier, wo es sich nur um Nieder-Oesterreich handelt, kann in den botanischen Reichthum, den die Gewächshäuser in Schönbrunn bergen, nicht weiter eingegangen werden, es genüge daher nur der Alpenflora zu erwähnen, die Schott in einem grossartigen Massstabe in Schönbrunn angelegt hat. Aber auch in der Phytographie wirkt Schott als kritischer Schriftsteller, wie dies seine *Meletemata botanica* 1832, *Rutaceae* 1834, *Genera Filicum* 1834, *Sippen der österr. Primeln* 1851, *Wilde Blendlinge österr. Primeln* 1852, *Skizzen österr. Ranunkel* 1852, *Aroideae* 1853, *Analecta botanica* 1854 und viele andere in verschiedenen botanischen Zeitschriften zerstreute Aufsätze beweisen, doch behandeln letztere nicht die Flora Nieder-Oesterreichs.

Man sieht hieraus, dass unser Vaterland in allen jenen Zweigen der **allgemeinen Botanik**, in welchen es im Verlaufe der vorigen Periode zurückgeblieben war, namentlich in der Organographie, Anatomie, Physiologie und Pathologie, dann in der Systematik der Pflanzen binnen der letzten 20 Jahren, wenn auch nicht quantitativ doch qualitativ rühmliche Fortschritte gemacht, ja in einigen dieser Materien Glänzendes geleistet und somit zu der reichen und gehaltvollen Literatur des Auslandes auch seinen Beitrag geliefert habe.

Unter **den phanerogamen Phytographen** dieser Periode muss vorzüglich Georg Dolliner, Doctor der Medicin, derzeit in Idria, genannt werden. Geboren den 11. April 1794 zu Ratschach in Krain, kam er der Studien wegen 1818 nach Wien, wo er als practischer Wundarzt durch 20 Jahre wirkte, bis er 1842 zum Kreiswundarzte in Adelsberg und 1846 zum Gewerks-Wundarzte in Idria ernannt wurde. Das Doctorat erlangte er erst 1851 in Wien. Durch die während seines langjährigen Aufenthaltes in dieser Stadt in Gesellschaft von Dr. Precht, Pach, F. Winkler, Welwitsch, Lipp, Kovàts und Anderen unternommenen zahlreichen botanischen Ausflüge in die Umgebungen Wiens und auf die benachbarten Alpen trug er zur Kenntniss der Vegetationsverhältnisse Nieder-Oesterreichs wesentlich bei und lieferte über dieses Land nicht unwichtige Beiträge zu Reichenbach's und Koch's Floren von Deutschland. Die von ihm gemachten botanischen Erfahrungen legte er in seinem Werke *Enumeratio plantarum in Austria inferiore crescentium*, Vindobonae 1842 nieder, das erste möglich vollständige Verzeichniss der hier vorkommenden Phanerogamen, das er gleichsam als Abschiedsgruss bei seinem Scheiden von Wien hinterliess.

Karl Josef Kreutzer, geboren zu Wien den 8. März 1809, Bibliothekar des polytechnischen Institutes in Wien, gab 1838 *Oesterreichs Giftgewächse*, 1839 *die essbaren Schwämme Oesterreichs*, 1840 *Prodromus florae vindobonensis* und *Blüthenkalender der Wiener Flora* und 1852 ein in analytischer Methode bearbeitetes *Taschenbuch der Wiener Flora* heraus.

Josef Eduard Patzelt, Doctor der Medicin, eher practischer Arzt in Wien, derzeit dem Vernehmen nach in Bukarest, schrieb 1842 eine *Aufzählung der Thalamifloren der Umgebungen Wiens.*

Der Verfasser dieses Aufsatzes gab 1846 eine *Flora Wiens* und 1850 Nachträge zu derselben heraus und lieferte in den Verhandlungen des zoologisch-botanischen Vereins verschiedene Abhandlungen in gleicher Richtung (1851 p. 25, 37, 68, 114, 187. — 1852 p. 51 und 106. — 1853 p. 14, 123, II. 395. — 1854 II. p. 535.)

Josef Aichinger von Aichenhain, pensionirter k. k. Major und ehemals Professor in der Neustädter Militär-Akademie, später privatisirend in Wien, Stein und Gratz, schrieb 1847 unter dem Namen *Botanischer Führer um Wien* einen pflanzentopographischen Kalender.

In den *Verhandlungen des zoologisch-botanischen Vereins in Wien* hielten Vorträge:

Johann Ortmann, k. k. Buchhaltungs-Official, geboren zu Plan in Böhmen, den 28. März 1814, ein kritischer um die Flora Wiens und des Kreises O. M. B. sehr verdienter Botaniker, über verschiedene von ihm neu aufgefundene Arten oder neu entdeckte Standorte hier seltner Pflanzen (1851 p. 22, 80; 1852 p. 119, II. p. 60; 1853 II. p. 10) dann über einen botanischen Ausflug in das Waldviertel (1851 p. 78), über *Orobus albus* und *lacteus* (1852 II. p. 9.) und über *Anthemis ruthenica* und *A. Neilreichii* (1852 II. p. 55 und 138).

Anton Kerner, Doctor der Medicin, derzeit in Wien, geboren zu Mautern den 13. November 1831, einer der hoffnungsvollsten Botaniker Nieder-Oesterreichs, von regem Eifer und wissenschaftlicher Bildung, besonders mit den Vegetations-Verhältnissen und der Pflanzeugeographie der 2 oberen Kreise sehr vertraut, über die Flora des Donauthales von Melk bis Hollenburg (1851 p. 27), des Erlafthales (1853 p. 27) und des Mühlkreises (1854 II. p. 213), dann über *Salix Wimmeri* (1852 II. p. 61) und über die Weinlese in Mautern nach hundertjährigem Durchschnitte (1854 II. p. 85).

Ignaz Rudolf Schiner, Doctor der Rechte und k. k. Finanz-Ministerial-Concipist, geboren zu Fronsburg im V. O. M. B. den 17. April 1813, vorzüglich Dipterolog, über die Flora des Marchthales (1851 p. 57).

Friedrich Salzer, Doctor der Medicin in Wien, über eine hybride Primel am Schneeberg (1851 p. 105).

Johann Bayer, k. k. Secretär bei der Staats-Eisenbahn in Pest, geboren zu Gross-Krosse in östr. Schlesien den 20. März 1802, früher in Wien angestellt und in der Flora von Nieder-Oesterreich, Böhmen, Mähren und Schlesien wohl bewandert, über die Prosodie der Pflanzennamen (1851 p. 225), über die Flora von Tscheitsch (1852 p. 20), über *Tilia cucullata* (1852 p. 81) und über die Flora von Oderberg (1854 p. 118).

Julius Zelenka, Capitular des Stiftes Zwettl und Pfarrer zu Salingstadt bei Zwettl, über die Flora des Waldviertels (1852 p. 101).

Anton Czagel, k. k. Buchhaltungs-Ingrossist, über das von ihm im Marchthale entdeckte *Cnidium venosum* (1852 p. 104).

Franz Hillebrandt, Obergärtner im k. k. Garten der Flora austriaca nächst dem Belvedere, geboren zu Eisgrub den 7. November 1805, bekannt durch seine in Gesellschaft des Grafen Johann Zichy unternommenen zahlreichen Alpenwanderungen in Oesterreich, Steiermark, Salzburg und Kärnten, über die auf den ebengenannten Alpen vorkommenden Pflanzen (1853 II. p. 77.)

Dionys Stur, k. k. Geolog, ausgezeichnet durch seine geognostischen Forschungen im Hochgebirge der Alpen und die zweimalige Besteigung des Grossglockners (1853 und 1854), über *Androsace Hausmanni* (1853 p. 67) und über den Einfluss der geognostischen Unterlage auf die Vertheilung der Gewächse (1853 II. p. 43), dann (im östr. botan. Wochenblatte 1855 p. 73) über die Flora des Lungau.

Friedrich Simony, k. k. Professor der physikalischen Geographie an der Universität zu Wien, ebenfalls einer der kühnsten Alpenbesteiger, über die Pflanzeugeographie des östr. Alpenlandes (1853 II. p. 303.)

Im *östr. botanischen Wochenblatte* schrieben:

Johann Seywald, Gärtner in St. Egid, über die Flora von St. Egid und Hohenberg im V. O. W. W. (1851 p. 227 und 1854 p. 195) dann Maximilian Freiherr von Widerspach, k. k. Hauptmann in der Armee, über die Flora des Göller (1852 p. 340).

Autoren, welche mittelbar die Flora Nieder-Oesterreichs berühren, sind:

Franz Antoine, k. k. Hofgärtner im Hofburggarten, geboren zu Wien den 23. Februar 1815, gab *Beschreibung und Abbildung in- und ausländischer Coniferen*, Wien 1840—41, heraus.

Josef Karl Maly, Doctor der Medicin, geboren zu Prag den 3. März 1797, seit 1823 in Gratz, schrieb nebst einer *Flora von Steiermark* 1838 und *einer analytischen Anleitung zur Bestimmung der Pflanzengattungen* 1846, eine *Enumeratio plantarum phanerogamicarum imperii austriaci*, Vindobonae 1848, bisher das Vollständigste, was hierüber besteht. Eine ausführliche Schilderung des Wirkens dieses verdienstvollen Naturforschers bleibt der Geschichte der Botanik von Steiermark vorbehalten, da er diesem Lande vorzugsweise angehört.

Gustav Lorinser, Doctor der Medicin und Professor der Naturwissenschaften in Pressburg, und Friedrich Lorinser, Primar-Wundarzt im allg. Krankenhause in Wien, verfassten eine nach der analytischen Methode bearbeitete *Flora von Deutschland*, Wien 1847, welche Gustav Lorinser in einer zweiten Ausgabe 1854 auf die deutschen Kronländer des Kaiserthums Oesterreich reducirte.

Auch Reichenbach in der *Flora germanica excursoria* und Koch in der *Synopsis florae germanicae* haben, da sie mit mehren hiesigen Botanikern in Verbindung standen, nicht nur äusserst schätzbare Beiträge zur Flora Nieder-Oesterreichs geliefert, sondern durch ihre gemeinnützigen classischen Werke die richtige Erkennung und Bestimmung der Gewächse und somit auch das Studium der Botanik in diesem Lande wesentlich gefördert.

Allein trotz aller dieser eben erwähnten Leistungen, die sich zuletzt grossentheils nur auf Pflanzen-Aufzählungen, Angaben neu entdeckter Pflanzen oder neuer Standorte und kritische Abhandlungen über einzelne Arten beschränken, fehlt es noch immer an einer dem jetzigen Stande der Wissenschaft angemessenen Flora von Nieder-Oesterreich, so wie sie Schlesien, Baden, Hannover, Tirol und andere Länder besitzen, so dass man sich es nicht verhehlen kann, dass unser Zeitalter in der beschreibenden Botanik bei weitem weniger geleistet habe, als jenes, das ihm vorausgegangen.

Ein erfreulicherer Fortschritt geschah zwar, der vorigen Periode gegenüber, in der **Kryptogamie**, allein da die neuere Zeit hierin so unbedeutende Vorarbeiten fand, so kann dieser Fortschritt nur ein relativ günstiger genannt werden und es ist wohl kein Wunder, wenn trotz der Leistungen eines Welwitsch, Garovaglio, Putterlik und Pokorny die Zahl der in Nieder-Oesterreich vorkommenden Kryptogamen bisher mit Verlässlichkeit noch gar nicht bekannt ist und eine vollständige Aufzählung der Kryptogamen-Arten nicht gegeben werden kann.

Friedrich Welwitsch (s. Seite 42) war der Erste, der 1834 im IV. Bande der *Beiträge zur Landeskunde Nieder-Oesterreichs* eine systematische möglich vollständige Aufzählung der in Nieder-Oesterreich vorkommenden *kryptogamischen Gefässpflanzen*, der *Characeen* und *Moose*, dann 1836 als Inaugural-Dissertation eine *Synopsis der Gallert-Tange* schrieb. Er muss daher als der eigentliche Gründer der Kryptogamen-Flora Nieder-Oesterreichs betrachtet werden.

Ihm stand würdig zur Seite Santo Garovaglio, Doctor der Medicin und Professor der Botanik zu Pavia. Geboren zu Como den 28. Juni 1805 kam Garovaglio der medicinischen Studien wegen nach Wien, wo er sich vorzugsweise auf das Studium der *Laubmoose* verlegte. Die Resultate seiner mit grosser Genauigkeit gemachten Beobachtungen und seiner zahlreichen Entdeckungen schrieb er in den beiden Werken *Enumeratio Muscorum in Austria inferiore lectorum* und *Bryologia austriaca*, Viennae 1840 nieder; auch gab er 1836—43 eine Sammlung getrockneter Moose (*Bryotheca austriaca*) in 30 Decaden heraus. Im Jahre 1833 verliess er Wien und wurde Assistent der botanischen Lehrkanzel an der Universität zu Pavia, 1839 Professor der naturhistorischen Hilfswissenschaften daselbst und 1852 an Moretti's Stelle supplirender Professor der Botanik. Mehrere andere von ihm geschriebene Abhandlungen betreffen die Kryptogamen-Flora Italiens.

Alois Putterlick, Doctor der Medicin und Custos-Adjunct am k. k. Naturalienkabinete, geboren zu Iglau den 3. Mai 1810, gestorben in Wien den 29. Juli 1845, betrieb die Botanik erst 1832, als er zufällig Garovaglio kennen lernte. Gleich diesem verlegte er sich vorzugsweise auf die Kryptogamen und obschon er in diesem Fache nichts schrieb, so bereicherte er doch hierin die Flora Nieder-Oesterreichs mit vielen und wichtigen Entdeckungen. Er gab 1839 als Inaugural-Dissertation *Synopsis Pittosporearum* und gemeinschaftlich mit Endlicher die Fortsetzung der *Genera florae germanicae* von Nees und Spenner heraus, zu welchen er die Abbildungen des XXII—IV. Heftes lieferte (1843—45). Sein reiches und werthvolles Herbarium befindet sich im Besitze des k. k. botanischen Kabinets.

Franz Edler von Hildenbrand, Doctor der Medicin und Professor der Klinik in Wien, geboren den 7. September 1789 zu Wierzbowie in Volhynien, als Arzt, Professor und Schriftsteller gleich berühmt, widmete die wenigen Stunden seiner Musse der Botanik, insbesondere aber dem Studium der Flechten. Sein Plan, eine *Lichenographia austriaca* herauszugeben, wurde durch lange körperliche Leiden und seinen am 6. April 1849 zu Ofen erfolgten Tod vereitelt. Er hinterliess als erste Anfänge dieses Werkes 2 Hefte von Josef Zehner gezeichneter Flechten und eine reiche

Sammlung derselben, beides im Besitze des k. k. botanischen Kabinets. (*Oestr. Encycl.* II. p. 582.)

Die grössten Verdienste um die Kryptogamen-Flora erwarb sich aber Alois Pokorny, Professor der Naturgeschichte am akademischen Gymnasium zu Wien. Geboren zu Iglau den 22. Mai 1826, widmete er sich früher dem Studium der Rechte und absolvirte auch den juridischen Lehrkurs an der Wiener Universität. Allein schon während dieser Zeit von Liebe zur Botanik und vorzüglich zur Kryptogamie erfüllt, verliess er diese Laufbahn und trat 1848 in die Dienste des k. k. Naturalien-Kabinets. Hier blieb er jedoch nur ein Jahr, da er schon 1849 zum supplirenden und 1852 zum wirklichen Professor der Naturgeschichte ernannt wurde. Während seine Vorgänger nur einzelne Familien der Kryptogamen zum Gegenstande ihrer Studien machten, dehnte er seine Forschungen auf das gesammte Gebiet dieser Gewächse in Nieder-Oesterreich aus und unterzog sich der mühevollen Arbeit, alles bisher über diesen Gegenstand in Büchern Vorhandene zu sammeln und mit Hülfe seiner eigenen vielfältigen Beobachtungen und Erfahrungen in ein systematisches Ganzes zu bringen Auf diese Art wurde er in den Stand gesetzt, in den Verhandlungen des zoolog.-botan. Vereins 1851 p. 18—22, 55, 59—65; 1852 p. 35—39, vorzüglich aber 1854 II. p. 35—168, dann in den Sitzungsberichten der k. Akademie der Wissenschaften 1852 IX. p. 186 und 1854 XII. p. 124 eine kritische Aufzählung der in Nieder-Oesterreich bisher gefundenen *Algen*, *Flechten*, *Pilze*, *Leber-* und *Laubmoose* zu veröffentlichen, so vollständig als es der Stand der Vorarbeiten erlaubte. Nebstdem befasst sich aber Pokorny auch mit der Phanerogamenflora und Pflanzengeographie, durchforschte die Torfmoore des Kreises O. M. B. und schrieb hierüber einen Aufsatz in den Verhandlungen des zool.-botan. Vereins 1852 p. 59—68 und 99—105, so wie eine vortreffliche *Flora und Pflanzengeographie von Iglau* (Wien 1852), ferner eine pflanzengeographische Skizze des österreichischen Kaiserstaates in Schmidl's *östr. Vaterlandskunde* 1852, eine *Naturgeschichte des Pflanzen- und Thierreiches für Gymnasien* (Wien 1853) und eine *Flora subterranea der Karsthöhlen* in Schmidl's Werke über die *Grotten in Krain* (Wien 1854). Indem er schliesslich seine Schüler mit Liebe zur Botanik zu erfüllen weiss, führt er derselben stets neue Jünger aus den Hörsälen der Gymnasien zu.

Ludwig Ritter von Heufler, k. k. Sectionsrath im Ministerium des Unterrichtes, geboren zu Innsbruck den 26. August 1817, botanisirte 1833—49 auf den Alpen von Kärnten, Steiermark und Tirol, im Litorale und in Istrien, 1850 auf den siebenbürgischen Karpathen, 1851 in Grossbritannien und Irland, 1852 in Italien bis nach Sicilien. Im Jahre 1849 in das Unterrichtsministerium berufen, nahm er seinen Aufenthalt in Wien. Heufler hat sich um das Studium der Botanik in Tirol grosse Verdienste erworben (Hausm. *Fl. v. Tirol* III. p. 1168); er ist vorzugsweise Kryptogamist und insbesondere in der Kenntniss der Flechten und Pilze ausgezeichnet, in dieser Richtung lieferte er auch in den Verhandlungen des zoolog.-botan. Vereins 1851 p. 148 ein Verzeichniss mehrer in Nieder-Oesterreich vorkommenden Flechten, schrieb ferner pflanzengeographische Abhandlungen über Tirol, Istrien und Siebenbürgen, dann *Botanische Beiträge zum deutschen Sprachschatze* (Wien 1852) und *Briefe aus Italien* und *Erinnerungen aus dem Küstenlande* (Wien 1853). Ueber sein reiches eben so zweckmässig als geschmackvoll geordnetes Kryptogamen-Herbarium (9500 Nummern) gab A. Pokorny in den Verhandlungen des zool.-bot. Vereins 1853 I. p. 167 eine nähere Beschreibung. Sein Phanerogamen-Herbarium schenkte er aber wissenschaftlichen Instituten als dem Ferdinandäum in Innsbruck, dem Gymnasium in Botzen und dem zool.-bot. Vereine in Wien.

Felix Riess, Doctor der Medicin, schrieb 1840 eine Inaugural-Dissertation über die *Ehrenberg'schen Infusorien* und deren theilweise Pflanzennatur.

Dr. Ubald Ganterer, k. k. Oberfeldarzt, schrieb 1847 eine *Aufzählung und Beschreibung der Characeen des östr. Kaiserstaates.*

Mangel tauglicher Bücher, welche die Bestimmung der Pflanzen durch eigenen Fleiss möglich machten, und Mangel billiger und schneller Beförderungsmittel waren die Ursache, dass in der vorigen Periode nur Wenige in der Lage waren, sich dem kostspieligen oder mühseligen Geschäfte zu unterziehen, Pflanzen in der freien Natur zu sammeln und zu studiren, dieselben in Herbarien zu ordnen oder zum Tausche auszubieten. Die Botaniker der jetzigen Zeit kennen daher gar nicht die zahllosen Schwierigkeiten, mit welchen ihre Vorgänger zu kämpfen hatten. Vortreffliche Handbücher, wenig kostspielige Abbildungen, ein lebhafter Verkehr mit getrockneten Pflanzen, leicht zugängliche öffentliche Institute, Eisenbahnen, Dampfschiffe, Gesellschaftswagen und dadurch auch geförderter Austausch wechselseitiger Ansichten spielen so zu sagen die Pflanzen dem Botaniker in die Hände und oft hat er keine andere Mühe als das, was er wünscht, sich einfach zu holen. Dies macht es erklärlich, dass die Zahl der in Nieder-Oesterreich lebenden Botaniker jetzt grösser als jemals ist. Folgende haben sich ausser den Seite 57 bereits erwähnten auch als Schriftsteller thätigen Pflanzenforschern um die Flora von Nieder-Oesterreich vorzugsweise verdient gemacht und zwar:

Rainer Ferdinand, Erzherzog von Oesterreich, Sohn des Seite 46 erwähnten und am 14. Jänner 1853 verstorbenen Erzherzogs Rainer Josef, dann dessen Gemahlin Maria Karolina, Tochter des Erzherzogs Karl.

I. Um die Flora von Wien und des Kreises U. W. W.

Dominik Bilimek, Capitular des Cistercienser-Stiftes Neukloster in Wr. Neustadt, früher Pfarrer in Würflach in der Neuen Welt, dann Professor der Naturgeschichte am Gymnasium in Wr. Neustadt, später an der Militär-Akademie in Hainburg, jetzt Professor der Naturgeschichte am Kadeten-Institute zu Krakau, besonders um die Flora des Schneeberges und der Raxalpe, die er öfter als irgend ein Botaniker bestieg, verdient.

Josef Boos, geboren zu Schönbrunn den 13. September 1794, pens. k. k. Hofgärtner und Sohn des Seite 46 erwähnten Gartendirectors in Schönbrunn, schrieb *Schönbrunns Flora*, Wien 1816.

Moritz Daffinger, geboren zu Wien den 25. Jänner 1790, gestorben daselbst den 22. August 1849, einer der genialsten Porträt- und Pflanzenmaler Oesterreichs. Seine Sammlung wildwachsender von ihm selbst gefundener und gemalter Pflanzen der Umgebungen Wiens, ein unübertroffenes Meisterwerk, wurde vom Unterrichts-Ministerium für die Akademie der bildenden Künste angekauft.

Johann Egger, Doctor der Medicin und k. k Hofwundarzt, besonders in den Orchideen bewandert, ist auch Dipterolog.

Karl Enderes, geboren zu Teschen den 6. Jänner 1788, k. k. Finanz-Ministerialrath, botanisirt schon seit dem Jahre 1826 in den Umgebungen Wiens und besitzt auch ein sehr schönes und vollständiges Herbarium der Flora des österreichischen Kaiserstaates.

Franz von Ferstl, Doctor der Medicin in Wien, ist auch Geognost.

Georg Frauenfeld, geboren zu Wien den 2. Juni 1807, k. k. Custos-Adjunct im zoologischen Hofkabinete und Sekretär des zoologisch-botanischen Vereines, gegenwärtig auf einer wissenschaftlichen Reise in Egypten, ist vorzugsweise Zoolog und zwar in allen Klassen dieses Reiches, insbesonders aber in der Metamorphose der niedern Thiere, schrieb auch in den Verhandlungen des zool.- bot. Vereins 1854 p. 318 *Ergebnisse einer Reise an den Küsten Dalmatiens* und eine Aufzählung der daselbst vorkommenden Algen.

Julius Helm, Doctor der Medicin und in den Jahren 1842—44 Professor der Naturgeschichte am Theresianum in Wien, vorzugsweise Orcheolog, starb den 23. December 1844.

Corbinian Hirner, Buchhalter der Kosmanos'schen Fabrik in Wien.

Jakob Jäggy, aus Aarburg in der Schweiz, seit 1851 in Wien.

Jacob Juratzka, k. k. Rechnungs-Revident im Handelsministerium, gegenwärtig einer der thätigsten Botaniker Wiens.

Johann Kachler, Samenhändler in Wien, schrieb 1829 ein *encyclopädisches Pflanzen-Wörterbuch*, 1830 *Grundriss der Pflanzenkunde*, 1839 *Scientifisches Samenverzeichniss*.

Adolf Kintzl, k. k. Hauptmann in Wr.-Neustadt.

Jakob Kloiber, seit 1835 Gärtner im Theresianum.

Ludwig Ritter von Köchel, geboren zu Stein bei Krems, den 14. Jänner 1800, Doctor der Rechte, k. k. Rath, Ritter des Leopoldsordens und gewesener Erzieher der Söhne des Erzherzogs Karl, seit 1850 privatisirend in Salzburg, durch seine vielseitigen Kenntnisse in der Botanik,

Mineralogie und Philologie, seine Reisen durch die österreichische Monarchie, Italien, Schweiz, Frankreich, Portugall, England, Norwegen und Algerien, seine Wanderungen auf den Alpen, Pyrenäen, Karpathen, Sudeten und am Nordkap ausgezeichnet, um die Flora von Baden höchst verdient, besitzt eine gleich werthvolle Pflanzen- als Mineralien-Sammlung.

Julius von Kovács, jetzt Custos des Museums zu Pest, früher in Wien und Herausgeber der *Flora exsiccata vindobonensis*, besitzt ein sehr reiches Herbarium.

Josef Freiherr von Leithner, k. k. Secretär bei der Tabak-Fabriken-Direction, geboren zu Wien den 26. April 1809, ist der Gründer des Wiener Tauschherbariums, von welchem später die Rede sein wird.

Franz Löw, Arzt zu Heiligenstadt, um die Flora des Kahlengebirges verdient.

Franz Maly, k. k. Gärtners-Gehilfe in Schönbrunn, bereiste die Alpen von Nieder-Oesterreich, Steiermark, Salzburg und Tirol, Dalmatien und Kroatien und ist ebenso sehr in der Botanik als in der praktischen Gartenkunde bewandert.

Maximilian Matz, Capitular des Stiftes Schotten, früher Pfarr-cooperator in Gumpendorf, nun Pfarrer in Hebertsbrunn U. M. B.

Emanuel Mickschick, Criminalgerichts-Actuar in Wien, gestorben den 3. October 1838.

Alexander von Pawlowsky, ehemals Zögling der Theresianischen Akademie, jetzt Professor an der Rechtsakademie in Kaschau.

Ignaz Pach, gewesener Apotheker und Vorsteher des Apotheker-Gremiums in Wien.

Franz Pianta, privatisirend in Wien.

Dr. Franz Pokorny, Hof- und Gerichts-Advokat in Wien, Bruder des Professors Alois Pokorny, besitzt ein ausgezeichnetes Herbarium.

Dr. Robert Rauscher, Finanzprocuraturs-Adjunct in Wien, auch um die Flora Ober-Oesterreichs verdient, schrieb Beiträge zur Flora dieses Landes im östr. bot. Wochenblatte 1853 p. 185.

Anton Röll, Lehramts-Candidat in Wien, vorzugsweise im Reiche der Pilze bewandert und wohl der erste Mykolog Nieder-Oesterreichs, schrieb über die Chemie der Kryptogamen im östr. bot. Wochenblatte 1855 p. 89.

Josef Scheffer, Bürgermeister von Mödling, auch als Entomolog ausgezeichnet.

Salesius von Schreiber, Capitular des Stiftes Klosterneuburg und Professor der orientalischen Sprachen daselbst.

Dr. Alexander Skofitz, Redacteur des östr. bot. Wochenblattes und Gründer des Pflanzentauschvereines in Wien.

Vincenz Totter, Capitular des Predigerordens in Wien.

Karl Tschek, Doctorand der Philosophie in Wien.

Josef Wallner, Beamter der östr. Nationalbank.

Franz Winkler, Magister der Pharmacie, der Veteran der Wiener Botaniker, geboren zu Tarnow den 26. August 1780, kam schon in früher Kindheit nach Wien und war durch 42 Jahre in der Apotheke zum Tiger in der Alservorstadt bedienstet. Anfangs nur auf sich selbst gewiesen, botanisirte er seit 1797 in den Umgebungen Wiens früher allein, später in Gesellschaft von Kerndl, Herbich, Witmann und Dolliner, in neuester Zeit mit Pach und Hirner, die drei untrennbaren Genossen. Ein reiches instructives Herbarium lohnte seine seltene Beharrlichkeit.

Dr. Bruno Wohlmann, herrschaftlicher Erzieher, besonders in der Flora von Gutenstein und Stixenstein bewandert.

Johann Graf von Zichy-Vásonkő, k. k. Kämmerer, vorzüglich um die Flora der Alpen verdient.

II. Im Kreise O. W. W.

Karl Erdinger, Cooperator in Scheibbs, der thätigste Botaniker des ganzen Kreises in neuester Zeit und vorzüglich um die Flora der dortigen Alpen höchst verdient, dann

Anton Erdinger, dessen Bruder, Alumnus in St. Pölten.

Franz Grimmus von Grünburg, Apotheker in St. Pölten, vorzüglich Kryptogamist.

Michael Hölzl, Apotheker in Maria-Zell, seit langer Zeit her der Führer und Rathgeber aller Botaniker in den Umgebungen von Maria-Zell und des Oetschers.

Josef Kerner, k. k. Bezirksactuar in Herzogenburg, Bruder des Seite 58 erwähnten Dr. Anton Kerner.

Vincenz Stauffer, Capitular des Stiftes Melk und Professor der Naturgeschichte daselbst.

III. Im Kreise O. M. B.

Hermann Kalbrunner, Magister der Pharmacie und Apotheker zu Langenlois, geboren daselbst den 7. April 1803, ist als der Repräsentant der Flora dieses Kreises zu betrachten, in welchem vor ihm nur Burserus (Seite 27) und der in Host's *Synopsis* öfter erwähnte Piarist Liborius Miller in Weitra botanisirt zu haben scheinen und der ungeachtet seiner eigenthümlichen, von den 3 andern Kreisen sehr abweichenden Vegetations-Verhältnisse und der von Lorenz, Fenzl, Welwitsch, A. Pokorny, Ortmann, Zelenka und A. Kerner in den Jahren 1830—52 unternommenen botanischen Ausflüge noch immer der unbekannteste Theil Nieder-Oesterreichs ist. Von Kalbrunner haben wir eine Flora der ehmaligen Bezirkshauptmannschaft Krems zu erwarten.

Josef Andorfer, Apotheker-Gehilfe bei dem vorigen in Langenlois, und ebenfalls um die dortige Flora verdient.

IV. Im Kreise U. M. B.

Moriz Winkler aus Bresslau, in den Jahren 1845—47 in Rutzendorf im Marchfelde, dann (1847—53) in Bodenbach und Klostergrab in Böhmen, 1854 in Triest, gegenwärtig in Neisse, schloss der Erste die reiche Flora des südöstlichen Marchfeldes den Wiener Botanikern auf, schrieb auch über die Vegetations-Verhältnisse des nördlichen Böhmens (*Oestr. bot. Wochenblatt* 1853 p. 235).

Emanuel Kundt, Doctor der Medicin, früher in Wolkersdorf, jetzt in Oedenburg.

Gabriel Reinegger, Capitular des Stiftes Melk und durch lange Zeit Pfarrer in Oberweiden im Marchfeld, jetzt Dechant zu Traiskirchen, schon in Host's *Flora austriaca* rühmlich erwähnt.

Alexander Matz, Pfarrer zu Angern, um die Flora des Marchthales höchst verdient und der vorzüglichste Botaniker dieser Gegend.

Pius Preineder, Capitular des Stiftes Melk und Pfarr-Cooperator zu Weikendorf.

Eine in der frühern Periode völlig unbekannte Wissenschaft, die **Paläontologie des Pflanzenreiches** fand in unsern Tagen nicht nur ihren ersten Ursprung, sondern gelangte unter einem auch zu einer auffallend raschen Entwicklung Kaspar Graf von Sternberg, k. k. geheimer Rath, geboren zu Prag den 6. Jänner 1761, gestorben auf seinem Gute Brzezina den 20. December 1838, war nicht nur der Gründer des paläontologischen Pflanzenstudiums im Kaiserthume Oesterreich, sondern überhaupt einer der Ersten, der die eben neu entstandene Wissenschaft zum Gegenstande seiner Forschungen wählte. Obschon er in seiner *Darstellung der Flora der Vorwelt*, Leipzig 1820—33 bereits der Fucoiden-Abdrücke im Wiener Sandsteine erwähnt und obschon Endlicher in seinem Werke *Genera plantarum*, besonders in den 2 letzten Nachträgen auf die fossile Flora Bedacht genommen und in der *Synopsis Coniferarum* dieselbe sogar ausführlich behandelt hat, so muss doch Unger (S. Seite 54) als der eigentliche Schöpfer der Paläophytologie in Nieder-Oesterreich betrachtet werden, nicht nur weil er die in Endlicher's *Genera* enthaltenen fossilen Gattungen zum Theil bearbeitet und diese Wissenschaft in viel ausgedehnterem Umfange als irgend einer seiner Vorgänger betrieben und ausgebildet hat, sondern weil er auch durch selbst gemachte Entdeckungen der Erste in die Lage kam, in seinen Werken die fossile Flora Nieder-Oesterreichs speciell berücksichtigen zu konnen. Seine Hauptwerke *Chloris protogaea*, Lipsiae 1841—47, *Synopsis plantarum fossilium*, Lipsiae 1845, *Genera et species plantarum fossilium*, Vindobonae 1850, *die Urwelt in ihren verschiedenen Bildungsperioden*, Wien 1850, *Geschichte der Pflanzenwelt*, Wien 1852, *die fossile Flora von Parschlug* (1847) und *Gleichenberg* (1854) stehen den unsterblichen Leistungen Brongniart's und Göppert's würdig zur Seite.

Constautin von **Ettingshausen**, Doctor der Medicin, seit 1854 Professor der Botanik und Mineralogie am Josefinum in Wien, geboren zu Wien den 16. Juni 1826, betrieb schon während seiner Studien an der Wiener Universität die Botanik mit grossem Eifer und machte sich vorzüglich um die Flora der n. ö. Alpen verdient Seine im Jahre 1849 erfolgte Anstellung bei der geologischen Reichsanstalt führte ihn aber zur Flora der Vorwelt, die er, obschon erst 23 Jahre alt, mit reissender Schnelligkeit sich aneignete, so dass er in dem kurzen Zeitraume von 3 Jahren die Literatur der Paläophytologie mit nicht weniger als 60 grössern oder kleinern Abhandlungen bereicherte. Wir erwähnen hier nur als zunächst Nieder-Oesterreich betreffend: *Pflanzenreste in den Braunkohlenwerken bei Pitten und im Wiener Tegel*, *Tertiärflora des Wiener Beckens*, *Pandanus-Reste in den Gosauschichten der Wand*, *Notiz über die fossile Flora von Wien* (Jahrbücher der geolog. Reichsanstalt I. 1850 p. 163, 361, 744, II. 1851 1. Abth. p. 157), *Beiträge zur Flora der Vorwelt* (**Haidinger's** naturwiss. Abhandl. IV. 1851 p. 65), *Tertiäre Flora der östr. Monarchie*, Wien 1851 (enthält die fossile Flora Wiens), *Pflanzenreste im Wiener Sandsteine* (**Haidinger's** Berichte VI. p. 42), ferner Beiträge über die fossilen Floren von Tirol, Steiermark, Ungarn, Croatien und Böhmen, endlich über die *Proteaceen*, *Pandaneen*, *Calamiten* und andere Familien der Vorwelt in den Sitzungsberichten der k. Akademie der Wissenschaften und in den Jahrbüchern der geologischen Reichsanstalt. (Ein Verzeichniss seiner sämmtlichen Werke im *Almanach der k. Akademie der Wissenschaften* 1855.)

Die durch Oesterreichs Lage bedingten maritimen Verhältnisse sind nicht von der Art, dass sie **wissenschaftliche Reisen in fremde Erdtheile** begünstigen würden. Gleichwohl hat auch hierin Nieder-Oesterreich nach Kräften beigetragen.

Theodor **Kotschy**, Custos-Adjunct am k. k. bot. Hofkabinete, geboren zu Ustron in östr. Schlesien den 15. April 1813, nimmt in botanischer Beziehung den ersten Platz ein. Es ist hier nicht der Ort, das Leben und die Verdienste dieses kühnen Reisenden ausführlich zu schildern, der mit geringen Hilfsmitteln und zuletzt auf sich allein beschränkt, tief in die Wüsteneien von Afrika und Asien drang und nebst einer Masse von Thieren und Naturalien aller Art eine ungeheuere Menge getrockneter Pflanzen (über 300.000 Exemplare) zurückbrachte, Pflanzen, die bald die Runde durch ganz Europa machten und seinen Namen in zahlreichen nach ihm benannten Arten der Nachwelt überliefert haben. Hier möge es daher genügen, eine kurze Skizze seines Lebens, seiner Reisen und seines wissenschaftlichen Wirkens zu geben. Ursprünglich für den geistlichen Stand bestimmt, widmete sich **Kotschy** seit seiner frühesten Jugend auch dem Studium der Naturgeschichte, botanisirte schon 1822—32 auf dem Riesengebirge, an den Quellen der Weichsel und auf den Zipser Karpathen. Im Jahre 1833 kam er nach Wien, um sich an der protestantisch-theologischen Lehranstalt für seinen künftigen Beruf auszubilden, doch benützte er auch hier die Ferien zu botanischen Ausflügen und zwar 1834 in das Temeser Banat, 1835 nach Slavonien, Croatien und dem Litorale. Von dieser Reise eben zurückgekehrt, entschloss er sich, obschon erst 22 Jahre alt, die montanistische Expedition, welche auf Ersuchen des Vicekönigs von Egypten unter der Leitung des damaligen Bergrathes Russegger nach dem Orient ging, als Botaniker und Zoolog zu begleiten. Noch im December 1835 verliess er Wien und gelangte über Griechenland nach Egypten. Im Jahre 1836 durchforschte er Unter-Egypten, Syrien und den cilicischen Taurus (Bulgardagh), 1837 ging er mit der Expedition und später mit Russegger allein den Nil aufwärts durch Ober-Egypten und Nubien nach Kordofan, dem Freistaat der Nubaneger Sennaar und Fasokel bis gegen den 10° nördlicher Breite und von da über Chartum wieder nach Alexandria zurück, wo sich die Gesellschaft, da der Zweck ihrer Reise beendigt war, wieder auflöste. Kotschy blieb jedoch in Alexandria, denn schon war in ihm der Entschluss gereift, eine zweite Reise auf eigene Kosten in die Negerberge am Weissen Nil zu unternehmen. Im Jänner 1839 brach er von Cairo auf, drang aber nur bis in das südliche Kordofan vor, da ihn Missgunst der Umstände im Frühjahre 1840 zwang, seine Reise plötzlich abzubrechen und nach Alexandria zurückzukehren. Allein auch dies beugte seinen Muth nicht. Nachdem er noch im Herbste 1840 Cypern besucht hatte, durchwanderte er, fast beständig von räuberischen Beduinen und Kurden umschwärmt, im Jahre 1841 Syrien, Mesopotamien, Kurdistan und Irak-Arabi und ging 1842 nach Südpersien, wo er besonders auf der Hochebene von Schiras und Persepolis reiche Ausbeute machte. Auch hier nöthigten ihn missliche Verhältnisse, sein Unternehmen aufzugeben und sich über Ispahan nach Teheran zu begeben, wo er gegen Ende des Jahres 1842 ankam. So ungünstig auch seine Lage war, so untersuchte er dennoch im Frühlinge und Sommer des Jahres 1843 die hohe Gebirgskette des Elbrus und bestieg den 14.000 Fuss hohen Vulkan Damavend. Im October verliess er endlich Persien und kam über Erzerum, Trapezunt und Konstantinopel nach achtjähriger Abwesenheit am 16. December 1843 wieder in Wien an (Dr. v. Köchel in der *allg. Zeitung von Augsburg* 1844, Nr. 40 Beilage). In Wien nahm Kotschy seine frühern Alpenausflüge wieder auf. So besuchte er 1845 das Salzkammergut und Tirol, 1846 die Alpen von Kärnten, Krain und Siebenbürgen, 1848 Ober-Steiermark, 1849 den Grossglockner und Venediger, 1850 die siebenbürgischen Alpen zum zweiten Male und 1852 das Pinzgau; kleinere Excursionen auf die Alpen Nieder-Oesterreichs gar nicht zu erwähnen. Inzwischen wurde er 1847 zum Assistenten und 1852 zum Custos-Adjuncten des k. k. botan. Hofkabinets ernannt. Auch schrieb er während dieser Zeit eine *Flora mexicana*, welche er der k. Akademie der Wissenschaften überreichte und in den Verhandlungen des zool.-bot. Ver. 1853 II. p. 56 *Beiträge zur Kenntniss des Alpenlandes in Siebenbürgen*. Im Sommer und Herbste 1853 unternahm er eine zweite Reise nach dem cilicischen Taurus (Bulgardagh), deren ausführliche Beschreibung wir von ihm selbst zu erwarten haben. Derzeit befindet er sich mit Frauenfeld in Egypten (S. Seite 63).

Karl Freiherr von Hügel, geboren den 25. April 1796 in Regensburg, wo sich sein Vater als kaiserlicher Commissär bei dem deutschen Reichstage aufhielt, studirte Anfangs zu Heidelberg, trat aber dann in österreichische Kriegsdienste und machte 1813—15 die Feldzüge gegen Frankreich und 1821 gegen Neapel mit, wo er bis 1824 in diplomatischer Verwendung blieb. Die nächsten 6 Jahre brachte er in Wien zu und widmete sich auf seinem Landsitze in Hietzing vorzugsweise dem Studium der Horticultur, zu deren Vervollkommnung in Oesterreich er wesentlich beitrug. Nachdem er bereits früher Italien, Dänemark, Schweden, Norwegen, die Schweiz, Frankreich und England bereist hatte, fasste er plötzlich den Entschluss, eine grosse naturgeschichtliche und ethnographische Reise nach Ostindien zu unternehmen. Im Mai 1831 schiffte er sich in Toulon ein, besuchte Griechenland, Creta, Syrien, wo er bald einem Cholera-Anfalle erlegen wäre, Palästina und Egypten. Im Jahre 1832 traf er in Bombay, dem eigentlichen Anfangspuncte seines Reiseunternehmens ein. Von hieraus begann er seine Forschungen im ehemaligen Maratten-Reiche von Puna und gedachte durch Dekan nach Bengalen zu gelangen. Allein die Regenzeit und das den Europäern so verderbliche Klima zwangen ihn, eine südliche Richtung einzuschlagen und durch das Reich Mysore die Küste Malabar zu gewinnen. Vom Cap Comorin schiffte er sich nach Ceylon ein, wo er über 5 Monate blieb und diese an Naturschönheiten überaus reiche Insel nach allen Seiten durchwanderte. An die Küste Koromandel zurückgekehrt, trat er im October 1833 von Madras aus die Reise in den Sunda-Archipel und die Südsee an, besuchte Sinkapor, Sumatra, Borneo, Java, Neu-Holland, Van Diemens Land und Neu-Seeland, drang aber gegen seinen ursprünglichen Plan nicht weiter mehr nach Osten vor, sondern kehrte wieder um und segelte über Manilla nach Macao und Canton und von hier nach Calcutta, um den dritten Theil seiner Reise-Aufgabe, die Untersuchung des nördlichen Indiens, auszuführen. Durch Bengalen stieg er das Alpenland der Himalaya hinan, zog längs der Grenze Tibets durch Kaschmir (1835) bis Atok am Indus und kehrte dann durch das Reich der Siek nach Delhi und von hier durch unwegsame Länder nach Bombay zurück. Die Rückreise geschah 1836 über das Vorgebirge der guten Hoffnung und St. Helena nach England. Nach 6jähriger Abwesenheit langte Hügel zu Anfang des Jahres 1837 wieder in Wien an. Seine Reise war in naturgeschichtlicher und ethnographischer Beziehung sehr erfolgreich, wie dies seine zahlreichen, meist dem k. k. Naturalien-Kabinete einverleibten botanischen und zoologischen Sammlungen, dann die von ihm mitgebrachten Münzen, Handschriften, Druckwerke, Webereien, Waffen, Tempelgeräthe, Schmucksachen u. dgl. aus Ostindien, Australien, China und Egypten beweisen. Eine ausführliche, die Ergebnisse der ganzen Reise umfassende Geschichte und Beschreibung der gesammelten Producte fehlt noch, denn Hügel's Werk *Kaschmir und das Reich der Siek*, Stuttgart 1840 handelt nur von seinem Aufenthalte in diesem Lande im October bis December 1835. Einen Theil der naturgeschichtlichen Entdeckungen haben Endlicher, Fenzl, Schott und Heckel beschrieben. Hügel betrieb seit seiner Rückkehr aus Ostindien die Gärtnerei mit gesteigerter Liebe, so dass sein Garten und seine Glashäuser in Hietzing in dem Zeitraume von 1838 bis 1848 alle ähnlichen Anstalten Wiens überflügelten und die Horticultur in Oesterreich durch seine Bemühungen zur höchsten Blüte gelangte. Im Jahre 1849 kam er jedoch als österreichischer Gesandter nach Florenz und sein Garten ging in das Eigenthum seines bisherigen Gärtners des Holländers Daniel Hooibrenk über. (*Convers.-Lexicon der Gegenwart.* Leipzig 1839 II. p. 990—94.)

Emanuel Ritter von Friedrichsthal, Gutsbesitzer zu Urschitz in Mähren, geboren 1809 in Brünn, erhielt seine wissenschaftliche Bildung im Theresianum in Wien und widmete sich Anfangs dem Staatsdienste, den er jedoch bald wieder verliess, um sich ganz dem Studium der Natur widmen zu können. In den Jahren 1834—35 unternahm er seine erste Reise nach Griechenland, botanisirte auf Corfu, in Aetolien, Attica und vorzüglich auf dem Pelopones, dann auf den Inseln Aegina und Spezzia (Friedrichsthal *Reise nach Neugriechenland*, Leipzig 1838); auf einer zweiten Reise 1836 durchzog er in Gesellschaft des berühmten Geologen Ami Boué Serbien und Macedonien, bestieg den Athos und begab sich sodann über Lemnos nach Constantinopel, wo er jedoch schwer erkrankte und 1837 nach Wien zurückkehrte (*Serbiens Neuzeit* Leipzig 1840.) Noch in demselben Jahre trat er seine dritte und letzte Reise nach Amerika an, besuchte die Antillen, Nicaragua, Costarica und nach einem längern Aufenthalte in New-York 1840 die Halbinsel Yucatan mit ihren colossalen Ruinen einer unbekannten grossen Vorzeit. Aber vom tropischen Fieber ergriffen, musste er nach einem mehrmonatlichen Aufenthalte Yucatan verlassen und nach Europa zurückkehren. Im October 1841 langte er, den Tod schon in sich tragend, wieder in Wien an, siechte noch einige Zeit fort, und starb daselbst den 3. März 1842. Friedrichsthal war nicht blos Botaniker, sondern er dehnte seine Forschungen auch auf geographische, ethnographische und architectonische Studien, vorzüglich aber auf die Untersuchung der grossartigen Tempel- und Städteruinen Central-Amerika's aus. Leider sind seine in dieser Beziehung gemachten zahlreichen Entdeckungen und Aufnahmen für die Wissenschaft wieder verloren gegangen, da ihn sein früher Tod hinderte, das reiche Material zu verarbeiten. Seine botanischen Sammlungen befinden sich grösstentheils im Besitze des k. k. botanischen Kabinets (Vergl. dessen Necrolog in der *Wiener Zeitung* vom 14. April 1842.)

Karl Heller, Professor der Naturgeschichte am Gymnasium zu Gratz, geboren zu Misliborschitz in Mähren den 20. November 1824, unternahm auf Kosten einer Gesellschaft von Gartenfreunden in Wien, in einem Alter von 21 Jahren, eine Reise nach Amerika zu naturgeschichtlichen

Zwecken. Er verliess Wien den 9. August 1845 und ging über London und Westindien nach Mexiko, wo er über 2 Jahre blieb und im Jahre 1849 durch die vereinigten Staaten und über Paris nach Wien zurückkehrte. Die von ihm mitgebrachten Naturalien befinden sich in Händen der Gesellschaft, welche ihn auf seiner Reise unterstützt hatte, die getrockneten Pflanzen im Besitze des k. botanischen Kabinets. (Heller *Reisen in Mexico* Leipz. 1853).

Die wissenschaftlichen Institute, deren Gründung in die vorige Periode fällt, schritten inzwischen nicht nur zeitgemäss vorwärts, sondern wurden auch durch neue vermehrt, von welchen einige auf das Gedeihen der Botanik eine entschieden günstige Wirkung ausübten. Hierunter muss vor allem das **k. k. Museum** im akademisch-botanischen Garten in Wien gezählt werden. Auf den Vorschlag Endlicher's bewilligte Kaiser Ferdinand, welcher überhaupt der Naturgeschichte in allen ihren Zweigen mit besonderer Vorliebe zugethan war und derselben bei jeder Gelegenheit seinen hohen Schutz angedeihen liess, im Jahre 1842 nicht nur die Vergrösserung und völlige Umwandlung des Universitäts-Gartens nach den Grundsätzen der neuen Horticultur, sondern er liess auch inmitten dieses Gartens in den Jahren 1842—45 ein zu einem Museum vollständig eingerichtetes Gebäude aufführen, in welches die getrockneten Pflanzensammlungen, dann der botanische Theil der Bibliothek des k. k. Hof-Naturalienkabinets aus dem frühern beengten Raume am Josefsplatze übertragen und mit den vorhandenen Büchern und Naturalien des Universitäts-Gartens zu einem gemeinschaftlichen Ganzen vereinigt wurden. In diesem Gebäude befindet sich zugleich der mit Johann Knapp's grossem, dem Andenken Jacquin's geweihten Blumengemälde (einem Geschenke Kaisers Ferdinand) geschmückte Hörsaal für die botanischen Vorlesungen. Auf solche Art wurden die todten und lebenden Producte der Natur mit den geistigen Erzeugnissen der ältesten und neuesten Zeit in eine glückliche Verbindung gebracht. Die nach Endlicher's System geordneten und in 2373 Fascikeln aufgestellten Pflanzensammlungen, besonders reich an aussereuropäischen Arten, umfassen bei 60,000 Species in ungefähr 300.000 Exemplaren. Das Museum besitzt die Original-Herbarien von Wulfen, Jacquin (dem Sohne), Portenschlag, Trattinick, Endlicher, Fenzl, Putterlick und Pöppig, die Centurien von Ehrhart, Sieber, Reichenbach und Kováts, das Herbarium normale von Fries, die Weiden von Wimmer, die ausgesuchtesten Exemplare und die Unica von Kotschy's Sendungen, die Pflanzensammlungen des würtembergischen Reisevereins, der österreichischen Expedition nach Brasilien, des Freiherrn von Hügel aus Ostindien, von Friedrichsthal aus Griechenland, der Türkei und Central-Amerika, von Karl Heller aus Mexico, die Kryptogamen- und Flechtensammlung von A. Pokorny und Hildenbrand. Mehre Familien des Herbariums sind von den berühmtesten Monographen Europa's kritisch durchgegangen und die Arten bestimmt, so die *Polypodiaceen* von Presl, die *Juncaceen* von E. Meyer, die *Orchideen* von

G. Reichenbach, die *Coniferen* von Endlicher, die *Salsolaceen* von Moquin-Tandon, die *Labiaten* von Bentham, die *Alsineen* von Fenzl.

Noch vorzüglicher ist die Bibliothek, bestehend aus 5693 Werken in 8000 Bänden, durchaus botanischen Inhaltes. Von Endlicher aus den Büchersammlungen des k. k. Hof-Naturalienkabinets und des Universitäts-Gartens, dann der eigenen Bibliothek und jener des verstorbenen Barons Jacquin (beide ein Geschenk Endlicher's) gegründet und von Prof. Fenzl durch Schenkungen und Ankäufe auf das sorgfältigste vervollständigt und im Laufenden erhalten, auch allen Freunden der Wissenschaft zugänglich, hat sie vielleicht ihres Gleichen in Europa nicht und ist ein wahrer Tempel des Studiums der Botanik geworden. „*Perlustravi insignem illam bibliothecam, quae in horto Endlicheri et Fenzelii auspiciis orta, nunc fere omnium ditissima facta est.*“ Pritzel *Thesaur.* p. V.

Die Schilderung der grossen Veränderungen, ja der beinahe völligen Umstaltung, welche im k. k. **botanischen Garten zu Schönbrunn** unter Schott's energischer Leitung vorgenommen wurden, gehört nicht hierher, da dieser Garten vorzugsweise für die Flora fremder Zonen bestimmt ist. Doch muss bemerkt werden, dass Schott in Schönbrunn eine Alpenflora gegründet, welche an Reichthum und Seltenheit der Arten, so wie in der Umsicht der Pflege derselben wohl alle ähnliche Anlagen dieser Art weit hinter sich lässt.

Auch der k. k. **Garten für die Flora Oesterreichs im Belvedere** erlitt nach Host's und des Gärtners Mayer Tode im Jahre 1834 eine völlige Umänderung. Die Gärtners-Stelle erhielt 1834 Hillebrandt (Seite 58) und die Oberleitung nach Jacquin's Tode im Jahre 1839 Heinrich Schott. Wie der botanische Garten in Schönbrunn und der Universität, so wurde auch jener der östr. Flora im englischen Style angelegt und die den Pflanzen entsprechenden Standorte (Haine, Felsenpartien, Moorsumpf, Ackerland) geschaffen. Eine vorzügliche Bereicherung wurde aber dem Garten an Alpenpflanzen zu Theil, die Hillebrandt auf seinen zahlreichen meistens in Gesellschaft des Grafen Zichy unternommenen Alpenwanderungen gesammelt und in den Garten verpflanzt hatte, so dass sich dieser zu einem ebenso eigenthümlichen als belehrenden Institute der Botanik ausgebildet. (Verhandl. des zool.-bot. Vereins 1843 p. 61.)

Auch der **botanische Garten des Theresianums** wurde in den Jahren 1842—44 unter der Leitung des Prof. Helm und des Gärtners Jacob Kloiber zeitgemäss umgestaltet und besonders durch die Cultur der in Oesterreich wild wachsenden *Orchideen* zu einer höheren Bedeutung gebracht. Obschon Helm nur kurze Zeit wirkte (Seite 63), so erhielt doch Kloiber den Garten im besten Stande und liess sich vorzüglich die Pflege der Alpenpflanzen angelegen sein.

Der von dem Abte zu Lilienfeld Ambros Becziczka angelegte **Zier- und botanische Garten zu Lilienfeld** ist besonders reich an

Bäumen, Sträuchen und Alpenpflanzen aus allen Theilen der österreichischen Monarchie (Castelli in der *Wiener Zeitung* vom 25. Juni 1843 und im *östr. bot. Wochenblatte* 1851 p. 60.)

Auch in **Privatgärten** nahm die Horticultur insofern einen erfreulichen Aufschwung, als die Handelsgärtner, Pflanzenzüchter und Blumenfreunde sich nicht darauf beschränkten, seltene Ziergewächse bloss zu ziehen und zur Blüte und Frucht zu bringen, sondern sich auch bemühten, die Natur und Lebensweise der von ihnen cultivirten Pflanzen zu studiren und auf diese Art in die Gärtnerei wissenschaftlichen Sinn und Bedeutung zu legen. Die jährlichen Blumenausstellungen (Seite 49) trugen zu diesen Bestrebungen nicht wenig bei. Es liegt nicht in der Aufgabe einer Geschichte der Botanik in Nieder-Oesterreich die durch die Bemühungen des Freiherrn Carl von Hügel bis auf unsere Tage erzielten Fortschritte in der höhern Gartenkunst weiter zu verfolgen und ausführlich zu schildern, doch können die Leistungen des Orcheologen Johann Beer und dessen wissenschaftliches Wirken als Schriftsteller, die Gärten des Fürsten Metternich (Gärtner Riegler), des Fürsten Schwarzenberg (Gärtner Imelin) und des Herrn von Arthaber in Döbling (Gärtner Vetter), das ausgedehnte Pflanzen-Etablissement des Handelsgärtners Daniel Hooibrenk in Hietzing (ehmals Baron Hügel'scher Garten), die Handelsgärten von Held, Rosenthal, Abel und Adami, des k. k. Directions-Adjuncten Jacob Klier Culturversuche mit *Pelargonien* und *Paeonien*, so wie jene des verstorbenen k. k. Büchercensors Johann Rupprecht mit *Chrysanthemum indicum*, *Kartoffeln* und *Weinreben* nicht mit Stillschweigen übergangen werden.

Ungeachtet Nieder-Oesterreich durch beinahe 100 Jahre eine fortlaufende Reihe berühmter Botaniker aufzuweisen vermag und ungeachtet viele und glänzend ausgestattete Institute Stoff und Gelegenheit zur wissenschaftlichen Ausbildung in Fülle darboten, so bestand doch keine **naturwissenschaftliche Gesellschaft**, ja nicht einmal ein botanischer Vereinigungspunct, um die zerstreuten Kräfte zu sammeln und einem gemeinsamen Ziele zuzuführen. Die seit dem Jahre 1812 bestehende Landwirthschafts-Gesellschaft kann natürlich hierzu nicht gerechnet werden, da sie ganz andere Zwecke zu verfolgen hat. Den ersten Grund zu einer gesellschaftlichen Vereinigung legten mehrere Freunde der Naturwissenschaft, meist Mineralogen, als Bill, Ferstl, Hauer, Hörnes, Reissek u. A., welche im November 1845 zur wechselseitigen Mittheilung ihrer wissenschaftlichen Beobachtungen zusammentraten, sich aber schon in kurzer Zeit durch zahlreiche Theilnehmer verstärkt unter dem Vorsitze des damaligen k. k. Bergrathes Wilhelm Haidinger zu einem freundschaftlichen Privatvereine verbanden, um das Studium der Naturgeschichte, Geologie, Chemie und Physik zu fördern. Die Berichte über die wochentlich gehaltenen Vorträge erschienen seit der Versammlung vom 27. April 1846 regelmässig in der Wiener Zeitung und in den östr. Literatur-Blättern, seit dem Jahre 1847 aber nebstbei in abgesonderten von Haidinger redigirten Heften. War in diesem Vereine die Botanik auch nur von wenigen Theilnehmern (Bill, Ettingshausen, Kováts und Reissek) vertreten und überhaupt in demselben das mineralogisch-geognostische Element vorherrschend, so war doch damit zu ähnlichen grössern Unternehmungen die Bahn gebrochen. Als später die geologische Reichsanstalt errichtet wurde, löste sich der Verein allmälig auf, da die hervorragendsten Mitglieder desselben sich nun bei den Verhandlungen dieses einen viel ausgedehnteren Spielraum bietenden Instituts betheiligten. Am 23. November 1850 war die letzte Sitzung. (Haidinger *Berichte über die Mittheilungen von Freunden der Naturwissenschaften in Wien*, Wien 1847—51, 7 Bände, dann *Naturwissenschaftliche Abhandlungen*, Wien 1847—51, 4 Bände.)

Die von Kaiser Ferdinand I. am 14. Mai 1847 gegründete **kais. Akademie der Wissenschaften** war demnach die erste öffentliche gelehrte Gesellschaft, welche in Nieder-Oesterreich entstand, so wie sie auch die vorzüglichste ist, da sie dem von ihrem hohen Stifter vorgestecktem Ziele, die Pflege der philosophischen, historischen und naturgeschichtlichen Wissenschaften im Inlande zu fördern und mit den Fortschritten des Auslandes zu vermitteln, auf eine grossartige Weise entgegengeht. Die Idee zur Errichtung einer Akademie der Wissenschaften in Wien hatte bekanntlich schon Kaiser Karl VI. auf Anrathen des berühmten Leibnitz gefasst, allein der Krieg und Leibnitz's Tod (1716) verhinderten die Verwirklichung des Planes. Gegenwärtig sind von den Botanikern Nieder-Oesterreichs die Professoren Unger und Fenzl wirkliche, H. Schott, S. Reissek und Dr. v. Ettingshausen correspondirende Mitglieder.

Auch der vom Kaiser Franz Josef I. über Vortrag des Ministers für Landescultur Ferdinand von Thinfeld am 15. November 1849 gestifteten **k. k. geologischen Reichsanstalt**, eines der grossartigsten Institute Oesterreichs, muss hier wenigstens insofern erwähnt werden, als die Geognosie in eine immer nähere Verbindung mit der Botanik tritt und keine dieser Wissenschaften sich wechselseitig entbehren kann. In dieser Richtung muss vorzüglich die von Constantin von Ettingshausen zusammengestellte reichhaltige Sammlung fossiler Pflanzen hervorgehoben werden. Die glänzenden und erfolgreichen Leistungen dieser Anstalt unter ihrem Director k. k. Sectionsrath W. Haidinger, den beiden Bergräthen Franz Ritter von Hauer und Johann Czjžek, den Geologen Lipold, Dr. Peters, Stur und Fötterle, dem Chemiker Ragsky, haben nicht nur einen europäischen Ruf erlangt, sondern sind schon über den Ocean nach Amerika gedrungen.

Aus dem gleichen Grunde der innigen Wechselwirkung muss auch der über Einschreiten der k. Akademie der Wissenschaften von Kaiser Franz Josef I. am 23. Juli 1851 ins Leben gerufenen **Central-Anstalt für Meteorologie und Erdmagnetismus** auf der Wieden Nr. 303 unter ihrem Director Professor Dr. Carl Kreil wenigstens in Kürze erwähnt werden.

Erscheint der am 9. April 1851 gegründete **zoologisch-botanische Verein** gegenüber den mit kaiserlicher Munificenz ausgestatteten 2 vorigen Anstalten auch nur klein und bescheiden, so hat er doch die zerstreuten Kräfte vereinigt, wichtige, aber sonst wohl unbekannt gebliebene Entdeckungen zu Tage gefördert, wissenschaftliche Verbindungen nach allen Richtungen, selbst nach Nordamerika angeknüpft und so auf die Ausbildung der Specialflora von Nieder-Oesterreich ungeachtet der kurzen Zeit seines Bestehens einen entschieden günstigen und ergiebigen Einfluss geübt. Der Gedanke hierzu so wie das Zustandekommen dieses Vereines verdanken wir vorzugsweise den rastlosen Bemühungen des k. k. Custos-Adjuncten Georg Frauenfeld und des k. k. Ministerial-Concipisten Dr. Schiner (Seite 63 und 58). Von 105 Freunden der Naturwissenschaft ursprünglich gebildet, hat sich die Zahl seiner Mitglieder bereits auf mehr als 650 gehoben und dem Vereine aus allen Ständen und Ländern des Reiches solche Kräfte zugeführt, dass er schon eine besonders an Zeitschriften, dann italienischen und nordamerikanischen Werken reiche Bibliothek von 580 Nummern in mehr als 1000 Bänden und Heften, ein schönes fast die ganze Monarchie umfassendes Herbarium und eine Sammlung von Insecten und Vögeln besitzt und mit 68 gelehrten Gesellschaften und Vereinen in literarischem Austausche und Verkehre steht.

Ein vorzügliches Beförderungsmittel des Studiums der Botanik wurden die in neuerer Zeit in grossartigem Massstabe betriebenen **Ausgaben getrockneter Pflanzen** und die damit verbundenen Tauschanstalten. Während früher Trattinick in dieser Richtung erfolglose Versuche machte und Sieber's Pflanzensammlungen Nieder-Oesterreich nur wenig berührten, gründeten Alex. Skofitz im Jahre 1845 den über 200 Theilnehmer zählenden botanischen Tauschverein in Wien, Freiherr von Leithner im Jahre 1852 das Wiener Tauschherbarium und Julius von Kovàts gab 12 Centurien der Flora von Wien heraus (1844—49), welche Sammlung jedoch nicht vollendet wurde. Wie sehr hierdurch die richtige Kenntniss der Arten erleichtert, Irrthümer und Verwechslungen aufgeklärt und das freundschaftliche Band des wissenschaftlichen Verkehres enger und fester geschlungen wurde, bedarf keiner weitern Auseinandersetzung.

Seit dem Jahre 1851 besteht auch ein von A. Skofitz redigirtes **botanisches Wochenblatt**, so dass Wien nebst den Verhandlungen der k. Akademie der Wissenschaften und des zool.-bot. Vereines 3 Organe zur Verbreitung botanischer Kenntnisse und Entdeckungen besitzt.

Welche grosse Rolle das **Mikroskop** in der neuern Geschichte der Botanik spielt, ist bekannt. In der Vervollkommnung dieses wichtigen Instrumentes blieb Nieder-Oesterreich nicht nur nicht zurück, sondern die Mikroskope des Opticus G. S. Plössl in Wien nehmen unter den Leistungen dieser Art wo nicht den ersten, doch mindestens eine ebenso ehrenvolle Stelle ein, als die irgend eines Optikers in Europa. Auch die Lupen und

Mikroskope von W. Prokesch in Wien müssen ausgezeichnet genannt werden und empfehlen sich überdies durch grosse Billigkeit.

Vergleicht man die Erfolge des Studiums der Botanik in dieser Periode mit jenen der vorausgegangenen, so ergibt sich, dass die *Systematik*, *Morphologie*, *Physiologie* und *Anatomie der Pflanzen* durch Endlicher, Unger und Fenzl, die *Kryptogamie* durch Welwitsch, Garovaglio und Alois Pokorny, die *fossile Flora* durch Unger und Ettingshausen, die *wissenschaftliche Horticultur* durch Hügel und Schott, und selbst das *Gebiet botanischer Reisen* durch Kotschy und Hügel einen raschen Aufschwung genommen, ja dass mehrere dieser Fächer in gegenwärtiger Periode erst entstanden, so zu sagen im Momente ihrer Entstehung unter einem die hohe Stufe hinanstiegen, auf der wir sie jetzt sehen; dass dagegen die Leistungen der *phanerogamen Phytographie* hinter jenen der vorigen Periode weit zurückgeblieben; dass das *Gebiet der Flora von Nieder-Oesterreich* mit verstärkten Kräften botanisch durchforscht und die phanerogame Flora beinahe vollständig bekannt geworden; dass die aus früherer Zeit herüber gekommenen *botanischen Institute* nicht nur in stetem Fortschreiten begriffen und an Gemeinnützigkeit zugenommen, sondern auch durch neue vermehrt worden, dass insbesonders die Gründung des *k. k. Museums* und des *zoologisch-botanischen Vereins* zur Hebung und wissenschaftlichen Ausbildung aller Zweige der Botanik wesentlich beigetragen; dass endlich das *Studium der Botanik*, früher nur von Wenigen gepflogen, im Allgemeinen an Verbreitung zugenommen und in alle Klassen der Gesellschaft gedrungen, so dass dadurch allenthalben Liebe zur lieblichsten der Wissenschaften geweckt und fortwährend erhalten werde.

Grapholitha Hornigiana n. sp.

Beschrieben

von

Julius Lederer.

Der Schmetterling — auf der zweiten Tafel sibirischer Schmetterlinge, Figur 8 abgebildet — hat die nächste Verwandtschaft mit *albidulana* Herrich-Schäffer.

Er stimmt in Grösse und Flügelschnitt, so wie darin, dass das Männchen am Vorderrande der Vorderflügel nahe an der Basis einen schuppigen Umschlag hat, vollkommen mit dieser Art überein. (Dieser Umschlag findet sich noch bei mehreren Verwandten, als *cinerosana*, *coccimaculana*, *Hohenwartiana*, *infidana*, *modicana*, *plumbatana*, wahrscheinlich auch bei der mir unbekannten *lacteana*, ist aber wohl nur als specielle Auszeichnung zu betrachten, da er bei andern ganz nahe stehenden Arten, als *citrana*, *aspidiscana*, *incana*, *Metzneriana*, *Wimmeriana*, *Messingana* und *absynthiana* fehlt. Er ist schwer zu bemerken, da er fest auf die Flügelfläche aufliegt und gut anschliesst, lässt sich aber mit einer Nadel, wenn man mit ihrer Spitze sanft gegen den Vorderrand fährt, leicht aufheben.)

Habitus und Grösse der allbekannten *hypericana*.

Vorderflügel etwas schmäler und gestreckter, ihre Spitze mehr vortretend, ihr Saum in der Mitte busig eingebogen, beim Weibchen schwächer als beim Männchen. Körper und Beine wie bei allen verwandten Arten anliegend beschuppt; Hinterschienen stark, aussen schwach behaart, mit den gewöhnlichen zwei Paar Sporen. Stirn mit borstigem horizontal vorstehenden Schopf. Palpen etwas aufsteigend, den Stirnschopf in Kopfeslänge überragend, mit sehr dichten, pinselartig auseinander stehenden, borstigen Haaren; Endglied geneigt, spitz, fast ganz in den borstigen Haaren versteckt. Zunge sehr schwach, Fühler in beiden Geschlechtern mit kurzen gleichmässigen Wimpern.

Die Färbung des Körpers, der Palpen und Vorderflügel ist ein mattes Aschgrau, nur die Oberseite der Fühler und Hinterränder der Segmente sind etwas heller. Die Vorderflügel haben am Vorderrande — der mit der übrigen Grundfarbe vollkommen gleich, bei *albidulana* nebst dem Thorax weissgrau ist — mehrere bleifarbe, schräg nach aussen gerichtete Häkchen, die am Vorderrande getheilt, nach innen paarweise zusammenstossen und an ihrem Ursprunge mehr oder weniger mit schwärzlichen Atomen besetzt sind. Diese Häkchen beginnen vor der Mitte des Vorderrandes, sind aber daselbst sehr undeutlich. Am deutlichsten sind die äussersten sechs Paare. Von diesen setzen sich die ersten zwei Paare mehr oder weniger deutlich bis zum sogenannten Spiegel (einer bei den meisten *Grapholithen* nahe gegen den Saum zu stehenden, hellen, oft metallfarbigen mit schwarzen Schuppen gezierten Stelle) fort. Das dritte zieht bis nahe zum Saume, das sechste läuft parallel mit demselben; beide stossen beim oberen Drittel des Saumes in gerundeter Linie zusammen und schliessen so sechs Häkchen, nämlich das innere und äussere vom dritten und sechsten Paare und das vierte und fünfte Paar ein. Die Häkchen sind nicht immer alle scharf ausgedrückt. Der Spiegelfleck ist bleiglänzend, mitten aschgrau; in ihm stehen grobe schwarze Schuppen, die mehr oder weniger reichlich vorhanden sind, bald vier ins Quadrat gestellte Puncte, bald zwei Längsstrichelchen bilden, aber auch oft bis auf wenig Spuren verschwunden sind. Die Fransen sind glanzlos, heller grau, als die Grundfarbe der Flügel, besonders gegen den Innenwinkel zu. An der Flügelspitze finden sich gewöhnlich schwärzliche Atome, die sich mitunter auch längs des ganzen Saumes hinziehen.

Die Hinterflügel sind aschgrau, an der Basis etwas heller, mit weissgrauen Fransen.

Die Unterseite ist grau. Die Vorderflügel sind dunkler, als die hinteren, mit hellerem Vorderrande und einigen undeutlichen Häkchen gegen die Flügelspitze zu. Die hinteren sind nebst den Fransen aller Flügel weissgrau, nur gegen den Vorderrand zu etwas dunkler.

Das Weibchen ist vom Männchen nur durch etwas plumperen Bau, kürzere Flügel und weniger eingezogenen Saum der vorderen verschieden. Sein Hinterleib ist zugespitzt, mit kurzem, zuweilen etwas vorstehenden Legestachel.

Den Schmetterling fanden ich und Freund Hornig von Ende April bis gegen Mitte Mai an einer trockenen, vom Wind geschützten Berglehne bei Mödling, wo er bei Tage nicht selten im Grase flog.

Grapholithen mit grauer Grundfarbe sind noch: *Incana*, *Wimmeriana*, *Metzneriana*, *absynthiana*, *decolorana*, *coecana*. Diese haben aber im männlichen Geschlechte keinen schuppigen Umschlag der Vorderflügel und auch sonst keine sonderliche Aehnlichkeit mit *Hornigiana*; überdiess fehlt bei *Wimmeriana* und *absynthiana* auf den Hinterflügeln Rippe 4 ganz, während sie bei *Hornigiana* vorhanden ist. Weiters: *Albidulana*, *cinerosana*, *plumbagana*, *modicana*, *Hohenwartiana* und *coecimaculana* Hübner (*Kollariana* Mann in lit.), welche zwar diesen Umschlag besitzen, aber alle von *Hornigiana* verschieden sind. *Albidulana* hat Thorax und den grössten Theil der Vorderflügel kreidig weiss, *cinerosana* und *plumbagana* haben metallglänzende Fransen, *Hohenwartiana*, *coecimaculana* und *modicana* gelbgraue, bräunlich gemischte Vorderflügel und verschiedene Zeichnung; überhaupt steht von allen genannten Arten nur *albidulana* unserer neuen Art nahe.

Lacteana Treitschke kenne ich nicht; nach Herrich-Schäffer's Abbildung ist sie aber noch heller, als *albidulana* und hat bei der Vorderflügelmitte, vor dem Spiegel eine senkrechte dunkle, nach innen verwaschene, nach aussen scharf begrenzte Linie.

Guenée beschreibt im Microlepidoptern-Katalog 1845 fünf neue, mir unbekannte graue *Grapholithen*. Pag. 48 eine *pisana* und *viciana*, die aber der *nebritana* zunächst stehen sollen; pag. 53 eine *senectana*, mit *Zachana* Treitschke verwandt und mit bleifarben Fransen; pag. 54 eine *carduana*, der *Hohenwartiana* sehr nahe, deren Raupe auf Disteln; pag. 55 eine *cumulana*, der *coccimaculana* verwandt, die aber den *atomis fuscis, costa albido-strigata, speculo vix distincto absque metallo* etc. ebenfalls nicht meine neue Art sein kann.

Hübner bildet Figur 200 eine *lutosana* ab; sie hat weissgraue Grundfarbe und grellere bräunliche Zeichnung, kann also eben so wenig hierher gehören.

Heydenreich führt in seinem Cataloge eine *jaceana* Zeller und *secretana* Schlaeger auf, über die mir nichts Näheres bekannt ist; da er beide zwischen *Hohenwartiana* und *conterminana* stellt, so haben sie wohl auch schwerlich Aehnlichkeit mit *Hornigiana*.

Nemotelus signatus, J. v. Frivaldsky.

Ein neues Dipteron aus Ungarn.

Von

Dr. J. R. Schiner.

Herr v. Frivaldsky hat mich ersucht, Ihnen in seinem Namen die Beschreibung eines neuen Stratiomyden hier vorzulegen, der in Ungarn von ihm entdeckt worden ist und zu keiner der bereits bekannten Arten gereiht werden kann.

Der Herr Entdecker war so freundlich, mich um mein Urtheil über diese Art zu fragen und ich muss desshalb beifügen, dass auch ich dieselbe für neu halte.

Sie gleicht dem *Nemotelus proboscideus* Löw., und ist fast eben so gross wie dieser; allein die kurze Schnauze unterscheidet sie sogleich von demselben.

Identisch dürfte sie mit einer *Nemotelus*-Art sein, welche ich durch Hrn. Wlastirios aus Griechenland erhielt, für welche ich aber bisher keinen Namen auffinden konnte und die ich auch nicht als neu anzuführen in der Lage war, weil mein einziges Exemplar im Weingeist aufbewahret war und daher zu einer guten Characterisirung mit Sicherheit nicht verwendet werden konnte.

Herr Johann von Frivaldsky nennt die neue Art, deren Beschreibung ich aus dem Briefe des Herrn Autors, ddo. Pest am 12. Februar 1855 hier wörtlich anführe:

Nemotelus signatus.

„♂ ♀ *Rostro brevi albomaculato, abdomine nigro albonotato, maris* „*segmento 4 et 5ta maxima parte dense albosericeo-piloso. Long. 3 Lin.* „Vaterland: Ungarn."

„Diese Art unterscheidet sich von allen in der Linnaea entomologica „angeführten Arten, durch die Zeichnung, bei dem ♂ insbesondere noch „durch die weissliche, seidenglänzende Behaarung am 4. und 5. Ringe des „Hinterleibes."

„♂ Der Kopf schwarz, lichtgraulich behaart, die Schnauze kurz und „stumpf, über den Fühlern, wie bei *N. argentifer* ein herzförmiges, weisses „Fleckchen; Augen auf dem Obertheile mit kurzen graulichen Härchen „besäet. Halsschild und Schildchen schwarz mit abstehender grau- „licher Behaarung; von dem sehr kleinen weissen Schulterfleck läuft gegen „die Flügelwurzeln zu eine weisse Linie, die sich dort stark erweitert.

„Hinterleib schwarz, weissgelblich gerandet; am Hinterrande des 2., „3. und 5. Ringes beiderseits eine weissgelbliche kurze Strieme, auf der „Mitte des 3. Ringes ein dreieckiges Fleckchen von derselben Farbe, und „ein eben solches, doch etwas grösseres am 4. Ringe; am 5. Ringe bildet „dasselbe eine kurze breite Strieme. Der 4. und 5. Ring sind ausserdem mit „einer sehr dichten weissglänzenden seidenartigen Behaarung bekleidet, „welche am Vorderrande eine schmale Linie, an den Seiten die Vorderecken „frei lässt. Auch am 6. Ringe ist eine solche Behaarung sichtbar."

„♀ Kopf, Halsschild und Schildchen mit glänzenden, an- „liegenden Härchen sparsam bekleidet; über den Fühlern eine weisse breite „Querlinie, welche in der Mitte durch eine etwas erhabene schwarze Stelle „getrennt ist und sich an beiden Seiten gegen den Augenrand zu erweitert; „Hinterleib sparsam behaart, weissgelblich gerandet; Hinterrand des „2. und 3. Ringes mit einer weisslichen unterbrochenen, in der Mitte zu „einem dreieckigen Fleckchen erweiterten Strieme; auf dem 4. und 5. Ringe „gehet die ebenso gefärbte Strieme durch, jedoch ist sie auf den 4. in der „Mitte ein wenig erweitert."

„♂ ♀ Der Bauch schwarzglänzend, mit anliegenden zarten Härchen „besäet und weissgelblichen Hinterrandssäumen. Die Schenkel schwarz „mit weissgelblicher Spitze, die Schienen weissgelblich, braun angelaufen, „die Hinterschienen in der Mitte schwarz, die Tarsen weissgelblich; die „Schwinger weiss mit an der Wurzel etwas gebräuntem Stiele; die „Flügel glasartig mit dunkelgelben Adern."

Ich kann es nicht unterlassen hier anzuführen, dass die beiden Herren von Frivaldsky mit ihrer gewohnten Liberalität und Freundlichkeit die ersten waren, welche mir auf meine in den Vereinsschriften ausgesprochene Bitte, um Mittheilung von Notizen über das Vorkommen der *Stratiomyden* und *Syrphiden* in Oesterreich, behufs der vollständigeren Redaction meines Verzeichnisses der österreichischen Diptera, sehr ausführliche und schätzenswerthe Daten zusendeten. Ausser ihnen erhielt ich bisher nur noch von einer Seite her die erbetenen Auskünfte. Herr Vincenz Gredler aus Botzen schickte mir sein ganzes Materiale zur Benützung, ohne durch persönliche Bekanntschaft hierzu besonders aufgefordert zu sein. Es galt ihm als einen echten Förderer der Naturwissenschaft die Sache als wichtig genug, und ich darf es kaum erst aussprechen, dass er mir hierdurch eine recht innige Freude bereitete, die um so grösser ist, weil ich denn doch hoffen darf, dass sein lobenswerthes Beispiel auch anderwärts Nachahmung finden dürfte.

Ueber den Einfluss der Temperatur des Quellen-Wassers auf die im Rinnsale der Quellen vorkommenden Pflanzen,

von

Dr. Anton Kerner.

Seit einer Reihe von Jahren mit Studien über die pflanzengeografischen Verhältnisse Nieder-Oesterreichs beschäftigt, suchte ich die Bodentemperatur verschiedener Regionen durch die Erforschung der Quellentemperatur zu ermitteln, ein Weg, der mit gehöriger Vorsicht und Berücksichtigung aller Umstände, die auf die Temperatur einer Quelle Einfluss nehmen, betreten, zu einem sicheren Ziele führt.

Bald wurde ich darauf aufmerksam, dass die das Rinnsal der Quellen umgebenden Pflanzen sich zu bestimmten Gruppen verbanden, die, wenn die mittlere Temperatur mehrerer Quellen nahezu dieselbe war, sich immer wiederholten, so dass ich bald im Stande war, namentlich in den Kalkalpen, deren Quellen eine in den verschiedenen Jahreszeiten nur geringen Schwankungen unterliegende Temperatur zeigen, schon im Vorhinein aus der das Rinnsal der Quelle einsäumenden Vegetation die Temperatur der Quelle beiläufig anzugeben, bei welchen Angaben ich mich nur selten täuschte.

Bei der Zusammenstellung der Mitteltemperaturen von nahe an 200 Quellen aus den verschiedenen Theilen Nieder-Oesterreichs berücksichtigte ich nun auch die in obiger Beziehung gesammelten Notizen, und schrieb zu jeder der einzelnen in dem Rinnsale von Quellen gefundenen Pflanzen alle die Quellen-Mitteltemperaturen, bei welchen ich sie beobachtet hatte.

Ich erhielt dadurch gewöhnlich eine ganze Reihe von Temperaturen mit einem Maximum und Minimum für jede einzelne Pflanze und versuchte es nun, die einzelnen Pflanzen nach diesen Verhältnissen zu gruppiren, indem ich sie, je nachdem sie über eine bestimmt warme oder kalte Quellen-Temperatur von mir nicht mehr beobachtet worden waren, zusammenstellte. Der leichteren Uebersicht suchte ich dieses Verhältniss auf einer Tafel grafisch darzustellen, welche ich hiermit vorzulegen die Ehre habe.

Dass die Temperatur der Quellen auf die von denselben bespülten Pflanzen Einfluss übe, ist wohl eine Thatsache, die nicht erst eines Beweises bedarf, und ich führe hier nur einige Erscheinungen an, die als weitere Belege für dieselbe dienen können. Gewiss fällt es Jedem auf, wenn er in Thälern unserer Alpen von nur geringer Elevation plötzlich unter den Pflanzen, welche den Ursprung einer Quelle umsäumen, Formen findet, welche man sonst erst in höhern Regionen antrifft, wofür ich unter Anderm als Beispiele das Vorkommen von *Arabis bellidifolia* und *Epilobium origanifolium* in Quellen am Lunzer-See oder am Fusse des Annaberges, ferner das Vorkommen von *Saxifraga rotundifolia* an den Quellen auf der Stadelmühlwiese bei Gaming anführe. Von desto grösserem Interesse wird uns aber dieses Vorkommen, wenn uns die Thermometermessung nachweist, dass die mittlere Temperatur dieser Quellen unter derjenigen liegt, welche nach anderen Beobachtungen dieser Höhenzone zukömmt und dass solche am Fusse steiler Gehänge in den Kalkalpen zu Tage tretende Quellen eigentlich eine verhältnissmässig zu kalte Temperatur haben.

Analog verhält es sich mit dem Vorkommen des südlichen *Cyperus longus* an dem Ausflusse der Badener Thermen und an dem gleichfalls durch warme Quellen gespeisten Heideteiche bei Vöslau.

Im Allgemeinen sehen wir das Verhältniss zwischen der Vegetation eines Ortes und dessen Temperaturverhältnissen, wie wir es je nach höheren oder niederen Breiten oder je nach der Continental- oder Küstenlage eines Ortes wechseln sehen, auch an der die Quellen umbuschenden Vegetation abgespiegelt.

So wie sich ein der Meeresküste nahegelegener Ort durch geringe Temperaturschwankungen auszeichnet, so zeigen auch die Quellen während dem Verlaufe eines Jahres in der Mehrzahl nur geringe Aenderungen ihrer Temperatur, die im Vergleiche mit jenen der Lufttemperatur des gleichen Ortes als verschwindend angesehen werden müssen, und es lassen sich daher die Temperaturverhältnisse einer Quelle mit jenen eines Continental-Klimas ganz gut in eine Parallele stellen.

Eine Erscheinung, die ich häufig beobachtete, dürfte hieraus ihre Erklärung finden. An jener Stelle, wo die Quelle unmittelbar aus dem Boden hervorsprudelt, und ich führe beispielsweise hier eine Quelle nächst Wagram im Traisenthale an, fand ich in den Wintermonaten die Blätter des daselbst häufig vorkommenden *Sium angustifolium* vollständig entwickelt und von normaler Grösse. Je weiter ich mich jedoch von dem Ursprunge der Quelle entfernte und je mehr sich durch den Einfluss der Lufttemperatur das Wasser abgekühlt hatte, desto kleiner und unentwickelter wurden dieselben, während sich im Hochsommer das umgekehrte Verhältniss wahrnehmen liess. Zu dieser Zeit nämlich zeigten sich die Blüthen jener Exemplare, die nahe dem Ursprunge standen noch unentwickelt, während sich mir in weiterer Entfernung von demselben, in dem Masse als sich das Quellwasser durch Einfluss der Lufttemperatur erwärmt hatte, bereits blübende *Sium*-Pflanzen, ja sogar schon abgeblühte Dolden zeigten. Wem erinnert dieses Verhältniss der Entwicklung nicht an die Thatsache, dass Orte, die nahe der Küste liegen, im ersten Frühjahre einen Vorsprung in der Entwicklung der Vegetation zeigen, während dieser Vorsprung gegen Orte von gleicher Breite mit Continentallage später verloren geht und sich zur Zeit der Blüthe und Fruchtreife in ein entschiedenes Zurückbleiben der Vegetations-Entwicklung umwandelt.

Was den Wechsel der Vegetation je nach höheren oder niederen Breiten anbelangt, von dem ich gleichfalls sagte, dass sich derselbe im Kleinen in der Quellenflora abgespiegelt finde, so muss derselbe in einer zweifachen Richtung in Betrachtung kommen, denn einerseits finden wir Pflanzen, die eine Gränze dem Norden zu finden, anderseits solche, die über eine bestimmte Vegetationslinie nicht weiter nach Süden vordringen.

Es unterliegt wohl keinem Zweifel, dass die Verminderung der solaren Wärme es sei, welche dem Fortkommen der südlichen Pflanzenformen in den kälteren Gegenden eine Gränze zieht, indem es nachgewiesen ist, dass jede Pflanze einer bestimmten Wärmesumme während ihrer jährlichen Lebensäusserungen bedarf, um den Cyclus derselben vollständig abzuschliessen, das heisst reife Früchte zu erzeugen, und dass ihr dort wo ihr diese Wärmesumme nicht zugeführt werden kann, auch die Möglichkeit sich durch Samen fortzupflanzen, benommen ist.

Was nun die Anwendung dieses Satzes auf die Quellenflora anbelangt, so brauche ich hier nur auf die in den Thermen vorkommenden Pflanzen zu erinnern. Aber auch bei Quellen, die keine Thermen sind, lässt sich die Erfahrung machen, dass bei Minderung ihrer Mitteltemperatur bald diese bald jene Pflanze verschwindet, sobald ihr nicht mehr die für dieselbe nöthige Wärmesumme durch das umspühlende Wasser zugeführt wird. — Diess gilt z. B. von mehreren *Potamogeton*-Arten, von *Callitriche*, *Lemna* und vielen Anderen, welche schon unter einer Quellen-Temperatur von 10,5° C. nicht mehr fortkommen. Einige jedoch scheinen durch diese Temperaturverhältnisse nur wenig afficirt zu werden und unter diesen ist ganz vorzüglich *Caltha palustris*, die ich eben so gut an den wärmsten wie an den kältesten Quellen auffand, erwähnenswerth.

Viel schwieriger ist es die Ursache anzugeben, warum Pflanzen, die nur einer sehr geringen Wärmesumme bedürfen, in wärmeren Gegenden, wo ihnen doch diese Wärmemenge zukommen würde, nicht gedeihen, dass also nordische Pflanzen gegen den Süden zu eine Grenze finden und sehr richtig bemerkt Grisebach in seinen Vegetationslinien: „Südliche Pflanzen werden wohl eine Gränze finden an der sie erfrieren, nördliche aber nicht so leicht eine Gränze, wo sie versengt würden."

Nach eben diesen Gelehrten nun soll für die nördlichen Pflanzen die Verlängerung der Tage dasjenige Moment sein, wovon ihre Beschränkung gegen den Süden abhängt. — Wenn nun Grisebach's Ansicht auch für höhere und niedere Breiten Geltung finden mag, so kann dieselbe aber durchaus nicht auf die Alpen, die uns doch das getreue Spiegelbild der niederen und höheren Breiten an ihren Abhängen erkennen lassen, angewendet werden, und ich muss offen gestehen, dass ich mir nicht vorstellen kann, wie die kurze Frist, um welche die Gipfel unserer Berge länger Tag haben als die Thäler und Ebenen, von wesentlichem Einflusse auf unsere Alpenpflänzchen sein, oder gar denselben eine Gränze gegen das Thal zu setzen sollte.

Ohne mich noch in eine Erörterung oder Wiederlegung anderer Ansichten einzulassen, indem es viel leichter ist, eine Ansicht zu widerlegen, als eine neue stichhältige aufzustellen, sei nur so viel gesagt, dass sie sämmtlich für das Verschwinden bestimmter Pflanzen, wie sie in den kalten Quellen sich vorfinden, bei Erhöhung der Temperatur des Quellwassers, keinen Erklärungsgrund abgeben, und ich erlaube mir nur noch die Vermuthung auszusprechen, dass vielleicht der grössere Gehalt an Kohlensäure, wie er allen kälteren Quellen zukommt, nicht ohne Einfluss in dieser Beziehung sein dürfte.

Schlüsslich will ich noch ganz kurz von den einzelnen Pflanzengruppen diejenigen Formen, die gleichsam den Typus der Gruppe bilden, anführen und bei denselben die Temperatur der wärmsten Quelle, in welcher ich dieselben noch auffand, die ich der Kürze wegen Wärmegränze nenne, bemerken.

In den kältesten Quellen fanden sich *Epilobium origanifolium*, *Arabis bellidifolia*, *Ranunculus aconitifolius*, *Viola biflora*. Wärme-Gränze derselben 6,6° C.

Die 2. Gruppe bestand aus *Saxifraga rotundifolia*, *Geum rivale*, *Anthriscus alpestris*, *Montia fontana*, *Stellaria uliginosa*. Wärme-Gränze derselben 8,2° C.

3. Gruppe: bestehend aus *Cineraria rivularis*, *Crepis palludosa*. Wärme-Gränze derselben 9,5° C.

4. Gruppe: aus *Mentha sylvestris*, *Scrofularia aquatica*, *Epilobium hirsutum*, *Veronica Beccaburga*. Wärme-Gränze derselben 9,8° C.

5. Gruppe: *Sium angustifolium*, *Glyceria aquatica*, *Cardamine amara*. Wärme-Gränze 10,5° C.

6. Gruppe: *Potamogeton densus*, *Collitriche verna*, *Lemna trisulca*. Wärme-Gränze 11,0° C.

Ueber einige in Steiermark vorkommende

Zygaenen.

Fortsetzung zur Abhandlung im IV. Bande der Verhandlungen des zoologisch-botanischen Vereines. (Abhandlungen Seite 473.)

Von

Georg Dorfmeister.

Mit Bezug auf meinen Bericht vom 2. Mai v. J. beehre ich mich nun, den weiteren Verlauf über die an einigen *Zygaenen* Steiermarks angestellten Beobachtungen und Versuche, nebst den versprochenen Raupenbeschreibungen mitzutheilen, und behalte zur leichtern Uebersicht die dort für die einzelnen Spezies gewählte Ordnung und Numerirung bei. Von den Raupenbeschreibungen sind zwar einige nur zu meinem Gebrauche verfasst gewesen; ich will sie aber demungeachtet hier beifügen, weil mir weder gute Abbildungen noch bessere Beschreibungen bekannt sind, und bei der allgemeinen Aehnlichkeit dieser Raupen noch einige Verwirrung herrschet.

1. ***Minos*** S. V. von Eiern des Jahres 1853. Einjährige*) Raupen. Sie starben nach und nach. Bei weitem die Mehrzahl der fast durchgängig noch sehr kleinen Raupen würde wahrscheinlich neuerdings überwintert haben. Das Misslingen dieser Zucht mochte wohl hauptsächlich daher rühren, dass ich sie überhaupt weniger beachtete; ausserdem aber war ich, in Folge der Uebersiedlung Ende November 1853, hier im ersten Frühjahre mit den Standorten kräftiger Pflanzen nicht bekannt, und die gesetzten Topfpflanzen lieferten ebenfalls nicht hinreichende Aushilfe, als dass ich den Raupen oft genug frisches und taugliches Futter hätte geben können.

---

*) D. i. einmal überwinterte.

Beschreibung der erwachsen gefundenen Raupen. Grundfarbe schmutziggelbgrün, Kopf schwarz, ober dem Maule ein graues Querstreifchen. Zu beiden Seiten des Rückens, über dessen Mitte eine schwache dunkle Ader bemerkt wird, steht auf jedem Gelenke ein rundes schwarzes Fleckchen; unter diesem, — jedoch nach vorn und nach abwärts — etwas entfernt, ein kleineres gelbes. Lüfter schwarz. Soll nach Ochsenheimer, Schm. von Europa, 2. Bd. S. 23, der Raupe der *Scabiosae* gleichen. Entwicklung 4 Wochen nach dem Einspinnen; zu Bruck a. M. Mitte Juli.

2. ***Achilleae*** Esp. aus Eiern von 1858. Von den fünf erübrigten zweijährigen Raupen bereitete die erste ihr Gespinnst am 30. Mai, und entwickelte sich am 23. Juni; zwei lieferten den Schmetterling am 25., eine am 26. Juni, während sich eine Raupe schon zu Anfang Mai zur abermaligen Ueberwinterung anschickte. Die Schmetterlinge, zwei ♂, zwei ♀, hatten weissliche Halskragen, während die von den einjährigen keine solchen besassen.

Beschreibung der erwachsen gefundenen Raupe. Grundfarbe auf dem Rücken dunkelgrün, in den Seiten heller, unten bleich. Kopf schwarz, ober dem Maule grau. Haare fein, weisslich, stehen in Büscheln. Auf jedem Gelenke befinden sich zu beiden Seiten des Rückens zwei kleine runde schwarze Flecken (Puncte), wovon sich der hintere beim Kriechen mit dem vorderen des nächsten Gelenkes vereinigt, und hart unter dem hinteren jeden Gelenkes ein eben solches gelbes Fleckchen, so, dass an den Seiten nach oben eine gelbe Fleckenreihe entsteht. Die Lüfter sind schwarz. Mitten über den Rücken läuft die dunkle Ader. Oft sind die Raupen schmutzig hellgelb, und haben dieselben Zeichnungen. — Entwicklung in 3 Wochen, zu Bruck a. M. Mitte bis Ende Juni.

Von den zweijährigen Raupen glich eine ziemlich der obigen Beschreibung; eine war an den Seiten bleicher, zwei waren daselbst noch bleicher, und die gelben Fleckchen bei der einen fast gar nicht, bei der andern nur auf den vordern Gelenken sichtbar.

3. ***Meliloti*** Esp. Die einzig übrig gebliebene zweijährige Raupe von den Eiern des Jahres 1858 häutete zum letzten Male am 30. April und verfertigte sich am 17. Mai ein Gespinnst, in welchem aber die Puppe vertrocknete*). An der Ochsenheimer'schen Beschreibung der Raupe wüsste ich nichts auszusetzen. — Die Puppenruhe dauerte 3 Wochen; die Entwicklung erfolgt in Bruck a. M. von Mitte bis Ende Juni.

---

*) Hier bemerke ich, dass zur sichern Entwicklung der Puppen die Gespinnste sämmtlicher *Zygaenen* öfters befeuchtet werden sollen; besonders gilt diess von *Achilleae* und *Onobrychis*, die sich auch öfters an der Erde verspinnen.

4. ***Lonicerae*** Esp. **Beschreibung der erwachsen gefundenen Raupe.** Grundfarbe ein grünliches Graugelb. Kopf gross, glänzend schwarz, ober dem Maule weiss, Behaarung weisslich, büschelartig. Die Grundfarbe bildet mitten über den Rücken einen Streifen von ziemlicher Breite, in dem die Einschnitte etwas heller gelb sichtbar sind. Zu beiden Seiten desselben steht eine Reihe dicker schwarzer Flecken, — auf jedem Gelenke zwei, nur durch den Haarbüschel der Quere nach getrennt, — in den Gelenken stossen sie beim Kriechen an einander. Ausserhalb dieser (oben an den Seiten), ist auf jedem Gelenke ein längliches hellgelbes Fleckchen, nach der Quere der Raupe; darunter zwei schwarze, durch den Haarbüschel und die hier breiteren Gelenkseinschnitte geschieden; noch mehr abwärts, ober den Füssen ein schwarzes Streifchen, nach der Länge der Raupe gestellt.

Im Ochsenheimer'schen Werke werden die Raupen beider Geschlechter verschieden beschrieben, was ich bis jetzt nicht beachtet habe. Vielleicht geben mir die Raupen hierüber Aufschluss, die ich eben überwintere. In der Jugend schon waren wenigstens die einen mehr grünlich gelb, die andern bräunlich. — Diese *Zygaene* entwickelte sich in Bruck a. M. Anfangs bis Mitte Juli.

5. ***Filipendulae*** L. **Beschreibung der noch nicht erwachsenen Raupe in der letzten Häutung.** Grundfarbe erbsengrün, in den Einschnitten gelblich. Kopf schwarz, ober dem Maule ein gelbes Streifchen; Behaarung kurz, bleichgelb, hie und da schwarz gemischt. Eilf schwarze, rautenförmige, aussen nach rückwärts geneigte Flecken bilden zu beiden Seiten des Rückens einen Streifen, und es zeigt sich beim Kriechen, dass jeder dieser Flecken aus zweien besteht, wovon der vordere (vor dem Gelenkseinschnitt) linienförmig, der hintere dick, und fast dreieckig ist. Unter dem linienförmigen ist an den Seiten ein ovales gelbes Fleckchen, welches in einem bleichgelben Längsstreifen steht. Hierauf folgen an den Seiten schwarze Kreise, deren mehrere oben offen sind. Lüfter schwarz.

Diese Raupe variirt bedeutend. Während bei den dunkeln Varietäten ausser den beschriebenen Zeichnungen, sich noch ober den Füssen schwarze Streifchen zeigen, sind die Seiten oft nur an den vordern Gelenken gefleckt, oder dort nur die Anfänge zu den schwarzen Kreisen, zwei oder drei schwarze Fleckchen zu sehen; oder es sind die Seiten ganz ungefleckt, die Rückenflecken klein, fast dreieckig (lichteste Varietät*), manchmal nach

*) Diese Varietät nähert sich einigermassen der Raupe von *Onobrychis*, wird aber von ihr doch leicht durch die schwarzen Rückenhaare, so wie durch die Form und Lage der Rückenflecke unterschieden.

hinten abgerundet. Der unter letztern befindliche helle Streifen ist auch bisweilen greller, als sonst.

Bei ganz erwachsenen Raupen ist die Grundfarbe schmutzig goldgelb, wo dann nur mehr die schwarzen Zeichnungen deutlich sind.

6. ***Onobrychis*** S. V. Erwachsene Raupe. Grundfarbe erbsengrün, vorne mehr grünlich, hinten gelblich. Kopf schwarz, ober dem Maule weisslich, die Borsten fein, und bleichgelb. Der Rücken zeigt mitten einen verloschenen gelben Längsstreifen, und daselbst gelbe Einschnitte; seitwärts ist er durch schwarze Fleckenreihen begränzt. Auf jedem Gelenke steht nämlich ein dreieckiger derlei Flecken, welcher nach vorne gerade abgeschnitten, die Spitze so nach rückwärts kehrt, dass die äussern Seiten der Dreiecke in einer geraden Linie liegen. In einem verloschenen gelben Seitenstreifen, der die Rückendreiecke begränzt, befindet sich hinter der Spitze des Dreieckes überall ein längliches gelbes Fleckchen. Sonst sind die Seiten ungefleckt. Die Lüfter sind zuerst weiss, dann schwarz umzogen.

Auch diese Raupe variirt ziemlich. — Häufig zeigt sich vor den Rückendreiecken ein schwarzes Streifchen, besonders auf den ersten Gelenken; seltener finden sich in den Seiten Spuren von schwarzen oder grauen Kreisen. — Oefters zerfallen die Rückendreiecke auf den hintern Gelenken in zwei Fleckchen, seltner auf allen *).

7. ***Angelicae*** O. aus Eiern vom Jahre 1853. Von den einjährigen Raupen entwickelten sich nur 3 Stück, und zwar Anfang Juli, nachdem selbe am 7. und 9. Juni zum letzten Male gehäutet hatten. Sie lieferten ganz gewöhnliche Schmetterlinge von *Angelicae*. Die übrigen Raupen nahmen nur bis Mitte Mai Nahrung zu sich.

---

*) Im letzteren Falle bekömmt die Raupe dann einige Aehnlichkeit mit der von *Achilleae*, unterscheidet sich aber doch leicht durch folgende Merkmale:

1. Führt *Onobrychis* einen hellen Streifen über die Mitte des Rückens, und einen solchen oben an den Seiten (worin die gelben Fleckchen stehen), *Achilleae* nicht.

2. Steht bei *Onobrychis* der hintere (zweite) Punct auf jedem Gelenke gleich hinter dem vorderen, — bei *Achilleae* viel weiter zurück, erst ober dem gelben Fleckchen.

3. Mangeln der Raupe von *Achilleae* am ersten Gelenke die schwarzen Puncte, die sich bei *Onobrychis* dort finden.

Beschreibung der erwachsenen Raupe. Kurz gelblich behaart, am Rücken und auf den vorderen Gelenken sind schwarze Haare eingemischt. Kopf schwarz, über dem Maule und den Fressspitzen grau, über dem Rücken ist die Grundfarbe schmutzig gelbgrün, in den Einschnitten heller, mitten eine schwarze Längslinie und zu beiden Seiten eine Reihe dicker, viereckiger schwarzer Flecken, die aussen nach rückwärts gerichtet sind, 9 bis 10 an der Zahl. Ist die Raupe in Bewegung, so bemerkt man, dass jeder solche Flecken aus zwei Streifen zusammengesetzt ist, die durch den Gelenkseinschnitt getrennt sind. An den Seiten ist der Grund oben hellgelb, nach Art eines breiten Längsstreifens, unten wieder mit dem Rücken gleich; Bauch ebenso, zwischen den Bauchfüssen so wie diese selbst, mehr gelb. Noch wird ein deutlicher schwarzer Seitenstreifen bemerkt, der aus Bogen besteht, und nur in den Einschnitten unterbrochen ist, dann, wie wohl nicht immer, nach abwärts, ober den Füssen, gegen diese, concave, schwärzliche Bogen.

Ende Juni und Anfangs Juli erschienen mir in Bruck die Schmetterlinge nach einer Puppenruhe von 22 bis 24 Tagen.

8. ***Peucedani*** Esp. und ***Ephialtes*** L. **Beschreibung der erwachsenen Raupe** *). Grundfarbe des ganzen Körpers ein schmutziges Grünlichgelb, am Bauche zwischen den Brustfüssen mehr ins Grünliche, eben so an den Seiten über den Füssen, in Form eines verloschenen Streifens. Kopf schwarz, ober dem Maule grau. Die Borsten weich, ziemlich dick, (viel dicker, als bei *Achilleae*) stehen in Büscheln auf Wärzchen von der Grundfarbe, sind bleichgelb, auf den ersten Gelenken mit schwarzen gemischt. Mitten über den Rücken zieht eine schwarze Längslinie, und zu beiden Seiten des Rückens eine solche Fleckenreihe, die auf jedem Gelenke aus zwei ungleich grossen rundlichen Flecken besteht. Ist die Raupe in der Ruhe, so bilden sie 10 bis 11 Flecken. Eine schwarze, in den Gelenken abgesetzte Seitenlinie, oder ein solcher Streifen wird aus geraden Strichen gebildet. Ober den Füssen stehen noch schwarze Bogen oder Striche. Die mir vorgekommenen Raupen-Varietäten sind unerheblich, und beziehen sich nur auf die stärkere oder schwächere Anlage der schwarzen Zeichnungen.

Beiläufig drei Wochen nach dem Einspinnen erschienen die Schmetterlinge, in Bruck zu Anfang Juli.

8. *a)* Nachkömmlinge des *Peucedani*-Paares von 1852. Sämmtliche zwölf zweijährige Raupen lieferten vom 14. bis 26. Juni vollkommen aus-

*) Die ein- und zweijährigen Raupen aus Eiern, so wie die Bastardraupen, boten mir keinen Unterschied von den im Freien gefundenen.

gebildete *Peucedani* Schmetterlinge, so, wie die aus den einjährigen gefärbt, und zwar 6 ♂, 6 ♀, die ♀ alle mit mehr weniger deutlichem sechsten Flecken der Vorderflügel, während von den Männern nur einer den sechsten Flecken führt. Die Flecken selbst ziehen mehrentheils ins Weissliche, sind aber auch bisweilen roth.

Vorigen Jahres verspann sich die erste am 5. Juni, heuer am 19. Mai, die Eine verspätete am 10. Juni, nachdem sie am 23. Mai die letzte Häutung gemacht. Eine davon, die wahrscheinlich beim Spinnen gestört wurde, verpuppte sich frei auf der trockenen Erde. Ich gab sie in ein vorjähriges ausgeschlüpftes Gespinnst, und sie entwickelte sich ebenfalls zum vollkommenen Schmetterling.

8. *b)* Nachkömmlinge von *Ephialtes* ♀ 1852. Drei Stück zweijährige Raupen entwickelten sich vom 16. bis 20. Juni; die erste war am 24. Mai versponnen. Eine krüppelhafte Raupe lieferte einen eben solchen Schmetterling; alle drei aber *Peucedani*, welche sich auch nicht mehr, als die von 1853 zu *Ephialtes* hinneigen.

8. *c)* Bastarde von *Filipendulae* ♂ und *Trigonellae* ♀ 1853. Zwei Stück einjährige Raupen in die letzte Häutung am 2. Mai, am 19. versponnen, gaben *Trigonellae* ♂ am 13. und 14. Juni.

9. ***Scabiosae*** Hb.? ***Pluto*** O.? Von den aus Eiern 1853 überwinterten Raupen verspann sich die erste am 19. Mai und schlüpfte der Schmetterling den 6. Juni aus. Nur einige erwuchsen heuer, und gaben kleine Schmetterlinge. Ich nährte die Raupen derselben mit *vicia cracca*, auf welcher Pflanze ich nämlich die Raupe zu Bruck fressend gefunden. — Hier fand ich sie ausser auf dieser, auch auf *vicia sepium*, *orobus vernus* und *vicia oroboides*; letztere Pflanze scheint sie besonders zu lieben. Die erste von den Grätzern entpuppte sich am 26. Mai, die andern Ende Mai und Anfangs Juni. Die Grätzer Schmetterlinge dieser Art sind im Durchschnitt grösser als die Brucker.

Beschreibung der in Grätz gefundenen Raupe. Die Grundfarbe, von welcher jedoch nur zwei Streifen oben an den Seiten rein übrig bleiben, ist citrongelb. Kopf schwarz, ober dem Maule grau. Die Raupe ist mit weissen und schwarzen Borsten (Haaren) besetzt. Das erste Gelenk, in welches der Kopf zurückgezogen ist, ist zuerst ober dem Kopfe ringsum gelb, dann verloschen grau, dann wieder gelblich. Mitten über den Rücken zieht eine, in den Einschnitten abgebrochene, schwarze Linie. Zu beiden Seiten des Rückens stehen zu Anfang eines jeden Gelenkes vom 2. bis letzten, inner dem oberen Seitenstreifen schwarze viereckige Flecken, die nach aussen gerade, nach hinten schief abgeschnitten sind; vor ihnen, etwas nach einwärts gerichtet, ein schwärzlicher rundlicher, hinter ihnen, jedoch im obern Seitenstreifen, ein länglicher hochgestellter hellgelber Flecken. Zwischen den Rückenflecken ist der Grund schwärzlich punctirt, oder grau. Der schwarzgraue Seitenstreif ober den Füssen ist gerade, mehr weniger dick, verloschen, in den Gelenken mit schwarzen Flecken, und ober den Füssen mit gelbgrauen Warzen besetzt, nach abwärts heller. Die weissbehaarten Knöpfchen sind gelblich. Bauch grau, Brustfüsse aussen schwarz mit weisslichen Flecken, Bauchfüsse gelblich.

Die aus den Eiern gezogenen Raupen waren durchaus dunkler; zwischen den Rückenflecken die Grundfarbe meistens schwarzgrau gewässert, und schwarz punctirt, die Mittellinie daselbst schwärzlich, verloschen; Seiten grau, Lüfter schwarz. Im Uebrigen stimmten sie mit obiger Beschreibung.

Wie aber aus jener ersichtlich ist, hat eben diese Raupe die wenigste Aehnlichkeit mit der von *Minos*.

Somit habe ich meine Beobachtungen mit mehr Weitschweifigkeit, als ich es sonst gethan haben würde, angegeben, um zugleich zu weiteren Untersuchungen, bei denen oft die unscheinbarsten Umstände Wichtigkeit erlangen, eine möglichst brauchbare Grundlage zu liefern. Obwohl aber der Erfolg sogar unter meiner geringen Erwartung geblieben ist, lassen sich doch hieraus schon einige Folgerungen ziehen, die die Zeit entweder rechtfertigen, oder theilweise widerlegen wird, und ich halte es nicht für überflüssig, die wichtigeren hiervon kurz anzudeuten.

I. Dass *Peucedani*, *Althamanthae*, *Ephialtes*, *Falcatae*, *Trigonellae*, (wohl auch die von mir noch nicht erzielten *Aeacus mac. quinque et sex*, und *Coronillae*) als Varietäten einer Species zusammengehören, da die erst genannten bei mir aus Raupen entstanden sind, die ich nicht zu unterscheiden vermochte, ferner die Eier der — zwar nicht in der Paarung gefangenen — *Ephialtes* ♀ eben so gut, als die des *Peucedani*-Paares *Peucedani* und *Athamanthae* lieferten.

II. Dass diese Varietäten nicht dem Einflusse der Nahrung zugeschrieben werden können, da ich selbe sämmtlich mit *coronilla varia* erzog. Den Bastardraupen legte ich Anfangs, jedoch nur im Herbste, also in ihrer frühesten Jugend, nebst dieser Pflanze auch *lotus corniculatus* vor, und sie frassen von beiden. Nach der Ueberwinterung erhielten sie aber nur *coronilla varia*.

III. Dass *Ephialtes* und *Falcatae* nicht, wie Treitschke meint*), und Boisduval ohne weiters als ausgemacht annimmt**), aus der Vermischung von *Trigonellae* oder *Coronillae* mit *Filipendulae* entstehen, indem sich bei mir vorläufig zwei gewöhnliche *Trigonellae* aus den Bastardraupen entwickelten, — und selbst, wenn sich unter der ganzen Brut Mittelarten vorfinden sollten, — nicht abzusehen wäre, warum sich eben nur die gelben Wurzelflecken der Vorderflügel und die Gürtel der *Coronillae* und *Trigonellae* roth färben sollten, und nicht auch — der *Filipendulae* näher stehende Varietäten vorkommen, (z. B. *Filipendulae* mit schwarzen oder gelben Hinterflügeln, ohne oder mit undeutlichem Gürtel und mit Weiss auf den Vorderflügeln etc.) — ferner endlich, sich auf diese Art das Auftreten der *Ephialtes* Varietäten mit rothen Gürteln und Wurzelflecken an Orten kaum erklären liesse, wo zwar auch *Filipendulae*, keineswegs aber die *Coronillae* oder *Trigonellae* zu finden ist. Ich möchte also die gelbe oder rothe Färbung bei den verschiedenen Varietäten weit eher klimatischen, örtlichen oder Witterungs-Einflüssen zuschreiben, und vorläufig meine Vermuthung dahin aussprechen, dass vielleicht der Mann bei der Paarung nur den Einfluss der Befruchtung der Eier ausübe, während etwa die Brut die der Mutter gleiche Species liefern würde.

IV. Dass die weit verbreitete, und in mehreren Gegenden häufige *Peucedani* als Stammart, und *Ephialtes* als eine seltnere Abart anzunehmen wäre. Der Annahme, dass *Peucedani* vielleicht ur-

---

*) Treitschke X. Bd., Suppl. 1. Abth. Seite 108: „Da die Raupen beider sich „so sehr gleichen (?), dürfte man auf die nähere Verwandtschaft der Schmet„terlinge, und wohl selbst aus den rothen Flecken der *Filipendulae* auf eine „dadurch hervorgebrachte andere Färbung der ursprünglich gelben *Coronillae* „schliessen." etc.

**) Boisduval: *Index methodicus etc.* 1840 *sub numero*

429. { *EPHIALTES auctorum*
Hybr. Falcatae H. (*mac. baseos, annuloque rubri.*)
Ephialtes L. }

und unten daselbst in der Nota (1):

„*Celeb. Dom. Treitschke, lepidopterologus eximius, in hanc speciem cum Z.* „*Filipendulae copulantum identidem incidit; isto congressu adulterino oriuntur* „*varietates notae, Falcatae H. Ephialtes L. Quae cingulo et basilaribus rubris* „*gaudent.*"

sprünglich aus der Vermischung der *Ephialtes* mit *Filipendulae* entstanden sei, wo dann *Ephialtes* als Stammart angenommen werden müsste, kann ich nicht geradezu widersprechen, weil die von mir gefangenen Ephialtes ♀, deren Nachkommen in zwei Jahren nur *Peucedani* waren, allerdings mit *Filipendulae* (oder auch mit *Peucedani*) gepaart gewesen sein konnten; allein hier scheint der Umstand entgegen zu stehen, dass aus den Eiern des *Trigonellae* ♀, welches sicher mit *Filipendulae* gepaart war, doch schon *Trigonellae* hervorgingen, wesshalb ich auf die sub III ausgesprochene Vermuthung hinweise.

V. Nach mehreren beobachteten Entwicklungen, und, weil die zweijährigen Raupen von *Achilleae* durchschnittlich blässer geworden sind, scheint es, dass die hellen Varietäten der Raupen bei dieser Species vom Alter herrühren, und zu den dunkelgrünen Raupen die Schmetterlinge mit schwärzlichen oder schwärzlich grünen, zu den helleren Raupen die mit helleren, bis gelbgrünen Vorderflügeln, und mit weiss oder gelblich gemischten Schulterdecken gehören. — Da in der Wienergegend (z. B. bei Mödling) diese oft mit stark gelbbestäubten Vorderflügeln und Rücken vorkommen, würde sich dort diese Beobachtung am besten constatiren lassen.

VI. Dass die Artrechte von *Erythrus* Hb. O. in Zweifel gezogen werden müssen.

Der vom Grafen Saporta angegebene Unterschied der Raupen zwischen *Minos* und *Erythrus* besteht nicht; der mennigrothe Anflug des Innenrandes der Vorderflügel von der Wurzel aus, so wie die vorzügliche Grösse des *Erythrus* O. kann dem Klima und günstigen Ortsverhältnissen zuzuschreiben sein; — zudem scheint das erstere Merkmal entweder bei *Erythrus* nicht constant, oder etwa auch manchen Exemplaren des *Minos* zuzukommen, da Treitschke nichts davon erwähnt *); weissliche oder gelbliche Halskragen und Schulterdecken findet man auch bei *Minos*, wie diess einige von mir gefangene ♀ zeigen, und es hat hiermit bei dieser Species vielleicht ein ähnliches Bewandtniss, wie bei *Achilleae*; *Minos* ♀ mit gelbgrünen Vorderflügeln endlich besitzen eben so gelbbraune Fransen, wie die ♀ von *Erythrus*.

---

*) Treitschke X. Bd., Suppl. 1. Abth. Seite 103, bei *Erythrus*: „die doppelte „Grösse beider Geschlechter, so wie der weisse Halskragen, die eben so ge- „färbten Schulterdecken, und die gelbbraunen Fransen des Weibes geben „allein bei frischen Stücken Unterscheidungszeichen."

Vorerst wäre daher eine genauere Beobachtung beider Species zu empfehlen. Ich würde nicht anstehen, sogleich auf die Einziehung von *Erythrus* O. anzutragen, wenn ich nicht der Ansicht wäre, dass dadurch, wenn man ohne weitere Untersuchung eine fragliche Species für eine Varietät einer andern Species erklärt, der Wissenschaft eben so wenig, oder vielleicht noch weniger gedient sein kann, als wenn man ohne hinreichenden Grund eine Varietät als eigene, sichere Species aufstellt.

Ich beabsichtige nun, um meine Aufmerksamkeit nicht zu sehr zu zersplittern, und meine verwendete Mühe möglichst fruchtbringend zu machen, mich künftig vor der Hand vorzüglich mit *Peucedani*-Varietäten, Bastarden hiervon und den dahin einschlägigen Versuchen zu befassen, bis ich, so weit als möglich, über die Ursachen ihrer verschiedenen Erscheinungen in's Reine gekommen sein werde.

Schliesslich aber erlaube ich mir noch anzuführen, dass mir unter den, heuer mit *Zygaenen* angestellten Paarungsversuchen folgende gelangen:

1. am 30. Mai zwischen *an Pluto?*
2. am 17. Juni zwischen *Trigonellae* ♂ und *Peucedani* ♀,
3. am 22. Juni zwischen *Peucedani* mit weisslichen Flecken, und
4. zwischen *Peucedani* mit rothen Flecken,
5. endlich, am 11. Juli zwischen *Angelicae*.

Missglückt ist unter andern ein Versuch mit *an Pluto?* ♀ und *Peucedani* ♂.

Weiterer Beitrag

zur

Schmetterlings-Fauna

des

Altaigebirges in Sibirien.

Von

Julius Lederer.

Im vorletzten Jahrgange dieser Schriften habe ich die von Herrn Albert Kindermann in den Vorbergen des Altai gesammelten Schmetterlinge bekannt gemacht.

Herr Kindermann — durch Passformalitäten zu Ust-Buchtarminsk in seiner Weiterreise aufgehalten und daher genöthigt, wieder in der Umgebung dieses Ortes zu sammeln — besuchte nun 1853 auch die Alpen des Altai und fand da manches Schöne; auch in der Nähe von Ust-Buchtarminsk traf er noch einige Arten, die ihm das Jahr vorher entgangen waren.

Ich zähle nun nachstehend die 1853 weiters gesammelten Arten auf, und bezeichne diejenigen, welche mir nicht in natura mitgetheilt wurden, mit *. Für die geographische Verbreitung der Schmetterlinge von hohem Interesse ist die grosse Uebereinstimmung, welche die altai'schen Alpen mit unsern österreichischen und dem schweizer Gebirgslande zeigen; einem grossen Theile der daselbst gewöhnlichen Arten begegnen wir in jener weiten Ferne wieder.

Die von ihm ausgebeuteten Gegenden schildert mir Herr Kindermann folgendermassen:

Die Ulbinskischen Alpen im Altai.

„Ungefähr 35 Werste nördlich von dem am Einflusse der Buchtarmina in den Irtisch gelegenen Orte Ust-Buchtarminsk gelangt man über kahle steinige Berge zu dem russischen Dorfe Mikotina. Dieses ist ziemlich hoch gelegen, die benachbarten Berge sind, obschon sie nicht beträchtlich hoch scheinen, an der Nordseite im August stellenweise noch mit Schnee bedeckt und besitzen schon Alpenflora.

Bei Mikotina beginnen die Berge bewaldet zu werden, ihre Spitzen sind aber meist kahl oder mit einer Art niedern Wachholdergesträuch bewachsen. Die Baumarten sind Birke, Espe und Fichte.

Der Pflanzenwuchs ist an den niedriger gelegenen Stellen ungemein üppig und mannigfaltig, aber trotzdem ist die Gegend — besonders an der Nordseite — an Insecten sehr arm.

An einem reissenden Gebirgsbache, den man wohl zwanzigmal zu passiren hat, führen schwache Spuren eines Weges in dieser wenig besuchten Gegend abwärts und man gelangt ungefähr 25 Werste hinter Mikotina zur Ulba, einem reissenden Gebirgsstrome, der nur bei niederm Wasserstande mit Pferden zu passiren ist; an ihren Ufern finden sich Weiden und eine Art Pappeln mit langen weidenartigen Blättern.

Nachdem ich diesen Strom durchritten, ging ich an seinem Ufer aufwärts bis ich den ersten jener grössern Bäche erreichte, von denen mehrere aus den Alpen kommen und ihren Lauf in die Ulba nehmen. Am ersten Bache aufwärts meine Wanderung fortsetzend, fand ich keine Spur eines Weges mehr, denn diese Gegend wird nur im Spätherbst von Jägern, welche Zobel, oder Landleuten, welche Zirbelnüsse suchen, besucht. Niedergetretenes Gras liess mich wohl manchmahl vermuthen, dass erst kürzlich Jemand hier gegangen, verfolgte ich aber die Spuren bis zu nassen, sandigen Stellen, so hatte ich bald die Ueberzeugung, dass meine Vorgänger Bären waren. Der Weg in die Alpen beginnt nun beschwerlich zu werden. Nur mit Mühe und Gefahr sind die Bäche noch zu durchreiten, im hohen Grase geräth man unversehens in Moräste oder an sumpfige Stellen, in denen das Pferd ganz versinkt; die Berge fallen grösstentheils in senkrechten Felswänden ab; man muss daher zwischen diesen die steilsten Stellen hinan und hat mit Beschwerlichkeiten aller Art zu kämpfen. Einen vollen Tag brauchte ich von der Ulba bis an den Fuss der ulbinskischen Alpen und doch mochte die zurückgelegte Strecke kaum 25 Werste betragen; es führt wohl ein Reitsteig von Mikotina zu dem an der Westseite gelegenen Litterskischen Silberbergwerke (die Alpen werden nach diesem auch die Litterskischen genannt), diesen wollte ich aber nicht passiren, da es mir darum zu thun war, die Südseite einiger östlich gelegenen Schneeberge zu erreichen, und dahin führten keine Wege.

In dieser Alpengegend beginnt nun die Fauna an Lepidopteren reichhaltiger zu werden, als an der Nordseite der Vorberge, und unter einer Menge gemeiner europäischer Arten findet man manche eigenthümliche. An offenen felsigen Stellen zeigt sich *Doritis clarius*, an grasigen Orten in Wäldern *Doritis Stubendorffi* und *Erebia theano*, an der Waldgrenze

Doritis smintheus, *Argynnis thore*, *pales* var. *isis* und mehrere andere Schweizer Arten. Hochnordische Arten konnte ich aber ausser einigen Exemplaren von *Melitaea iduna* keine finden, obschon mehrere im Altai vorkommen sollen; diese dürften also wohl in einem noch nördlicheren Gebirgszuge zu suchen sein.

Hat man die höchste Spitze der ersten Alpenkette erstiegen, so geniesst man nach allen Seiten die herrlichste Aussicht. Gegen Norden erheben sich Berge über Berge und begrenzen den Horizont; in den Thälern befinden sich Seen und Sümpfe. Die Wälder bestehen in dieser Höhe meist aus Lärchen und sibirischen Cedern, welche letztere mit ihren dichten, schön dunkelgrünen Nadeln und den blauen Früchten die Gegend besonders schmücken. Insecten sind hier wenig zahlreich, denn ich traf ausser *Erebia manto*, einigen wenigen *Erebia Kefersteini*, *Argynnis pales* var. *isis*, einigen *Geometren* und *Pyraliden* nichts, und auch von Käfern war ausser *Nebria aenea* und *altaica* nichts Gutes vorhanden.

Noch ärmer an Insecten sind die höchsten Alpen und diese waren, obschon der Graswuchs auch da noch üppig, doch wie ausgestorben. Das Clima ist hier allerdings weit rauher, und starker Hagel bedeckt häufig den Boden, wenn es unten regnet, was wohl viele Insecten vernichten mag.

So hoch hinauf, als man Schmetterlinge findet, trifft man auch eine Unzahl Mücken, die noch viel grösser, als jene in den Niederungen sind, und vor deren Zudringlichkeit man sich kaum zu schützen im Stande ist; diese mögen wohl Ursache sein, dass diese Alpen, obwohl sie die herrlichsten Weideplätze bieten, von Menschen ganz unbewohnt sind.

Oestlich reihen sich an die ulbinskischen Alpen jene der Katunja (nach den gleichnamigen Flusse so benannt). Sie setzen sich nach Süd-Osten fort, scheinen noch bedeutend höher, als die ulbinskischen, sollen der lästigen Mücken entbehren und von Bergkalmücken bewohnt sein. Gegen Süden zu läuft die ganze Gebirgskette aus: dieser Theil bildet die chinesische Grenze, ist im Sommer von Kirgisen bewohnt, die an China tributpflichtig sind und (nach den Kurtschukflusse) unter dem Namen der Kurtschukalpen bekannt.

An sehr hellen Tagen bemerkt man noch weit hinter den Bergen des Irtisch eine Alpenkette, die sich von Ost nach West zu ziehen scheint: wahrscheinlich ist diess das tarbagataische Schneegebirge, an dessen südöstlichster Seite die chinesische Stadt und Grenzfestung Tschugutschack liegt."

Rhopalocera.

Equites H.-Sch.

Papilio L.

* *Podalirius* L.

Doritis Fab.

Delius Esper. Var. *Smintheus* Doubleday. An der Waldgrenze im Hochsommer auf freien grasigen Stellen viele Männchen, aber äusserst wenige und meist verflogene Weibchen gesammelt.

Der Unterschied von *Delius* beschränkt sich nach Doubleday's Abbildung (er liefert nur die Oberseite des Männchens) auf reineres Weiss, kleinere schwarze Flecken und zwei rothe Flecken der Vorderflügel, da nämlich auch der unter dem rothen Vorderrandsfleck befindliche Fleck, welcher bei *Delius* ganz schwarz ist, eine rothe Ausfüllung hat. Alles diess ist aber nicht constant, ich erhielt sogar Exemplare, welche ausser im oberen Augenspiegel der Hinterflügel oben gar kein Roth hatten und waren überhaupt die Exemplare mit viel Roth die seltensten. Am Weibchen finde ich noch weniger Unterschied; gewöhnlich hat es deutlich schwarz gescheckte Fransen, was sich aber zuweilen auch bei *Delius* findet.

Pierides B.

Pieris Schrk.

Ausonia Var. *simplonia* B. Ein Männchen auf den höchsten Alpen in Gesellschaft von *Erebia manto* am 16. Juli gesammelt; es stimmt mit den schweizern aufs genaueste überein.

Lycaenoidae B.

Thecla Fab.

Frivaldszkyi Kindermann Tafel 1, Figur 1, Männchen. Etwas kleiner als *Thecla rubi*, ungefähr derselbe Habitus und Flügelschnitt. Vorderflügel ohne dem beim Männchen von *rubi* vorhandenen knopfigem hellen Vorderrandsfleck, Hinterflügel am Innenrande etwas ausgeschnitten, am Innenwinkel mit stark vorgezogenem abwärts stehenden Lappen. Kopf und Palpen borstig behaart, letztere spitz in Kopfeslänge vorstehend. Augen behaart, Beine des Weibchens (meinem Männchen fehlen sie) schwarz, weiss geringelt mit abstehender Behaarung; Fühler schwarz und weiss geringelt, ihre Kolbe oval, schwarz, an der Spitze rostgelb. Die Flügel haben ein schönes Stahlblau, das auf den vorderen gegen den Vorderrand und Saum zu in Schwarz übergeht; beim Mann ist das Schwarz reichlicher als beim Weibe, bei diesem weniger ins Blau vertrieben, mehr bindenartig abgegrenzt. Die Hinterflügel sind blau, am Vorderrande schwarz, und haben in jeder Zelle einen schwarzen, fast keilförmigen Randflecken. Diese Flecken sind nahe vor dem Saume abgesetzt, der Saum selbst ist schwarz, im Zwischenraume bleibt daher eine schmale Linie von der Grundfarbe. Die Rippen aller Flügel sind schwarz bestäubt. Die Fransen treten auf den Vorderflügel sehr wenig, auf den Hinterflügeln stark lappenförmig vor, und sind breit schwarz und weiss gescheckt. Unterseite chocoladebraun. Vorderflügel hinter der Mitte mit hellgrauer, innen dunkelbraun begrenzter Linie, deren mittleres Drittel abgesetzt und mehr nach aussen gerückt ist, und angehäuften blaugrauen Schuppen am Saume. Hinterflügel mit dunkelbrauner Mittelbinde, welche nach aussen unregelmässige Zacken bildet, in der Mitte am stärksten vorspringt und gegen den Innenrand zu am schärfsten begrenzt ist; der Raum vor dem Saume grob blaugrau beschuppt, das Grau nach innen undeutliche, dunkelbraun begrenzte Keilflecke bildend. Saumlinie aller Flügel schwarz; Fransen matter gescheckt, als auf der Oberseite. Den Schmetterling fand Herr Kindermann auf Bergen in der Nähe von Ust-Buchtarminsk am 2. Juni kurz nach dem Schmelzen des Schnees; er erbeutete 15, meist geflogene Stücke und theilte mir ein schönes Pärchen mit.

Polyommatus Lat.

Helle S. V. Vom Fusse der Berge bis zur Schneeregion äusserst gemein.

Virgaureae L. Sehr lebhafte Exemplare.

Eurydice Hufnagel (*chryseis* S. V.) Beide Geschlechter kleiner als bei uns, unten mit unserm *chryseis* übereinstimmend, Männchen oben wie Var. *eurybia* gefärbt.

Lycaena Fab.

Tiresias Hufnagel (*Amyntas* S. V.)

Subsolanus Eversm. Bull. de Mosc. 1851. Ich erhielt nur ein Männchen.

* *Damon* S. V.

* *Donzeli* B.

Nymphalidae B.

Melitaea Fab.

Iduna Dalmann. Grösser als die Lappländer.

Argynnis Fab.

Selenis Ev. Oben bedeutend dunkler, unten weit lebhafter, als gewöhnlich. Ich erhielt nur ein Männchen.

Selene S. V.

Euphrosine L.

Amathusia Fab.

Thore Hb. Oberseite hellgelb; die schwarze Zeichnung feiner und schärfer abgegrenzt. Der Schmetterling erhält dadurch ein von den schweizer Exemplaren, welche reichlicheres Schwarz und eine von schwärzlichen Atomen oft ganz verdeckte Grundfarbe haben, weit verschiedenes Ansehen.

Pales S. V. Die Var. *isis* und *napaea* Hübner. Das mir früher mitgetheilte bei Ustkamenogorsk gefundene Exemplar stimmte mit unserer schneeberger *Pales* aufs genaueste überein. Eine grosse Anzahl *pales* und *arsilache*, die ich seither aus verschiedenen Gegenden erhielt, haben mir nun die Artrechte sehr verdächtig gemacht.

* *Aglaja* L.

* *Niobe* L.

Vanessa Fab.

* *Polychloros* L.

Satyroidae B.

Erebia B.

Kefersteini F. Bulletin de Moscou 1851. Nur wenige Exemplare: deren Fundort bereits in der Einleitung erwähnt.

Manto S. V. Viele Exemplare, aber meist Männchen; von der gewöhnlichen *Manto* gar nicht differirend. Eversmann's *Ocnus* (Bull. de Moscou 1843) vom Saisansee scheint mir der Abbildung nach nur ein lebhaftes Exemplar von *manto*.

Satyrus Lat.

Heydenreichi Led. Nun auch mehrere Weibchen gesammelt. *Satyrus Prieuri* Pierret (Annales de la Société entom. de France 1831, tab. 12) scheint mir fast diese Art darzustellen. Der verschiedene Fundort (Algier) dürfte wenig Bedenken erregen, da manche andere *Satyride* ähnliche Verbreitung zeigt, z. B. *hyppolite*, die in der Sierra nevada und im Altai vorkommt.

Pararga H.-Sch.

* *Maera* L.

Hesperioidae.

Hesperia Lat.

* *Comma* L.

Heterocera.

Sesioidae B.

Sesia Fab.

Astatiformis H.-Sch.

Ichneumoniformis S. V. Var.? Tafel 1. Figur 2; ein Weib. Von *ichneumoniformis* durch nur drei gelbe Ringe des Hinterleibes, am 2., 4. und 6. Segmente (ausserdem ist noch der Hinterrücken wie bei *ichneumoniformis* gelb gerandet) wovon nur der mittlere unten ganz zusammenschliesst, ganz schwarzen Afterbüschel, breiten schwarzen, nach aussen spärlich orange beschuppten Mittelfleck der Vorderflügel, dunkel orange Grundfarbe der Beine verschieden. Die Fühler sind stahlblau, oben mitten dunkel bronzebraun beschuppt; der Innenrand der Vorderflügel ist an der Basis orangefarb. Da *Sesia ichneumoniformis* vielfach ändert und mein Exemplar etwas geflogen (am Afterbüschel übrigens ganz wohl erhalten ist), so wage ich nicht, eine neue Art aufzustellen; doch haben alle Exemplare meiner Sammlung (5 Paare) jedes Hinterleibsegment gleichmässig gelb gerandet, die Ringe schliessen unten alle zusammen und der Afterbüschel ist bei allen gelb und schwarz getheilt.

Sphingoidae B.

Macroglossa O.

Stellatarum L.

Deilephila O.

Porcellus L.

Smerinthus O.

Ocellata L.

Epialoidae.

Epialus Fab.

Nubifer Led. Var.? Zwei geflogene Männchen, von Kindermann als *alpinus* n. sp. gesandt. Sie zeichnen sich von *nubifer* durch eigenthümlichen Goldschimmer der Grundfarbe der Vorderflügel aus, stimmen aber in Zeichnung mit dieser Art überein.

Cossina H.-Sch.

Endagria B.

Pantherina Hb.

Hypopta Hb.

Thrips Hb.

Bombycoides B.

Gastropacha Curtis.

* *Pini* L.
* *Neustria* L.

Lasiocampa H.-Sch.

* *Rubi* L.

Liparides H.-Sch.

Dasychira Steph.

* *Fascelina* L.

Lithosioidae B.

Nudaria Steph.

Altaica m. Tafel 2, Figur 3. Männchen. Grösse etwas unter *murina*, Körper plumper, beim Weibe am After stumpf und wollig. Palpen schwach, spitz, wenig über die Stirne vorstehend, nebst den Beinen anliegend beschuppt; Hinterschienen mit zwei paar Sporuen; Zunge spiral. Fühler beim Manne mit viereckig abgesetzten Gliedern und langen Wimpern, beim Weibe borstenförmig, sehr kurz bewimpert. Thorax und Vorderflügel licht silbergrau, ersterer mit zwei schwarzen Strichen hinter dem Halskragen. Dicht an der Basis der Vorderflügel steht ein schwarzer Punct, nahe an ihm einer gerade daneben, einer schräge darüber, am Vorderrande. Im Mittelraume des Flügels, und zwar an derselben Stelle, wie bei *murina* stehen zwei tiefschwarze Puncte, unter dem inneren derselben schräge nach innen unter einander gestellt, weitere zwei; hinter dem äussern Puncte zieht eine fast zusammenhängende Punctreihe, welche um den Punct herum in zwei stumpfen Winkeln vorspringt und sich sodann schräg einwärts wendet; ober den zwei Mittelpuncten stehen am Vorderrande etwas saumwärts zwei mattschwarze Flecken, welche sich nach innen verwaschen bindenartig fortsetzen. Hinter der äussersten Punctreihe steht nahe vor der Flügelspitze am

Vorderrande ein mattschwarzer Fleck, unter diesem noch einer, nahe am Innenrande über einander zwei; alle vier bilden eine abgerissene, parallel mit dem Saume ziehende Binde; an der Flügelspitze, so wie ungefähr bei der Mitte des Saumes steht ebenfalls ein Flecken, schwache Spuren von schwarz zwischen beiden. Die Hinterflügel sind aschgrau; die Fransen ganzrandig, auf den Vorderflügeln mit der Grundfarbe gleich, auf den Hinterflügeln heller, auf allen aber hinter der Mitte durch einen schmutziggrauen Wisch unterbrochen; an der Spitze der Vorderflügeln sind die Fransen ebenfalls schmutziggrau. Auf der Unterseite sind alle Flügel trüb aschgrau, Vorderrand und Fransen etwas heller, die hinteren haben schwarze Mittelpuncte. Kindermann fand nur wenige Exemplare und ich erhielt nur ein Pärchen.

Setina Schk.

Ochracea Kindermann. Taf. 1, Fig. 1. Männchen. In der Zeichnung hat der Schmetterling Aehnlichkeit mit *flavicans*, die Flügel sind aber noch kürzer und runder, als bei *eborina*, die Beschuppung so dicht, wie bei dieser Art. Alle Körpertheile sind wie bei *flavicans* geformt, nur die Palpen mehr ausgebildet und die Färbung derselben, so wie der Flügel ist ein fahles Ockergelb (*flavicans* hat schwarze, oben gelb angeflogene Fühler), das nur am Vorderrande der Vorderflügel etwas lebhafter ist. Nahe an der Basis der Vorderflügel steht ein schwarzer Punkt, sodann folgen zwei Punctreihen über die Flügelmitte; die innere besteht aus drei Puncten, welche an derselben Stelle, wie bei *flavicans* stehen, die äussere aus sechs Puncten, nämlich je einem auf Rippe 1—6; die mittleren zwei sind mehr nach aussen gerückt. Zwischen (nicht auf) der dritten und vierten, sechsten und siebenten Rippe steht noch ein Punct nahe vor dem Saume, ein undeutlicher, mehr einwärts gerückter, zwischen Rippe 4 und 5. Die Hinterflügel sind ganz zeichnungslos. Unten sind die Vorderflügel im Discus schwärzlich und führen ausser den zwei Puncten vor dem Saume keine Zeichnung; die hinteren sind einfärbig gelb.

Lithosia Fab.

Lutarella L. (*luteola* S. V.) Ein Männchen, ganz wie die hiesigen.

Euprepioidae.

Euchelia B.

* *Jacobaeae* L.

Arctia Steph.

Flavia Fuessly. Raupe gegen Ende April auf den Abhängen trockener Berge bei Ustkamenogorsk unter Steinen, als noch Schnee lag. Kindermann erzog nur drei Stücke; zwei gute und ein verkrüppeltes Weibchen.

Notodontides B.

Harpyia O.

* *Bifida* Hb.

Cymatophoridae H.-Sch.

Cymatophora Fr.

Duplaris L. (*bipuncta* Bkh.)

Noctuina.

Acronycta O.

Leporina L.
Psi L. Färbung sehr hell und rein.
* *Cuspis* Hb.
Euphorbiae S. V.

Spintherops B.

Cataphanes Hb. Flügel gestreckter, Färbung mehr grünlichgrau als die französischen; sonst nicht verschieden. Kindermann hielt sie für neu und versandte sie unter dem Namen *Gerhardi*.

Amphipyra Tr.

* *Livida* S. V.
* *Tetra* S. V.

Graphophora O.

Sigma S. V.
Baja S. V.
Brunnea S. V.
Festiva S. V.
C. nigrum L.
Eminens m. Tafel 1 Figur 3. Weib. Ich erhielt nur ein Pärchen. Grösse und Flügelschnitt von *chaldaica*. Körper licht aschgrau. Palpen die Stirn überragend, die ersten zwei Glieder dicht behaart, die Behaarung horizontal abstehend am Ende des zweiten Gliedes eine Stufe bildend, aus welcher das kurze stumpfe Endglied hervorsteht Zunge spiral, Vorderschienen wie bei allen verwandten Arten bedornt, Fühler borstenförmig, beim Manne mit mässig langen, büschelweise gestellten Wimpern. Halskragen höher als der Thorax, mitten scharf zusammenstossend; Thorax vorne und hinten mit

erhabenem getheilten Schöpfchen. Vorderflügel licht schiefergrau, glanzlos. Zeichnung sehr auffallend, von allen verwandten Arten verschieden, in beiden Geschlechtern gleich. Nahe an der Basis steht eine schwarze Querlinie, sodann folgen die beiden Mittellinien. Diese sind schwarz, doppelt angelegt und ungemein weit von einander entfernt, das Mittelfeld daher ungewöhnlich breit. Die innere beginnt vor 1/4 des Vorderrandes und ist etwas auswärts gerichtet, die äussere entspringt bei 3/4, zieht schräge nach aussen, bildet ungefähr im obern Viertel der Flügellänge einen stumpfen Winkel, zieht dann parallel mit dem Saume, läuft aber nicht in den Innenrand aus, sondern zieht längs ihm zur Mittellinie. Die Makeln sind nicht sehr genähert, schiefergrau, weissgrau umzogen. Die runde ist schräge nach aussen gestellt, etwas in die Länge gezogen, die Nierenmakel steht fast senkrecht und ist aussen eingeschnitten; die Zapfenmakel ist breit und stumpf. Der Grund um die Makeln und zwischen denselben ist ein nach aussen in die Flügelfarbe vertriebenes, von den Rippen' hellgrau durchschnittenes Schwarz. Die äussere Wellenlinie ist hellgrau, innen dunkler begrenzt als aussen, und bildet vor der Flügelspitze einen Zahn. Der Raum zwischen ihr und der äussern Mittellinie ist sehr schmal, etwas dunkler als die Grundfarbe, und hat daher ein bindenartiges Aussehen. Die Saumlinie ist schwarz, die Fransen sind grau, durch eine feine Längslinie getheilt. Die Hinterflügel sind nebst den Fransen glänzend weiss, ohne Zeichnung. Unten sind alle Flügel weiss, gegen den Vorderrand zu grau angeflogen. Die vorderen haben nur die Spur der Nierenmakel und der dahinter stehenden Querlinie, die hinteren den schwachen Anfang einer Bogenlinie, sonst aber keine Zeichnung.

Agrotis Tr.

Rectangula S. V.

Foeda m. Tafel 1, Figur 6. Weib. Ich erhielt nur zwei Weibchen. Grösse, Habitus und Flügelschnitt von *Agr. forcipula* oder *signifera*. Die Färbung des Körpers und der Vorderflügel ist ein trübes, bräunliches Erdgrau, am besten mit dem von *Agr. cos* zu vergleichen, eher noch mehr ins Braune ziehend. Die Zeichnung ist sehr einfach. Die Vorderflügel haben drei schwärzliche Querlinien, nämlich die halbe an der Wurzel und die beiden Mittellinien. Die erste dieser beiden zieht von 1/4 des Vorder- zu 1/3 des Innenrandes und an ihrer Mitte steht die hohle, schwarz umzogene, etwa bis zur Mitte des Feldes reichende Zapfenmakel; die äussere beginnt bei 2/3 des Vorderrandes, macht ober der Nierenmakel einen starken Bug nach aussen und läuft dann parallel mit dem Saume; beide Mittellinien bestehen aus zusammenhängenden groben Strichen und sind nach innen etwas genähert. Die runde Makel ist etwas länglich, die Nierenmakel etwas auswärts gestellt, wie bei *signifera* geformt. Die lichte Wellenlinie ist nur schwach und undeutlich vorhanden, die Saumlinie schwärzlich, der Vorderrand hell und dunkelbraun gestrichelt, der Mittelschatten nur zwischen den Makeln angedeutet. Die Fransen sind einfärbig erdbraun, die Hinterflügel aschgrau, Basis und Fransen weisslichgrau. Unten sind die Vorderflügel erdgrau mit Andeutung der Nierenmakel und des äusseren Bogenstreifs, die hinteren weiss, an Vorderrand und Saum grob grau beschuppt, mit sehr schwachen Mittelpunct und undeutlicher Bogenlinie.

Aquilina S. V. Var. *vitta* Hb.

Obelisca S. V. In vielen Varietäten, darunter welche mit zusammengeflossenen Makeln.

Signifera Hb.

Fatidica Hb.

Trifurca Ev. In den unteren Gegenden genau wie die uralenser; im Gebirge die Grundfarbe sehr dunkelgrau, die Zeichnung daher weniger abstechend, sonst aber nicht verschieden. Kindermann theilte mir diese Varietät als *robusta* n. sp. mit.

Hadena Tr.

Leucophaea S. V. Ein Weibchen; stimmt ziemlich mit *bombycina* Ev. Bulletin de Moscou 1847, planche 6, ist aber sicher von *leucophaea* nicht verschieden. Die bläulichgraue Färbung und hellere frischere Zeichnung findet sich auch bei den in unsern Gebirgsgegenden vorkommenden Exemplaren.

Amica Tr. Selten.

* *Satura* S. V.

Lateritia Hufn.

Scolopacina Esp.

Hepatica S. V.

Rurea S. V. und Var. *combusta* Hb.

Basilinea S. V.

Arida m. Tafel 1, Figur 7. Ich erhielt nur ein Männchen. Dieses ist in Grösse und Habitus der *gemina*, in Färbung mehr der *basilinea* ähnlich, von *basilinea* aber leicht durch den Mangel des schwarzen ästigen Längsstriches an der Basis der Vorderflügel, von gewissen hellen *gemina* Varietäten durch den Mangel des W zeichens in der lichten Wellenlinie, von beiden überdiess durch den Mangel der Schöpfe des Hinterleibes verschieden und darin mehr mit *testacea* und *rubella* verwandt. Palpen aufsteigend, das Endglied cylindrisch, etwas vorwärts geneigt, Zunge spiral, Augen nackt. Fühler borstenförmig mit büschelweise gestellten Wimpern (wie bei *basilinea* und *infesta*; bei *gemina* haben sie kurze, pinselartig bewimperte Pyramidalzähne). Vorderflügel trüb lehmgelb, Zeichnungsanlage ungefähr wie bei *basilinea*, der ästige Querstrich an der Basis jedoch wie gesagt fehlend, statt ihm sehr verloschen, die halbe Querlinie. Die beiden Mittellinien entspringen wie bei *basilinea* aus dunkleren Vorderrandsflecken, sind aber gegen innen zu genähert, das Mittelfeld ist daher unten mehr verschmälert, als bei *basilinea*. Dieses ist nicht dunkler, als die übrige Grundfläche, der Mittelschatten ist deutlich, düster graubraun, die Makeln sind wie bei *basilinea* geformt und gestellt (die runde ist bei meiner Abbildung zu sehr in die Länge gezogen), beide dunkler graubraun ausgefüllt, die Zapfenmakel kaum angedeutet. Die lichte Wellenlinie ist wenig heller, als der Grund, verloschen und ohne W zeichen; zwischen ihr und der äusseren Mittellinie stehen am Vorderrande zwei helle lehmgelbe Puncte. Fransen lehmgrau, auf den Rippen etwas heller. Hinterflügel licht gelbgrau mit helleren Fransen, schwarzer, abgesetzter Saumlinie, Spuren einer hellen verwaschenen Binde vor dem Saume und von unten durchscheinendem Mittelflecke. Unterseite licht gelbgrau, alle Flügel mit Mittelfleck und schwacher dunklerer Bogenlinie dahinter; die vorderen noch mit Andeutung der lichten Wellenlinie. Der Hinterleib hat bei meinem Exemplare keine Spur von Schöpfen; darin, so wie im Baue der männlichen Genitalien stimmt *arida* mit *testacea*, *Dumerili*, *texta* etc., entfernt sich aber von den in Zeichnung ähnlichen *basilinea*, *infesta*, *gemina* und andern.

* *Gemina* Hb.
Contigua S. V.
Genistae Bkh.
Thalassina Bkh.
Aliena Hb.
Suasa S. V.
Rectilinea Esp.
Abjecta Hb.
Albicolon Hb.
Saponariae Bkh.
Chenopodii S. V.
Dentina S. V.

Phlogophora Tr.

* *Lucipara* L.

Dianthoecia B.

Capsincola S. V.
* *Cucubali* S. V.
* *Carpophaga* Bkh. (*perplexa* Hb.)

Polia Tr.

Cappa Hb.

Expressa m. Tafel 1, Figur 8. Männchen. Eine ausgezeichnete neue Art, mit keiner bekannten gut zu vergleichen. Ich erhielt nur zwei Männchen; das Weibchen kenne ich nicht. In den gekämmten Fühlern und der flechtenartigen Zeichnung hat sie Aehnlichkeit mit *lichenea*, die starken

Schöpfe des Hinterleibes, welche bei *lichenea* ganz fehlen, entfernen sie aber wieder davon. Thorax durch die lange Behaarung sehr erhaben, hinten mit getheiltem Schöpfchen, Hinterleib schlank, etwas den Afterwinkel überragend, hellgrau mit stark erhabenen, weiss und schwarzgrau gemischten Haarkämmen bis hinter die Mitte; Stirne nicht erhaben, abstehend dünn behaart, Zunge spiral; Palpen aufsteigend, erstes und zweites Glied mit abstehenden dünnen Haaren, das dritte vorwärts geneigt, lang und dünn, cylindrisch. Augen nackt, Körper und Beine äusserst schwach behaart. Fühler bräunlichgrau mit dünnen, etwas gewimperten mässig langen Kammzähnen, die bis zur äussersten Spitze reichen (bei *lichenea* hören sie vor derselben auf, haben aber dieselbe Form und Länge). Die Farbe des Rückens und der Vorderflügel ist ein abgestorbenes ins Bräunlichgelbe oder Grauliche ziehendes Oliv, etwa wie bei ganz verflogenen oder durch Nässe zerstörten Exemplaren von *aprilina* oder *glandifera*. Der Thorax hat unregelmässig eingemischte schwarze Haare und auch auf der Flügelfläche finden sich zerstreute schwärzliche Atome. Die Querlinien sind schwarz. Die halbe an der Basis bildet drei kleine zusammenhängende, nach innen gekehrte Bögen. Die beiden Mittellinien beginnen im mittleren Drittel des Vorderrandes. Die innere besteht aus vier aneinander hangenden Halbmonden, von welchen der dritte grösser ist, als die übrigen und einen starken Einbug in das Mittelfeld macht, die äussere besteht aus aneinander hängenden auswärts gekehrten Halbmonden, bildet um die Nierenmakel nach aussen einen Bogen, wendet sich unter dieser etwas mehr nach innen, am Innenrande aber wieder ein wenig saumwärts. Die beiden Makeln sind hohl, fein schwärzlich umzogen, die Nierenmakel auf beiden Seiten verschmälert. Die Zapfenmakel ist gross, aber undeutlich, an der unteren Seite durch einen schwärzlichen Querstrich hervorgehoben, der Mittelschatten ist deutlich, aber schmal, schwarzgrau. Die lichte Wellenlinie ist weisslichgrau, ohne Wzeichen, nach innen durch schwache schwärzliche Kappenzüge hervorgehoben, nach aussen in die Grundfarbe verwaschen. Saumlinie schwärzlich, abgesetzt, Fransen breit, weiss und grau gescheckt. Hinterflügel (mit ganz schwacher Rippe 5) aschgrau mit von unten durchscheinenden Mittelpunct, einem verwaschenen gegen den Innenrand zu auswärts geschwungenen weissgrauen, einwärts dunkler begrenzten Bogenstreifen bei ⅔ der Flügelbreite und der Spur eines parallel mit ihm ziehenden nahe vor dem Saume. Die Fransen sind weissgrau. Unterseite lichtgrau mit schwachen undeutlichen Makeln und Querlinien, letztere hier dunkler als der Grund, Hinterflügel mit schwachem Mittelfleck.

Aplecta B.

Advena S. V.
Tincta Brahm.
Serratilinea S. V.

Leucania Tr.

Albipuncta S. V.

Orthosia Tr.

Circumducta m. Tafel 1, Figur 9. Mann. Selten und mir nur in einem Pärchen mitgetheilt. Der Schmetterling hat viel Aehnliches mit *J. cinctum*, stimmt in Bildung der Körpertheile, Flügelform und Zeichnung sehr damit überein, unterscheidet sich aber leicht durch die ganz verschieden geformten Makeln, das Männchen überdiess durch stärker gekämmte Fühler. Thorax und Halskragen nelkenbraun, letzterer und der dahinter stehende erhabene Längskamm hell gerandet (bei *J. cinctum* alles einfärbig erdgrau). Zeichnungsanlage wie bei *J. cinctum*, die beiden Makeln aber weit von einander getrennt, die innern anders geformt und anders gestellt, als die äussere, während bei *J. cinctum* beide gleiche Form haben, parallel neben und dicht an einander stehen, daher sogar zuweilen zusammenfliessen. Die innere beginnt am Vorderrande in schräger Richtung nach aussen, ist an der Stelle der untern Rippe der Mittelzelle durch einen geraden scharfen Strich nach beiden Seiten hin je um ⅓ erweitert, bildet an der inneren Seite dieser Erweiterung, wo die Entfernung von der davor stehenden ersten Mittellinie auch weit grösser ist, als bei *J. cinctum*, einen scharfen Winkel und beschreibt von da an einen viel flacher als bei *J. cinctum* angelegten Bogen zur äusseren Makel. Die Makeln selbst sind auffallend hell, hellgelblich gerandet und stehen auf nelkenbraunen, um die Makeln tiefschwarzem Grunde. Die übrigen Differenzen sind unerheblich; die Augen sind ebenfalls lang behaart, die Zunge ist spiral.

Gothica L.

Lota L.

Caecimacula S. V. Sehr bleich gefärbt.

Congener Hb.

Mesogona B.

Acetosellae S. V. In weit abstehenden Varietäten. Färbung vom Ledergelben bis ins Schwarzgraue wechselnd, die beiden Mittellinien zuweilen als dicke, schwarzgraue Streifen vorhanden, alle Varietäten aber durch allmählige Uebergänge zur Stammart verbunden.

Xanthia Tr.

Rufina S. V.

Cerastis Tr.

Vaccinii L. mit den gewöhnlichen Varietäten.

Satellitia L.

Xylina Tr.

Socia Hufn. (*petrificata* S. V.)

Calocampa Steph.

Velusta Hb.
Exoleta L.
Solidaginis Hb.

Xylomyges Guen.

Conspicillaris L.

Cucullia L.

Asteris S. V.
Absynthii L.
Artemisiae Hufn. (*abrotani* S. V.)
Xeranthemi Rb.
Gnaphalii Hb.
Argentina Fab.

Placodes B.

Virgo Tr.

Plusia Tr.

* *Concha* Fab.
Renardi Ev. Sehr selten.
Jota L.
* *Ni* Hb.
Celsia L.

Euclidia Tr.

Cuspidea Hb. Im Juni sehr häufig auf Wiesen im Gebirge.

Acontia Tr.

* *Titania* Esp.

Toxocampa Guén.

Ludicra Hb.
Lusoria L.
Viciae Hb.

Erastria Tr.

Candidula S. V.

Agriphila B.

Sulphuralis L. (*sulphurea* S. V.)

Leptosia Hb.

Aenea S. V.

Geometroidae.

Geometra B.

Papilionaria L. Sehr grosse Exemplare.

Acidalia Tr.

Emarginata L
Punctata Tr.
Imitaria Hb.

Pericallia Steph.

Syringaria L.

Crocallis Tr.

Elinguaria L. Mittelbinde sehr dunkel rothbraun

Odontopera Steph.

Bidentata L. (*dentaria* Esp.)

Angerona Dup.

Prunaria L und Var. *sordiata* Goetze.

Urapteryx Leach.

Sambucaria L.

Epione Dup.

Parallelaria S. V.

Macaria Curtis.

Signaria Hb.

Synopsia Hb.

Sociaria Hb. und Var. *luridaria* Freyer.

Strictaria m. Ich erhielt nun auch zwei Männchen; sie stimmen in den Gattungsmerkmahlen ganz mit *Synopsia*.

Serrularia Ev. (Bulletin de Moscou 1847.) Tafel 2, Figur 1, Mann, Figur 2, Weib. Im Juni an den Vorbergen des Altai; viele Männchen, nur zwei Weibchen gesammelt. Eversmann kannte nur das Männchen und stellte es zu *Fidonia*; gemäss der ganz kurzen weichen Zunge und des Mangels einer kahlen Grube an der Vorderflügelbasis gehört es jedoch zu *Synopsia*. Das Weib hat wohl eine von dieser Gattung und von allen bekannten Spannern weit verschiedene merkwürdige Form, da aber das Männchen ganz mit *Synopsia* stimmt, so ist eine generische Trennung unnöthig. Der Körper des Weibchens hat dieselbe hell und dunkelgraue Zeichnung, wie beim Männchen; er läuft spitz zu und hat einen weit vorstehenden Legestachel von fast halber Körperlänge. Die Fühler sind schwach sägezähnig, die Palpen kurz, die Stirn kaum überragend, die Beine anliegend beschuppt, die hinteren mit 2 Paar Sporen. Statt der Flügel hat das Thier nur schmale, dicht hell und dunkelgrau beschuppte, steife Lappen; die vorderen sind so lang als der Körper, S-förmig gekrümmt, die hinteren kaum ⅓ so lang, gerade; am Innenrande und gegen die Spitze dieser Lappen tritt die Beschuppung fransenartig vor.

Phaeoleucaria m. Tafel 2, Figur 3, Mann. Ich erhielt nur diess eine Männchen. Es ist mit *Sociaria* am besten zu vergleichen, stimmt auch in den Gattungsmerkmahlen damit überein, die Hinterschienen haben jedoch nur Endspornen, daher *phaeoleucaria* eine eigene Unterabtheilung bildet. Grösse ¼ unter *sociaria*. Thorax eben so breit und dicht wollig, weiss und schwarzgrau gemischt, vorne und hinten mit erhabenem Schöpfchen; Hinterleib schlank, weissgrau; Stirne anliegend beschuppt, Palpen kurz, nicht darüber vorstehend, Zunge kurz und weich; Beine anliegend beschuppt, nur die Schenkel schwach längshaarig; Hinterschienen dünn, bloss mit Endspornen. Vorderflügel ohne kahlen Fleck an der Basis. Wurzelfeld schmutzig braun, mitten weissgrau ausgefüllt. Die innere Mittellinie beginnt bei ⅓ des Vorderrandes; sie ist W förmig und macht einen scharfen Zahn in das Mittelfeld, zwei stumpfere in das Wurzelfeld. Die äussere entspringt bei ¾ des Vorderrandes, besteht aus zusammenhängenden bogenartigen groben Strichen und macht bei der Flügelmitte einen starken Einbug; das Mittelfeld ist verhältnissmässig schmal, besonders die untere Hälfte, welche kaum halb so breit als die obere ist, weiss mit schmutzig lichtbraunen Atomen bestreut, die in der Mitte mehr angehäuft sind und so eine Andeutung des Mittelschattens bilden. Das Saumfeld ist gleich dem Wurzelfelde schmutzig braun; in seiner Mitte stehen eine Reihe auswärts gekehrter zusammenhängender Halbmonde, welche innen scharf dunkel, aussen weiss begrenzt sind und daselbst mehr in die Grundfarbe verfliessen. Die Fransen sind weiss, auf den Rippen braun gescheckt. Hinterflügel weiss mit bräunlichem Mittelfleck, einem schwachen, unzusammenhängenden, geschwungenen, nahe ober dem Innenwinkel in den Saum auslaufenden Querstreifen dahinter, bräunlichen Atomen zwischen ihm und dem Saume, weisse mattbraun gescheckte Fransen. Die Unterseite führt dieselbe Zeichnung wie oben, nur ist sie matter, der Mittelschatten aber deutlicher, besonders am Vorderrande.

Boarmia Tr.

Cinctaria S. V. In weit abstehenden Varietäten.

Bituminaria m. Ich bekam nun auch zwei Männchen; sie besitzen die Grube an den Vorderflügeln wie die übrigen Boarmien.

Gnophos Tr.

Mendicaria H.-Sch.

Glaucinata S. V. in sehr grossen, düster gefärbten Exemplaren. Beide Arten im Gebirge in der Waldgrenze.

Fidonia Tr.

Fascicularia Hufn. (*cebraria* Hb.) An Vorbergen des Altai; genau wie die deutschen Exemplare gefärbt.

Ematurga m.

Atomaria L.

Bupalus Leach.

Piniarius L.

Thamnonoma m.

Brunnearia Thbg. (*pinetaria* Hb.

Eubolia B.

Murinaria S. V.

Lobophora Curtis.

Polycommata S. V.

Cidaria Tr.

Ocellata L.

Variata S. V.

Serpentinata m. Nun auch ein Männchen; die Fühler sind wie bei *olivaria*.

Turbaria Hb.

Cambrica Curtis (*erutaria* B.)

Suffumata S. V.

Quadrifasciaria Hb.

Propugnata S. V.

Procellata S. V.

Melanicterata m. Tafel 2, Figur 4. Nur wenige Exemplare auf Alpen bei Tage fliegend gefunden. Körper schlank, schwarz, Stirne, Schulterdecken, Hinterränder der Segmente und die Beine goldgelb, letztere anliegend beschuppt, die hinteren mit 2 Paar Spornen; Zunge spiral; Stirne anliegend beschuppt, Palpen darüber vorstehend, etwas aufwärts gekrümmt, Fühler gelb und schwarz geringelt, beim Manne mit ungemein kurzen, kaum mit der Loupe sichtbaren Wimpern. Flügel auf Ober- und Unterseite gleich bezeichnet, goldgelb mit unregelmässig schwarzen Bändern; das erste an der Wurzel sehr klein, das zweite nahe an ihm, in der Mitte V-artig nach aussen vorspringend, auf der Vorderrandsrippe gelb durchschnitten, das dritte am breitesten, in der Flügelmitte. Dieses zieht vom Vorderrande schräg nach aussen, hat gewöhnlich — doch nicht immer — eine gelbe Makel in der Gegend der Querrippe, bildet unter dieser Makel ein Knie und läuft dann parallel mit der zweiten Binde in den Innenrand aus. Die vierte schwarze Binde stösst an den Saum an; in der Nähe der Flügelspitze macht die Grundfarbe einen tiefen busigen Einbug in das Schwarz, bei ²/₃ des Saumes wird es von derselben ganz unterbrochen, daher am Innenwinkel ein fast runder schwarzer Fleck abgeschlossen. Die Hinterflügel sind goldgelb mit schwarzem Mittelpunct und Fortsetzung der Vorderflügelzeichnung dahinter. Die Fransen sind sehr schmal, ganzrandig, an der Flügelspitze und da, wo das Gelb in den Saum austritt, gelb, an den übrigen Stellen schwarz.

Tristata S. V. Var. *funerata* Hb. Ich erhielt nur zwei Stücke, welche ich fast für eine eigene Art halten möchte. Alle Zeichnung ist nicht schwarz, sondern grau und weniger scharf abgesetzt, als bei *tristata.*

Pauperaria Ev. Bulletin de Moscou 1848. Ziemlich selten. Herr Professor Eversmann kannte nur das Weibchen und setzte es zu *Fidonia,* die Rippen sind jedoch wie bei *Cidaria.* Das Männchen hat auch keine gekämmten, sondern nur sehr kurz gewimperte Fühler.

Rignata Hb.
Silaceata Hb.
Chenopodiata S. V.

Eupithecia Curtis.

Prolongaria Z. (*Extensaria* Ev.)

Pyralidoidae.

Botys Tr.

Cingulata L. (*—alis* S. V.)
Atralis Hb.
Nyctemeralis Hb.
Peltalis Ev.
Alpinalis S. V.
Fuscalis S. V.
Fulvalis Hb.

Crambites.

Crambus Fab.

Mytilellus Hb.
Tristellus S. V.
Fascelinellus Hb.
Chrysonnuchellus Scop.

Talis Guén.

Quercella S. V.

Eucarphia Z.

Vinetella Hb.

Myelois Z.

Cribrum S. V.

Nephopteryx Z.

Argyrella S. V.

Tortricina.

Teras Tr.

Scabrana Hb.

Tortrix Tr.

Palleana Tr.

Gouana L.

Exsulana m. Tafel 2, Figur 5. Männchen. Ich erhielt nur drei Männchen; sie haben die nächste Verwandtschaft mit *Baumanniana*, sind aber ein gutes Drittel grösser. Ich gebe Beschreibung nach dem am schärfsten gezeichneten Stücke; die beiden anderen sind etwas matter. Körper und Beine grau, Hinterschienen abstehend behaart mit zwei Paar Spornen, Zunge schwach, Fühler grau mit ziemlich langen, dünn gestellten Wimpern, Stirne rostgelb, dicht beschuppt, Palpen in mehr als Kopfeslänge darüber vorstehend, dicht gelblichgrau beschuppt, das erste Glied horizontal, das zweite hängend, das dritte ganz in der Beschuppung versteckt. Vorderflügel wie bei *Baumanniana* auf der Querrippe abwärts geknickt. Grundfarbe ungefähr wie bei dieser Art, nämlich grünlichgelbgrau mit eingemischten bleifarben Querlinien. Die Querbinden sind rostroth, stellenweise ins Graue ziehend. Das Wurzelfeld erscheint als ein kleiner, nicht sehr scharf begrenzter Flecken von dieser Farbe; hinter ihm stehen am Vorderrande vier undeutliche kleine Strichelchen (einem Exemplare fehlen sie ganz), sodann beginnt in der Mitte des Vorderrandes die Mittelbinde. Diese ist daselbst sehr schmal, etwa von Kopfesbreite, am Innenrande reicht sie aber vom inneren Drittel desselben bis fast zum Innenwinkel. An ihrer Innenseite hat sie auf der inneren Mittelrippe einen tiefen Zahn nach innen, an der äusseren macht sie vom Vorderrande zur Querrippe ein Knie einwärts, sodann zieht sie wenig deutlich begrenzt schräge zum Innenwinkel. Das Saumfeld ist am Vorderrande rostroth gestrichelt; in seiner Mitte entspringt ein schmales rostrothes, unregelmässiges, nach aussen verwaschenes Band, das in den

Innenwinkel ausläuft. Das Rostroth der Binden ist allenthalben durch matte Bleilinien begrenzt, die innere Mittelrippe in der Mittelbinde ebenfalls bleifarben beschuppt, die Binde dadurch unterbrochen. Die Fransen sind gelblich, schwarz oder schwarzgrau gescheckt, die Hinterflügel grau, Vorderrand, Basis und Fransen heller, Saum gegen den Vorderrand zu eingezogen, wie bei *Baumanniana.* Unten sind die Flügel grau, die vorderen viel dunkler, als die hinteren, mit unregelmässigen schmutziggelben Fleckchen am Vorderrande und Saum und schmutzig hellgelb und grau gescheckten Fransen, die hinteren mit feinen dunkleren Querstrichelchen, sonst zeichnungslos; Rippe 6 und 7 stehen auf einem Stiele.

Cochylis Tr.

Cultana m. Tafel 6, Figur 1. Männchen. Nur diess eine Stück erhalten. Thorax verhältnissmässig breit und plump, breiter als gewöhnlich; Hinterleib schlank. Stirne breit, mit anliegender Beschuppung, die nur an der Fühlerbasis pinselartig absteht. Fühler mit ziemlich feinen Wimpern, Palpen hangend, gut in Kopfeslänge vorstehend, dicht beschuppt, Endglied in den Schuppen versteckt, Zunge kurz, gerollt; Beine ohne Auszeichnung, die Hinterschienen wie gewöhnlich stark mit zwei Paar Spornen. Die Grundfarbe des Rückens und der Vorderflügel ist ein sehr lichtes Rostbraun, Stirne, Hinterleib und Beine sind mehr weisslich. Die Zeichnung der Vorderflügel differirt von allen verwandten Arten. Sie ist sehr einfach und besteht aus zwei gleichbreiten, ziemlich geraden glänzend weissen Querbinden, zwischen welchen die Grundfarbe eine Binde von gleicher Breite und Form bildet und einer abgerissenen schmäleren und weniger deutlichen weissen Binde, die in der Mitte des Saumfeldes am Vorderrande beginnt, nach innen und aussen unregelmässig zerfasert ist und gegen den Innenrand zu verlischt. In den weissen Binden finden sich bräunlichgelbe Schuppen, besonders am Vorder- und Innenrande, in der zweiten Binde an der Stelle der Querrippe ein schwarzer Punct. Die Saumlinie ist weisslich, die Fransen weiss und rostbraun gescheckt. Die Hinterflügel sind sammt den Fransen weiss, gegen Vorderrand und Saum zu lichtgrau. Unten sind die Vorderflügel bräunlichgrau mit hellerer, sehr undeutlicher Andeutung der Zeichnung der Oberseite und gescheckten Fransen, die hinteren weiss mit gelblichem Vorderrand, gegen die Spitze zu aschgrau.

Jucundana Tr.

Trachysmia Guén.

Rigana Sodoffsky.

Penthina Tr.

Salicella L. (— *ana* S. V.)

Paedisca Tr.

Ophthalmicana Hb.

Sericoris Tr.

Irriguana Z. Sehr gross.
Umbrosana Z.

Grapholitha Tr.

Metzneriana Freyer.
Aspidiscana Hb.

Sciaphila Tr.

Virgaureana Tr.
Punctulana S. V.

Tineina.

Fumea Steph.

Pectinella S. V. Fast doppelt so gross, als gewöhnlich.

Nemotois Z.

Schiffermüllerellus S. V.

Plutella Schk.

Excisella m. Tafel 2, Figur 7. Männchen. Ich erhielt nur diess eine Stück. Es hat die Flügelform von *cultrella*, ist aber ⅓ kleiner. Der Rippenverlauf, so weit er sich ohne Abschuppung ausnehmen lässt, stimmt ebenfalls mit dieser Art, eben so der Bau der Körpertheile; den Palpen fehlt jedoch das bei *cultrella* aufwärts gerichtete spitze, anliegend beschuppte Endglied und ich kann auch mit der Loupe keine Stelle einer Einfügung entdecken. Die Vorderflügel sind wie bei *cultrella* geformt, haben denselben Ausschnitt unter der Flügelspitze, diese ist aber nicht gar so stark vorgezogen. Die Farbe ist ein bläuliches gewässertes Schiefergrau. Das Wurzelfeld reicht bis zum Drittel der Flügellänge, ist aus groben schwarzen Schuppen gebildet, zwischen welchen hin und wieder die Grundfarbe hervortritt, hat gegen sein Ende zu einen licht holzbraunen Wisch und macht an diesem einen Vorsprung nach aussen. Die übrige Flügelfläche hat wenig Zeichnung mehr. Der Vorderrand ist etwas dunkler grau, vor der Flügelspitze mit 4 schwarzen groben Strichelchen bezeichnet; die beiden mittleren stehen nahe beisammen, das erste und vierte sind weiter davon entfernt, letzteres dicht vor der Flügelspitze; am Saume, besonders gegen den Innenwinkel zu stehen ebenfalls schwarze Strichelchen, vermischte Spuren von Schwarz noch unter dem ersten der vier Vorderrandsflecke bei der Mitte der Flügelbreite. Die Fransen sind grau, vor der Flügelspitze heller, als gegen den Innenwinkel zu, mit eingemischten schwarzen Schuppen. Die Hinterflügel sind sammt den Fransen aschgrau. Unten sind alle Flügel grau, die vorderen mit helleren Strichelchen am Vorderrande gegen die Spitze zu, die hinten gegen die Basis etwas heller.

Psecadia Z.

Flavianella Tr.

Hypsolophus Fab.

Marginellus Fab.

Depressaria Haw.

Altaica Z. Linnaea 1854.
Laterella S. V.

Pterophoridae.

Pterophorus Geoffroy.

Gonodactylus S. V.

Ueber das Vorkommen der Trüffeln.

Von
Anton Röll.

Die Trüffel, *Tuber cibarium* Bull., einer unserer interessantesten Pilze, dessen Vorkommen in Oesterreich zwar schon bekannt ist, von dem sich aber doch nur sehr wenige sichere Standorte angegeben finden, kommt in Nieder-Oesterreich im Marchfelde, in der Gegend von Gross-Schweinbarth und Raggendorf vor. Dieses Vorkommen mag zugleich als ein Beweis gelten, dass das Marchfeld, welches bei den Botanikern bisher so in Misscredit war und erst durch die geschätzten Mittheilungen unseres verehrten Herrn Vicepräsidenten, Oberlandesgerichtsrath Neilreich in bessern Ruf kam, auch in Bezug auf die kryptogamische Flora nicht so übel bestellt sei, wie ich in einer spätern Versammlung weitläufiger auseinander zu setzen die Ehre haben werde.

Das Vorkommen der Trüffeln in der angegebenen Localität war mir zwar schon längere Zeit bekannt, allein erst durch die kürzlich erhaltenen gütigen Mittheilungen des gräflich Traun'schen Försters, Herrn Plankl in Gross-Schweinbarth, wurde ich in die angenehme Lage versetzt, der geehrten Versammlung die nähern Umstände ihres Vorkommens angeben zu können.

Die Trüffeln finden sich nämlich nach der Angabe des Herrn Plankl in seinem Reviere, welches an 2200 Joch Flächeninhalt zählt, bloss in einem kleinen nordöstlich gelegenen Theile, und zwar besonders in gemischten Laubhölzern.

Sie sind daselbst 1/4 — 5" tief unter der Erde, ja oft bloss ein wenig mit Humus bedeckt. Die Grösse derselben wechselt von Erbsengrösse bis zu der eines Hühnereies, wobei Herr Plankl bemerkt, dass er oft im September ganz kleine Trüffel fand, die er wieder in die Erde gab, zudeckte und nach 2—3 Wochen schon bedeutend grösser gewachsen, wieder herausnahm. Auf dem angegebenen Standorte finden sich zweierlei Trüffeln, nämlich die echte Trüffel *Tuber cibarium* Bull., von welcher ein Paar Exemplare vorliegen, und eine zweite Art, die ich nie zu sehen Gelegenheit hatte und sie daher auch nicht näher zu bezeichnen im Stande bin. Nach dem Berichte des Herrn Plankl ist sie jedoch gelb, wird nie grösser als eine wälsche Haselnuss, hat ein ganz anderes Aroma, ist abgeschmackt und wird daselbst gelbe Trüffel oder Sautrüffel genannt. Die Trüffeln werden dort mit Hunden gesucht, indem man sie auf die bekannten Trüffelplätze führt und sie durch Lob, Ermunterung und Belohnung zum Ausgraben veranlasst. Dabei machte Herr Plankl bei mehr als 10 Hunden, die er im Besitze hatte, die Beobachtung, dass dieselben die echten Trüffeln nie ohne specielle Erlaubniss fressen, während sie bei der gelben diese Erlaubniss gar nicht abwarten.

Auch nach den Erfahrungen des Herrn Plankl ist zum Gedeihen der Trüffeln nöthig, dass es im Monat Juli und August regne; so dass, falls diese Monate schönes und trockenes Wetter ist, ein sehr schlechtes Resultat zu erwarten ist.

Was die Quantität der Trüffeln betrifft, die in dieser Gegend gefunden wird, so theilt mir der Herr Förster mit, dass dieselbe sich von Jahr zu Jahr vermindere, so dass, während er vor ungefähr 12 Jahren jährlich 60—80 Pfund sammelte, er die letzten drei Jahre kaum 10—12 Pfund jährlich ausbeutete. Er meint, dass die Veränderung der Holzschläge daran Ursache sei.

Soweit geht nun der Bericht des Herrn Plankl.

Ausser an diesem Standorte im Marchfelde finden sich die Trüffeln im österreichischen Kaiserstaate noch an mehreren Orten, so in Ungarn, in den Wäldern der Insel Schütt und Csalloköz, in Mähren bei Gross-Berenau, in Böhmen bei Weltruss, Brandeis, Ellbogen, Karlsbad, Eisenberg, in Oesterreich nach Hayne und Kreutzer dann und wann im Schönbrunner Garten, nach Trattinick auch auf der Batthyany'schen Herrschaft Ensersdorf an der Fischa*), dann in Steiermark. Ferner soll nach einer mündlichen Angabe des Herrn Verwalters Ueberacker bei Gerasdorf in der Nähe von Wiener-Neustadt eine röthliche Trüffel vorkommen. Auch in der Lombardie findet sich die essbare Trüffel.

Ueberhaupt ist dieselbe im südlichen und mittleren Europa, besonders in Frankreich und Piemont ziemlich allgemein verbreitet. Im höheren Norden ist sie zwar seltener, allein Linné fand sie doch selbst in Lappland. Auch in Nord-Amerika und dem nördlichen Asien soll sie vorkommen, doch ist die Identität dieser, sowie der japanischen Trüffel nicht sicher erwiesen. Im nördlichen Afrika scheint wohl nur eine essbare Art vorzukommen, die jedoch einem andern Genus angehört, es ist nämlich der *Terfex, (Terfezia Leonis)*.

Uebrigens mag hier noch bemerkt werden, dass die Bulliard'sche Species bei den neuern Schriftstellern, als Vittadini, Corda, Tulasne etc. in mehrere zerfällt wurde.

Wenn man nun beobachtet, wie wenige sichere und bestimmte Standorte in unserem Vaterlande angegeben sind, so kann man mit voller Gewissheit behaupten, dass bei genauerer Nachforschung diese Standorte noch bedeutend vermehrt werden könnten, denn schattige, dabei aber doch luftige hochstämmige Laubholzwaldungen in Kalk- oder Mergelboden, auf Abhängen oder auch in der Ebene, die überdiess einen guten Humusboden haben, auf den die Sonne und der Regen einwirken kann, finden sich wohl noch an vielen Orten und diess eben sind die Lieblingsorte der Trüffel, und an solchen kann man sie, wenn keine äusseren Veränderungen der Localität vor sich gehen, alljährlich finden.

---

*) Prof. Pokorny theilt mir nachträglich mit, er habe erfahren, dass auf der gräfl. Schönborn'schen Herrschaft Mallebern im V. U. M. B. in den Parkanlagen die Trüffeln in grösserer Menge gesammelt werden, sowie dass sie in Schönbrunn häufiger vorkommen.

In Betreff der Bäume, unter welchen die Trüffeln gedeihen, sind sie nicht besonders wählerisch, sie kommen vorzüglich unter Eichen und Weissbuchen, dann aber auch unter Nussbäumen, Birken, Kastanien, Rosskastanien und Buchsbaum vor. Ein Vorkommen von Trüffeln unter ungemischtem Nadelholze ist noch nicht sicher nachgewiesen. Obwohl die Trüffeln in der Regel nur in unmittelbarer Nähe der Bäume (doch finden sich auch hier öfters Ausnahmen, indem sie auch in Feldern, die ziemlich weit von Baumanpflanzungen entfernt sind, gefunden werden) vorkommen, so kann man sie doch nicht etwa als Parasiten ansehen, denn man kann nie einen Zusammenhang der Trüffeln mit den Wurzeln der Bäume nachweisen, im Gegentheil haben die Untersuchungen der Gebrüder Tulasne gezeigt, dass die Trüffeln auch ein Mycelium besitzen, und die Spore sich also nicht direct in die neue Trüffel umbilde. Doch hat merkwürdiger Weise im Jahre 1847 in der Pariser Akademie ein Herr B. Robert über die Entstehung der Trüffeln gesprochen und seine Ansicht dahin ausgesprochen, dass dieselbe im Zusammenhang mit der Entwicklung der Bäume stehe, indem durch die Feuchtigkeit, die auch er zum Gedeihen der Trüffel für nöthig hält, die Wurzeln und Wurzelfasern sich vermehren, und an den letzteren nach seiner Behauptung eben die Trüffeln gefunden werden, doch gibt Herr B. Robert doch auch zu, dass wahrscheinlicher Weise noch andere ihm unbekannte Ursachen mitwirkend seien.

Schliesslich spricht Herr B. Robert gar seine Meinung dahin aus, ob es nicht gestattet sei, die Trüffeln nach der Analogie mit den Galläpfeln, als durch Insectenstiche erzeugt, anzunehmen.

Zum Aufsuchen der Trüffeln sind nicht gerade immer abgerichtete Hunde oder Schweine nöthig, denn es suchen sie mitunter auch die Bauern ohne diesen; Nees v. Esenbeck erwähnt in seinem System der Pilze eines armen gebrechlichen Knaben, der die Trüffeln unter der Erde trotz eines Trüffelhundes witterte, und die alten Griechen und Römer kannten zwar schon die Trüffeln, aber der Gebrauch dieser Thiere war ihnen noch unbekannt.

Plinius erwähnt die Trüffeln unter dem Namen *tubera terrae*, unter welcher Benennung übrigens an einer andern Stelle auch unser *Cyclamen* verstanden wird, er zählt sie zu den *miracula rerum*, da sie ganz ohne alle Wurzel entstehen und leben, er unterscheidet zweierlei Arten, eine röthliche und eine schwarze, auch er weiss bereits, dass Herbstregen und Gewitter zum Entstehen nöthig seien, er führt an, dass die geschätztesten aus der numidischen Wüste in Afrika kommen, ausserdem finden sie sich in Griechenland bei Elis und mehreren Orten in Asien.

Apicius Coelius hat uns in seinem Werke: *De arte coquinaria seu de opsoniis et condimentis*, mehrere Vorschriften der Zubereitung der Trüffel hinterlassen, so dass unsere Gourmands sehr leicht die Trüffel nach altrömischer Weise zubereitet, verspeisen können.

Die Mittel, deren sich die Alten zum Aufsuchen dieses unterirdischen Pilzes bedienten, scheinen bloss in der besondern Beschaffenheit der Localität bestanden zu haben. Die Trüffelreviere sollen sich nämlich durch gewisse kleine aufgeworfene Hügelchen, die von allen andern besonders den durch die Maulwürfe aufgescharrten sich unterscheiden, und kleine durch die Vegetation erzeugte Risse auszeichnen. Ausserdem scheinen gewisse Pflanzen, wie *Cistus tuberaria* u. a. als Zeichen gedient zu haben, so gibt auch Trattinick einige Pflanzen an, die er stets in der Nähe der Trüffeln gefunden haben will. Allein ob daran viel sei, möge dahingestellt bleiben, da sich Pflanzen, wie *Bellis perennis*, *Myosotis sylvestris*, *Viola arvensis*, *Polygala vulgaris*, *Asclepias Vincetoxicum* u. s. w. darunter finden.

Auch kann vielleicht das Vorkommen gewisser Insecten das Aufsuchen erleichtert haben, wenigstens gibt Graf Borch zwei Fliegen an, eine blaue und eine schwarze, deren Larven sich von Trüffeln nähren und die daher meist in der Nähe schwärmen; obwohl Tulasne und Vittadini versichern, dass weder die französischen noch die italienischen Trüffelsucher etwas davon wissen und der erstere bemerkt, dass die Trüffeln keinen eigenthümlichen Larven zur Nahrung dienen.

Die gegenwärtig gebräuchliche Methode des Suchens mittelst der Hunde und Schweine ist allem Anscheine nach eine italienische Erfindung und scheint um die Mitte des XV. Jahrhunderts gemacht worden zu sein. In Deutschland, Piemont und Burgund bedient man sich der Hunde, in Poitou und der Provence der Schweine, welche letztere den Vortheil haben, dass sie die Trüffeln gleich selbst aufgraben, sie aber auch desto eher fressen.

Nach Deutschland sollen die ersten Trüffelhunde, wie Trattinick nach Beckmann's „Warenkunde" anführt, im ersten Viertel des vorigen Jahrhunderts gebracht worden sein. Im Jahre 1720 soll König August II. von Polen zehn Trüffelhunde um den Preis von 1000 Thalern aus Italien sich haben kommen lassen und im Jahre 1724 brachte Graf Wakkerbart die ersten nach Sachsen.

Da die Trüffel, welche Trattinick als ein ziemlich heftiges Aphrodisiacum darstellt, vor deren all zu häufigem Genuss er sogar warnt, ein sehr gesuchter Artikel sind, und oft aus Frankreich, besonders den Gegenden von Aix, Avignon, Lyon, Marseille, Bordeaux, Celle, Perigord, oder aus Italien, besonders Piemont, um theures Geld bezogen werden, so hat man schon mehrmals Versuche zur künstlichen Zucht, wie bei den Champignons, gemacht, allein diese scheinen entweder zu keinem genügenden Resultate geführt zu haben oder von den Forstleuten nicht gehörig beachtet und ausgebeutet worden zu sein. Jedoch ist in Tulasne's Werken als ganz sicher hingestellt, dass man in manchem kalkhaltigen Boden Trüffeln erzeugen könne, indem man zuerst Eicheln säet, nachdem die Eichen zwölf Jahre alt geworden sind, könne man bereits Trüffeln ernten, und diese Cultursart soll auch in der Umgebung von Loudons in grösserem Massstabe betrieben werden.

Ueber
Heleocharis carniolica Koch
und
Carex ornithopodioides Hausm.

Von

Johann Ortmann.

Heleocharis carniolica Koch.

Im Tauschwege erhielt ich im vorigen Jahre eine Pflanze aus der Familie der *Cyperaceen*, welche für mich ein besonderes Interesse erregte unter dem Namen *Heleocharis palustris* R. Brown. var. *multicaulis* aus der Gegend von Eperies in Ungarn. Ich erkannte dann sogleich die wahre *H. carniolica* Koch., gleichwohl fand ich es angezeigt, dieser Angelegenheit näher auf den Grund zu sehen. Dolliner war es, der zuerst auf diese Pflanze aufmerksam machte. Er fand sie in Krain auf nassen Wiesen in der Gegend von Adelsberg und sendete Exemplare hiervon an Koch, der sie sofort unter obigem Namen beschrieb und in seine Flora Deutschlands aufnahm.

Die ungarische Pflanze ist wirklich die wahre *H. carniolica* Koch; sie stimmt nicht nur mit der Beschreibung dieses Autors auf das genaueste überein, sondern auch die im Herbarium meines Freundes Franz Winkler befindlichen Original-Exemplare aus der Hand Dolliner's, sind hiervon nicht im mindesten verschieden.

Reichenbach versteht dagegen unter *H. carniolica* Koch eine ganz andere Pflanze. Er bezeichnet sie im achten Bande der *Icones Florae Germaniae et Helvetiae* p. 37 synonym mit *Scirpus gracilis* Salzmann und gibt in der Tafel 294 die Abbildung dazu. Seine Beschreibung lautet:

„*S. gracilis Salzm. repens, calamo striato, spica ovata, squamis* „*ovatis obtusis subaequalibus, nuce obovato-oblonga, triquetra laevi.* „*Heleocharis carniolica Koch.* Um Adelsberg in Krain. Dolliner.“

Nach der Reichenbach'schen Abbildung hat diese Pflanze drei Narben und 4 Borsten, welche kürzer sind, als die länglich ovale und dreiseitige Nuss. Die Griffelbasis ist rund, abgeschnitten.

Die echte *H. carniolica* hat dagegen zwei Narben und sechs Borsten, länger als die verkehrt eiförmige zusammengedrückte, scharf berandete Nuss. Die zurückbleibende Basis des Griffels ist lanzettlich, zusammengedrückt, dreimal so lang als breit. Die Bälge sind länglich eiförmig, der unterste die Basis des Aehrchens ganz umfassend.

Diese beiderseitigen wesentlichen Unterschiede veranlassten mich zu dem Entschlusse, nach Möglichkeit alle bisher erschienenen Beschreibungen von *Heleocharis*, *Scirpus* und *Isolepis* durchzugehen. Ich gelangte hierdurch zu überraschenden Resultaten und fand, dass die von der Form der Frucht entnommenen Merkmale stets die verlässlichsten sind. Hieran reiht sich die Anzahl der Narben, der Borsten und die Farbe der Nüsse. Vom mindern Belang erscheint die Gestalt der Aehren und der Schuppen.

Im Verlaufe meiner Untersuchungen gelangte ich zu den *Annales botanices systematicae* von Walpers. Darin kommt unter dem Namen *H. Bartolina* Notaris eine Species vor, welche der Beschreibung nach fast ganz mit *H. carniolica* Koch übereinstimmt; nur die unterste Schuppe der Aehre ist um die Hälfte schmäler angegeben. (*Squama spicae ipsius basin semiamplectens.*)

Ungeachtet die Breite der Aehren-Schuppen kein absolut verlässliches Merkmal zu sein scheint, so begründet dasselbe doch bei *H. uniglumis* das Artenrecht. Es erübrigte mir nur noch der Wunsch, Original-Exemplare von Notaris aus Mailand zu erlangen. Diesem entsprach Herr Director Fenzl auf die zuvorkommenste Weise, denn schon bald darauf langte in Folge seiner Vermittlung die gewünschte Pflanze an, welche von *H. carniolica* Koch jedoch nicht verschieden ist. — Hieraus folgt, dass

1. die Reichenbach'sche Pflanze die *H. carniolica* Koch nicht ist,
2. dass *H. Bartolina* Notaris ein Synonym zu *H. carn.* bildet,
3. dass die Flora Ungarns hierdurch einen neuen Bürger gewonnen, und
4. der Verbreitungsbezirk dieser Pflanze sich über die Provinzen Mailand, Krain, Siebenbürgen und Ungarn erstreckt.

Heleocharis carniolica Koch.

(Nach Original-Exemplaren.)

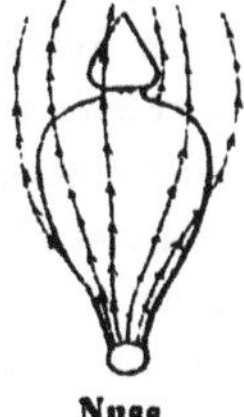

Blüthe. Nuss. Querdurchschnitt der Nuss.

Scirpus gracilis Salzm.

(Nach der Abbildung Reichenbach's.)

Blüthe. Nuss. Querdurchschnitt der Nuss.

Carex ornithopodioides Hausmann.

Unter diesem Namen beschrieb der um die Flora Tirols sehr verdiente Freiherr von Hausmann in der Flora v. J. 1853, Nr. 15, dann in seinem Werke p. 1501 eine neue *Carex*-Art, welche, wie es der Name andeutet, der *C. ornithopoda* im Habitus gleicht, von dieser aber sich durch die glänzend kahlen Früchte unterscheidet, und im Sommer 1852 vom Theologen J. Viehweider auf trockenen Alpentriften am Dolomit-Stocke des Schlern entdeckt wurde.

Der Beschreibung nach verhalten sich *C. ornithopoda* und *ornithopodioides* fast gerade so zu einander, wie die bereits längst erprobten Arten von *Carex praecox* Jacq. und *C. nitida* Host. Auch bei ihnen beruht das specifische Merkmal auf den Früchten, welche bei *praecox* behaart, bei *nitida* kahl sind.

Im verflossenen Herbste gelangte an das Wiener Tausch-Herbarium eine Sendung mit einer bedeutenden Anzahl von Exemplaren dieser neuen Species, gesammelt von Baron G r a b m a y r in Tirol auf den Rosengarten in einer Höhe von 6000 Fuss. Ein reichhaltiges Material stand mir sonach zu Gebote. Beim ersten Anblicke dieser Pflanze erinnerten ihre hin und her gebogenen Stengel unwillkürlich an *C. ornithopoda*, nur schienen mir die Blätter etwas dunkler gefärbt und die Aehren eine mehr gedrängtere Stellung zu besitzen, als bei der im Wiener-Florengebiete vorkommenden *C. ornithopoda*.

Auch fand ich wirklich an allen Exemplaren die glänzend k a h l e n Früchte, welche meistens eine schwarzbraune Färbung besitzen, vorhanden.

Gleichwohl kann ich nicht umhin, bei dieser Pflanze das Artenrecht in Frage zu stellen, und sie nur für eine Alpenform der *C. ornithopoda* anzuerkennen. Meine Ansicht vermag ich durch die Thatsache zu rechtfertigen, dass ich schon vor drei Jahren auf dem sogenannten Preiner-Gschaids an der Gränze zwischen Oesterreich und Steiermark in einer Höhe von 3000 Fuss Exemplare von *ornithopoda* und sogar Uebergangsformen zur *C. digitata* ebenfalls mit g l ä n z e n d k a h l e n und schwarzbraunen Früchten an demselben Standorte sammelte, wo die behaarte *C. ornithopoda* stand, und die in der Form der Früchte der Tiroler Pflanze auf das vollkommenste gleichen.

Diese Exemplare erlaube ich mir der hohen Versammlung mit dem Bemerken zur Ansicht vorzulegen, dass sich hierunter Ein Stück mit Früchten befindet, die zur einen Hälfte kahl, zur andern behaart sind. Diese Erscheinung liefert den Beweis, dass, obwohl bei einigen *Carex*-Arten die Behaarung der Früchte ein sehr konstantes Merkmal abgibt und sogar den Eintheilungsgrund für die verschiedenen Gruppen darbietet, dasselbe bei andern Arten, wie z. B. auch bei *C. alpestris* sich sehr veränderlich erweiset.

Ueber die ersten Stände

einiger

Lepidoptern.

Von

J. v. Hornig in Prag.

Cochylis Posterana Hoffmnnsgg. (*Ambiguana* Tr.) — Die Raupe ist beiläufig einen halben Zoll lang, mehr als entsprechend dick.

Der runde und ziemlich flache Kopf ist schwarzbraun, das Nackenschild hell braungrau, rückwärts mit einer verfliessenden schwarzbraunen Einfassung.

Der Leib einfarbig, schmutzig hellgelb. Am zweiten und dritten Leibringe liegt auf der Oberseite zu beiden Seiten der Rückenmitte eine Querreihe von vier kleinen, hellgrauen, paarweise gestellten Pünctchen. Vom vierten Gelenke an ziehen zwischen der Rückenmitte und den Luftlöchern derart zwei Längsreihen grauer Pünctchen, dass sich auf jedem Leibringe zwei derselben befinden, und das vordere, zugleich kleinere, etwas nach innen gerückt ist. Die Luftlöcher sind braun. Ober jedem derselben steht ein grauer Punct. Eine Längsreihe kleinerer solcher Puncte ist ober den Füssen, und eine Querreihe von vier derselben endlich auf der Unterseite der fusslosen Ringe. Jedes Pünctchen ist mit einem feinen hellen Haare besetzt.

Die Afterklappe ist wie das Nackenschild, die Krallen gleich dem Kopfe, die acht Bauchfüsse und die Nachschieber wie der Leib gefärbt.

Die Raupe fand ich Ende October auf den Bergen um Wien häufig in den Blüthenköpfen von *Carduus acanthoides*. Nach Zeller (Isis, 1847, Seite 743.) lebt dieselbe auch an *Carduus nutans*, *Arctium bardana* und *Centaurea jacea*.

Die Verpuppung erfolgt in oder an der Erde in einem dichten, durchaus mit Erdkörnern besetzten Cocon. Die Puppe ist hellbraun, von gewöhnlicher Form. Jeder Hinterleibsring führt auf der Rückenseite einen stärkern und weiter rückwärts noch einen schwächern Gürtel von kurzen Stacheln, welche Gürtel sich gegen die Unterseite zu allmälig verlieren. Das Afterstück ist stumpf abgerundet, ohne Schwanzspitze, und mit mehreren (beiläufig zwölf bis sechzehn) kurzen, am Ende hakenförmig umgebogenen Borsten besetzt.

Die Schmetterlinge erschienen Ende Mai und Anfangs Juni.

Cochylis Rubellana Hb. — Die Raupe ist ganz wie jene von *Posterana* gebaut, ein wenig kleiner, beiläufig vier Linien lang.

Der Kopf ist hellbraun; oben an dem rückwärtigen Theile der Halbkugeln von einer kastanienbraunen Farbe, das Nackenschild schmutziggelb, wenig dunkler als der Leib, rückwärts mit einer verfliessenden gelbbraunen Einfassung.

Der Körper einfärbig, schmutzig hellgelb. Die Anzahl und Stellung der Puncte dürfte dieselbe sein, wie bei *Posterana*, obschon ich (selbst mit Hilfe des Glases) nur die innern Puncte der vordern Querreihen, die äussere Längsreihe, jene ober den Lüftern und einige von jeder der untern Querreihen wahrzunehmen vermag. Da aber sowohl die Raupen als die Schmetterlinge von *Rubellana* und *Posterana* gleichen Habitus zeigen, so zweifle ich nicht, dass auch die übrigen der bei *Posterana* angeführten Puncte bei der jetzigen Art ebenfalls vorhanden sind.

Auch bei *Rubellana* ist die Afterklappe von der Farbe des Nackenschildes, die Krallen von jener des Kopfes, und die Bauchfüsse und Nachschieber von der Farbe des Leibes.

Die Raupen fand ich zu wiederholten Malen erwachsen gegen Ende August in fast subalpiner Region bei Gutenstein (an der Gränze von Nieder-Oesterreich und Steiermark) in den Blüthen von *Antirrhinum linaria*, und zwar an einer Stelle, wo diese Pflanze üppig wuchs, und wo ich zu gleicher Zeit die Raupen von *Eupithecia Linariata* antraf. Die letztern bewohnten aber die noch grünen Samenhülsen.

Die Verwandlung der *Rubellana*-Raupe geschieht in der Erde oder an deren Oberfläche in einem längrichrunden, dichten, mit Erdkörnern besetzten Gewebe, und erfolgt nicht vor dem nächsten Frühjahre. Im Jänner öffnete ich einige Cocons, und fand darin die Raupe noch ganz unverändert.

Die Puppe ist etwas kleiner als jene von *Posterana*, im Uebrigen aber wie letztere gebaut.

Die Schmetterlinge entwickelten sich bei mir in ungleichen Zeiträumen, von Ende Mai bis in den Juli.

Cochylis Dubitana Hb. — Die Raupe ist von gleicher Grösse und Gestalt, wie jene von *Posterana*.

Der Kopf ist hellbraun, das Nackenschild vorn hellbraun, rückwärts schwarzbraun.

Die Grundfarbe des Leibes ist ein helles Schmutziggelb, auf der Oberseite mehr oder weniger rothbraun angeflogen. Die Zahl und Stellung der grünen Pünctchen genau wie bei der Raupe von *Posterana*.

Auch bei *Dubitana* zeigt sich in der Farbe der Afterklappe und der Füsse die bei *Posterana* und *Rubellana* erwähnte Uebereinstimmung mit der Färbung des Kopfes und rücksichtlich mit jener des Nackenschilds und des Körpers.

Die Raupen von *Dubitana* bekam ich in Mehrzahl in den Blüthenköpfen von *Picris hieracioides*, als ich diese Pflanze zum Futter der Raupen von *Anthoecia Cardui* Anfangs August 1854 von verschiedenen gebirgigen Orten um Wien nach Hause trug. B o i e in Kiel erzog übrigens *Dubitana* Hb. aus Raupen, die in den Blüthen von *Senecio jacobaea* lebten. (Stett. ent. Zeitung, 1852, S. 386.)

Die Verwandlung und Puppe von *Dubitana* gleichen jener von *Posterana*.

Die Entwicklung erfolgt ungleich. Während nämlich einige Wickler bei mir schon Ende August und Anfangs September 1854 erschienen, überwintern so eben (Februar 1855) noch mehrere von den gleichzeitig gefundenen Raupen in an der Erde oder an den Seitenwänden des Behältnisses angelegten Cocons im Larvenzustande.

Einige Bemerkungen über die Gattung *Sargus.*

Vom

Director Dr. **H. Löw** in Meseritz.

Durch die nachfolgenden Mittheilungen, welche ich dem geehrten Vereine vorzulegen mir erlaube, wünsche ich die Aufmerksamkeit derjenigen Herren Vereinsmitglieder, welche sich mit der Erforschung der österreichischen Diptern-Fauna beschäftigen, auf einige derselben angehörige, aber noch nicht genügend bekannt gewordene Arten der Gattung *Sargus* hinzulenken, welche sich dem scharfsichtigen Auge derselben gewiss nicht lange entziehen werden; ich hoffe, dass meine Bemerkungen vielleicht die nächste Veranlassung zur Aufklärung der über sie noch herrschenden Zweifel werden können.

Die gemeinste und weit verbreitetste Art ist *Sargus cuprarius* Linn. — An diese allgemein bekannte Art schliesst sich *S. nubeculosus* Zett. sehr nahe an, so nahe, dass es mir bis jetzt völlig unmöglich gewesen ist, eine ganz scharfe Grenze zwischen beiden aufzufinden. Unterschiede in den Körperformen vermag ich nicht zu entdecken; ausser der geringern Körpergrösse des *S. nubeculosus* unterscheidet sich dieser in der Färbung durch grössere Klarheit der Flügelfläche, auf welcher die Wolke unter dem Randmale sich mehr abhebt, als dies bei *S. cuprarius* der Fall ist, und durch das bis zur Wurzel schwarz gefärbte 1. Glied der Hinterfüsse, welches bei *S. cuprarius* an der Wurzel in grösserer oder geringerer Ausdehnung hell gefärbt zu sein pflegt. Beide Unterschiede sind indessen, wie es scheint, nicht stichhältig; wenigstens finden sich Exemplare von *S. cuprarius*, bei welchen das 1. Glied der Hinterfüsse ganz und gar schwarz gefärbt ist und andere Exemplare, bei welchen die Flügelfläche nicht dunkler als bei *S. nubeculosus* ist. Ebenso ist bei *S. nubeculosus* das 1. Glied der Hinterfüsse an seiner Basis nicht selten gelblich gefärbt. Entscheidendes über den Unterschied oder die Identität beider Arten ist also noch zu ermitteln.

Eine andere dem *S. cuprarius* offenbar sehr nahe stehende Art ist der von Meigen beschriebene *Sargus coeruleicollis.* — Meigen's Angaben wecken die Vermuthung, dass er unter diesem Namen ein kurz nach dem Ausschlüpfen gefangenes Exemplar von *S. cuprarius* beschrieben haben möge, da bei solchen Stücken die Farbe des Thorax stets mehr in das Blaue und die des Hinterleibs stets mehr in das Goldgrüne übergeht. Alles, was ich je in andern Sammlungen als *S. coeruleicollis* bestimmt sah, und was ich von andern Sammlern unter diesem Namen erhielt, waren nur solche Exemplare des *S. cuprarius.* — Es hat sich dadurch bei mir die Ueberzeugung festgestellt, dass *S. coeruleicollis* keine haltbare Art sei. — Da Meigen das von ihm beschriebene Exemplar von Herrn Megerle von Mühlfeld erhielt, so lässt sich aus dem k. k. Museum vielleicht positive Gewissheit über die Richtigkeit oder Unrichtigkeit meiner Ansicht erlangen.

Auch *S. nitidus* Meig. gehört noch zur Verwandtschaft des *S. cuprarius.* — Ich besitze ein *Sargus*-Weibchen, auf welches Meigen's Beschreibung vollkommen passt. Leider weiss ich nicht, ob die Augen desselben im Leben den Purpurbogen gezeigt haben oder nicht, es gleicht übrigens in allen wesentlichen Merkmalen der von Meigen als *S. infuscatus* beschriebenen Art so ausserordentlich, dass ich sehr geneigt bin, es für eine kleinere Varietät desselben zu halten. Ich muss demnach leider bekennen, dass mir *S. nitidus* Meig. auch noch eine ziemlich räthselhafte Art ist; das Fehlen des Purpurbogens würde allerdings ein ziemlich entscheidendes Merkmahl sein, wenn auch bei manchen Gattungen die Färbung der Augen etwas veränderlich ist. — Dasjenige, was Herr Zetterstedt über *S. nitidus* beibringt, ist nicht wohl geeignet, die bestehenden Zweifel völlig zu lösen. Im zweiten Theile der „Diptera Scandinaviae" beschrieb er als *nitidus* einen *Sargus*, welchen er im 8. Theile wieder davon unterscheidet und *S. minimus* nennt. Dagegen beschreibt er im 8. Theile *S. nitidus* nach drei Exemplaren, deren zwei er von Herrn Staeger als *S. infuscatus* var. *minor* erhielt, und welcher allem Anschein nach mit dem obenerwähnten Weibchen meiner Sammlung einerlei ist. Er nennt die Augen unbandirt; ob blos nach Meigen's Angabe oder nach eigenen Beobachtungen gibt er leider nicht an.

Auch die Angaben über seinen *S. minimus* sind zu vag, um über die Berechtigung dieser Art ein sicheres Urtheil fällen zu können; die geringere Grösse allein kann gerade in dieser Gattung nichts entscheiden, und die hellere Färbung der Beine kann leicht nur ein Kennzeichen unreifer Stücke sein.

Sehr kenntlich und weitverbreitet ist die dem *S. cuprarius* ähnliche Art, welche Meigen als *S. infuscatus* beschrieben hat. Sie findet sich in der Linné'schen Sammlung als *Musca cupraria* bezettelt; da die Angaben, welche Linné über *M. cupraria* macht, sich ohne Zwang durchaus nur auf *S. cuprarius* deuten lassen, so liegt in jenem Umstande wohl der

Beweis, dass Linné beide Arten nicht unterschieden hat, aber durchaus kein Grund den Namen *cuprarius* auf gegenwärtige Art zu übertragen. — *S. cuprarius* und *infuscatus* sind zuerst von Scopoli richtig unterschieden worden; ersterer ist als *M. violacea. Ent. carn. 340 no. 915*, letzterer als *M. iridata. Ibid. 340 no. 914* beschrieben, während seine *M. cupraria* das Männchen und seine *M. formosa* das Weibchen der als *Chrysomyia formosa* bekannten Art ist. Der von ihm ertheilte Name ist derjenige, welcher der Art allein mit Recht zukömmt, wie diess schon Walker erkannt hat; ich werde sie im Folgenden demgemäss *S. iridatus* nennen.

In wie naher oder ferner Beziehung Zetterstedt's *S. nigripes* zu den bisher besprochenen Arten steht, vermag ich aus der höchst flüchtigen und ungenügenden Beschreibung desselben nicht zu beurtheilen. Erichson hat die Vermuthung ausgesprochen, dass er mit *S. nitidus* einerlei sein könne.

Ich kenne nur noch einen europäischen *Sargus* mit ganz dunkeln Beinen, welcher sich aber durch die metallisch grüne Färbung der Schenkel von *S. nigripes* auf das bestimmteste unterscheidet und überhaupt so auffallende Merkmale zeigt, dass sie von Herrn Zetterstedt unmöglich mit Stillschweigen würden übergangen worden sein, wenn er dieselbe Art bei der Abfassung seiner Beschreibung des *S. nigripes* vor sich gehabt hätte. Sollte dies wider Erwarten doch der Fall sein, so würde ich freilich bedauern müssen, die Synonymie mit einem unnöthigen Namen vermehrt zu haben, während die Schuld lediglich in der ungenügenden Weise, in welcher Herr Zetterstedt seine Art beschrieben hat, liegen würde. Ich nenne diese überaus ausgezeichnete Art, welche ich nur in einem einzigen männlichem Exemplare besitze, welches der Herr Pastor Hoffmeister bei Cassel fing, *S. frontalis* und lasse die Beschreibung hier folgen:

Die Stirn von *S. frontalis* ist metallisch grün, etwa von der Breite wie bei *S. cuprarius*, doch stehen die Punctaugen dem Scheitel etwas näher; vorn über den Fühlern erhebt sie sich zu einem sehr auffallenden spitzen Höcker; die Behaarung derselben ist vorn schwarz, nach dem Scheitel hin gelblich; wo bei andern Arten vorn auf ihr die beiden weisslichen Flecke stehen, finden sich nur zwei ganz kleine und ziemlich undeutliche weisslich bestäubte Puncte, höher oben am Augenrande noch die Spur von zwei anderen. Das schwarzhaarige Untergesicht ist von lebhaft metallischgrüner Farbe und hat unterhalb der schwarzen Fühler ein sehr deutliches Grübchen. Der Rüssel hat an den Seiten grosse blauschwarze Flecke. Thorax oben und an den Seiten lebhaft metallisch grün, am vorderen Theile der letztern mehr goldgrün; die Behaarung des Thorax ist gelblich und etwas gröber als bei *S. cuprarius*. Schildchen wie die Oberseite des Thorax gefärbt und behaart. Hinterleib ebenfalls lebhaft metallischgrün, was nach hinten hin mehr in das Goldgrüne übergeht; die Behaarung desselben ist überall, auch am hintersten Ende, gelblich gefärbt und etwas rauher als bei *S. cuprarius*. Schenkel metallischgrün, Schienen und Vorderfüsse schwarz.

(Mittel- und Hinterfüsse fehlen meinem Exemplare). Schwinger gelb mit braunem Stiele. Flügel mit überall gleichstarker bräunlichrauchgrauer Trübung und mit gelbbräunlichem Randmale. Grösse wie mittlere Exemplare von *S. cuprarius*.

Mit der Kenntniss der Arten aus der nächsten Verwandtschaft des *S. flavipes* steht es in der That nicht viel besser, als mit der aus der Verwandtschaft des *S. cuprarius*, nur will es mir scheinen, als ob man in ersterer zu sehr geneigt gewesen wäre Verschiedenes zusammenzuwerfen, während man in letztgenannter ohne hinreichenden Grund getrennt hat.

Um den Namen *S. flavipes* streiten sich zwei einander sehr ähnliche Arten, deren eine ich in beiden Geschlechtern besitze, während ich von der andern nur das von Herrn Mann in der nächsten Umgebung von Wien gefangene, durch meinen Freund Zeller erhaltene Weibchen kenne, welches bei grösster Aehnlichkeit in allem Uebrigen sich durch erheblich schmälere Stirn sicher von dem der ersten Art unterscheidet. Da aus Meigen's Schriften sich nicht ermitteln lässt, welche beider Arten er bei seiner Beschreibung des *S. flavipes* vor sich gehabt habe, und da für die erste der beiden obigen Arten von Herrn Zetterstedt der Meigen'sche Name verwendet worden ist, so bleibt mir nichts übrig, als ihm darin zu folgen und die zweite Art mit schmälerer Stirn als neu anzusehen. Ich nenne sie *S. angustifrons*, und glaube keine Beschreibung derselben nöthig zu haben, da sie mit alleiniger Ausnahme der viel schmälern Stirn ganz und gar dem *S. flavipes* gleicht, welcher von Herrn Zetterstedt genügend beschrieben worden ist.

Hiermit ist aber die Zahl der hellbeinigen europäischen Arten noch nicht erschöpft, sondern es findet sich noch eine dritte, welche so viel eigenthümliche Merkmale an sich trägt, dass an ihren Artrechten gar nicht zu zweifeln ist. Ich besitze nur ein Exemplar derselben, welches ich trotz der Schmalheit der Stirn wegen der gleichmässigen Breite derselben für ein Weibchen halten muss; die Genitalien sind nicht sichtbar. Mit Ausnahme der ganz und gar hellgefärbten Beine gleicht es in der Färbung des Körpers und der Flügel am meisten dem *S. iridatus*, besonders solchen Weibchen desselben, bei welchen die Flügelfärbung schwächer ist, welche sich jedoch unter dem Randmale, auf der Discoidalzelle und um dieselbe mehr als bei jener Art verdichtet. Der Kopf gegenwärtiger Art, die ich *S. albibarbus* nenne, ist erheblich grösser als bei dem Weibchen von *S. iridatus*, die Stirn ein wenig schmäler, vorn mit der Spur einer schwachen Mittelleiste; die Punctaugen stehen vom Scheitel ein kleines wenig entfernter, die weissen Flecke auf dem Vorderrande derselben bilden eine ansehnliche in der Mitte sehr fein durchschnittene Querbinde; zwischen dieser und den Fühlern ist die Färbung bräunlich. Fühler dunkelbraun, die beiden ersten Glieder derselben gelbbraun. Behaarung der Stirn und des Untergesichts weisslich. Thorax und Hinterleib ganz wie bei dem Weibchen von *S. iridatus* gefärbt und behaart, nur ist an ersterem die Seitenlinie heller und an letzterem die weissliche Behaarung etwas dichter. Beine gelb; das 1. Hüftglied zum grössten Theile schwarz. Die Vorderschenkel haben auf der Oberseite, die Hinterschenkel auf der Mitte der Unterseite einen kleinen braunen Wisch; eben so zeigen die Mittel- und Hinterschienen in der Nähe ihrer Wurzel ein braunes Wischchen. Vorder- und Hinterfüsse sind gegen das Ende hin gebräunt. Die letzte Vorderrandszelle der Flügel ist im Verhältniss zur vorletzten länger als bei *S. iridatus*. Grösse wie die grösseren Exemplare von *S. iridatus*. Vaterland: Dalmatien.

Mit dieser und der nachfolgenden Art sehr nahe verwandt, ja vielleicht mit einer derselben identisch dürfte ein in Genua gefangenes *Sargus*-Weibchen sein, welches ich vor Jahren aus der von Heyden'schen Sammlung zur Ansicht hatte; ich wage ohne nochmaligen Vergleich des Originals darüber nicht abzusprechen, will aber die Notizen, welche ich mir damals über dasselbe gemacht habe mittheilen, da auch sie vielleicht zur Entwirrung der hier concurrirenden Arten beitragen können. Sie lauten: Stirn von der Breite, wie bei *S. cuprarius* und fast von demselben Baue, glatt, sanft gewölbt, an jedem Augenrande mit einer sehr zarten linienförmigen Längsleiste, neben derselben nur sehr schwach punctirt; die hintern Punctaugen stehen gerade in der Mitte zwischen dem vordern Punctauge und dem Hinterrande des Scheitels. Die Färbung der Stirn ist oben bis gegen das 1. Punctauge hin stahlblau, dann grün; das vorderste Fünftheil derselben ist weiss. Behaarung der Stirn überall kurz, noch kürzer als bei *S. cuprarius*, vom Scheitel bis zum vordersten Punctauge etwas länger und weisslich, weiter vorn kürzer und grau. Fühler von der Gestalt und Grösse wie bei *S. cuprarius*, braun. Untergesicht schwärzlich mit wenig Metallglanz; Behaarung desselben kurz, unten weisslich, nach oben hin fast schwärzlich; das Grübchen unmittelbar unter den Fühlern deutlicher als bei *S. cuprarius*. Thorax beiderseits lebhaft metallischgrün, etwas in das Blaue spielend, an den Seiten mit feiner schmutzigweisslicher Längslinie und ganz kurzer weisslicher Behaarung. Der Hinterleib beiderseits lebhaft violett, nur der 1. Ring grösstentheils erzgrün; die Behaarung desselben äusserst kurz, ziemlich licht, nur gegen das Ende hin etwas dunkler. Die Beine blassgelb, die Wurzel der vordersten Hüften und die vier letzten Glieder der hintersten Füsse gebräunt, auch findet sich auf der Oberseite der Hinterschenkel eine ansehnliche braune Strieme. Flügel durchsichtig, die beiden letzten Drittheile nur sehr wenig getrübt, Randmal braun. Grösse wie grosse Exemplare von *S. cuprarius*.

Eine dem *S. albibarbus* recht ähnliche Art gehört dem nördlichen Afrika an und wird sich bei den überaus grossen Verbreitungsbezirken der Arten dieser Gattung sicherlich auch in den südlichsten Theilen Europas finden. Da sie noch unpublicirt ist, so möge ihre Beschreibung als *S. tuberculatus* nach einem von Rüppell in Nubien gefangenem Weibchen folgen.

Mit Ausnahme der ganz hellgefärbten Beine ist es dem Weibchen des *S. iridatus* am ähnlichsten, doch die Flügel nur mit der Spur bräunlicher Trübung. Stirn breiter als bei *S. iridatus*, oben metallischgrün, unten stahlblau mit schwärzlicher, nach oben hin mit weisslicher Behaarung; ganz vorn mit einem ansehnlichen ganzen Querbändchen von weisser Farbe, unmittelbar über demselben sich zu einem spitzen Höcker erhebend. Die Punctaugen stehen etwas weiter vom Scheitel ab, als bei *S. iridatus*. Fühler schwarzbraun; der letzte Abschnitt des dritten Gliedes klein und hervortretend; die Borste länger als bei *S. iridatus*. Untergesicht mit weisslicher Behaarung. Thorax oben und an den Seiten lebhaft metallgrün mit schönen blauen und violetten Reflexen; die zarte Seitenlinie braungelb. Schildchen von der Färbung des Thorax. Der erste Hinterleibsring verhältnissmässig kürzer als bei *S. iridatus*, metallischgrün; die ziemlich dichte weissliche Behaarung bildet durch stärkeres Anliegen auf dem zweiten und vierten Einschnitte ansehnliche weissliche Seitenflecke, welche deutlich wahrnehmbar sind, wenn man den schwach beleuchteten Hinterleib von hinten her betrachtet. Bauch kupferig; Beine ganz gelb; das erste Hüftglied zum grössten Theile braun; die ganzen Füsse braun. — Flügel gross, mit braunem Randmale; die Spur schwacher brauner Trübung macht sie kaum etwas unklar und von einer dunklern Wolke unter dem Randmale zeigt sich nicht die geringste Spur. Grösse $5\frac{1}{4}'''$.

Ausser der eben beschriebenen Art wurde von Rüppell in Nubien noch eine zweite blassbeinige Art von ausserordentlicher Schönheit entdeckt, welche ich *S. Chrysis* nenne. Ich besitze zwei Weibchen derselben und glaube als Männchen ein drittes Exemplar dazuziehen zu müssen, welches freilich einige Abweichungen zeigt, die indess doch wohl nur als sexuelle Differenzen anzusehen sind.

S. Chrysis ist etwa von der Grösse und Gestalt des *S. pallipes*; der Hinterleib, namentlich bei dem Männchen, etwas schmäler. Die überall metallischgrüne Stirn des Männchens so breit wie bei *S. pallipes*, vorn aber viel weniger erweitert, mit einem wenig ansehnlichen, ganzen, weissen Bändchen, über welchem sie sich in einen sehr spitzen Höcker erhebt. Ihre Behaarung ist schwärzlich, nur auf dem Scheitel gelblich, kürzer als bei *S. pallipes*. Die metallischgrüne Stirn des Weibchens noch ein kleines wenig schmäler als bei *S. angustifrons*; über dem weissen Bändchen zwar mehr hervortretend als bei *S. pallipes*, aber ohne Höcker. Die beiden ersten Fühlerglieder braun, das dritte schwarz, der letzte Abschnitt desselben klein, aber hervortretend wie bei der vorigen Art. Untergesicht bei beiden Geschlechtern mit weisslicher Behaarung. — Thorax lebhaft metallischgrün, auch an den Seiten, mit mehr oder weniger deutlichen blauen Reflexen; am Vorderrande desselben ist die zarte gelbliche Behaarung länger, wie dies bei der vorigen und vielen andern Arten, nicht aber bei *S. pallipes* der Fall ist; die Seitenlinie des Thorax ist braungelb. Das Schildchen ist wie der Thorax gefärbt und behaart. Der Hinterleib des Männchens ist sehr schmal und von lebhafter grüngoldener Färbung, etwa wie bei *S. Reaumurii* ♂ nur goldener und lebhafter glänzend; der erste Abschnitt ist grüner, der sechste carminviolett, der Bauch schwarzgrün; die Behaarung des Hinterleibs überall gelblich. Der Hinterleib des Weibchens ist metallischgrün, auf dem dritten bis fünften Ringe carminroth, was nach den Rändern hin durch das Kupferne und Goldene in das Grüne übergeht. Auch auf dem zweiten Ringe zeigt sich eine bis in das Kupferige übergehende Vergoldung; der kleine siebente Abschnitt ist violett. Bauch wie bei dem Männchen. Beine bei beiden Geschlechtern ganz gelb, das erste Hüftglied zum grossen Theile geschwärzt; die Füsse gegen das Ende hin gebräunt. Flügel glasartig, bei dem Männchen mit der deutlichen Spur einer über die ganze Fläche derselben gleichmässig verbreiteten bräunlichen Trübung, von welcher bei dem Weibchen fast gar nichts wahrzunehmen ist; bei beiden Geschlechtern mit hellbraunem Randmale und ohne Spur einer dunkeln Wolke unter demselben. Grösse etwas geringer als die des *S. flavipes*.

Sollte sich künftig gegen alles Erwarten etwa erweisen, dass ich das beschriebene Männchen mit Unrecht mit dem beschriebenen Weibchen vereinigt habe, so muss der ertheilte Name den letztern, welche ich als typisch ansehe, verbleiben.

Den Meigen'schen *S. sulphureus* getraue ich mich unter den Europäern kaum aufzuführen. Es hat ihn seit Meigen kein Dipterolog wiedergesehen, und die Vermuthung, dass er exotisch sein möge, gewinnt immer mehr Wahrscheinlichkeit.

Die Art, welche Meigen *S. Reaumurii* genannt hat, ist bereits von Scopoli *Ent. carn. 341 no. 316* als *Musca bipunctata* beschrieben worden und muss desshalb *S. bipunctatus* heissen. Sie unterscheidet sich durch die Stellung der Punctaugen von allen andern Arten so wesentlich, dass man sie mit Recht in eine eigene Abtheilung verwiesen hat. Auch sie bietet eine noch nicht vollkommen gelöste Frage. Es finden sich nämlich Weibchen, bei welchen der Hinterleib ganz und gar gelbroth gefärbt ist und nur eine Reihe auf der Mitte jedes Ringes liegender Längsflecke von violetter Farbe zeigt, während sonst gewöhnlich der rothe erste Ring grösstentheils von einem violetten Fleck eingenommen, der zweite Ring mit einem violetten Längsfleck gezeichnet, alle folgenden Ringe aber beiderseits blauviolett gefärbt sind. Es fragt sich, ob diese Exemplare wirklich nur eine Varietät von *S. bipunctatus* sind, oder ob sie einer eigenen Art angehören. Für ersteres spricht: 1. dass ausser dem Unterschiede der Hinterleibsfärbung kein anderer Unterschied aufzufinden ist; 2. dass auch bei den gewöhnlichen Stücken von *S. bipunctatus* ♀ die blauviolette Hinterleibszeichnung nicht stets von derselben Ausdehnung ist, sondern der dritte Ring häufig, zuweilen auch der vierte ringsum roth gesäumt ist; 3. dass bei vielen der Weibchen mit nur geflecktem Hinterleibe die hintersten Ringe trotz der rothen Farbe einen lebhaften röthlichviolettten Schimmer zeigen. Dies sind, wenigstens für mich, so entscheidende Gründe, dass ich fest überzeugt bin, dass von einer eigenen Art keine Rede sein darf. Entgegengesetzter Ansicht ist Herr Costa, welcher in einer in den Abhandlungen der königl. Academie der Wissenschaften in Neapel enthaltenen Abhandlung diese Varietät als eigene Art unter dem Namen *S. bipunctatus* abbildet und beschreibt, welcher nur zufällig mit dem alten Scopoli'schen Namen der Art übereinstimmt. Der Schluss seiner Beschreibung könnte leicht zu neuen Zweifeln Veranlassung geben; er erwähnt dort nämlich der auch mir oft vorgekommenen Varietät, welcher der dunkle Längsfleck auf den vordern Ringen fehlt, und sagt, dass dieselbe häufiger bei dem Weibchen vorkomme. Es könnte demnach scheinen, als ob er eine Art vor sich gehabt hätte, deren Männchen in der Färbung mit dem Weibchen übereinstimmt, während sich bekanntlich das Männchen von *S. bipunctatus* von seinem Weibchen in der Färbung des Hinterleibes ganz ausserordentlich unterscheidet. Offenbar hat er das Männchen gar nicht gekannt.

Wegen der Nomenclatur und Synonymie der *Sargus*-Arten kann nicht unerwähnt bleiben, dass man in der Beschreibung, welche Linné in der *Faun. suec. ed. II. nr. 1808* von *Musca devia* gibt, einen *Sargus* finden zu müssen geglaubt hat. Die Angabe verlängerter Fühler und dichter Behaarung scheinen mir sehr dagegen zu sprechen, und lassen sich meiner Meinung nach viel besser auf einen Microdon, als auf irgend eine andere mir bekannte nordeuropäische Fliege deuten. Nun gibt es aber, trotz der grossen Anzahl bereits publicirter europäischer *Microdon*-Arten, so viel ich weiss, nur zwei wirklich von einander verschiedene, die sich leicht, aber nicht immer ganz zuverlässig an der rostbraunen Färbung des Schildchens der ersten, ganz sicher an den viel weiter von einander liegenden Ocellen derselben unterscheiden lassen. Linné hat diese erstere Art als *Musca mutabilis* beschrieben. Die Stellung, welche er der *Musca devia* unmittelbar hinter *M. mutabilis* anweist und der Nachdruck, welchen er bei der Beschreibung von *mutabilis* gerade auf diejenigen Merkmale legt, welche beide *Microdon*-Arten unterscheiden, spricht sehr dafür, dass er als *M. devia* eben die zweite *Microdon*-Art (*piger* Schrk. = *anthinus* Meig.) vor sich gehabt habe. — Der *Syrph. devius* bei Fabr. *Syst. ent.* ist freilich schon ein ganz anderes Thier. Zur Diagnose Linné's in der *Faun. suec.* fügt er folgende Beschreibung hinzu: *alae immaculatae; pedes nigri, femoribus posticis basi digitisque omnibus flavis.* Ich weiss nicht zu enträthseln, welche Fliege er damit gemeint hat.

Von den *Sargus*-Arten, welche Macquart als Gattung *Chrysomyia* abgesondert hat, ist *Chrysomyia formosa* weit verbreitet und allgemein bekannt. Als Autor des Namens ist nicht Schrank, sondern wie schon oben erwähnt, Scopoli anzuführen. Die von mir selbst in der Isis von 1840 als *S. azureus* beschriebene Fliege ist als eine höchst merkwürdige Varietät zu *Chr. formosa* zu ziehen.

Die der vorigen am nächsten verwandte Art ist die von Zeller in der Isis von 1842 als *S. melampogon* beschriebene. Die Beschreibung welche Herr Macquart schon früher in den Suites à Buffon von *Chr. speciosa* gegeben hat, lässt das Weibchen derselben Art nicht verkennen, wenn man nur auf seine Angabe über die Färbung des Hinterleibes das nöthige Gewicht legt. Die auch von mir früher getheilte Vermuthung, dass *Chr. speciosa* nur eine Varietät des Weibchens von *Chr. formosa* sein könne, ist unhaltbar und der Zeller'sche Name muss desshalb dem ältern Macquart'schen weichen. Die Art scheint sehr veränderlich zu sein, und hat in mir oft die Vermuthung, dass sie ein Gemisch von zwei nahe verwandten Arten sein möge, geweckt; es finden sich, besonders in Ungarn, Exemplare, welche sich durch viel erheblichere Körpergrösse, rothbraune Farbe der Fühler und viel grössere Ausbreitung der hellgefärbten Stellen an den Beinen sehr auszeichnen; eine scharfe Grenze zwischen ihnen und den kleinern dunkelgefärbten Exemplaren lässt sich nicht auffinden, ist vielmehr durch alle möglichen Uebergänge vermittelt und verwischt.

Eine in ihren mannigfaltigen Varietäten sehr bekannte Art ist *Chr. polita* L. — Ausser ihr ist in Deutschland nur noch eine ähnliche kleine Art häufig, auf welche diejenige Beschreibung am besten passt, welche Meigen im 6. Theile seines Werkes von *S. pallipes* gibt. Dass der im 3. Theile von ihm beschriebene *S. flavicornis* mehr als eine Varietät des *S. pallipes* mit heller gefärbten Fühlern sein sollte, ist nicht wahrscheinlich; erweisen sich beide als identisch, so wird der ältere Name (*flavicornis*) in sein Recht einzusetzen sein. Herr Zetterstedt theilt meine Ansicht über diese beiden Arten, behält aber für die vereinigten mit Unrecht den Namen *Chr. pallipes* bei. Herr Walker lässt sie in den Ins. brit. getrennt, ohne etwas zur Rechtfertigung dieser Trennung beizubringen, was doch so nöthig gewesen wäre. Auch wenn sich diese erweisen lässt, muss der Name *pallipes* eingehen, da er viel früher an eine nordamerikanische Art von Say vergeben worden ist.

Eine 3. kleine Art hat Herr Zetterstedt als *Chr. cyaneiventris* in den Dipt. Scand. Theil 1 publicirt. Seine Beschreibung ist durchaus nicht geeignet Vertrauen zur Selbstständigkeit dieser Art zu erwecken. Die von ihm angegebene geringere Grösse reicht durchaus nicht aus, um sie von *Chr. pallipes* zu trennen, welche in dieser Beziehung eben so veränderlich, wie *Chr. polita* ist; sonst findet sich aber in seiner Beschreibung durchaus nichts, was nicht vollständig auf solche Exemplare der vorigen Art passte, wie sie Meigen als *S. flavicornis* beschrieben hat. — Herr Walker führt auch *Chr. cyaneiventris* als besondere Art auf, ohne zur Unterscheidung derselben das Geringste beizutragen; er schreibt ihr überdiess dieselbe Grösse wie *Chr. flavicornis* zu, so dass jeder Unterschied vollends verschwindet. — Alle drei können nicht eher für verschiedene Arten angesehen werden, als bis viel bessere Gründe für ihre Trennung beigebracht worden sind, was, wie ich glaube, sehr schwer halten wird

---

Nach der von Herrn Macquart vorgenommenen und von allen älteren Schriftstellern adoptirten Vertheilung der europäischen *Sargus*-Arten in die Gattungen *Sargus* und *Chrysomyia* könnte eine weitergehende systematische Gliederung der *Sargiden* vielleicht nicht nothwendig erscheinen; bei gleichzeitiger Berücksichtigung der exotischen Arten wird man sich derselben nicht entschlagen können, da sich sehr wesentliche Organisationsunterschiede finden. Herr Macquart hat diese Nothwendigkeit ganz recht erkannt. In der Art und Weise aber, wie er einzelne auf besonders auffallende Arten begründete Gattungen von *Sargus* abzweigt, liegt etwas sehr Unsicheres und Fragmentarisches. Es bedarf hier einer ziemlich radicalen Reform. Um zu derselben zu gelangen, ist es nothwendig diejenigen *Sargus*-Arten, welche wegen ihrer abweichenden Fühlerbildung bereits Wiedemann als *Eudmeta* und *Acrochaeta* abgesondert hat, mit in den Kreis der Betrachtung zu ziehen.

Sie unterscheiden sich durch die linienförmige Gestalt ihrer Fühler, durch die Auflösung des dritten Fühlergliedes in mehrere einzelne Glieder, von welchen das letzte das längste ist und das Ansehen einer breiten behaarten Borste hat, und durch ein ganz kurzes Endborstchen an der Spitze desselben von allen übrigen *Sargiden* so sehr, dass sie mit vollem Rechte als eine eigene erste Hauptabtheilung angesehen werden müssen. Sie lassen sich in zwei Gruppen zerfällen, je nachdem das Schildchen unbewehrt oder bewehrt ist; *Acrochaeta* und *Eudmeta* gehören beide in die Gruppe mit unbewehrtem Schildchen und unterscheiden sich dadurch voneinander, dass bei *Acrochaeta* die Fühler nur viergliedrig, bei *Eudmeta* aber fünfgliedrig sind; in die zweite Gruppe gehören brasilianische Arten, deren Fühler von derselben linienförmigen Gestalt, wie bei *Eudmeta* sind, aber aus acht Gliedern bestehen; das 1. Glied ist verlängert, das 2. etwas kürzer; dann folgen 3 ganz kurze, fast völlig miteinander verschmolzene ringförmige Glieder; das sechste Glied ist nicht viel kürzer, als das 2., das 7. nur halb so lang als das 2.; das lange 8. Glied ist behaart und trägt an der Spitze ein ganz kleines Endborstchen. Das 2. bis 5. dieser Glieder entsprechen dem 3. Fühlergliede der *Eudmeta*-Arten. Ich fasse die Arten dieser zweiten Gruppe unter dem Gattungsnamen *Analcocerus* zusammen; als typisch kann die nachfolgende angesehen werden:

Analcocerus atriceps ♀. Kopf überall glänzend tiefschwarz, auf der Stirn vorn am Augenrande jederseits ein undeutliches weissbestäubtes Püncichen. Mundöffnung lang, vorn enger, ringsum mit scharfem Rande. Fühler dünn, so lang wie der Thorax von der Flügelwurzel bis zum Vorderende; die zwei ersten Glieder dunkelbraun, die folgenden schwarz. (Fig. 2.)— Thorax von ähnlicher Gestalt wie bei *S. armatus*, beiderseits tiefschwarz; ein Punct auf der Schulterecke, eine von da nach der Flügelwurzel laufende Längslinie und ein vor der Flügelwurzel herabsteigender Fleck von lebhaft bläulichgrüner Farbe; die Oberseite des Thorax hat zwei vorn und hinten abgekürzte Längsstriemen und in jeder Hinterecke noch einen grossen Fleck von derselben Farbe; unmittelbar vor den grünen Schwingern findet sich jederseits noch ein Fleck von derselben Farbe. Schildchen blaulichspangrün mit zwei ansehnlichen braungelben, an der Spitze geschwärzten Dornen. — Hinterleib beiderseits glänzend schwarz; die Oberseite des 1. Ringes zeigt ein beiderseits abgekürztes, etwas gebogenes Querbändchen von blaugrüner Farbe; vom 2. Ringe an hat der Hinterleib einen blaugrünen, etwas unregelmässigen Saum, welcher nach hinten hin schmäler wird und das Hinterleibsende nicht ganz erreicht. — Vorderhüften grösstentheils schwarz, die andern braun; die Schenkel sind bräunlichgelb, die Schienen gebräunt, besonders die hintersten; Füsse gelblichweiss, die beiden letzten Glieder braun. Flügel ziemlich glasartig, nach der stumpfen Spitze hin etwas erweitert; Randmal gelblichbraun; die beiden letzten Vorderrandszellen ziemlich gleich lang, die sie trennende Ader fast senkrecht; ein sehr weit verwaschener graubräunlicher Wisch findet sich in der ersten Unterrandszelle, ein dunklerer an der vordern Grenze der geschlossenen Hinterrandszelle. (Fig. 1.) — Grösse: 4¼‴. — Vaterland: Brasilien.

Die zweite Hauptabtheilung aller *Sargus*-Arten wird durch diejenigen gebildet, bei welchen das 3. Fühlerglied nicht in mehrere Glieder aufgelöst, sondern nur, und zwar oft recht undeutlich geringelt ist. Die erste Unterabtheilung bilden in ihr Arten mit bewehrtem Schildchen; sie zerfallen wieder in solche mit endständiger Fühlerborste und solche, bei denen dieselbe seitenständig ist. Endständige Fühlerborste haben die Gattungen *Hoplistes* Macq. und *Raphiocera* Macq. — Die erstere derselben unterscheidet sich von der letztern ihr sehr nahe stehenden nur durch schlankern Körperbau und viel grössere Länge der vorletzten Vorderrandszelle. Die Gattung *Raphiocera* hat einen deutlich zweigliedrigen Fühlergriffel und in ihrem ganzen Habitus, namentlich auch in der Bildung der nach der Spitze hin stets mehr oder weniger erweiterten Flügel grosse Aehnlichkeit mit *Analcocerus*.

Seitenständige Fühlerborste haben die Gattungen *Basentidema* Mcq. und *Dicranophora* Macq., wenn in Beziehung auf letztere Herrn Macquart's Angaben mehr zu trauen ist, als der Wiedemann-schen Abbildung des Fühlers von *Dicranophora*, welcher eine endständige Fühlerborste zeigt. Der Unterschied beider Gattungen liegt hauptsächlich darin, dass bei *Basentidema* das Schildchen kaum bewehrt, bei *Dicranophora* aber verlängert und an der Spitze gegabelt ist. *Basentidema* muss, wenn man eine leidlich natürliche Anordnung erhalten will, der Abtheilung mit bewehrtem Schildchen beigezählt werden; eben so müssen Arten, wie *S. inermis*, bei welchem die Bewehrung des Schildchens ebenfalls nur angedeutet ist, überall den entsprechenden Gattungen mit bewehrten Schildchen eingeordnet werden, *S. inermis*, z. B. der Gattung *Raphiocera*.

Die zweite Unterabtheilung der zweiten Hauptabtheilung bilden diejenigen Gattungen, bei denen das Schildchen keine Spur von Bewehrung zeigt. Sie lassen sich in zwei Gruppen spalten, in deren erster die Augen des Männchens nicht zusammenstossen, während dies bei den Gattungen der zweiten Gruppe in grosser Ausdehnung der Fall ist. Von den übrigen Gattungen dieser Gruppe sondert sich *Chrysochlora* Latr. durch die endständige Stellung der Fühlerborste ab; das zugespitzte, mehr oder weniger spindelförmige dritte Fühlerglied ist bei allen mir bekannten Arten undeutlich sechsringlig, doch scheinen in dieser Beziehung Verschiedenheiten vorzukommen, wie überhaupt die Gattung *Chrysochlora* noch zu Heterogenes in sich zu fassen scheint, worauf schon der Umstand hindeutet, dass sie unmetallisch gefärbte Arten mit Arten von lebhaftester metallischer Färbung vereinigt. Herr Walker hat in den Ins. Saund. von ihr die auf *Sargus niger* W. gegründete Gattung *Cacosis* abgezweigt; da ich die Art nicht vergleichen kann, so weis ich nicht zu beurtheilen, ob die von ihm bemerkte Behaarung an der Basis der Fühlerborste zur generischen Sonderung ausreicht.

Bei den übrigen Gattungen derselben Gruppe mit nicht zusammenstossenden Augen des Männchens ist die Fühlerborste ohne Ausnahme seitenständig; ein sehr auffallender Unterschied zeigt sich in der Bildung des zweiten Fühlergliedes; bei einer grossen Reihe ziemlich schlanker exotischer Arten, welche sämmtlich ohne metallische Färbung sind, greift es auf der Innenseite finger- oder zapfenförmig weit über das dritte Glied hin. Ich vereinige diese Arten in die Gattung *Ptecticus* m.; ausser durch die angeführten Merkmale zeichnen sich die zu dieser Gattung gehörigen Arten durch das kurze und breite dritte Fühlerglied, dessen Ringe fast vollständig verschmolzen sind, durch die dünne Fühlerborste, durch den gerundeten Kopf und die sehr genäherten Augen des Männchens, durch die blasenartig aufgetriebene Vorderstirn, durch die Schlankheit und Länge der Beine, besonders aber der Füsse aus; die Flügel sind lang, an der Spitze nie erweitert; die männlichen Genitalien sind ziemlich gross und haben eine ganz freie Lage. Als typisch kann *S. testaceus* Fbr. angesehen werden, mit dem Herr Wiedemann *S. elongatus* Fbr. irrthümlicher Weise vereinigt hat, worin ihm ganz unbegreiflicher Weise Fabricius selbst voran gegangen ist, während doch der afrikanische *S. elongatus* von dem amerikanischen *S. testaceus* sehr wohl verschieden ist. Die Arten gegenwärtiger Gattung gehören vorzugsweise der heissen Zone an. Ich lasse die Beschreibung noch einiger recht ausgezeichneter Arten derselben folgen:

Ptecticus apicalis ♂. — Bräunlich rostgelb, glanzlos; der vierte Hinterleibsring mit einem sehr grossen schwarzen Flecke, der folgende ganz und gar mattschwarz, die folgenden tiefschwarz und ziemlich glänzend. Der Bauch fast ganz so wie die Oberseite des Hinterleibes gezeichnet. Stirn sehr schmal, rostgelblich, nach vorn hin weissgelblich; die Ocellen stehen auf einem schwarzen Querbändchen; Vorderstirn weissgelblich, blasenartig aufgetrieben. Fühler lebhaft rostgelb, das dritte Glied kaum deutlich geringelt, am Ende abgestutzt. (Fig. 4.) — Beine von der Farbe des übrigen örpers; die Hinterschienen von der Basis aus nach dem Ende hin immer nkler braun; eben so sind die drei ersten Glieder der hintersten und die iden letzten Glieder der Vorder- und Mittelfüsse dunkelbraun. — Flügel oss, von der Wurzel bis etwas über das Ende der Discoidalzelle hinaus it rostgelber fast guttigelber Färbung, welche nach dem Hinterrande hin das Graulichglasartige übergeht; unmittelbar an die gelbe Färbung schliesst ch ein grosser schwärzlichrauchbrauner Fleck an, welcher mehr als das pitzendrittheil der Flügel ganz bedeckt. Grösse 7¼‴. — Vaterland: ulo-Penang. Durch Herrn W e s t e r m a n n erhalten. (Fig. 3.)

Ptecticus cingulatus ♂. Von gelblich lederbrauner Farbe, an den Brustseiten mehr braungelb, nur etwas gleissend, an den Brustseiten glänzend. Der Hinterleib hat auf dem zweiten bis sechsten Ringe je eine breite, bis zum Seitenrande reichende schwarze Querbinde, welche auf dem zweiten Ringe die halbe Länge, auf jedem folgenden aber mehr einnimmt und dem Vorderrande äusserst nahe liegt. Auf dem Bauche sind die vordern Ringe ohne Zeichnung, die drei letzten aber ganz schwarz. Die männlichen Genitalien sind ebenfalls schwarz. Die Stirn ist schmal und glänzend schwarz; die Vorderstirne rostgelblich blasenartig aufgetrieben; Fühler rostgelb; das dritte Glied derselben nicht sehr gross, ziemlich undeutlich geringelt, am Ende etwas abgestutzt; die Fühlerborste an der Basis mit der Spur von einigen kurzen Härchen. — Beine von der Farbe der Brustseiten; die Hinterschenkel haben auf ihrer Aussenseite eine von der Wurzel bis über das zweite Drittheil ihrer Länge hinausreichende und sich da auf die Oberseite ziehende schwarzbraune Strieme; Hinterschienen und erstes Glied der Hinterfüsse schwarzbraun, das zweite und dritte Glied derselben weiss, die Spitze des letztern und die beiden folgenden Glieder dunkelbraun; an den Vorderfüssen sind die drei letzten Glieder braun, an den mittelsten nur die Spitze des vorletzten, (zuweilen auch des drittletzten) und das letzte Glied. — Flügel sehr lang, mit gelbbraunem Randmale in der Nähe der Wurzel und am Vorderrande hin mit mehr braungelblicher, sonst mit wässerig braungrauer Trübung, die ihnen ein etwas schmutziges Ansehen gibt. Grösse 8‴. Vaterland: Pulo-Penang. Von Herrn W e s t e r m a n n.

Ptecticus nitidipennis ♀. — Von mehr roströthlicher als rostgelber Färbung, auf Thorax und Hinterleibe mit sehr mässigem, an den Brustseiten mit lebhafterem Glanze. Stirn schmal, unmittelbar über den Fühlern aufgetrieben und gelblichweiss, weiter hinauf schmutzig rostgelblich, aber schlackenschwärzlich angelaufen, so dass sie von der Seite gesehen fast schwarz erscheint. Fühler rostgelb, das dritte Glied linsenförmig, nicht sehr gross, am Ende nicht abgestutzt. Beine von der Farbe der Brustseiten, Hinterschenkel etwas dunkler; Hinterschienen braun, was mehr nach der Spitze hin allmälig in das Braunschwarze übergeht; die Füsse schwarz, doch an den mittelsten die Wurzelhälfte des ersten Gliedes und an den besonders schlanken vordersten wenigstens die äusserste Basis desselben heller. Flügel gross, rein glasartig, sehr glänzend, bis zu den allerersten Queradern etwas gelblich; das schmale Randmal braunschwarz, das Spitzenviertheil rauchschwarz; die Grenze dieser schwarzen Färbung ist nur wenig verwaschen und läuft ziemlich senkrecht von vorn nach hinten. Grösse 5''. Vaterland: Venezuela.

Ptecticus pomaceus ♀. — Von unmetallischer apfelgrüner Farbe, welche auf dem Rücken des Thorax etwas in das Bräunliche, sonst hin und wieder in das Gelbliche übergeht. Thorax ziemlich glänzend; Hinterleib matt, auf dem zweiten bis fünften Ringe je mit einem sehr grossen schmutzig-schwärzlichen Fleck. Bauch einfärbig apfelgrün. Stirn sehr schmal, gelblich; die Ocellen stehen auf einem schwarzen Puncte. Fühler blassgelb, ziemlich klein, das dritte Glied am Ende stark abgestutzt. Beine gelblich, die Hüften mehr gelbgrün; die Hinterschienen und Hinterfüsse gebräunt; die nicht sehr verlängerten Vorder- und Mittelfüsse von der Spitze des dritten Gliedes an schwarzbraun. — Flügel nicht besonders gross, mit schwacher wässeriggrauer Trübung, welche in der Nähe von Wurzel und Vorderrand mehr in das Gelbliche übergeht; Flügeladern gelbbraun; Randmal sehr schmal, gelbbraun; die letzte Vorderrandszelle viel kürzer als die vorletzte. — Grösse: 5½ Linie. Vaterland: Chile. — Durch meinen geehrten Freund Herrn Dr. J. Schiner erhalten.

Die ausgezeichnete Bildung des zweiten Fühlergliedes der *Ptecticus*-Arten findet sich bei keiner der nachfolgenden Gattungen wieder, welche in solche zerfallen, bei denen die Punctaugen in gleicher Entfernung von einander stehen, und in solche, bei denen das vorderste Punktauge von den andern weiter fortgerückt ist. Die Arten mit in gleicher Entfernung stehenden Punctaugen vertheile ich in die Gattungen *Merosargus* und *Chrysonotus*. — Zur Gattung *Merosargus* gehören eine Anzahl exotischer (so viel ich weiss, durchgängig südamerikanischer) Arten von sehr schmutziger, düsterer, nur bei einigen auf Thorax und Hinterleibsende in das Metallische übergehender Färbung, mit breitem, sehr niedrigem Kopfe und mit kurzen, ziemlich dickschenkeligen Beinen. Das erste Fühlerglied ist nicht so kurz, wie bei der folgenden Gattung; die Fühlerborste an der Basis mehr verdickt und stärker behaart; auch hat die vorletzte Vorderrandszelle eine viel grössere Länge, als bei *Chrysonotus* und bei den eigentlichen *Sargus*-Arten, wodurch sie sich den vorhergehenden Gattungen mehr nähern. Alle bekannten *Merosargus*-Arten zeigen an den Hinterleibseinschnitten eine hellere Färbung und haben über den Fühlern ein ziemlich unansehnliches, perlweisses Querbändchen; im Baue des dritten Fühlergliedes stimmen sie mit *Chrysonotus* und *Sargus* überein; die männlichen Genitalien sind nicht gross und haben eine fast ebenso zurückgezogene Lage, wie bei diesen. Als typisch können *S. obscurus* W. und *S. fasciatus* Fbr., oder auch eine der zwei nachfolgenden neuen Arten gelten.

Merosargus tristis ♀. Ganz von der Gestalt des *S. fasciatus* Fbr., dem er auch im Colorit sehr ähnelt, nur dass die Oberseite des Thorax keine metallische Färbung, sondern eine gleissende pechschwarze Färbung hat. Stirn schwarz, punctirt; von den Ocellen läuft ein spitziges, glänzendes Dreieck nach vorn; das Vorderende derselben ist etwas gewölbt, und zeigt ein schmutzigperlweisses Querbändchen, welches sich bei allen mir bekannten Arten dieser Gattung findet. Die beiden ersten Fühlerglieder sind schwarz, das dritte nebst einem Theile des zweiten braun. Brustseiten pechschwarz, oben mit heller Längsleiste. Schildchen braun. — Die Hinterleibszeichnung tritt am deutlichsten hervor, wenn man den Hinterleib von hinten beleuchtet und von oben betrachtet; der erste Ring erscheint dann mit Ausnahme des wachsfarbenen Vorder- und Hinterrandes schwärzlich; die zwei folgenden Ringe haben eine schmutzig-wachsgelbliche Färbung und jederseits einen grossen, am Seitenrande fast die ganze Ringslänge einnehmenden schwärzlichen Fleck, welcher sich nach der Mitte hin sehr zuspitzt und so den der gegenüberliegenden Seite erreicht; bei anderer Betrachtungsweise vereinigen sich diese Flecke zu einer vollständigen schwärzlichen Binde; der vierte Ring ist schwarz mit an den Seiten wachsgelb gesäumtem Hinterrande; der fünfte Ring ist ganz schwarz. Dieselbe Zeichnung wiederholt sich auf der Unterseite des Hinterleibes, nur ist das Schwarze ausgebreiteter. Beine pechschwarz, die Vorderhüften und Vorderschenkel bräunlich; auch die Spitze der Mittel- und Hinterschenkel, so wie die Wurzel der Vorder- und Mittelschienen mehr oder weniger braun. Das erste Glied der Mittel- und Hinterfüsse in grösserer oder geringerer Ausdehnung schmutzigweiss. Schwinger schmutzig gelblich. Flügel mit rauchgrauer, in der Nähe der Flügelspitze sich etwas mehr condensirender Trübung. Randmal äusserst schmal, bräunlich. — Grösse: 4½ Linie. — Vaterland: Venezuela.

Merosargus luridus ♀. — Der vorigen Art äusserst ähnlich und nur durch Folgendes unterschieden: Das erste Fühlerglied braun, das zweite und dritte schwarz. Oberseite des Thorax schmutzigbraun; Brustseiten etwas heller, unter der hellen Längsleiste mit pechschwarzer Längsstrieme, weiter unten noch mit einem pechschwarzen Puncte. Vorderbeine braungelblich; die Basis der Schenkel, ein Bändchen um die Schienen und die Spitzenhälfte der Füsse gebräunt. Mittelschenkel pechschwarz; dieselbe Farbe haben die Mittelschienen mit Ausnahme der Spitze, welche bräunlich ist. Mittelfüsse bräunlich, die letzten Glieder dunkler; Hinterbeine pechschwarz, die Basis des ersten Fussgliedes kaum heller. Schwinger mit hellem Stiele und schwärzlichem Knopfe. — Flügel wie bei der vorigen Art, aber die Concentrirung der braungrauen Trübung an der Flügelspitze viel weniger bemerklich; das Randmal viel dunkler und die vorletzte Vorderrandszelle länger. Der Hinterleib ist an der Basis verengter, und die schwarzen Binden der vier ersten Ringe lassen am Hinterrande nur einen gelblichen Saum übrig. — Grösse: 4⅓ Linie. Vaterland: Venezuela. — Ich habe diese Art anfänglich als eine blosse Farbenvarietät der vorigen betrachtet, was sie indess doch wohl nicht ist, da sich auch recht bemerkbare Formunterschiede finden.

Zur Gattung *Chrysonotus* gehört *S. bipunctatus* Scop., und mit ihm wahrscheinlich einige amerikanische Arten. Er nähert sich durch die lebhafte Metallfarbe des Thorax, die metallische Färbung des männlichen Hinterleibes und die grössere Ausbreitung der Metallfarbe auf dem Hinterleibe des Weibchens schon sehr den eigentlichen *Sargus*-Arten, während er durch die gleiche Entfernung der Punctaugen und das Auftreten unmetallischer Färbung auf dem Hinterleibe des Weibchens an *Merosargus* erinnert.

Alle Arten mit fortgerücktem vordern Punctauge bilden die Gattung *Sargus*, welche meines Wissens nur auf Europa und die benachbarten Regionen Asiens und Afrikas beschränkt ist, und sich durch ihr brillantes metallisches Colorit sehr auszeichnet. Die Arten dieser Gattung stimmen im ganzen Körperbaue unter einander sehr überein; das erste Fühlerglied ist sehr kurz, das dritte rundlich, aus vier Abschnitten gebildet; die an der Wurzel wenig verdickte und mit einigen Härchen besetzte Borste hat eine seitliche Stellung auf dem Oberende des Einschnittes zwischen dem vorletzten und letzten Ringe dieses Gliedes.

Von allen *Sargus*-Arten in weiterem Sinne bleiben so nur die durch zusammenstossende Augen des Männchens ausgezeichneten Arten übrig, welche von Herrn Macquart in die Gattung *Chrysomyia* vereinigt worden sind. Bei einem Theile der Arten sind die Augen sehr stark behaart, bei dem andern Theile derselben aber fast nackt, so dass sie von manchen Schriftstellern, wie z. B. von Herrn Zetterstedt für nackt gehalten worden sind; für erstere behalte ich den Namen *Chrysomyia* bei, letztere vereinige ich in die Gattung *Microchrysa*.

Die Arten der Gattung *Chrysomyia*, zu welcher von den Europäern *Chr. formosa* und *speciosa* gehören, sind grösser und überall behaarter; das dritte Fühlerglied ist verhältnissmässig kleiner und länglicher. Die Stellung der Fühlerborste ist mehr lateral als apical, am Grunde ist sie stark verdickt und behaart.

Die Arten der Gattung *Microchrysa*, welche sich um *M polita* gruppiren, sind stets viel kleiner, am ganzen Körper viel nackter; das dritte Fühlerglied ist verhältnissmässig grösser und breiter, die Fühlerborste feiner und ihre Stellung entschiedener apical.

Es stellt sich demnach folgende Uebersicht der einzelnen Gattungen heraus, welche bei genauerer Erforschung der exotischen Arten wahrscheinlich nicht ohne Berichtigung, ganz gewiss aber nicht ohne Ergänzungen bleiben wird:

A. **Fühler linienförmig, das dritte Glied in mehrere aufgelöst, das Endborstchen ganz kurz.**

a) Schildchen unbewehrt.

α) Fühler viergliederig . . . . . Gen. 1. *Acrochaeta* W.
(typ. *A. fasciata* W.)

β) Fühler fünfgliederig . . . . . Gen. 2. *Eudmeta* W.
(typ. *Eu. marginata* W.)

b) Schildchen bewehrt . . . . Gen. 3. *Analcocerus* Lw.
(typ. *A. nigriceps* Lw.)

B. **Drittes Fühlerglied ganz, geringelt, Fühlerborste lang.**

a) Schildchen bewehrt.

α) Fühlerborste endständig,

*) vorletzte Vorderrandszelle lang, die Beine sehr schlank . . Gen. 4. *Hoplistes* Macq.
(typ. *S. bispinosus* W.)

**) vorletzte Vorderrandszelle ziemlich kurz, Beine nicht sehr schlank . . . . Gen. 5. *Raphiocera* Macq.
(typ. *S. armatus* W.)

β) Fühlerborste seitenständig *).

*) Schildchen durch zwei Dörnchen bewehrt . . . . . . Gen. 6. *Basentidema* Macq.
(typ. *B. syrphoides* Macq.)

**) Schildchen verlängert, gegabelt Gen. 7. *Dicranophora* Macq.
(typ. *S. furcifer* W.)

b) Schildchen unbewehrt.

1. Augen des Männchens getrennt.

α) Fühlerborste endständig . . . Gen. 6. *Chrysochlora* Latr.
(typ. *S. amethystinus* Fbr.)

β) Fühlerborste seitenständig,

*) das zweite Fühlerglied auf der Innenseite daumenförmig verlängert . . . . Gen. 9. *Plecticus* Lw.
(typ. *S. testaceus* Fbr.)

**) das zweite Fühlerglied von gewöhnlicher Form.

†) Punctaugen in gleicher Entfernung.

---

*) Nach **Wiedemann's** Abbildung bei *Dicranophora* endständig, nach **Macquart** seitenständig, mir unbekannt.

§. Hinterschenkel und Basis der Fühlerborste verdickt . . Gen. 10. *Merosargus* Lw. (typ. *S. obscurus* W.)

§§. Schenkel schlank, Basis der Fühlerborste kaum etwas verdickt . . . . Gen. 11. *Chrysonotus* Lw. (typ. *S. bipunctatus* Scop.)

††) Punctaugen in ungleicher Entfernung . . . . . Gen. 12. *Sargus* Fabr. (typ. *S. cuprarius* L.)

2. Augen des Männchens zusammenstossend.

α) Augen stark behaart . . . . Gen. 13. *Chrysomyia* Macq. (typ. *S. formosus* Scop.)

β) Augen fast nackt . . . . . Gen. 14. *Microchrysa* Lw. (typ. *S. politus* Lin.)

Beobachtungen

über

Insectenmetamorphosen

von

G. Frauenfeld.

Tor, den 19. März 1855.

Ich wähle den Ort, den ich für einige Zeit zum Mittelpuncte meiner Ausflüge bestimmt habe, um dem löblichen Vereine Nachricht von mir zu geben. Sechs Wochen brauchte ich, um hierher zu kommen, eine Zeit, in der man eben sowohl nach Nordamerika reisen, sich dort vierzehn Tage herumtreiben und ganz bequem wieder zurück sein kann. Soll ich von all den Unannehmlichkeiten, den kleinlichen Widerwärtigkeiten erzählen, die meine Reise begleiteten, den Eindruck schildern, den die Kalifenstadt macht, von den Pyramiden, dem versteinerten Wald, von der Wüstenreise, von dem trostlosen Aufenthalte in Suez, von dem qualvollen Liegen in der Windstille mitten im Meere unter sengender Sonne. Oder soll ich den Vergleich anstellen, wie leicht es der Botaniker hat auf seiner Sammelreise, wenn er gemächlich dahin reitet, und dem Führer gebietet, er solle ihm diese oder jene Pflanze herbringen, die er ihm andeutet, und, behagt sie ihm, so kann ihm dieser einen Arm voll einsammeln. Der arme Zoologe aber dagegen, der mit seinem hundertfachen Apparate bepackt in der Sonnenhitze flüchtigen Fusses dahinjagen und zwanzig Mal auf denselben Fleck zurückkehren muss, der keinen noch so schlechten Gegenstand — die Koleopterologen verstehen mich wohl — aus den Augen lassen darf, der muss selbst untersuchen, selbst darnach fassen, da für ihn Niemand sehen, Niemand beobachten kann.

Wer sich mit dem Leben, mit der Entwicklung der Thierwelt beschäftigt, der findet kaum einen Helfer, und den nur nach langer, langer Uebung. Wie oft zerquetscht der Botaniker in seinem Syngenesisten die schönsten Metamorphosen. Wie ärgerlich wirft er eine Missbildung hin, da sie ihm ein schönes Herbarexemplar verdorben, während ich es mit Jubel begrüsse. Da bin ich denn auf meinem Felde, und davon will ich mittheilen, was mir bisher zu Gesichte kam. So sehr die überraschende Eile meiner unvorhergesehenen Reise mich den Mangel zweckmässiger Vorrichtungen bedauern lässt, so ist es doch einiges, was ich in dieser Beziehung aufzuzählen vermag.

Gleich in Alexandrien traf ich *Tamarix africana* reich besetzt mit einem von erbsengross bis zu einem Zoll im Durchmesser unregelmässig knollig gebildeten Auswuchs meist gipfelständig, doch auch seitlich, wo er jedoch wohl immer ein Knospenauge zum Grunde haben mag. Braun und runzlig von aussen ist er leicht zerbrechlich, und in seinem Innern meist mit Mulm erfüllt; nur ganz junge sind aus dickerem Zellgewebe mit unregelmässiger nicht verdichteten Höhlung im Innern gebildete einfache Fleischgewächse. In allen untersuchten fanden sich nur Schmetterlingsräupchen, die wenn die Galle vorsichtig angeschnitten war, alsogleich sich bemühten, die Oeffnung zu verspinnen. 3 -4''' lang, sind sie blass bräunlich, durchscheinend, mit glänzendem braunen Kopf und Nackenschild und dunkelbrauner Afterdecke. Am 2.—10. Ringe auf dem Rücken vier dunkle Wärzchen im Viereck so, dass die beiden vorderen etwas näher stehen, ebenso erscheinen die Lüfter als dunkle Pünctchen. Am letzten Ringe stehen diese vier Wärzchen in einer Querreihe. Farbe sämmtlicher Füsse wie der Körper, der sparsam mit Härchen besetzt ist. Der prachtvolle Wickler, den ich daraus zog, ist wohl um so interessanter, als er meines Wissens der erste Schmetterling ist, der bestimmt eine wahre geschlossene Pflanzengalle bildet.

Die, unsere Akazie in den Gärten von Kairo vertretende *Mimosa nilotica* fand ich von vorjährigen Resten einer Missbildung wie besäet; sie sahen aus, wie wenn der Frost die jungen Triebe verbrannt hätte. Da der Baum bei meiner Ankunft eben junge Blätter trieb, so konnte ich die Missbildung wohl ermitteln, die ganz der an einigen unserer Leguminosen vorkommenden fleischigen Anschwellung und Verkrümmung des Fiederblattes ähnelt, so wie nach den darin vorgefundenen rothen Lärvchen schliessen lassen, dass sie unzweifelhaft ebenfalls einer *Cecidomyia* angehöre, allein sie zu ziehen, waren sie noch zu jung.

Glücklicher war ich mit einem sehr interessanten Auswuchs auf *Bubon*, einer *Umbellifere*, die ich zuerst auf Ain el Musa am Mokattam bei Cairo, dann später auf dem Wege zu der gleichnamigen Oase, vier Stunden weit von Suez fand. Es ist das eine dichttraubig aus hanfgrossen grünen Hautblasen zusammengesetzte bis nussgrosse Beere in den Achseln der Zweige, die mir eine *Cecydomyia* lieferte. Sie ist 1¼''' gross, grau mit weisslich seidenglänzenden Haaren, Hinterleib röthlich grau, namentlich der Bauch, wo nur die etwas wulstigen Hinterränder der Ringe dunkelgrau sind. Rücken mit kaum sichtbaren Längsstreifen. Schwinger dunkel mit röthlichem Stiel. Zugleich entwickelten sich eine grosse Zahl von Parasiten, deren Ermittlung bei mehrerer Musse erfolgen mag *).

Einer Besonderheit, die mir in obiger Oase in dem Garten des k. k. österr. Consularagenten Costa vorkam, will ich hier nicht unerwähnt lassen. Eine Mimose *(M. gumifera?)* war zahlreich mit reifen Schoten besetzt. An einigen derselben fand ich ein rundes wickengrosses Loch. Bei näherer Untersuchung fand ich, meist schon ausgeflogen eine Tagfalter-Puppe, am ähnlichsten *Lycaena*. Ich fand nur noch fünf Stück scheinbar in gutem Stande, die ich wohlbehalten mitführe, vielleicht dass sich der Schmetterling noch entwickelt. Fliegend traf ich dort keinen. Die Anwesenheit der Larve hat keinen Einfluss auf die Samenschale; sie waren sämmtlich gut entwickelt, zwei bis drei Körner verzehrt, und der gleich daran stossende Same vollkommen gut und reif. Die Puppe liegt stets mit dem Kopfe nahe dem ausgefressenen Loche.

Auf *Senebiera nilotica* nächst den Pyramiden fand ich theils am Stengel, theils am Grunde der Rosettenblätter längliche oder runde erbsengrosse dickfleischige Anschwellungen mit 1—2 Kammern, deren lebhafte beinweisse Käfermaden von 2½‴ Länge leider den Auswuchs verliessen, und zur Verwandlung in die Erde sich begaben. Sind solche Larven bei der aufmerksamsten Zucht schon schwer zur Entwicklung zu bringen, so ist diess auf einer Reise wohl kaum möglich. Dennoch habe ich versucht, sie in Glascilinder mit Erde zu geben, obwohl ich keinen Erfolg erwarte.

Den grössten Theil der Syngenesisten in der Wüste fand ich mit Fliegen-(*Trypeta*-)Larven besetzt, auffallend jedoch, keine einzige, die gleich unsern Bohrfliegen in *Inula*- und Distelarten Anschwellungen im *Anthodium* verursachten, sondern alle nur zwischen den Samen lebend. Eine *Conyza*, die schöne *Amberboa Lippii*, *Anthemis cinerea* und andere haben mir zum Theil schon *Trypeten* geliefert, zum Theil hoffe ich noch welche zu erhalten. Wie sehr manche Thiere an eine bestimmte Pflanze gebunden sind, ist hier ersichtlich. Eine zweite, der obigen *Anthemis* sehr ähnliche Art zeigte durchaus keine Spur einer Fliegenlarve. Aus einer Pflanze, die noch nicht blühte, dem Anscheine nach wahrscheinlich eine *Artemisia* fand ich, jedoch nur an einem einzigen Exemplar, obwohl sie nicht selten war und ich fleissig darnach suchte, den Stengel dicht besetzt mit beinahe erbsengrossen

*) So eben finde ich unter diesen Parasiten eine *Inostemma*. Ich freue mich darüber um so mehr, als ich damit die schon vor Jahren (Berichte der Freunde der Naturwissenschaften) behauptete parasitische Natur dieses Insectes hiermit beweisen kann. Ob sie übrigens mit *Inostema Boscii* Wstw. zusammenfällt, kann ich ohne Vergleich nicht bestimmen.

Fleischgallen, deren eine ich öffnete, die eine *Cecydomyia*-Puppe enthielt. Zu meinem Bedauern glaube ich dieselben nicht zur Entwicklung zu bringen, da sie gegenwärtig sehr stark eingeschrumpft sind, was sonst bei so weit vorgeschrittener Entwicklung nicht leicht geschieht.

Hier in Tor ist ausser einigen Palmengruppen, ein Paar Salzkräutern und Tamariskensträuchern leider nichts von Pflanzen zu finden, dennoch sah ich auch hier, dass dieser Theil der Naturgeschichte nicht ganz leer ausgeht, da ich an allen Tamariskenzweigen zolllange ovale harte, holzige Anschwellungen fand, die eine dieser Form entsprechende Höhle zeigen. Ob ein weit kleinerer schwächerer, jedoch sonst ganz ähnlicher Auswuchs ein und demselben Thiere angehört, muss ich dahin gestellt sein lassen. Die bisher gefundenen waren alle alt und leer. Die darin gefundenen Kothreste schienen mir verschieden. Der grössere gehört vielleicht einem Käfer an, ein Analogon der Stammauswüchse unserer Zitterpappel. Der kleinere möglicherweise einem Schmetterlinge. Vielleicht finde ich später noch Aufklärung.

Diess sind die wenigen Ergebnisse, für die ich leider in dieser pflanzenarmen Gegend keinen weitern Zuwachs zu hoffen habe.

Beitrag

zur

Mollusken-Fauna von Tirol.

Uebersicht

der

von den Gebrüdern Josef und Peregrin von Strobel

in Tirol gesammelten Land-Schnecken,

nebst Angabe ihrer Funderte und ihrer Nord- und Süd-Grenze gegen das Donau- und das Po-Thal.

Familien, Gattungen, Arten, Unterarten und Spielarten.	Grenze gegen Süden: gegen die Po-Ebene.	Fundorte in Süd-Tirol.	Fundorte in Nord-Tirol.	Grenze gegen Norden: gegen die Donau-Ebene.
Limacesina: Arten: 7, Unterarten: 0, Spielarten: 2.				
I. **Arion**				
1. *subfuscus* Drap.	Trientner-Kreis ? ?	Sarenthein, Meran, Laas im Vintschgau,	H. Wasser bei Innsbruck, Volderthal, Aachenthal.	Donauthäler.
2. *hortensis* var. *alpicola* Fér.	Ebenfalls ? ?	Sarenthein, Meran, Partschinseralpe.	Innsbrucker Gegend.	Donauebene (*A. hortensis.*)
II. **Limax**				
1. *agrestis* L. mut. *filans* Hoy.	Po-Ebene.	Sarenthein, Meran, S. Nikolaus in Ulten.	Selrain, Innsbruck, Volderthal.	Ebenfalls.
mut. *reticulatus* Müll.	Ebenfalls.	Etschland, Afingen im Sarnthal, Gampenpass, Meran, Rabland im Vintschgau, Riffian im Passeierthale, Brenner.	Brenner.	Ebenfalls.
2. *laevis* Müll. ?	Trientner-Kreis ?	Mendelpass, Sarenthein.	Fehlt ?	Fehlt ?
3. *maximus* L. mut. *cinereo-niger* Strm.	Ebene.	Kaltern, Schloss Tirol, Rabland.	Ebenfalls ? ?	Ebene (und Berge.)
mut. *ater* Raz.	Ebenfalls.	Meraner Gegend.	Innsbrucker Gegend.	Fehlt ? ?

4. *cinctus* Müll.?	Lombardische Berge.	Ultnerthal von St. Gertraud abwärts, Sarnthal. Meran, erste Partschinser Alpe, Rabland, Mitterwald im Eisakthal.	Innsbruck, Volderthal.	Oesterreichische Thäler.
5. *marginatus* Drap.	Ebene in der Nähe der Hügel.	Etschland, Afingen, Meraner Gegend, Schloss Schena im Passeierthale, Rabland.	Innsbrucker Gegend.	Ebene.
Heliceeina: Arten: 80, Unterarten: 11, Spielarten: 14.				
I. **Vitrina**				
1. *elongata* Drap. var. *pyrenaica* Fér.	Ebenfalls.	Etschland, Mendelpass, S. Nikolaus, Sarenthal, Meraner Gegend, Saltaus im Passeierthale, Rabland.	Fehlt.	Thäler (*V. elongata.*)
2. *diaphana* Drap.	Hügel.	Dritte Partschinser Alpe.	Haflerchor bei Innsbruck.	Ebene.
var. *glacialis* Forb.	Alpen.	Stilfserjoch.	Fehlt?	Fehlt?
3. *pellucida* Müll. *nec* Drap.	Ebene.	St. Pauls bei Bozen, Fürstenburg im Obervintschgau.	Innsbrucker Gegend.	Ebene.
II. **Succinea**				
1. *putris* L.	Ebenfalls.	Etschland, Malserheide.	Innsbruck, Lans, Hall.	Ebenfalls.
var. *Pfeifferi* Rm.	Hügel.	Etschland, Meraner Gegend, Vintschgau, Saltaus.	Fehlt??	Ebene (und Berge).
2. *oblonga* Drap.	Ebene.	Lana, Meran, Sarnthal, Heide, Brenner.	Brenner, Innsbruck, Hall.	Ebene.

Familien, Gattungen, Arten, Unterarten und Spielarten.	Grenze gegen Süden: gegen die Po-Ebene.	Fundorte in Süd-Tirol.	Fundorte in Nord-Tirol.	Grenze gegen Norden: gegen die Donau-Ebene.
III. **Helix**				
1. *glabra* Stud.	Berge.	Etschland, Sarnthal, Meran, Passeierthal, Rabland, Schmelz im Trafoithal.	Innsbrucker Gegend.	Oesterreichische Hügel.
2. *cellaria* Müll.	Ebene.	Etschland, Sarnthal, Meran, Kuenz im Passeierthale, Rabland.	Innsbruck, Alpe Frauhütt.	Ebene.
3. *nitens* Mich.	Berge.	Fehlt ? ?	Selrain, Innsbruck, Hallerberg, Volderthal.	Ebenfalls.
var. *nitidula* Fér.	Hügel.	Meraner Gegend.	Fehlt ?	Fehlt ?
4. *pura* Alder.	Ebenfalls.	Gfril am Gampenpass, S. Katharina in der Schart und Marlingerberg bei Meran, Partschins.	Haflerchor bei Innsbruck.	Ebene.
albina: viridula Mke.	Fehlt ? ?	Sarenthein, Meraner Gegend.	Fehlt ? ?	Baiern.
5. *nitida* Mll. *nec* Drp.	Ebene.	Meran, Riffian, Partschins.	Innsbrucker Gegend, Hall.	Ebene.
6. *fulva* Müll.	Ebenfalls.	Sarenthein, Tisens, Meraner Gegend.	Innsbrucker Gegend.	Ebenfalls.
7. *pygmaea* Drap.	Ebenfalls (herabgeschwemmt ?)	Partschinser Wasserfall.	Tirol (Parreyss).	Oesterreichische Hügel (und Berge).
9. *rupestris* Drap.	Hügel (var. *spirula* Vill.)	Neumarkt, Kaltern, Mendel- und Gampenpässe, Trafoi.	Telfs, Innsbruck, Hall, Aachenthal.	Hügel.

9. *ruderata* Stud.	Alpen.	Rittener Alpen (Stentz), Sarenthein, Gampenpass, Marlingerberg, Fürstenburg und Mariabergerstift in Obervintschgau.	Zirlerklamm, Volderthal.	Berge.
10. *rotundata* Müll.	Ebene.	S. Michel bei Bozen, Schloss Brandis, Meran, Afingen, Saltaus, Rabland.	Innsbrucker Gegend, Hall, Volderthal, Aachenthal.	Ebene.
11. *angigyra* Ziegl.	Ebene in der Nähe der Hügel.	Kaltern, Mendelpass.	Fehlt.	Fehlt.
12. *obvoluta* Müll.	Hügel.	Etschland, Sarenthal, Meran, Schloss Zenoberg an der Passeier, Rabland.	Fehlt ? ?	Hügel (und Berge.)
13. *holoserica* Stud.	Alpen.	Gampenpass, S. Katharina, Marlinger Berg.	Finstermünz, Frauhütte, Volderthal.	Oesterreichische Berge.
14. *personata* Lam.	Berge.	S. Katharina.	Innsbrucker Gegend, Hall.	Hügel.
15. *Cobresiana* Alten.	Fehlt.	Fehlt.	Pfunds, Innsbruck, Hall, Volderthal, Aachenthal.	Ebene.
16. *hispida* L.	Ebene (var.)	Tirol (Gredler).	Tirol (Gredler).	Ebene (und Berge.)
17. *incarnata* Müll.	Ebenfalls.	Unterrain, Afingen, Siebeneich, Gfril, Meran.	Innsbrucker Gegend, Volderthal, Aachenthal.	Ebene.
18. *sericea* Drap. *revelata* Mich. quor.	Ebenfalls. (v. *badiella* Z.)	Schloss Brandis, S. Katharina, Meran, Partschins, Passeier, Heide, Reschen, Brenner.	Oberinnthal, Innsbruck, Schönberg, Brenner, Aachenthal.	Ebenfalls.

Familien, Gattungen, Arten, Unterarten und Spielarten.	Grenze gegen Süden: gegen die Po-Ebene.	Fundorte in Süd-Tirol.	Fundorte in Nord-Tirol.	Grenze gegen Norden: gegen die Donau-Ebene.
19. *ciliata* Venetz var. *biformis* Ziegl. (Potiez).	Hügel (*H. ciliata*).	Kaltern, Rittener Alpen (Stentz), Terlan, Gampenpass, Meran, Sarenthein, Passeier, Rabland.	Fehlt.	Fehlt.
20. *umbrosa* Partsch.	Fehlt.	Fehlt.	Innsbrucker Gegend, Hall.	Ebene.
21. *strigella* Drap.	Ebene.	Etschland, Meran, Vilpian, S. Katharina, Passeier, Stift Mariaberg und Burgeis in Obervintschgau.	Oberinnthal, Innsbruck, Zillerthal, Aachenthal.	Ebenfalls.
22. *carthusiana* Müll. nec Drap.	Ebenfalls.	Neumarkt, Bozen.	Fehlt.	Hügel und Ebene.
23. *pulchella* Müll.	Ebenfalls.	Gargazon, Meran, Partschins, Klausen, Mariaberg.	Innsbruck, Zillerthal.	Ebene.
mut. *costata* Müll.	Ebenfalls.	S. Michel, Meran, Burgeis.	Innsbruck, Haflerchoralpe.	Ebenfalls.
24. *hyalina* Fér.	Ebenfalls.	Mendelpass, Gfril, Brandis, S. Katharina.	Fehlt.	Thäler.
25. *crystallina* Müll.	Berge und Ebene (Vill.)	Fehlt ? ?	Innsbruck, Haflerchor.	Ebene.
26. *fruticum* Müll.	Ebene.	Etschland, Oberbozen, Meran, Lana, Mariaberg, Burgeis.	Oberinnthal, Innsbruck, Jenbach, Eben, Aachenthal.	Ebene.
27. *arbustorum* L.	Berge.	Gampenpass, S. Pankraz in Ulten, Meran, Burgstal, Hafling, Gamogai, Laas, Mariaberg, Graun, Brenner.	Oberinnthal, Innsbruck, Hall, Volderthal, Jenbach, Eben, Duxer-, Ziller- und Aachenthal.	Ebenfalls.

var. *alpestris* Ziegl.	Alpen.	S. Cassiano (Prada), Brenner.	Brenner, Haflerchor, Frauhütte.	Oesterreichische Berge.
rudis Meg.	Ebenfalls.	B. Schlern im Eisakthale (Stentz).	Tiroler Alpen (Rossm.) gegen Norden?	Fehlt.
28. *glacialis* Thom.	Ortler.	Ortler (Escher fide Charp.)	Fehlt?	Fehlt.
29. *Preslii* F. Schm. var.? *cingulina* Strob.	M. Baldo (Stentz)?	Tirol (Stentz) *H. Preslii*.	Zirlerklamm, Achsel bei Innsbruck, Haller Salzberg (Gredl.)	Fehlt?
30. *cingulata* Stud.	Hügel.	Salurn, Margreit, Tramin, Mendelpass, S. Ulrich im Grödnerthale (Prada).	Fehlt.	Fehlt.
mut. *fascelina* Z.	Ebene in der Nähe der Hügel.	Etschland von Branzoll bis Siebeneich, Kollmann, Azwang und Klausen im Eisakthal.	Ebenfalls.	Ebenfalls.
mut. *testa minore, fascia media nulla, lateralium vestigiis dilutis* Rm.	Alpen.	Tiroler Alpen (Rossm.)	Tiroler Alpen (gegen Norden??)	Alpen??
31. *ichthyoma* Held, *foetens* auct. nec. Stud. — var. *achates* Ziegl.	M. Sasso (Porro)?	Brenner.	Brenner, Duxerthal, Zillerthal, Rattenberg.	Berge.
32. *zonata* Stud. var. (Mousson).	Lombardische Berge.	Thäler der Ortlerkette (Mouss.)	Oberinnthal (Mouss.), Finstermünz, Pfunds, Altenzoll bei Landeck (Gredl.)	Fehlt.
33. *lapicida* L.	Fehlt.	Fehlt.	Innsbrucker Gegend, Stans.	Berge.

Familien, Gattungen, Arten, Unterarten und Spielarten.	Grenze gegen Süden: gegen die Po-Ebene.	Fundorte in Süd-Tirol.	Fundorte in Nord-Tirol.	Grenze gegen Norden: gegen die Donau-Ebene.
34. *candida* Porro (Z.) var. *obvia* Hartm.	Ebene (*H. candida*).	Etschland bis Siebeneich hinauf, S. Ulrich (Prada).	Nauders, Gries im Wippthale, Innsbruck, Schwaz, Stans.	Ebene.
35. *candidula* Stud.	Ebenfalls.	Graun im Obervintschgau.	Pfunds im Oberinnthal.	Ebenfalls.
36. *nemoralis* L.	Ebenfalls.	Etschland, Meran, Afingen, Blumau im Eisakthal, Passeier.	Fehlt.	Baierische Ebene.
mut. *intermedia* Rm.	Brenner!	Brenner (Rossm.)	Ebenfalls?	Fehlt.
albina : *hortensis* compl.	Ebene.	Planizing im Etschland.	Ebenfalls.	Ebenfalls.
37. *hortensis* Müll.	Fehlt.	Fehlt.	Schwaz, Aachenthal.	Ebene.
38. *pomatia* L.	Ebene.	Etschland, Meraner Gegend, Afingen, Passeier, Partschins, Gampenpass, Spandin und Schluderns in Obervintschgau.	Oberinnthal, Innsbrucker Gegend, Aachenthal.	Ebenfalls.
IV. **Bulimus**				
1. *subcylindricus* L.	Ebenfalls.	Sarenthal, Meran, Obervintschgau bis Reschen hinauf.	Innsbrucker Gegend, Hall.	Ebenfalls.
mut. *lubricellus* Z.	Ebenfalls.	Mendel- und Gampenpässe, Brenner.	Brenner, Achsel, Volderthal.	Ebenfalls.
2. *sepium* Gmel. mut. *detritus* Müll.	Ebene in der Nähe der Hügel.	Etschland bis Bozen hinauf, Azwang im Eisakthale.	Innsbrucker Gegend.	Thäler.

3. *quadridens* Müll.	Hügel.	Bozen, Meran, Passeier, Mariaberg, Burgeis.	Fehlt.	Fehlt.
4. *tridens* Müll.	Ebene.	Afingen, Gargazon, Meran, Passeier.	Innsbrucker Gegend.	Ebene.
5. *montanus* Drap.	Trientner-Kreis.	Gampenpass, Rabland, Graun.	Finstermünz, Innsbruck, Hall, Volderthal, Jenbach, Eben, Rattenberg, Aachenthal.	Thäler.
6. *obscurus* Müll.	Ebene.	Etschland, Meran, Riffian, Rabland.	Innsbrucker Gegend.	Ebene.
V. **Pupa**				
1. *pusilla* Müll.	Hügel und Berge.	Fehlt ??	Innsbrucker Gegend.	Thäler.
2. *angustior* Jeffr.	Ebene.	Kaltern, Meran.	Fehlt ??	Ebene (und Berge).
3. *pygmaea* Drap.	Ebenfalls.	Mendelpass, Virglberg bei Bozen (Gredl.), Gfril, S. Katharina, Meran, Passeier, Rabland, Malserheide.	Innsbrucker Gegend.	Thäler.
4. *antivertigo* Drap.	Hügel.	Gfril, Meran, Passeier, Burgeis.	Fehlt.	Ebenfalls.
5. *triplicata* Stud.	Lombardische Berge.	Mendelpass, Tschaffonberg bei Bozen (Gredl.), Terlan, Klausen (Gredl).	Achsel bei Innsbruck.	Oesterreichische Berge.

Familien, Gattungen, Arten, Unterarten und Spielarten.	Grenze gegen Süden: gegen die Po-Ebene.	Fundorte in Süd-Tirol.	Fundorte in Nord-Tirol.	Grenze gegen Norden: gegen die Donau-Ebene.
mut. *bigranata* Rm.	Trientner-Kreis?	Obermais bei Meran, Burgeis.	Fehlt??	Fehlt??
6. *marginata* Drap.	Ebene.	Neumarkt, Meran, Passeier, Malserheide.	Innsbrucker Gegend.	Ebene.
mut. *unidentata* Pfeiff. C.	Ebenfalls.	Terlan, Untermais, zwischen Schlanders und Eiers im Vintschgau.	Ebenfalls?	Ebenfalls.
7. *umbilicata* Drap.	Hügel.	Bozen.	Fehlt.	Fehlt.
8. *Sempronii* Charp.	Ebenfalls.	Virglberg (Gredler).	Ebenfalls.	Ebenfalls.
mut. *dilucida* Z.	Berge?	Mendelpass, Maultaschenhöhle (Rossm.), Afingen.	Ebenfalls.	Ebenfalls?
9. *gularis* Rm. var. *spoliata* Rm.	Alpen?	Tiroler Alpen (Rossm.)	Tiroler Alpen.	Alpen (*P. gularis.*)
10. *dolium* Drap.	Berge.	Fehlt??	Frauhütte, Aachenthal.	Berge.
11. *doliolum* Brug.	Hügel.	S. Michel, Unterrain, Meran, Passeier, Rabland.	Innsbrucker Gegend, Aachenthal.	Ebenfalls.
12. *minutissima* Hartm	Ebene.	Gampenpass, Meran.	Innsbrucker Gegend.	Thäler.
mut. *Strobeli* Gredl.	Salurn!	Von Salurn bis Klausen, Thiersthal (Gredl).	Fehlt?	Fehlt?

13. *inornata* Mich.	Ebene (Villa)?	Bozen, Peitlerkofel (Gredler).	Fehlt?	Würtemberg (fossil).
14. *edentula* Drap.	Ebene.	S. Katharina in der Schart.	Fehlt.	Thäler.
15. *pagodula* Desm.	Hügel.	Salurn (Gredl.), Gfril, Josefsberg bei Meran, Rabland.	Fehlt.	Oesterreichische Berge.
16. *frumentum* Drap. *callosa* Z. olim.	Fehlt.	Fehlt.	Innsbrucker Gegend.	Ebene in der Nähe d. Hügl.
var. *triticum* Z.	Ebene in der Nähe der Hügel.	Etschland, Afingen, Meran, Blumau im Eisakthale.	Fehlt.	Fehlt.
17. *avenacea* Brug.	Hügel (var.)	Salurn, Naivthal bei Meran.	Innsbrucker Gegend, Aachenthal.	Berge.
18. *secale* Drap.	Fehlt.	Fehlt.	Pfunds, Innsbrucker Gegend, Hall, Brenner.	Ebenfalls.
VI. **Balea**				
1. *perversa* L.	Ebene (herabgeschw.!)	Bozen, Hafling, Meran, Burgeis.	Innsbruck, Volderthal.	Ebenfalls.
VII. **Clausilia**				
1. *dyodon* Stud. var. *comensis* Shuttl.	Hügel.	Mendel- und Gampenpässe, S. Michel, Marlingerberg, Meran, Kollern (Gredl.)	Fehlt.	Fehlt.
2. *laminata* Mont.	Oestliche Thäler.	Montan, S. Michel, Mendel- und Gampenpässe, S. Katharina, Rabland, Kollern (Gredler).	Innsbrucker Gegend, Aachenthal.	Ebene.
mut. *detrita* Stentz.	Brenner!	Brenner (Stentz.).	Brenner.	Fehlt?

Familien, Gattungen, Arten, Unterarten und Spielarten.	Grenze gegen Süden: gegen die Po-Ebene.	Fundorte in Süd-Tirol.	Fundorte in Nord-Tirol.	Grenze gegen Norden: gegen die Donau-Ebene.
3. *Stentzii* Rm., *vitrea* St. Villa in col., nec Pfr. (*spec. detrita*).	Oestliche Berge.	Alpe Schlern im Eisakthale (Stentz.)	Nord-Tirol (Stentz fide Villa).	Fehlt.
4. *alboguttulata* Wgn.	Oestliche Hügel.	Afingen.	Fehlt.	Baiern (Senoner)?
var. *albopustulata* Jan.	Westliche Ebene in der Nähe der Hügel.	Etschland, Meraner Gegend, S. Katharina, Passeier, Rabland, Partschins.	Ebenfalls.	Fehlt.
rubiginea Z.?	Bozen!	Bozen, Kollmann, Azwang, Klausen.	Ebenfalls.	Ebenfalls.
itala Mart.	Oestliche Ebene in der Nähe der Hügel.	Neumarkt.	Ebenfalls.	Von Senoner aus Verona nach Wien übersiedelt.
5. *ventricosa* Drap.	Alpen.	Fehlt?	InnsbruckerGegend, Aachenthal.	Ebene.
var. *asphaltina* Z.	Gröden!	Gröden (Gredler), Brenner (Stentz).	Brenner (Stentz.)	Fehlt?

6. *lineolata* Held var. *cruda* Chrp. (Mouss.)	Ebene in der Nähe der Hügel.	Etschland, Schloss Brandis, S. Katharina, Meran, Passeier.	Fehlt.	Hügel (*Cl. lineolata*).
tumida Z., *plicatula* v. *simplex* Prr.	Trientner-Kreis.	Mendelpass, S. Pauls, Gfril, Afingen.	Ebenfalls.	Fehlt.
7. *plicatula* Drap.	Ebene in der Nähe der Hügel.	S. Pauls, Gampenpass, Afingen, Passeier, Partschins, Vintschgau, Brenner.	Innsbruck, Hall, Brenner, Hinterdux, Rattenberg, Aachenthal.	Ebene.
mut. *superflua* Meg. (Charp.)	Hügel.	Meran.	Fehlt?	Fehlt?
Villae Meg.	Ebenfalls.	Afingen.	Ebenfalls.	Ebenfalls.
8. *varians* Ziegl.	Meran!	Meraner Gegend.	Fehlt??	Oesterreichische Alpen.
9. *parvula* Stud.	Lombardische Alpen.	Fehlt??	Innsbruck, Hall, Volderthal, Hinterdux, Rattenberg, Aachenthal.	Berge.
10. *nigricans* Pult.	Hügel.	Mendel- und Gampenpässe, Sarenthal, Meran, Burgeis, Brenner.	Pfunds, Stams, Wippthal, Zillerthal, Volderthal, Innsbruck, Hall, Rattenberg.	Ebene.
11. *similis* Charp.	Nonsberg im Trientner-Kreise (de Betta).	Fehlt??	Innsbrucker Gegend.	Ebenfalls.
mut. *biplicata* Pfr. C.	Ebenfalls.	Ebenfalls.	Innsbrucker Gegend.	Ebenfalls.

Familien, Gattungen, Arten, Unterarten und Spielarten.	Grenze gegen Süden: gegen die Po-Ebene.	Fundorte in Süd-Tirol.	Fundorte in Nord-Tirol.	Grenze gegen Norden: gegen die Donau-Ebene.
12. *plicata* Drap.	Lombardische Berge.	Fehlt?	Stams, Innsbruck, Volderthal, Aachenthal.	Ebene.
mut. *odontosa* Z.	Brenner!	Brenner (Stentz).	Brenner.	Fehlt.
Auriculacina:				
Arten: 1, Spielarten: 1.				
I. **Carychium**				
minimum Müll.	Ebene.	Sarenthein, Klausen, Meran, Passeier.	Innsbrucker Umgebung.	Ebene.
mut. *elongatum* Villa.	Ebenfalls.	Mendelpass, Gfril, Meran.	Fehlt?	Fehlt?
Cyclostomataria:				
Arten: 1.				
I. **Cyclostoma**				
elegans Drap.	Ebene (heruntergeschwemmt).	Margreit, Tramin, Bozen.	Fehlt.	Ebene.
Summe:				
Gattungen 11				
Arten 89				
Unterarten 11				
Spielarten 17				

Erläuterung

der

Tabelle und Folgerungen.

Unter dem Namen „Tirol“, im engern Sinne, begreife man hier das Innthal von Nauders bis Erl und das Etsch- und Eisakthal vom Ursprunge der Flüsse bis Salurn; oder politisch gesprochen: die Kreise von Innsbruck und Brixen mit Ausnahme des Lech- und Isarthales und des Drau- oder obern Pusterthales. Die Mollusken-Fauna des Kreises Trient wurde schon in einer besondern Broschüre *) behandelt. Von den drei genannten Thälern der Etsch, des Eisaks und des Inns ist das erstere, und in ihm vorzüglich die Meraner Gegend am fleissigsten durchforscht worden. Die Untersuchung des obern Eisak- und des Innthales, die Innsbrucker Umgebung ausgenommen **), konnte nur oberflächlich und unvollständig vorgenommen werden. Und desshalb zog ich auch die wenigen, von meinem Bruder im Aschenthale gesammelten Weichthiere mit in Betracht.

Die geographischen Verhältnisse Tirols sind zu sehr bekannt, als dass eine Auseinandersetzung derselben hier nothwendig wäre. Insbesondere ist die geologische Beschaffenheit dieses Landes durch die betreffende Karte des geognostisch-montanistischen Vereins von Tirol und Vorarlberg (1849) befriedigend anschaulich gemacht, und ist für dessen Hypsometrie durch Senoner's Zusammenstellungen der bisher gemachten Höhenmessungen im Kronlande Tirol, in den Jahrbüchern (1851) der geologischen Reichsanstalt enthalten, ein fester Grund gelegt worden. Auch wurde mit L. von Heufler's Denkschrift: Die Laubmoose von Tirol, in die Sitzungsberichte (1851) der kaiserlichen Akademie der Wissenschaften in Wien eingerückt, der Anfang zu einer Geographie der auf das Vorkommen mancher Landschnecke Einfluss habenden *Kryptogamen* gemacht.

Der Hauptstock der Alpen vom Ortler bis zum Grossglockner mit seinen südlichen und nördlichen Ausläufern bildet den Landstrich, den man hier in geographisch-malakologischer Hinsicht zu erläutern den ersten Versuch macht, und wie schon von Andern bemerkt ward, ist er unter

*) *Malacologia trentina. Parte I. Pavia*, 1851.

**) *Delle conchiglie terrestri dei dintorni d'* Innsbruck. *Milano*, 1844.

allen Alpenländern der geeignetste, den Unterschied in der organischen Welt zwischen den hier scharf abgegrenzten südlichen und nördlichen Abfällen dieser Bergkette herauszustellen.

Die nach der vorausgeschickten Tabelle in Tirol gesammelten Arten Landschnecken belaufen sich auf 89; davon scheinen 17 dem Nordabfalle, und nur 5 dem Südabfalle zu fehlen; 67 sind beiden gemein. Nord-Tirol beherbergt 72, Süd-Tirol 84 Arten; also 12 Arten mehr als jenes, wie nach den bekannten Gesetzen der geographischen Verbreitung der Organismen von ihm als südlicher gerücktem Lande zu erwarten war. Von der *Pupa frumentum* ist die Var. *triticum* nur dem Süden, und die typische (?) Form, *callosa* Z., nur dem Norden eigen.

Folgende Arten und Unterarten bewohnen wahrscheinlich nur den Süden Tirols: *Helix angigyra*, *ciliata*, *carthusiana*, *arbustorum* Var. *rudis*, *cingulata*, *nemoralis*; *Bulimus quadridens*; *Pupa umbilicata*, *Sempronii*, *pagodula*, *frumentum* Var. *triticum* (*illyrica* Rm.); *Clausilia dyodon* Var. *comensis*, *alboguttulata*; *Cyclostoma elegans*. Unter diesen wurden *H. angigyra* und *Cl. comensis* *) bisher nur im Pothale, *H. rudis* nur im Süd-Osten Mittel-Europas, *H. ciliata* **) und *cingulata*, *Bul. quadridens* und *P. triticum* nur gegen den Süden Europas (*H. ciliata* wohl auch im Westen) aufgefunden. *H. carthusiana* und *Cycl. elegans* lieben den Süden und erscheinen jenseits der Alpen, ebenso wie die fast durch ganz Europa verbreitete *H. nemoralis*, nur in der Ebene und auf den Hügeln; diese drei Arten können demnach ins Nord-Tirol nicht hinaufsteigen. Die auch ausserhalb des europäischen Gebietes vorkommende *P. umbilicata* fehlt sonderbarer Weise dem Zentral-Europa, welchem Nord-Tirol angehört. Die *P. Sempronii* wird zwar von Rossmaessler als in England, und von Stentz als in Nord-Ungarn einheimisch angegeben, findet sich aber in den Ländern, gegen welche Nord-Tirol abfällt, nicht vor. Die mittel-europäische *P. pagodula* bewohnt zwar die österreichischen Berge, konnte aber bisher weder in Savoien, noch in der mit Nord-Tirol unter gleichen Verhältnissen gestellten, nördlichen Schweiz entdeckt werden (Mousson in lit.). Kein Wunder also, wenn die so eben genannten drei *Pupa* in Nord-Tirol fehlen. Die *Cl. alboguttulata* mit ihren Unterarten taucht hier und dort im Central-Europa auf, und ward mir von Senoner als in Baiern gesammelt angezeigt, allein bis jetzt konnte sie weder in der nördlichen Schweiz, noch in Oesterreich ausfindig gemacht werden; man muss daher vor der Hand annehmen, dass sie weder im alpinischen Süd-Baiern, noch in Nord-Tirol einheimisch sei.

Limax laevis; *Vitrina elongata* Var. *pyrenaica* und *diaphana* Var. *glacialis*; *Succinea putris* Var. *Pfeifferi*; *H. pygmaea*, *obvoluta*, *hyalina*

*) Die *Cl. dyodon* gehört dem centralen und südlichen Mittel-Europa an.

**) Die *H. biformis* Z. ist die kleinere, die Tiroler Unterart der *H. ciliata* (Pot. et Mich.)

und *glacialis*; *P. angustior*, *antivertigo*, *inornata* und *edentula*; *Cl. lineolata* Var. *cruda* und *varians* wurden mit Sicherheit nur im Süden Tirols gesammelt. Allein was den bisher nur in Norwegen und Dänemark erforschten *Limax* betrifft, so ist zu bemerken, dass die Nacktschnecken zu wenig untersucht und studirt worden sind; wesshalb ihre Arten noch vielfältig mit einander verwechselt werden, und eine gegründete Meinung über ihre Verbreitungsbezirke nicht ausgesprochen werden kann. Die den Süden liebenden *V. elongata* *), *P. edentula* und *Cl. lineolata*, und die übrigens durch ganz Europa zerstreuten *H. hyalina* und *P. antivertigo* ersteigen meines Wissens am Nordabhange der Alpen nur die Hügel; sie werden desshalb schwerlich ins Nord-Tirol gedrungen sein. Hingegen finden sich auf den Bergen anderer nord-alpinischer Länder die alleuropäische *H. pygmaea* und die mittel- und süd-europäischen *S. Pfeifferi* und *H. obvoluta*, sowie die mittel-europäischen *P. angustior* und *Cl. varians*; diese müssen demnach auch das Nord-Tirol bewohnen. Erstere und die *Pupa* werden wohl ihrer Winzigkeit halber den Forschungen in dieser Provinz entschlüpft sein. Die *V. glacialis* und die *H. glacialis* wurden bis jetzt nur in der Nähe der Schneeregion der westlichen Alpen erspäht; allein vom Ortler aus können diese Thiere aller Wahrscheinlichkeit nach längs den Gletschern durchs Nord-Tirol sich zerstreut haben. Das Verbreitungsgebiet der noch ziemlich enigmatischen *P. inornata* im Central-Europa ist noch zu wenig gekannt, um mit einigem Grunde ihr Vorkommen im nördlichen Tirol annehmen, oder in Abrede stellen zu dürfen.

In Tirol beherbergt, wie es scheint, nur der nördliche Theil desselben folgende Erdschnecken: *H. Cobresiana* **), *umbrosa*, *lapicida* und *hortensis*; *P. frumentum* (*P. curta* Pot. et Mich. — Pfr. L.) und *secale*. Davon bewohnt die *H. hortensis* besonders den Norden Europas; die *H. Cobresiana* und *umbrosa*, und die *Pupa frumentum* sind zwar durch ganz Mittel-Europa verbreitet, alle vier fehlen aber im Po-Thale, welchem Süd-Tirol angehört. Die *H. lapicida* erstreckt sich von Mittel-Europa aus nach Scandinavien, England und Portugal, und die *P. secale* von Sizilien nach England, von Portugal nach Russland; allein ihr Vorkommen im Po-Thale konnte ebenfalls noch nicht mit voller Sicherheit nachgewiesen werden ***).

---

*) Die Var. *pyrenaica* ward meines Wissens bis jetzt nur in den Pyrenäen und in den westlichen Alpen gesammelt; allein hier und da mag sie wohl von der *V. elongata* nicht unterschieden worden sein.

**) Die von Jan als in der Provinz Bergamo angeführte *H. edentula* Drap. ist wohl nur eine Abänderung der *H. leucozona* Ziegler.

***) Vermuthlich beruht es auf einem Irrthume, wenn Jan die *H. lapicida* als in der Provinz Vicenza vorkommend angibt. — Vom Brenner könnte die *P. secale* vielleicht auch längs seines südlichen Abhanges heruntergestiegen sein; aber irrig scheint die in einer handschriftlichen Note enthaltene Angabe Menegazzi's, selbe in der Provinz Verona gesammelt zu haben.

H. crystallina und *Preslii*, *P. pusilla* und *dolium*, *Cl. parvula* und *similis* wurden bisher nur im nördlichen Tirol eingesammelt. Allein die *H. crystallina* und die *P. pusilla* sind fast durch ganz Europa, die *Cl. similis* sowohl durch's nördliche, als durch's mittlere Europa, die *P. dolium* und die *Cl. parvula* durch ganz Mittel-Europa verbreitet; die *H. Preslii* lebt auch im Süd-Osten dieses Welttheiles (in der Lombardie die Var. *nisoria* R m.). Ueberdiess wurden sie alle theils in den lombardischen, theils in den tridentinischen und venezianischen Alpen, Bergen oder Thälern gefunden; folglich können selbe dem südlichen Tirol nicht abgehen.

Der genaue Fundort der *P. gularis* Var. *spoliata* in Tirol ist mir unbekannt. Die Art erstreckt sich aber im östlichen Mittel-Europa sowohl diesseits als jenseits des Alpenkammes. Nach der Analogie zu urtheilen, sollte dasselbe auch in Tirol mit seiner genannten Unterart stattfinden.

Von den übrigen (52), sowohl im nördlichen als südlichen Tirol vorkommenden Arten ist die Hälfte (26) in allen oder fast allen Zonen Europas einheimisch, nämlich: *Arion hortensis*; *L. agrestis*, *maximus* und *marginatus*; *V. pellucida*; *S. putris*; *H. cellaria*, *nitida*, *fulva*, *rotundata*, *hispida*, *incarnata*, *sericea*, *strigella*, *pulchella*, *fruticum*, *arbustorum* und *pomatia*; *B. subcylindricus*, *obscurus*; *P. pygmaea*, *marginata*, *minutissima*; *Balea fragilis*; *Cl. laminata*; *Carychium minimum*. Auch die *Cl. nigricans* erstreckt sich fast durch ganz Europa; allein in der hesperischen Halbinsel und im Süd-Westen Frankreichs tritt an ihre Stelle die *Cl. rugosa* Draparnaud.

Sowohl die südlichen als die mittleren Länder Europas bewohnen: *V. diaphana*; *S. oblonga*; *H. nitens*, *rupestris*, *personata* und *candidula*; *B. sepium*, *tridens* und *montanus*; *P. doliolum* und *avenacea*; *Cl. plicata* — 12 Arten.

L. cinctus? (sylvaticus Drap.?) scheint sowohl im süd-westlichen als im mittleren und nördlichen Europa vorzukommen. Die *H. sonata* und *P. triplicata* zerstreuen sich vom Süd-Westen nach dem westlichen und südlichen Mittel-Europa.

Ar. subfuscus; *H. glabra*, *pura* und *holoserica*; *Cl. ventricosa* halten sich nur in Mittel-Europa auf; die *H. ichthyoma (foetens* auct. nec Stud., monente Mousson) mit seiner Unterart *H. achates* und *candida* *) mit *obvia* sind auf seine centralen und südlichen Theile, *Cl. Stentzii* **) auf den süd-östlichen beschränkt.

Vom Norden verbreiten sich *H. ruderata* und *Cl. plicatula* bis in die südlichsten Gegenden Mittel-Europas; erstere mangelt aber im Westen.

---

*) *H. candida* Porro, Ziegler *in litera*: 22. *Junii* 1838, *ad dominum* Porro. — *H. candicans* Z. pars de Betta.

**) Die *Cl. vitrea* Stentz wäre nach Pfr. L. eine abgeriebene *Cl. bidens* L. nec Draparnaud. Ich bin noch nicht vollkommen überzeugt, dass *Cl. Stentzii* in Nord-Tirol vorkomme, trotz der Angabe Stentz's.

Die Unterart *nitidula* der *H. nitens* und die Spielarten *L. cinereoniger*, *P. bigranata* und *unidentata* zeigen sich auch jenseits der Alpen, sie werden sich also auch im nördlichen Tirol auffinden lassen. Dasselbe wird vielleicht mit den Spielarten *P. Strobeli*, *Cl. superflua* und *Villae*, und *Car. elongatum* nicht stattfinden. Die *H. viridula* ist ein Blendling, sie kann daher überall auftreten, wo die Art sich zeigt.

Als ausschliessliche Alpenbewohner stellen sich heraus: *A. alpicola*; *V. glacialis*; *H. angigyra*, *alpestris*, *rudis* und *glacialis*; *Cl. comensis*, *Stentzii*, *asphaltina* und *tumida*. Der *Arion*, die *H. alpestris* und die *Cl. asphaltina* bewohnen beide Abfälle des Alpenrückens; die *Vitrina* und die *H. glacialis* werden ebenfalls auf beiden Abhängen jener Wasserscheide vorkommen; die andern fünf aber vermuthlich nur an ihrem südlichen Abfalle, und zwar: *H. angigyra* und *Cl. comensis* in den centralen, und *H. rudis* und *Cl. Stentzii* in den östlichen Alpen.

H. Preslii, *cingulata*, *ichthyoma*, *hispana* L. (fide Pfr. L.) und *zonata*; *P. Sempronii* und *gularis* scheinen von den Alpen aus theils in ungeänderter Form, theils in derselben abweichend, nach den Karpathen (*H. cingulella* Z., *achates*, *P. dilucida* und *gularis ?*), dem Balkan (*H. nisoria*) und den Apenninen (*H. Preslii* Var. *nicatis* Costa, *cingulata* Var. *bizona* und *carrarensis* Porro, *zonata*, *hispana* mit *macrostoma* Rm.) sich ausgebreitet zu haben.

Aus obiger Auseinandersetzung der geographischen Verbreitung der Landschnecken Tirols ergibt sich, dass diese Provinz in Betreff der Molluskenproduction, theils dem centralen, theils dem südlichen Mittel-Europa angehört. Denn, wenn man von seinen erwähnten 89 Arten die 40, in ganz oder fast ganz Europa zerstreuten abrechnet, so erübrigen 49 im Mittel-Europa lebende Arten, deren mehrere vom Süden aus in das gedachte Land sich erstreckt haben. Etliche von diesen konnten nur die süd-alpinischen Thäler hinansteigen; während nur äusserst wenige vom Central-Europa aus sich verbreitende am Alpenkamme sich aufhalten liessen.

Ausser den angeführten 89 Arten müssen sich in Tirol noch einige andere vorfinden, die bisher den Untersuchungen entgangen sind. Und zwar sowohl in den nördlichen als südlichen Gegenden des Landes: *H. aculeata* Müll. und *hispana* (*planospira* Rm. nec Mich.); *Glandina acicula* Brug. und *Pupula lineata* Drap., Arten, die in allen oder fast allen umgrenzenden Gebieten erscheinen. Sonderbar ist es, dass Gallenstein die *Glandina* in Kärnthen nicht gesammelt hat. Die *H. hispana* muss von den östlichen tridentinischen Bergen und von Kärnthen aus in's östliche Süd-Tirol, und vom baierischen Isarkreise und von Oesterreich aus in das Unter-Innthal gedrungen sein. Im obern Thale des Inn und in jenen der Ortlerkette wird sie von einer Unterart der *H. zonata* vertreten; und diese kann in den westlichen Bezirken der Provinz Tirol, obwohl sie meines Wissens dort noch nicht gesammelt ward, nicht abgehen; weil sie in den benachbarten lombardischen Bergen sich findet. *H. hispana* geräth, wie wir sehen, im Osten, und *H. zonata* unter gleichen Umständen im Westen des südlichen und centralen Mittel-Europas. *H. lurida* Ziegl. Var. (*Malac. trent.*) und *leucozona* Z.; *Cl. Bergeri* Mayer, *gracilis* Rossm. nec Pfr. C. und *pumila* Z. können ebenfalls in Tirol nicht fehlen, weil sie in den meisten Nachbarstaaten sich aufhalten; die *Helices* werden aber vermuthlich nur im Süden, und *Cl. Bergeri* und *pumila* nur im Norden wohnhaft sein. Aus demselben Grunde wird man auch die *Vit. annularis* Stud.; *H. arbustorum* Var. *picea* Z., *bidentata* Gmel., *solaria* Menke; *P. biplicata* Mich. und *Ferrari* Porro; *Cl. filograna* Z. wahrscheinlich in Tirol ausfindig machen können; die *H. bidentata* aber allenfalls nur im nördlichen, und die *Pupae* nur im südlichen Abhange (sie wohnen im Trientner Kreise). *Ar. empiricorum* Fér. wohnt desgleichen in den das Land Tirol umzingelnden Staaten (nach de Betta auch im Thale des Noce, Nonsberg), schwerlich geht er also in jenem Lande ab; vermuthlich wird man ihn aber nur in den südlichen Thaltiefen finden; denn selbst in den noch südlicherern Po-Thälern zieht er die warmen Hügel den Bergen vor. *H. costulata* Z. (*striata* Müll. nec Drap.) erscheint sowohl in Baiern und Oesterreich, als in der Lombardie (Rm.); sie wird vielleicht auch in Tirol vorkommen. *Pomatias maculatus* Drap. und auch *patulus* Drap. (Var. *Henricae* Str.) steigen längs den südlichen Ausläufern der Alpen zwar höher hinauf als *Cycl. elegans*, allein sie halten sich mehr gegen Süden als dieses, mangeln desshalb in den südlichen Thälern Tirols; ob *P. maculatus* von Baiern und Salzburg aus in's Innthal hinaufgerückt sei oder nicht, mag vor der Hand dahin gestellt sein.

Die in der Provinz Trient einheimischen *H. Ambrosi* Strob. (Mal. trent. fasc. III, *giugno* 1852 — *H. aemula* Rm., Küster, Konch. Kab. 1. Lief. 1853), *grisea* L. (fide Pfr. L.), *cinctella* Drap. und *isodoma* Jan., und die *Gl. aciculoides* Jan, auct.; (*Achatina Janii* de Betta nunc) sind südliche oder süd-östliche Konchilien, können daher schwerlich in Tirol aufkommen. Ob die *H. verticillus* Fér., welche in Ober-Oesterreich und Kärnthen die *H. isodoma* vertritt, sich in die nördlichen Theile Tirols wird geschlichen haben, ist sehr zu bezweifeln.

Die *Daudebardia rufa* und *brevipes* Drap. wurden in den bairischen und schweizerischen Umgebungen des Bodensees entdeckt, Vorarlberg muss sie desshalb gleichfalls beherbergen; es ist aber sehr zweifelhaft, ob selbe von Oesterreich aus, wo sie auch erscheinen, in das Unter-Innthal gelangt sein werden. Sonderbar war es mir, dass die in Oesterreich und Baiern gemeine *H. rufescens* Penn. (*H. circinata* Stud.) mit ihren verwandten in Nord-Tirol weder meinem Bruder noch mir begegnete, während sie in der nord-alpinischen Schweiz vom Jura bis in seine östlichen Kantone reicht (Mousson), und von Parreyss als in Tirol gefunden angezeigt wird. Vielleicht hat sie ein gleiches Verbreitungsgebiet mit *H. villosa* Draparnaud. Diese findet man auch in Baiern und in der Schweiz, Gredler schickte sie mir wohl auch von Reute im tiroler Lechthale; allein im Innthale und in Süd-Tirol konnte sie meines Wissens noch nicht ertappt werden. Rossmaessler gibt selbe als um Trient gesammelt an; aber auch hier konnte sie trotz alles fleissigen Nachsuchens dennoch nicht erforscht werden; diese Angabe ist demnach wohl irrig, allem Anscheine nach hat man eine junge *H. lurida* für eine junge *H. villosa* angesehen — oder der Aufenthaltsort dieser ward vom Sammler aus Versehen verwechselt. Die *Cl. Moussoni* Charp. erstreckt sich von der Albiskette in der Schweiz durch St. Gallen nach Vorarlberg (Mousson); wird sie den Arlberg übersteigen und in das Oberinnthal sich hinuntergelassen haben? *H. austriaca* Meg. verbreitet sich im Westen nur bis in das Ober-Oesterreich, wo ich selbst sie bei Linz einsammelte; *H. sylvatica* Drap. hingegen scheint in der nördlichen Schweiz seine östliche Grenze zu finden, und in Vorarlberg schon zu fehlen (Mousson). Im Norden Tirols stellt sich keine Form heraus, die einen Uebergang von der einen in die andere dieser Arten andeutete; die verwandte *H. nemoralis* selbst mangelt dort, wie bereits bemerkt wurde; aber die dem Pfeile nach ihnen nähere *H. hortensis* findet sich allerdings vor. *H. ericetorum* Drap. stiess mir weder in Tirol noch in Oesterreich, noch in dem ganzen Po-Thale auf; nach A. Schmidt soll sie in der ganzen österreichischen Monarchie (Salzburg ausgenommen) mangeln, wo gewöhnlich (Parreyss, Zelebor, Gallenstein u. s. w.) die *H. obvia* mit ihr verwechselt wird. Die *H. Küsteri* Held ist die echte *H. ericetorum*. Diese zerstreut sich von Frankreich aus durch die Schweiz und Baiern bis nach Salzburg. Im Engadin (Mouss.), d. h. im obersten Innthale, und in ganz Tirol tritt an ihre Stelle die *H. obvia*. Den Trientner-Kreis bevölkert sie in Gemeinschaft mit einer andern Form: *H. candidula* Z. nec Stud. (fide Villa); im lombardisch-venetianischen Königreiche lebt mit *H. candida* eine Abänderung der *H. neglecta* Drap. (*H. ericetorum* Drap., Porro, Villa, Spinelli, u. s. w.), welche von Istrien nach Turin sich ausdehnt*). Der *L. variegatus* Drap. zeigt sich zwar sowohl in der Schweiz als in der Lombardie, und wurde sogar von de Betta als in Nonsberg (Trientner-Kreis) vorkommend angegeben; allein er gehört zu den, dem Süden holden Weichthieren. Ich zweifle demnach sehr, de Betta habe einen *L. reticulatus* für einen *variegatus* angesehen, und hege für jetzt noch die Meinung, dass diese Schnecke in Tirol nicht auftreten könne. Auch *H. aspersa* Müll. und *striata* Drap. nec. Müll., sowie *P. granum* Drap finden sich in der Schweiz und in der Lombardie: aber *H. aspersa* nur in den südlichsten Gegenden dieser Länder (Genfersee — in Bern angesiedelt — Provinz Mantua), *H. striata*, in der Schweiz nur von Nizza aus übersiedelt, und in der Lombardie nicht über den Fuss der letzten Ausläufer der Gebirge, und die südfranzösische *Pupa*, in der Schweiz auf seinen heissesten Punct (Sitten in Wallis — Mousson) beschränkt — sicherlich wird man selbe daher in Tirol nicht entdecken. Die *H. edentula* Drap. wird von

*) *H. candicans* Z. pars altera de Betta.

Potiez und Michaud als in Oesterreich, und von Senoner als in Baiern einheimisch angezeigt; allein nach Mousson soll die echte *H. edentula*, die mit der zahnlosen, häufig für jene französische Konchilie angesehenen, Abänderung der *H. Cobresiana* nicht zu verwechseln ist, ihre Ostgrenze in der Schweiz finden; folglich könnte sie in Tirol nicht ansässig sein *H. cantiana* Mont. lebt zwar im mittlern Deutschland, in Kärnten und im Lombardisch-Venetianischen, aber an ihre wärmeren Zonen allein angewiesen; im Trientner Gebiete fehlt sie, folglich muss sie auch in Tirol fehlen.

Von andern, in dem einen oder dem andern Nachbarstaate wohnhaften Mollusken, als da wären: *L. gagates* Drap.; *H. phalerata* Z., *frigida* Jan, *Schmidtii* Z., *tigrina* Jan; *Bul. obtusus* Drap.; *Cl. fimbriata* Meg., *vetusta* Z., *plicatula* var. *mucida* Z. *lineolata* var. *densestriata* Rm., und *Schmidti* Pfr. L. wird man wohl etwelche auch in Tirol auffinden.

Demnach wird die Totalsumme der Arten Landmollusken, welche allem Anscheine nach das Land Tirol, im engern hier angenommenen Sinne, bewohnen mögen, beiläufig auf 110 anzunehmen, und auf 13 Gattungen (+ *Glandina* und *Pupula*) zu vertheilen sein. Die in Südtirol einheimischen (100) Arten betragen ungefähr zwei Drittel aller jener, welche im Ganzen, auch das Süd-Tirol mit einschliessenden Thale des Po (und der Etsch) wohnen; dieses Thal, welches fast ganz Ober-Italien begreift, erstreckt sich vom Monviso bis Fiume, von Cattolica im Kirchenstaate bis zum Brenner. — Die Nord-Tiroler-Arten mögen beiläufig auf 85 anzusetzen sein.

Pavia im Mai 1855. P. v. Strobel.

Nachschrift.

Während diese Zeilen im Satze begriffen waren, erhielt ich den: „*Catalogo dei molluschi terrestri e fluviatili delle provincie venete*" der Herren de Betta und Martinati. Darin erscheint die *Pupa secale* als Bewohnerin der Karner Alpen auch längs ihres südwestlichen Abfalls, bei Gemona in Friaul. Dies wäre mit meiner in diesem Aufsatze ausgesprochenen Meinung im Einklange; allein ich kann dennoch nicht umhin, hier zu erwähnen, dass, was ich unter dem Namen *P. secale* als im Po-Thale gesammelt bisher sah, weiter nichts als Formen der *P. avenacea* sind. — Die *Helix lapicida* wäre nach der Angabe Rezia's im Piemonteser Thale von Aosta am St. Bernhard gesammelt worden. Will man das annehmen, so kann man dennoch in den dort lebenden Individuen der Art wohl nichts anderes, als eine ausserordentliche, wenn nicht gar zufällige Ansiedlung, oder höchstens einen südöstlichen Vorposten ansehen.

Anhang.

Aufzählung anderer Land-Schnecken, die von verschiedenen Autoren als in Tirol gesammelt angegeben wurden.

Anmerkung. Tirol ist hier im weitesten, politischen Sinne des Wortes verstanden; es begreift also auch den Trientner Kreis und das obere Pusterthal, so wie Vorarlberg und die Thäler des Lechs und der Isar.

Die mit † bezeichneten Arten oder Abänderungen scheinen mir nirgends noch beschrieben oder unterschieden worden zu sein; vielleicht sind sie nur Synonyme anderer in diesem Aufsatze schon erwähnten Formen. Von den mit * bezeichneten habe ich authentische Stücke untersucht.

Vitrina
† *alpina* Stentz. — Tirol (Stentz cat. msc.)
† *cristallina* Stentz. — Ebendaselbst (Stentz l. c.)

Helix
rufescens Penn. — Ebendaselbst (Parr. cat. msc.) — Vorarlberg, Lechthal?
lactea auct.? — Tirol (Gredler)*). — Erratum!

Bulimus
† *alpinus* Z. — Alpen. (Stentz. l. c.)

Pupa
† *striata* Gredl. ined.? — Tirol (Senoner in lit.)

Clausilia
latilabris Wagn. var. — Ebendaselbst (Parr. Verz. der Gatt. *Claus.*)
alboguttulata Wagn. var. *Braunii* Charp. — Ebendaselbst (Gredl. l. c.) An *Cl. itala* Martens?
mut. *diluta* Z. — Ebendaselbst (Parr. l. c.)
leucostigma Rm. var. *opalina* Z. — Ebendaselbst (Strob. Con. d'Innsb.) — Erratum!
lineolata Held var. *dedecora* Z. — Alpen (Rm. Icon.)
* *pagodula* Stentz**) — Tirol (Villa disp.)
† *plicatula* Drap. var. *gilvescens* Z. et *plicosula* Z. — Ebendaselbst (Parr. l. c.)

---

*) Erstes Programm des k. k. Ober-Gymnasiums in Bozen. 1851.
**) *Minima*, *ventricosa*.

† *varians* Z. var. *fulva* Z. — Ebenfalls.
* *albina*; *diaphana* Z. — Tirol (Porro in col. a Stentz).
† *nigricans* Pult. var. *compar* Z. — Ebendaselbst (Parr. l. c.)
didyma Parr. — Ebenfalls.
rugulosa Z. — Tirol (Pfr. L. Symb.)
pumila Z. var. *pusilla* Z. — Ebendaselbst (Charp. Journal de Conch.)
similis Charp. mut. *elongata* Parr. — Ebendaselbst (Parr. l. c.)
* *plicata* Drap. mut. *crassula* Stentz*). — Ebendaselbst (Villa l. c.)

---

*) Vielleicht synonym mit *Cl. odontosa* Z. — Die *Cl. crassula* Z. ist nach Pfeiffer L. eine Abänderung der *Cl. plicatula*; — die von Potiez und Michaud als *Cl. crassula* Z. abgebildete aber gehört zur *Cl. nigricans*.

Beitrag
zur
Schmetterlings-Fauna
von
Cypern, Beirut und einem Theile Klein-Asiens.

Von
Julius Lederer.

Im Jahre 1853 sandte ich einen Insectensammler, Namens Franz Zach, welcher früher in Herrn Doctor Frivaldzky's Auftrage Candia und Smyrna bereist hatte, nach Cypern, daselbst Insecten, besonders Schmetterlinge und Käfer zu sammeln.

Die Localität hätte jedoch nicht ungünstiger gewählt werden können, denn die Gegend von Larnaca, wo Zach nach einer vierwochentlichen Reise am 7. Mai anlangte, ist kahl, wasserarm und der Boden kreidig, fast ohne Vegetation; es ist daher nicht zu wundern, dass sich daselbst ausser einigen in ganz Europa gemeinen Schmetterlingen und den gewöhnlichen Mittelmeer-Käfern fast gar nichts findet.

Eine Excursion nach dem Innern der Insel lieferte ebenfalls ein ungenügendes Resultat, denn ausser einigen Käfern, worunter *Morio colchicus*, *Buprestis detrita* und der auf dem Stavro vuno (Kreuzberg) gesammelte *Calais Parreyssi* das Beste, war auch hier nichts zu finden; ein eben so klägliches Ergebniss hatte die Bereisung des Nordrandes der Insel zu Folge und so hat denn die Aufzählung der auf Cypern gesammelten Schmetterlinge kaum anderes Interesse, als das, zur geographischen Verbreitung dieser Thiere einen kleinen Beitrag zu liefern.

Da mir auch Herr Professor Eugen Truqui, damals sardinischer Vice-Consul auf Cypern, nun in Smyrna, der diese Insel durch drei Jahre bewohnte und auch eine Käferfauna derselben herauszugeben beabsichtigt, die Armuth an Insecten bestätigte, so liess ich meinen Sammler nach Beirut gehen, wo er am 22. Juli 1853 ankam und bis Anfangs August 1854 verblieb.

Beirut liegt in Mitte schöner Gärten an grünen Hügeln, welche vom Hochrücken des Libanon — dessen höchste Puncte wohl 10000 Fuss hoch und mit ewigem Schnee bedeckt sind — hernieder steigen und in halber Höhe des Gebirges in zerklüftetes Felsenterrain übergehen. Die Berge sind mit Pinien und Fichtenwäldern meilenweit bedeckt, die Thäler und Schluchten reich bewässert, mit Maulbeer-, Oliven-, Citronen- und Johannisbrotbäumen bewachsen und voll üppig grüner blumenreicher Weideplätze.

In der Nähe der Stadt münden zwei Flüsse in das Meer, nämlich eine Stunde ober Beirut der gleichnamige Fluss (Fluss von Beirut) und noch zwei Stunden nördlicher der Hundsfluss (Nahr el Kelb), der Lycus der Alten. Die Ufer sind häufig mit Oleanderbüschen, schönen Sträuchern und Blumen bewachsen; weiter nach dem Gebirge zu werden sie felsig, die Felsen sind voll Schluchten, Tunnels und Klüften, zwischen welchen allenthalben Quellen herabrieseln; auch sind hier drei Höhlen, in welchen sich Wasser befindet und eine derselben ist von einem reissenden Flusse durchströmt.

In dieser Gegend war nun allerdings besser zu sammeln, als auf dem dürren Cypern und es waren besonders die Ufer des Hundsflusses, welche sich am ergiebigsten zeigten. Schmetterlinge waren, wie sich aus nachstehender Aufzählung ergibt, verhältnissmässig wenig, dagegen wurden viele seltene Käfer gefunden, unter denen ich nur *Siagona Oberleithneri* und *Jenissoni* (im Frühjahr unter Steinen), *Nebria Kratteri* (an den Ufern des Hundsflusses), *Procrustes impressus*, *Carabus Hemprichi* und *Ehrenbergi*, *Temnorhynchus retusus*, *Amphicoma purpurea Redtenbacher* und eine ihr ähnliche kleinere Art, die auch in Anatolien vorkommt (*purpurea* Kdm. in lit.) *Calcophora stigmatica* (in ungeheueren, schön grünglänzenden Exemplaren im Frühjahre gemein auf Schlehensträuchern), *Perotis chlorana* und eine neue Art (beide in Gesellschaft der vorigen, doch selten), *Acmaeodera ottomana*, *hyacinthina*, *villosula*, *bivittis* und *discoidea* (alle im Frühjahre auf blühenden *Hieracien*), *Melyris bicolor*, eine neue *Adesmia*, einen schönen *Lixus* bei *angustatus*, doch doppelt so gross (*Gödeli* Kollar in lit., auf wildem Safran), *Prinobius Germari* (in Gesellschaft von *Hamatocerus velutinus*, *miles* und eines mir fremden *Prionus* in Mandel- und Eichstämmen) *Phytoecia egregia* und *humeralis* (an schattigen Stellen auf *Mentha*), *Purpuricenus dalmatinus* (über 180 Stücke auf Mandelblüthen), eine kleine *Adimonia* mit verkürzten Flügeldecken (im Frühjahre im Grase geschöpft), *Rhaphidopalpa foveicollis* und *Chrysomela Sahlbergi* nenne, aber noch manche andere seltene oder neue Art anführen könnte.

Nachdem ich in nachstehender Aufzählung den Freunden der Lepidopterologie ein Bild der Schmetterlingsfauna von Cypern und Beirut gebe, scheint es mir nicht ohne Interesse auch das von Herrn Kindermann in Klein-Asien von 1848 bis 1850 Gesammelte aufzuführen, um so mehr, als sich in den Producten des Libanon gegen die der kleinasiatischen Gebirge eine bedeutende Verschiedenheit ergibt*). Manche der kleinasiatischen Arten mag wohl noch auf dem Libanon zu finden sein; auch darf es bei Kindermann's unermüdlicher Thätigkeit und bekannten Routine nicht wundern, dass dessen Einsammlung reicher ausfiel, als die des minder bewanderten Zach.

Ueber die von Kindermann explorirten Gegenden kann ich folgende Notizen nach seinen Briefen geben:

Er langte am 3. Mai 1848 in Samsun an, dessen Umgebung überaus romantisch ist, schöne Berge, bewaldete Ebenen, Sandflächen etc. enthält, kurz zum Einsammeln sehr günstig gelegen scheint, aber dennoch an Insecten sehr arm ist. Bei Kindermann's Ankunft war die Vegetation noch weit zurück, Eichen und Platanen waren noch nicht vollkommen grün und von Insecten ausser *Lycaena anteros*, *Euplocamus Fuesslinellus* (die von Herrich-Schäffer Fig. 241—243 abgebildete Varietät) und dem schönen *Geotrupes fulgens* nichts zu finden; in der Hoffnung später eine reichere Ausbeute zu machen, verweilte er noch drei Wochen, da aber auch dann ausser *Pieris damone* und *Zethes insularis* nichts flog, verliess er diese Gegend und zog nach dem wärmer gelegenen Amasia.

Anfangs Juli traf er daselbst ein. Die Stadt schildert er als in einem engen Thale an einem Flusse zwischen hohen, steilen, felsigen Bergen gelegen. Von diesem Thale laufen hunderte von grösseren und kleineren in das Gebirge aus, so dass man in vielen Jahren kaum die Hälfte derselben durchforschen könnte und ungefähr sechs Stunden nördlich liegt Schneegebirge, dessen Höhe Kindermann auf 6000 Fuss schätzt. Hier wurde eine reiche Ausbeute gemacht. Als Kindermann ankam, flog *Pieris ausonia*, *chloridice* und *eupheme* (alle schon defect), *Lycaena boetica*, *telicanus*, *trochilus*, *balcanica*, *Polyommatus hipponoe*, *Thecla Nogelli*, *Satyrus anthelea*, *Mniszechi*, *Hesperia Marloyi*, *tessellum*, *lavaterae*, *Zygaena ganymedes*, *Liparis terebynthi*, *Orgyia dubia*, *Heliothis Frivaldszkyi* und *dos*, *Heliodes rupicola*, *Acontia urania*, *Plusia graphica*, *Ophiusa algira* und *stolida*, *Thalpochares pannonica* und *Wagneri*, *Leptosia leda*, *Pyralis consecratalis etc.* Im Laufe des Juli erschienen *Polyommatus ochimus* und *ignitus*, *Vanessa jonia*, *Satyrus mamurra*, *Bischoffi statilinus* var. *fatua*, *Hesperia alcides*, *Heliothis rhodites* und vieles Andere; im August lieferten wieder die Hochgebirge und Alpen viel Gutes.

Im Jahre 1849 wurde bei Tokat gesammelt, das eben so günstig gelegen und von noch höheren Bergen umgeben ist, wie Amasia, aber wenig andere Arten lieferte, was bei der geringen Entfernung beider Städte wohl auch nicht zu wundern ist.

1850 reiste Kindermann mit einer Karawane nach Diarbekir. Auf der Reise berührte er Charput, fand aber die Gegend wenig zum Einsammeln

*) Letztere zeigen mehr Uebereinstimmung mit dem von Professor Doctor Löw auf Rhodus und an der Südküste von Kleinasien Gesammelten, worüber Näheres in Herrn Professor Zeller's Aufsatze in der „Isis“ 1847.

geeignet, da die Stadt nur von ein paar trockenen Hügelketten und Feldern umgeben, das Gebirge aber zu weit entfernt und von räuberischen Kurden bewohnt ist. In Diarbekir langte Kindermann am 15. Mai an, war aber von der Lage dieser Stadt wenig erbaut. Die ganze Gegend enthält nichts, als Getreidefelder; nur am Tigris abwärts sind die Ufer ein wenig erhöht und befinden sich schöne Gärten, die aber trotz der üppigsten Vegetation nur gemeine europäische Arten enthalten.

Kindermann beschloss also wieder zurück nach dem kleinen Orte Bakir Maden zu gehen, den er auf der Hinreise passirt hatte und dessen Lage ihm gefiel; aber auch hier war ausser den allenthalben gemeinen *Thais Cerysii*, *Doritis apollinus*, *Thecla Nogelli*, *Zygaena ganymedes* und einigen Spannern nichts zu finden und die Einsammlung beschränkte sich meist auf Käfer, von denen aber auf der ganzen Reise herrliche, darunter viele ausgezeichnete neue Arten gefunden wurden.

Von Argana Maden kehrte Kindermann nach Tokat zurück. Unterwegs sammelte er einige Tage und zwar um Ende Juni bei Siwas, dessen Hochebenen mit den russischen Steppen viel Aehnlichkeit haben und auch manche russische Art, als *Erebia afra*, *Pterogon gorgoniades*, *Cucullia argentina* und *Aspilates mundataria* lieferten.

Verzeichniss
der von Franz Zach auf Cypern gesammelten Schmetterlinge.

Rhopalocera.

Equites H.-Sch.

Papilio L.

Machaon L.

Thais Fab.

Cerysii God.

Pierides B.

Pieris Schk.

Brassicae L.
Rapae L.
Daplidice L.

Anthocharis B.

Ausonia Esp.

Rhodocera B.

Cleopatra L.

Lycaenoidae B.

Polyommatus Lat.

Phlaeas L.

Lycaena Fab.

Boetica L.
Telicanus Herbst.
Balcanica Freyer.
Trochilus Freyer.
Lysimon Hb.
Cyllarus Fab.
Alexis Hufn. (*agestis* S. V.)
Icarus Hufn. (*alexis* S. V.)

Libytheoidae B.

Libythea Fab.

Celtis Fab.

Nymphalides B.

Limenitis Fab.

Camilla S. V.

Melitaea Fab.

Phoebe S. V.

Vanessa Fab.

Cardui L.
Atalanta L.
Polychloros L.
Triangulum Fab.

Danaides B.

Danais Lat.

Chrysippus L. Von Mitte Mai an durch den ganzen Sommer.

Satyroidae B.

Satyrus Lat.

Hermione L. Die Binden kaum halb so breit, als bei unsern Exemplaren, auch beim Weibe fast so verloschen, wie beim Manne; die Hinterflügel unten heller weissgrau.

Briseis L. und Var. *pirata* Hübner. Binde sehr gross mit lebhafter Unterseite; Var. *pirata* oben sehr lebhaft ockergelb.

Anthelea Hb.

Pararga H.-Sch.

Roxellana Fab.

Maera L. Var. *adrasta* Esp.

Megaera L.

Coenonympha H.-Sch.

Pamphilus L. und Var. *Cyllus* Esp.

Hesperioidae.

Hesperia Lat.

Malvarum O.

Marrubii Rb.

Alveus Hb.

Alveolus Hb.

Eucrate Esp. und Var. *orbifer* Hb.

Actaeon Esp.

Nostradamus Fab.

Heterocera.

Sesioidae B.

Sesia Fab.

Rhingiaeformis Hb. Nur ein Weib.

Luctuosa m. (Vereinsschriften 1852.) Ein Männchen.

Fervida m. Tafel 5, Figur 10; Weibchen. Fast doppelt so gross, als *chrysidiformis*; derselbe Habitus. Körper schwarz, Palpen mehr aufwärts gekrümmt, als bei *chrysidiformis*, sonst eben so gebildet, nebst Stirn und Hüften orangegelb. Beine ebenfalls orange, nur die untere Hälfte der Schienen schwarz. Fühler orange, fein stahlblau beschuppt, Thorax mennigroth, eben so das erste Segment des Hinterleibes und die Vorderflügel; Vorderrand und Saum der letzteren schwarz, auch die Rippen saumwärts schwärzlich angeflogen. Hinterflügel mit dickem mennigrothen Mittelfleck und roth bestäubten Rippen, Vorderwinkel und Basis; alle Flügel mit schwarzgrauen Fransen. Unterseite mit derselben Zeichnung, der Vorderrand der Vorderflügel jedoch nur gegen die Spitze zu schwarz. Hinterleib oben zweites und drittes Segment schwarz, 4., 5. und 6. einfärbig goldgelb, unten jedes Segment zur oberen Hälfte gelb, zur untern schwarz.

Afterbüschel oben mitten gelb, seitwärts schwarz, unten schwarz mit gelben Seitentheilen. Das einzelne Stück wurde am 24. Mai auf dem Stavro vuno gefangen.

Miniacea m. (*minianiformis* Freyer.)

Syntomides H.-Sch.

Naclia B.

Hyalina Freyer.

Psychoidae H.-Sch.

Psyche Schk.

Villosella O.

Saturniina H.-Sch.

Saturnia Schk.

Caecigena Cupido. Die Raupen im Mai auf dem Stavro vuno auf Pappelsträuchern.

Liparides B.

Cnetocampa Steph.

Solitaris Freyer. Auf Cypressen.

Lithosioidae B.

Nola Leach.

Exasperata m. Tafel 5. Figur 11. Nur diess eine Weibchen. Nahe an *chlamydulalis*, ⅓ kleiner. Palpen aufwärts gebogen, bräunlich, anliegend beschuppt; Endglied cylindrisch. Halskragen und ein breiter Streif über den Thorax schwarz, alle übrigen Körpertheile weiss; Beine kurz und dick; Hinterschienen mit 2 Paar Spornen. Vorderflügel weiss. Angehäufte schwarze Atome bilden ein wenig scharf begrenztes Mittelfeld, in dem nahe an seiner Aussenseite (auf der Querrippe) ein grober schwarzer Strich steht; unter ihm, parallel mit der äusseren Grenze der Mittelbinde, stehen noch einige grobe schwarze Schuppen. Dem Mittelfelde folgt ein schmales Band von der Grundfarbe, sodann hat der Raum bis zum Saume durch gehäufte schwärzliche Atome wieder ein graues Ansehen. Am dichtesten stehen diese Atome längs des Saumes; vor diesem findet sich die Spur einer verwaschenen hellen Wellenlinie, welche von der Spitze bis gegen die Mitte zu in abgesetzten Strichen innen rostroth begrenzt ist; an der Innenseite dieser rothen Begrenzung stehen noch grobe schwarze Schuppen, die am Vorderrande am meisten gehäuft, daselbst eine Art abgerissener Zacken bilden, nach innen zu aber nur spärlich vorhanden sind. Die Hinterflügel sind aschgrau, mitten von einem verwaschenen helleren Bande durchzogen; die Fransen breit, auf den Vorderflügeln bräunlichgrau, auf den hinteren weissgrau. Unten sind die Vorderflügel bräunlichgrau, die hinteren weissgrau, nach aussen etwas dunkler, zeichnungslos.

Euprepioidae.

Emydia B.

Chrysocephala Hb. (*coscinia* O.) Nur ein Stück.
Grammica L.

Deiopeia Curtis.

Pulchella L.

Oenogyna m.

Löwi Z. Ein Weibchen; wurde zufällig unter Wanzen eingesammelt und stimmt genau mit Herrn Professor Zeller's Beschreibung (Stettiner Zeitung 1846, p. 8.)

Noctuina.

Dianthoecia B.

Comta S. V. Das Schwarz sehr matt, das Weiss lehmgelb überflogen.

Synia Guén.

Musculosa Hb. Drei Stücke an dürren Stellen bei Tage auf Disteln.

Charadrina Tr.

Anceps H.-Sch. Nur ein Stück.
Exigua Hb. In Menge.

Plusia Tr.

Gamma L.
Graphica H.-Sch. Nach Herrn Guenée ist diese Art die wahre *circumflexa* Linné; *circumflexa* S. V. nennt er daher *gutta*.
Ni Hb.

Heliothis Tr.

Peltigera S. V.

Ophiusa Tr.

Tirrhaea Fab.
Illunaris Hb.
Algira L.

Pericyma H.-Sch.

Squalens m. Tafel 5, Figur 12, Weib. Aehnlich der *albidentaria* Freyer, Flügel aber kürzer und breiter, der Saum auf den hinteren zwischen Rippe 3 und 5 nicht eingezogen, die Färbung lehmgelb, die Wellenlinien nicht so gleichmässig über die ganze Flügelfläche und nicht so hell. Körper lehmgelb, Palpen aufwärts gebogen, Endglied fast so lang, als das zweite, cylindrisch, anliegend beschuppt, Zunge spiral, Beine schwach längshaarig, Fühler beim Manne mit ziemlich langen dünnen Wimpern, Hinterleib mit schwachen erhabenen Schöpfchen auf dem 2., 3. und 4. Segmente. Flügel lehmgelb, nicht so bläulichgrau, wie bei *albidentaria*, Zeichnungsanlage ungefähr dieselbe, nur treten hier die beiden Mittellinien auffallend hervor und sind die übrigen Wellenlinien mehr verloschen, während bei *albidentaria* alle gleichmässig sind. Auf den Vorderflügeln sind die beiden Mittellinien scharf, schwärzlich; die innere macht einen schwachen Bogen nach aussen, die äussere springt auf Rippe 3 und 4 mehr oder weniger deutlich vor, wendet sich dann mehr einwärts (wodurch das Mittelfeld verschmälert wird) und läuft dann in groben Strichen dem Innenrande zu. Parallel mit ihr zieht an ihrer Aussenseite ein bläulichgrauer, von einer verwaschenen weisslichen Linie durchzogener Streif; dahinter werden die Flügel bis zum Saume erdgrau und vor diesem, auf der Flügelfläche selbst zieht eine abgesetzte schwarze Linie. Von Makeln ist nur die Nierenmakel durch einen bleichen Fleck angedeutet. Die Hinterflügel haben wie bei *albidentaria* mehrere parallele Linien, welche am Innenrande deutlich, nach vorne verloschen sind und von welchen die die Fortsetzung der äusseren Mittellinie der Vorderflügel bildende am schärfsten ist. Die Fransen aller Flügel sind erdgrau, breit, schwach wellenrandig. Die Unterseite ist bleicher, als die obere, hat eine schwache Andeutung der lichten Wellenlinie und schwarz punctirte Linie vor dem Saume, sonst aber keine Zeichnung. Manche Exemplare waren bedeutend matter gezeichnet, als das abgebildete. Der Schmetterling wurde an Pflanzen gefangen, welche an vom Wasser durchrieselten Felsspalten wuchsen.

Thalpochares m.

Marginula H.-Sch. Nur ein Stück.
Ostrina Hb. In allen Varietäten.
Parva Hb.
Velox Hb. Fast doppelt so gross, als gewöhnlich, aber alle defect.

Hypena Tr.

Obsitalis Hb.
Lividalis Hb.

Geometroidae.

Eucrostis Hb.

Herbaria Hb.

Acidalia Tr.

Rufaria Hb.
Degeneraria Hb.
Imitaria Hb.
Turbidaria Hb.

Macaria Curtis.

Aestimaria Hb.

Boarmia Tr.

Perversaria B.

Aplasta H.-Sch.

Ononaria Fuessly. Sehr kleine Exemplare.

Sterrha H.-Sch.

Sacraria L.

Crambites H.-Sch.

Hercyna Tr.

Floralis Hb.

Botys Tr.

Cespitalis S. V.
Sanguinalis L.

Stenopteryx Guén.

Noctuella S. V. (*hybridalis* Hb.)

Stenia Guen.

Suppandalis Hb.
Carnealis Tr.

Duponchelia Z.

Fovealis Z.

Eudorea Curtis.

Incertalis Dup.

Semnia H.-Sch.

Punctella Tr.

Nephopteryx Z.

Dahliella Tr.

Pempelia Z.

Carnella L.

Tortricina.

Retinia Guen.

Thurificana m. Die Beschreibung und Abbildung sehe man bei den Beiruter Arten.

Tineina.

Depressaria Z.

Ledereri Z. Linnaea 1854. Tafel 5, Figur 13. Es wurde nur diess eine Stück erbeutet.

Verzeichniss

der von Franz Zach bei Beirut gesammelten Schmetterlinge.

Rhopalocera.

Equites H.-Sch.

Papilio L.

Machaon L.

Thais Fab.

Cerysii God. Im März und April häufig an Wegen, Feldrainen etc.; das Weibchen weit seltener, als das Männchen.

Doritis Fab.

Apollinus Herbst Im Februar und März an denselben Stellen, wie der vorige.

Pierides B.

Pieris Schk.

Rapae L.

Mesentina Godart. Im September an *Ricinus* fliegend.

Daplidice L. Das Grün der Unterseite mehr gelblich und viel spärlicher, als bei unsern Exemplaren: bei manchen Stücken vom Weiss fast ganz verdrängt.

Anthocharis B.

Glauce Hb.
Ausonia Esp.
Belia Fab.

Leucophasia Steph.

Sinapis L. Grosse Exemplare; Hinterflügel unten sehr bleich gezeichnet; bei einigen Stücken ganz zeichnungslos (Var. *diniensis* B.)

Idmais B.

Fausta Olivier. Tafel 1, Figur 1. Männchen. Das Characteristische dieser Gattung ist beim Männchen ein an Rippe 1 der Vorderflügel nicht weit von der Basis stehenden blasigen Knopf, ungefähr wie ihn das Männchen von *Chrysippus* auf den Hinterflügeln hat; ich finde dieses Merkmahl bei Boisduval nicht angegeben. Der Schmetterling fliegt in Gärten häufig vom Juli bis in den September.

Colias Fab.

Edusa Fab. und Var. *helice* Hb.

Rhodocera B.

Cleopatra L. Im Frühjahre nicht selten.

Lycaenoidae B.

Cigaritee Lucas.

Acamas Klug. (*Symbolae physicae*; *decas IV*, *tab. XL*, *Fig. 7 9*). Tafel 1, Figur 2, Weibchen. Den ganzen Sommer hindurch in ganz dürren Gegenden auf Disteln etc. Nach Ménétries (*Description des insectes recueillis par feu* Mr. Lehmann), auch bei Lenkoran, auf den Steppen von Kisil Koum. Der Schmetterling hält das Mittel von *Thecla* und *Polyommatus*. Von beiden Gattungen unterscheidet er sich durch die wie bei *Rhodocera* allmählig von der Basis zur Spitze verdickten Fühler und die zweischwänzigen Hinterflügel (der längste Schwanz steht auf Rippe 1, wo die beiden genannten Gattungen ungeschwänzt sind) von *Thecla* noch durch die nackten Augen aus. Ob bei den Exoten Uebergänge zu den übrigen *Lycaenen*-Gattungen vorkommen, ist mir unbekannt, doch wahrscheinlich, da die bisherige Eintheilung in *Thecla*, *Polyommatus* und *Lycaena* selbst bei den Europäern nicht stichhältig und wohl richtiger nur zwei Gattungen, die eine mit haarigen, die andere mit nackten Augen anzunehmen wären.

Thecla Fab.

Ilicis Esp. in allen Uebergängen zur Var. *caudatula* Z.

Spini S. V. Beide Geschlechter mit viel länger geschwänzten Hinterflügeln, als die hiesigen. (*Melantho Klug Symbolae physicae tab. XL. fig. 10, 11.*)

Polyommatus Lat.

Thersamon Esp. Erscheint in zwei Generationen im April und Juli. Die im Sommer fliegenden Falter haben in beiden Geschlechtern lang geschwänzte Hinterflügel, die der Frühlingsgeneration sind gewöhnlich ungeschwänzt, es kommen aber auch Uebergänge vor; die geschwänzte Varietät ist *Omphale* Klug (*Symbolae physicae tab. XL, fig. 12—14.*)

Phlaeas L.

Lycaena Fab.

Boetica L.
Telicanus Herbst. } Im Juni auf blühendem *Spartium etc.*

Balcanica Freyer. Im Mai und Juni auf Sträuchern fliegend. Herr Mann fand diese Art auch bei Spalato.

Gamra Kollar in lit. Tafel 1, Figur 3. Männchen. Grösse und Flügelschnitt von *hylas*. Palpen wie bei dieser Art gebildet, oben schwarz, unten weiss, Beine weiss, Tarsen und Fühler schwarz geringelt, Kolbe der letzteren comprimirt, lang oval, schwarz, an der Spitze und ganzen Unterseite lebhaft rostgelb; Hinterleib oben schwarz mit weissen Hinterrändern der Segmente, unten weiss; Augen nackt. Oberseite der Flügel beim Manne zart röthlichblau, ungefähr wie bei *argiolus*, aber noch mehr röthlich, mit schmalem schwarzen, nach innen nicht sehr scharf begrenzten Saume, an welchen auf den Hinterflügeln am Innenwinkel zwei verloschene schwarze Flecken (Andeutung der Zeichnung der Unterseite) stehen; beim Weibe im Discus schmutzig lichtbraun, gegen Vorderrand und Saum zu allmälig dunkler, auf den Vorderflügeln daselbst fast schwarzbraun und mit einem an der Stelle der Querrippe befindlichen dunkelbraunen, wie bei *balcanica* geformten Flecken, um welchen der Grund beiderseits heller, fast weisslich wird; auf den Hinterflügeln mit schmutzig braunen nach innen heller begrenzten Randflecken, von denen die zwei am Innenwinkel stehenden am deutlichsten und dunkelsten, die übrigen aber verloschen sind. Fransen bei beiden Geschlechtern weiss, auf Rippe 1 stets beim Manne schwarz, beim Weibe braun bezeichnet, auf den übrigen Rippen nur selten schmal dunkler durchschnitten. Die Unterseite ist beim Manne weissgrau, beim Weibe etwas mehr bräunlich mit schwarzer Saumlinie. Die Zeichnung erinnert an *Telicanus* und *balcanica*. Mit ersterer Art hat *gamra* die matte bänderartige Zeichnung gegen die Spitze der Vorderflügel und auf den Hinterflügeln, mit letzterer den dunklen Längsstriemen unter der Vorderrandsrippe der Vorderflügel gemein; dieser ist aber hier nur dicht an der Basis schwarz, sonst rostfarben. Die Vorderflügel haben hinter der Mitte der Mittelzelle einen auf den Innenrand derselben aufliegenden grossen schwarzbraunen Punct, einen von gleicher Grösse am Saume in Zelle 2, vier etwas kleinere ebenfalls dicht am Saume befindliche in Zelle 3—6, einen oder zwei sehr undeutliche unter dem in Zelle 3 befindlichen. Auf der Querrippe steht ein schräger, licht kaffeh- oder graubrauner Fleck, mitten zwischen diesem und der Flügelspitze eine gerade, vom Vorderrande saumwärts ziehende Binde von derselben Farbe, hinter ihr ein paralleler schmälerer und undeutlicherer Striemen, unter ihr, mehr nach innen gerückt ein oder zwei undeutliche Flecken, vor den Randpuncten eine ebenfalls weniger scharfe bräunliche Linie; diese ganze Zeichnung ist heller umzogen und auch die Grundfarbe wird gegen den Innenrand zu heller. Die Hinterflügel — beim Manne an der Basis schwach grünspanfärbig — haben ungefähr dieselbe lichtkaffebbraune Zeichnung, wie die vordern, nämlich einen Querfleck auf der Mittelrippe, eine gerade Binde dahinter, hinter ihr ein Striemen, sodann die Linie vor den Randflecken. Ausserdem haben sie noch mehrere tief schwarze Flecken; nämlich einen von der Basis zur Mitte der Vorderrandsrippe ziehenden bis an diese reichenden geraden strichförmigen (wie bei *balcanica*), hinter ihm nahe am Vorderrande (in Zelle 7) zwei runde, der äussere weiter vom inneren, als dieser von dem Wurzelfleck entfernt; unter dem inneren auf die Mitte des Innenrandes der Mittelzelle aufsitzend, einen von gleicher Grösse, dicht unter ihm (in Zelle 1 b) einen kleineren, zwei mit den übrigen gleich grosse oder doch nur wenig kleinere am Innenrande, beide den in Zelle 7 befindlichen zwei Flecken in gerader Linie gegenüber stehend. Randflecken sind 5 bis 6 vorhanden; sie sind ebenfalls tief schwarz, die beiden am Innenwinkel stehenden am grössten, saumwärts erzglänzend beschuppt, der in Zelle 2 stehende noch an seiner Innenseite mehr oder weniger deutlich rostgelb umzogen; der in Zelle 3 ist am verloschensten, die in Zelle 4, 5 und 6 befindlichen sind zwar kleiner als die am Innenwinkel, aber scharf ausgedrückt. Der Schmetterling fliegt im Juni und Juli auf Brombeerblüthen; Herr Kotschy brachte ihn auch aus Sennaar.

Lysimon Hb. Im Juli auf Kleefeldern.

Galba Kollar in lit. Tafel 2, Figur 4, Männchen. Von oben kaum von *lysimon* zu unterscheiden. Der Mann hat dasselbe Blau und denselben breiten schwarzen Saum, die Hinterflügel haben aber in Zelle 2 einen schwärzlichen, durch eine helle Linie vom Saume getrennten Randfleck; das Weib ist oben einfärbig braun, der schwarze Fleck in Zelle 2 der Hinterflügel ist noch deutlicher und bläulich umzogen, die übrigen Zellen haben ebenfalls Spuren von Randflecken, besonders gegen den Innenwinkel zu und die lichte Randlinie ist etwas schärfer. Die Unterseite ist licht bräunlichgrau, wie bei *lysimon* oder *trochilus*, beim Weibe nur wenig dunkler, als beim Manne. Die Zeichnung nähert sich hier mehr dem *trochilus*. Auf den Vorderflügeln stimmt sie ganz mit dieser Art, nur sind die Kerne der Flecken nicht so schwarz, sondern mattbraun, daher nicht so scharf vortretend. Die Hinterflügel haben ebenfalls viel Aehnliches mit *trochilus*, besitzen aber keine orangegelbe Randbinde. Die Form und Lage der mattbraunen augenartigen Flecke ist dieselbe, wie bei *trochilus*; in Zelle 7 stehen zwei schwarze, hell umzogene Flecke, unter dem inneren, mehr wurzelwärts noch einer, alle an gleicher Stelle wie bei genannter Art; der bei *trochilus* darunter befindliche vierte fehlt jedoch bei *galba*, der am

Innenrande selbst stehende — bei *trochilus* scharfe — ist hier nur matt vorhanden und von den Randflecken sind nur die in Zelle 2 befindlichen grossen tiefschwarz und mit Erzschuppen belegt, die übrigen aber klein und mattbraun. Ich erhielt nur 8 Stücke, welche in Gesellschaft von *lysimon* auf Kleefeldern erbeutet wurden. Herr Kotschy fand diese Art ebenfalls in Sennaar.

Hylas S. V.

Icarus Hufnagel (*alexis* S. V.) und Var. *thersites* B.

Nymphalides B.

Limenitis Fab.

Camilla S. V. Die weissen Flecke grösser, der Wurzelfleck der Vorderflügel hellblau.

Melitaea Fab.

Phoebe S. V. Kleine hellgefärbte Exemplare.

Trivia S. V. Var. *persea* Kollar (Fauna von Südpersien in den Annalen der kais. Akad. d. Wissenschaften 1849). Im April in Mehrzahl gefangen und auch die Raupe später auf *Verbasceen* gefunden. Der Schmetterling ist oben ungemein hell gefärbt, (fast wie gewöhnliche *didyma*-Männchen) und die schwarze Zeichnung sehr fein, es finden sich jedoch Uebergänge zu *trivia*. Von Herrn Kotschy auch in Südpersien gefunden.

Vanessa Fab.

Polychloros L.

Triangulum Fab.

Danaides B.

Danais Lat.

Chrysippus L. Im ganzen Sommer nicht selten; die Var. *alcippus* wurde nicht gefunden.

Satyroidae B.

Hipparchia Fab.

Titea Klug (*Symbolae physicae tab. XXIX. fig. 15—18.*) Tafel 1, Figur 5, Männchen. Nahe an *lachesis* und verhält sich dazu — oberflächlich betrachtet — ungefähr wie Var. *procida* zu *galathea*. Von französischen Entomologen wurde mir *titea* für *lachesis* Var. erklärt, doch mit Unrecht, denn characteristisch ist auf den Vorderflügeln der schwarze Mittelfleck, der bei *titea* am Vorderrande selbst beginnt, daselbst am breitesten ist und nach innen schmal zuläuft, bei *lachesis* aber erst unter dem Vorderrande, auf der Vorderrandsrippe anfängt und da ein schmaler viereckiger Fleck ist, an welchem ein mehr als doppelt so breiter hängt. Ferner steht auf der Unterseite in der Mittelzelle vor dem Flecken am Zellenschlusse constant noch ein scharfer schwarzer Fleck; die Kappenzüge aller Flügel sind oben ganz verloschen oder bis auf wenige weisse Fleckchen verdrängt, da das Schwarz bis an den Saum reicht, unten aber fein und bogenförmig (bei *lachesis* fast so scharf und spitz, wie bei *clotho*); die Mittelzelle der Hinterflügel ist oben fast bis ans Ende schwarz, überhaupt das Schwarz von der ganzen Basis an viel reichlicher; die Mittelbinde auf der Unterseite der Hinterflügel ist aus viel zarteren, feineren und anders geformten schwarzen Strichen gebildet und ihre Ausfüllung nicht dunkler als der übrige Flügelgrund, während sie bei *lachesis* aus groben schwarzen Strichen besteht und steingrün ausgefüllt ist. Der Schmetterling fliegt im Mai häufig am Hundsflusse in felsigen Gegenden.

Satyrus Lat.

Asterope Klug. (*Symbolae physicae tab. XXIX, fig. 11—12.*) Tafel 1, Figur 6, Weibchen. Den ganzen Sommer hindurch allenthalben häufig.

Psisidice Klug. (Tafel XXIX. fig. 9, 10.) Diese nach Herrn Professor Dr. Klug am Berge Sinai fliegende Art fand Zach auch in den Gebirgen des Libanon im Juli, brachte aber nur 6 Stücke mit, da er zur Flugzeit des Schmetterlings am Fieber erkrankte und keine Excursionen machen konnte. Der Schmetterling hat einige Aehnlichkeit mit *statilinus* Var. *fatua* Freyer, die Färbung der Oberseite zieht aber mehr ins Graue und die Mittelbinde der Unterseite der Hinterflügel ist anders geformt. Diese besteht aus zwei dicken sammtschwarzen Linien, von denen die innere gerade und fast senkrecht vom Vorderrande bis zur inneren Mittelrippe zieht, auf diese aufstösst und da plötzlich verlischt, die äussere aber in Zelle 3 sich sehr dem Saume nähert, daselbst einen scharfen Winkel macht, dann aber fast gar keine Vorsprünge mehr bildet.

Pararga H.-Sch.

Maera L. Var. *adrasta* Hb.

Hecaera L. Genau wie die hiesigen.

Egeria L. Var. *meone* Hb.

Epinephele H.-Sch.

Janira L. Var. *telmessia* Z. In allen Uebergängen zur Var. *hispulla* Hb.

Coenonympha H.-Sch.

Pamphilus L. und Var. *lyllus* Esp.

Hesperioidae.

Hesperia Lat.

Malvarum O. Die Falter der Sommergeneration oben sehr hell gefärbt, fast wie *lavaterae*.

Marrubii Rb. und Var. *gemina* Led. Die Exemplare der Sommergeneration ebenfalls mit sehr heller Oberseite. Dass *gemina* doch nur Var. *marrubii*, davon habe ich mich seither durch Uebergänge überzeugt.

Proto Esp.

Nomas m. Tafel 1, Figur 7, Mann. Ich erhielt nur ein Pärchen, das im Mai am Hundsflusse gefangen wurde. Der Schmetterling ist oben nicht von *tessellum* zu unterscheiden, unten sind aber die Hinterflügel sammt den Fransen einfärbig gelblichweiss (wie bei *lavaterae*) mit von oben schwach durchscheinender Zeichnung. Körper, Beine, Palpen und Unterseite der Fühler sind wie die Unterseite der Hinterflügel gefärbt, auch die Vorderflügel haben unten beinahe dieselbe Farbe, um die Mittelflecke herum und gegen die untere Hälfte des Saumes zu ziehen sie aber mehr ins Bleichgraue. Der Vorderrand der Vorderflügel des Männchens hat denselben häutigen Umschlag, wie *tessellum*.

Hypoleucos m. Tafel 1, Figur 8, Mann. Der Schmetterling ist mit *alveus* Hb. verwandt, eben so gross, hat aber viel kürzere, breitere und rundere Flügel, als diese und andere verwandte Arten und ganz verschiedene Unterseite. Die Oberseite ist grünlichgrau, beim Weibe mehr olivbraun, wie bei *carthami*.. Die Fransenbezeichnung und die Flecken sind wie bei dieser Art, letztere nur reiner weiss, etwas grösser und auf den Vorderflügeln nicht so scharf eckig. Die Flecken der inneren Binde der Hinterflügel sind ebenfalls rein weiss; ein Fleck in der Mitte dieser Binde tritt selbst bei matt gezeichneten Exemplaren besonders vor (ungefähr wie bei *alveolus*) während bei *carthami* die ganze Binde aus gleichmässigen, mit dunklen Atomen überzogenen schmalen Längsflecken besteht, bei *alveus* und Var. *fritillum* ebenfalls nicht so deutlich hervortritt. Auf der Unterseite sind die Vorderflügel dunkelgrau, gegen den Vorderrand zu mehr grünlich; die Flecken sind hier ebenfalls runder, weniger vom Grunde abstehend und mehr gelblich als bei den verwandten Arten. Die Hinterflügel sind bleich grünlichgelb, gegen den Saum zu dunkler, mehr ins Olivbraune ziehend; durch die Mitte des Flügels zieht von der Basis bis zum Saume ein heller Längsstrahl und die Zeichnung der Oberseite ist ebenfalls durch lichtere, aber ganz unbestimmte, verloschene Flecke angedeutet; sonst findet sich keine Zeichnung. Die Fransen sind weiss, auf allen Rippen mit Ausnahme von 1 und 5 schwarzgrau gescheckt. Das Männchen hat ebenfalls am Vorderrande der Vorderflügel einen Umschlag. Die Fühlerkolbe ist unten lebhaft rostgelb. Der Schmetterling fliegt vom Mai bis in den Juli an feuchten Stellen und ist ziemlich selten.

Eucrate Esp. und Var. *orbifer* Hb.

Actaeon Esp. Beide häufig.

Thrax Fab. Tafel 1, Figur 9 Mann, 10 Weib. Im Sommer an feuchten Stellen. Durch ein Versehen des Stechers wurde diese Art statt der nachfolgenden neuen abgebildet; ich beschränke mich daher darauf, bei letzterer blos die Unterschiede von *thrax* anzugeben. Der Schmetterling kommt schon bei Tarsus (in Karamanien) vor und ist bis Ostindien verbreitet.

Zelleri m. Grösse, Bildung der Körpertheile und Flügelschnitt genau wie bei *nostradamus*, der Schmetterling also viel kleiner und schlanker als *thrax*. Zeichnung dem Weibe von *thrax* sehr ähnlich, in beiden Geschlechtern gleich. Vorderflügel spärlicher behaart als bei *thrax*, mit denselben durchsichtigen weissen Flecken, Mittelzelle aber nur mit einem, und zwar dem an der Innenseite des Vorderrandes der Mittelzelle befindlichen; Querbinde aus 7 eben so geformten und gestellten Flecken bestehend, die drei dem Vorderrande zunächst stehenden aber in gerader Schräglinie nach aussen gestellt. Hinterflügel und Fransen wie bei *thrax*. Die Unterseite ist lebhaft grünlich oder gelblich oliv, auf den Vorderflügeln vom Discus bis zum Innenrande, auf den hinteren am Innenwinkel graubraun. Die Vorderflügel haben die Flecke der Oberseite, die hinteren in der Mittelzelle keinen Punct, hinter ihr aber drei kleine helle, dunkler umzogene Flecken, als Fortsetzung der Vorderflügelzeichnung. Die schlankere Gestalt, geringere Grösse und gleiche Zeichnung beider Geschlechter unterscheiden *Zelleri* leicht von *thrax* die durchsichtigen Glasflecken vom Weibe von *nostradamus*. Der Schmetterling wurde in wenig Exemplaren im Juni auf Brombeersträuchen gefangen.

Nostradamus Fab. Im Sommer an trockenen Orten nicht selten.

Heterocera.

Sesioidae B

Sesia Fab.

Azonos m. Tafel 2, Figur 1. Mann. Grösse von *tenthrediniformis*; etwas plumper, Flügel ein klein wenig breiter und runder. Die Färbung des ganzen Geschöpfes ist ein stellenweise stahlblau oder grünlich glänzendes Schwarz, nur die Ränder der Augen, der Halskragen, das mittlere Drittel der Schenkel und die Mitte der Unterseite des Afterbüschels sind bleichgelb. Palpen und Fühler sind wie bei *tenthrediniformis* gbildet, schwarz. Die Vorderflügel haben Innen- und Vorderrand, Saum und Mittelfleck breit schwarz, so dass von Glasstellen das Wurzelfeld nur als ein sehr schmaler, von einer dicken schwarzen Ader durchschnittenen Striemen und die äussere Makel als ein kaum so breiter als langer, runder, von drei schwarzen Adern durchschnittener Fleck überbleiben. Die Hinterflügel haben einen ziemlich dicken schwarzen Mittelfleck, der aber nicht über den ganzen Zellenschluss reicht, sondern gegen Rippe 4 zu erlischt. Die Fransen aller Flügel sind schwarzgrau, die Unterseite ist so gezeichnet, wie die obern. Das einzige Stück wurde im Mai am Hundsflusse auf einer Pflanze sitzend getroffen.

Pipiziformis m. Tafel 2, Figur 2. Männchen. Mit *culiciformis* verwandt; nur halb so gross. Körper grünlich stahlblau; Brust, Augenränder, Oberseite des vierten Hinterleibsegmentes, Seitenränder des Hinterleibes, ein schmaler Saum des Afterbüschels auf der Oberseite und einzelne Haare in der Mitte desselben auf der Unterseite blass goldgelb. Palpen aufwärts gekrümmt, sehr spitz zulaufend, oben schwarz, unten weiss. Fühler stahlblau mit einigen weisslichen Schuppen vor der Spitze und langen Wimpern; Beine stahlblau, Schenkel am Anfang und Ende der Innenseite und längs der ganzen Aussenseite gelblichweiss; Tarsen nur am Anfange schwach stahlblau angeflogen, sonst ebenfalls gelblichweiss. Die Zeichnung der Vorderflügel ist ungefähr dieselbe, wie bei *culiciformis*. Vorder- und Innenrand sind schmal schwarz, die Mittelbinde ist verhältnissmässig schmal und stösst auf den Innenrand ganz auf; der Saum ist wenig breiter als die Mittelbinde; das Wurzelfeld ist von einer dicken schwarzen Ader durchzogen, der äussere Glasfleck ziemlich eben so breit als hoch und von vier schwarzen Adern (auf der Tafel sind nur drei angegeben) durchschnitten. Die Hinterflügel führen einen dicken schwarzen Mittelpunct, der von Rippe 5 zu 4 sehr fein zuläuft. Alle Fransen sind schwarzgrau. Unten ist die Zeichnung wie oben, nur finden sich längs des Vorderrandes, um den Mittelfleck und auf den Rippen blass goldfarbe Schuppen. Der Schmetterling wurde nur in zwei gut erhaltenen männlichen Exemplaren im Frühling an Weizenähren am Hundsflusse gefangen.

Ichneumoniformis S. V. Wenige Stücke im Sommer auf dürren Bergen erbeutet.

Sphingoidae B.

Deilephila O.

Syriaca m. Auf der zweiten Tafel sibirischer Schmetterlinge: Figur 9 der Schmetterling (Weib), 12 der vergrösserte Kopf des Mannes, 10 die Raupe, 11 die Puppe abgebildet. Herr Pogge bestimmte mir diese Art als den in Nord-Amerika vorkommenden *Sphinx myron* Cramer oder *pampinatrix* Abbot, wovon sie aber sicher verschieden ist, und sich schon durch den gezackten Flügelsaum unterscheidet; ich liess daher die Abbildung erst nachträglich anfertigen. Grösse von *elpenor*, Flügelschnitt von *porcellus*, der Saum tritt jedoch auf den Rippen zackig vor, besonders auf den Vorderflügeln (in meiner Abbildung ist diess viel zu schwach ausgedrückt). In Bildung der Korpertheile stimmt der Schmetterling mit *porcellus*, nur sind die Fühler am Ende nicht hakenförmig umgebogen, sondern laufen daselbst in eine schlanke, wenig gekrümmte Spitze aus; unten sind sie wie bei allen verwandten Arten mit zwei Reihen steifer Borsten besetzt; ebenso haben die Hinterschienen zwei Paar starke Spornen. Färbung und Zeichnung ähnelt den *Smerinthen*, doch nur scheinbar, denn der Verlauf der Binden zeigte mehr Uebereinstimmung mit *porcellus*, zudem verweist die lange starke Spiralzunge, der Flügelschnitt und die Raupe den Schmetterling zu *Deilephila*. Die Farbe der Vorderflügel ist beim Mann ein mattes, blass rosenroth beduftetes Grau, beim Weibe mehr braun, in's Weinrothe ziehend. Dieselbe Farbe haben alle Körpertheile bis auf die Schulterdecken, welche an der Basis, und die Segmente, welche an den Hinterrändern hell gerandet sind; ferner die Fühler, deren Oberseite fast weiss ist. Die Zeichnung der Vorderflügel besteht aus trübwolkigen Flecken und Querbändern von der Farbe dürren Laubes. Nahe an der Basis zieht sehr verloschen vom Vorderrande bis zur Mitte der Flügelbreite ein dünner Querstreif, hinter ihm ein breiterer, einwärts gebogener, nach beiden Seiten in die Grundfarbe verwaschener Wisch, sodann folgt ein dunklerer Querstrich am Ende der Mittelzelle, auf der Querrippe. Nahe hinter diesem beginnt der Mittelschatten. Dieser ist an seiner Innenseite am schärfsten von der Grundfarbe abgegrenzt, nach aussen aber in dieselbe verwaschen, und in der Gegend der Querrippe etwas auswärts geschwungen, sonst fast gerade. Parallel mit ihm läuft im Saumfelde, und zwar bei der Mitte desselben, eine dicke, grobstrichige dunkle, beiderseits heller begrenzte Linie, welche auf den Rippen schwache Vorsprünge nach aussen macht. Die Flügelspitze ist durch einen lichten Wisch getheilt; dieser Wisch setzt sich geschwungen und undeutlich begrenzt bis zum Innenwinkel fort, und ist an seiner Innenseite am Vorder- und Innenrande des Flügels dunkler gewölkt. Die Fransen sind etwas dunkler als der Flügelgrund und treten auf allen Rippen zackig vor; die Zacken sind ungefähr wie bei *Smer. populi*, doch weniger tief eingeschnitten, und an ihren Spitzen weniger stark abgerundet. Die Hinterflügel sind beim Mann bleichbraun, beim Weibe rothbraun, am Vorderrande heller. Am Saume zieht ein dunkles, einwärts verwaschenes Band, das vom Vorderrande gegen den Innenwinkel spitz zuläuft, nahe vor und parallel mit ihm ein verwischter dunkler Streif. Die Zacken sind schwächer als auf den Vorderflügeln, die Fransen bleicher, am Innenwinkel fast weiss. Unten sind alle Flügel beim Manne gelblichgrau, beim Weibe rothbraun mit dunklerem Mittelschatten, einem Bogenstreif dahinter und einem wolkigen Saumbande. Die Raupe ist chagrinartig rauh, grün mit einem langen röthlichen Horne, zwei weisslichgelben Querstreifen, welche hinter dem Kopfe beginnen, über die Mitte des Rückens ziehen und sich beim Horne vereinigen, und rothen Luftlöchern, deren jedes in einem undeutlichen lichten Schrägstriche steht; gleich der von *porcellus* und *elpenor* ist sie auf dem dritten und vierten Gelenke sehr dick und nach vorne rüsselförmig verschmälert (meine Abbildung ist in der Form nicht gelungen). Die Puppe ist licht graubraun, auf den Flügelscheiden dunkler gesprenkelt, in den Leibeinschnitten und auf den Luftlöchern dunkelbraun. Die Raupe fand

Zach im Mai und Anfangs Juni am Hundsflusse in feuchten, schattigen Gegenden auf wildem Wein, der sich um Baumstämme schlingt; die Entwicklung erfolgte schon 5—6 Wochen nach der Verpuppung.

Alecto L. Die Raupe (ihre Beschreibung wurde mir nicht mitgetheilt) Ende Mai und im Juni, dann wieder im Herbste an Weinstöcken, doch nur an solchen, welche als Spaliere an den Häusern gezogen werden. Von der ersten Generation erscheinen die Schmetterlinge schon 14 Tage nach der Verpuppung; von der zweiten überwintert die Puppe und liefert den Schmetterling im Frühjahre.

Celerio L. Die Raupe im Mai und August an denselben Stellen, wie *alecto*, doch weit seltener. Der Schmetterling schon 14 Tage nach der Verpuppung.

Livornica Esp. (*lineata* Fab.) Die Raupe im Mai selten auf Weinstöcken; der Schmetterling nach 5—6 Wochen.

Nerii L. Ebenfalls in 2 Generationen. Die Raupe im Frühling und Herbste, ziemlich häufig; die Schmetterlinge kleiner und matter gefärbt, als die hiesigen und Dalmatiner.

Zygaenoidae B.

Zygaena Fab.

Graslini m. Tafel 2, Figur 3 Mann, 4 die Raupe; Grösse etwas unter *achilleae*; Flügel kürzer und runder, wie bei *oxytropis* oder *rhadamanthus*. Die Behaarung des Körpers ist dicht und etwas filzig abstehend, schwarz. Dieselbe Farbe haben Beine und Fühler. Letztere sind sehr dick und plump und endigen wie bei *rhadamanthus* in eine dicke, oben stark abgestumpfte Kolbe. Die Vorderflügel sind matt stahlblau oder grünlichschwarz. Ihre gewöhnliche Zeichnung besteht in drei Paar untereinander stehenden scharf begrenzten, lebhaft zinnoberrothen Flecken, von denen die inneren zwei Paare durch die Innenrandsrippe der Mittelzelle schmal getheilt sind, das äussere Paar aber stets zusammenhängt. Die zwei Flecken an der Basis sind am längsten, beide gleich lang und jeder fast doppelt so lang, als breit; der obere stösst fast ganz an den Vorderrand an. Von dem Mittelpaare ist der untere Fleck grösser, als der obere, unregelmässig geformt und schräg nach aussen gestellt. Von dem äusseren Paare hat der obere Fleck ziemlich die Form des dritten und vierten, in der Grösse hält er aber das Mittel zwischen beiden; er steht ungefähr so, dass die Querrippe gerade durch seine Mitte zieht und an ihm hängt saumwärts zwischen Rippe 3 und 5 der sechste Fleck, der gewöhnlich längs der Rippe 3 sehr scharf abgegrenzt ist und ziemlich nahe vor dem Saume endet. Die Hinterflügel sind zinnoberroth mit schmalem schwarzen Saume. Unten sind die Vorderflügel dünn beschuppt und die rothe Zeichnung ist nebelartig in einander verflossen; die Hinterflügel sind wie oben. Varietäten sind nicht selten; es hängen oft der erste und dritte Fleck oder beide Mittelpaare, am seltensten alle Flecke zusammen. Die Raupe ist sammtschwarz mit glänzend schwarzem Kopf, gelben Beinen und gleichfärbigen Nacken und zwei Reihen blass rosenrothen Wärzchen — je zwei nebeneinander auf jedem Gelenke — über den Rücken. Sie wurde im Februar und März auf verschiedenen niederen Pflanzen gefunden und lieferte im April den Schmetterling, welcher zu derselben Zeit auch im Freien zahlreich erbeutet wurde. Das Gespinnst wurde mir nicht mitgetheilt.

Ino Leach.

Geryon Var. *obscura* Z.

Heydenreichi H.-Sch.

Ampelophaga Baile-Barelli.

Psychoidae H.-Sch.

Psyche Schk.

Villosella O. Nicht selten.

Bruandi m. Tafel 2, Figur 5, Männchen, 6 Sack der Raupe. Nahe an *apiformis*. Etwas schlanker, die Flügel nach aussen sehr erweitert und gerundet, die vordern am Innen- und Vorderrand fast gleich lang, die hinteren kaum länger als breit, kürzer als bei allen verwandten Arten. Körper etwas schlanker, als bei *apiformis*, dicht wollig, aber weniger zottig; die Wolle schwarzbraun, auf Rücken und Oberseite des Hinterleibes mehr gelbgrau. Fühler von ⅓ Vorderrandslänge mit langen, dünnen, ziemlich regelmässig gestellten, filzig behaarten Kammzähnen, welche gegen die Spitze zu allmälich kürzer werden. Vorderflügel an der Basis vom Vorderrande bis zur inneren Mittelrippe gelblichgrau, in der Mittelzelle fast ohne Beschuppung, die aus ihr entspringenden Rippen, der Raum von ihr bis zum Vorderrand und Saume und von Rippe 1 zum Innenrand schwarzgrau beschuppt. Hinterflügel ziemlich gleichmässig grau, nur am Innen- und Vorderrande und Saum etwas dunkler; die Rippen schwärzlich. Fransen schmal, schwarz. Die Vorderflügel haben 12 Rippen, 2 und 3, 6 und 7 gesondert, 4 und 5 aus einem Punct (bei einem Exemplare sind sie gesondert, doch sehr nahe an einander) 8 und 9 auf einem Stiele, 10 und 11 aus dem Vorderrande der Mittelzelle, 12 frei. Hinterflügel mit zweitheiliger Mittelzelle und 8 Rippen; 2 und 3, 6 und 7 gesondert, 4 und 5 gestielt (statt beiden zuweilen nur eine vorhanden), 8 frei aus der Wurzel. Das Weib verlässt die Puppenhülse nicht. Diese ist schwarz, vorn und hinten lichtbraun, von den verwandten Arten nicht zu unterscheiden. Die Raupe lebt auf dürren Gräsern. Die Säcke wurden schon Anfangs Jänner eingetragen; sie sind aus quer und dicht an einander liegende Stengeln verfertigt und mit grauer Seide umsponnen. Die Raupen lebten in der Gefangenschaft 2—3 Monate ohne Nahrung zu sich zu nehmen und lieferten Ende April und Anfangs Mai den Schmetterling. Die meisten Raupen starben und aus einer ziemlichen Menge Säcke erhielt ich nur 7 männliche und einige weibliche Schmetterlinge.

Bombyoides B.

Bombyx B.

Cocles Hb. Der Schmetterling differirt, die Färbung abgerechnet, nicht erheblich von *trifolii*; die Raupe jedoch (von der ich ein halbwüchsiges und zwei erwachsene Exemplare ausgeblasen vor mir habe) ist dunkler behaart, als die von *trifolii*, mehr der von *quercus* ähnlich und hat einfärbig braune Nackenflecke ohne Orange, was für die Artrechte spricht. Sie wurde zahlreich im Frühlinge auf verschiedenen Pflanzen gefunden, doch starben fast alle oder vertrockneten als Puppen; ihr Cocon ist wie das von *trifolii* und *quercus*; aus einer mitgebrachten Puppe erhielt ich ein schönes Männchen am 2. October.

Liparides B.

Cnethocampa Steph.

Solitaris Freyer. Raupe im Frühjahre auf *Cypressen*, Schmetterling im Sommer.

Ocneria H.-Sch.

Atlantica H.-Sch. Drei defecte Männchen im Hochsommer Nachmittags in den Strassen der Stadt fliegend gefunden. Herrich-Schäffer's Abbildung gleicht gar nicht der Rambur'schen in der Faune d'Andalousie; es dürften hier wohl zwei verschiedene Arten anzunehmen sein und zu ersterer wahrscheinlich *lapidicola* H.-Sch. als kleinere Varietät gehören.

Orgyia O.

Trigotephras B. Nur zwei Männchen erhalten. In Andalusien fand ich die Raupe nicht selten im Mai an Eichbüschen; sie gleicht der von *antiqua*, hat aber mehr Blau.

Euprepioidae.

Hypeuthina m.

Fulgurita m. Tafel 4, Figur 1, Weib. Ich erhielt nur 3 Männchen und 2 Weibchen, über deren Vorkommen mir nichts Näheres mitgetheilt wurde. Die Aehnlichkeit in Zeichnung und zum Theil auch im Habitus mit *Cynaeda dentalis* veranlassten mich, dieses Thier bei den *Pyraliden* abbilden zu lassen, nun ich aber zum Untersuchen komme, finde ich, dass der Schmetterling dem Geäder und den vorhandenen Ocellen nach nur bei den *Euprepioiden* untergebracht werden kann. Zu den *Pyraliden* kann er nicht gehören, denn er hat nur zwei freie Innenrandsrippen der Hinterflügel und diese haben drei; von den *Noctuen* entfernen ihn die aus dem Vorderrande der Mittelzelle, bei den *Noctuen* frei aus der Wurzel entspringende Rippe 8 der Hinterflügel; von den *Lithosiden* und *Geometriden* die Ocellen, von den *Drepanuliden* ebenfalls die Ocellen und das Geäder; an die übrigen Zünfte (Herrich-Schäffer's *Nycteoliden*, über welche weiter unten,) ausgenommen, ist ohnebin nicht zu denken. Zufolge der Flügelform, die mehr von den *Lithosiden* (z. B. *Setina*) als von den *Euprepiiden* hat, betrachte ich den Schmetterling als Bindeglied beider (übrigens nur durch die bei ersteren fehlenden, bei letzteren vorhandenen Ocellen getrennten, also auch ein sehr ungenügendes Merkmahl basirten und wohl richtiger sammt Herrich-Schäffer's *Nycteoliden* in eine Zunft zu vereinigenden) Familien und stelle ihn der vorhandenen Ocellen wegen zu letzterer, wo er der platten Stirne, schwachen Zunge und des Geäders wegen eine eigene Gattung bildet. Von sämmtlichen *Euprepiiden* hat nur *Emydia* keine Rippe 5 der Hinterflügel (bei allen übrigen Gattungen ist sie so stark wie die andern Rippen), diese Gattung hat aber keine Anhangzelle, eine verticale Stirn, Spiralzunge und anders geformte Fühler. Ich gebe vorerst die Beschreibung der Körpertheile: Körper schlank, anliegend beschuppt, Hinterleib ohne Schöpfe, beim Weibe wenig dicker als beim Manne und ziemlich spitz zulaufend; die Afterklappen des Mannes länglich halbkugelförmig, gut zusammenschliessend. Beine anliegend beschuppt, nur die Schienen aussen mit kurzen spärlichen Haaren; von den Schienen die vordern ⅓ kürzer, die mittleren eben so lang, die hinteren ⅓ länger als ihre Schenkel; die hinteren mit langen Mittel- und Endspornen. Augen nackt, ziemlich gross, Stirne platt, in Form einer länglichen Blase vorspringend, Palpen schwach und hängend, mit sehr kurzem, stumpfen Endgliede, kurz beschuppt, gut bis zum Stirnvorsprung reichend. Zunge nur aus zwei ganz kurzen, weichen Fäden bestehend. Ocellen seitlich der Fühlerbasis, dicht ober dem Augenrande. Fühler nicht ganz halb so lang, als der Vorderrand der Vorderflügel, beim Manne dick, mit sehr kurzen Kammzähnen; die Zähne nicht länger als der Durchmesser des Fühlerschaftes, jeder Zahn mit einem ihn an Länge übertreffenden Pinsel steifer Haare besetzt; beim Weibe borstenförmig. Halskragen und Schulterdecken wie bei *Emydia* geformt. Rippenbildung: Vorderflügel mit 12 Rippen und einer auf die Mittelzelle aufsitzenden Anhangzelle. Rippe 1 läuft nahe ober dem Innenrande des Flügels, 2 entspringt aus dem Innenrande der Mittelzelle, 3 vor, 4 aus der unteren Ecke derselben, 6 aus der oberen, 5 sehr nahe an 4, 7 und 8 aus der Spitze der Anhangzelle, 9 aus 8, 10 aus dem Vorderrande der Mittelzelle, 12 zieht frei, als Vorderrandsrippe. Die Hinterflügel haben eine Haftborste und acht Rippen; Rippe 3 und 4, 6 und 7 entspringen aus einem Puncte, ersteres Paar aus der unteren, letzteres aus der oberen Ecke der Mittelzelle, 2 aus ihrem Innen-, 8 aus ihrem Vorderrande, 5 fehlt. Beschreibung der Flügelform und Zeichnung: Vorderflügel gestreckt, (beim Manne kürzer als beim Weibe) an der Basis schmal, nach aussen erweitert, mit bauchigem Saume, geradem Vorder- und Innenrande, etwas vortretender stumpfer Spitze, kürzerem, stark gerundeten Innenwinkel. Hinterflügel am Innen- und Vorderwinkel gerundet, ihr Saum zwischen Rippe 4 und 6 ein klein wenig eingezogen. Die Vorderflügel sind hellgrau; sie erscheinen hier und da durch lichtere Stellen etwas längsstreifig und haben am Vorderrande gegen die Spitze zu einige dunklere Strichelchen. Zwei bleich strohgelbe, tief schwarz unterstrichene Längsstriemen ziehen von der Basis nach aussen; der eine stösst mit seiner oberen Seite an den Innenrand der Mittelzelle und reicht bis zur Flügelmitte; der andere steht in der Mittelzelle selbst und zwar so, dass er dieselbe theilt, nämlich seine obere Seite an den Vorderrand der Zelle stösst und der schwarze Streif unter ihm durch die Mitte der Zelle zieht; auf dem Zellenschlusse steht ein auswärts gekehrter halbmondförmiger lichter Fleck, hinter welchem der Längsstrahl sich in die Grundfarbe verliert. Von der Flügelspitze zum unteren Längsstriemen läuft eine Reihe geschwungener unregelmässiger lichter Splitterflecke, welche aussen schwärzlich aufgeblinkt sind und zwischen beiden Striemen ist die Grundfarbe etwas dunkler grau, als auf der übrigen Fläche. Die Saumlinie ist schwarz punctirt. Die Fransen sind breit, grau, auf den Rippen schmal hellgelb durchschnitten. Die Hinterflügel sind bleich grau, an Basis und Fransen etwas heller. Unten ist ausser dem hellen Mondfleck der Vorderflügel keine Zeichnung vorhanden; die Fransen der Vorderflügel sind hier bleicher gescheckt, als oben. Meine drei Männchen sind etwas dunkler gefärbt, als die zwei Weibchen, aber nicht ganz rein, daher ich lieber das Weibchen abbildete.

Callimorpha Lat.

Hera L. Sehr grosse.

Arctia Steph.

Oertzeni m. Tafel 2, Figur 9, Weibchen, 8 Raupe. Auf den ersten Anblick der *pudica* ähnlich, Thorax und Halskragen sind aber einfarbig schwarz (bei *pudica* ersterer gelb gestreift, letzterer ganz gelb), die Fühler lichtgelb, an der Spitze bräunlich (bei *pudica* schwarz), der Längsstriemen der Vorderflügel verbindet stets nur die beiden mittleren Querbänder, während er bei *pudica* bis zum Saume zieht, alle Striemen sind viel höher fleischfarb angeflogen, die Hinterflügel lebhafter roth etc. Fühler und Beine sind wie bei *pudica* gebildet und der Schmetterling variirt auf gleiche Weise. Er wurde Mitte October in 8 Exemplaren an Steinen sitzend gefunden. Die Raupe war im Jänner und Februar unter Steinen häufig, doch entwickelte sich auch nicht Ein gutes Exemplar. Sie ist schmutzig grau mit steifen borstigen gelbbraunen Haaren, lichtem Seitenstreife, einer schmäleren Linie über demselben, lichtbraunem Kopf und röthlichen Füssen.

Den Schmetterling benannte ich zu Ehren des Herrn August von Oertzen in Friedland in Mecklenburg und es gereicht mir um so mehr zum Vergnügen, diesem liebenswürdigen Ehrenmanne und eifrigen Entomologen diesen Beweis meiner Hochachtung geben zu können, als *Eudorea Oertzeniella* Herrich-Schäffer mit *pallida* Stephens zusammenfällt.

Ocnogyna m.

Clathrata m. Tafel 2, Figur 7, Männchen. Nur diess eine Stück erhalten. Der Schmetterling ist etwas grösser als *maculosa* oder *parasita* und hat dieselbe Flügelform. Kopf, Brust und Thorax sind dicht wollig behaart, die Behaarung bildet zwischen den Fühlern einen Schopf; dieser ist mitten schwarz, an den Seiten schmutzig weiss. Der Halskragen ist schmutzig weiss, schwarz gerandet, der Thorax blass fleischfarb, die Mitte desselben und die jeder Schulterdecke schwarz; die Brust schwarz, vorn gelblichweiss, der Hinterleib weisslich fleischfarb mit einem schwarzen Streifen, der auf dem ersten Segmente die ganze Breite desselben einnimmt, gegen das Ende zu sich aber allmälig verschmälert; die Behaarung ist auf den ersten Segmenten zottig, gegen das Ende des Leibes geht sie allmälig in anliegende Beschuppung über. Die Beine sind kurz, ganz in den dichten Zotten der Brust versteckt. Ohne sie loszubrechen, kann ich nur die vorderen genau besehen, deren Schenkel hochcarmoisinroth und deren Schienen schwarz, sehr kurz mit einer starken Kralle am Ende sind, dann die hinteren, deren Schienen bloss Endspornen haben. Die Fühler haben wie bei *maculosa* lange dünne Kammzähne bis zur Spitze; der Schaft ist schmutzig weiss, die Kammzähne sind schwarz. Die Vorderflügel sind schwarzbraun mit schmutzig weissen gitterartigen Striemen. Einer derselben zieht von der Mitte der Basis, wo er blass fleischfarb angeflogen ist, gerade zum Saume und läuft da dicht ober dem Innenwinkel aus, ein anderer hinter ⅓ der Flügellänge vom Vorderrande zur Mitte des Innenrandes ziehender durchkreuzt ihn; in dem dadurch abgeschlossenen Mittelfelde steht am Vorderrande ein schmaler, länglicher, etwas einwärts gebogener Striemen, im Saumfelde ein Zackenstreif, von welchem der erste Zacken am Vorderrande nahe vor der Flügelspitze beginnt und in das obere Drittel des Saumes zieht, der zweite in das obere Drittel des Querstriemens, der dritte in das Ende des Längsstriemens ausläuft. Die Hinterflügel sind schmutzig weiss mit einem unregelmässigen schwarzen Querbande vom Vorderrande über den Zellenschluss bis zu Rippe 2, einem grösseren gleichfärbigen Fleck vor der Flügelspitze, der nicht ganz an den Saum anstosst und zwei kleineren an den Saum anstossenden gegen den Innenrand zu. Alle Fransen und der Innenrand der Vorderflügel sind schmutzig weiss. Unten haben alle Flügel dieselbe Zeichnung wie oben, nur ist das Schwarzbraun matter und der Längsstriemen der Vorderflügel lebhafter fleischfarb, als oben. Die gleich gebildeten und gefärbten Vorderbeine könnten in meinen *clathrata* den Mann zu *Löwi* vermuthen lassen. Dem widersprechen aber die hier hellen, dort schwarzen Fühler *).

---

*) Die Gattungsmerkmale von *Ocnogyna (Trichosoma* B.) sind nicht stichhaltig. Die Kralle der Vorderschienen fehlt bei *zoraida* Rb. (*hemigena* Graslin) und das Weib ist nicht immer verkümmert, wovon mich eine bei Tarsus in Karamanien vorkommende Art, welche mir Herr E. Bellier de la Chavignerie in Paris kürzlich in drei Exemplaren mittheilte und ich nach ihm benenne, überzeugt. Diese hat ein vollkommen geflügeltes Weib, aber auch die Kralle der Vorder- und bloss Endspornen der Hinterschienen.

Arctia Bellieri m. Etwas kleiner als *maculosa*, Vorderflügel mehr gerundet, wie bei *luctuosa*. Der Schmetterling scheint sehr zu variiren, Kopf, Brust, Thorax und Beine sind bei meinem Männchen einfärbig gelbgrau, bei den zwei Weibchen dunkler, braungrau. Der Hinterleib ist anliegend beschuppt, oben beim Manne fleischfarb, beim Weibe schön roth mit einer Reihe schwarzer Flecken über den Rücken und groben schwarzen Puncten in den Seiten, unten schwarz. Die Vorderschenkel sind lebhaft carmoisin mit einer langen starken Kralle am Ende, die Mittel- und Hinterschenkel bleichroth, die Schienen und Füsse mit der Brust gleichgefärbt; die Hinterschienen haben nur Endspornen. Die Fühler haben bei meinem (im Ganzen weit heller gefärbten) Männchen einen hellgelblichen Schaft und zwei Reihen gleich langer regelmässiger Kammzähne bis zur Spitze, beim Weibe sind sie dunkler und haben kurze scharfe Sägezähne. Die Vorderflügel des Männchens sind schmutzig graubraun mit trüb lehmfarbigen Querbändern, welche die Grundfarbe fast ganz verdrängen. An der Basis ist diese Querzeichnung ganz verworren und undeutlich; es lässt sich nur ein Vartiger mit seiner Spitze auswärts gerichteter Zacken von der Farbe des Flügelgrundes, welcher auf den Rippen hell durchschnitten ist und einen dunklen Punct an der Flügelbasis einschliesst, erkennen. Deutlich sind die folgenden zwei Querbänder, von denen das eine mit seiner Innenseite an die Querrippe der Mittelzelle anstösst (in dieser selbst steht nahe vor der Binde ein kleiner lehmgelber Fleck) das andere durch die Mitte des äusseren Flügelraumes zieht. Der Saum und die Fransen sind ebenfalls lehmgelb und diese Farbe macht auf den Rippen splitterartige Flecke nach innen; die braune Grundfarbe der Flügel zwischen beiden Binden erscheint daher als eine Reihe abgesetzter Flecke. Die Hinterflügel sind bleichroth, längs des Innenrandes etwas dunkler, mit einem schwarzgrauen Fleck auf der Querrippe, einem gleichfarbigen Bande dahinter, das am Vorderwinkel beginnt, ununterbrochen bis zu Rippe 2 zieht und nicht mit seiner ganzen Länge an den Saum anstösst, und einem gleichfarbigen Fleck am Innenwinkel. Unten ist dieselbe Zeichnung, wie oben, nur bleicher vorhanden.

Von meinen zwei Weibchen hat das eine kaffehbraune Vorder- und mennigrothe Hinterflügel, das andere graubraune Vorder- und carmoisinrothe Hinterflügel. Von der lichten Zeichnung der Vorderflügel finden sich bei ersterem nur 3 abgerissene Flecke der ersten Querbinde und die zweite Binde, welche ebenfalls viel schmäler und auf den Rippen unterbrochen ist; ferner einige ganz kleine gelbliche Flecken am Saume auf den Rippen. Das zweite Exemplar hat von der äussern Querbinde nur wenige Spuren, dagegen als Ueberreste der Basalzeichnung einen hellen kleinen Fleck ziemlich nahe an

Noctuina.

Simyra Tr.

Dentinosa Freyer. Raupe häufig in grossen Nestern an *Euphorbien*.

Acronycta Tr.

Rumicis L.

Bryophila Tr.

Labecula m. Tafel 2, Figur 10. Männchen. Ich erhielt nur diess eine Stück; es wurde im Sommer, schon etwas geflogen, an einem Felsen gefunden. Grösse, Flügelschnitt und Beschuppung wie bei *lupula*, Fühler mit eben so langen Wimpern. Körper grau, Hinterleib auf dem ersten und zweiten Segmente nur mit schwachen Spuren von Rückenschöpfen, (doch mögen diese abgerieben sein), Palpen aufwärts gekrümmt, etwas vorstehend; Beine kräftig, Schenkel und Schienen längshaarig. Vorderflügel matt graubraun. Zeichnungsanlagen wie bei *lupula*, die beiden Makeln aber fein lichtgrau umzogen, das Mittelfeld mit einem grossen bleichgelben Fleck unter den Makeln, die äussere Wellenlinie heller. Hinterflügel aschgrau, saumwärts dunkler, mit dunklem Mittelpunct und helleren Fransen. Unterseite grau; Vorderflügel mit Andeutung der Makeln, Hinterflügel mit Mittelpunct.

Spintherops B.

Exsiccata m. Tafel 2, Figur 12, Mann. Ich erhielt nur das abgebildete Männchen. Dieses ist ⅓ kleiner als *dilucida* und noch schlanker; die Vorderflügel sind beträchtlich schmäler, als bei dieser Art, sonst aber nebst den Hinterflügeln eben so geformt. Die Zeichnung ist gegen die verwandten Arten etwas fremdartig und erinnert einigermassen an *Charadrina*, wovon aber schon die gleichstarke Rippe 5 der Hinterflügel den Schmetterling entfernt. Körper und Beine grau, sehr lang und schlank, ersterer den Innenwinkel der Hinterflügel überragend und etwas flach gedrückt, letztere sehr spärlich behaart, die Hinterschienen fast doppelt so lang, als die Schenkel mit zwei Paar langen Spornen, der Hinterfuss kaum halb so lang, als die Schiene. Zunge spiral, Palpen aufwärts gekrümmt, das erste und zweite Glied dicht, lang und schneidig beschuppt, das dritte am Scheitel empor ragend, schneidig, die Beschuppung kurz und anliegend. Halskragen und Rücken glatt gestrichen, Hinterleib ohne Schöpfe. Fühler fein, mit

---

der Wurzel und einen grösseren neben ihm, gegen die erste Mittelbinde zu; alle helle Zeichnung ist bei diesem Exemplare schwärzlich umzogen. Die Zeichnung der Hinterflügel stimmt bei beiden Exemplaren mit der des Mannes, doch ist sie hier dunkler. Unten führen alle Flügel dieselbe Zeichnung wie oben, nur sind die Binden der Vorderflügel so lebhaft roth, wie die Hinterflügel und der Flügelgrund ist fast schwarz.

langen, dünnen, weit von einander stehenden Wimpern. Vorderflügel hellgrau mit etwas gelblichem Stich, am Aussenrand dunkler, fast schwarzgrau, die in diesem dunklen Grunde stehende lichte Wellenlinie undeutlich, verwaschen, in ihrer Mitte etwas nach aussen vorspringend. Basal- und Mittellinien, so wie der Mittelschatten fehlen gänzlich und es findet sich an Zeichnung nur die sehr kleine, licht holzgelbe, dunkler gekernte runde Makel und die weit von ihr entfernte ebenfalls sehr kleine Nierenmakel, welche weiss ist und innen an Ober- und Unterseite einen schwarzen Punct trägt; ferner ein feiner ästiger schwarzer Längsstrich unter den Makeln, welcher von der Basis bis zur Gegend der runden Makel reicht und schwarze Ausfüllung zwischen beiden Makeln. Die Hinterflügel sind weissgrau mit einem breiten schwarzgrauen, nach innen verwaschenen und vor dem Innenrande verlöschenden Randbande, dunkler bezeichneten Rippen und Zellenschlusse. Unten sind alle Flügel weiss mit breitem schwarzen, nicht ganz zum Innenrande reichenden Randbande und hellgrauen Fransen; die vorderen noch mit zwei schwarzen Puncten auf den Enden der Querrippe, die hinteren nur mit einem, auf dem oberen Ende derselben.

Triphaena Tr.

Pronuba L. und Var. *innuba* Hb.

Agrotis Tr.

Puta Hb.
Trux Hb.
Suffusa S. V.

Hadena Tr.

Chenopodii S. V.

Scriptura Freyer. Ein verkrüppeltes Stück entwickelte sich bei mir aus einer mitgebrachten Puppe im Jänner.

Retina Freyer. Die Raupe vom November bis zum Februar unter Steinen. Sie ist röthlichbraun mit einem schwachen Absatz auf dem letzten Gelenke. Das Rückenschiff ist breit aschgrau, beiderseits schwarz eingefasst. Auf dem ersten Gelenke stehen zwei grosse schwarze Puncte neben einander, auf dem zweiten zwei kleinere; von ihnen laufen die beiden Rückenlinien aus; und auf dem vorletzten und letzten Segmente sind diese ebenfalls punctartig verdickt. Die Raupe nährt sich von verschiedenen niederen Pflanzen und liefert den Schmetterling 4 Wochen nach der Verpuppung.

Phlogophora Tr.

Meticulosa L.

Charadrina Tr.

Exigua Hb. Ziemlich viele Exemplare erhalten.

Latebrosa m. Tafel 2, Figur 11, Weibchen. Mit *exigua* verwandt. Vorderflügel aber kürzer und breiter, ungefähr wie bei *morpheus*, Hinterleib ebenfalls mit einem horizontalen Schuppenkamm auf dem ersten Segmente. Stirne glatt beschuppt, Thorax glatt gestrichen, Palpen aufwärts und etwas vorstehend, mit kurzem stumpfen Endgliede. Zunge spiral, Fühler beim Manne mit schwach vortretenden Ecken und langen dünnen Wimpern, beim Weibe kurz bewimpert. Zeichnung in beiden Geschlechtern gleich. Thorax und Vorderflügel erdbraun, mehr oder weniger ins Graue ziehend, glanzlos; die halbe Querlinie an der Wurzel kaum angedeutet, die beiden Mittellinien deutlich und doppelt, innen dunkler als aussen, wie bei *exigua* angelegt. Beide Makeln heller als der Grund, fein schwärzlich umzogen, wie bei *exigua* geformt; die Nierenmakel ist dunkler gekernt, die Zapfenmakel fehlt. Der Mittelschatten ist kaum angedeutet. Die lichte Wellenlinie ist weit verloschener, als bei *exigua* und hat an ihrer Innenseite zuweilen einige dunkle Pfeilstriche. Alle Linien und der Mittelschatten entspringen aus dunklen Vorderrandflecken und zwei lichte Puncte stehen noch am Vorderrande zwischen der äusseren Mittel- und lichten Wellenlinie. Die Hinterflügel sind nebst den Fransen schneeweiss mit feiner dunkler Saumlinie. Unten sind die Vorderflügel aschgrau, die hintern weiss, am Vorderrande grau bestäubt, zeichnungslos. Die Raupen wurden zugleich mit denen von *retina* gefunden, aber nicht näher beachtet. Ich erhielt nur 8 Schmetterlinge. Die Flügelform unterscheidet *latebrosa* leicht von *exigua*, die langen Wimpern der männlichen Fühler und der Schuppenkamm des Hinterleibes von den übrigen *Charadrinen*.

Cerastis Tr.

Mansueta H.-Sch. Nur zwei Stücke.

Cleophana B.

Antirrhini Hb. So licht blaugrau gefärbt, wie *linariae*, alle Zeichnung viel schärfer als gewöhnlich.

Cucullia Tr.

Chamomillae S. V. nebst Var. *calendulae* Tr. und *chrysanthemi* Hb.

Plusia Tr.

Chalsytis Hb. Raupe im Herbst auf Salbey, Schmetterling schon im Februar.

Gamma L.

Circumflexa L. (*graphica* H.-Sch.)

Ni Hb.

Heliothis Tr.

Peltigera S. V. Darunter auch zwei Stücke der Var. *nubigera* H.-Sch.

Armigera Hb.

Acontia Tr.

Urania Freyer. Nur ein schlechtes Stück.

Catocala Schk.

Hymenaea S. V.

Separata Freyer. Circa 20 Stücke im Juli in gelegten dürren Eichbüschen gefangen. Der Schmetterling ist vielleicht doch nur eine düster gefärbte Varietät von *disjuncta*.

Eutychea Tr. Ein Pärchen an Eichstämmen.

Nymphagoga Hb. Mehrere sehr grosse Exemplare zugleich mit *separata* gefangen.

Ophiusa Tr.

Tirrhaea Fab. Ein Stück an einem Johannisbrotbaum sitzend gefunden.

Illunaris Hb.

Algira L.

Geometrica Fab.

Stolida Fab.

Zethes Rb.

Insularis Rb. (*Natlyi* Freyer.) In Mehrzahl im Mai und Juni an trockenen Berglehnen; kleiner, viel dunkler und schärfer gezeichnet, als gewöhnlich.

Thalpochares m.

Ostrina Hb. mit ihren Varietäten.

Parva Hb.

Phoenissa m. Tafel 2, Figur 13, Männchen. Grösse und Flügelschnitt von *parva*. Kopf, Thorax und Hinterleib gelblichweiss. Vorderflügel in zwei Querfelder getheilt. Das innere ist etwas kleiner, als das äussere, bleich strohgelb, am Ende in schräger Richtung nach innen gerade abgeschnitten und daselbst olivgrün begrenzt, welche Farbe in das Gelb sanft vertrieben ist. Das äussere ist violett-rosa; die Flügelspitze ist durch einen bräunlichen, innen verloschenen Schrägwisch getheilt; ober dem Innenwinkel und zwar nahe vor dem Saume steht noch ein mehr oder weniger deutlicher, gelblicher, aussen braun beschatteter länglicher Fleck. Die Fransen sind gelb. Die Hinterflügel sind lichtgrau, nach aussen etwas dunkler, mit helleren Fransen. Die Unterseite ist einfärbig grau, ohne Zeichnung; die Vorderflügel sind nach aussen etwas dunkler, als die hinteren. Es wurden nur wenige Stücke im Sommer an trockenen Berglehnen gefangen.

Psilogramma m. Tafel 2, Figur 14, Weibchen. Mit *polygramma* verwandt, aber etwas grösser, fast wie *glarea*. Körpertheile wie bei allen verwandten Arten geformt, Kopf, Rücken, Hinterleib und Vorderflügel kreidigweiss, glanzlos. Die Zeichnung der letzteren besteht in zwei verloschenen schwarzen Puncten, welche die Makeln vertreten und wie bei *polygramma* gestellt sind und drei zarten olivbraunen, beiderseits heller begrenzten vom Vorderrande schräg nach aussen gewendeten, sodann winklich gebrocheuen schräg einwärts ziehenden Linien. Die innere derselben zieht über den ersten schwarzen Punct und ist sehr verloschen; die äusseren zwei sind am schärfsten, ziehen ziemlich weit hinter dem ersten Punct, parallel und sehr nahe an einander; hinter ihnen wird der Raum bis zum Saume dunkler, mehr bläulichgrau; von der Flügelspitze zieht ein heller Wisch in den Winkel der äussern Querlinien, vor ihm steht ein schwärzlicher, punctartiger Fleck, am Vorderrande drei licht olivbraune Strichelchen und parallel mit dem Saume, gegen den Innenwinkel zu noch eine weissgraue verloschene Linie. Die Saumlinie ist matt olivbraun. Die Fransen sind breit, der Länge nach getheilt, zur inneren Hälfte olivfarb, einwärts heller verwaschen, zur äussern lichtgrau, von einer hellen Längslinie durchschnitten. Die Hinterflügel sind sammt den Fransen hellgrau und haben gegen den Innenwinkel zu Spuren der Fortsetzung der Linien der Vorderflügel. Unten sind alle Flügel bräunlichgrau, zeichnungslos. Ich erhielt nur diess eine Stück.

Hypena Tr.

Revolutalis Zeller. (*Lepidoptera microptera, quae J. A. Wahlberg in Caffrorum terra collegit, Stockholm* 1852, pag. 10.) Tafel 3, Figur 1, Männchen. Nur wenige Stücke; meist verflogen. Herr Professor Zeller erhielt nur das Männchen vom Cap; das Weibchen ist wie das von *antiqualis* gebildet.

Obsitalis Hb.
Lividalis Hb.

Herminia Tr.

Crinalis Tr.

Rivula Guen.

Sericealis S. V.

Geometroidae.

Phorodesma B.

Neriaria H.-Sch. Nur ein Männchen.

Eucrostis Hb.

Indigenata de Villers.
Beryllaria Mann.

Nemoria Hb.

Cloraria Hb.

Acidalia Tr.

Scutulata S. V.
Camparia H.-Sch.

Reversata Tr.

Politata Hb.

Filicata Hb.

Aridata Z.

Rufillaria H.-Sch.

Inclinata m. Tafel 3, Figur 2, Männchen. Der Schmetterling gehört in meine Unterabtheilung A *b* 2 ⊛, deren Arten Rippe 6 und 7 der Hinterflügel gestielt, im männlichen Geschlechte ungespornte verkümmerte Hinterbeine und lang und dünn gewimperte Fühler haben. Etwas kleiner, als *muricata* Hufnagel (*auroraria* S. V.), Flügelschnitt wie bei dieser Art. Körper schmutzig braungelb, Palpen ungemein kurz und schwach, nur bis zur Stirn reichend, Zunge spiral. Beine anliegend beschuppt, die hinteren beim Manne sehr kurz, ihr Fuss etwa halb so lang als die Schiene, beim Weibe wenig kürzer, als die mittleren, mit Endspornen und vollkommenem Fusse. Fühler beim Manne mit abgesetzten Gliedern und langen, dünn gestellten Wimpern. Vorderflügel schmutzig braungelb. Die Zeichnung besteht in etwas dunkleren Querlinien und hat in ihrer Anlage (den rothen Vorderrand abgerechnet) einige Aehnlichkeit mit *osseata*, nur ist sie viel unbestimmter und verflossener. Die am schärfsten gezeichneten Stücke haben die beiden Mittellinien deutlich, doch nicht scharf, ein kleines Feld an der Wurzel (sehr verloschen) und das von der lichten Wellenlinie durchzogene Saumfeld dunkler braungelb; dieses ist deutlicher als bei *osseata*, schmäler und innen schärfer begrenzt, als aussen. Das Mittelfeld hat meist, doch nicht immer einen schwärzlichen Mittelpunct auf der Querrippe, worüber ein breiter, bräunlicher Mittelschatten läuft; hinter diesem ist der Raum bis zur äussern Mittellinie stets viel heller, als die übrige Flügelfläche. Die Hinterflügel haben vom Mittelschatten bis zum Saume die Fortsetzung her Vorderflügelzeichnung, sie ist aber nur am Innenrande deutlich, nach vorne verloschen. Die Fransen sind breit, ganzrandig, mit der Flügelfarbe gleich; die Saumlinie ist nur wenig dunkler. Unten sind die Flügel gelbbraun; saumwärts haben sie die Zeichnung der Oberseite angedeutet. Das Weib ist gewöhnlich etwas schärfer gezeichnet, als der Mann. Es wurden circa 20 Stücke gesammelt.

Turbidaria Hb.

Immutata L.

Coenosaria m. Tafel 3, Figur 3, Männchen. Hat nach Herrich-Schäffer's Abbildung einige Aehnlichkeit mit der mir unbekannten *luridata* Zeller (aus Rhodus), Herr Professor Zeller bestätigte mir aber die Verschiedenheit meiner Art. Noch näher steht ihr in Zeichnung und zum Theil auch Färbung *falsaria* H.-Sch. Figur 464*) (463 dürfte eine

*) In meiner Spanner-Classification ist *falsaria* durch einen Druckfehler mit *luridata* Zeller zusammengeklammert, während sie als eigene Art aufgeführt sein soll.

dunkle Varietät von *confinaria* sein, wie ich sie seither auch aus Tirol erhielt, wenn nicht etwa die Bildung der Hinterbeine differirt), die ich aus Andalusien brachte. Von diesen hat aber das Weibchen — das Männchen kenne ich nicht — bloss Endspornen der Hinterbeine, *coenosaria* aber im weiblichen Geschlechte Mittel- und Endspornen, im männlichen, kurze ungespornte Hinterbeine. Grösse ⅓ unter *immutata*; von den fünf Exemplaren die ich besitze, sind zwei etwas ansehnlicher, als das abgebildete. Körper, Beine und Fühler schmutziggelb, Zunge spiral, Palpen aufwärts gebogen, anliegend beschuppt, etwas über die Stirne vorstehend, Stirne schwarzbraun; Hinterbeine beim Manne kurz, Schienen ungespornt, mit einem weisslichen bis zur Mitte des ersten Tarsengliedes reichenden Haarpinsel an der Innenseite, Fuss fast so lang, als die Schiene; beim Weibe mit Mittel- und Endspornen. Fühler beim Manne mit sehr schwach vortretenden Ecken und langen, dünn gestellten Wimpern, beim Weibe nackt. Die Grundfarbe der Flügel ist ein mattes, staubiges, mit feinen schwärzlichen Atomen bestreutes Ockergelb. Die Vorderflügel haben die beiden Mittellinien und den Mittelschatten deutlich, bei sehr reinen und lebhaft gezeichneten Exemplaren zimmtroth gefärbt; bei matt gezeichneten oder geflogenen Stücken fehlt dieser zimmtrothe Anflug und die Zeichnung erscheint dadurch mehr graubraun. Alle Zeichnung entspringt aus dickeren, etwas schärfer marquirten Vorderrandsflecken und besteht nicht aus scharfen Linien, sondern ist nur aus angehäuften Atomen gebildet. Beide Mittellinien sind am Vorderrande nach aussen gewendet, ziehen aber dann parallel mit dem Saume; die äussere besteht zum grössten Theil aus schwachen, auswärts gekehrten und auf den Rippen etwas dunkler marquirten Halbmonden. Der Mittelpunct ist ein wenig dunkler, als die Querlinien, matt und unbestimmt (nur bei einem Exemplare

---

Ich nehme hier noch Veranlassung zu berichten, dass hinter *lotaria*:

o *Tempestaria* H.-Sch.

o { *Ablutaria* B. H.-Sch. 382—83.
Ruficinctaria Guenée in lit.
Muscosaria Led. in lit. }

o { *V. probaria* Mann in lit.
Salicaria H.-Sch. 529. }

hinter *tristaria*:

{ *Brulleata* Dup.
Decrepitata Behemann. }

hinter *consignata*:

Irriguata Hb.

einzuschalten, bei *ambustata*, *gesticularia* und *cognata* die o zu streichen ist, *serotinaria* und *tibialata* dagegen als österreichisch ein o zu erhalten haben, zu *punctata* als Synonym: *Nemoraria* Freyer 605, zu *sparsata*: *melanoparia* Graslin (Annalen 1848) gehört, statt *holosericata*: *holosericearia*, statt *fulginaria*: *fuliginaria*, statt *effractiaria*: *effractaria*, statt *tritinearia*: *trilinearia* zu lesen ist und das Geäder meiner Figur 22 aus Versehen pag. 69 bei *Phasiane* statt pag. 70 bei *Eubolia* citirt wurde.

etwas deutlicher). Der Mittelschatten steht bei allen meinen Stücken der inneren Mittellinie viel näher, als der äusseren, während er bei den verwandten Arten mitten zwischen beiden zieht; er entspringt gerade ober dem Punct, zieht um denselben aussen herum und setzt sich unter ihm zum Innenrande fort; zuweilen fehlen die wenigen dunklen Atome, welche diesen Bug bilden und dann scheint der Schatten (wie bei dem abgebildeten Exemplare) gerade über den Punct zu laufen. Die lichte Wellenlinie ist ganz unbestimmt, nur an ihrer Innenseite durch einige dunklere Wolkenflecke (wie bei *immutata)* begrenzt, nach aussen aber ganz verwaschen. Die Hinterflügel (auf welchen Rippe 6 und 7 aus einem Punct entspringt) haben deutlichen schwärzlichen Mittelpunct, vor ihm ziehenden starken Mittelschatten, Fortsetzung der äusseren Mittellinie, die hier ebenfalls auf den Rippen schärfer marquirt ist und die lichte, an ihrer Innenseite dunkler gewölkte Wellenlinie. Die Saumlinie besteht auf allen Flügeln aus abgesetzten groben schwärzlichen Strichen; die Fransen sind mit der Flügelfläche gleichfarbig. Die Unterseite ist gelblichgrau, zeichnungslos.

Flaccidaria Z.

Imitaria Hb.

Zonosoma m.

Pupillaria Hb.

Pellonia Dnp.

Calabra Petagna. Var. *tabidaria* Zeller.

Macaria Curtis.

Aestimaria Hb.

Nychiodes m.

Lividaria Hb. Glanzloser und ⅓ kleiner, als die französischen.

Synopsia Hb.

Deliciosaria m. Tafel 3, Figur 4, Männchen. Diese Art bildet mit der in diesen Schriften beschriebenen sibirischen *phaeoleucaria* eine eigene Unterabtheilung, deren Arten nur Endspornen der Hinterbeine haben; die Zeichnung ist etwas fremdartig, doch weisen das Geäder, die fast fehlende Zunge und der Mangel eines kahlen Fleckens an der Basis der männlichen Vorderflügel dem Schmetterlinge hier seinen Platz an. Ich erhielt nur ein Pärchen. Das Männchen ist um ⅓, das Weibchen ¼ kleiner, als gewöhnliche männliche Exemplare von *sociaria*; die Flügelform ist dieselbe bis auf die Spitze der Vorderflügel, welche hier scharf, dort etwas gerundet ist. Das Weibchen ist durch den Mangel der Haftborste ausgezeichnet, das Männchen besitzt sie. Körper weiss, Thorax stark behaart, hinten mit getheiltem Schöpfchen, weiss und braun gemischt. Stirne anliegend beschuppt, Palpen sehr schwach und kurz, kaum bis zur Stirn reichend, Zunge ganz verkümmert; Beine anliegend beschuppt, Hinterschienen dünn und schwach, in beiden Geschlechtern bloss mit Endspornen. Fühler weisslich bestäubt, beim Manne mit langen regelmässig gestellten und abwärts stehenden Kammzähnen, bis zur Spitze, beim Weibe ebenfalls gekämmt, die Kämme nur wenig kürzer. Flügel schneeweiss. Vorderflügel mit kaffehbraunem schmalen, durch eine grobe schwarzbraune Linie eingesäumten Wurzelfelde, das vom Vorderrande schräg nach aussen zieht und zwischen Rippe 2 und 1 und auf 1 selbst scharfe Zacken nach aussen macht. Die äussere Mittellinie ist ungemein weit saumwärts gestellt, doppelt angelegt und sehr scharf. Sie zieht zur oberen Hälfte parallel mit dem Saume, krümmt sich dann einwärts und biegt sich vor ihrem Ende wieder nach aussen, dem Innenwinkel zu. Nahe an ihr, am Vorder- und Innenrande an sie anstossend, zieht der Mittelschatten; er ist mattbraun verwaschen, nur in der Gegend des Zellenschlusses schärfer marquirt; sonst hat das Mittelfeld keine Zeichnung. Das Saumfeld ist schmal, weiss; die äussere Mittellinie ist hier am Vorderrande durch einen bräunlichen Wisch, am Innenwinkel durch einen tiefbraunen, auf den Rippen nach aussen vortretendem Schatten begrenzt; ein verloschener schmutzigbrauner Streif zieht noch vor dem Saume. Die Innenrandsrippe und die aus der Mittelzelle entspringenden Rippen sind weiss, von feinen bräunlichen Schuppen umgeben, besonders beim Weibe, wodurch sie verdickt und erhaben erscheinen. Die Hinterflügel sind schneeweiss mit schwachem Mittelpunct und einer feinen dunkelbraunen Linie mitten zwischen ihm und dem Saume, welche sich innen mehr dem Innenwinkel zuwendet und daselbst schärfer marquirt ist. Die Saumlinie aller Flügel ist schwarzbraun, zusammenhängend; die Fransen sind auf den Vorderflügeln hell und dunkelbraun, auf den hinteren weiss und schmutzigbraun gescheckt. Unten sind die Flügel weiss; die vorderen längs des Vorderrandes grau, mit matter Andeutung der äussern Mittellinie und der dahinter stehenden Zeichnung, die hintern wie oben gezeichnet, nur matter.

Gnophos Tr.

Stevenaria B.

Sartata Tr.

Poggearia m. Tafel 2, Figur 5, Männchen. Grösse und Flügelform von *obscurata*, Fransen der Vorderflügel aber vollkommen ganzrandig, die der Hinterflügel äusserst seicht wellenrandig. Körper und Beine anliegend beschuppt, Stirne vertical, Palpen nur wenig darüber vorstehend, (wie bei *obscurata*). Zunge spiral, Fühler borstenförmig, beim Manne dick mit ungemein kurzen dichten Wimpern, Hinterschienen ⅓ länger als ihre Schenkel, hinter der Mitte am dicksten, mit Mittel- und Endspornen; Fuss kürzer als die Schiene. Flügel sammt den Fransen glanzlos staubgrau, am Aussenrande etwas dunkler, die ganze Fläche mit feinen schwärzlichen Atomen bestreut. Alle Flügel mit schwachem Mittelpunct, dahinter ziehendem schwachem, am Vorderrande etwas schärfer marquirtem Mittelschatten und den beiden Mittellinien. Diese sind weit von einander entfernt; die innere ist bogenförmig, nahe an der Basis und wenig deutlich; die äussere zieht ungefähr in der Mitte zwischen Mittelpunct und Saum, besteht aus abgesetzten groben bräunlichschwarzen Strichen, macht auf den Vorderflügeln am Anfange einen schwachen Vorsprung nach aussen, und zieht dann parallel mit dem Saume; auf den hinteren ist in der Mitte ihre Entfernung vom Saume etwas grösser, als am Vorder- und Innenrande; sonst findet sich keine Zeichnung. Die Unterseite ist dunkler, die schwarzen Atome sind gröber und mehr gehäuft, die äussere Mittellinie ist bloss auf den Rippen angedeutet, die Mittelpuncte sind schwach. Das Weibchen hat dieselbe Grösse und Flügelform, Mittelpunct und Querlinien sind aber ganz matt und verloschen. Auch beim Männchen ist die Zeichnung nicht immer so scharf, wie bei dem abgebildeten Exemplare und verschwinden die Querlinien auf Ober- und Unterseite zuweilen gänzlich. Zwölf Männchen, ein Weibchen gesammelt.

Selidosema Hb.

Plumaria S. V. Grundfarbe viel bleicher, als bei den hiesigen; alle Randzeichnung nach innen scharf abgegrenzt und daselbst dunkler beschattet.

Eubolia B.

Pumicaria m. Tafel 3, Figur 6, Mann. Ich erhielt nur 3 Männchen, das Weibchen kenne ich nicht. Etwas kleiner als *murinaria*, derselbe Flügelschnitt und dieselbe Rippenbildung, das Männchen ebenfalls mit einem kahlen Grübchen unten an der Vorderflügelbasis. Körper grau, Palpen in Kopfeslänge vorstehend, hängend, Zunge spiral, Stirne anliegend beschuppt, Fühler etwas lichter grau, als der Körper, länger als bei *murinaria*, mit langen, dünnen, vorwärts gestellten Kammzähnen, bis zu ¾ ihrer Länge und nackter Spitze; Beine dünn, anliegend beschuppt, die Hinterschienen mit 2 Paar Spornen, das Mittelpaar hinter ⅔ der Schienenlänge; der Hinterfuss halb so lang, als die Schiene. Die Flügel sind staubig grau mit feinen, schmutzigbraunen Atomen bestreut. Die vorderen haben schwachen Mittelpunct, gerade darüber ziehenden schwachen, aus gehäuften bräunlichen Atomen bestehenden Mittelschatten, die beiden Mittellinien, jede gleichweit vom Mittelschatten entfernt und ungefähr wie bei *murinaria* angelegt, die äussere aber nicht so gerade, sondern mehr aus abgesetzten groben Strichen bestehend. Die hinteren haben schwache Mittelpuncte und Fortsetzung der äusseren Mittellinie. Die Saumlinie aller Flügel besteht aus groben punctartigen Strichen; die Fransen sind ganzrandig, mit dem Flügelgrunde gleichfärbig. Die Unterseite zieht mehr ins Lehmgelbe, ist mit schmutzigbraunen Atomen bedeckt, hat schwachen Mittelpunct und dunklere Saumstriche.

Perviaria m. Tafel 3, Figur 7, Männchen. Nur das eine Stück erhalten. Im Bau der Körpertheile und Flügelform ganz mit voriger Art übereinstimmend, die Fühler eben so lang, mit eben so geformten Kammzähnen und nackter Spitze, die Hinterbeine nur mit dickeren Schienen und kürzerem

Fusse. Thorax grau, Stirn, Palpen und Hinterleib lehmgelb, Fühler weiss und schwarzgrau beschuppt. Flügel aschgrau. Von den beiden Mittellinien der Vorderflügel ist die innere ganz verloschen, die äussere gerade, bräunlich, innen scharf durch ein schmutzigweisses bis zum Mittelschatten reichendes Band begrenzt. Mittelschatten breit, braungrau, an seiner Innenseite in die Grundfarbe verwaschen, an der äusseren mit einigen dunkleren Schuppen in dem weissen Bande. Mittelfleck nur schwach angedeutet. Saumfeld wie bei *murinaria*, mit verwaschenen dunkler wolkigen Stellen an der Aussenseite der Mittellinie und ganz undeutlichen Spuren einer lichten Wellenlinie. Saumlinie schwarz, punctirt; Vorderrand hell und dunkel gesprenkelt; Fransen grau, ganzrandig. Die Hinterflügel haben — die erste Querlinie ausgenommen — dieselbe Zeichnung wie die vorderen, im Saumfelde, ungefähr bei der Mitte des Aussenrandes und gleichweit von ihm und der äusseren Mittellinie entfernt, einen schmutzig weissen verloschenen runden Wisch, zusammenhängende Saumlinie und gelblichweisse ganzrandige Fransen. Die Unterseite führt dieselbe Zeichnung, wie oben, nur matter und auf mehr bräunlichem Grunde und es haben hier auch die Vorderflügel einen lichten Wisch an derselben Stelle, wie die hinteren.

Aplasta H.-Sch.

Ononaria Fuessly. Sehr kleine Exemplare.

Sterrha H.-Sch.

Sacraria L.

Ortholitha Hb.

Cervinata S. V.

Cidaria Tr.

Ablutaria B.

Schneideraria m. Tafel 3, Figur 8, Männchen. Ueber 30 Stücke in Gesellschaft von *ablutaria* im April und Mai an schattigen Felsen am Hundsflusse gefangen. Etwas kleiner als *tophaceata*, dieselbe Flügelform; in Zeichnung dieser Art — die verschiedene Färbung abgerechnet — sehr ähnlich, den gekämmten Fühlern zufolge aber mehr mit *ablutaria* und *Podevinaria* verwandt. Palpen schwach, wenig über die Stirn vorstehend, hangend. Fühler beim Manne mit ziemlich langen, etwas vorwärts gestellten Kammzähnen, an der Spitze bloss sägezähnig, beim Weibe mit kurzen Sägezähnen; Beine dünn, anliegend beschuppt, die hinteren mit 2 Paar Spornen. Zeichnung der Vorderflügel genau wie bei *tophaceata*, der Flügelgrund aber bräunlich ockergelb, die Mittelbinde und sonstigen dunklen Stellen staubig kohlengrau, die Fransen schmutzig weiss und grau gescheckt. Hinterflügel ebenfalls wie bei *tophaceata*, das lichte Querband aber auf dunklerem Grunde und dadurch mehr hervorgehoben, mehr oder weniger deutlich ockergelb angeflogen, die Fransen sehr undeutlich gescheckt. Unterseite mit schwachem Mittelpuncte, bis zur äusseren Mittellinie aschgrau, dahinter dieselbe Zeichnung, wie oben, aber lichter und matter.

Fluviata Hb.

Cerussaria m. Tafel 3, Figur 9, Weibchen. Es wurde nur ein Paar gefunden. Grösse und Flügelschnitt von *albulata*. Palpen hängend, fast nicht über die Stirne vorstehend, Zunge spiral, Beine glatt beschuppt, die hintern mit 2 Paar Spornen, Fühler beim Manne sehr dicht und kurz bewimpert; Hinterleib weiss mit feinen schwarzen Puncten auf der Mitte der Oberseite. Flügel zart seidenartig beschuppt, gelblichweiss, die vorderen am Vorderrande bräunlichgelb (dieselbe Farbe zieht sich auch über den Rücken fort) mit mehreren olivbraunen Strichelchen, aus welchen vier Querlinien entspringen und sehr kleinem olivbraunen Wurzelfelde. Die Querlinien sind paarweise genähert und so gestellt, dass im Mittelraume der Flügel ein etwas breiteres weisses Feld bleibt, als vor und hinter ihnen. Sie bestehen aus schwachen undeutlichen Bogen, die auf den Rippen durch schwärzliche Puncte aufgeblinkt sind und die äussere Linie des zweiten Paares ist schwächer als die innere (beim Männchen ist sie sehr matt und auch die zweite Linie des inneren Paares nicht so scharf, wie bei dem abgebildeten Weibchen). Auf den Hinterflügeln setzen sich beide Paare fort, aber viel schwächer und sind da nur am Innenrande deutlich, nach vorne verloschen. Mittelpuncte und Saumlinie fehlen; die Fransen sind breit, ganzrandig, mit dem Flügelgrunde gleich gefärbt. Unten haben alle Flügel schwache Mittelpuncte, die vorderen hinter demselben bis zum Saume die Zeichnung der Oberseite, aber matter und auf aschgrauem Grunde.

Permixtaria H.-Sch. Grosse Exemplare.

Eupithecia Curtis.

Pumilata Hb.

Centaureata S. V.

Pyralidoidae.

Aglossa Lat.

Pinguinalis L. Zwei Exemplare, durch licht lehmgelbe Grundfarbe ausgezeichnet.

Asopia Tr.

Farinalis L.

Subustalis m. Tafel 3, Figur 10. Nur ein Männchen. Um dem einzelnen Stücke kein eigenes Genus bilden zu müssen, führe ich es bei *Asopia* auf, es unterscheidet sich aber davon durch die deutlichen Ocellen; von der Gattung *Pyralis* (im Herrich-Schäffer'schen Sinne) entfernen es die verschiedenen Palpen und die Flügelform, von *Botys* die Rippenbildung der Hinterflügel; (es bildet nemlich wie bei *Asopia* Rippe 7 den Vorderrand der Mittelzelle und 8 zieht ober ihr, fast auf ihr aufliegend, frei aus der

Wurzel, während bei *Botys* 8 aus 7 entspringt*). Grösse von *rubidalis*, Flügel ein klein wenig schmäler, die Spitze der vorderen etwas mehr vorgezogen. Körper thongelb, Stirne anliegend beschuppt, Palpen horizontal, cylindrisch mit wenig abstehender Beschuppung und kurzem, stumpfen Endgliede kaum in Kopfeslänge vorstehend; Nebenpalpen etwa bis zu ihrer halben Länge reichend, ebenfalls horizontal, sehr dünn und schwach, Zunge spiral, Beine anliegend beschuppt, von gewöhnlichen Dimensionen (nämlich nicht auffallend verlängert oder verdünnt), Fühler borstenförmig mit sehr feinen und nicht gar dicht gestellten Wimpern, die etwas länger, als der Durchmesser des Schafts. Ocellen in einiger Entfernung hinter der Fühlerbasis, gerade ober dem senkrechten Durchmesser des Auges. Die Flügel sind glanzlos und haben die Farbe gebrannten Thones; sie sind mit feinen rothbraunen Atomen bestreut, besonders an den Aussenrändern, und erhalten dadurch eine zimmtartige Färbung; alle Fransen sind ganzrandig, brandbraun, mit einzeln eingemengten grauen Schuppen. Die Vorderflügel haben zwei bleiche, an ihrer Innenseite schmal und schwach bräunlich beschattete Querlinien, die innere im ersten Drittel der Flügellänge sehr schwach auswärts gebogen, die äussere hinter dem zweiten Drittel, fast parallel mit dem Saume, nur am Vorderrande etwas weiter davon entfernt. Das Mittelfeld ist nicht dunkler, als die Grundfarbe, mit einem bräunlichen Punct auf der Querrippe und tief chocoladebraun gestricheltem Vorderrande. Die Hinterflügel sind zeichnungslos, nur — wie schon erwähnt — gegen den Rand zu dunkler. Die Unterseite ist etwas lebhafter gefärbt, als die obere und mit groben röthlichen Atomen bestreut, die gegen den Innenrand zu spärlicher werden. Die Vorderflügel haben einen undeutlichen Mittelfleck und die äussere Querlinie, die sich auch über die Hinterflügel bleich fortsetzt, dunkler gestrichelten Vorderrand von der Basis bis zur genannten Querlinie (oben blos zwischen beiden Mittellinien) und dunkelbraune Fransen.

---

*) Herrich-Schäffer theilt die nach Lostrennung von *Herminia*, *Hypena*, *Hercyna* Abtheilung A (*Nola* Leach = *Roeselia* H.-Sch.) *Helia calvarialis* und *Rivula sericealis* verbleibenden Treitschke'schen *Pyraliden* in zwei Zünfte: *Pyraliden* (Genus *Aglossa*, *Hypsopygia*, *Hypotia*, *Asopia* und *Pyralis*) mit frei aus der Wurzel entspringende Rippe 8 der Hinterflügel und *Crambiden* alle übrigen *Pyraliden*-Gattungen, ferner alle *Phycideen*, die Arten des Genus *Chilo*, *Scirpophaga*, *Crambus*, *Eudorea* und die Gallerien, bei welchen Rippe 7 den Vorderrand der Mittelzelle bildet, sich bis zum Saume fortsetzt und Rippe 8 erst vor diesem aus 7 entspringt (mit 8 auf einem Stiele steht). Dieser Character scheint constant zu bleiben (zur Errichtung einer eigenen Zunft scheint er mir aber nicht genügend); Herrich-Schäffer gibt aber bei *Scirpophaga* — die er doch zu seinen *Crambiden* zählt, auf pag. 6 und 52 „frei aus der Wurzel entspringende Rippe 8 der Hinterflügel" an, was seiner angeführten Eintheilung eben so gerade widerspricht, wie der Wirklichkeit, denn 7 und 8 sind verbunden, und 8 entspringt erst nahe vor dem Saume aus 7.

Pyralis L.

Netricalis Hb.

Crambites H.-Sch.

Hercyna Tr.

Floralis Hb.

Botys Tr.

Punicealis S. V.

Purpuralis L. Das Gelb reichlicher, das Roth blässer, als bei den hiesigen Exemplaren.

Cruentalis Hb. Zuträge (*Bourjotalis* Dup.) Sehr häufig.

Unionalis Hb.

Ruficostalis m. Tafel 3, Figur 4, Mann. Etwas kleiner als *hyalinalis*, derselbe Habitus und Flügelschnitt, dieselbe Bildung der Körpertheile. Bleich beingelb. Vorderflügel mit blass ziegelrothem Streif am Vorderrande, der sich auch über den Halskragen und einen Theil des Rückens fortsetzt und hinter der Mitte der Flügellänge verlischt. Zeichnungsanlage wie bei *hyalinalis*, aber viel bleicher. Vorderflügel mit einem kleinen makelartigen Fleck auf der Querrippe und einen punctartigen vor ihm in der Mittelzelle; beide kleiner, bleicher und näher an einander stehend, als bei *hyalinalis*, von zwei bleichgrauen Querlinien eingefasst, von denen die innere wie bei *hyalinalis* zieht, die äussere aber am Vorder- und Innenrande gleich weit vom Saume entfernt ist und in der Mitte einen starken Bogen nach aussen macht (bei *hyalinalis* beginnt sie am Vorderrande bei ²/₃ der Flügellänge, ist im obern Drittel ihrer Länge auswärts gebogen, und zieht dann zur Mitte des Innenrandes). Hinterflügel mit einem bleichgrauen Fleck auf der Querrippe und einer gleichfärbigen geschwungenen, wie bei *hyalinalis* angelegten Querlinie dahinter. Saum aller Flügel bleichgrau, nach innen verwaschen, Fransen ganzrandig, mit der Grundfarbe gleich. Die Unterseite ist beingelb, zeichnungslos; nur die Zeichnung der Oberseite schimmert matt durch. Ich erhielt nur wenige Stücke.

Aurantiacalis F. R.

Polygonalis Hb. In Menge gefangen und gezogen. Raupe auf *Spartium*.

Sanguinalis L.

Ferrugalis Hb.

Pentadalis m. Tafel 3, Figur 13, Weib. Der *Argillacealis* Zeller am nächsten, die Vorderflügel aber länger und schmäler und ohne Querlinien. Grösse von *Argillacealis*. Körper schlank, anliegend beschuppt; Beine von den gewöhnlichen Dimensionen. Ocellen vorhanden. Zunge spiral, Kopf flach, Palpen fast in doppelter Länge darüber vorstehend, horizontal, unten abstehend beschuppt; Nebenpalpen bis zu ihrer halben Länge reichend und auf sie aufliegend. Fühler von halber Vorderrandslänge, borstenförmig, ziemlich dick, beim Manne mit sekr-kurzen dichten Wimpern. Thorax nach vorne verlängert, sehr flach, so dass der Halskragen fast horizontal darauf aufliegt; seine Beschuppun glatt gestrichen. Hinterleib etwas flach gedrückt, in beiden Geschlechtern spitz zulaufend, den Innenwinkel der Hinterflügel wenig überragend. Vorderflügel mehr als zweimal so lang, als breit mit fast rechtwinkeliger Spitze und gegen den Innenwinkel zu bauchig ausgeschwungenem Saume; Hinterflügel am Vorderrande ¼ länger als am Innenrande, mit stumpfeckigem Vorder- und stark gerundetem Innenwinkel und von der Spitze bis zur Mitte des Flügels eingezogenem Saume. Die Vorderflügel sind glanzlos aschgrau. Zwei dunkle Stellen in der Mittelzelle, die eine hinter der Mitte derselben, die andere auf dem Zellenschlusse, deuten die beiden Makeln an; sie sind ohne alle deutliche Begrenzung und von der äusseren zieht ein verloschener dunkler grauer Schattenstreif zum Innenrande. Die aus der Mittelzelle entspringenden Rippen sind schwarz beschuppt und der Grund um sie ist etwas heller grau, als die Flügelfläche; die Zeichnung erscheint daher strahlenartig hervorgehoben, was um so mehr vortritt, als auch die Rippen ungewöhnlich stark in die Flügelfläche einschneiden und diese daher saumwärts faltig wird. Der Flügelgrund ist nahe vor dem Aussenrande dunkler grau; diese dunkle Farbe ist einwärts verwaschen, und reicht aussen nicht ganz bis an den Saum, sondern es bleibt zwischen diesem und der Saumlinie ein schmaler etwas hellerer Rand. Der Vorderrand hat eine schmale weissgraue Kante; zwischen der Mitte und der Spitze des Flügels stehen auf ihm in gleicher Entfernung fünf sammtschwarze Fleckchen, von denen das innerste nicht immer deutlich vorhanden. Die Saumlinie ist schwärzlich. Die Fransen sind breit, ganzrandig, zur inneren Hälfte aschgrau, zur äusseren bräunlich, von den Rippen heller durchschnitten. Die Hinterflügel sind lichtgrau, am Rande etwas dunkler, mit helleren, weissgrauen breiten Fransen. Unten sind alle Flügel weissgrau; die vorderen mit den fünf schwarzen Vorderrandstrichelchen, Spur der äusseren Makel, des Querstreifs und der Randzeichnung; die hinteren mit dunklerer Saumlinie und einem aus gehäuften groben Atomen gebildeten verwischten schwärzlichen Fleck am Vorderrande; er steht an der Stelle, wo Rippe 8 aus 7 entspringt. Der Bauch ist weissgrau mit zwei einen schwärzlichen Längslinien über die Mitte. Es wurden über 20 Stücke gesammelt.

Interpunctalis Hb.

Pustulalis Hb.

Rupicapralis m. Tafel 2, Figur 12, Weib. Ein Männchen und zwei Weibchen gesammelt. Grösse und Flügelschnitt von *praetextalis*. Palpen anliegend beschuppt, horizontal in Kopfeslänge vorstehend, Nebenpalpen darauf anliegend, bis zur halben Palpenlänge reichend. Beine anliegend beschuppt; Fühler borstenförmig, beim Manne mit sehr kurzen dichten Wimpern. Die Vorderflügel sind sehr dicht beschuppt, wenig glänzend, staubig ockergelb, gegen den Saum zu allmälig zu einem matten Graubraun verdunkelt, von welchem die schmutzigweissen Fransen eigenthümlich abstechen. Zwei bleichgraue matte Querlinien ziehen über das mittlere Flügeldrittel; beide sind bald nach ihrem Ursprunge ein klein wenig saumwärts geschwungen, sonst gerade; auf der Querrippe steht ein verloschener grauer Strich. Die Hinterflügel sind etwas bleicher als die vorderen, am Saume mehr aschgrau, haben ganz matte verloschene Fortsetzung der äusseren Querlinie der Vorderflügel und weissgraue Fransen. Unten sind die Vorderflügel bleich ockergelb, die hinteren weiss, am Saume grau, alle mit Mittelpuncten und der äusseren Bogenlinie. Die Zeichnung ist hier schärfer, als oben; die Fransen sind trüb weiss.

Ebulea Guen.

Catalaunalis Dup. Ziemlich viele Exemplare. *Assez courtes*, wie Herr Guenée *(Suites à Buffon tom. 8, pag. 332)* sagt, kann ich die Fühler nicht finden, denn sie reichen fast bis zur Flügelspitze. Die übrigen in seiner Gattung *Ebulea* vereinigten Arten als *crocealis*, *fimbriatalis*, *rubricalis*, *rubiginalis*, *verbascalis* und *stachydalis* haben wohl sehr wenig Verwandtschaft mit *catalaunalis*.

Cynaeda Hb.

Dentalis S. V.

Stenopteryx Guen.

Hybridalis Hb.

Stenia Guen.

Suppandalis Hb.
Carnealis Tr.
Punctalis S. V.
Brugieralis Dup.

Duponchelia Z.

Fovealis Z.

Nymphula Hb.

Undalis Goetze.
Potamogalis Tr.

Thyridialis m. Tafel 4, Figur 3, Weib. Nur in dem einzelnen Exemplare erbeutet. Ein Drittel kleiner als *nivealis*; Körper und Beine nicht so lang, wie bei den übrigen *Nymphulen*, mehr wie bei *Botys*, den aufgebogenen Palpen nach aber hierher gehörig, Körper graubraun; Hinterleib den Afterwinkel nur wenig überragend, mit helleren Hinterrändern der Segmente. Palpen sichelförmig aufsteigend. Endglied anliegend beschuppt und spitz, Zunge spiral, Beine gelblich, anliegend beschuppt, nicht unverhältnissmässig lang, die hinteren mit 2 Paar Spornen, ihr Fuss nicht ganz so lang, als die Schiene. Fühler von gewöhnlicher Länge, borstenförmig. Die Flügel sind goldbraun, diese Farbe ist aber durch dunkler braune Atome stellenweise ganz verdeckt. Zwei weisse Querlinien ziehen über das mittlere Drittel der Vorderflügel, eine weniger deutliche nahe an der Basis. Die beiden Mittellinien sind am Vorder- und Innenrand fleckenartig erweitert. Die innere ist schwach auswärts gebogen: die äussere macht wie bei *nivealis* einen fast halbkreisförmigen Bogen vom Vorderrande zur Flügelmitte, einen minder starken von da zur Mitte des Innenrandes; jeder Bogen schliesst eine runde weisse Makel ein und zwei kleine weisse Fleckchen stehen noch parallel neben der oberen Makel in der Mittelzelle. Am Saume läuft ein lichtgoldbraunes gleichbreites schmales Band; dasselbe ist an seiner Innenseite durch eine dunkelbraune Linie begrenzt, diese einwärts wieder durch weisse, nicht ganz zusammenhängende Striche aufgeblinkt. Auf den Hinterflügeln setzen sich alle drei Querlinien und das Saumband fort; von den zwei grossen weissen Makeln ist aber nur die obere deutlich, die untere bis auf wenige Spuren verschwunden. Die Fransen sind breit, ganzrandig und eigenthümlich bezeichnet; sie sind durch eine Längslinie getheilt; ihre innere Seite ist schwarzbraun, ihre äussere hellgrau mit weissen Schuppen gemengt; das Spitzchen der Vorderflügel und ein mit der oberen runden Makel parallel gestellter Wisch der Vorder- und Hinterflügel sind rein weiss. Die Unterseite ist eben so bezeichnet, wie die obere, nur ist hier Alles matter gefärbt.

Zinckenia Z.

Recurvalis Fab.

Ancylomia H.-Sch.

Pectinatella Z.
Tentaculella Hb.

Crambus Fab.

Tersellus m. Tafel 4, Figur 6, Mann. Nur diess Eine Exemplar erhalten. Grösse und Habitus von *inquinatellus*. Palpen und Nebenpalpen wie bei dieser Art, die Fühlerglieder aber unten in scharfen Vierecken vortretend, jedes Viereck mit feinen ziemlich langen Wimpern. Vorderflügel lichtaschgrau, Vorderrand und Rippen mehr gelblich, ausser schwarzen Puncten auf dem Saume und Spuren einer durch schwärzliche Atome gebildeten Querlinie, welche den Raum zwischen der Querrippe und dem Saume durchziehen und parallel mit letzterem stehen, ohne Zeichnung. Fransen ebenfalls grau, glanzlos. Hinterflügel sammt den Fransen weissgrau, nur am Vorderwinkel und Aussenrande dunkler angeflogen. Die Unterseite ist aschgrau; die Hinterflügel sind zur inneren Hälfte und auf den Fransen weissgrau.

Desertellus m. Tafel 4, Figur 7, Mann. Grösse und Flügelschnitt des Mannes von *festivellus* Herrich-Schäffer, die Spitze der Vorderflügel aber mehr vortretend, das Weib noch mehr gespitzt und so schmalflüglich, wie der Mann von *poliellus*. Die Palpen und Fühler sind wie bei allen verwandten Arten gebildet. Die Vorderflügel sind gewöhnlich schmutzig aschgrau mit sehr feinen dunkleren Atomen bestreut, doch variiren sie auch in gelblichgrau (besonders beim Weibe) oder weissgrau und sind die dunkleren Atome zuweilen sehr spärlich vorhanden. Die Zeichnung besteht aus einer aus zwei grobstrichigen bräunlichschwarzen Querlinien gebildeten Mittelbinde, welche am Vorderrande sehr verloschen ist und im ersten Drittel der Flügellänge einen spitzen Winkel nach aussen macht; beide Linien sind weiter von einander entfernt, als bei *fascelinellus* und an ihrer Innenseite durch gehäufte dunklere Atome verdickt. Die Saumlinie ist schwarz punctirt. Die Fransen sind einfärbig grau glanzlos. Die äussere Linie verlischt oft bis auf wenige Spuren. Die Hinterflügel sind aschgrau, haben einen verloschenen dunkleren Bogenstreif vor dem Aussenrande, helleren Discus und hellere Fransen. Die Unterseite ist einfärbig aschgrau mit feiner dunklerer Saumlinie; die Vorderflügel sind an der Spitze und längs des Saumes, die hinteren an der Innenseite etwas heller. Das Weib hat viel schmälere Vorderflügel mit längerer und schärferer Spitze und ist blässer und matter gezeichnet. Es wurde diese Art in Mehrzahl, aber meist in verflogenen Exemplaren gefangen.

Inquinatellus S. V. Bleicher als die hiesigen; die Vorderflügel viel reiner strohgelb, die dunklen Atome und die Querlinien des Männchens sehr spärlich oder ganz fehlend.

Cassentiniellus Z.

Eromene Hb.

Cyrilli Costa.

Vinculella Z.

Anapiella Z.

Eudorea Curtis.

Ingratella Z.

Ancrastia Z.

Venosa Z. Nur wenige Stücke.

Ichorella m. Tafel 3. Figur 8, Männchen. Halb so gross, als *punctella*, derselbe Flügelschnitt. Trüb strohgelb. Stirn einen stumpfen Kegel bildend, Zunge schwach, Beine anliegend beschuppt, die Hinterschienen ziemlich stark mit zwei Paar Spornen. Palpen dicht beschuppt, in mehr als doppelter Kopfeslänge vorstehend, mit zugespitztem Endgliede; Nebenpalpen kaum bis zum Stirnkegel reichend, schwach, fadenförmig. Fühler zurück gebogen mit sehr kurzen dichten Wimpern. Ocellen scheinen zu fehlen, doch kann ich die betreffende Stelle nicht genau untersuchen, da die Fühler darauf aufliegen. Vorderflügel glanzlos, zur oberen Hälfte matt strohgelb, zur unteren (vom Innenrande der Mittelzelle an, bis zum Innenrande des Flügels) blass fleischfarb, die Fransen durchaus strohgelb. Hinterflügel (ohne Rippe 5) sammt den Fransen einfärbig gelblichgrau. Unterseite gelblichgrau, die Vorderflügel mit schmaler lichterer Kante. Ich erhielt nur diess Eine Stück.

Somnia H.-Sch.

Punctella Tr.

Ephestia Guenée.

Oblitella Z.

Homoeosoma Curtis.

Binaevella Hb.

Myelois Z.

Cirrigerella Zk.

Biflexella m. Tafel 4, Figur 10, Weibchen. Ich erhielt nur diess eine Exemplar; ob die Art bei *Myelois* richtig steht, muss erst die Entdeckung des Männchens zeigen. Grösse und Flügelschnitt von *Pempelia subornatella*. Körper und Beine anliegend beschuppt, Hinterschienen mit zwei Paar anliegenden Spornen, Stirne nur sehr wenig blasig erhaben, Palpen weit darüber hinauf stehend, sichelförmig, das erste und zweite Glied dicht, das dritte fein und anliegend beschuppt, dieses kurz und stumpf zugespitzt. Nebenpalpen kann ich keine auffinden. Ocellen klein, Zunge stark, Fühler borstenförmig; Hinterleib mit kurzem, etwas vorstehenden Legestachel. Vorderflügel sammt den Fransen licht graubraun, Vorderrand und zwei dicke Querlinien weisslichgelb. Von letzteren zieht die erste im inneren Drittel des Flügels, ist schräge nach aussen gerichtet und beiderseits ganz matt begrenzt; die äussere steht verhältnissmässig nahe am Saume (etwa im äusseren Fünftel des Flügels) macht vom Vorderrande zur Mitte der Flügelbreite einen spitzen Zahn, von da einen schwachen Bogen zum Innenrande und ist an ihrer Innenseite etwas dunkler beschattet. Mittelzeichen sind keine vorhanden. Die Hinterflügel (ohne Rippe 5) sind licht aschgrau, die Fransen ebenfalls, letztere haben aber an ihrer Innenseite eine schmale dunkel bleifarbe Theilungslinie, welche wie eine dicke Saumlinie aussieht. Die Unterseite ist einfärbig weissgrau.

Convexella m. Tafel 4, Figur 9. Ebenfalls nur ein Weibchen. Grösse und Flügelschnitt der vorigen Art. Zunge spiral, Palpen sichelförmig. Nebenpalpen sehr kurz, fadenförmig, Stirne nicht kegelartig vorspringend, Fühler borstenförmig. Vorderflügel semmelfarb, am Vorderrande heller, mehr weisslichgelb. Eine auswärts gebogene Linie läuft schräg von ⅓ des Vorder- zur Mitte des Innenrandes; sie ist an ihrer Innenseite scharf dunkelbraun begrenzt und das Braun ist wurzelwärts in die Grundfarbe vertrieben, an ihrer Aussenseite verwaschen hellgelb. Auf der Querrippe steht eine hellgelbe, unten schwarz gekernte Makel und nahe vor dem Saume zieht eine hellgelbe beiderseits undeutlich begrenzte Querlinie; an der Flügelspitze und längs des Saumes stehen schwärzlichgraue Schuppen, im Wurzelfelde befindet sich eine hellere gelbe Stelle. Die Querlinien und sonstigen heller gelben Stellen sind matt glänzend, die übrige Fläche aber ist glanzlos, die Zeichnung sieht daher wie erhaben aus. Die Hinterflügel sind hell gelbgrau, ihre Fransen gleichfärbig, die der Vorderflügel lichtgrau. Die Unterseite ist einfärbig gelblich weiss.

Ancylosis Z.

Rhodochrella H.-Sch.

Nephopteryx Z.

Poteriella Z.

Pempelia Z.

Carnella L.

Tortricina.

Earias H.-Sch. *).

Siliquana H.-Sch Nur wenige Stücke auf dem Libanon gefangen.

Coccyx Tr.

Scabidulana m. Tafel 4, Figur 3. Ein Weibchen. Doppelt so gross, als *zephyrana*, wie ein mittleres *Buoliana* Weib, auch derselbe Flügelschnitt, die Rippen der Hinterflügel aber wie bei *zephyrana*, eben so die Bildung der Körpertheile. Kopf und Rücken sind licht rostbraun, der Hinterleib ist grau. Die Vorderflügel sind glanzlos strohgelb mit licht rostbraunen Atomen bestreut, welche zu zwei zerfaserten Querbinden derart zusammenfliessen, dass der Flügel in fünf ziemlich gleiche Felder getheilt wird; über das zweite und vierte Feld ziehen die rostbraunen Bänder und ihre Fasern laufen in die gelben Felder aus. Die ganze Flügelfläche ist mit metallglänzenden Schüppchen und Querstrichelchen bestreut; in den rostbraunen Feldern ist diese Metallfarbe auffallend dick aufgetragen und dunkel bleigrau, in den übrigen Feldern schwächer und licht silberfarb. Auf den Fransen und längs des Aussenrandes sind die Flügel einfärbig strohgelb. Die Hinterflügel sind dunkelgrau; ihre Fransen lichter, durch eine schmale helle Längslinie getheilt. Die Unterseite ist dunkelgrau mit helleren Fransen und lichter

---

*) Ich zähle diese Gattung bei den *Tortriciden* auf, da man sie gewöhnlich bei diesen aufführt; sie ist aber wohl richtiger mit den *Lithosiden* und *Chelonides* in eine Zunft zu vereinigen.

gestricheltem Vorderrande der Vorderflügel. Guenée führt in seinem Microlepidopteren-Cataloge (Paris 1845) pag. 63 zwei mir unbekannte neue mit *zephyrana* verwandte Arten auf: *Maritimana* aus der Gegend von Vannes im westlichen Frankreich und *virginiana* aus Chateâudun Die erstere soll spitzere Vorderflügel mit gescheckten Fransen und weissgefranste Hinterflügel haben, die zweite soll noch kleiner als *zephyrana* sein und ganz weisse Hinterflügel besitzen; beide sollen überdiess noch bleicher als *zephyrana* sein, meine *scabidulana* kann also nicht zu ihnen gehören. *Margarotana* Dup. kenne ich nur nach Herrich-Schäffer's Abbildung und Beschreibung, soll aber ebenfalls gescheckte Fransen haben. *Zephyrana* ist viel kleiner, licht schwefelgelb mit grünlichgrauer Zeichnung und die Metallfarbe ist durchaus gleichfärbig, matt und gleich dick aufgetragen.

Cochylis Tr.

Tischerana Tr.
Smeathmanniana Fab.

Phtheochroa Steph.

Gloriosana H.-Sch. Das Weiss reichlicher als bei den ungarischen Exemplaren; die Hinterflügel lichter grau.

Retinia Guenée.

Thurificana m. Tafel 2, Figur 4, Weib. Auf Cypern und bei Beirut in ziemlicher Menge erbeutet. Der *Buoliana* sehr nahe; Rippen, Fühler, Palpen und Beine wie bei dieser Art. Die auf Cypern gesammelten Exemplare kaum so gross als *resinana*, die Beiruter grösser, besonders die Weibchen, aber alle kleiner, als *Buoliana*. Die Zeichnung der Vorderflügel ist der von *Buoliana* sehr ähnlich, nur finde ich das Gelb und Rothbraun hier schärfer geschieden (bei *Buoliana* in einander verwaschen) ersteres viel heller, beingelb, letzteres dunkler, besonders am Vorderrande, der daher schärfer gestrichelt erscheint, und im Mittelraume, wo es schärfer abstehende wolkige Flecke bildet. Die metallglänzenden Querbänder sind breiter, nicht so bleifarb, sondern weisslichgelb, nur im Mittelraume des Flügels mit wenigem matt bleifarben Schimmer. Längs des Aussenrandes sind die Flügel heller als im Mittelraume (bei meinen Exemplaren von *Buoliana* reicht die rothbraune Farbe bis zur Saumlinie, was aber vielleicht variiren kann), die Fransen sind mit der Saumlinie gleichfarbig, beingelb. Die Hinterflügel sind beim Manne gelblichweiss oder nur wenig ins Graue ziehend, beim Weibe lichtgrau, ihre Fransen viel heller, denen der Vorderflügel gleichfarbig; die bei *Buoliana* vorhandene dunkelgraue Theilungslinie fehlt hier und auch der Saum ist meist etwas heller gerandet, wodurch die Flügel ein viel breitfransigeres Aussehen erhalten, als bei *Buoliana*. Unten sind die Flügel gelblichgrau mit helleren Fransen und roth angeflogenen Vorderrändern; die vorderen haben einige hellere Strichelchen gegen die Spitze zu. Der Schmetterling unterscheidet sich in der Natur leichter von *Buoliana*, als diess mit Worten zu geben ist, ich halte es aber doch nicht für ganz unmöglich, dass er nur eine südliche Abänderung von *Buoliana* sein könne, da ich auch hier schon hellere (in Grösse aber nicht verschiedene) Varietäten dieser Art bei Mödling fand. Der englischen *pinicolana* Doubleday (non Herrich-Schäffer) steht *thurificana* ebenfalls nahe; *pinicolana* hat aber spitzere Vorderflügel, das Rothbraun ist so dunkel, wie die dunkelsten Stellen bei *thurificana*, auf der ganzen Flügelfläche bis zum Saume gleichmässig vertheilt, nur am Innenrande etwas heller, die Hinterflügel haben eine graue Theilungslinie und der Thorax ist bei dieser Art rothbraun, bei *thurificana* nebst dem Kopfe bleichgelb.

Grapholitha Tr.

Effusana m. Tafel 4, Figur 5, Männchen. Ich erhielt nur 5 Stücke. Nahe an *gallicolana*, dieselbe Grösse und gleicher Flügelschnitt, nur ist der Saum auf Vorder- und Hinterflügeln unter der Spitze etwas stärker eingebogen. Die Grundfarbe der Vorderflügel ist ein sammtartiges Schwarzbraun. Auf der Mitte des Innenrandes sitzt wie bei *gallicolana* ein grosser unregelmässiger weisser Fleck auf; er ist eben so breit, aber höher, als bei dieser Art (höher als breit) und von einer oder zwei schwärzlichen Queradern durchzogen, welche am Innenrande deutlich sind und nach oben verlöschen. Am Vorderrande stehen gewöhnlich 5 Paar weisse Häkchen. Das erste Paar ist aber zuweilen sehr verloschen, die übrigen manchmal nur einfach (nämlich statt je einem Paare nur ein einzelnes Häkchen) vorhanden. Alle setzen sich in violett-bleifarben strichartigen Linien fort. Die erste stösst auf den weissen Fleck auf; die zweite beschreibt hinter demselben einen Bogen und läuft nahe vor dem Innenwinkel aus, die dritte bildet nur ein kurzes Strichelchen, die vierte und fünfte stossen in eine Linie zusammen und setzen sich längs des Saumes bis zum Innenwinkel fort; an ihrer Aussenseite befindet sich an der Stelle, wo der Saum einen Einbug macht, ein aus lichteren Schüppchen gebildeter Wisch. Die hinter dem weissen Flecke und die am Saume ziehende Bleilinie schliessen drei ungefähr im mittleren Drittel der Flügelbreite über einander stehende sammtschwarze längliche Puncte ein und ober diesen ziehen sich manchmal noch spärliche schwarze Schüppchen bis zum dritten Häkchenpaare fort. Die Fransen sind braungrau. Die Hinterflügel sind schwärzlichbraungrau, an der Basis zuweilen etwas heller und haben lichtere von einer dunklen Theilungslinie durchzogene Fransen. Die Unterseite ist schwarzgrau; die Vorderrandstrichelchen der Vorderflügel sind hier matt und gelblich, die Hinterflügel zuweilen gegen die Spitze zu auch etwas heller gestrichelt; sonst findet sich keine Zeichnung.

Tineina.

Atychia Lat. *).

Nana Tr. Tafel 4, Figur 11, Weibchen. Im Juni an dürren Stellen im Grase fliegend gefunden. Unter ungefähr 30 Männchen erhielt ich auch zwei Weibchen. Diese haben borstenförmige Fühler, zugespitzten Hinterleib

*) Fortgesetzte Untersuchungen haben mich überzeugt, dass Herr Herrich-Schäffer Recht hat, die Gattungen *Atychia* und *Typhonia* zu den *Tineen* zu ziehen, denn so viel Eigenthümliches jede dieser Gattungen auch hat, so bleibt doch nicht ein einziges Merkmal, das sich nicht auch bei den *Tineen* fände. Herrn Herrich-Schäffer möchte ich übrigens in Antwort auf seine nebenbei gesagt in einem solchen Tone abgefasste Anmerkung (bei *Atychia*-dass ich mich gerne bescheiden will, einen „verschiedenen Standpunct" ein-) zunehmen, darauf aufmerksam machen, dass er selbst die *Typhonien* zu den *Bombyciden* zählte, denn er hat sie auf Tafel 15 und 20 mitten unter *Euprepien* und *Psychen* abgebildet und die Tafeln tragen die Ueberschrift: *Bombycides*; auch ihn haben also erst spätere Un ersuchungen der *Tineen* zum Auffinden der richtigen Stelle geleitet.

Es ist mir nie eingefallen, eine schnurgerade Reihenfolge der Arten herstellen zu wollen, oder eine solche überhaupt für möglich zu halten; ich bitte Herrn Herrich-Schäffer die Worte möglichst natürliche Reihenfolge in meinem Aufsatze zu beachten und dann weniger schnell abzusprechen. Legt übrigens Herr Herrich-Schäffer wirklich so ganz wenig Gewicht auf die Reihenfolge, dass er sogar (*Nycteolides* pag. 443) so weit geht zu sagen: „da ich mich hier, wie schon oft geschehen, gegen die Unmöglichkeit einer Reihenfolge der Familien in gerader Linie aussprechen muss, so (also darum?) ist es auch einerlei (?), wo ich diese Familie einschalte" (er hätte sie also eben so gut unter die Tagfalter setzen können, consequenter wäre es aber gewesen, sie — da sie kein positives Merkmal bieten — mit seinen *Lithosiden* und *Chelonıden* in einer Zunft zu vereinigen), so muss ihm doch jede andere Reihenfolge eben so gleichgiltig sein, wie seine eigene und ihm nicht ausser dieser Alles für „Unsinn" gelten.

Herrn Herrich-Schäffer beliebt es, mich inconsequent zu nennen. Er sagt: „Wie inconsequent übrigens hier verfahren ist, beweisen Herrn Lederer's eigene Worte: Den gemeinhin unter dem Namen *Sphingiden* begriffenen Arten kommen in der Mehrzahl keulen- oder spindelförmige Fühler zu; diese müssen also beisammen bleiben. — Eine Ausnahme in der Fühlerform machen die *Syntomiden*, *Heterogyniden*, einige *Sesien* und *Procriden* diese bieten aber im Uebrigen Merkmale genug, die über ihre Stellung bei [illegible] *Sphingiden* keinen Zweifel lassen. — Hätte es Herr Lederer doch der [illegible] werth gefunden, diese Merkmale anzugeben, ich würde der [illegible] dafür Dank sagt. So lange er diess nicht gethan hat, kann [illegible] dass die von seinen ersten Sammlerjahren her ihm [illegible] dem Wesen der sogenannten *Sphingiden* ihm zur [illegible] wie schwer solche Ideen zu widerlegen sind, [illegible]

und schwärzlichgraue Flügel; auf der vorderen stehen sich auf der Oberseite bei ⅔ der Flügellänge zwei weisse Tropfen gegenüber, der eine am Vorder-, der andere am Innenrande.

Die „fixe Idee" muss ich Herrn Herrich-Schäffer anheim geben, denn ich kann in meinen Worten keine Inconsequenz finden; wenn z. B. *Paranthrena* andere Fühler hat, als die übrigen *Sesien*, und einige *Procriden* in der Fühlerform ebenfalls von den übrigen *Zygaeniden* abweichen, so wird doch Herr Herrich-Schäffer nicht in Abrede stellen wollen, dass die betreffenden Thiere noch Merkmale genug haben, die über ihre Stellung keinen Zweifel lassen.

Freilich finden sich bei Herrn Herrich-Schäffer andere Consequenzen. Nicht aus Gehässigkeit, sondern nur damit Herr Herrich-Schäffer nicht ferner von „nicht bewiesenen Vorwürfen" spreche, erlaube ich mir einige — denn zu allen haben diese Schriften keinen Raum — aus dem zweiten und dritten Bande anzuführen. Vorerst über die Classification:

Das Fehlen der Anhangzelle der Vorderflügel wird pag. 425 zur Gründung der Unterzunft der *Agleniden* benutzt, bei den *Leptosiden*, die nebenbei gesagt, so definirt werden „Mittelkleine bis kleine Eulen, von ziemlich schlankem Körperbau, mit gleich gezeichneten Vorder- und Hinterflügeln, erstere gewöhnlich ohne die Eulenmakel" hat es nicht einmal generische Bedeutung, denn es werden da in der Gattung *Melia* (pag. 430) *calvarialis* (mit Anhangzelle und Ocellen) *proboscidata* (ohne Anhangzelle und ohne Ocellen) *velox*, *Dardouini*, *glarea* und *phlomidis* — letztere ist nur Synonym von *glarea* und nicht eigene Art — (ohne Anhangzelle und mit Ocellen) zusammengestellt.

Bei den *Metoponiden*, nach pag. 386 „durch den ganz eigenthümlichen horizontal vorstehenden Stirnfortsatz ausgezeichnet" lesen wir bei der Gattung *Segetia* „Stirn gerundet". Das ist sie auch in der That, wie stimmt aber diess mit dem Merkmahle der Zunft zusammen?

Bei den *Hadeniden* „deren Thorax und Hinterleib durch Haarschöpfe ausgezeichnet", begegnen wir nicht nur mehreren Arten, deren Hinterleib keine Schöpfe hat, z. B. *scriptura* (ihre Nächstverwandte: *australis* steht bei den *Xyliniden*, *Luneburgensis*, eine Varietät von *lutulenta* bei den *Orthosiden*, während die Stammart bei den *Hadeniden* aufgeführt wird) sondern sogar die auf Thorax und Hinterleib ganz glattschuppige (nicht behaarte) *Noctua signalis*.

Wie genau die Beschreibungen und Citate behandelt sind, davon folgende Beispiele:

Noct. nervosa hat nach pag. 179 „fadenförmige" Kammzähne der Fühler, ein Paar Zeilen darunter „gekeulte".

Bei *Leuc. hesperica* (pag. 237) finden wir zwei Beschreibungen nach einander; jede gehört zu einer andern schon an den Fühlern verschiedener Art.

Bei *Triph. Chardinyi* finden wir auf pag. 327 die Fühler beschrieben, auf pag. 328 lesen wir „*Chardinyi* habe ich hinsichtlich der Gattungsmerkmale nicht vergleichen können", ein Paar Zeilen darunter wird diese Art aber doch beschrieben. (Sie ist übrigens verschieden von der Boisduval'schen Species und von Guenée *luperinoides* genannt).

Nematois Z.

Istrianellus H.-Sch. Anfangs Mai in Weizenfeldern auf *Scabiosen*-Blüthen zahlreich gefangen.

Hapsifera Z.?

Parcella m. Tafel 4, Figur 12, Männchen. Ich erhielt nur Ein Männchen und zwei Weibchen; von denen ich eines abschuppte. Ich führe diese Art einstweilen bei *Hapsifera* auf, womit sie mir die meiste Uebereinstimmung zu haben scheint und beschränke mich darauf, die Körpertheile und Rippenbildung genau zu beschreiben; jedenfalls gehört sie dem buschig behaarten Kopfe, der fehlenden Zunge und den getheilten Zellen nach eher in die Nähe von *Euplocamus* und bildet da wahrscheinlich eine eigene Gattung, als zu *Hypsolophus*, mit welcher Gattung der Schmetterling einige oberflächliche Aehnlichkeit zeigt. Mein Männchen ist etwas kleiner, als *Hypsol. marginellus*, mein Weibchen etwas grösser; im Habitus und Flügelschnitt ähnelt *parcella* dieser Art, die dichte mehlige Beschuppung, die länglich eiförmigen Hinterflügel und ihre Fransen etc. stimmen aber besser

---

Auf pag. 344 wird *florigera* Ev. ganz richtig zu *recussa* Hb. gezogen, auf pag. 346 steht sie als eigene Art aufgeführt.

Auf pag. 436 kennt Herr Herrich-Schäffer *pusilla* Ev. nicht, einige Zeilen darunter beschreibt er sie, zieht dazu ganz richtig als Synonym *concinnula* B., führt aber auf pag. 437 *concinnula* B. als eigene Art auf und citirt dazu seine Figur 266, die eine *parallela* darstellt.

Auf pag. 440 begegnen wir einer *dalmatina* Lederer (ich benannte einst *minuta* Treitschke so, da sie nicht die Hübner'sche Art ist, Guenée hat aber die Verschiedenheit schon früher bemerkt und den Namen *viridula* vorgeschlagen) zu welcher ganz irrig und ohne Angabe eines Grundes *elychrisi* Rambur als Synonym gezogen wird; gleich darunter finden wir *elychrisi* Rb. als eigene Art aufgeführt.

Wie gewissenhaft über das Vaterland berichtet wird, davon überzeugen wir uns bei *Cossus paradoxa*, die in der ersten Zeile „aus Smyrna", in der letzten „wahrscheinlich aus Kleinasien" ist, oder bei *Acidalia inustaria*, wornach „das einzige Exemplar aus Italien", in den nächsten Zeilen aber „von Mann bei Baden nächst Wien" gefangen ist.

Wahrlich Herr Herrich-Schäffer bleibt sich consequent und solche Consequenzen mögen sogar ihren Nutzen haben, da sie den blinden Glauben an Autorengewissenhaftigkeit benehmen und zu eigener Prüfung antreiben; sehr verwahren aber muss ich mich, darin „gleichen Weg" mit Herrn Herrich-Schäffer zu gehen.

Zum Schlusse erlaube ich mir nur noch die Frage, ob diess eine Arbeit „nach welcher jede Art erkannt und in die ihr gebührende Gattung, (wie es mit der Begründung der Gattungen aussieht, davon geben die *Noctuen* auf jeder Seite Zeugniss) und Familie verwiesen werden kann?"

mit *Euplocamus* überein. Die Färbung ist ein lichtes Lehmgelb (ungefähr wie bei *Hypsol. binotatellus* Die Vorderflügel haben als Zeichnung nur grobe schwarze Atome längs den Rippen und am Saume; im ersten und zweiten Drittel der Flügellänge stehen sie etwas mehr gehäuft und erscheinen daher an diesen Stellen als grobmehlige Puncte. Aufgeworfene Schuppen (wie bei *luridella*) sind nicht vorhanden. Die Hinterflügel und die Unterseite ziehen mehr ins Graue und sind zeichnungslos. Der Kopf ist etwas buschig behaart. Die Palpen stehen weit vor; das erste und zweite Glied sind dicht behaart und die Behaarung bildet nach vorne einen langen, spitzen und hangenden Bart, das dritte ist anliegend beschuppt und steigt als langer dünner Stachel gerade auf. Zunge und Ocellen fehlen. Die Fühler sind gut von halber Vorderrandslänge, borstenförmig, beim Manne mit sehr kurzen dichten Wimpern; die Beine anliegend beschuppt, nur die Hinterschienen schwach längshaarig; ihre Spornen sind lang. Der Hinterleib ist beim Weibe zugespitzt und hat einen kurzen, etwas vorstehenden Legestachel. Die Mittelzelle der Vorderflügel ist durch Rippe 2 derart getheilt, dass der untere Theil um ⅓ schmäler, als der obere ist. Die Theilungsrippe ist so stark, als die übrigen Rippen, die Innenrandsrippe der Mittelzelle aber schwächer und nach innen zu unbestimmt; die Querrippe macht einen Bogen nach aussen und aus ihr ziehen in gleicher Entfernung von einander Rippe 3 — 7; Rippe 2 ist Fortsetzung des Innenrandes der Mittelzelle, 8 entspringt aus derem Vorderrande, beide in derselben Distanz wie 3 und 7, 9 und 10 ebenfalls aus dem Vorderrande, erstere im zweiten, letztere im ersten Drittel desselben, 11 ist die Vorderrandsrippe. Die Hinterflügel haben eine durch Rippe 5 in zwei ziemlich gleiche Hälften getheilte Mittelzelle. Rippe 2 entspringt aus ¾ ihres Innenrandes, 6 ist die Fortsetzung ihres Vorderrandes, 7 ist ein ganz kurzer, erst dicht vor der Flügelspitze aus 6 entspringender Ast, 2, 3 und 4 entspringen gesondert in gleicher Entfernung, 5 ist etwas näher an 4, als an 6, 8 frei. Die Querrippe macht von 6 zu 5 einen einwärts gekehrten Bogen, dessen unteres Ende doppelt mehr saumwärts reicht, als das obere, zwischen 5 und 3 ist sie derart nach aussen winklich gebrochen, dass der Winkel auf Rippe 4 zu stehen kommt.

Hypsolophus Fab.

Striatellus S. V.

Anchinia Z.

Sparella m. Tafel 5, Figur 1, Männchen. Ich erhielt nur 6 männliche Exemplare, das Weibchen kenne ich nicht. Grösse von *aristella*, Spitze der Vorderflügel aber mehr lanzettförmig vorgezogen, die übrige Flügelform wie bei dieser Art; in Zeichnung mehr mit *pyropella* verwandt, in Bildung der Palpen aber von allen gelbflügeligen *Anchinien* verschieden und darin mehr mit *criella* und *labiosella* übereinstimmend. Kopf und Palpen sind kanariengelb, längs des Vorderrandes etwas dunkler schattirt, auf den Rippen etwas lichter, die Hinterflügel dunkelaschgrau mit lichteren, bräunlichgrauen Fransen. Unten sind die Flügel aschgrau, ihre Ränder und Fransen gelblichgrau. Die Zunge ist spiral, die Fühler sind borstenförmig, fein bewimpert, die Palpen ¼ so lang als der Hinterleib, etwas divergirend und horizontal vorstehend, die ersten zwei Glieder dicht bartig, beschuppt, die Beschuppung bildet oben und unten eine Schneide; das Endglied ist dünn und spitz, anliegend beschuppt, horizontal und ganz in der Behaarung des zweiten Gliedes versteckt; die Beine sind wie bei den übrigen verwandten Arten gebildet.

Largella m. Tafel 5, Figur 2. Nur zwei Männchen. Flügelschnitt von *monostictella*, Grösse von *pyropella*. Fühler mit etwas vortretenden Enden der Glieder und langen dünnen Wimpern, Zunge spiral, Palpen horizontal, dreimal so laug als der Kopf, die ersten zwei Glieder bartig beschuppt, oben und unten schneidig, das dritte dünn und anliegend beschuppt, horizontal; die Beschuppung des zweiten Gliedes reicht bis an sein Ende. Kopf, Rücken und Palpen sind licht semmelgelb, letztere an der Aussenseite bräunlich. Die Vorderflügel sind sammt den Fransen licht semmelbraun mit dunkler schattirtem Vorderrande und haben zwei feine schwarze Puncte, den einen in der Mitte des Flügels, den andern mitten zwischen diesem und der Flügelbasis, aber etwas tiefer gestellt. Die Hinterflügel sind hellgrau, ihre Fransen gelblicher; eben so die Unterseite, wo aber auch die Ränder und Spitzen der Flügel gelblich sind.

Oecophora Lat.

Temperatella m. Tafel 5, Figur 8, Männchen. Nur zwei (männliche) Exemplare erhalten. Grösse von *tinctella*. Vorderflügel spitzer, Hinterflügel ⅓ schmäler. Kopf und Rücken bräunlichgelb. Vorderflügel glänzend grünlichgelb, auf der Querrippe abwärts geknickt, Fransen gleichfarbig. Hinterflügel aschgrau mit sehr langen etwas helleren Fransen. Unterseite aschgrau, die Spitzen und Aussenränder der Flügel etwas heller. Fühler mit am Ende etwas vortretenden Gliedern, die gegen die Spitze zu kaum dünner werden und fein bewimpert sind, Kopfhaare glatt anliegend, Zunge spiral, Palpen bräunlichgelb, dünn und lang, anliegend beschuppt und sichelförmig aufwärts gekrümmt, wie bei *tinctella*; Beine ebenfalls wie bei dieser Art. Die Vorderflügel haben eine einfache Mittelzelle und 12 Rippen, 2, 3, 4, 5, 6, 7, 9 und 10 gesondert und in ziemlich gleicher Entfernung, 8 aus 7, 11 aus der Mitte des Vorderrandes der Mittelzelle 12 frei. Auf den Hinterflügeln ist die Mittelzelle zwischen Rippe 4 und 6 offen, 2, 3 und 4 ziehen gesondert in gleicher Entfernung, 5 und 6 entspringen aus einem Punct, 7 ist die Fortsetzung des Vorderrandes der Mittelzelle und 8 läuft ganz dicht am Vorderrande. Der Rippenbildung der Hinterflügel nach, die aber je nach der Flügelform bei den *Tineen* oft bei den nächstverwandten Arten bedeutenden Modificationen unterworfen scheint — dürfte sich für *temperatella* noch eine passendere Stelle als bei *Oecophora* und zwar eher unter den letzteren *Tineen*-Gattungen in der Nähe von *Elachista* finden.

Butalis Tr.

Inclusella m. Tafel 5, Figur 3. Mann. Vier Exemplare; zwei Männchen, zwei Weibchen. Etwas grösser, als *Knochella*, derselbe Habitus und Flügelschnitt, nur die Spitze der Vorderflügel etwas runder. Kopf, Thorax und Palpen anliegend und glänzend beschuppt, letztere dünn, sichelförmig aufgebogen (wie bei *Knochella*), Zunge spiral, Fühler borstenförmig, Hinterleib und Beine violett bronzefarben, die Hinterschienen dick, längshaarig und mit zwei Paar Spornen. After beim Weibe unten vor der Spitze weisslichgelb gerandet. Die Vorderflügel sind nebst den Fransen violett, bronzefarb glänzend und haben im äusseren Drittel des Flügels eine mehr dem Innen- als Vorderrande genäherte (an derselben Stelle wie bei *Knochella* befindliche und auch eben so geformte) weisslichgelbe Makel. Die Hinterflügel sind dunkler und weniger glänzend als die vorderen, zeichnungslos. Die Unterseite ist einfärbig bronzebraun.

Desidella m. Tafel 5, Figur 4. Mann. Ein Männchen, zwei Weibchen. Mit *acanthella* Godart. (*gallicinella* Zeller) verwandt, derselbe Habitus und Flügelschnitt, dieselbe Bildung der Körpertheile. Der Rücken und die Vorderflügel sind kreidig weiss, glanzlos; der Hinterleib ist aschgrau, die Afterspitze zieht mehr in's Gelbliche und ist (wie bei *acanthella*) beim Männchen mit einem langen Haarbüschel besetzt, beim Weibchen kurz behaart. Die Zeichnung ist sehr einfach. Sie besteht bei meinen zwei Weibchen nur aus einem gegen die Flügelspitze zu (an derselben Stelle wie bei *acanthella*) befindlichen schwarzen Punct und einigen bräunlichen Schuppen an der Flügelspitze. Das Männchen hat vor diesem Fleck im zweiten Drittel des Flügels zwei schmutzig lichtbraune Gegenflecke, eine ähnliche aber ganz verloschene Zeichnung im ersten Flügeldrittel und schmutzig braune Schuppen an der Spitze und einem Theile des Saumes. Die Hinterflügel und Unterseite sind einfärbig aschgrau. Das Geäder, — so weit es sich ohne Abschuppung ausnehmen lässt — scheint mit dem von *acanthella* zu stimmen.

Apiletria m.

Luella m. Tafel 4, Figur 13, Männchen. Der Schmetterling hat in der Flügelform einige oberflächliche Aehnlichkeit mit *Hapsifera* und den kleineren *Euplocamus*-Arten, die einfachen Mittelzellen und die Bildung der Palpen verweisen ihn aber in die Nähe von *Carcina* und *Gelechia*. Von ersterer Gattung differirt er durch die fehlende Zunge, von letzterer durch die langen dicken Fühler, von beiden überdiess durch verschiedene Flügelform; in beiden Gattungen ist allerdings noch viel Fremdartiges vereinigt, meine Gattung *Apiletria* wird aber auch nach dessen Sonderung fortbestehen können. Kopf mit etwas wolligen zusammengestrichenen Haaren besetzt, Palpen sichelförmig aufgebogen, weit empor ragend, so lange, als der halbe Hinterleib; die ersten zwei Glieder sind dicht beschuppt und die Beschuppung steht auf der Oberseite etwas ab Das dritte ist ⅔ so lang als die beiden ersten zusammen, anliegend beschuppt, sehr dünn und spitz. Nebenpalpen, Zunge und Ocellen fehlen. Fühler lang, bis zu 2/3 des Vorderrandes des Vorderflügels reichend, dick, fast fadenförmig, beim Manne mit abgeschnürten Gliedern, die Glieder unten in kurzen Sägezähnen vortretend; Beine anliegend beschuppt, nur die Hinterschienen dicht längshaarig, mit 2 paar Spornen. Die Mittelzellen sind auf allen Flügeln einfach. Auf den vorderen sind sie oben und unten gleich lang, durch eine bogenförmige Querrippe geschlossen; auf den hinteren zieht die Querrippe in schrägem Bogen von der Mitte der Flügellänge saumwärts, die obere Ecke der Mittelzelle ist daher kürzer, die untere viel länger, erstere stumpf-, letztere spitzwinkelig. Die Vorderflügel haben 12 Rippen, 2 und 3 aus einem Punct, 4 und 5 gesondert, letztere näher an 4, als an 6; 6, 7, 9 und 10 gesondert in gleicher Entfernung von einander, 8 aus 7, 11 aus der Mitte des Vorderrandes der Mittelzelle, 12 frei. Auf den Hinterflügeln entspringen 3 und 4 aus einem Punct, 6 und 7 sind gestielt, 5 zieht näher an 4, als an 6, 8 frei. Die Färbung des Körpers und der Vorderflügel ist glanzlos, ockergelb, beim Weibe viel lichter als beim Manne, semmelgelb. Gegen die Ränder zu, auf den Rippen und den breiten ganzrandigen Fransen ist die Farbe dunkler, mehr umbrabraun; ein bräunlicher matter Fleck steht auf der Querrippe, ein undeutlicher gleichförmiger Wisch zuweilen, doch nicht immer, in der Mitte der Mittelzelle, sonst findet sich keine Zeichnung. Die Hinterflügel sind schwarzgrau mit breiten bräunlichgrauen Fransen. Die Unterseite ist schwärzlich oder bräunlichgrau; die Spitzen und Ränder der Flügel sind heller, mehr gelblich. Ich erhielt mehrere Exemplare, die meisten aber ohne Palpen, da diese sehr leicht abbrechen.

Depressaria Haw.

Comitella m. Tafel 5, Figur 5. Nur ein Weibchen. Grösse von *atomella*, Flügelform von *depunctella*, die Vorderflügel nämlich mit stumpfwinkeliger Spitze (bei *atomella* daselbst gerundet). Körper und Beine sind fahlgelb, nur die Schienen aussen schwarzbraun, die Füh'er sind schwarzbraun, der Hinterleib hat auf der Unterseite 4 Reihen schwarzer Puncte. Der Thorax und die Vorderflügel sind gleichmässig licht ziegelroth, ihre Fransen dunkler, besonders an der Spitze, was aber bei weitem nicht so scharf absticht, wie bei *depunctella*. Auf den Rippen stehen — besonders gegen den Saum zu — feine schwärzliche Schuppen, und in der Mittelzelle 3 erhabene schuppige Puncte; der erste ist schwarz, weiss umzogen und steht in der Mitte der Zelle, die andern beiden sind weiss, und es steht der eine von ihnen nahe vor, der andere auf der Querrippe. Die Hinterflügel sind hellgrau mit lichteren gelblichgrauen Fransen und etwas dunkleren Rippen. Auf der Unterseite sind die Vorderflügel röthlichgrau mit rothbraunen Fransen und schwärzlichen Schüppchen am Vorderrande; die hinteren gelbgrau, am Vorderrande und von der Spitze bis zur Mitte des Saumes ebenfalls mit schwärzlichen Atomen. *Atomella* hat einige entfernte Aehnlichkeit mit *comitella*, ihre Vorderflügel sind aber gerundet, am Vorderrande viel heller, mehr grün und dunkler gestreichelt, wärend *comitella* hier dieselbe Farbe wie auf dem übrigen Flügelraume und keine Spur von dunklen Strichelchen hat; die Saumlinie besteht aus schwarzen Puncten, das Roth spielt mehr in's Carmoisin und die Fransen sind nicht dunkler.

Thoracica m. Tafel 5, Figur 6, Männchen. Ebenfalls nur in einem Exemlare erbeutet. Sehr nahe an *rhodochrella* H.-Schr., die Vorderflügel aber bleicher, mehr ledergelb, der Grund gleichmässig ohne dunklere Atome und der ganze Thorax schwarz. Meine zwei Exemplare von *rhodochrella* (wovon eines das Original zu Herrich-Schäfer's guter Abbildung) haben röthlichgelbe Vorderflügel mit dunkleren Atomen und der Rücken ist über die Mitte gelb, nur mit einzelnen schwarzen Härchen gemischt. Bei der grossen Aehnlichkeit der *Depressarien*-Arten und dem Umstande, dass Herr Mann meine Art auch bei *Brussa* in genauer Uebereinstimmung fand, möchte ich die Artrechte nicht bezweifeln.

Gelechia Z.

Flavella Dup. (*segetella* Z. „Isis" 1847). Einige Exemplare.

Choreutis Tr.

Lascivalis m. Tafel 5, Figur 7, Männchen. Nur diess eine Exemplar. Grösse von *alternalis*; Flügel kürzer, breiter und runder, besonders die hinteren, deren Vorderwinkel ganz abgerundet ist. Körper und Fühler schwarz, letztere an der Aussenseite bräunlichgelb, borstenförmig mit sehr kurzen dichten Wimpern. Zunge spiral, Palpen aufwärts gekrümmt, etwas grobschuppig, oben schwarz, unten schwarz und gelb gemischt, ihr Endglied mit stumpfer Spitze. Nebenpalpen und Ocellen fehlen. Beine schwarz, Schienen und Füsse gelb geringelt, die Hinterschienen kräftig mit 2 Paar Spornen Vorderflügel glanzlos, bläulichschwarz mit 3 aus groben nicht sehr gehäuften russschwarzen Schuppen bestehenden Querbinden, welche von der Grundfarbe wenig abstechen, überhaupt nicht sehr deutlich sind, und in ziemlich gleicher Entfernung von einander ziehen, so dass sie die Grundfarbe in 4 ziemlich gleiche Felder theilen, einer sehr verloschenen, ebenfalls russschwarzen Querlinie in dem letzten Felde nahe vor dem Saume und 3 bräunlichgelben Vorderrandflecken, von denen der erste an der Aussenseite des ersten Querbandes steht und sehr verloschen ist, der zweite an die Innenseite des dritten Querbandes stosst und keilförmig zuläuft, der dritte punctförmig ist, und sich nahe vor der Flügelspitze, da, wo die verloschene Querlinie vor dem Saume beginnt, befindet. Die Fransen sind ebenfalls russschwarz, an der Spitze und bei der Mitte schmal weiss gerandet. Die Hinterflügel sind rauchbraun, gegen den Vorderrand zu und auf den Fransen grau; sie haben 2 matte bleichgelbe Querbänder, das innere bei $^{1}/_{4}$ der Flügelbreite, das äussere dicht vor dem Saume, beide nur am Innenwinkel deutlich, schon vor der Flügelmitte verlöschend. Die Unterseite ist russbraun; alle gelbliche Zeichnung ist hier schärfer, als oben, der vorletzte und letzte Vorderrandsfleck der Vorderflügel setzen sich in abgerissener Binde fort und die innere Binde der Hinterflügel zieht über den ganzen Flügel. Die Fransen aller Flügel sind schwärzlichgrau, an der Innenseite heller, als an der äusseren. Vom Geäder lässt sich wegen der dichten Beschuppung nichts ausnehmen.

Elachista Tr.

Sumptuosella m. Tafel 5, Figur 9. Nur vier Männchen. Der *pomposella* am Nächsten, ein Drittel grösser, derselbe Flügelschnitt, dieselbe Bildung der Körpertheile. Kopf und Palpen weiss, das Endglied der letzteren vor dem Ende schwarz, Fühler schwarz, Beine weiss und schwarz geringelt. Vorderflügel matt goldbraun mit drei gelblichweissen gleich weit von einander entfernten Querzeichnungen, von denen die ersteren beiden als schmale, schräg nach aussen gestellte Bänder erscheinen, das innere fast bis zum Innenrande, das äussere nur bis zur Mitte der Flügelbreite reicht, die dritte aber einen breiteren, am Vorderrande hängenden und nach innen keilförmig zulaufenden Flecken bildet. Die beiden inneren Flecken haben an ihrem Ende blass goldfarbe Schuppen und auf dem Innenrande steht vor der ersten Querbinde ein gelblichweisser, von der zweiten, so wie vor dem Vorderrandsflecke und in der Flügelspitze ein matt goldschimmender kleiner Fleck. Die Hinterflügel, die Fransen aller Flügel und die Unterseite sind bräunlichgrau, nur am Vorderrande der Vorderflügel findet sich der zweite und dritte Querfleck bleichgelb angedeutet.

Pterophoridae.

Pterophorus Geoffroy.

Aridus Z.
Laetus Z.

Verzeichniss
der von Herrn Albert Kindermann 1848—1850 um Samsun, Amasia, Tokat, Siwas und Diarbekir gesammelten Schmetterlinge *).

Rhopalocera.

Equites H.-Sch.

Papilio L.

* *Podalirius* L. Bei Amasia und Tokat.

* *Alexanor* Esper. Bei Amasia; sehr selten.

* *Machaon* L. Ueberall bis an den Euphrat, in nicht zu hoch gelegenen Gegenden.

Thais Fab.

Cerysii God. Zwischen Amasia und Diarbekir allenthalben häufig.

Doritis Fab.

Apollinus Herbst. In Gesellschaft der vorigen Art.

Apollo L. Auf den Tokateralpen in sehr grossen Exemplaren.

Mnemosyne L. Bei Amasia; selten auf hochgelegenen Bergwiesen.

Pierides B.

Pieris Schk.

* *Crataegi* L.
* *Brassicae* L.
* *Napi* L.
Chloridice Hb.
} Alle bei Amasia und Tokat.

Daplidice L. Allenthalben bis Diarbekir.

Callidice Esp. Var. *chrysidice* H.-Sch. Einzeln auf den Tokateralpen.

Anthocharis B.

Eupheme Esp. Nicht selten in sehr grossen, unten lebhaft gelb gefärbten Exemplaren zwischen Amasia und Diarbekir.

Ausonia Esp. Fast überall; unten sehr lebhaft gelb und grün gezeichnet.

Penia Freyer. Wenige verflogene Exemplare bei Malatia. *Charlonia* *Donzel*, *Annales de la société entom. de France 1854 planche 8* aus der Berberei, steht sehr nahe oder ist vielleicht dieselbe Art.

Gruneri H.-Sch. Zwischen Amasia und Diarbekir.

Damone B. Im Gebirge bei Argana Maden sehr selten.

---

*) Die Arten, welche mir Herr Kindermann nicht in natura mittheilte und bei welchen ich mich also nur auf seine Angabe beschränken muss, sind mit * bezeichnet.

Colias Fab.

Edusa L. und Var. *helice* Hb. Ueberall.
* *Chrysotheme* Esp. Nur bei Samsun.
* *Hyale* L. Allenthalben bis Diarbekir.

Rhodocera B.

* *Rhamni* Ueberall.

Lycaenoidae B.

Thecla Fab.

Acaciae Fab.
Ilicis Esp.
Spini S. V.
Rubi L.
} Bei Amasia und Tokat.

Ledereri H.-Sch. Einzeln bei Amasia auf hohen Bergen in felsigen Gegenden.

Nogelli H.-Sch. Bei Amasia und Tokat mit einfärbig schwarzbrauner Oberseite; von Siwas östlich die Varietät mit orangegelbem Mittelraume.

Polyommatus Lat.

Virgaureae L. Bei Tokat im Gebirge an Bächen.

Ignitus H.-Sch. Zugleich mit dem vorigen; das Weibchen sehr selten.

Ochimus H.-Sch.
Asabinus H.-Sch.
Thersamon Esp.
} Bei Amasia.

Eurydice Hufn. Var. *candens* H.-Sch. Auf den Tokateralpen.

Alciphron Rottemb. (*hipponoë* Esp.) Einzeln bei Amasia.

Dorilis Hufn. (*circe* S. V.) Selten bei Amasia.

Phlaeas L. Ueberall.

Lycaena Fab.

Boetica L.
Telicanus Herbst.
} Bei Amasia.

Balcanica Freyer. Von Amasia bis Diarbekir in hoch gelegenen Gegenden an Sträuchern fliegend.

Tiresias Hufn. (*amyntas* S. V.) auch die Var. *coretas* O. und *polysperchon* Bergstr. bei Amasia.

Trochilus Freyer. Amasia.

Dardanus Freyer auf den Tokateralpen.

Hylas S. V. Ueberall.

Bavius Ev. Bei Tokat auf tief und heiss gelegenen Wiesen.

Zephyrus H.-Sch. In Gesellschaft von *bavius*.

Euripylus Freyer tab. 573. Bei Tokat. Die Unterseite und das Weibchen ist genau, wie bei *Zephyrus*, das Männchen aber oben braun; vielleicht nur Var. von *zephyrus*.

Löwi Z. Bei Amasia.

Alexis Hufn. (*agestis* S. V.) Bei Tokat und Amasia.

Chiron Hufn. (*eumedon* Esp.) Auf den Tokateralpen.

Anteros Freyer. An kräuterreichen Hügeln und Bergen von Samsun bis Tokat.

Boisduvali H.-Sch. }
Myrrha H.-Sch. } Auf den Tokateralpen.

Amandus Hb. (*icarius* Esp.) Bei Tokat auf hochgelegenen Wiesen.

Candalus H.-Sch. Amasia; selten.

Icarus Hufn. (*alexis* S. V.) Ueberall und sehr variirend. Männchen oft kaum von halber Grösse; Weibchen oben ganz hellblau mit rothen Randflecken; auch die Varietät *thersites* B. nicht selten.

Adonis S. V. und Var. *ceronus* Hb. Auf hohen Bergen bei Tokat.

Argestes Bergstr. (*dorylas* S. V.) Bei Amasia einzeln.

Corydon Scop. Auf den Tokater Alpen. Das Männchen oben milchblau (Var. *corydonius* Keferstein); auch ein oben milchblaues Weibchen (Var. ♀ *maris colore*) unter gewöhnlichen braunen gesammelt.

* *Admetus* Esp. }
* *Ripperti* B. } Bei Amasia und Tokat.

Daphnis S. V. Var. *Steveni* H.-Sch. Bei Tokat. Auch ein vollkommener Hermaphrodit, links männlich, rechts weiblich, wurde gefunden.

Hopfferi H.-Sch. }
Poseidon Kdm. }
Dolus B. Var. *epidolus* B. } Alle bei Tokat; letztere auch bei Amasia.

Actis H.-Sch. }
Iphigenia H.-Sch. }
Damocles H.-Sch. } Auf den Tokateralpen.

Damon S. V. }
Panagaea H.-Sch. }
Argiolus L. } Bei Amasia und Tokat.

* *Jolas* O. Bei Amasia; selten.

Hyacinthus H.-Sch. }
* *Diomedes* Hufn. (*alcon* S.V.) }
Astraea Freyer. }
Cyllarus Fab. }
Acis S. V. Var. *bellis* Freyer. }
Alsus S. V. Ueberall. } Auf höheren Bergen bei Tokat.

Libytheoidae B.

Libythea Fab.

Celtis Fab. Bei Amasia und Tokat.

Nymphalides B.

Limenitis Fab.

Camilla S. V. Bei Amasia.

Melitaea Fab.

Athalia Esp. Auf hohen Bergen bei Amasia und Tokat.

Artemis S. V. Var. *orientalis* H.-Sch. Nur wenige Exemplare bei Argana Maden.

Arduinna Esp. Var. *rhodopensis* Freyer. Nur in der nächsten Umgegend von Diarbekir.

Phoebe S. V.
* *Didyma* Fab.
* *Trivia* S. V. } Bei Amasia und Tokat.

Argynnis Fab.

Hecate S. V.
* *Ino* Esp.
* *Daphne* S. V. } In hoch gelegenen Gegenden bei Tokat.

Latonia L. Ueberall.

* *Niobe* L.
* *Aglaja* L.
* *Adippe* S. V. und Varietät *cleodoxa* O.
Paphia L. } Alle in gebirgigen Gegenden um Amasia; *paphia* sehr selten.

Pandora S. V. Von Samsun bis Tokat; scheint nicht südlicher zu gehen.

Vanessa Fab.

Jonia Fisch. von Waldh. Bei Amasia; selten.

* *Cardui* L. Ueberall; von den Ebenen bis zu den Alpen.

* *Atalanta* L.
* *Io* L.
* *Antiopa* L.
* *Polychloros* L.
* *Urticae* L. } Bei Amasia; *atalanta* selten.

* *Triangulum* Fab.
C. album L. } Bei Amasia und Tokat.

Satyroidae B.

Hipparchia Fab.

Galathea L. Var. *procida* Herbst.
Hertha Hb. Var. *larissa* Hb. } Beide im höheren Gebirge bei Amasia und Tokat.

Erebia B.

* *Medusa* S. V. Im höheren Gebirge und auf den Alpen bei Tokat.

Afra Fab. Auf den Hochebenen von Siwas östlich bis an den Euphrat.

Satyrus Lat.

* *Proserpina* S. V. In heissen Thälern bei Amasia.

* *Hermione* L. *Bryce* O. *Phaedra* L. *Statilinus* Hufn. Var. *fatua* Freyer.	Im höheren Gebirge von Tokat bis an die Alpen.

Briseis L. und Var. *pirata* Hübner. Bei Amasia und Tokat in sehr grossen Exemplaren mit lebhafter Unterseite; die Var. *pirata* oben lebhaft ockergelb; selten.

Bischoffi H.-Sch. In den Niederungen bei Amasia.

Anthe Boeber und Var. *hanifa* H.-Sch. (ich sah seither Uebergänge) bei Amasia und Tokat.

* *Semele* L. In Gesellschaft der vorigen.

* *Arethusa* S. V. *Geyeri* H.-Sch.	Auf höheren Bergen bei Amasia.

Beroë Freyer. Auf den Tokateralpen. Hinterflügel unten röthlich braungrau.

Pelopea Klug. Auf den höchsten Alpen bei Tokat.

Mniszechi H.-Sch. In heissen Thälern von Amasia bis an den Euphrat.

Anthelea Hb. Amasia, Tokat bis an den Euphrat; am häufigsten bei Tschesme Maden.

Pararga H.-Sch.

Clymene L. * *Roxellana* Fab. * *Maera* L. * *Hiera* O. * *Megaera* L. * *Egeria* L.	Amasia, Tokat.

Epinephele H.-Sch.

* *Lycaon* Hufn. (*eudora* S. V.) Diarbekir.

Janira L. Var. *telmessia* Z. Allenthalben gemein.

Tithonus L *Ida* Esp.	Bei Amasia.

Coenonympha H.-Sch.

* *Arcania* L. Bei Amasia und Tokat.

Leander Fab. Einzeln bei Tokat.

Pamphilus L. und Var. *Lyllus* Esp. Ueberall.

Hesperioidae.

Hesperia Lat.

* *Malvarum* O. *Marrubii* Rb. Var. *gemina* Led.	Bei Amasia.
Lavaterae Fab. *Proto* Esp. *Cynarae* B. *Sidae* Fab. *Carthami* Hb. *Alveus* Hb. und Var. *fritillum* O. *Alaeolus* Hb. *Eucrate* Esp. *Phlomidis* H.-Sch. *Marloyi* B.	Bei Amasia und Tokat.
Tesellum Hb. Auf den Tokateralpen.	
* *Thaumas* Hufn. (*linea* S. V.) * *Lineola* O.	Ueberall.
Actaeon Esp. * *Comma* L. *Alcides* H.-Sch.	Bei Amasia; *alcides* selten.

Heterocera.

Thyridides H.-Sch.

Thyris Ill.

Fenestrina S. V. Bei Tokat.

Sesioidae B.

Paranthrena Schk.

Myrmosaeformis H.-Sch. Bei Amasia; von Herrn Mann auch bei Brussa gesammelt.

Sesia Fab.

Sanguinolenta m. (*tengyraeformis* H.-Sch.) *Stiziformis* H.-Sch. *Ortalidiformis* m. *Philanthiformis* Lasp (*braconif.* H.-Sch) *Prosopiformis* O. *Elampiformis* H.-Sch.	Bei Amasia.

Doleriformis H.-Sch. 49.
Doryceraeformis m.
Lomatiaeformis m.
} Bei Diarbekir.

Miniacea m. (*minianiformis* Freyer.) bei Tokat.

Sphingoidae B.

Macroglossa O.

* *Fuciformis* L. Ochsb. Auf hochgelegenen Bergwiesen bei Tokat.
Croatica Esp. Bei Amasia; selten.
Stellatarum L. Ueberall.

Pterogon B.

Gorgoniades Hb. Im Hochgebirge von Siwas östlich.

Deilephila O.

Porcellus L. In Gesellschaft des vorigen.
* *Euphorbiae* L. Amasia, Tokat.
* *Galii* S. V.
Livornica Esp (*lineata* Fab.)
} Mit der vorigen zugleich; doch selten.

Smerinthus O.

Kindermanni m. Zwei Paare bei Argana Maden in Begattung im Grase in der Nähe von Weiden gefangen.

Syntomides H.-Sch.

Syntomis Illiger.

Phegea L. In hochgelegenen Gegenden bei Amasia.

Naclia B.

* *Punctata* Fab. Bei Samsun. Ich sah sie nicht in Natur und möchte sie eher für *hyalina* Freyer halten.

Zygaenoidae B.

Zygaena Fab.

Rubicundus Hb. Amasia.
* *Minos* S. V.
* *Brizae* Esp.
Scabiosae Hb.
} Bei Tokat auf hochgelegenen Waldwiesen.

Punctum O.
Achilleae Esp.
Trifolii Esp.
* *Lonicerae* Esp.
} Bei Amasia und Tokat.

Meliloti Esp. Mit der Var. *Stentzii* Freyer untermischt auf hochgelegenen Waldwiesen bei Tokat.

Graslini m. Ein defectes Stück bei Diarbekir.

* *Filipendulae* L. * *Transalpina* Hb. *Medicaginis* Hb. *Laphria* Freyer. *Dorycnii* O. *Sedi* Fab.	Bei Tokat.
Laeta Esp. *Ganymedes* H.-Sch.	Bei Amasia und Tokat.

Formosa H.-Sch. Nur bei Amasia; selten.

Carniolica Scop. (*onobrychis* S. V.) Ueberall in sehr grossen lebhaften Exemplaren.

Ino Leach.

Tenuicornis Z. *Amasina* H.-Sch.	Amasia.

Epialoidae H.-Sch.

Epialus Fab.

* *Sylvinus* L. Im Hochgebirge von Amasia.

Amasinus H.-Sch. Ein Männchen von Amasia.

Cossina H.-Sch.

Endagria B.

Pantherina Hb. Amasia.

Stygia Lat.

Amasina H.-Sch. Amasia.

Saturniina H.-Sch.

Saturnia Schk.

* *Pyri* S. V. Bei Tokat sehr häufig.
* *Spini* S. V. Bei Amasia und Tokat, doch selten.

Bombycides B.

Bombyx B.

* *Otus* Drury. Selten bei Amasia auf *Cypressen*.
* *Neustria* L. Bei Amasia und Tokat.

**Castrensis* L. * *Franconica* Fab. *Trifolii* S. V. und Var. *medicaginis* Bkh.	Bei Amasia und Tokat.

Liparides B.

Cnetocampa Steph.

* *Pityocampa* Fab. Zwischen Samsun und Amasia viele Nester an *Pinien*.

Porthesia Steph.

* *Chrysorrhoea* L. * *Auriflua* S. V.	Bei Amasia und Tokat.

Ocneria H.-Sch.

Terebynthi Freyer. Zwischen Samsun und Tokat allenthalben häufig.

Lapidicola H.-Sch. Wohl nur kleine Var. von *atlantica*. H.-Sch. Die Raupe im Juli bei Amasia und Tokat häufig unter Steinen; sie lebt gesellschaftlich, nährt sich von dürren Gräsern und liefert den Schmetterling Anfangs September.

* *Dispar* L. Bei Amasia und Tokat.

Orgyia O.

Dubia Tauscher. Viel lebhafter und mit mehr Gelb, als die russischen Exemplare; wie Herrich-Schäffer's Figur 103. Bei Amasia Tokat und über den ganzen Gebirgszug von Siwas östlich bis an den Euphrat verbreitet.

Lithosioidae B.

Setina Schk.

Irrorella L. Im Hochgebirge und auf den Alpen von Tokat und Amasia.

Lithosia Fab.

Caniola Hb. Wie die vorige.

Euprepioidae.

Emydia B.

Grammica L. und Var. *striata* Bkh. Im Hochgebirge und auf Alpen bei Tokat und Amasia.

Deiopeia Curtis.

Pulchella L. Bei Amasia und Tokat.

Nemeophila Steph.

* *Russula* L. Auf den Tokateralpen.

Callimorpha Lat.

Dominula L. Die gelbe Varietät (*rossica* Kolenati) im Hochgebirge von Tokat.

* *Hera* L. Bei Amasia.

Arctia Steph.

* *Villica* L.
* *Purpurea* L. } Bei Amasia und Tokat.

* *Aulica* L. Bei Tokat im höheren Gebirge.

Noctuina.

Symira Tr.

Dentinosa Freyer. Von Amasia bis Diarbekir in den Ebenen; Raupe gesellschaftlich auf *Euphorbien*.

* *Nervosa* S. V. Bei Amasia und Tokat.

Diloba B.

* *Coeruleocephala* L. Bei Amasia.

Bryophila Tr.

Glandifera S. V.
Algae Fab.
Receptricula Hb. } Bei Amasia und Tokat.

Acronycta O.

* *Rumicis* L. Amasia

Euphrasiae Hb. H.-Sch. (Die helle, bei Paris gemeine Art) bei Amasia.

Spintherops B.

* *Spectrum* S. V. Bei Tokat.

Dilucida Hb. In sehr dunklen Exemplaren bei Amasia.

Triphaena Tr.

Fimbria L.
Subsequa S. V. und Var. *consequa* Hb.
Pronuba L. und Var. *innuba* Hb. } Im höhern Gebirge von Amasia.

Opigena B.

Polygona S. V. Auf den Tokateralpen.

Chersotis B.

Multangula Hb. *Grammiptera* Rb. *Musiva* Hb.	Zugleich mit *polygona*.

Flammatra S. V. Aeusserst gemein bei Diarbekir; unter jedem Steine, den man umwendet, trifft man einige Schmetterlinge.

Agrotis Tr.

* *Fimbriola* Hb. Im Gebirge von Tokat.
Tritici L. Var. *hilaris* Freyer. Ein Stück, wahrscheinlich von Amasia.

* *Signifera* S. V. * *Forcipula* S. V. *Flavina* H.-Sch.	Von Amasia.

* *Saucia* Hb und Var. *aequa* Hb. *Agricola* B. *Clavis* Hufn. (*segetum* S. V. *Exclamationis* L. *Suffusa* S. V.	In Gebirgsgegenden bei Tokat; *suffusa* auch auf den Alpen

Luperina B.

Dumerili Dup. Ein blasses Exemplar bei Amasia.

Hadena Tr.

Abjecta Hb. Auf den Tokater Alpen.
Peregrina Tr. Bei Amasia.

Dianthoecia B.

Filigramma Esp. *Carpophaga* Borkh.	Im Tokater Gebirge.

Irregularis Hufn. (*echii* Bkh.) Bei Amasia.

Hilarus Guenée.

Ochroleuca S. V. Bei Amasia.

Polia Tr.

Cappa Hb. *Ruficincta* B.	Amasia.

Montana H.-Sch. Im Gebirge bei Tokat.

Aplecta B.

Serratilinea Tr. Gebirgsgegend bei Tokat.

Eurhipia B.

Adulatrix Hb. Gemein von Samsun bis Amasia. Die Puppe am Fusse von Rhus codinus zu finden.

Leucania Tr.

Comma L. *L. album* L.	Hohe Bergwiesen bei Tokat.

Charadrina Tr.

Cubicularis S. V. Im Hochgebirge von Tokat; auch auf den Alpen.
Exigua Hb. Bei Tokat in Niederungen.

Orthosia Tr.

Lota L. Auf hohen Bergen bei Tokat.

Pistacina S. V. *Ypsilon* S. V.	Bei Tokat.

Xanthia Tr.

Ferrago Ev. Auf hochgelegenen Gebirgswiesen. Die Schmetterlinge im Sommer Abends vom Grase geschöpft; wohl kaum eine *Xanthia* und weit eher zu *Luperina* gehörig.

Chloantha B.

Hyperici S. V. *Radiosa* Esp.	Bei Amasia.

Cleophana B.

Antirrhini Hb. *Opalina* Hb. *Olivina* H.-Sch.	Bei Amasia und Tokat.

Cucullia Tr.

Verbasci L. Bei Amasia und Tokat.

Santonici Hb. *Argentina* Fab.	Von Siwas östlich auf hohen Bergen.

Plusia Tr.

Graphica H.-Sch. Häufig bei Amasia und Tokat.
Ni Hb. Bei Amasia.

Heliothis Tr.

Dos Freyer. Ein Paar defecte Stücke auf feuchten Wiesen bei Amasia.
Cognata Hb. Selten bei Amasia.

Frivaldszkyi Tr. *Dipsacea* S. V. *Peltigera* S. V. *Armigera* Hb. *Boisduvali* Rb.	Alle bei Amasia und Tokat. *Frivaldskyi* bei Tage an *Echium*-Blüthen, *Laudeti* als Raupe zugleich mit der von *Boisduvali* an

Laudeti B.
Delphinii L.
Victorina Sodoffsky. } den Blüthen und Samen einer mir nicht näher bezeichneten *Silene*.
Rhodites Ev. (*aurorina* H.-Sch.) Im Tokater Gebirge; selten.

Heliodes Guenée.

Rupicola S. V. Im Hochgebirge von Amasia und Tokat selten.

Acontia Tr.

Urania Freyer.
Titania Esp.
Lucida Hufn (*solaris* S. V.)
* *Luctuosa* S. V. } Alle bei Amasia und Tokat.

Catocala Schk.

* *Elocata* Esp. Bei Tokat.
Neonympha Hb. Bei Amasia; Raupe auf Süssholz.
Disjuncta Hb.
Eutychea Tr. } Bei Amasia an Eichen; selten.

Ophiusa Tr.

Algira L.
Stolida Fab.
Caylino Hb.
Singularis Kollar Fauna von Südpersien.
* *Ludicra* Hb.
Lusoria L. } Alle bei Amasia.

Zethes Rb.

Insularis Rb. Bei Samsun und Amasia.

Mixocharis m.

Inamoena Hb. Var. *ingrata* H.-Sch. Amasia.
Suava Hb. Amasia.

Euclidia Tr.

Glyphica L.
Mi L. } Bei Amasia und Tokat.

Thalpocharea m.

Wagneri H.-Sch. Auf den Tokater Alpen.
Purpurina S. V.
Amoena Hb.
Parallela Freyer.
Pannonica Freyer.
Ostrina Hb. in Varietäten.
Glarea Hb. } Alle bei Amasia; *ostrina* und *purpurina* auch bei Tokat.

Metoponia Dup.

Eximia Freyer. In Gärten bei Amasia an *Malven*. Die Raupe soll wie die von *Plusia* geformt sein.

Vespertalis Hb. (*vespertina* Tr.)
Flava Hb. (*flavida* O.) } Bei Amasia.

Leptosia Hb.

Aenea S. V.
Leda H.-Sch. } Bei Amasia und Tokat.

Herminia Tr.*).

Derivalis Hb.

Hypena Tr.

Antiqualis Hb.
Ravalis H.-Sch.
Lividalis Hb.

Helia Guenée.

Calvaria S. V.

Geometroidae.

Nemoria Hb.

Cloraria Hb.

Acidalia Tr.

Flaveolaria Hb.
Circuitaria Hb.
Mutata Tr.

Pellonia Dup.

Calabra Var. *tabidaria* Z.

Orthostixis H.-Sch.

Cribrata S. V.
Calcularia m.

Biston Leach.

Pomonarius Hb.

---

*) Von hier an muss ich mich auf blosse Aufzählung des Gesammelten beschränken, da nähere Notizen mir nicht mitgetheilt wurden.

Nychiodes m.

Lividaria Hb. Kleiner und rauher beschuppt, als die französischen.
Amygdalaria H.-Sch.

Boarmia Tr.

Perversaria B.
Rhomboidaria S. V.

Gnophos Tr.

Stevenaria B.
Onustaria H.-Sch.

Fidonia Tr.

Fasciolaria Hufn. (*cebraria* Hb.) Nicht die Var. *baltearia.*

Phasiane Dup.

Legataria H.-Sch. Amasia; auch im Taurus.

Scodiona B.

Conspersaria S. V.

Eusarca H.-Sch.

Telaria H.-Sch.
Jacularia Hb.

Aspilates Tr.

Strigillaria Hb.

Aplasta H.-Sch.

Ononaria Fuessly.

Ortholitha Hb.

Plumbaria Fab.
Cervinata S. V.
Zonata Hufn. (*mensuraria* S. V.)

Anaitis B.

Lithoxylata Hb.
Columbata Metzner.
Boisduvaliata Dup.
Obsitaria m.
Numidaria H.-Sch.

Cidaria Tr.

Putridaria H.-Sch.
Frustata Tr.
Permixtaria H.-Sch.

Eupithecia Curtis.

Pumilaria Hb.

Pyralidoidae.

Aglossa Lat.

Cuprealis Hb.
Pinguinalis L.

Pyralis L.

Pertusalis Hb.

Consecratalis m. (*cruentalis* Kollar in lit., non Duponchel). Zwei Männchen. Herr Kotschy fand diese Art auch in Südpersien. Grösse einer mittleren *netricalis*; Fühler, Palpen und Beine wie bei dieser Art gebildet. Die Vorderflügel sind kürzer, breiter und stumpfer als bei *netricalis*, licht olivbraun mit breiten gleichfarbigen Fransen und haben ein wie bei *netricalis* angelegtes gleichfarbiges, beiderseits licht braungelb beschattetes Mittelfeld, dessen Vorderrand heller gestrichelt ist. Die Hinterflügel sind blutroth, etwas ins Ziegelrothe ziehend; ihre Basis und ein wie bei *netricalis* geformtes Querband sind goldgelb; an der Innenseite des letzteren bildet die Grundfarbe nur ein schmales, einwärts etwas verwaschenes Band. Die Unterseite ist blutroth, an der Basis goldgelb. Die äussere Mittellinie gränzt auf allen Flügeln die Farbe nach aussen sehr scharf ab; diese ist einwärts in die goldgelbe Basis verwaschen, aussen von einem goldgelben Querbande begrenzt; alle Flügel haben feine blutrothe Mittelpuncte.

Honestalis Tr.

Colchicalis H.-Sch. Ein Männchen; vielleicht nur Var. von *massilialis* Dup.

Crambites H.-Sch.

Tegostoma Z.

Venustalis m. Ich erhielt nur Ein Weibchen. Es stimmt in Grösse, Habitus und Flügelschnitt genau mit *siculalis* Dup. (*stygialis* Tr.) überein und hat auch in Zeichnung der Oberseite einige Aehnlichkeit mit dieser Art, der Stirnbildung nach gehört es aber zu *Tegostoma*. Der Körper ist schwarzbraun, spitz zulaufend, mit kurzem Legestachel, die Behaarung der Brust und Beine ist bräunlichgelb, Kopf und Rücken etwas dunkler gefärbt.

Die Stirne hat eine spatenförmige hornige Verlängerung, über welche die mit langen, borstig abstehenden, schwarz und gelb gemischten Haaren besetzten Palpen horizontal in Kopfeslänge vorstehen; Nebenpalpen fehlen. Die Zunge ist spiral. Die Grundfarbe der Vorderflügel ist gelblichgrau, durch feine schwarze Atome derart verdunkelt, dass nur das mittlere Drittel des Flügels wie bei *siculalis* heller gewölkt erscheint. Dieses ist von zwei schwarzen, grobstrichigen unregelmässigen, wie bei *siculalis* angelegten Querlinien eingefasst, von denen die innere ganz verloschen ist, die äussere aber aus einem etwas schärferen Vorderrandsfleck entspringt; zu beiden Seiten dieses Fleckens ist der Grund am lichtesten gelbbraun; auch längs der ganzen aus diesem Flecken entspringenden Querlinie ist das Gelbbraune des Mittelfeldes am deutlichsten und auf der Querrippe steht eine undeutliche schwärzliche Makel. Das Saumfeld hat die gelbe Farbe durch schwarze Atome fast ganz verdeckt und durch seine Mitte läuft eine verloschene schwarze Querlinie; am Saume stehen die schwarzen Atome ganz dicht gehäuft, nach innen zu werden sie aber spärlicher, daher hier das Schwarz in die Grundfarbe übergeht. Die Fransen sind von der Flügelspitze bis zur Mitte schmutzigweiss, von da bis zum Innenrande schwarzgrau. Die Hinterflügel sind schwarz und haben (ungefähr wie *atralis*) eine schmale schmutziggelbe Querbinde, welche vom Vorderrande bis zur Mitte des Flügels reicht und da plötzlich aufhört; ihre Fransen sind zur inneren Hälfte schwarz, zur äusseren schmutzig weiss. Unten sind die Vorderflügel von der Basis bis zur äusseren Mittellinie strohgelb mit zwei grossen runden grell schwarzen Makeln, unter welchen der Discus matt schwärzlich ist; das Saumfeld ist schwarz, wurzelwärts zackig und daselbst sehr scharf vom Gelb abgegrenzt, von einer strohgelben unterbrochenen Querbinde durchzogen. Die Hinterflügel sind schwarz, die Mittelbinde ist strohgelb, viel reiner und schärfer als oben, der Vorderrand und eine verloschene Binde vor dem Saume sind bräunlichgelb. Die Fransen aller Flügel sind zur inneren Hälfte schwarz, zur äusseren weisslichgelb, an der Vorderflügelspitze hier ebenfalls heller, als an den übrigen Stellen.

Hercyna Tr.

Cacuminalis Ev.
Atralis Hb.

Botys Tr.

Cingulata L. (— *alis* S. V.)
Pygmaealis Dup.
Purpuralis L.
Vespertalis H.-Sch.
Superba Freyer.
Mucosalis H.-Sch.
Limbopunctalis H.-Sch.

Aenealis S. V.
Aerealis Hb.
Opacalis Hb.
Cruentalis Hb. (*Bourjotalis* Dup.)
Comptalis Ev.
Flavalis S. V.
Virginalis Dup.
Fimbriatalis H.-Sch.
Pustulalis Hb.
Politalis S. V.
Umbrosalis F. R.

Cynaeda Hb.

Dentalis S. V. Sehr gross und hell gefärbt.

Stenia Guenée.

Suppandalis Hb.
Carnealis Tr.
Ophialis Tr.

Euclasta.

Splendidalis H.-Sch. Herr Herrich-Schäffer zieht diese Art zu *Botys*, wovon sie aber ihre langen, bis über die Flügelspitze hinausreichenden Fühler entfernen. Herrich-Schäffer's Figur zeigt diese Länge nicht richtig und ist wohl nach einem Exemplare mit abgebrochenen Fühlern verfertigt.

Crambus Fab.

Malacellus Dup.
Incertellus H.-Sch.
Aridellus Thbg.
Perlellus Scopoli.
Bellus Hb.

Anerastia Z.

Punctella Tr.

Myelois Z.

Rufella Dup. und Var. *crudella* Z.
Gilveolella Tr.
Antiquella H.-Sch.
Pumicosa m. Zwei Männchen von Diarbekir. So gross wie *Rippertella*, derselbe Flügelschnitt, aber fast noch robuster gebaut. Der Hinterleib und alle übrigen Körpertheile sind weiss, die Palpen anliegend beschuppt, in Kopfeslänge gerade vor- und etwas aufwärts stehend, das Endglied sehr

kurz und stumpf; die Nebenpalpen sind ganz kurz und fadenförmig, die Zunge ist spiral. Die Fühler sind dick, borstenförmig, ohne Krümmung oder Schuppenwulst, mit unten abgesetzten, kurz und dicht bewimperten Gliedern. Die Beine sind kräftig, anliegend beschuppt, ohne Auszeichnung, die Hinterschienen mit den gewöhnlichen 2 Paar Spornen. Rücken und Vorderflügel sind weiss mit feinen grauen Atomen bedeckt, wodurch sie ein bimssteinfarbiges Ansehen erhalten. Alle Rippen der Vorderflügel bleiben rein weiss, am Anfang und Ende der Querrippe steht ein feiner schwarzer Punct, gröbere schwarze Puncte noch am Saume zwischen den Rippen; die Fransen sind breit, weiss, mitten von einer grauen Längslinie durchzogen. Die Hinterflügel sind weiss mit schwachen schwarzen Mittelpuncten, braungrau angeflogenen Rippen und zerstreuten schmutziggrauen Schuppen um dieselben. Unten sind die Vorderflügel aschgrau, am Saume weiss gerandet, die Hinterflügel sammt den Fransen weiss; der Mittelpunct ist hier stärker, als auf der Oberseite und graue Atome sind nur wenige vorhanden.

Hatasa H.-Sch.

Allotriella H.-Sch.

Epischnia Z.

Prodromella Hb.

Ancylosis Z.

Cinnamomella Dup.
Rhodochrella H.-Sch.

Nephopteryx Z.

Alpigenella Dup. (*Wagnerella* Freyer.)
Subochrella H.-Sch.

Pempelia Z.

Carnella L.
Leucochrella H.-Sch.

Tortricina.

Sarrothripa Curtis*).

Revagana S. V.

Teras Tr.

Cristana S. V.

Tortrix Tr.

Lathoniana Hb.

*) Ich führe diese Gattung bei den *Tortriciden* auf, da man sie gewöhnlich an dieser Stelle sucht; es gilt aber von ihr ebenfalls das in der Anmerkung zu *Earias siliquana* Gesagte.

Tineina.

Atychia Lat.

Appendiculata Esp. Bei Tokat.

Euplocamus Lat.

Fuesslinellus Sulzer. Die von Herrich-Schäffer Figur 241 — 243 abgebildete Varietät.
Ophisa Cramer.
Laevigatellus H.-Sch.

Hapsifera Z.

Luridella Z.

Hypsolophus Fab.

Verbascellus S. V.

Gelechia Z.

Egenella H.-Sch.

Harpella Schk.

Kindermanni H.-Sch.

Oecophora Lat.

Amasiella H.-Sch.

Pterophoridae L.

Pterophorus Geoffroy.

Pentadactylus L.

Neue Käfergattung

von

Dr. Hampe.

Obwohl ich der Ansicht des Herrn Dr. Schaum vollkommen beipflichte, dass die Veröffentlichung bloss einzelner Arten eine der vorzüglichsten Ursache der vielen Verwirrungen in unserer Wissenschaft sei; so kann doch von dieser Regel eine Ausnahme gemacht werden, nämlich dann, wenn es sich darum handelt, entweder ein besonders ausgezeichnetes Thier, oder eine ganz neue Gattung bekannt zu machen, vor Allem aber dann, wenn eine solche Entdeckung der vaterländischen Fauna, deren Bereicherung doch gewiss einem Jeden zunächst am Herzen liegen muss, zu Gute kommt. Diese Entschuldigung dürfte nun auch bei meinem Thiere Anwendung finden.

Ich war vor zwei Jahren so glücklich, zu Sebenstein ein Thier zu finden, welches in die Familie der *Eucnemiden* gehört. Trotz der sorgfältigsten Untersuchung ist es nicht gelungen, dasselbe einer der schon bekannten Gattungen einzuverleiben, da namentlich die Fussbildung, welche bei der Zertheilung dieser Familie in die einzelnen Genera eine sehr wichtige Rolle spielt, von allen bekannten ganz abweicht. Ich war daher gezwungen, ein eigenes Genus daraus zu bilden, und gab ihm den Namen nach dem, in zwei Lappen getheilten 4. Fussgliede: *Rhacopus*, von *rhacos*, der Lappen, da der passendere Name *Dichopus*, zweilappig, schon vergeben ist. Seiner Gestalt nach reiht es sich zunächst an *Tharops* an.

Rhacopus m.

Fühler 11gliedrig: das erste Glied lang, das zweite kurz, das dritte etwas kürzer als das erste, die folgenden ziemlich von gleicher Länge, nach innen schwach gesägt, das letzte so lang als das zweite. Der Kopf fast vertical, die Mundöffnung unten. Das Halsschild am Grund breiter als lang, nach vorne allmälig verengt, seine Scheibe kissenartig gewölbt, nach rückwärts abgedacht, die Hinterecken sehr lang, derartig vorspringend, die Schultern umfassend. Flügeldecken so breit als das Halsschild, nach rückwärts allmälig verschmälert. Halsschild auf dem umgeschlagenen Rande mit einer seichten Fühlerrinne. Vorderbrust nach vorne abgestutzt, der Fortsatz nach rückwärts sehr kurz und stumpf. Hüften der Hinterbeine nach innen jäh erweitert. Fussglieder ohne Anhängsel; das erste Glied lang, das zweite und dritte kurz, das vierte in zwei Lappen gespalten; Klauen einfach.

Der Gattung *Tharops* in der Gestalt zunächst verwandt; jedoch durch die längern Fühler, durch das in Lappen gespaltene vierte Glied der Füsse und mehr derlei von ihr unterschieden.

R. c i n n a m o m e u s: *elongatus, sub-cylindricus, ferrugineus, subnitidus, punctatissimus; antennis longis, filiformibus; thorace anterius valde elevato; elytris substriatis. Long.* $4^1/_4'''$; *lat.* $1^1/_4'''$.

Der Kopf braun, gelblich behaart, dicht punctirt, fast senkrecht, zwischen den Fühlern eingeschnürt, die Stirne am Vorderrand zugerundet; die Mandibeln stark, ihre Spitzen schwärzlich, die Augen rund, schwarzbraun; die Fühler gut von der halben Körperlänge, braun, schwach gesägt (♀?); das Halsschild am Grunde breiter als lang, nach vorne allmälig verengt, an der Spitze gerade abgeschnitten, fein erhaben gerandet, mit einem kurzen Leistchen, welches am Vorderrande in der Nähe des oberen Augenrandes entspringend, sich nach rück- und auswärts zieht; die Seiten stark hinab gebogen, und ihre Ränder gehen bogenförmig in die langen, dornartig vorspringenden, die Schultern eng umfassenden Hinterecken über; die Basis zweimal gebuchtet, der Mittellappen ausgerandet; die Scheibe nach vorne kissenartig gewölbt, nach rückwärts abgeflacht, mit einer schwachen, nach rückwärts glatten Mittellinie und in der Mitte mit zwei schiefen Eindrücken; sonst nach vorne sehr dicht körnig, nach rückwärts weniger dicht punctirt, zart behaart, braun; das Schildchen länglich, an der Spitze abgerundet, fein behaart, punctirt, braun; die Flügeldecken mehr als doppelt so lang als zusammen breit, fast linear, an der Spitze zusammen abgerundet, nach vorne etwas flach, nach rückwärts sehr convex, die Oberfläche dicht gelblich behaart, etwas glänzend, fein, dicht und tief punctirt, die Puncte bei schiefer Ansicht Querrunzeln bildend, mit schwach angedeuteten Längsstreifen, die Farbe braun; Brust und Hinterleib ebenso punctirt und behaart wie die Flügeldecken, etwas glänzend; die Füsse nicht sehr kräftig.

Wurde von mir zu Sebenstein gefangen.

Niederösterreichische Pflanzennamen

von

Dr. Anton Kerner.

Nachstehende Aufzählung niederösterreichischer Pflanzennamen verdankt ihre Entstehung einer von Herrn R. L. v. Heufler im Jahre 1852 veröffentlichten Schrift: „Ein botanischer Beitrag zum deutschen Sprachschatz", bei deren Durchlesung in mir der Wunsch sich aufdrängte, eine deutsche botanische Nomenklatur möglichst frei von fremden Ausdrücken und begründet auf ursprüngliche deutsche Benennungen, in der Wissenschaft eingeführt zu sehen. Vergleicht man die deutschen Namen, welche den Arten, Geschlechtern und Ordnungen der Pflanzen in den verschiedenen Werken beigegeben werden, so wird man eine nicht geringe Verwirrung wahrnehmen. Abgesehen davon, dass die Namen häufig gar nicht übereinstimmen und von einer Anführung der Synonyma gar keine Rede ist, so finden sich in dem einen Werke bei den Arten, in dem andern bei den Ordnungen die deutschen Namen ganz weggelassen. Eine über alle Arten, Gattungen, Ordnungen u. dgl. ausgedehnte deutsche Nomenklatur findet sich nur äusserst selten und dort, wo sie vorhanden, ist sie kaum mit dem Namen deutsch zu belegen.

Da die alte deutsche Volks-Nomenklatur in der Mehrzahl der Fälle nur auf die Arten und nur in seltenen Fällen auf ganze Gruppen derselben, deren natürliche Verwandtschaft auch dem nur oberflächlicher beobachtendem Auge nicht entgehen konnte, sich ausdehnte, so nahm man bei der Bildung deutscher Gattungs- und Ordnungsnamen gewöhnlich zur Uebersetzung seine Zuflucht und nicht selten liest man den lateinischen Familiennamen: *Nymphaeaceae*, *Berberideae*, *Polygaleae*, als deutsche Benennungen: Familie der Nymphaeaceen, Berberideen, Polygaleen nachgesetzt. Dass es aber bei einem solchen Mangel an einer alten deutschen Benennung erlaubt und vorzuziehen sei, neue deutsche Namen nach den Gesetzen der Wortbildung für solche Gruppen verwandter Pflanzen zu schaffen, unterliegt wohl keinem Zweifel, und Oken war der erste, der als Schöpfer solcher deutscher Gattungsnamen auftrat, die leider wenig Anklang gefunden zu haben scheinen. Um nun einerseits schon vorhandene deutsche Namen nicht unnöthig durch neue zu verdrängen, andererseits die Willkür, die bei Neubildung deutscher Namen in's Spiel tritt, zu beschränken und dem Schöpfer neuer Namen Anhaltspuncte zur Bildung derselben in die Hand zu geben, ist es nothwendig alle noch jetzt im Munde des Volkes lebenden Namen sorgfältig zu sammeln und zusammenzustellen. Diess ist der Grund, der mich bestimmte, nachfolgendes Verzeichniss der Oeffentlichkeit zu übergeben, welches alle von mir gesammelten niederösterreichischen Pflanzennamen enthält und neben der grossen Anzahl solcher Namen, die schon längst in botanischen Werken angeführt sind, vielleicht doch einzelne Bezeichnungen aufzählt, die in dem oben angedeuteten Sinne einigen Werth besitzen. Dass ich auch erstere, nämlich die schon allgemein bekannten und gebrauchten Namen gleichfalls anführte, geschah, um auch die Verbreitung bestimmter Namen ersichtlich zu machen, denn während für bestimmte Gewächse der Name ein allgemein verbreiteter ist, bleibt er bei andern nur örtlich und gerade die Angabe dieses Verhältnisses schien mir nicht ohne Werth zu sein. Es muss auffallen, dass Namen die anderwärts so verbreitet sind, wie Wachholder Weide u. d. gl. dem Oesterreicher wenigstens jetzt unbekannt sind. Ich will damit nicht behaupten, dass sie ihm seit jeher fremd geblieben, ja bei einigen lässt sich sogar mit Wahrscheinlichkeit annehmen, dass sie früher in Oesterreich mit einem jetzt verschollenen Namen belegt waren. Im Mai, zur Zeit wo Aepfel, Birnen, *Prunus Padus*, *Viburnum Lantana* und viele andere Gesträuche in voller Blüthe stehen, und die Wiesen mit blühenden *Taraxacum officinale* bedeckt sind, pflegen spielende Kinder die hohlen Schäfte letztgenannter Pflanze an der Spitze einzukerben, und dann in den Mund zu nehmen, wobei sie die Worte „Åpflbam, Melbam, Birbam" oft wiederhohlend aussprechen. Durch die Erwärmung und durch das Herumwerfen des Schaftes in der Mundhöhle erzielen sie, dass sich die eingekerbten Abschnitte wie Spiralen nach auswärts zusammenrollen, und der Schaft dann ein ganz eigenthümliches Ansehen erhält. Ich erwähne dieses Umstandes darum, weil im angeführten Spruche der Kinder das Wort Melbam enthalten ist, welche Benennung (Maelbaum) von T r a g u s in seinem Kräuterbuch von 1630 dem *Viburnum lantana* und *Sorbus aucuparia* beigelegt wird, während dieser Name gegenwärtig weder auf eine dieser beiden noch auf eine andere Pflanze in Oesterreich Anwendung findet, so dass es daher sehr wahrscheinlich ist, dass er in früherer Zeit auch in Oesterreich einem dieser beiden Sträuchen beigelegt wurde, jetzt aber verschollen ist, und sich nur mehr im obigem Spruche erhalten hat.

Vergleicht man die Namen bezüglich ihrer Verbreitung, so ergibt sich das Resultat, dass einige derselben nur auf einen sehr beschränkten Bezirk sich im Munde des Volkes finden, während andere mit geringen durch die Mundart bedingten Abänderungen eine weite Verbreitung zeigen.

Während diese letzteren sich meistens auf Bäume und Sträucher, auf Culturpflanzen und solche, die wegen ihrer heilsamen Wirkungen in grossem

Rufe gestanden, sich beziehen, so sind diejenigen Namen, die sich nur sehr örtlich zeigen, meistens nach dor Aehnlichkeit der Blüthen oder Blätter, oder auch nach der Zeit, zu welcher die Pflanze zur Blüthe kommt, gebildet, und namentlich die auf letztere Weise entstandenen sind oft nur auf ein einzelnes Dorf oder eine einzelne Alpe beschränkt. So z. B. heisst *Nigritella angustifolia* wegen der Farbe ihrer Blüthen auf den meisten österreichischen Alpen Kohlröserl am Klauswald im Erlafthale, jedoch wo diese Pflanze weit gegen das Thal herabgeht und schon im Juni zur Zeit der Sonnenwende blüht, nennt man sie „Sunawentschöberl". Solche Namen nach der Blüthezeit gebildet, sind überhaupt ungemein häufig und beispielsweise führe ich hier an: *Anemone Pulsatilla* bei Krems Arstgucka genannt, wahrscheinlich, weil ihre Blüthen fast die ersten sind, die aus dem Boden hervorgucken; *Helleborus niger* wird wegen seiner Blühezeit im allerersten Frühjahre Schneekaderl genannt. *Orchis Morio* und *militaris* die zur Zeit, wenn der Kukuck zum ersten Mal seinen Ruf ertönen lässt, blühen, nennt der Oesterreicher Gugableameln.

Vorzugsweise findet man diese Namen bei den cultivirten Obstsorten z. B. Magdalenabirn, Bartlmaipferscha von denen erstere um den Magdaleneen-, letztere um den Bartholomäus-Tag reifen, Haberbirn die gewöhnlich zur Zeit des Haferschnittes gepflückt werden, u. v. a.

Viele Volksnamen wurden nach dem Standorte der Pflanzen gebildet und unter diesen sind z. B. Wegrat für *Plantago*-Arten, Hanserl am Weg für *Chenopodium bon. Henricus* und *Polygonum aviculare*, Brunnkress für *Nasturtium* zu rechnen. Dass die Alten bei Bildung solcher Namen nach dem Standorte nicht sehr engherzig gewesen seien, geht aus einigen Stellen von Matthioli und Tragus Kräuterbüchern hervor, welche die *Chenopodium*, *Amaranthus*-Arten und mehrere andere Pflanzen, weil sie sich auf Schutt und an altem Gemäuer finden, schlechtweg Meier nennen, welchen Namen man auch in Oesterreich dem *Lepidium Draba*, also einer an ähnlichen Stellen wachsenden Pflanze beilegte. — Auch nach dem Lande, aus dem die eine oder andere Pflanze zu uns gebracht wurde, finden wir Namen gebildet. In früherer Zeit wurden die meisten fremden eingeführten Gewächse mit den Namen „Wälsch" oder „Heidnisch" bezeichnet, und so ist z. B. der Name Hoan des *Polygonum fagopyrum* der in den alten Werken als Heidnisch Korn aufgeführt wird, entstanden. Andere hierher gehörige Namen sind: Luzerner Klee, Teutscher, Türkischer, Steirer Klee u. dgl.

Eine grosse Anzahl von Pflanzen verdanken ihren Namen der technischen Anwendung, wie Zinnkraud für *Equisetum*-Arten, die zum Reinigen von Metall benützt werden, ferner Bindarohr, Stokadurrohr u. dgl., noch mehrere aber verdanken ihren Namen der Heilkraft, die man ihnen gegen bestimmte Krankheiten zuschrieb und bei diesen ist es in der That oft schwierig, die wahre Quelle des Namens zu finden, wenn die Krankheit selbst einen wenig bekannten Trivialnamen hat. So heisst z. B. *Stachys recta*, welche gegen die in Folge von *Periostitis* einer Zahnwurzel aufgetretene Geschwulst, Vorspa genannt, angewendet wird, das Vorspakraut. — *Bryonia alba*, welche gegen eine Hautkrankheit der Schweine, die man den Schelm nennt, Heilkräfte haben soll, heisst Schelmswurz. — *Rhododendron hirsutum*, von dem eine Abkochung eine Krankheit des Rindviehes, Bausch genannt, vertreiben soll, wird das Rauschkraut genannt. *Veratrum album* wird in den österreichischen Alpen zur Vertreibung des Ungeziefers in den Kleidern angewendet und hat den Namen Hematwurzen erhalten, ein Name, der dieser Pflanze nach Sendtner auch in den baierischen Alpen zukommt.

Auch der Aberglaube spielt eine grosse Rolle bei der Entstehung der Trivialnamen. So z. B. nennt man *Nephrodium filix mas.* an manchen Orten Greiñgraud, weil, wenn es in ein Haus gebracht wird, ein Verdruss entstehen, und von irgend einem Mitgliede des Hauses gezankt, oder wie der Oesterreicher sagt, gegreint werden soll. *Aconitum Napellus* heisst Wolfswurtz in einigen Gegenden auch Fuchsbliah, und soll die Eigenschaft haben, Wölfe und Füchse zu vertreiben. Vielleicht liesse sich hieraus das gewöhnliche Vorkommen dieser Pflanze bei den Sennhütten erklären, so dass man sie ursprünglich zum Schutze der Heerden dahin gepflanzt.

Auch der deutsche Name von *Sempervivum* oder *Jovisbarba* der Alten verdankt einem Aberglauben seinen Ursprung, indem man nämlich behauptet, dass dort, wo diese Pflanze wächst kein Blitz einschlage, demzufolge es in einer Verordnung Carl des Grossen *) heisst: „*Et ille hortulanus habeat sub domum suam Jovisbarbam.*" — In Oesterreich nennt man dasselbe gewöhnlich Hauswurtz seltener Donerknöpf, welcher letztere Name auch in Kärnthen **) und bei den Siebenbürger Sachsen (Donerkrokt) sich wiederholt.

Eine Unzahl von niederösterreichischen Pflanzennamen ist nach der Aehnlichkeit der Blüthen, Blätter oder Früchte mit irgend einem Gegenstande oder nach sonst einer Eigenthümlichkeit der Pflanze gebildet. Hierher gehören z. B. die Namen Bärnbratzerl oder Kåtzenbrankerl für *Gnaphal. dioicum* Lebngescherl für *Linaria* und *Antirhinum*-Arten, Täuberl im Nest für *Aconitum*, Klebern oder Kletten für *Lappa*-Arten, Klescherl für *Silene inflata*. Manchmal ist man über diese Namen wirklich überrascht, da sie eine sorgfältige Beobachtung der Pflanzen voraussetzten, wie z. B. die Namen Neunibleamerl für *Anagallis arvensis*, die um 9 Uhr Vormittags ihre Blüthen öffnet, oder Thaubecherl für *Alchemilla vulgaris*, in deren zusammengefalteten Blättern sich Morgens Thautropfen finden, und viele andere beweisen.

Bei einer grossen Anzahl von Pflanzennamen war ich nicht im Stande ihre Bedeutung zu ermitteln. So z. B. bei den Namen Senerer für *Erica Carnea*, Biberhendel für *Orobus vernus*, Teufelspeitschen für *Silene acaulis*, und vorzüglich finden sich viele solche Namen, in denen sich

*) Capitulare Caroli M. de Villis suis Cap. LXX.

**) Jahrbuch des naturhist. Landesmuseums von Kärnten, II. Jahrg. 1853, p. 94.

eine Beziehung auf irgend ein Thier findet, die wir nicht mehr kennen, wie z. B. bei Hundsbeer, Adlersbeer und vielen anderen — namentlich spielt der Kukuck früher Gukgauch oder bloss Gauch genannt, in der Zusammensetzung solcher Namen eine grosse Rolle.

Pflanzennamen die fremden Sprachen entsprungen sind, finden sich gleichfalls oft mannigfach verdreht im Munde des Volkes, doch sind diess meist solche, die wegen ihrer medizinischen Wirkung oder zum Küchengebrauche u. dgl. eingeführt wurden. So z. B. die Namen Håbern von *Avena*, Eibisch von *Hibiscus* oder*Ebiscus*, Sålfa von *Salvia*, Entzian von *Gentiana*, Jasmin aus dem arabischen *Jasimin*, Saffran aus dem arabischen *Sahafaran*, Mais, welches nach Matthioli von den Indianern *Mahis* genannt wurde.

Ich komme endlich zu jenen Namen, die nicht bloss für den Botaniker, sondern auch für den Sprachforscher den grössten Werth haben, und die im Gegensatze zu den bisher besprochenen, von denen viele gewiss erst in der jüngsten Periode ihre Entstehung gefunden, aus der Wiege unserer deutschen Sprache herstammen. Meist sind es Namen von Bäumen und Sträuchern die allgemeiner verbreitet sind, und deren Benennung bei uns nur durch die Mundart sich modificirt zeigt. Die Namen: Rusten für *Ulmus*, Åspen für *Popul. tremula*, Sålcher für *Salix Capr.* Felber für *Salix*-Arten, Alexen oder Elexen für *Prunus Padus*. Lülgn für *Clematis Vitalba* mögen als Beispiele dienen.

Die niederösterreichischen Pflanzennamen finden sich in nachstehendem Verzeichnisse in der Mundart des Niederösterreichers geschrieben, bei den meisten derselben ist auch der hochdeutsche Name eingeklammert, beigefügt. Es wurde hierbei die gewöhnlich übliche Art der Bezeichnung einzelner Laute gewählt, und wir verweisen in dieser Beziehung auf einen Aufsatz über die niederösterreichische Mundart von Franz Tschischka in den Beiträgen zur Landeskunde Oesterreichs unter der Enns." Wien 1832, Erster Band, pag. 74.

Clematis Vitalba L. Lülgn bei Krems, Lirschn und Lurschn um Wien, Nirschn und Nurschn im Kampthale (Laele im siebenbürgisch-sächsischen Dialekt, Niele in der nördlichen Schweiz). In einer Abhandlung von J. Grimm betitelt „Ueber Frauennamen aus Blumen" findet sich unter Anderen auch der Name Liula, welcher von der altdeutschen Bezeichnung der *Clematis Vitalba* „Liula" hergenommen ist, angeführt und erwähnt, dass sich diese Benennung bis auf die gegenwärtige Zeit in manchen Gegenden Deutschlands erhalten habe. Es unterliegt wohl keinem Zweifel, dass auch die angeführten niederösterreichischen Namen Lülgn u. s. f. von Liula herstammen.

Anemone Hepatica L. Lëbakraud (Leberkraut).

— *Pulsatilla* L. Arstguk'n, Oarguka (Erstgucken) im V. O. M. B. Mërznbëcherl (Märzbecherl) um Wien.

Ranunculus. Die gelbblühenden Arten Schmâlzbleamln (Schmalzblumen) mit welchem Namen man auch *Caltha palustris* bezeichnet. *Ranunc. hybridus* in den Alpen Hâaakemp (Hahnenkam) nach der Form der Blätter genannt.

Trollius europaeus L. Budarēserln (Butterröschen) die *var. humilior* Koch. am Hochschwab in Obersteiermark Ålmkaibal.

Helleborus niger L. Schneekaderl im Erlafthale.

— *viridis* L. Gilbwurzel. Die Wurzel dieser Pflanze dient als Volksmittel zum sogenannten Gilben (Setzen eines Haarseils.)

Nigella arvensis und *damascena* L. Gredl in da Stau'n (Gretchen in der Staude).

Delphinium Consolida L. Rittasporn (Rittersporn).

Aconitum Napellus L. Wolfswurz, Fuchsblüah, um Wien auch Taeuberl im Nest nach der Aehnlichkeit der Nectarien mit zwei Vögeln, die in dem helmförmigen Kelchblatte wie in einem Neste sitzen. Seltener ist der Name Eisnhuad (Eisenhut).

Paeonia officinalis L. Pfingstrosn, Buttoniros'n.

Berberis vulgaris L. Weiñscharl um Wien und Krems, Zizerl im Erlafthale. Ērsidl in der Umgebung des Schneeberges.

Papaver somniferum L. Mâgn, soll von dem türkischen Magon abstammen.

— *Rhoeas* L. Wülda Mâgn, Feldmâgn, Klâtschros'n, letzterer Name rührt wahrscheinlich davon her, dass man die sehr zarten Blumenblätter benützt, um durch eine eigene Fertigkeit einen Schall, ein Klatschen hervorzubringen.

Chelidonium majus L. Schölkraud, Bluadkraud (Blutkraut), Åfflkraud; das Erysipel nennt der Oesterreicher den Åffl, und da das *Chelidonium* gegen obige Krankheit als Volksmittel Anwendung findet, ist wohl hiervon der Name Åfflkraut abzuleiten.

Corydalis cava Schweigg. u. Koert. Holwurz.

Cheiranthus Cheiri L. Lâmberta, gâlba Veigl.

Nasturtium officinale R. Br. Brunkress, mit welchem Namen häufig auch *Cardamine amara* belegt wird.

Brassica Rapa Koch. Hâlmruabn, Weingârtruabn, Weisse Ruabn (Halmrübe, Weingartrübe).

— *Napus* L. Kraudruabn, Stēkruabn.

— *oleracea* L. Cultivirte Formen sind: *Caulocarpa* Kolrabi, Kolarabi, *viridis*: Krauskohl, blauer Kohl, *sabauda*: Kälch, *capitata* Kraut, sau's Kraut (saures Kraut), *botrytis*: Kauli, Kafiol, *asparagoides*: Brokal, Brokerl.

Sinapis nigra Koch. Sēnef.

Cochlearia officinalis L. Lungñkress, Löflkraud.

— *armoracia* L. Krēñ.

Lepidinm Draba L. Meier, Ålte Monn (Alte Männer).
— *sativum* L. Gårtnkress.

Capsella Bursa pastoris L. Taschlkraud.

Raphanus sativus L. *var. niger*: Schwårzn Radi, *var. radicula*: Radi.
— *Raphanistrum* L. Dilln im Waldviertel.

Viola odorata L. Veigerl (Veilchen), *V. hirta*, *canina*, *sylvestris*, überhaupt diejenigen blauen Veilchen, denen der Geruch fehlt: Hundsveigerl.
— *tricolor* L. Dreifåltikeitskraud (Dreifaltigkeitskraut), Tåg und Nåchtveigerl, Stiafmirtal (Stiefmütterchen). Man erklärt letzteren Namen auf folgende Weise: das unterste grösste gespornte Blatt der Blüthe ist die Stiefmutter, und trägt die schönsten und buntesten Farben, die zwei ihr zunächst stehenden Blätter sind ihre echten Kinder, die gleichfalls noch mit bunten Farben bezeichnet sind, die zwei obersten Blätter sind ihre Stiefkinder, und sind meist einfärbig.

Parnassia palustris L. Student'nröserl, wahrscheinlich weil sie zur Zeit der Herbstferien zu blühen beginnt.

Polygala vulgaris und *amara* L. Kreuzbleamln (Kreuzblumen). Hir. Tragus sagt pag. 210 „sie heissen Creutzblümen darumb, dass man sie in der Creutzwochen am vollkommlichsten findet, darauss machen die Creutz-Jungfrawen ihre Krentzlein."

Dianthus Arten: Nagl, *D. Carthusianorum* Stoanagl (Steinnelke), *D. plumarius fl. plen.* Pfingstnagl.

Silene acaulis L. Deuflspeitschn am Dürrenstein genannt (C. Erdinger).
— *inflata Sm.* Kleschn, Klescherl. Die aufgeblasenen Kelche an der Spitze zusammengehalten und rasch gesprengt, erzeugen einen Schall, den der Oesterreicher Kleschen nennt.

Lychnis Viscaria L. Biknagl, Bechnagl (Picknelke, Pechnelke).

Agrostemma Githago L. Rådn, mit welchem Namen auch der Same dieser Pflanze, der sich häufig dem Roggen beigemengt findet, belegt wird.

Spergula arvensis L. Leining im Mühlviertel, wo es ein häufiges Unkraut in den Leinfeldern ist.

Linum usitatissimum L. Hår, Flåchs, Lein; L. *austriacum*, Wülda Flåchs.
Stellaria media, Heanadarm (Hühnerdarm).
Malva sylvestris L. und *vulgaris* Fries. Kaspåpl, Kasbåbl (Käspapl).
Althaea rosea Cav. *culta*. Båblrosn (Pappelrose).
— *officinalis* L. Eibisch, Eiwisch.
Tilia grandifolia, Suma-Lindn, T. *parvifolia* Winta-Lindn.
Hypericum perforatum L. Johånskraud.
Acer Pseudoplatanus L. Åhorn, Flåder.

Acer campestre L. Flåder.

Aesculus Hippocastanum L. Wülda Kestnbam (Wilder Kastanienbaum), Rosskastanie der Wiener. Mathioli pag. 67 sagt: die Türken nennens Rosskastanien darumb, dass sie den keichenden Rossen sehr behülflich sindt."

Vitis vinifera L. Weiñstock, Weiñrebn. Die häufigeren in Oesterreich gebauten Traubensorten sind: *Ximenesia Cynobotris*, weisse Zirfañl oder Zirifaner, welcher Name von der Bezeichnung Transylvaner abstammen soll, *Ximenesia nigra*, schwårze Zirfanl, *Muscatella alba*, *nigra* und *rubra*, weiss, schwårz und råd Schmekade, oder auch Muskadella. *Plinia austriaca*, Weisse. *Plinia rhenana*, Risling. *Johannia albifrons*, Seetraubn, *Johannia princeps*, Pickera von dem Pickerergebirge in Steiermark, wo dieselbe häufig cultivirt wird so genannt, die Mosler der Rheinländer. *Isidora nobilis* Grobe. *Heerera veltlina* Råde (Rothe) die Veltliner der Rheinländer. *Heerera austriaca*, gleichfalls Råde genannt. *Chaptalia albifrons*, Pedersüllweiñba (Petersillweinbeere). *Columelia parietalis*, Scheib'nkern. *Clementea alba*, Mehlweisse. *Clementea laciniata*, Reifla, Grealing (Grünling). *Catonia praecox*, Burgundal. *Catonia burgundica*, Schwårzgrobe oder Limberga u. v. a.

Geranium robertianum L. Schnåblkraud, Storch'nschnåbl.

Oxalis Acetosella L. Håsenklee im Erlafthale, Gugabrod im Waldviertl, Saunklee bei Krems.

Ruta graveolens L. Weiñrantn (Weinraute).

Evonymus europaeus L. und *verrucosus* Scop. Pfåff'nkapl (Pfaffenkäppchen).

Rhamnus cathartica L. Hundsber, Pulvaber.

Ononis spinosa L. Hauhechl.

Melilotus-Arten. Stoañklee (Steinklee).

Trifolium pratense L. um Krems deutscha Klee, im Erlafthale Steiraklee (Steierischer Klee).

Lotus corniculatus L. und *Anthyllis Vulneraria* L. Frauñschuacherl,

Medicago sativa L. Schnek'nklee, Luzernaklee.

Hedysarum Onobrychis L. Türkischa Klee, Espase.

Vicia- und *Lathyrus*-Arten und *Coronilla varia* L. Wik'n.

Vicia Faba L. Sauboñl (Saubohne).

Pisum sativum L. Erwass'n, Erbs'n (Erbse).

Orobus vernus L. Bibahendl bei Krems, Liabfrauñschuachal im Waldviertel.

Phaseolus vulgaris L. Boñl. (*Phas. multiflorus* Lam. Rossboñl (Rossbohne).

Ervum Lens L. Lins, Lins'n. *Erv. monanthos cult.* im V. U. M. B. Kicherln.

Amygdalus comunis L. Måndl.

Persica vulgaris Mill. Pfearscha (Pfirsich).

Prunus Armeniaca L. Marüln, *Pr. spinosa* L. Schlechn, Schlecha (Schlehen).

— *insititia* L. Kricherl. *Pr. domestica* L. Zweschp'n (Zwetschke).

Prunus avium L. Kersch'n, Wåldkersch'n, Wåldkerschal. *Pr. avium duracina* Koch. Kramlkersch'n.

— *Cerasus* L. Weigsl (Weichsel). *Pr. Chamaecerasus* Jacq. Wülde Weigal.

— *Padus* L. Alegs'n, Oelegs'n, Aelegs'n, selten auch Aublüah.

Rubus Idaeus L. Himbēr, bei Zwettel im Waldviertel Molinabēr.

— *caesius* L. und *fruticosus* L. Brombēr, auch Braunbēr und Kroñbēr

Fragaria vesca L. Erdbēr, im Erlafthale Rådber, Rådi Bēr (Rothe Beere).

— *collina* Ehrh. Pröpstling, Pröstling.

Rosa canina L. Hētschapētschstaudn. Die Früchte werden Hētschapētsch genannt, welcher Name so viel als Heckenknospe zu bedeuten scheint, indem einerseits die hochdeutsche Bezeichnung Hagebutte, anderseits die englischen Worte Hedge (die Hecke) und bud (die Knospe) hierauf hindeuten.

Alchemilla vulgaris L. Thaubēcherl. In den jüngeren fächerförmig zusammengefalteten Blättern sind in der Regel Thautropfen angesammelt, was zur Bildung dieses Namens Veranlassung gegeben hat.

Crataegus Oxyacantha L. Melbēr. In der Umgebung von Steinegg im Kampthale, wo *Cornus mas* L. nicht vorkommt, wird *Crataegus Oxyac.* Dirndl genannt.

Mespilus germanica L. Asperl oder Esperl (Mispel).

Cydonia vulgaris Pers. Kid'n (Quitte).

Pyrus comunis L. Holzbirn. Einzelne cultivirte Sorten, deren Namen meistens nach der Zeit, in der sie reifen, oder nach dem Geschmacke, der Form u. dgl. gebildet wurden, sind: Håberbirn, Magdalenabirn, Frau'ñbirn, Schneebirn, Muskateln oder Nagawitzbirn, Süassbirn, Pluzabirn, Herrnbirn, Isñbårt, Kaisabirn, Augsburgabirn, Sålzburgabirn, Zwiboz'nbirn (Zweiknospenbirne) u. s. f.

Pyrus Malus L. Holzåpfel. Einige häufiger cultivirte Sorten, deren Namen grösstentheils fremden Sprachen entlehnt wurden, sind: Maschanska, Ranet, Grisofska, Tåfatåpfl, Güldaling, Himbērāpfl, Jakobiåpfl u. dgl.

Sorbus domestica L. Aschiz'n, Eschiz'n (Eberesche).

— *Aucuparia* L. Vogibēr.

— *Aria* Crantz. Edi Bēr, auch Melbēr (öde Beere, Mehlbeere).

— *torminalis* L. Ådlasbēr, im Waldviertl auch Melbirndl (Adlersbeere, Mehlbirnchen).

Oenothera biennis L. Nåchtkörz'n (Nachtkerze).

Bryonia alba L. Schēlmswurz, Hundsbēr (siehe oben).

Cucumis sativus L. Umurk'n (Gurke).

Cucurbita Pepo L. Pluza (Pluzer).

Philadelphus coronarius L. Bēcherlholla.

Sedum maximum Suter. Fette Hēn (Fettes Huhn).

— *acre, sexangulare* und *album* L. Warz'nkraut, ein Name, der ursprünglich wohl nur dem *S. acre*, welches wegen der scharfen Stoffe, die es in den Blättern enthält, gegen Warzen Anwendung fand, beigelegt wurde.

Sempervivum tectorum L. und *S. hirtum* L. Hauswurz, Dunerknöpf (Donnerknöpfe).

Ribes Grossularia L. Ågråsl.

— *rubrum* L. Ribisl.

Saxifraga mutata L. Fålsche Hauswurz am Lassingfall.

Chrysosplenium alternifolium L. Krod'nkraud (Krötenkraut).

Eryngium campestre L. Doañdistl, Donadistl (Donnerdistel).

Petroselinum sativum Hoffm. Pedersül (Petersilie).

Apium graveolens L. Zälla (Sellerie).

Carum carvi L. Kim'l (Kümmel).

Pimpinella Anisum L. Ånais (Anis).

Aethusa Cynapium L. Hundspedersül.

Foeniculum officinale All. Fēnigl (Fenchl).

Meum athamanticum Jacq. Baernbudl, Bergkim'l.

Levisticum officinale Koch. Liabstöckl (Liebstöckl).

Imperatoria Ostrutium L. Mastawurzl (Meisterwurzl).

Anethum graveolens L. Düll (Dill).

Daucus Carota L. Gaelbe Ruabn (gelbe Rübe).

Coriandrum sativum L. Koriånder.

Hedera Helix L. Wintagreañ (Wintergrün).

Cornus sanquinea L. Entweder Hårtrigl schlechtweg, oder dort, wo auch *Cornus mas* Hårtrigl genannt wird, Råder Hårtrigl.

Cornus mas L. Dearndl, Dirndl, Hårtrigl.

Viscum album L. Mistl.

Sambucus Ebulus L. Ådi (Attich).

Sambucus nigra L. Schwårza Holla (schwarzer Holler).

— *racemosa* L. Hirschholla bei Krems, Råda Holla am Oetscher, Bergholla um Wien.

Viburnum Lantana L. Edi Bēr (öde Beere) mit welchem Namen hier und da auch *Sorbus Aria* gemeint ist.

Viburnum Opulus L. Schneebåll'n.

Lonicera Caprifolium L. Gasblåd (Geissblatt), um Wien auch Jasmin und auch Je länger je lieber genannt.

Lonicera Xylosteum L. Hundsbēr.

Asperula odorata L. Wåldmasta (Waldmeister).

Galium verum L. „Unser lieben Frau Bēttstroh" in der Prein.

Valeriana officinalis L. Båldriañ.

Valerianella olitoria Poll. Vögerlsålåd (Vogelsalat).

Succissa pratensis Mönch. Deuf'ls Åbiss.
Tussilago Farfara L. Huafladi (Huflattich), im Waldviertl Heilblēda (Heilblätter).
Bellis perennis L. Rukerln, Gēnsbleamln (Gänseblümchen).
Inula Helenium L. Ålånt.
Gnaphalium Leontopodium Scop. Edlweis.
— *dioicum* L. Kåtznbraukerl, Bernbrazerl.
Helichrysum arenarium DC. Imorteln.
Artemisia Absynthium L. Wērmath (Wermuth).
— *austriaca* Jacq. Hiatawērmath (Hütherwermuth). Stränsschen dieser Pflanze werden in der Umgebung von Krems auf Stangen, die man an jenen Wegen, welche zur Zeit der Traubenreife nicht betreten werden dürfen, hinpflanzt, aufgesteckt und auch jeder Weingarthüther trägt ein solches Sträusschen auf seinem Hute, welche Sitte dieser Pflanze wohl ihren Namen gegeben hat.
Tanacetum Balsamita L. Fraunbladl (Frauenblatt).
Achillea Clavenae L. Weissa Speik.
— *Millefolium* L. Schåfgarm, Schofgarm, Mausēhrl (Schafgarbe, Mausöhrchen).
Matricaria Chamomilla L. Kamüln, Hirmandln.
Aronicum Clusii und *scorpioides* Koch. Gamswurzl.
Arnica montana L. Wolvalei (Wohlverleih).
Calendula officinalis L. Ringlbleaml, Todenbleama (Ringelblume, Todtenblume).
Cirsium und *Carduus*-Arten. Distln.
Lappa major Gärtn. Klebern.
Carlina acaulis L. Wēdadistl (Wetterdistel). Sie wird in einigen Gegenden von dem Bauer als Wetteranzeiger beobachtet.
Cirsium spinosissimum Scop. Oañhåk'n (Einhaken), am Hochschwab in Ober-Steiermark nach Professor E. Fenzl.
Centaurea Cyanus L. Kårnbleamln.
Cichorium Intybus L. Zigori (Cichorie).
— *Endivia* L. Åndivi, Endivi.
Taraxacum officinale Wigg. Maibleamln, Maischopn, Maschopen, Matåschn.
Tragopogon pratensis L. Boksbårt.
Campanula-Arten. Glökerl, Glok'nbleaml.
Campanula persicifolia L. Wåldglokn.
Vaccinium Myrtillus L. Schwårzbēr, bei Krems Hoañbērl (Hainbeer, Schwarzbeere).
— *Vitis idaea* L. Preislbēr, sowohl im Waldviertl wie in den Alpen.
Erica carnea L. Senara im Erlafthale.
Rhododendron hirsutum L. Rauschkraut (siehe oben) Åimrēserl.

Ilex aquifolium L. Schradlbam.
Ligustrum vulgare L. Gimplbēr, Dintnbēr, Hårtrigl.
Syringa vulgaris L. Türkischa Holla.
Fraxinus excelsior L. Eschn, Åsch im Erlafthale (Esche).
Vinca minor L. Wintagreañ (Wintergrün).
Nerium Oleander L. Leander.
Gentiana panonnica Scop. Enziån.
Erythraea Centaurium Pers. Dausndguld'nkraud.
Convolvolus-Arten. Windling.
Cuscuta-Arten. Deuflszwirn (Teufelszwirn), Hårnkraud, wird als *Diurheticum* vom Volke benützt.
Pulmonaria officinalis L. Rådi Himlschlissl.
Myosotis-Arten. Vergismainid (Vergissmeinnicht).
Solanum nigrum L. Nåchtschådn (Nachtschatten).
— *Dulcamara* L. Bitasüass (Bittersüss), Båchglida (Bachglieder).
— *tuberosum* L. Erdēpfl. Einzelne Sorten werden entweder nach der Farbe oder nach andern Eigenthümlichkeiten der Knollen benannt. So nennt man eine Sorte mit sehr grossen Knollen Bråla (Prahler), eine andere wo die einzelnen Knollen durch die Wurzeln vereinigt bleiben, und gleichsam durch Schnüre mit einander verbunden sind, Schnira (Schnürer), wieder andere nach der Form der Knollen, Kipfl u. dgl.
Physalis Alkekengi L. Judnkersch'n (Judenkirschen).
Atropa Belladonna L. Deuf'lsbēr (Teufelsbeere), Wolfsbēr (Wolfsbeere), Schwårzhēr.
Hyoscyamus niger L. Bülnkraud.
Verbascum-Arten. Himlbrånd, Kinigskērzn (Königskerze).
Digitalis-Arten. Fingahuat (Fingerhut).
Antirrhinum- und *Linaria*-Arten. Lēbngēscherl, Lēbnmäul (Löwenmaul) in den Alpen vorzüglich auf *Linaria alpina* angewendet.
Veronica officinalis L. Ehrnbreis (Ehrenpreis). Die meisten andern *Veronica*-Arten werden mit dem Namen Vagismainid benannt.
Euphrasia officinalis L. Augndrost.
Rhinanthus-Arten. Klåft im Erlafthale, Klåpertopf im Waldviertl.
Lavandula vera DC. Lafēndl.
Mentha-Arten. Minz'n, Båchminz'n (Bachmünze), *crispa*: Graustē Minz'n (gekrauste Münze), *piperita*: Bråminz'n.
Rosmarinus officinalis L. Rosmarein, Rosmarin.
Salvia officinalis L. Sålfa (Salbei), *S. pratensis, sylvestris, verticillata* L. Wülda Sålfa.
Thymus Serpyllum L. Kudlkraud.
Satureja hortensis L. Sådnrei, Boñlkreudl (Bohnenkraut).
Hyssopus officinalis L. Isop.

Glechoma hederacea L. Gundlrebn (Gundelrebe).
Lamium maculatum L. Daubnessl (Taube Nessel).
Stachys alpina K. Flåhkraud, *recta* Vorspakraud (siehe oben).
Betonica Alopecurus L. Krod'nwåmpn (Krötenbauch) am steinernen Meere nach Professor F e n z l.
Verbena officinalis L. Eisnkraud.
Anagallis arvensis L. Nainibleamal (Neunuhrblümchen) im Waldviertl, Heanaderm um Wien.
Primula acaulis J a c q., *elatior* J a c q. und *officinalis* J a c q. Himlschlissl.
— *Auricula* L. Gälba Zålidsch auf der Raxalpe und Schneeberg, Gamsbleaml in der Umgebung des Oetschers.
— *spectabilis* T r a t. Råda Zålidsch auf der Raxalpe und am Schneeberg.
Cyclamen europaeum L. Schweinsbrod, Saubrod, Wålderdepfl.
Statice alpina H o p p e. Schwundkraut, wird von den Aelplern als Hausmittl gegen die Lungensucht hoch in Ehren gehalten.
Statice elongata H o f f m. Mergrås (Meergras).
Plantago media L. Brada Wegrad (breiter Wegetritt), *lanceolata*: gspizta Wegrad (spitzer Wegetritt).
Phytolaca decandra L. Ålkermas (Alkermes).
Amaranthus caudatus, *sanguineus* L. Kåtznschwaf.
Chenopodium Bonus-Henericus L. Hansl am Weg um Scheibbs.
Beta vulgaris var. *italica*. Rådi Ruabn, var. *burgundica* und *silesiaca*, Roners'n im V. U. M. B. (T r a g u s nennt sie Rungelsen) Burgunda, Burgundaruabn um Wien und Krems, selten Runkiruabn.
Spinacia oleracea L. Spenåd (Spinat).
Atriplex hortensis L. wird in Oesterreich Mangold genannt, welcher Name an andern Orten der *Beta vulgaris* beigelegt wird.
Rumex-Arten. Sauråmpfa (Sauer Ampfer).
Polygonum aviculare L. Hanserl am Weg. Nach Herrn R. v. H e u f l e r, ebenso zu Eppan in Südtirol (Hoasl ban Weg) genannt.
Polygonum fagopyrum L. Hoarn, Had'n (Heidenkorn T r a g u s pg. 240).
Daphne Mezereum L. Seidlbåst.
Aristolochia Clematitis L. Wolfswurz, steht in grossen Ansehen als Volksmittel.
Asarum europaeum L. Håslwurz.
Buxus sempervirens L. Buxbam,
Euphorbia-Arten. Krodnbleaml, Wolfsmülch, Warznkraud (Kröttenblume, Wolfsmilch, Warzenkraut).
Urtica urens und *dioica* L. Brenessl.
Cannabis sativa L. Hånef (Hanf). Die Stäubblüthen tragenden Pflanzen nennt der Oesterreicher Feminel, und die Fruchtblüthen tragenden Maskl, eine Verwechslung der zu Grunde liegenden lateinischen Namen *mas. et femina*, die sich auch in den Kräuterbü-

chern der Alten findet die gleichfalls die Staubblüthen tragende Pflanze als die männliche bezeichneten.

Humulus Lupulus L. Hopf'n.

Morus nigra und *alba* L. Schwårzë und weissë Mäulbër.

Ulmus-Arten. Rustn (Rüster).

Juglans regia L. Nussbam. Stoañnuss (Steinnuss), Bâbirnuss (Papiernuss), Batlmainuss (Bartholomäusnüsse) sind einzelne Sorten derselben.

Fagus sylvatica L. Râdbuchn, oder auch nur Buch'n, Buachn. Im Kampthale Wâldbuach'n.

Carpinus Betulus L. Weisbuachn, Hoañbuach'n.

Quercus-Arten. Oach'n, Ach'n. *Q. pedunculata* Ehrh. Wis'aach'n (Wieseneiche), Feldachn (Feldeiche), Stülachn (Stieleiche). *Q. Robur* Roth. Stoañachn (Steineiche), Wintarachn (Wintereiche).

Salix-Arten mit Ausnahme der Gruppe *Capreae* und *Frigidae*. Fälba. Die mit Blüthenkätzchen bedeckten blattlosen Zweige einiger Arten, vorzüglich der *S. daphnoides* und *viminalis* werden Pâlmkatzl genannt, und mit Zweigen von *Buxus sempervirens*, *Juniperus Sabina* und den Blättern von Epheu zu Sträusschen gebunden, die man an Stäbe bindet und am Palmsonntage mit Weihwasser besprengen lässt.

Salix Caprea L. Sâlva, Sâlcha (Salcher, Salweide); die Kätzchen tragenden Zweige gleichfalls Pâlmkatzl genannt.

Populus alba L. Wâsserâlm (Wasseralber), Weisspâpl.

— *nigra* L. Ålm (Alber), Schwârzpâpl.

— *pyramidalis* Roj. Pâplbam, italiënische Pâpl.

— *tremula* L. Åspn (Aspe).

Betula alba L. Bira (Birke).

Alnus glutinosa Gärtn. Schwârz-Erl, Irl, El (Schwarz Erle).

Alnus viridis DC. wird bei Prein, wo *Aln. glutinosa* fehlt, Schwârz Erl genannt.

Alnus incana DC. Weiss-Erl, Irl, El (Weiss-Erle).

Taxus baccata L. Râdeib'n (Rotheibe, Eibenbaum).

Juniperus communis L. Kronawëtstaud'n, Kronawët'n, ein Sträusschen dieser Pflanze wird von den Jägern als Präservativ gegen Ermüdung und Sichwundgehen auf den Hut gesteckt. Den Namen Wachholder kennt der Oesterreicher nicht.

Juniperus Sabina L. Sëgnbam, Sëglbam, Sëh'nbam.

Pinus sylvestris L. Fehra, Fern, Fëhrn, Weissfëhrn (Föhre).

— *austriaca* Höss. Schwârzfëhrn, Schwârzfehra (Schwarzföhre).

— *Pumilio* Haenke. Klepp'n am Schneeberg und auf der Raxalpe, Lek'hn, Lek'hern in den westlicher gelegenen nieder-österreichischen Alpen. Letztere Bezeichnung auch im Salzkammergute. An einigen Orten auch Zerm, Zerb'n, Zermstaudn.

— *Larix* L. Lehrbam, Lerchn, Learchn (Lärche).

Pinus Picea L. Tēnnabam, Tånabam (Tannenbaum).
— *Abies* L. Ficht'n, Feicht'n, im Waldviertl Fiacht'n (Fichte).
Lemna-Arten. Wåsserlins'n.
Typha latifolia L. Bindaråhr, im Waldviertl Hergottskolb'n.
Acorus Calamus L. Kålmus, Kålmas.
Orchis-Arten. Besonders die häufiger vorkommenden *O. militaris*, *Morio*, *ustulata*: Gugableamln (Guguckblumen).
Nigritella angustifolia Rich. Kolröserl (Kohlrösschen wahrscheinlich wegen der Farbe der Blüthen, die man einer glühenden Kohle vergleicht), am Klauswald im Erlafthale nach C. Erdinger Sunawendschöberl.
Cypripedium Calceolus L. Frauñschuach (Frauenschuh).
Iris Pseudacorus L. Wåsserjüling, Wåsserüling.
— *germanica* L. Jüling, Juling, Juln, Jüln. Um Wien Schwertlilien.
Gladiolus comunis L. Schwertl.
Crocus sativus L. Såfrån.
— *vernus* All. Wülda Såfrån im kleinen Erlafthale nach C. Erdinger.
Colchicum auctmnale L. Wis'nsåfråñ, Lauskraud im Waldviertl. Seltener wülda Såfrån und Zeitlos'n.
Veratrum album L. Hēmadwurzn oder bloss Hēmad (siehe oben). In Obersteiermark wird diese Pflanze auch Enziån genannt, und von den Wurzelgräbern als Entzianwurzel statt der Wurzel von *Gentiana pannonica* gegraben.
Galanthus nivalis L. Schneeglökerl.
Paris quadrifolia L. Oañbēr (Einbeer) auf der Raxalpe.
Convallaria majalis L. Fåltriåñ, um Wien Maiglökerl.
Tulipa-Arten. Tulipana.
Asparagus officinalis L. Spargl.
Lilium Martagon L. Türk'nbund.
— *candidum* L. Weise Lilien.
Ornithogalum umbellatum L. Mülchstern.
— *pyrenaicum* L. Hundsknofl im Erlafthal (Hundsknoblauch).
Allium ursinum L. Wülda Knofl (wilder Knoblauch).
— *Cepa* und *fistulosum* L. Zwif'l (Zwiebel).
— *sativum* L. Knof'l (Knoblauch).
— *Porrum* L. Pori (Porre).
— *Schönoprasum* L. Schnidling (Schnittlauch).
Muscari racemosum Mill. Gugableaml (Gugukblume).
Juncus-Arten. Bins'n, Bims'n, unter welchem Namen auch einige *Scirpus*-Arten, z. B. *Scirpus lacustris* verstanden werden.
Gramineen werden nur wenige mit besonderen Namen belegt, und es gilt für die meisten der Ausdruck Grås, die grösseren an den Bach- und Flussufern stehenden Gräser, *Calamagrostis*, *Phalaris* u. dgl. werden Råhr genannt. Besondere Namen erhalten nur:

Andropogon Ischaemum L. Schmeloha, Schmiln.

Setaria verticillata wird in der Umgebung von Krems, wo sich diese Pflanze häufig als Unkraut in den Weingärten vorfindet, und an die Kleider der Arbeiter in den Weingärten (Hauer) mittelst den nach rückwärts gerichteten Zäckchen der Hüllborsten anhängt, Hauerlais (Hauerläuse) genannt.

Phragmites communis Trin. Stokadurråhr, Råhr, selten Schülfråhr.

Phalaris arundinacea L. Die Spielart mit weissgebänderten Blättern Bandlgrås.

Avena sativa L. Håfern, Håbern (Hafer).

— *fatua* L. Graning im Mühlviertl, wo diese Haferart immer mit begranten Spelzen vorkommt und wenn sie unter *Avena sativa* wächst, deren Spelzen dort meist granenlos sind, durch dieses Vorhandensein der Grane schon von ferne erkannt wird.

Hordeum-Arten. Gerst'n (Gerste).

Secale cereale L. Korn, Kon, Kendl, Troad (Getreide) im Waldviertl. Der Name Roggen findet sich nur auf das Mehl angewendet, indem man das aus Roggen gewonnene, rogas Mehl nennt.

Triticum vulgare L. Waz, Warz, Woarz (Weizen.)

Lolium temulentum L. Unsinni (Unsinnig), Durst im Waldviertl.

Briza media L. Fraun̄hår (Frauenhaar).

Equisetum-Arten. Zinkraud, Schåchtlhålm, Kåtzuschwaf.

Lycopodium clavatum L. Gråmkraud (wird als Hausmittel gegen Krampf angewendet, daher wahrscheinlich Krampfkraut).

Polypodium vulgare L. Englsüass, in Waldviertl Stan̄würzl, Süasswürzl.

Asplenium filix femina und *Polystichum Filix mas* Roth. Grein̄kraud (siehe oben).

Asplenium Ruta muraria L. Maurraut'n.

Scolopendrium officinarum Sw. Hirschzunga (Hirschzunge).

Moose und viele Flechten werden mit Mias bezeichnet.

Cetraria islandica Kramperlde (Kramperlthee).

Formicina austriaca.

Beschreibung

der bisher im österreichischen Kaiserstaate aufgefundenen Ameisen

nebst

Hinzufügung jener in Deutschland, in der Schweiz und in Italien vorkommenden Arten.

Von

Med. Dr. Gustav L. Mayr.

Von jeher waren es die *Coleopteren* und *Lepidopteren*, welche die rege Aufmerksamkeit der Entomologen auf sich zogen, während die anderen Insectenordnungen nur von sehr vereinzelten Forschern studiert wurden, wesshalb auch die Literatur derselben folgeweise eine spärliche und theilweise sehr ungenügende ist. Erst in neuester Zeit bemerkt man eine grössere Theilnahme, sich mit *Hymenopteren*, *Neuropteren* etc. zu beschäftigen, und selbst die seit Latreille in einem fast ungestörten Puppenzustande befindlich gewesene Myrmecologie wurde in neuerer Zeit durch Dr. Nylander erweckt, der wieder den ersten Strahl des Lichtes in die dunkle und längst vergessene, aber dennoch höchst interessante Ameisenwelt sandte. Auf seinem nun angebahnten Wege arbeiteten Dr. Förster, Schenck und Smith Localfaunen aus, und selbst im österreichischen Staate, in welchem vor mehreren Jahren fast Niemand an Ameisen dachte, interessiren sich seit der Zeit, als ich mich mit dieser Familie beschäftige, viele Entomologen für die Ameisen.

Ueber dieselben schrieben im österreichischen Staate im vorigen Jahrhundert Scopoli und Schrank. Scopoli's *Entomologia carniolica* erschien im Jahre 1763 in Druck, in welcher sechs Ameisenarten angeführt sind. Auf dieses Werk folgte im Jahre 1781 Schrank's *Enumeratio insectorum Austriae indigenorum*, in welcher Schrank acht Arten beschreibt, doch konnte ich mehrere dieser Arten wegen zu unvollständiger Beschreibung im speciellen Theile nicht aufnehmen. Ebenso konnte ich auch Scheffer's: Verzeichniss der grösstentheils in der Wiener Gegend vorkommenden Aderflügler in den Sitzungsberichten der math.-naturwissensch. Classe der kaiserlichen Akademie der Wissenschaften, 1851, nicht benützen, indem sich der Autor bloss der Linné'schen und Fabricius'schen Werke zur Determination bediente, welche grösstentheils Arten enthalten, welche nach dem neueren Stande der Wissenschaft als Collectiv-Arten gelten und daher nicht zu entziffern sind. In Kirchner's Verzeichniss der in der Gegend von Kaplitz, Budweiser Kreises in Böhmen, vorkommenden Aderflügler in den Verhandlungen des zoologisch-botanischen Vereines, Band IV, Abhandlungen *pag.* 314 sind ebenfalls Ameisen angeführt, doch da Herr Kirchner mir freundschaftlichst alle seine um Kaplitz gesammelten Ameisen sandte, so war ich in der Lage, dieselben genau zu determiniren und werde daher die Citirung des Aufsatzes selbst später übergehen.

Obwohl ich schon vor längerer Zeit in einem Aufsatze die Herausgabe dieses Werkchens versprach, und etwa schon für wortbrüchig gehalten wurde, so glaube ich mich dadurch entschuldigen zu können, dass durch diese Verzögerung, welche durch anderweitige Beanspruchung meiner Zeit herbeigeführt wurde, vorliegende Arbeit nur gewonnen hatte, indem das seither dieser zu Grunde liegende Materiale bedeutend vermehrt wurde. Indem dieses Werkchen ziemlich bogenarm ist, so mag es sonderbar klingen, wenn ich anführe, dass dasselbe eine nicht geringe Mühe beansprucht hat, indem ich es mir zum Grundsatze machte, so viel Materiale als möglich zu untersuchen und es gelang mir bis jetzt wirklich, 25- bis 30,000 Ameisen untersucht zu haben. Aus dieser Summe ist es aber auch einleuchtend, dass ich dieses Ameisenheer grösstentheils den überaus freundschaftlichen Mittheilungen vieler verehrter Entomologen verdanke, deren Namen ich des beschränkten Raumes wegen bloss im speciellen Theile anführen kann, und welchen ich für die mir und der Wissenschaft geopferte Mühe, so wie für ihre mir gegebenen Aufklärungen meinen innigsten und aufrichtigsten Dank ausspreche; insbesondere erwähne ich aber meines verehrten Freundes Herrn Adolf Senoner, dem ich für seine viele verwendete Mühe zu grossem Danke verpflichtet bin. Ohne der namhaften Hilfeleistung dieser meiner verehrten Correspondenten wäre ich nicht im Stande gewesen, die reiche Ameisenfauna des österreichischen Staates, welche viele Arten sowohl Süd- als Nord-Europa's vereinigt, in diesem Masse kennen zu lernen.

Es sind in diesem Werkchen vorzüglich die Ameisen des österreichischen Staates bearbeitet, ich hielt es aber auch für zweckmässig, jene Arten anzuführen, welche wohl in den Nachbarländern vorkommen, im österreichischen Staate aber noch nicht gefunden wurden, denn es ist sehr wahrscheinlich, dass in kurzer Zeit die meisten dieser Arten auch in Oesterreich aufgefunden werden, und dadurch ist sodann die Determination derselben sehr erleichtert, indem nicht allen Entomologen die bezügliche Literatur zu Gebote steht und überhaupt das Zusammentragen aus den verschiedenen Werken oft eine qualvolle Arbeit ist. Ueberdiess habe ich dadurch eine Vorarbeitung der Ameisenfauna dieser nachbarlichen Länder gegeben, wodurch einem künftigen Bearbeiter wenigstens ein Verschub geleistet wird.

Es gibt wohl wenig Insekten, welche so schwierig zu bearbeiten sind, als die Ameisen, nicht bloss dadurch, dass die drei (und bei den europäischen Ameisen bei einer Species sogar vier) verschiedenen Geschlechter *) die Sache sehr erschweren, sondern es tritt noch das ungeheure Variiren der Arbeiter in Farbe und Grösse in vielen Fällen hinzu, so dass der gewissenhafteste Entomolog von einigen Species, die am meisten von einander verschiedenen, aber doch zu einer Art gehörigen Arbeiter unbedingt für zwei

*) Es wäre sehr wünschenswerth, dass statt dieses fehlerhaften obwohl gebräuchlichen Ausdruckes ein anderes zweckmässigeres Wort vorgeschlagen würde.

sehr distinguirte Arten halten wird, und führe hinzu als ein Beispiel die *Formica lateralis* Ol. an, wovon das Nähere bei der speciellen Anführung auseinandergesetzt ist.

Ein wesentlicher Vorschub wurde mir durch die gefällige Zusendung von Original-Exemplaren aus den Händen der Herren Autoren Dr. Förster, Dr. Nylander, Prof. Schenck und Smith geleistet, und ich werde auch bei etwas zweifelhaften oder schwierigen Arten anführen, ob ich die Original-Exemplare des betreffenden Autors zur Beschreibung benützen konnte.

Ich glaube, mit diesem Werkchen den Grund zu weiteren Arbeiten, welche ich auszuführen hoffe, gelegt zu haben, und ich wünsche, dass ich recht bald durch Zusendung von Materiale aus allen Ländern Europa's und der anderen Welttheile in der Lage sein werde, zur Kenntniss der Ameisen wieder ein kleines Schärflein beitragen zu können Ich ersuche daher die Herren Entomologen, mich auch fernerhin mit sowohl europäischen als exotischen Ameisen, sowie auch mit ihrem Rathe zu unterstützen, und erkläre mich gerne bereit, vor der Hand europäische Ameisen bei Angabe des Vaterlandes wenigstens zu determiniren, so wie ich mir auch ein Vergnügen daraus mache, jenen Entomologen, die sich gerne mit Ameisen beschäftigen möchten, Ameisensammlungen zusammenzustellen.

A) Allgemeiner Theil.

Unterscheidung von anderen *Hymenopteren*. Die zahlreichen Arten der Familie *Formicina* unterscheiden sich von jenen anderer *Hymenopteren*-Familien vorzüglich durch die charakteristich gebildeten Fühler, Flügel, Beine und das Stielchen. Die Fühler sind gebrochen, d. i. mit einem Schafte, der bei manchen Männchen wohl sehr kurz ist, versehen. Das Stielchen trägt, wenn es eingliedrig ist, eine entweder aufrechte oder nach vorwärts gerichtete Schuppe, oder das Stielchen selbst hat die Knotenform und entbehrt der Schuppe. Ist das Stielchen zweigliedrig, so stellt jedes Glied einen Knoten dar. Die Flügel zeichnen sich bei den Ameisen*) ebenfalls besonders aus, deren Rippenvertheilung in den Abbildungen nachzusehen ist. Durch die Beine, welche zwischen der Hüfte und dem Schenkel bloss ein Glied eingeschaltet haben, unterscheiden sie sich von den Blatt-, Holz-, Schlupf- und Gallwespen. Endlich unterscheiden sie sich von den anderen *Hymenopteren* dadurch, dass ihre vollständigen Colonien aus geflügelten Männchen und Weibchen und aus ungeflügelten Arbeitern (und bei einer europäischen Gattung noch aus sogenannten Soldaten) bestehen. Am häufigsten werden *Mutillen*-Weibchen und *Pezomachi* für Ameisen gehalten, weil denselben die Flügel, so wie den Ameisenarbeitern fehlen, sie werden aber leicht durch die mangelnden oben angegebenen Charaktere als andere *Hymenopteren* erkannt.

Der Aufenthalt der Ameisen ist ein sehr mannigfacher. Sie leben theils in der Erde, in welcher sie aus dem verschiedensten Materiale zu-

*) Es sind in diesem Werke stets die europäischen Ameisen gemeint.

sammengesetzte Bauten aufführen, theils unter Steinen, theils in alten besonders hohlen Baumstämmen, theils in Fels- und Mauerspalten, theils unter dem Moose, an Felsen u. s. w. Ihre Colonien legen sie an den verschiedensten Orten an, wie an Wegen, auf Wiesen besonders an warmen trockenen, mit Steinen belegten Bergwiesen, in Wäldern und Auen, auf und in Mauern, z. B. in Häusern, in Thälern und auf Bergen u. s. w. Selbst in Grotten wurden schon Ameisen gefunden, doch waren diess leider keine augenlosen eigenthümlich geformten Arten, sondern auch anderswo sich vorfindende sogar gemeine Species, wie *Formica ligniperda* Nyl., *Form. brunnea* Ltr. und *Diplorhoptrum fugax* Ltr.

Nahrung. Die Ameisen nähren sich so wie auch ihre Larven und Weibchen mit den verschiedensten flüssigen Stoffen.

Eine besondere Vorliebe haben sie zu den zuckerhaltigen Säften, die sie aus Blüthen hohlen, oder, aus Bäumen ausfliessend, lecken, oder von den Blattläusen bereitet und durch eigene Röhren ausgeschieden, saugen. Fast auf jedem Zweige, auf welchem sich Blattläuse befinden, sieht man auch Ameisen, welche, auf ersteren herumtrippelnd, sich den von den Blattläusen abgesonderten Saft holen nnd sehr häufig damit noch nicht zufrieden, sogar Blattläuse mit den Oberkiefern fassend in ihre Colonien tragen, um sie daselbst gleichsam wie Kühe zu melken; es scheinen auch die Blattläuse über dieses sonderbare Benehmen der Ameisen nicht ungehalten zu sein, indem sie diesen gewöhnlich nicht zu entfliehen suchen, sondern unbeweglich an ihrem eingenommenen Platze sich verhalten.

Eine weitere Nahrung sind alle Früchte, welche an einer Stelle ihrer Oberhaut beraubt sind, also z. B. durch Regen aufgesprungenes oder durch Vögel aufgehacktes Obst.

Ferner nähren sich die Ameisen von getödteten Thieren und Thierstoffen überhaupt, welche sie aussaugen, und oft bloss verwundete kleine Thiere, welchen die nöthige Kraft zur Vertheidigung oder zum Entfliehen fehlt, werden noch lebend schon zur Nahrung benützt, man sieht es z. B. nicht selten, dass zehn bis zwanzig Ameisen an einem halbzusammengetretenen aber noch lebenden *Carabus* ziehen, um ihn in ihr Nest zu bringen, damit dort ihre Genossen daran Theil nehmen können, und nicht, wie man früher wähnte, ihre Beute in ihren Magazinen für den Winter aufzuspeichern, zu welcher Jahreszeit sie keiner Nahrung bedürfen, indem sie sich im Winterschlafe befinden, und wohl zu unterscheiden sind die hier gemeinten europäischen Ameisen von mehreren exotischen, welche letztere wirklich Vorräthe aufhäufen, deren sie sich zu der Zeit, wo sie sich in ihren Bauten ganz zurückziehen, aber nicht erstarren, derselben bedienen.

Die Larven und die eierlegenden Weibchen können sich ihre Nahrung nicht selbst suchen, und werden daher wie die jungen Vögel von den Aeltern, von den Arbeitern mit den obenerwähnten Säften gefüttert.

Lebensweise. Wie bekannt, leben die Ameisen gesellschaftlich, manche Arten zu vielen Tausenden in einer Colonie beisammen, und ich erinnere nur an die häufigen oft über ¾ Klafter im senkrechten und horizontalen Durchmesser habenden Ameisenbauten, welche in der Erde gewöhnlich tiefer gehen, als der Hügel ober der Erde erhoben ist, und bei deren Aufdeckung die Oberfläche mit Tausenden von Ameisen in einem Momente ganz überdeckt ist; im Gegentheile leben aber manche Ameisenarten in sehr geringer Individuenzahl in den Colonien beisammen, wie diess z. B. bei *Ponera contracta* Ltr. der Fall ist.

Die Bauten, welche von den Ameisen in der Erde aufgeführt werden, kommen dadurch zu Stande, dass die Arbeiter in die Tiefe dringend Gänge und Höhlungen ausgraben, und die dadurch gewonnene in kleinen Klümpchen aus den Gängen hervorgebrachte Erde entweder zu ihrem weiteren Baue nicht benützen und bloss in der Nähe der Mündung ihrer Minirungen an die Oberfläche in Form eines Vulkans ablegen, wo die Mündung des unterirdischen Baues dem Krater entspricht, doch wenn sie unter einem Steine bauen, die Erde etwas weiter entfernt in kleinen Häufchen zertheilen, oder sie verwenden die ausgegrabene Erde zu ihren Bauten auf die Weise, dass sie dieselbe über ihren unterirdischen Bau tragen, welcher sie die Gestalt eines grösseren und kleineren Hügels geben, und in dieser Erde ebenfalls Gänge und Kammern bauen. Zu diesen Hügeln wird entweder bloss Erde verwendet, oder sie zerbeissen Grashalme, Zweigchen, Stengel in kleine Stückchen, und tragen diese, so wie auch *Coniferen*-Nadeln, Blätter etc. zusammen, um mit Erde in Verbindung aus diesem Materiale ihre Bauten aufzuführen. Weiters legen die Ameisen auch Colonien in Bäumen an, und graben sich im morschen Holze Gänge aus, in denen sie leben. Häufig sind auch Colonien in Häusern von gewissen Arten zu finden, welche im südlicheren Gegenden eine wahre Plage werden, indem Nichts vor ihren räuberischen Anfällen wegen ihrer Kleinheit, wesshalb sie durch die feinsten Ritzen dringen können, geschützt werden kann, wohin von österreichischen Arten die *Oecophthora pallidula* Nyl. gehört. Manche Arten führen keine Bauten auf, und bewahren ihre Brut, in kleinen theils von ihnen selbst ausgearbeiteten theils von ihnen schon gefundenen Höhlungen in der Rinde der Bäume, in welche der Eingang als kleine Ritze durch die Borke geschützt wird, oder es wird von manchen Arten auch auf Felsen, welche mit Moos bewachsen sind, unter letzterem die Colonie angelegt. Es würde zu weit führen, alle bei Ameisen vorkommenden Bauten anzuführen, und ich erwähne nur noch, dass mehr weniger gewisse Formen von Bauten, und insbesondere gewisses zu denselben verwendetes Materiale bestimmten Arten oder Gruppen von naheverwandten Arten meist charakteristisch sind, obwohl man im Gegentheile auch Arten findet, welche unter den verschiedensten Verhältnissen diese entsprechenden mannigfaltigen Bauten ausführen, wohin z. B. *Tetramorium caespitum* L. gehört, welche Ameisenart man in Erdhaufen an Wegen, auf Wiesen, in Gärten, in Wäldern, auf Aeckern, dann unter Steinen, in alten Bäumen, sodann auch in Mauerspalten, in Häusern u. s. w. häufig findet. Zerstört man den Ameisen die Bauten, so führen sie wieder neue auf, doch geschieht diess

Zerstören zu wiederholten Malen, so suchen sich die Ameisen oft eine neue Wohnstätte auf und ziehen mit der ganzen Brut, welche sie mit ihren Oberkiefern haltend forttragen, aus, indem sie vorher an dem neu erwählten Wohnplatze ihre Bauten ausgeführt hatten. Stiller (die Ameisen hinsichtlich der Liebe zu ihren Jungen, in den Abhandlungen der naturforsch. Gesellschaft zu Görlitz, 1. Band, 2. Heft, 1827, *pag.* 21) erzählt, dass eine solche von ihm beobachtete Auswanderung gegen acht Tage gedauert habe, welche Angabe ich nicht bestätigen kann, indem ich über die Dauer solcher Auswanderungen bei sehr individuenreichen Colonien keine Beobachtungen angestellt habe.

Nebst der Aufführung der Bauten, welche viele Ameisenarten wegen Elementarereignissen ohnediess sehr oft wiederhohlen müssen, indem sie nicht hinlänglich vor diesen geschützt sind, werden die Ameisenarbeiter noch bedeutend durch die Sorge für die Brut in Anspruch genommen, und es sind nicht gewisse Arbeiter, welche bloss die Brut, und andere, welche bloss die Bauten zu besorgen haben, sondern sie verrichten ihre Arbeiten gemeinschaftlich, und es wird jene Arbeit von allen in Angriff genommen, welche eben die dringendste ist. Die Sorge der Arbeiter für die Brut besteht im Nähren der eierlegenden Weibchen, so wie der aus den Eier geschlüpften Larven, welche selbst ganz unthätig sich von den ungeflügelten Ameisen ernähren lassen. Ausserdem sorgen die Arbeiter für eine zu dem Gedeihen der Larven und Puppen zweckmässige Wärme, indem sie an mässig warmen Tagen dieselben nahe unter die Oberfläche ihrer Bauten, so wie auch bei lange dauernden Regen, um der Ersäufung in der Tiefe des Nestes zu entgehen, tragen, dann an kühlen Tagen, bei Nacht und bei nicht zu lange dauernden Regen oder bei zu starker Sonnenhitze in die tieferen Gänge und Höhlungen ihrer Bauten schleppen. Manche Arten wie z. B. *Formica rufa* Nyl. schliessen bei Regen, zur Nachtszeit die Oeffnungen ihres Baues, ohne Zweifel um einerseits die Wärme ihres Nestes concentrirt zu erhalten*), anderseits von

---

*) Sehr interessant wären durch längere Zeit fortgesetzte Messungen der Temperatur von Ameisenbauten, und vielleicht bin ich später in der Lage, darüber ausführliche Beobachtungen und Messungsresultate veröffentlichen zu können. Bis jetzt habe ich erst zwei Messungen gemacht, und zwar eine derselben am 17. Mai 1853 in einem aus Föhrennadeln, Zweigstückchen, andern Baumabfällen und Erde zusammengesetzten 1½ Fuss über der Erde erhabenen, 3 Fuss im horizontalen Durchmesser einnehmenden am Rande eines Waldes mit südlicher Abdachung, beiläufig 1500 Fuss über dem Meere hinter Ober-Bergern bei Mautern in Unter-Oesterreich gelegenenen Baue, bei einer Lufttemperatur von 12 C. an einem regnerischen Tage, wo der Bau bei ein Fuss tiefer Einsenkung des Thermometers eine Temperatur von 24, 5 C. zeigte. Hingegen zeigte eine zweite am Schneeberge in Unter-Oesterreich in einem aus *Coniferen*-Nadeln, Holzstückchen und Erde construirten 1½ Fuss über der Erde erhabenen, 4 Fuss im horizontalen Durchmesser habenden Baue, bei ein Fuss tiefer Einsenkung des Thermometers und bei einer Lufttemperatur von 14, 6 C. gemachte Messung bloss eine Temperatur von 15, 2 C.

unliebsamen Gästen nicht überrascht zu werden. Ueberhaupt ist ihre Hauptsorge der Brut zugewendet, und Jedermann wird schon beachtet haben, dass sich, wenn man ein eine Brut enthaltendes Ameisennest zerstört, die Arbeiter nicht abhalten lassen, die Puppen und Larven zu erfassen, und sie in irgend ein Asyl z. B. ein naheliegendes Loch zu schleppen, welches Verfahren die sogenannten Ameiseneisammler sehr gut zu ihrem Vortheile auszubeuten wissen, um die Puppen (sogenannten Ameiseneier) auf leichte Weise zu erhalten.

Wie schon früher erwähnt, verfallen die Ameisen bei Eintritt des Frostes in einen Winterschlaf, nachdem sie sich vorher so tief auf den Grund ihrer Bauten zurückgezogen haben, dass der Frost in der Erde keine Erniedrigung der Temperatur unter 0° mehr erzielen kann, in welchem Zustande sie so lange verweilen, bis im Frühjahr dieselben nach dem Verschwinden des Schnees durch die wärmende Märzsonne aus ihrem zeitlichen Grabe wieder hervorgelockt werden. Es geschieht aber auch nicht so selten, dass man Ameisen auf dem Schnee herumkriechend findet, in welchem Falle aber dieselben nicht die den meisten eigenthümliche Lebhaftigkeit zeigen, sondern matt und träge herumirren. Was diese Thiere veranlassen mag, hervorzukommen, weiss ich nicht, ich vermuthe aber, dass sie irgendwie aus ihrer Ruhestätte vertrieben wurden und nicht freiwillig herumirren; man fand am Schnee herumkriechend: *Formica cunicularia* und *Hypoclinea quadripunctata* L.

Was die Frage anbelangt, ob die Ameisen auch zur Nachtszeit arbeiten, so kann ich sagen, dass Ameisen, welche ich in künstlichen Behältern hielt und denen ich des Abends ihre Bauten zerstörte, des Nachts arbeiteten; liess ich aber ihre Bauten unberührt, so bemerkte ich nur bei wenigen ein geringes Hin- und Herbewegen der Fühler, die meisten verhielten sich vollkommen ruhig. Ausserdem kann man sich leicht überzeugen, wenn man die an Wegen von *Tetramorium caespitum* L. aufgeworfenen kleinen Erdhügel nach einem abendlichen Regen oder starken Thau, wodurch diese kleinen Hügel zerstört werden, am nächsten Morgen vor Sonnenaufgang besichtiget, dass die Ameisen oft schon einen beträchtlichen Theil der zerstörten Hügel wieder hergestellt haben.

Gäste und Sclaven. Man findet in einer Colonie selten bloss Ameisen und von diesen auch nur eine Species, sondern man findet oft andere Ameisenarten in denselben, oder andere Gliederthiere, oder beide zugleich. Die fremden Ameisenarten kommen etwa nicht zufällig in den Colonien vor, es wird sogar so wie bei den Bienen häufig die in das Nest eindringende fremde Ameise mit dem Tode für ihre Frechheit bestraft, indem diese durch von allen Seiten hereilende Ameisen mit den Oberkiefern zerbissen wird, obwohl auch oft Colonien von verschiedenen Arten unter einem Steine in nachbarlicher Freundschaft lebend gefunden werden. Doch kommen bei bestimmten Ameisenarten bestimmte andere Arten vor, und zwar bei *Formica rufa* Nyl. der *Formicoxenus nitidulus* Nyl., bei *Formica sanguinea* Ltr. Abeiter und auch Puppen der *Formica cunicularia* Ltr. und *Form. fusca* L., welche beide von der *Formica sanguinea* Ltr. geraubt werden.

Professor Schenck fand mehrmal den Arbeiter der *Ponera contracta* Ltr. bei *Formica cunicularia* Ltr. Dr. Nylander gibt (*in Addit. alt. Adnot. in mon. form. bor.*) die *Myrmica sublaevis* Nyl. bei *Leptothorax acervorum* Nyl. an.

Indem die Arbeiter des *Polyergus rufescens* Ltr. wegen ihren eigenthümlich gebauten Oberkiefern nicht bauen können, so rauben sie, so wie die *Formica sanguinea* Ltr. die Arbeiter und die Brut der *Formica cunicularia* Ltr. und *Form. fusca* L., ziehen die Brut auf, und zwingen sie sodann zum Frohndienste. Von *Strongylognatus testaceus* Schk. glaubt Professor Schenck, dass diese ebenfalls eine Raubameise sei, welche die Brut des *Tetramorium caespitum* L. raubt, was jedenfalls wegen den dem *Polyergus rufescens* Ltr. gleichenden Oberkiefern sehr wahrscheinlich ist.

Von anderen Thieren finden sich in den Colonien vorzüglich *Coleopteren Orthopteren*, *Hemipteren*, *Hymenopteren* und viele andere. Jeder Coleopterolog weiss, dass er gewisse Käfer nur in Ameisennestern finden kann (insbesondere *Staphylinen* und *Pselaphiden*), und in neuerer Zeit sind mehrere Schriften über *Myrmecophilen* erschienen, doch bedaure ich sehr, dass sich die betreffenden Herren Autoren dieser Schriften nicht an Myrmicologen zur genauen Determination der Ameisen gewendet haben, denn es wurden meist nur die Collectivnamen *Formica rufa*, *nigra*, *flava* in dem Sinne der alten Autoren angeführt, und so sind alle diese Angaben nutzlos gewesen.

Von Käfern findet man beispielsweise bei *Formica rufa*: *Lomechusa emarginata*, die Larven von *Cetonia aurata*, die sich in den Nestern der Ameisen verpuppen; bei der *Form. fusca* nebst *Lomechusa emarginata* auch *Haeterius quadratus* und andere, bei der *Form. fuliginosa* die meisten *Myrmedonien*; den *Claviger foveolatus* bei *Form. flava* und *aliena* etc. Von den fremden Insekten, die man in Ameisennestern findet, sind wohl die Blattläuse am interessantesten, welche man am häufigsten in den Colonien der *Form. nigra*, *flava* und des *Tetramorium caespitum* findet, welche aber nicht freiwillig in die unterirdischen Gänge der Ameisenbauten gelangten, sondern von den Ameisen in dieselben gebracht wurden, um sich ihres Zuckersaftes zu bedienen. Sie werden so wie die anderen eigentlichen Ameisenkäfer wie z. B. *Batrisus formicarius*, *Claviger foveolatus*, *Lomechusa emarginata*, von den Ameisen genährt und gepflegt, bei Gefahr von letzteren, so wie die eigene Brut fortgetragen und an einem sichern Orte niedergelassen.

Die Ameisen lieben durchschnittlich Wärme und Trockenheit, doch bei starker Hitze werden sie träge und finden sich auch selten unter von der Sonnenhitze stark erwärmten Steinen. Am fleissigsten arbeiten die Ameisen sogleich nach einem Regen, der ihren Bauten wohl auch Schaden zugefügt hat, aber wenn auch dieser Schaden schon verbessert wurde, so bauen sie doch noch fort, und es ist wahrscheinlich, dass das Wasser, welches von dem Regen die Erde erhielt, der Grund sei, welcher sie zum Bauen aufmuntert, indem die Erdtheilchen besser aneinander haften bleiben.

Die hervorstechenden Eigenschaften der Ameisen sind bei der Mehrzahl der Arten, und zwar besonders bei Arbeitern Emsigkeit, Hartnäckigkeit und Tapferkeit, doch gibt es auch einige Arten, welche sehr furchtsam sind, wie *Formica marginata* und *Form. timida*, und welche eilig der Gefahr zu entfliehen suchen. Merkwürdig ist es auch, dass die ungleich stärkeren, grossköpfigen und mit sehr starken schneidenden Oberkiefern versehenen sogenannten Soldaten der *Oecophthora pallidula* ziemlich furchtsam sind, und bei der Gefahr rasch entfliehen, während die kleinen, verhältnissmässig sehr zart gebauten Arbeiter derselben Art bei eintretender Gefahr Stand halten, und eine grosse Tapferkeit und Hartnäckigkeit durch fortwährendes Beissen und Stechen an den Tag legen. Eine der gemeinsten Ameisen, *Tetramorium caespitum*, zeichnet sich durch überaus grosse Hartnäckigkeit und insbesondere durch das nicht unbedeutende Stechen aus, und es dürften wohl wenig Menschen in Europa bei öfterem Liegen im Grase, in der Nähe einer solchen Colonie, deren Stich nicht empfunden haben.

Wie schon gesagt, bestehen die Waffen der Ameisen einerseits in den Oberkiefern, mit welchen sie beissen, andererseits bei einigen in einem eigenthümlichen von eigenen Drüsen im Hinterleibe bereiteten sehr sauren Safte, der z. B. bei *Form. rufa*, *Form. congerens* hauptsächlich aus Ameisensäure besteht, und überhaupt bei den verschiedenen Ameisenarten ein sehr verschiedener ist. Der Geruch und Geschmack des Saftes ist bei den vielen Arten nicht gleich, sondern ist bei einigen Arten sogar charakteristisch, vorzüglich bei *Form. austriaca* und *Form. fuliginosa*, die *Form. rufa* mit ihren verwandten Arten hat ebenfalls einen eigenthümlichen Geruch und Geschmack, so dass ich schon oft bei Excursionen nicht allein ein in der Nähe befindliches Ameisennest durch den Geruch diagnosticirte, bevor ich dasselbe sehen konnte, sondern sogar die Ameisenspecies richtig determinirte. Der insbesondere Ameisensäure enthaltende Saft der *Form. rufa* und deren verwandte Arten, wird seiner kühlenden Eigenschaft wegen nicht selten im Gebirge, besonders bei Wassermangel in der Weise benützt, dass man die Ameisen auf Brot streicht, und die ausgedrückten Ameisen, welche ihre Säure an das Brot abgaben, sodann weggeworfen werden. Rengger berichtet z. B. dass die Hinterleiber der Weibchen von *Oecodoma cephalotes* Ltr. (einer in Amerika lebenden Ameise) in Butter gebacken für einen Leckerbissen gehalten werden, geröstet und mit Syrup übergossen, wie geröstete und überzuckerte Mandeln, und selbst roh ähnlich wie Haselnüsse schmecken. Der von den Ameisen bereitete Saft kann oft weit gespritzt werden, und so geschah es mir einmal, dass ein Arbeiter der *Formica congerens* mir in ein Auge spritzte, in Folge dessen ich einen sehr heftigen Schmerz empfand, und davon eine Augenbindehaut-Entzündung davontrug. Andere Ameisenarten besitzen nebst den Oberkiefern und den Drüsen, welche den Saft bereiten, noch einen Stachel, womit sie in die Haut stechen, und das Product der Drüsen in die Wunde einspritzen, welche durch den Stich mancher Arten ziemlich empfindlich schmerzt.

Die Fortpflanzung geschieht durch die geflügelten Ameisen, welche zwischen den Monaten April und September, nachdem sie aus ihren Puppenhüllen als Imago ausgeschlüpft sind, nur kurze Zeit bei den Colonien verweilen, bis ihre Flügel die nöthige Ausbildung erlangt haben, und ein windstiller, warmer und heiterer Abend eintritt, an welchem alle Geflügelten einer Colonie, wie auf ein gegebenes Zeichen, rasch den Bau verlassen, Grasstengel oder andere Dinge ersteigen, kürzere oder längere Zeit schwärmen, bis sie sich endlich nach der Begattung nach allen Richtungen zerstreuen. An solchen Abenden, vorzüglich aber nach mehreren vorausgegangenen regnerischen Tagen geschieht es nicht selten, dass man grosse Massen solcher Ameisen in den Lüften sieht, und es werden Fälle erzählt, von denen ich einige des allgemeinen Interesses wegen anführe. In der Wiener Zeitung vom 22. Juli 1854, *pag.* 1966, wird folgender Fall angegeben: „Am 10. Juli Abends gegen 5 Uhr zog über Bordeaux eine dichte weisse Wolke, als wenn ein Schneewetter im Anzuge wäre. Plötzlich entlud sich die Wolke in der Umgegend des Hafens, und siehe! Alles war viele Zoll hoch mit weissen geflügelten Ameisen bedeckt.“ Professor Heer erwähnt in seiner Abhandlung: Ueber die Hausameise Madeira's, mehrerer merkwürdiger Schwärme in der Schweiz, er sagt: „Am 7. August 1847 zeigten sich ungeheure Schwärme in Winterthur,“ und gibt an, dass sie als kleine Wolken in der Sonne flimmerten, und der Boden in der Stadt und Umgebung mit diesen Thierchen ganz übersäet war. Einen Tag darauf war eine Strecke weit der Vierwaldstätter-See mit Ameisen fast bedeckt, ebenso auch fand man auf dem Zürcher-See grosse Massen, und ebenfalls an demselben Tage wurden bei Schondorf in Würtemberg, dann in Solothurn, Freiburg, Bubendorf und Gelterkinden im Baselland solche grosse Schwärme beobachtet, welche sich in südlicher Richtung fortbewegten.

Die geflügelten Ameisen wurden von der Natur in Betreff eines zweckmässigen Gebrauches ihrer Flügel stiefmütterlich behandelt, wesshalb sie auch theils schon während des Schwärmens, theils nachdem sie sich auf den Boden niedergelassen haben, grösstentheils eine Beute der Vögel und anderer Thiere werden, und nur jene Weibchen, welche diesen entgingen, kommen entweder in ihre bisherige Wohnstätte zurück, oder siedeln sich anderswo an, und werden die Mütter der künftigen Brut. Nicht stets kehren aber die Weibchen freiwillig in den Bau zurück, sondern werden von den Arbeitern hineingetragen. Zu erwähnen ist noch, dass man nicht selten in einem Baue bloss Männchen, in einem anderen, obwohl seltener, bloss Weibchen findet, und es wäre interessant, über die Ursache dieser Erscheinung Aufschlüsse zu erhalten.

Die Eier sind verhältnissmässig zur Grösse der Ameisenweibchen ziemlich gross (ein Ei der *Formica ligniperda* misst beiläufig $1\frac{1}{4}$mm in der Länge und $\frac{1}{2}$mm in der Breite, welches wohl als das grösste anzunehmen ist), sie sind länglich, fast cylinderisch, vorne und hinten abgerundet, selten an beiden Enden etwas zugespitzt, ihre Farbe ist weiss, gelblich, bräunlich oder auch schwarz (wie bei *Formica flava*). Man findet sie entweder in den Colonien, wo eine grössere Anzahl Eier in einer Kammer oder in einem Gange beisammen liegen, oder man findet unter einem Steine oder anderswo eine kleine Höhlung in der Erde, in der ein Weibchen sich befindet, welches eben mit dem Eierlegen beschäftigt ist, und etwa schon mehrere gelegt hat. Unwillkürlich erinnert man sich bei dem Anblicke eines solchen einsiedlerischen Weibchens an die brütenden Vögel, indem es sich über den Eiern ruhig verhält, und diese auszubrüten scheint. Die Eier, welche von den Weibchen in einer Colonie gelegt wurden, werden von den Arbeitern mit grosser Sorge stets jener Temperatur ausgesetzt, welche ihnen am zweckmässigsten ist, wesshalb sie auch von diesen nach Umständen unter die Oberfläche oder auf den Grund des Baues getragen werden.

Larven. Die nach ein Paar Wochen aus den Eiern geschlüpften Larven werden von den Arbeitern gepflegt und ernährt, wie schon vorher erwähnt wurde, verhalten sich in diesem Zustande ganz ruhig, lassen sich geduldig (so wie die früher erwähnten *Aphiden*) von den nicht zarten Oberkiefern der Arbeiter fassen, und an eine passende Stelle entweder wegen drohender Gefahr oder auf Veranlassung einer veränderten Temperatur tragen. Sie sind im Frühjahre oder im Beginne des Sommers in den Colonien anzutreffen, doch erzählt Gould, dass er auch Larven der *Formica nigra* und *Form. flava* im Winter am Grunde des Baues fand, und fügt noch die interessante Notiz hinzu, dass diese Larven viel dichter behaart waren, als jene, welche im Sommer gefunden werden. Die Larven sind mehr weniger cylinderisch, hinten etwas dicker und abgerundet, vorne verschmälert, nach abwärts gebogen und zugespitzt. Ihre Grösse ist eine sehr verschiedene; im Allgemeinen lässt sich sagen, dass die Larven der Arbeiter die kleinsten, die der Männchen etwas grösser und die der Weibchen gewöhnlich am grössten sind, und die Abweichung in der Grösse ist bei manchen Arten, wie z. B. bei *Tetramorium caespitum* eine sehr beträchtliche. Sie sind fussloss, weiss, oft etwas durchscheinend, und mit abstehenden Haaren bekleidet, welche bei den Larven der *Formica ligniperda* baumförmig verzweigt sind, indem sie entweder schon am Grunde oder von diesem etwas weiter entfernt, lange Aeste austreiben. Der Körper der Larven besteht aus dem kleinen Kopftheile und aus 12 Ringen. Der Kopftheil ist etwas härter als die Ringe, kugelig, trägt 2 meist gezähnte Mandibeln, zwischen beiden oben eine so wie bei dem Imago gebildete Oberlippe und unten die innern weichen Mundtheile; die Ringe sind weich und jeder derselben besteht aus einem oberen etwas grösseren, mehr convexen und einem unteren kleineren, mehr planen Halbringe; der erste Ring ist klein, ebenso das Englied, welches letztere kegelförmig ist, und hinten eine Spalte zwischen sich fasst, welche den After bildet.

Puppen. Sobald die Larven als solche ihr Wachsthum vollendet haben, verpuppen sie sich, welcher Vorgang bei den verschiedenen Ameisen ein zweifacher ist; entweder hüllen sich die Larven in einen Cocon ein, oder sie entbehren eines solchen. In seltenen Fällen geschieht es auch ausnahmsweise, dass man Puppen solcher Arten, welche in der Regel einen Cocon haben, ohne solchen gefunden werden, wie diess bis jetzt von Schenk, Meyer, Smith und mir bei *Formica sanguinea*, *Form. cunicularia*, *Form. fusca*, *Form. fuliginosa* und *Form. nigra* beobachtet wurde; doch war niemals eine Ursache dieses eigenthümlichen Vorkommens aufzufinden.

Der Cocon hat eine weisse oder gelbe, oder gelbbraune Farbe, ist länglich eiförmig, an einem Ende mit einem schwarzen Puncte, der aus den noch vor dem völligen Uebergange der Larve in den Puppenzustand ausgeschiedenen Excrementen besteht, versehen, und ist eine pergamentartige, aus feinen, dichtverfilzten, Seitenäste treibenden Fäden zusammengesetzte Haut, welche die Puppe, über deren Vertiefungen hinübergespannt, lose umschliesst. Die im Wachsthume schon vorgeschrittene Puppe ist schon dem Imago sehr ähnlich gebildet, und es lässt sich sodann an dem Vorhandensein oder Fehlen der Flügelscheiden entscheiden, ob die Puppe als Imago ein Arbeiter oder eine geflügelte Ameise sein wird. Sobald die Puppe ausgebildet ist, so streift sie, wenn sie coconlos ist, die Haut ab, und kriecht als noch schwachgefärbtes Imago heraus, welches bald in der Luft die bleibende Färbung erhält *). War aber die Puppe in einen Cocon eingeschlossen, so wird meist der Cocon zur Zeit der Reife von den Arbeitern geöffnet, worauf die junge Ameise herausschlüpft.

Die Beschreibung des Imago folgt im speciellen Theile.

Nutzen und Schaden. Der Nutzen, welchen die Ameisen bringen, ist, wenn gleich er nicht bedeutend ist, wenigstens in Europa jedenfalls ein grösserer als der Schaden, welchen sie verursachen. Wie bekannt, werden die Puppen mancher Arten als sogenannte Ameiseneier zum Füttern vieler Singvögel verwendet, überdiess wurden besonders früher die Arbeiter, vorzüglich derjenigen Arten, welche zur Gruppe *Rufa* der Gattung *Formica* gehören, zum *Spiritus formicarum* verwendet. Der Schaden, welchen sie er-

*) Man muss sich sehr in Acht nehmen, diese noch nicht ausgefärbten Ameisen, für andere oder neue Arten zu halten, und es ist einem Anfänger überhaupt anzurathen, solche Ameisen, wenn ihm keine andern Exemplare zu Gebote stehen, gar nicht zu determiniren. Ebenso kann es aber auch erfahrenen Myrmecologen ergehen, solche Exemplare für neue Arten zu halten, wenn man sie im getrockneten Zustande erhält, und jene Art, zu welcher sie gehören, noch nicht lebend gesehen hat; so geschah diess z. B. mit der *Formica aethiops*, von welcher Dr. Nylander durch Professor Zeller unausgebildete Exemplare aus Sicilien erhielt, und als *Formica pallens* Nyl. in seinen *Add. alt. Adnot. mon. form. bor.* beschrieb, welches sich dadurch aufklärte, dass ich diese letztgenannte Art von Professor Zeller erhielt, und sie sogleich als unausgebildeten Arbeiter der *Formica aethiops* erkannte. Ueberhaupt muss man in der Myrmecologie wegen der Angabe der Farben nicht zu kritisch sein, sondern diesen sogar einen geringen Werth beimessen, indem in dieser Beziehung, so wie in der relativen Grösse des Kopfes gegen den übrigen Körper die ausserordentlichsten Abweichungen stattfinden, wesshalb es nicht räthlich ist, wegen verschiedener Farbe neue Arten aufzustellen.

zeugen, wird besonders nur in manchen Glashäusern fühlbar. So minirt das *Tetramorium Kollari* in dem Warmhause des k. k. botanischen Gartens zu Wien, so wie in den Glashäusern des kaiserlichen Gartens zu Schönbrunn nächst Wien, die Erde in den Töpfen und in den Lohbeeten. Im südlichen Europa richtet wohl die *Oecophthora pallidula*, wie schon erwähnt, sehr unangenehme Verheerungen in den Insectenladen des Entomologen an, (siehe Frauenfeld's Reisen an den Küsten Dalmatien's in den Verhandlungen des zoologisch-botanischen Vereines, Band IV., Abhandlungen *pag.* 460).

Sehr häufig werden die Ameisen angeschuldet, die Obstbäume krank zu machen, welche Beobachtung eine sehr oberflächliche ist, denn stets wird man auf einem Obstbaume, auf welchen sich Ameisen einfinden, auch Blattläuse finden, und eben diese können es sein, welche dem Baume Schaden bringen. In Betreff des Obstes glaube ich behaupten zu können, dass eine Ameise nie eine unversehrte Frucht anbeisst, sondern erst dann, wenn durch Regen die Frucht aufspringt, oder durch Vögel oder auf andere Weise dieselbe verwundet wird, kann sie zum Leckerbissen von Ameisen werden.

Verticale und horizontale Verbreitung. Die verticale Verbreitung der Ameisenarten ist eine solche, dass die Menge der Arten, so wie auch der Colonien mit der Höhe im umgekehrten Verhältnisse steht, indem die Ameisen lieber in warmen Thälern oder auf sonnigen Bergwiesen als wie auf blumigen aber kalten Alpenwiesen leben, und jeder Myrmicolog, der Gelegenheit hatte, Alpen zu besuchen, wird beim ersten Besteigen derselben an eine eigenthümliche Ameisenfauna der Alpen denken, während er bald eines besseren belehrt wird, denn in einer Höhe von 5000 Fuss in der Knieholzregion werden die Ameisencolonien so wie auch die verschiedenen Arten sehr spärlich, bis endlich keine Colonien mehr zu finden sind, und bloss selten unter einem Steine sitzend oder auf den Wiesen herumirrend ein einzelner Arbeiter gefunden wird, welcher gewöhnlich zu irgend einer der Arten gehört, welche in der darunter liegenden Waldregion häufig vorkommen. Ich kenne bloss eine einzige Ameisenart, deren Vorkommen sich in Oesterreich bloss auf subalpine Gegenden beschränkt, während sie in Finnland von Dr. Nylander bei Helsingfors gefunden wurde, es ist diess die *Myrmica sulcinodis* Nyl.

Die horizontale Verbreitung der Ameisenarten ist eine ähnliche, wie die verticale. Das Verhältniss der Artenanzahl ist nach dem Breitengrade wie auf der Erde überhaupt auch in Europa ein solches, dass die Artenmenge eine desto geringere wird, je mehr man sich dem Pole nähert. In den Tropenländern kommen in dem kleinsten Bezirke Hunderte von Ameisenarten im bunten Wirrwarr vor, während dieselben gegen die Pole sehr spärlich werden. Manche Arten kommen in ganz Europa, manche nur an sehr beschränkten Localitäten, andere nur in Süd- und noch andere nur in Nord-Europa vor, doch ist kein Zweifel, dass jene Arten, welche nur an irgend einer beschränkten Localität bisher gefunden wurden, jedenfalls einen grösseren Verbreitungsbezirk haben.

Indem seit der Herausgabe der hymenopterologischen Studien von Dr. Förster keine Uebersicht über die Verbreitung der Ameisenarten in Europa veröffentlicht wurde, seit dieser Zeit aber dieselben namhaft vermehrt wurden, so füge ich nachfolgend eine solche Uebersicht bei. Da im speciellen Theile die Standorte der Ameisenarten des österreichischen Staates, Deutschlands, der Schweiz und Italiens ohnediess genau angeführt werden, so werde ich in der Uebersicht der Kürze wegen bloss die Namen dieser genannten Länder bei den betreffenden Arten anführen. Es ist kein Zweifel, dass noch viele dieser nachfolgend genannten Arten sich als Synonyme oder Varietäten erweisen werden, was wohl bei den oft sehr ungenügenden Beschreibungen Latreille's und Losana's nicht zu wundern ist; obwohl es mir theils durch genaue Untersuchung, theils durch Correspondenz doch gelungen sein dürfte, zur Lösung dieses gordischen Knotens, wenigstens ein kleines Schärflein beigetragen zu haben.

I. Formicidae.

Formica L.

1. *F. ligniperda* Nyl. Skandinavien (Nyl.), Provinz Preussen, Pommern, Rheinpreussen, Preussisch-Schlesien, Nassau, Baiern, Böhmen, Oesterreich, Salzburg, Tirol, Kärnthen, Steiermark, Ungarn, Siebenbürgen, Krain, Küstenland, Lombardie, Schweiz, Kirchenstaat, Piemont, Sicilien, Frankreich (Colombel).

2. *F. herculeana* Nyl. Schweden (Nylander), Finnland (Nyl., Milde), Dänemark (Drewsen), Provinz Preussen, Rheinpreussen, Preussich-Schlesien, Baiern, Böhmen, Mähren, Galizien, Oesterreich, Salzburg, Steiermark Kärnthen, Siebenbürgen, Schweiz.

3. *F. Herrichi* Mayr. Türkei (nach Angabe des Herrn Prof. Herrich-Schäffer, doch zweifelhaft; ich besitze sie aus Südbrasilien von Herrn Tischbein).

4. *F. pubescens* F. Schweden (Nyl.), Baiern, Oesterreich, Tirol, Steiermark, Ungarn, Siebenbürgen, Krain, Küstenland, Dalmatien, Lombardie, Kirchenstaat, Piemont, Corsica, Insel Sardinien, Frankreich (Ltr., Lepeletier).

5. *F. aethiops* Ltr. Süd-Russland (Nyl.), Provinz Preussen, Bayern, Oesterreich, Tirol, Ungarn, Küstenland, Lombardie, Kirchenstaat, Piemont, Corsica, Insel Sardinien, Sicilien, Frankreich (Ltr., Lepel.), Spanien (Förster).

6. *F. marginata* Ltr. Provinz Preussen, Bayern, Oesterreich, Krain, Dalmatien, Kirchenstaat, Toskana, Piemont, Frankreich (Ltr.), Spanien (Först.).

7. *F. fuscipes* Mayr. Oesterreich, Toskana, Kirchenstaat.

8. *F. austriaca* Mayr. Oesterreich, Ungarn, Dalmatien, Toskana, Kirchenstaat.

9. *F. truncata* Spin. Kirchenstaat, Piemont (Spin. Ins. Lig.), Frankreich (Léon Dufour und Perris *Mém. sur les Ins. Hym. etc.*).

10. *F. sylvatica* Ol. Preussisch-Schlesien (Schilling), Frankreich (Olivier).

11. *F. lateralis* Ol. Süd-Russland (Nyl.), Bayern, Böhmen, (Grohmann?), Oesterreich, Tirol, Ungarn, Küstenland, Dalmatien, Venetien, Lombardie, Kirchenstaat, Insel Sardinien, Sicilien, Frankreich (Ltr., Lepel., Mayr), Spanien (Förster).

12. *F. rufa* Nyl. Grossbritannien, (Curtis, Smith), Schweden (Nyl.), Lappland (Nyl.), Finnland (Nyl.), Dänemark (Drewsen), Provinz Preussen, Preussisch-Schlesien, Rheinpreussen, Lübek, Nassau, Bayern, Böhmen, Mähren, Galizien, Oesterreich, Salzburg, Tirol, Kärnthen, Steiermark, Ungarn, Lombardie, Schweiz, Frankreich (Colombel).

F. rufa Nyl. var. *major* Nyl. Finnland (Nyl.), Dänemark (Drewsen), Provinz Preussen, Pommern, Preussisch-Schlesien, Rheinpreussen, Lübek, Nassau, Bayern, Böhmen, Mähren, Oesterreich, Tirol, Steiermark, Krain, Lombardie, Schweiz, Frankreich (Colombel).

13. *F. congerens* Nyl. Insel Mjölön (Nyl.), Provinz Preussen, Rheinpreussen, Nassau, Bayern, Böhmen, Galizien, Oesterreich, Tirol, Steiermark, Ungarn, Krain, Schweiz, Neapel.

14. *F. truncicola* Nyl. Lappland (Nyl.), Finnland (Nyl.), Dänemark, (Drewsen), Lübek, Nassau, Baiern, Böhmen, Oesterreich, Salzburg, Tirol, Steiermark, Krain, Lombardie, Schweiz, Piemont.

15. *F. sanguinea* Ltr. Grossbritannien (Smith), Finnland (Nyl.), Provinz Preussen, Rheinpreussen, Nassau, Bayern, Böhmen, Oesterreich, Salzburg, Tirol, Steiermark, Krain, Lombardie, Schweiz, Piemont, Sicilien, Frankreich (Colombel, Ltr., Lepel, Vallot*).

16. *F. pressilabris* Nyl. Finnland (Nyl.), Südrussland (Nyl.), Dänemark (Drewsen), Oesterreich, Ungarn.

17. *F. exsecta* Nyl. Lappland (Nyl.), Finnland (Nyl.), Provinz Preussen, Rheinpreussen, Nassau, Oesterreich, Steiermark, Lombardie.

18. *F. cunicularia* Ltr. Grossbritannien (Smith), Schweden (Nyl.), Finnland (Nyl., Milde), Südrussland (Nyl.), Hamburg, Provinz Preussen, Pommern, Rheinpreussen, Nassau, Bayern, Böhmen, Mähren, Galizien, Oesterreich, Salzburg, Tirol, Steiermark, Krain, Küstenland, Venetien, Lombardie, Schweiz, Kirchenstaat, Piemont, Neapel, Sicilien, Frankreich (Ltr., Lepel., Colombel).

19. *F. cinerea* Mayr. Provinz Preussen, Mähren, Oesterreich, Tirol, Ungarn, Krain, Venetien, Lombardie, Toskana, Kirchenstaat, Frankreich (Dohrn).

20. *F. fusca* L. Grossbritannien (Smith), Schweden (Nyl.), Lappland (Nyl.), Finnland (Nyl.), Dänemark (Drewsen), Hamburg, Provinz Preussen, Pommern, Provinz Schlesien, Rheinpreussen, Lübek, Nassau, Bayern,

---

*) Vallot „*Observations entomologiques*" in den „*Mémoires de l'Académie des Sciences, arts et belles lettres de Dijon*, 12. *Série Tom. I.* 1852."

Böhmen, Mähren, Galizien, Oesterreich, Salzburg, Tirol, Kärnthen, Steiermark, Siebenbürgen, Krain, Lombardie, Schweiz, Kirchenstaat, Piemont, Neapel, Frankreich (Ltr., Colombel).

21. *F. cursor* Boyer de Fonsc. Süd-Frankreich (Boyer).

22. *F. aenescens* Nyl. Süd-Russland (Nyl.).

23. *F. gagates* Ltr. Finnland (Nyl.), Dänemark (Drewsen), Provinz Preussen, Preussisch-Schlesien, Rheinpreussen, Bayern, Oesterreich, Tirol, Ungarn, Krain, Lombardie, Piemont, Frankreich (Ltr., Lepel.).

24. *F. fuliginosa* Ltr. Grossbritannien (Lepel., Smith), Schweden (Nyl.), Finnland (Nyl.), Dänemark (Drewsen), Provinz Preussen, Preussich-Schlesien, Rheinpreussen, Lübek, Nassau, Bayern, Böhmen, Galizien, Oesterreich, Salzburg, Tirol, Steiermark, Ungarn, Siebenbürgen, Krain, Küstenland, Lombardie, Schweiz, Kirchenstaat, Piemont, Frankreich (Ltr., Lepel., Colombel).

25. *F. emarginata* Ltr. England (Ltr.), Schweden (Nyl.), Baiern (? Herrich-Schäffer), Piemont, Frankreich (Ltr., Lepel.).

26. *F. nigra* Ltr. Grossbritannien (Smith), Schweden (Nyl.), Lappland (Nyl.), Finnland (Nyl.), Dänemark (Drewsen), Südrussland (Nyl.), Provinz Preussen, Pommern, Rheinpreussen, Lübek, Nassau, Bayern, Böhmen, Mähren, Galizien, Oesterreich, Salzburg, Tirol, Kärnthen, Steiermark, Ungarn, Siebenbürgen, Krain, Dalmatien, Venetien, Lombardie, Schweiz, Kirchenstaat, Toskana, Piemont, Frankreich (Ltr. Lepel.).

27. *F. brunnea* Ltr. Preussisch-Schlesien, Bayern, Böhmen, Oesterreich, Tirol, Krain, Küstenland, Dalmatien, Venetien, Lombardie, Schweiz, Kirchenstaat, Toskana, Piemont, Frankreich (Ltr.).

28. *F. aliena* Först. Provinz Preussen, Rheinpreussen, Nassau, Bayern, Böhmen, Oesterreich, Tirol, Steiermark, Ungarn, Krain, Dalmatien, Venetien, Lombardie, Schweiz, Kirchenstaat.

29. *F. timida* Först. Rheinpreussen, Lübek, Nassau, Böhmen, Oesterreich, Krain, Siebenbürgen, Schweiz, Kirchenstaat.

30. *F. pallescens* Schenk. Nassau, Sardinien.

31. *F. flava* L. Grossbritannien (Ltr., Smith), Schweden (Nyl.), Lappland (Nyl.), Finnland (Nyl.), Dänemark (Drewsen), Provinz Preussen, Pommern, Preussich-Schlesien, Rheinpreussen, Lübek, Nassau, Bayern, Böhmen, Mähren, Galizien, Oesterreich, Salzburg, Tirol, Kärnthen, Steiermark, Siebenbürgen, Krain, Dalmatien, Schweiz, Kirchenstaat, Piemont, Frankreich, (Ltr., Lepel.).

32 *F. umbrata* Nyl. Schweden (Nyl.), Finnland (Nyl.), Dänemark (Drewsen), Provinz Preussen, Rheinpreussen, Lübek, Nassau, Bayern, Oesterreich, Tirol, Kärnthen, Steiermark, Krain, Lombardie, Piemont, Insel Sardinien.

33. *F. mixta* Nyl. Schweden (Nyl.), Provinz Preussen, Nassau, Oesterreich, Tirol, Siebenbürgen.

34. *F affinis* Schenck. Nassau, Böhmen, Oesterreich, Krain, Küstenland, Kirchenstaat.

35. *F. incisa* Schenck. Nassau.

36. *F. bicornis* Först. Rheinpreussen.

37. *F. rubiginosa* Ltr. Frankreich (Ltr.), Baiern (Herr.-Schffr.).

38. *F. didyma* F. Italien.

39. *F. truncorum* F. Mahren, Baiern (? Herrich-Schäffer).

40. *F. merula* Losana. Piemont.

41. *F. coerulescens* Losana. Piemont.

Tapinoma Först.

42. *T. erraticum* Ltr. Grossbritannien (Smith), Süd-Russland (Nyl.), Provinz Preussen, Rheinpreussen, Nassau, Bayern, Oesterreich, Tirol, Ungarn. Krain, Küstenland, Dalmatien, Venetien, Lombardie, Schweiz, Kirchenstaat, Insel Sardinien, Frankreich (Ltr.).

43. *T. pygmaeum* Ltr. Nassau, Bayern, Oesterreich, Tirol, Ungarn, Krain, Küstenland, Dalmatien, Venetien, Lombardie, Schweiz, Kirchenstaat, Frankreich (Ltr Lepel.).

44. *T. vividulum* Nyl. Finnland (Nyl. eigentlich nicht europäisch, sondern eingeschleppt).

45. *T. nitens* Mayr. Siebenbürgen, Krain, Dalmatien.

46. *T. politum* Smith. Grossbritannien (Smith).

Hypoclinea Först.

47. *H. Frauenfeldi* Mayr. Dalmatien.

48. *H. quadripunctata* L. Preussen, Bayern, Oesterreich, Tirol, Siebenbürgen, Lombardie, Schweiz, Kirchenstaat, Piemont, Frankreich (Ltr.).

Monocombus Mayr.

49. *M. viaticus* F. Ungarn, Dalmatien, Griechenland (Bremj, Wlastirios), Sparien (Ltr., Fabr).

Cataglyphis Först.

50. *C. Fairmairei* Först Spanien (Förster, zuerst in Algier entdeckt, siehe Verhandlungen des naturhist. Vereins der Rheinl. VII. pag 485).

Polyergus Ltr.

51. *P. rufescens* Ltr. Provinz Preussen, Rheinhessen, Oesterreich, Tirol, Krain, Lombardie, Schweiz, Kirchenstaat, Piemont, Frankreich (Ltr., Lepel).

? 52. *P. testaceus* F. Mähren (??).

II. Poneridae.

Ponera Lrt.

53. *P. ochracea* Mayr. Kirchenstaat.

54. *P. contracta* Ltr. Grosbritannien (Smith), Rheinpreussen, Nassau, Bayern, Oesterreich, Tirol, Krain, Lombardie, Kirchenstaat, Schweiz, Piemont, Frankreich (Ltr., Lepel).

55. *P. quadrinotata* Los. Piemont.

Odontomachus Ltr.

56. *O. Ghilianii* Spin. Spanien (Spinola).

III. Myrmicidae.

Myrmica Ltr. Mayr.

57. *M. rubida* Ltr. Provinz Preussen, Preussich-Schlesien, Bayern, Böhmen, Mähren, Oesterreich, Salzburg, Tirol, Kärnthen, Steiermark, Ungarn, Siebenbürgen, Krain, Lombardie, Schweiz, Piemont, Frankreich (Ltr.).

58. *M. longiscapa* Curt. Grosbritannien (Curtis, Smith).

59. *M. laevinodis* Nyl. Grossbritannien (Curtis, Smith), Schweden (Nyl.), Finnland (Nyl. Milde), Südrussland (Nyl.), Provinz Preussen, Rheinpreussen, Lübek, Nassau, Bayern, Böhmen, Mähren, Galizien, Oesterreich, Salzburg, Tirol, Kärnthen, Steiermark, Siebenbürgen, Krain, Lombardie, Schweiz, Kirchenstaat, Piemont, Frankreich (Colombel).

60. *M. rugulosa* Nyl. Schweden (Nyl.), Finnland (Nyl.), Rheinpreussen, Nassau, Mähren, Galizien, Oesterreich, Tirol, Frankreich (Nylander).

61. *M. ruginodis* Nyl. Grossbritannien (Curtis, Smith), Schweden (Nyl.), Finnland (Nyl., Milde), Provinz Preussen, Pommern, Rheinpreussen, Lübek, Nassau, Bayern, Böhmen, Mähren, Galizien, Oesterreich, Salzburg, Steiermark, Ungarn, Krain, Schweiz,

62. *M. sulcinodis* Nyl. Grosbritannien (Curtis, Smith), Finnland (Nyl.), Oesterreich, Salzburg, Tirol, Steiermark, Krain.

63. *M. scabrinodis* Nyl. Grossbritannien (Curtis, Smith), Schweden (Nyl.), Finnland (Nyl.), Südrussland (Nyl), Dänemark (Drewsen), Provinz Preussen, Preussisch-Schlesien, Rheinpreussen, Lübek, Nassau, Bayern, Böhmen, Mähren, Oesterreich, Salzburg, Tirol, Kärnthen, Steiermark, Siebenbürgen, Krain, Küstenland, Lombardie, Schweiz, Kirchenstaat, Piemont, Frankreich (Milde, Colombel).

64. *M. lobicornis* Nyl. Schweden (Nyl), Finnland (Nyl), Dänemark (Drewsen), Provinz Preussen, Rheinpreussen, Nassau, Bayern, Böhmen, Oesterreich, Krain, Lombardie.

65. *M. denticornis* Curtis. Schottland (Curtis, Smith).

Formicoxenus Mayr.

66. *F. nitidulus* Nyl. Finnland (Nyl), Dänemark (Drewsen), Südrussland (Nyl.), Provinz Preussen, Rheinpreussen, Oesterreich.

Myrmecina Curt.

67. *M. Latreillei* Curt. Grossbritannien (Curt., Smith), Südrussland (Nyl.) Rheinpreussen, Nassau, Oesterreich, Krain, Kirchenstaat.

Tetramorium Mayr.

68. *T. atratulum* Schenck. Nassau.

69. *T. Kollari* Mayr. Oesterreich (eigentlich kein Europäer, sondern eingeschleppt).

70. *T. caespitum* L. Grossbritannien (Curtis, Smith), Schweden (Nyl.), Finnland (Nyl.), Dänemark (Drewsen), Südrussland (Nyl.), Provinz Preussen, Preussisch-Schlesien, Rheinpreussen, Lübek, Nassau, Bayern, Böhmen, Mähren, Galizien, Oesterreich, Tirol, Steiermark, Ungarn, Siebenbürgen, Krain, Küstenland, Dalmatien, Venetien, Lombardie, Schweiz, Kirchenstaat, Piemont, Insel Sardinien, Sicilien, Frankreich (Ltr.), Spanien (Heer, Förster).

Strongylognathus Mayr.

71. *St. testaceus* Schenck. Nassau.

Stenamma Westw.

72. *St. Westwoodi* Westw. Grossbritannien (Westwood, Curtis, Smith).

73. *St. albipennis* Curt. Grossbritannien (Curtis).

Leptothorax Mayr.

74. *L. clypeatus* Mayr. Oesterreich.

75. *L. acervorum* Nyl. Grossbritannien (Curtis, Smith), Schweden (Nyl.), Lappland (Nyl.), Finnland (Nyl.), Provinz Preussen, Rheinpreussen, Lübek, Nassau, Oesterreich, Tirol, Steiermark, Krain, Lombardie, Schweiz.

76. *L. Gredleri* Mayr. Tirol.

77. *L. muscorum* Nyl. Finnland (Nyl., Milde), Rheinpreussen, Nassau, Oesterreich, Salzburg.

78 *L. corticalis* Schenck. Nassau, Oesterreich, Tirol.

79. *L. nigriceps* Mayr. Oesterreich.

80. *L. tuberum* Nyl. Schweden (Nyl.), Finnland (Nyl.), Nassau, Oesterreich, Tirol, Krain, Schweiz.

81. *L. unifasciatus* Ltr. Grossbritannien (Curtis, Smith), Süd-Russland (Nyl.), Rheinpreussen, Nassau, Oesterreich, Tirol, Krain, Schweiz, Kirchenstaat, Piemont, Frankreich (Ltr.)

82. *L. affinis* Mayr. Oesterreich.

83. *L. Nylanderi* Först. Rheinpreussen, Nassau, Oesterreich, Krain, Dalmatien, Lombardie, Kirchenstaat.

84. *L. parvulus* Schenck. Provinz Preussen, Nassau, Oesterreich, Lombardie.

85. *L. interruptus* Schenck. Nassau, Oesterreich, Tirol.

86. *L. simillimus* Curt. Grossbritannien (Curtis, Smith).

Diplorhoptrum Mayr.

87. *D. fugax* Ltr. Grossbritannien (Smith), Süd-Russland (Nyl.), Podolien (Belke), Preussisch-Schlesien, Nassau, Bayern, Oesterreich, Tirol, Krain, Küstenland, Lombardie, Schweiz, Kirchenstaat, Frankreich (Ltr. Lepel).

Monomorium Mayr.

88. *M. minutum* Mayr. Venetien, Lombardie, Kirchenstaat.

Oecophthora Heer.

89. *Oec. pallidula* Nyl. Tirol, Siebenbürgen, Krain, Küstenland, Dalmatien, Lombardie, Sardinien, Insel Sicilien, Frankreich (Förster), Spanien (Förster).

Atta F.

90. *A. subterranea* Ltr. Provinz Preussen, Preussisch-Schlesien, Nassau, Oesterreich, Tirol, Krain, Frankreich (Ltr., Lepel.).

91. *A. capitata* Ltr. Podolien (Belke), Bayern, Ungarn, Küstenland, Dalmatien, Lombardie, Kirchenstaat, Piemont, Corsica, Insel Sardinien, Sicilien, Griechenland (Wlastirios), Frankreich (Ltr., Lepel.), Spanien (Heer, Rossmässler, Lederer, Förster)

92. *A. structor* Ltr. Süd-Russland (Nyl.), Preussisch-Schlesien, Nassau, Böhmen, Oesterreich, Tirol, Ungarn, Croatien, Küstenland, Dalmatien, Venetien, Lombardie, Kirchenstaat, Insel Sardinien, Piemont, Toscana, Sicilien, Frankreich (Ltr., Lepel.).

Aphaenogaster Mayr.

93. *A. sardous* Mayr. Insel Sardinien.

94. *A. senilis* Mayr. Dalmatien, Sicilien, Insel Sardinien, Spanien, (Förster, Schiefferdecker und Elditt).

Crematogaster Lund.

95. *C. scutellaris* Ol. Bayern (?Herrich-Schäffer), Tirol, Krain, Küstenland, Dalmatien, Venetien, Lombardie, Schweiz, Kirchenstaat, Toscana, Insel Sardinien, Piemont, Sicilien, Frankreich (Ltr.).

96. *C. sordidulus* Nyl. Dalmatien, Sicilien, Frankreich, (Förster, Spanien (Förster).

Myrmicidae incerti generis.

97. *Myrmica diluta* Nyl. Süd-Russland (Nyl.).

98. *M. domestica* Shuck. England (Shuck., Smith etc.).

99. *M. graminicola* Ltr. Grossbritannien (Curtis, Smith), Frankreich (Ltr.).

100. *M. hirtula* Nyl. Finnland (Nyl.).

101. *M. laevigata* Smith. Grossbritannien (Smith).

102. *M. leonina* Losana. Piemont.

103. *M. lippula* Nyl. Süd-Russland (Nyl.)

104. *M. megacephala* Los. Piemont.

105. *M. Minki* Forst. Rheinpreussen, Nassau.

106. *M. pallida* Nyl. Sicilien.

107. *M. sublaevis* Nyl. Finnland (Nyl.).

108. *M. trinodis* Los. Piemont.

109. *M. tuberosa* Ltr. Bayern (? Herrich-Schäffer), Frankreich (Ltr.).

B) Specieller Theil.

Der Körper der Ameisen ist aus dem Kopfe, dem Thorax, dem Stielchen, dem Hinterleib, den sechs Beinen, und bei Weibchen und Männchen noch aus vier Flügeln zusammengesetzt.

Der Kopf ist an der Oberseite mehr weniger gewölbt, an der Unterseite besonders bei Arbeitern und Weibchen flach, er ist rundlich, oval, drei- oder fünfeckig, hinten entweder abgerundet oder bogenförmig ausgeschnitten. An dessen Oberseite liegt vorne, den Mund begränzend und vom übrigen Kopfe durch Furchen mehr weniger deutlich abgetrennt, der Kopfschild (*Clypeus*), hinter diesem das meist deutlich begränzte und vertiefte dreieckige Stirnfeld (*Area frontalis*), seitlich von diesem befinden sich die mehr weniger breiten und aufgebogenen, von vorne nach hinten sich ziehenden Stirnlappen (*Laminae frontales*), von welchen jeder mit dem Kopfe selbst eine längliche Spalte bildet, die an ihrem vorderen Ende grubenartig ausgehöhlt ist und Fühlergrube heisst, in welchem die Fühler (*Antennae*) eingelenkt sind. Diese bestehen aus dem Schafte (*Scapus*) und der Geissel (*Funiculus*). Der Schaft trägt an einem Ende einen kugeligen Gelenkskopf, der in die halbkugelig ausgehöhlte Gelenkspfanne in der Fühlergrube eingelenkt ist, an seinem anderen Ende steht er mit der Geissel in Verbindung. Diese ist stets länger als der Schaft, fadenförmig oder am Ende mehr weniger keulenförmig verdickt, und besteht bei Arbeitern und Weibchen aus zehn bis eilf Gliedern, bei Männchen gewöhnlich aus einem Gliede mehr (bei einer Gattung nur aus neun Gliedern). Hinter dem Stirnfelde und zum Theile auch zwischen diesem und den Stirnlappen liegt die Stirn (*Frons*), welche ohne sichtbare Gränzen in den Scheitel (*Vertex*) übergeht, der sich als sogenannter Hinterkopf bis zum Hinterhauptloche erstreckt.

Der Scheitel trägt bei Weibchen und Männchen stets, bei Arbeitern häufig drei rundliche in ein Dreieck gestellte Punctaugen (*Ocelli*) welche bei den Männchen am grössten und kugelig sind. Von dem Stirnfelde bis zu oder vor dem mittleren Punctauge zieht sich die oft undeutliche Stirnrinne. An beiden Seiten des Kopfes liegen die Netzaugen (*Oculi*), welche aus Facetten zusammengesetzt, bei Weibchen und Arbeitern meist mässig gross und wenig gewölbt, bei Männchen aber gross, stark gewölbt und hervorstehend sind; ihre Farbe ist schwarz (und es wird daher in der Beschreibung der Arten die Farbe der Augen nicht mehr angeführt). Zwischen den Mundwinkeln und den Netzaugen liegen die Wangen. An der Unterseite des Kopfes bemerkt man an der vorderen Hälfte einen fast halbkreisförmigen Ausschnitt, in welchem die Mundtheile liegen. Von der Mitte dieses Ausschnittes bis zum Hinterhauptloche zieht sich stets eine Linie mitten durch den hinteren Theil der Unterseite des Kopfes, nämlich durch die Kehle (*Gula*).

Die Mundtheile bestehen aus den zwei Oberkiefern, den zwei Unterkiefern sammt deren Tastern, der Ober- und der Unterlippe mit ihren zwei Tastern.

Die Oberkiefer (*Mandibulae*) sind in den Mundwinkeln eingelenkt, zeichnen sich vor allen anderen Fresswerkzeugen durch ihre Grösse und Stärke aus, bedecken den Mund von vorne und oben, sind am Grunde meist etwas schmäler (selten aber am breitesten), öfters so breit, dass ihre vordere Fläche ein Dreieck bildet; sie haben einen abgerundeten convexen, einen hinteren, etwas kürzeren concaven und meist einen inneren gezähnten Rand (selten fehlt der innere Rand, indem die Oberkiefer schmal, gebogen und zugespitzt sind); überdiess haben sie eine obere vordere, behaarte und meist verschieden gerunzelte Fläche.

Der Unterkiefer (*Maxilla*) besteht aus vier Theilen: 1. aus der Angel, d. i. jenem Theile des Unterkiefers, der mit dem Kopfe, nämlich mit dem Mundrande in nächster Verbindung steht, und bei den verschiedenen Ameisengattungen keine wesentliche Verschiedenheiten zeigt; 2. aus dem Stiele, dem stärksten und grössten hornigen Theile des Unterkiefers; 3. aus dem Lappen, welcher häutig, dreieckig und am Innenrande gewimpert ist; 4. aus dem Kiefertaster (*Palpus maxillaris*), welcher am Ende des Stieles zwischen diesem und dem Lappen in eine Aushöhlung des ersteren eingelenkt ist, und aus ein bis sechs Gliedern besteht. Die Oberlippe (*Labrum*) ist an der Unterseite des *Clypeus* etwas hinter dessen Vorderrande befestigt, ist fast doppelt so breit als lang und in der Mitte des unteren Randes meist ausgeschnitten, wodurch zwei mehr weniger deutliche Lappen gebildet werden. Die Unterlippe (*Labium*) besteht 1. aus dem halbmondförmigen Kinne (*mentum*); 2. aus der eigentlichen Unterlippe, welche flach, sehr gross, hornig und meist keilig ist; 3. aus den Lippentastern (*Palpi labiales*), die am Vorderrande der eigentlichen Unterlippe stehen, und zwei bis viergliederig sind; und 4. aus der sehr kleinen, oft kaum deutlich sichtbaren häutigen Zunge (*Ligula*), welche zwischen den Lippentastern am Ende der Unterlippe liegt. Im Zustande der Ruhe passen die Unterlippe und die Stiele der Unterkiefer genau aneinander, die Aussenränder der letzteren legen sich aber an den seitlichen Mundrand, und dadurch wird der Mund von unten verschlossen; vorne wird der Verschluss dadurch bewerkstelligt, dass sich die Lappen des Unterkiefers etwas nach aufwärts biegen und von der nach abwärts gerichteten Oberlippe zum Theile bedeckt werden. Die Kiefer- und Lippentaster hängen gewöhnlich heraus, und sind meist nach hinten gerichtet.

Der Thorax besteht aus sechs Halbringen, wovon die oberen drei den Rücken, die drei unteren Halbringe die Brust bilden. Der erste vordere Rückenhalbring ist das *Pronotum*, welches vorne halsförmig verlängert ist, in welche Verlängerung der Kopf eingelenkt ist; das *Pronotum* der Arbeiter weicht von jenem der Weibchen und Männchen in der Weise ab, dass dasjenige der Arbeiter schräge gestellt ist, so dass der vordere Rand etwas tiefer steht, als der hintere, hingegen bei Weibchen und Männchen dasselbe mehr weniger senkrecht gestellt ist, wodurch der vordere Rand zum unteren und der hintere Rand zum oberen wird. Der zweite obere Halbring ist das *Mesonotum*, welches aus dem eigentlichen *Mesonotum*, dem Schildchen und dem oft queren streifenförmigen Hinterschildchen besteht, welche beide letztere aber nur bei den Weibchen und Männchen deutlich sind. Der dritte obere Halbring heisst *Metanotum*, welches meist vier, aber oft undeutlich von einander getrennte Flächen besitzt: 1. eine Basalfläche, welche oben und zunächst dem Schildchen liegend, die Fortsetzung des Rückens bildet; 2. eine abschüssige Fläche (der sogenannte abschüssige Theil), welche mit der ersteren, einen mehr weniger rechten Winkel bildet (manchmal aber verschmelzen beide Flächen in eine einzige, nach hinten und oben sehende, schiefe Fläche); dann 3. und 4. die beiden Seitenflächen. Häufig ragt zwischen der abschüssigen und Seitenfläche ein Zahn oder Dorn (bei den meisten *Myrmiciden*) vor. Die drei unteren Halbringe heissen *Prosternum*, *Mesosternum* und *Metasternum*, haben aber keinen diagnostischen Werth; jeder dieser Halbringe trägt ein Paar Beine.

Die Flügel, welche bei den Weibchen und Männchen vorkommen, sind in den Thorax, und zwar die Vorderflügel an die Seite des *Mesonotum*, die Hinterflügel zwischen diesem und dem *Metanotum* eingelenkt; sie brechen bei den Weibchen sehr leicht bei der Berührung am Grunde, wo der Flügel am schmälsten ist, ab, oder werden auch von den Ameisenarbeitern den Weibchen, nachdem sie wieder nach der Befruchtung in die Colonie zurückgekehrt sind, abgekneipt. Die Vorderflügel zeichnen sich vor den Hinterflügeln durch ihre Grösse, Form und Rippenvertheilung aus. Am Grunde des Vorderflügels, d. i. an jenem Gelenke, durch welches er mit dem Thorax in Verbindung ist, entspringen die vier Rippen, wovon die drei äusseren die stärksten sind. Die erste Rippe ist die *Costa marginalis*, welche am Aussenrande des Flügels verläuft, und bis zur Flügelspitze reicht. Die nächste Rippe, welche vom Grunde des Vorderflügels entspringt, ist die *Costa scapularis*, welche sehr nahe und parallel mit der *Costa marginalis* verläuft, und sich beiläufig vor dem Ende des zweiten Drittheils des Flügels dieser nähert, meisst eine hornene Brücke zu ihr sendet, sich sodann wenig von ihr entfernt, und endlich ganz mit ihr verschmilzt. Durch diese zwei Rippen werden zwei Zellen gebildet, wovon die erste, dem Grunde des Flügels nähere, Schulterzelle (*Cellula scapularis*) heisst, welche schmal, und langgestreckt ist; die zweite, von der ersten nur durch die obgenannte Brücke getrennte, in dem zweiten Drittheil des Flügels gelegene, hornig verdickte und viel dunkler gefärbte Zelle heisst das Randmal (*Stigma*). Die dritte Rippe ist die *Costa externo-media*, welche so ziemlich durch die

Mittellinie des Flügels zieht, und sich beiläufig vor oder in der Flügelmitte in zwei divergirende Aeste theilt. Der äussere Ast, die *Costa basalis*, läuft gegen die *Costa scapularis* und verbindet sich mit ihr vor dem *Stigma*. Die *Costa scapularis*, *externo-media* und *basalis* schliessen die äussere mittlere Zelle (*Cellula externo-media*) ein, welche drei, oder wenn die *Costa basalis* winkelig gebrochen ist, vier Ecken hat. Von der Mitte der *Costa basalis* entspringt die gegen die Flügelspitze laufende *Costa cubitalis*, welche für den Myrmicologen den meisten Werth hat, und sich verschiedentlich verhalten kann. Vorher muss ich noch erwähnen, dass vom *Stigma* quer die Länge des Flügels kreuzend eine kurze Rippe entspringt, welche ich *Costa transversa* nenne, die sich mit der *Costa cubitalis* selbst oder mit einem ihrer Aeste, oder mit ihren beiden Aesten verbindet. Die *Costa cubitalis* theilt sich nämlich auf vier verschiedene Weisen in zwei Aeste, und zwar läuft sie 1. bis zur Verbindungsstelle mit der *Costa transversa* ungetheilt, sodann trennt sie sich sogleich in zwei Aeste, welche gegen die Flügelspitze laufend, den Rand des Flügels gewöhnlich nicht (oder bloss der vordere Ast) erreichen, und zwischen sich die offene Cubitalzelle (*Cellula cubitalis aperta*) fassen; 2. theilt sich die *Costa cubitalis* schon vor der *Costa transversa* in ihre zwei Aeste, und es verbindet sich nur der äussere Ast mit der *Costa transversa*; 3. es theilt sich die Cubitalrippe so wie im zweiten Falle, aber die *Costa transversa* verbindet sich nicht bloss mit dem äusseren Cubitalaste, sondern läuft in derselben Richtung fort, um sich auch mit dem inneren Aste zu verbinden; 4. man denke sich die *Costa cubitalis* gleich vom Ursprunge an der *Costa basalis* in zwei divergirende Aeste getheilt, es ist aber die vordere Hälfte jenes Stückes des äusseren Cubitalastes, welches zwischen der *Costa basalis* und der *Costa transversa* liegt, nicht ausgeprägt, während sich die *Costa transversa* so wie im dritten Falle mit beiden Cubitalästen verbindet. Im ersten Falle wird durch den Hauptstamm der Cubitalrippe, durch die *Costa transversa*, durch die *Costa scapularis* und die *Costa basalis* eine Zelle abgegränzt, welche geschlossene Cubitalzelle (*Cellula cubitalis clausa*) heisst. Diese Art der Rippenvertheilung kommt bei den Gattungen *Formica*, *Tapinoma*, *Polyergus*, *Tetramorium*, *Strongylognathus* und *Leptothorax* vor. Im zweiten Falle tritt nur der Unterschied ein, dass die Cubitalzelle von dem ganzen aber kürzeren Stamme der Cubitalrippe und noch von einem Theile des äusseren Astes der Cubitalrippe begränzt wird. Hierher die Gattungen: *Myrmecina*, *Diplorhoptrum* und *Crematogaster*. Im dritten Falle wird aber nebst der *sub* 2 abgehandelten Cubitalzelle noch eine zweite geschlossene Cubitalzelle durch die Cubitaläste und die *Costa transversa* gebildet. In diese Abtheilung gehören die Gattungen: *Hypoclinea*, *Ponera*, *Oecophthora* und *Atta*. Im vierten Falle wird eine Cubitalzelle gebildet, welche statt, wie im ersten Falle, auf einer Seite von dem Stamme der Cubitalrippe begränzt zu sein, von dem inneren Cubitalaste begränzt ist, überdiess wird sie aber durch den in die Mitte der Zelle von hinten nach vorne ragenden äusseren Cubitalast in zwei unvollkommen getrennte Zellen getheilt. Hierher gehört bloss die Gattung *Myrmica*. Durch den äusseren Ast der *Costa cubitalis*, durch die *Costa transversa* und *C. marginalis* wird eine meist nicht geschlossene Zelle gebildet, welche Radialzelle (*Cellula radialis*) heisst. Der zweite Theilungsast der *Costa externo-media*, *Costa transverso-media* genannt, läuft nach innen und hinten. Durch diese Rippe, sowie durch die *Costa cubitalis*, durch deren inneren Ast und durch die *Costa basalis* wird eine grosse Zelle unvollkommen abgegränzt, welche gegen das Ende des Flügels offen ist, und offene Discoidalzelle (*Cellula discoidalis aperta*) heisst. Ist aber ein Verbindungsast, die *Costa recurrens*, zwischen Cubitalrippe (bei *Myrmica* aber deren hinterer Ast) und *Costa transverso-media* vorhanden, so wird von der offenen Discoidalzelle die geschlossene Discoidalzelle (*Cellula discoidalis clausa*) oder die eigentliche Discoidalzelle genannt, durch die *Costa recurrens* abgetrennt, und sie hat die *Costa basalis*, *transverso-media*, *recurrens* und *cubitalis* (bei *Myrmica* aber den inneren Ast derselben) zu ihren Gränzen. Gewöhnlich ist die Cubitalrippe an der Stelle, von welcher die *Costa recurrens* entspringt, mehr weniger winkelig gebogen. Häufig entspringt von oder vor dem Ende der *Costa transverso-media* ein Aestchen, welches gegen die Flügelspitze zieht, und die offene Discoidalzelle theilweise nach innen begränzt. Die vierte Hauptrippe, die *Costa interno-media*, liegt nahe und ziemlich parallel dem Innenrande des Vorderflügels, wodurch eine offene Zelle, die *Cellula interno-media* entsteht, welche von der *Costa externo-media*, *transverso-media* und *interno-media* gebildet wird, nach hinten aber offen ist. Diese Zelle wird durch eine kleine Querrippe, die sich von der *Costa externo-media* zur *Costa interno-media* zieht, in zwei Zellen getheilt, und zwar in eine geschlossene vordere *Cellula interno-media basalis* und in eine hintere offene *Cellula interno-media apicalis*. Unrichtigerweise nennt man noch jenen Theil des Vorderflügels, welcher zwischen der *Costa interno-media* und dem Innenrande des Flügels liegt: Analzelle.

Der Hinterflügel, dessen äusserer Rand mit Häkchen zum Anklammern an den inneren Rand des Vorderflügels versehen ist, um mit diesem der Luft beim Fliegen nur eine einzige Fläche darzubieten, ist mit weniger Rippen als der Vorderflügel versehen, und überdiess sind diese bei den verschiedenen Gattungen gleichartig verzweigt. Es sind bloss drei Hauptrippen vorhanden, indem die *Costa marginalis* fehlt; dafür ist die *Costa scapularis* dicker, läuft nahe und parallel dem Aussenrande bis zur Mitte desselben, wo sie sodann an diesem bis zur Spitze des Flügels läuft. Die *Costa externo-media* liegt in der Mittellinie des Flügels, theilt sich noch vor der Mitte des Flügels in zwei divergirende Aeste, wovon der äussere Ast sich gegen die *Costa scapularis* biegt, ein Querästchen zu dieser sendet, und ziemlich nahe mit derselben parallel zur Flügelspitze läuft, der innere Ast der *Costa externo-media* zieht nach innen und hinten. Die

Costa interno-media läuft nach innen und hinten und verbindet sich mit der *Costa externo-media* durch einen Querast.

Die Beine bestehen aus der Hüfte, dem Schenkelringe, dem Schenkel, der Schiene und dem fünfgliederigen Fusse, wovon das erste Glied länger ist, als die anderen mitsammen. Es haben die Beine bei den Ameisen gar keinen diagnostischen Werth, wesshalb ich sie nicht näher erläutere.

Das Stielchen (*Petiolus*), welches eigentlich aus dem ersten oder aus dem ersten und zweiten Segmente des Hinterleibes besteht, ist daher entweder ein- oder zweigliederig. Das eingliederige Stielchen hat entweder die Form eines Knotens, oder es trägt eine entweder aufrechtstehende oder stark nach vorne geneigte Schuppe, in welch' letzterem Falle das Stielchen vorne breiter als hinten ist. Ist das Stielchen zweigliederig, so bestehen die zwei Segmente desselben aus Knoten, und der vordere Theil des ersten Segments ist mehr weniger stielförmig verlängert, welcher Stiel sich durch ein Gelenk mit dem Thorax verbindet.

Der Hinterleib ist rundlich, oval oder länglich, öfters hinten zugespitzt, ohne Einschnürung zwischen den Segmenten bei den *Formiciden* und *Myrmiciden*, während bei den *Poneriden* zwischen dem ersten und zweiten Segmente eine Einschnürung constant vorkommt. Die ersten Segmente des Hinterleibs sind gross, die letzten sind kleiner und das letzte ist sehr klein. Die Zahl der Segmente ist bei Weibchen und Arbeiter, je nachdem sie ein oder zwei Segmente an das Stielchen abgegeben haben, fünf oder vier; bei Männchen hingegen findet man um ein Segment mehr.

Im Hinterleibe kommen bei den Weibchen und Arbeitern entweder Drüsen ohne Stachel vor, welche die eigenthümliche Ameisensäure und andere noch chemisch unbekannte Stoffe absondern, oder Drüsen mit einem Stachel vor, wie schon früher auseinandergesetzt wurde.

Aeussere Genitalien finden sich bei den Männchen der *Formiciden* besonders deutlich sichtbar, und bestehen aus den halbkreisförmigen Platten, welche beiderseits liegen; am oberen Ende dieser ragen die behaarten tasterförmigen *Penicilli* vor; unter diesen und zwischen den halbkreisförmigen Platten befindet sich ein äusseres, ein mittleres und ein inneres Paar länglicher Klappen (*Vaginae externae*, *intermediae* und *internae*).

Wie schon erwähnt, besteht eine vollständige Colonie aus Arbeitern, Weibchen und Männchen, und bei einer Gattung noch aus sogenannten Soldaten, welche letztere bei der betreffenden Gattung ausführlich beschrieben werden.

Die Arbeiter sind stets ungeflügelt, und unterscheiden sich von den Weibchen, welche ihre Flügel verloren haben, besonders durch den Thorax, welcher bei den Weibchen compress und depress ist, und dessen Mesonotum mit dem Schildchen sehr entwickelt ist.

Die Weibchen, wenn sie noch geflügelt sind, unterscheiden sich von den Männchen durch die Zahl der Fühlerglieder und Hinterleibssegmente.

Haben sie ihre Flügel verloren, so können sie mit den Arbeitern wegen ihres Thorax, wie oben erwähnt, nicht verwechselt werden, überdiess sieht man noch Spuren der Flügel und die Gelenke derselben.

Die Männchen sind geflügelt, haben um ein Hinterleibssegment mehr als die Weibchen und Arbeiter, haben dünnere und längere Beine, meist auch um ein Fühlerglied mehr als die Weibchen und Arbeiter, so wie auch schmälere Oberkiefer, einen kleineren Kopf, einen kürzeren Fühlerschaft, sie sind schmächtiger gebaut, und haben bei den *Formiciden* deutlich äussere Genitalien.

Die Ameisen werden in drei Unterfamilien abgetheilt, welche sich auf folgende Weise von einander unterscheiden:

1. Das Stielchen ist eingliederig.
   a) Der Hinterleib ist zwischen dem ersten und zweiten Segmente nicht eingeschnürt . ***Formicidae.***
   b) Der Hinterleib ist zwischen dem ersten und zweiten Segmente eingeschnürt . . . ***Poneridae.***
2. Das Stielchen ist zweigliederig, die Glieder desselben bestehen aus Knoten . . . ***Myrmicidae.***

I. Formicidae.

Die Männchen und Weibchen haben stets, die Arbeiter meist Punctaugen. Das Stielchen ist eingliederig; der Hinterleib nicht eingeschnürt, bei den Arbeitern und Weibchen fünf, bei den Männchen sechsgliederig. Die äussern Genitalien deutlich bei den Männchen sichtbar. Die Gattungen dieser Unterfamilie unterscheiden sich auf folgende Weise:

1. Das Stielchen trägt eine vollkommen aufrechte Schuppe.
   a) Die Oberkiefer sind breit, gezähnt, oder wenigstens mit einem flachen Zahne, Maxillartaster sechsgliederig, Lippentaster viergliederig. Flügel mit oder ohne geschlossener Discoidalzelle. Arbeiter und Weibchen mit Giftdrüsen . . . . . . ***Formica.***
   b) Die Oberkiefer sehr schmal, bogenförmig gekrümmt, zugespitzt, ohne Zähne. Maxillartaster viergliederig, Lippentaster zweigliederig. Die Flügel stets mit einer geschlossenen Cubitalzelle. Arbeiter und Weibchen mit einem Stachel . . . . ***Polyergus.***
2. Das Stielchen mit einer nach vorne gerichteten Schuppe.
   a) Das Metanotum nicht merklich erhöht, ohne Zähne . . . . ***Tapinoma.***

b) Das Metanotum bedeutend erhöht, hinten ausgehöhlt, mit zwei Zähnen . . . . ***Hypoclinea*** ♀☿.

3. Das Stielchen ist knotenförmig.

a) Körperlänge gering ($4\frac{1}{2}^{mm}$), Flügel mit zwei geschlossenen Cubitalzellen . . . . ***Hypoclinea*** ♂.

b) Körperlänge bedeutend ($10-12^{mm}$) . . ***Monocombus***.

1. *Formica* L.

Linné *Systema naturae.*

Arbeiter. Die Oberkiefer sind breit, stark am Innenrande gezähnt. Die Unterkiefer tragen sechsgliederige Taster, deren erstes Glied kurz, meist nur etwas länger als breit ist, deren übrigen Glieder sind lang und cylinderisch. Die Unterlippe ist oval, deren viergliederige Taster ähnlich jenen des Unterkiefers geformt. Die Oberlippe ist am unteren freien Rande in der Mitte ausgeschnitten. Die Fühler sind zwölfgliederig. Die Punctaugen sind oft nicht sichtbar. Die Netzaugen sind stets deutlich und schwarz. Der Thorax ist stets schmäler als der Kopf, vorne abgerundet, seitlich zusammengedrückt, dessen Rücken entweder bogenförmig gekrümmt ohne Einschnitte, oder in der Mitte eingeschnürt; der Basaltheil des Metanotums liegt entweder in einer Ebene mit dem Mesonotum, ist davon nur schwach durch eine Furche getrennt, und bildet mit dem abschüssigen Theile des Metanotums einen sehr stumpfen Winkel, oder er ist von dem Mesonotum stark abgeschnürt, und bildet entweder ebenfalls mit dem abschüssigen Theile einen stumpfen Winkel, welcher stark abgerundet ist, oder er bildet mit dem abschüssigen Theile einen scharfen rechten Winkel. Die Schuppe des Stielchens ist stets aufrecht, von vorne nach hinten zusammengedrückt mit einem scharfen oder mehr weniger abgerundeten Rande. Der fünfgliederige Hinterleib hat zwischen dem ersten und zweiten Segmente keine Einschnürung, das erste, zweite und dritte Segment ist ziemlich gleichgross, das vierte ist kleiner, das fünfte sehr klein; der Hinterleib enthält keinen Stachel, sondern bloss Giftdrüsen. Die Puppen sind in einen Cocon eingesponnen (einige Anomalien abgerechnet, welche manchmal vorkommen, wie früher schon erwähnt wurde).

Weibchen. Diese sind fast stets grösser als die Arbeiter und Männchen. Der Kopf mit Mundtheilen und Fühlern ist fast so wie beim Arbeiter gebildet, nur mit dem Unterschiede, dass alle Weibchen drei Punctaugen haben. Der Thorax ist unvollkommen cylinderisch, oben so wie auch seitlich mehr weniger abgeflacht, vorne abgerundet. Die Schuppe ist so wie die des Arbeiters. Der Hinterleib ist so wie beim Arbeiter, nur grösser und meist mehr länglich. Die Flügel haben eine geschlossene Cubitalzelle*), und eine oder keine geschlossene Discoidalzelle, die *Costa transversa* verbindet sich mit dem Stamme der *Costa cubitalis* an der Theilungsstelle in ihre zwei Aeste. Die Puppen wie beim Arbeiter.

*) Unter dem Worte: Flügel, verstehe ich stets der Kürze wegen den Vorderflügel.

Männchen. Diese sind meist viel kleiner als die Weibchen, oder ebenso gross, viel schlanker gebaut. Die Mundtheile im Wesentlichen sowie beim Arbeiter. Der Kopf ist viel kleiner als beim Arbeiter, rundlich oder unvollkommen fünfeckig mit abgerundeten Ecken. Die Oberkiefer sind schmäler als bei ☿ und ♀, und öfters nur mit einem einzigen, aber deutlichen, breiten Zahne. Die Fühler sind dreizehngliederig, die Punct- und Netzaugen sind gross, hervorstehend. Der Thorax ist ähnlich jenem des Weibchens gebildet, und hat am Mesonotum drei glänzende Längslinien. Die Schuppe ist meist dicker als beim Arbeiter, niedriger und überhaupt meist kleiner. Der Hinterleib ist sechsgliedrig, länglich, vorne so breit als der Thorax, fast konisch, oben abgeflacht, nach hinten verschmälert. Die äussern Genitalien deutlich sichtbar. Die Flügel so wie beim Weibchen.

Die grosse Anzahl der Arten lässt sich in fünf Rotten abtheilen, welche ich mit dem Namen jener Arten belege, die am verbreitetsten und bekanntesten sind.

Analytische Tabelle der Rotten:

Arbeiter.

A. Der Rücken des Thorax bildet eine sanft gewölbte Fläche ohne Einschnürung, und hat bloss eine Furche zwischen dem Meso- und Metanotum.

I. Rotte: *Ligniperda.*

B. Der Rücken des Thorax ist zwischen Meso- und Metanotum stark eingeschnürt.

1. Das Metanotum ist gross, erhoben, der Basaltheil ist scharf viereckig und bildet mit dem abschüssigen Theile einen rechten Winkel.

II. Rotte: *Lateralis.*

2. Der Basaltheil des Metanotums ist entweder sehr klein, und geht unmerklich in den abschüssigen Theil über, oder er ist grösser und bildet mit dem abschüssigen Theile einen stumpfen Winkel, geht aber ohne scharfe Gränzen in letzteren über.

a) Der Thorax ist roth, schwarzbraun oder schwarz, der Kopf aber bei den schwarzen Arten nicht oder sehr wenig ausgerandet. Punctaugen sehr deutlich. Stirnfeld scharf abgegränzt. Länge 3 — 9mm.

III. Rotte: *Rufa.*

b) Thorax schwarz, sehr glänzend. Hinterkopf stark halbmondförmig ausgebuchtet. Stirnfeld nicht scharf ausgeprägt. Punctaugen klein aber deutlich. Länge 4 — 5mm.

IV. Rotte: *Fuliginosa.*

c) Thorax braun, roth oder gelb. Hinterkopf fast nicht ausgerandet. Stirnfeld nicht scharf ausgeprägt. Punctaugen sehr undeutlich. Länge: 2 — 4½mm.

V. Rotte: *Nigra.*

Weibchen.

A. Flügel ohne geschlossener Discoidalzelle. Stirnfeld nicht scharf abgegränzt, Mesonotum meist schwarz (bei einer Art manchmal roth).

1. Die Länge: 12 — 18mm oder, wenn nur 9 — 10mm, so sind die Wangen und der Clypeus ziemlich glänzend, seicht und fein gerunzelt, reichlich punctirt, die Wangen ohne Borstenhaare, und die Schenkel gelb oder rothbraun.

   I. Rotte: ***Ligniperda.***

2. Die Länge: 9 — 10mm. Die Wangen und der Clypeus matt, sehr dicht und scharf punctirt, mit sehr zerstreuten Grübchen; die Wangen mit Borstenhaaren; die Schenkel dunkelroth braun oder schwarz.

   II. Rotte: ***Lateralis.***

B. Flügel mit geschlossener Discoidalzelle.

1. Stirnfeld scharf dreieckig.

   III. Rotte: ***Rufa.***

2. Stirnfeld nicht scharf dreieckig.

   a) Körper pechschwarz, sehr glänzend. Hinterkopf stark halbmondförmig ausgebuchtet.

   IV. Rotte: ***Fuliginosa.***

   b) Körper nicht pechschwarz, nicht stark glänzend.

   V. Rotte: ***Nigra.***

Männchen.

A. Flügel ohne geschlossener Discoidalzelle. Kleine braune Genitalien.

1. Die Länge: 9 — 11mm, oder 7 — 8mm, dann aber Fühlerschaft und Schienen fast unbehaart.

   I. Rotte: ***Ligniperda.***

2. Die Länge 6 — 7mm, Fühlerschaft und Schienen reichlich mit abstehenden Haaren besetzt.

   II. Rotte: ***Lateralis.***

B. Flügel mit einer geschlossenen Discoidalzelle (nur ausnahmsweise bei 3 — 5mm langen ♂ ohne geschlossener Discoidalzelle).

1. Die Länge wenigstens 7mm, oder kleiner, dann aber ist der Hinterkopf stark halbmondförmig ausgeschnitten, die Genitalien gross.

   III. Rotte: ***Rufa.***

2. Die Länge höchstens 5mm, die Genitalien ziemlich klein.

   a) Körper schwarz. Hinterkopf stark halbmondförmig ausgebuchtet. Hinterleib grob und weitläufig punctirt.

   IV. Rotte: ***Fuliginosa.***

   b) Körper schwarzbraun oder heller. Hinterkopf nicht halbmondförmig ausgebuchtet. Hinterleib nicht grob punctirt.

   V. Rotte: ***Nigra.***

I. Rotte: *Ligniperda.*

Die Arbeiter haben einen oben bogenförmig gekrümmten Thorax ohne Einschnürung, und es findet sich bloss zwischen je zwei oberen Thoraxhalbringen eine schmale Furche. Die Stirnlappen sind bei den Arbeitern und Weibchen schwach S-förmig gekrümmt. Die Punctaugen kommen bei Weibchen und Männchen stets vor, bei den Arbeitern sind sie bei den meisten Arten höchst undeutlich, oder überhaupt alle 3 Punctaugen nicht zu sehen, sondern es ist dann meist nur das vordere Punctauge sichtbar. Die Genitalien sind bei den Männchen ziemlich klein. Die Flügel entbehren der geschlossenen Discoidalzelle.

Arbeiter:

A. Thorax gelbbraun oder rothbraun.

1. Der Körper wenigstens 7mm lang.

a) Hinterleib etwas glänzend, reichlich behaart, aber die Grundfarbe bleibt trotz der Behaarung schwarz und fällt nicht ins Graue; die vordere Hälfte des ersten Hinterleibssegmentes meist rothbraun.

F. ligniperda.

b) Hinterleib glanzlos, sehr reichlich behaart, grauschwarz; erstes Hinterleibssegment schwarz.

F. herculeana.

2. Der Körper höchstens 6mm lang.

a) Hinterleib schwarz, glänzend, sehr sparsam behaart; Stirn und Scheitel schwarz.

F. fuscipes.

b) Hinterleib äusserst dicht behaart, grau, seidenglänzend; Stirn und Scheitel bräunlich.

F. austriaca.

B. Kopf, Thorax und Hinterleib schwarz.

1. Hinterleib glanzlos, reichlich behaart.

F. pubescens.

2. Hinterleib glänzend, mässig behaart.

a) Beine schwarzbraun oder schwarz.

F. aethiops.

b) Beine rothbraun.

F. marginata.

Weibchen:

A. Länge des Körpers 12—18mm.

1. Ganz schwarz.

F. pubescens.

2. Wenigstens Metanotum, Brust und Beine rothbraun.

a) Hinterleib ohne anliegenden, kurzen Härchen, stark glänzend; erstes Hinterleibssegment vorne rothbraun.

F. ligniperda.

b) Hinterleib mit anliegenden kurzen Härchen mässig versehen, glanzlos; erstes Hinterleibssegment schwarz.

F. herculeana.

B. Länge des Körpers 9 — 10^{mm}.

F. marginata.

Männchen.

A. Länge des Körpers 9 — 11^{mm}.

1. Schuppe mässig oder seicht ausgerandet.

a) Schuppe mässig und weit ausgerandet; Hinterleib wenig glänzend.

F. herculeana.

b) Schuppe seicht ausgerandet; Hinterleib glänzend.

F. ligniperda.

2. Schuppe scharf halbmondförmig ausgerandet.

F. pubescens.

B. Länge des Körpers 7 — 8^{mm}; Fühlerschaft und Schienen fast unbehaart.

F. marginata.

1. ***Formica ligniperda.*** Nyl.

Operaria: *Nigra; thorax, petiolus, basis abdominis femoraque rufo-rubida, tibiae ac tarsi obscuriores; abdomen subnitidum, pilis longioribus et brevissimis sparsis. Long.: 7 — 14^{mm}.*

Femina: *Nigra, nitida; thorax absque mesonoto et scutello, petiolus, basis abdominis ac femora rufo-rubidi, tibiae tarsique obscuriores; abdomen nitidum absque pilis brevissimis. Long.: 16 — 18^{mm}.*

Mas: *Ater, sparse pilosus; apices mandibularum, articulationes antennarum et pedum, tarsique castanei; squama obtuse emarginata; abdomen nitidum Long.: 10 — 12^{mm}.*

Form. ligniperda Nyl. Adn. Mon. Form. bor. Eur. p. 898, et Add. Adn. pag. 1045; Först. Hymenopt. Stud. I. Heft pag. 11.; Schenck Beschreib. nass. Am. pag. 20.

Arbeiter: Der Kopf und der Hinterleib ist schwarz, der Grund des Fühlerschaftes, der Thorax, das Stielchen mit der Schuppe, die Beine und meist auch die vordere Hälfte des ersten Hinterleibssegmentes braunroth; die Fühlergeissel, die Schienen und die Tarsen und oft auch die Oberkiefer braun oder rothbraun. Der Kopf und der Thorax ist nur mit wenigen, der Hinterleib aber reichlicher mit langen abstehenden gelben Borsten besetzt.

ausserdem ist der ganze Körper mit weissen, anliegenden kurzen Haaren sparsam, der Hinterleib etwas reichlicher bekleidet, doch nicht so stark, dass (wie bei *Form. herculeana*) die Grundfarbe des Hinterleibs grau wird, sondern sie bleibt schwarz.

Der Kopf ist in Betreff der Form und Grösse sehr bedeutenden Variationen unterworfen; die grösseren Individuen haben einen dreieckigen hinten ausgerandeten Kopf, der viel breiter ist als der Thorax, die kleineren Individuen haben einen ovalen (fast viereckigen), hinten schwach ausgerandeten Kopf, der länger als breit, aber doch noch breiter als der Thorax ist. Die Oberkiefer sind 5zähnig, grob längsgerunzelt und punctirt. Der fein lederartig gerunzelte und sparsam punctirte Clypeus hat keinen Mittelkiel, ist viereckig mit abgerundeten Winkeln, dessen Vorderrand mit einer Reihe nach vorwärts gerichteten Borsten, dessen Hinterrand in der Mitte schwach eingebogen. Die schwach Sförmigen Stirnlamellen sind schmal und aufgebogen. Der Schaft der 12gliederigen Fühler ist an dem Geisselende schwach verdickt, an der Basalhälfte leicht gekrümmt, und überragt zurückgelegt bei den grösseren Individuen nur etwas den Hinterrand des Kopfes, bei den kleineren aber reicht er fast bis zum Vorderrande des Mesonotums; die Geissel ist fadenförmig, um ihre drei letzten Glieder länger als der Schaft, die einzelnen Glieder sind ziemlich gleichlang. Das Stirnfeld ist entweder gar nicht oder nur schwach angedeutet. Die Stirn und der Scheitel sind sehr fein lederartig gerunzelt, mit zerstreuten Puncten. Die Stirnrinne ist sehr fein. Die Punctaugen fehlen. Die Netzaugen sind ziemlich klein, flach und oval. Die Unterseite des Kopfes ist stark glänzend, sehr fein lederartig gerunzelt mit weitläufigen Puncten.

Der sehr fein lederartig gerunzelte Thorax ist hinten stark seitlich zusammengedrückt, das Metanotum hat einen etwas längeren Basal- als abschüssigen Theil.

Die Schuppe des Stielchens ist oval und ziemlich schmal, der Rand mit Borsten besetzt.

Der Hinterrand eines jeden Segmentes an der Oberseite des Hinterleibes ist häutig, durchscheinend, vor jedem häutigen Rande befindet sich eine nach hinten gerichtete Borstenreihe; ausserdem ist in der Mittellinie eines jeden Segmentes eine Borstenreihe.

Die Beine sind mittelmässig gross.

Der Arbeiter unterscheidet sich von den verwandten Arten durch die Grösse, durch den braunrothen Thorax und nur von dem ☿ der *F. herculeana* ist er, wenn man beide nicht durch Autopsie kennt, nicht so leicht zu unterscheiden, von welchem er besonders durch den viel sparsamer behaarten Hinterleib, bei dem die Grundfarbe durch die weniger reichlich anliegenden kurzen Härchen nicht ins Grauliche umgeändert wird, während er bei *F. herculeana* ein graues Ansehen erhält, unterschieden ist.

Weibchen. Der ganze Körper ist glänzend, der Kopf, das Mesonotum mit dem Schildchen und Hinterschildchen, so wie der Hinterleib sind schwarz, das Metanotum, die ganze Brust, das Stielchen mit der Schuppe, die vordere Hälfte des ersten, öfters auch des zweiten Hinterleibssegmentes, die Hüften und die Schenkel sind braunroth, die Oberkiefer, die Fühlergeissel, die Seitenflächen des Prosternum, so wie die Schienen und Tarsen sind mehr weniger schwarzbraun. Der ganze Körper ist sparsam aber ziemlich gleichmässig mit weissgelblichen, sehr kurzen, feinen, anliegenden Härchen besetzt, die aber häufig abgerieben sind, der Hinterleib hat fast keine solche Härchen; ausserdem ist der Kopf, der Thorax und der Hinterleib sehr sparsam mit langen, abstehenden, gelben Borsten versehen.

Der Kopf ist etwas breiter als der Thorax, fast fünfeckig, hinten breiter als vorne, dessen Hinterrand ausgerandet. Die Mandibeln, der Clypeus, die Stirnlamellen und die Fühler so wie beim Arbeiter. Die Stirnrinne reicht nicht als solche bis zum vorderen Punctauge, sondern verflacht sich in eine seichte Grube vor dem letzteren. Die Punctaugen sind klein. Die übrigen Kopftheile sind so wie beim Arbeiter.

Das Pronotum ist höchst fein gerunzelt und sparsam punctirt; das Mesonotum ist gewölbt mit ziemlich flacher Scheibe, sehr fein gerunzelt und sehr sparsam mit Puncten versehen, aus welchen die Borsten entspringen, ebenso das Schildchen; das Metanotum ist mehr weniger fein quergerunzelt mit kurzen etwas abschüssigen Basal- und fast lothrecht stehendem abschüssigen Theile.

Die Schuppe ist am Rande mit Borsten bewimpert, rundlich oval, oben etwas ausgerandet.

Der Hinterleib ist gross, länglich eiförmig, breiter und länger als der Thorax, höchst fein quergerunzelt, glänzend, dessen erstes Segment nimmt beiläufig den vierten Theil des Hinterleibs ein; der Hinterrand eines jeden Segmentes ist durchscheinend, häutig und gelblich, von diesem zieht sich eine Reihe nach rückwärts gerichteter Borsten, in den Mittellinien eines jeden Segmentes stehen auch einzelne Borsten.

Die Beine sind ziemlich kurz, mit kurzen anliegenden gelben Härchen besetzt.

Die Flügel sind braun getrübt, die Rippen braun, die Vorderflügel haben eine Länge von 17 — 18^{mm}.

Das Weibchen unterscheidet sich von den verwandten Arten durch die Grösse und durch die Farbe des ganzen Körpers, und besonders von der nächstverwandten *Form. herculeana* vorzüglich durch den glänzenden Hinterleib.

Männchen. Schwarz, die Schenkel und Schienen braunschwarz, die Spitze der Oberkiefer, die Gelenke der Fühler und der Beine, so wie die Tarsen und hier und da die Nähte des Thorax braun. Der Kopf und Thorax sehr sparsam, der Hinterleib reichlicher mit langen Haaren besetzt; die Beine fast kahl.

Der Kopf ist schmäler als der Thorax, hinten abgerundet, an der Oberseite glanzlos, an der Unterseite glänzend. Die Mandibeln sind ziemlich schmal, fein und dicht gerunzelt, grob, weitläufig und seicht punctirt, aus welchen Puncten die Borstenhaare entspringen. Der Clypeus ist fein gerunzelt, mit einzelnen Grübchen versehen, vorne schwach, hinten schärfer gekielt, der Hinterrand ist etwas ausgerandet. Die Stirnlamellen sind schmal und wenig aufgebogen. Die 13gliedrigen Fühler sind mit sehr feinen, kurzen, anliegenden Härchen und zwar der Schaft spärlich, die Geissel reichlich bekleidet; der Schaft ist sehr lang, am Grunde etwas dünner; die Geissel ist fadenförmig, um ihre drei letzten Glieder länger als der Schaft, deren Glieder sind cylindrisch, die ersteren Glieder wenig verlängert, die letzteren kürzer. Das Stirnfeld ist dreieckig, fein gerunzelt, von seiner Hinterecke zieht sich die tiefe Stirnrinne bis vor das mittlere Punctauge. Die Stirn, der Scheitel und die Wangen sind fein gerunzelt und sparsam punctirt mit höchst feinen und höchst kurzen weissen Härchen. Die Netzaugen sind gross, oval, hervorragend. Die gelblichen Punctaugen sind verhältnissmässig gross und kugelig. Die Unterseite des Kopfes ist fein und seicht gerunzelt.

Der Thorax ist gerunzelt, das Pro- und Mesonotum ist glanzlos, nur die Längslinien des letzteren und die abhängigen Seiten des Schildchens sind glatt und glänzend; das Metanotum ist glänzend, die Basal- und die abschüssige Fläche gehen ohne Grenze in einander über.

Die kleine Schuppe ist sehr fein und seicht gerunzelt, glänzend, oben seicht ausgerandet, die Seitenränder mit langen Borsten.

Der Hinterleib ist etwas breiter als der Thorax, hinten zugespitzt, fein quer gerunzelt, glänzend, der sehr glänzende Hinterrand eines jeden Segmentes ist häutig.

Die äusseren Klappen der kleinen Genitalien sind schwärzlich, die inneren gelb.

Die Beine sind lang, fehr fein und seicht gerunzelt; die Schenkel sind kahl, die Schienen mit wenigen anliegenden Börstchen versehen.

Die Flügel sind bräunlichgelb getrübt, doch lichter als beim Weibchen; die Vorderflügel sind fast so lang als der ganze Körper (9 — 11^{mm}.)

Die Angabe N y l a n d e r's, dass die Flügel bei dem ♂ dieser Art etwas länger seien als bei der *F. herculeana*, kann ich nicht bestätigen, nur bei einem ♂, welches ich von Professor S c h e n c k erhielt, fand ich Vorderflügel von 11^{mm} Länge.

Das ♂ unterscheidet sich von den verwandten Arten durch die Grösse und die seicht ausgerandete Schuppe; schwierig aber zu unterscheiden ist es von der *F. herculeana* durch die noch seichter ausgerandete Schuppe und den glänzenden Hinterleib.

Diese Art findet sich im ganzen Gebiete (wie aus der obenangeführten Uebersicht der europäischen Ameisen zu ersehen ist) häufig, insbesondere aber in gebirgigen Gegenden, wo sie bis in die höchsten Alpen hinauf vorkommt; sie legt ihre Colonien vorzüglich in alten, hohlen Bäumen, aber auch in der Erde unter Steinen und anderswo an, doch baut sie keine erhabenen Hügel. Sie schwärmt schon im April, oft aber auch bis in den Hochsommer.

2. *Formica herculeana* Nyl.

Operaria: *Nigra, thorax, petiolus, parva macula basis abdominis pedesque obscure rufo-rubidi; abdomen opacum pilis sparsis longis ac copiosis brevissimis. Long.: 7 — 13mm.*

Femina: *Nigra; thorax absque mesonoto ac scutello, petiolus, macula parva basis abdominis pedesque obscure rufo-rubidi, tibiae tarsique obscuriores; abdomen fere opacum pilis brevissimis. Long.: 15 — 17mm.*

Mas: *Ater, sparse pilosus; apices mandibularum, articulationes antennarum atque pedum tarsique castanei; squama per totam latitudinem obtuse emarginata; abdomen subopacum. Long.: 9 — 11mm.*

Form. herculeana Nyl. Adn. Mon. Form. bor. Eur. pag. 894, et Add. adn. pag. 1044; Först. Hymenopt Stud. 1. Heft pag. 9.

Arbeiter: Schwarz, die Wurzel des Fühlerschaftes, das Ende eines jeden Geisselgliedes, der Thorax, das Stielchen mit der Schuppe, ein Fleck des ersten Abdominal-Segmentes, welcher der Schuppe gegenüber liegt, so wie die Beine dunkel braunroth, der häutige Rand der Abdominal-Segmente ist gelblich metallschimmernd. Der Kopf, der Thorax und die Beine sind sparsam, die Fühlergeissel und der Hinterleib reichlich mit kurzen, anliegenden, gelblichen Härchen versehen, ausserdem sind der Kopf, der Thorax und die Hüften sehr sparsam, der Hinterleib reichlicher mit langen abstehenden Borsten besetzt.

Der Kopf ist von dem der vorigen Art nicht verschieden, ebenso der Thorax und die Schuppe, wesshalb ich die Beschreibung übergehe.

Der Hinterleib ist eiförmig, fein quergerunzelt, glanzlos, graulich schimmernd mit gelben, anliegenden, kurzen Härchen reichlich, und mit einer Reihe langer Borsten vor dem häutigen Rande eines jeden Segmentes und an der ganzen Fläche der Segmente mit zerstreut eingepflanzten Borsten versehen. Ist der Hinterleib stark ausgedehnt, so zeigt sich am Grunde der Segmente eine glänzende, sehr seicht und fein quergerunzelte und kahle Fläche, welche gewöhnlich von dem vorhergehenden Segmente bedeckt wird.

Die Beine sind höchst fein und seicht gerunzelt, weitläufig punctirt, sparsam mit kurzen Härchen versehen.

Weibchen: Schwarz, das Metanotum, die Brust, das Stielchen mit der Schuppe, ein kleiner Basalfleck des Hinterleibs, welcher der Schuppe gegenüber liegt und die Beine sind dunkel braunroth. Der ganze Körper ist sparsam mit zerstreuten Borsten besetzt; überdiess der Kopf, der Thorax und die Schenkel spärlich, der Hinterleib aber so wie die Schienen und Tarsen reichlich mit sehr kurzen, gelben, anliegenden Härchen bedeckt.

Der Kopf und der Thorax ist wie bei der vorigen Art.

Die Schuppe ist oben nicht ausgerandet, fast stumpf zugespitzt.

Der Hinterleib ist meist etwas kleiner als wie bei der vorigen Art, er ist vorne nicht breiter als in der Mitte, ist sehr fein quergestreift, glanzlos, mit Puncten versehen, aus denen die anliegenden Härchen entspringen. Das vordere Drittheil des zweiten, dritten und vierten Segmentes ist noch feiner und oberflächlicher quergestreift, sehr glänzend, unbehaart und nicht punctirt.

Die Flügel sind weniger bräunlich getrübt als bei der vorigen Art.

Männchen: Schwarz oder braunschwarz, die Wurzel der Fühler, die Gelenke der Beine ziemlich scharf umschrieben und schmal, so wie die Tarsen bräunlichgelb oder rothbraun; die Fühlergeissel ist braun, an der Spitze gelblichbraun. Der ganze Körper ist glanzlos, die Seiten des Schildchens, das Metanotum, der hintere häutige Rand der Hinterleibssegmente glänzend.

Der Kopf und der Thorax sind wie bei der vorigen Art.

Die Schuppe des Stielchens ist oben breiter ausgerandet, der Hinterleib weniger glänzend und die Flügel oft kleiner (aber nicht constant, um es als Merkmal benützen zu konnen) und meist blässer.

Sie kommt in gebirgigen Gegenden, aber selten vor, (ich fand sie bis zur Höhe von 4000 Fuss ü. d. M.) sie schwärmt vom Beginne des Sommers bis in den Hochsommer und legt ihre Colonien vorzüglich, so wie die vorige Art, in alten hohlen Bäumen an.

In Böhmen (Grohmann); in Mähren bei Mistek (Schwab); in Galizien bei Lemberg (Wlastirios); in Oesterreich am Schneeberge an mehreren Stellen (Mayr), im Höllenthale (Mayr), am Semmering (Mayr), bei Hohenberg (Kerner), beim Hübner'schen Durchschlage (Mayr), am Gaisssteine in der Nähe des Untersberges (Mayr), bei Scheibbs (Erdinger), auf der Grestner Hochalpe (Schleicher); in Salzburg bei Gastein (Pröll); in Steiermark auf der Raxalpe (Mayr), bei Grosslobming (Miklitz); in Kärnthen (Dohrn); in Siebenbürgen bei Kerzeschora (Fuss), bei Tihutza (Fuss, auch in Notiz. und Beitr. z. Insectenf. Sieb.). In den Nachbarländern in der Provinz Preussen (Siebold Beitr. z. Fauna d. wirbell. Thiere d. Pr. Preuss.), bei Königsberg (Sauter, Zaddach); in Rheinpreussen (Förster Hymenopt. Stud.); in Preussisch-Schlesien (Schilling, Bemerk. über die in Schles. etc.); in Baiern bei Schwabhausen (Walser); in der Schweiz (Milde) bei Meyringen (Dohrn) und Interlacken im Canton Bern (Schiefferdecker und Elditt).

3. Formica pubescens. Fabr.

Operaria: *Nigra, fere opaca; mandibulae tarsique obscure brunnei; abdomen opacum valde pubescens. Long.: 8 — 13mm.*

Femina: *Nigra, vix nitida, articulationes pedum ac tarsi brunnei, abdomen opacum. Long.: 13 — 15mm.*

Mas.: *Niger, nitidus; tarsi picei; squama late emarginata. Long.: 9 — 10mm.*

Formica pubescens Fabr. Ent. Syst. 2 pag. 352; Oliv. Encycl. méthod. Hist. nat., tom 6., pag. 492; Ltr. Hist. nat. d. Fourm. pag. 96; Losana Form. Piem. pag. 312; Lepel. St. Farg. Hist. nat. d. Ins., Hym., tome I. pag. 211.; Nyl. Adn. Mon. Form. bor. Eur. pag. 899.

Formica fuscoptera. Oliv. Encycl. méth. Hist. nat tom. 6. pag. 491.

Formica vaga. Scopoli Entom. Carn. pag. 313. Schrank Enum. Ins. Austr. pag. 414.

Arbeiter: Schwarz, fast glanzlos mit Ausnahme des Kopfes; die Oberkiefer, und theilweise die Tarsen dunkelbraun, der Grund des Fühlerschaftes röthlichgelb. Der Kopf, der Thorax und die Schenkel sind sparsam, der Hinterleib aber dicht mit langen, abstehenden, weissen Borsten besetzt; ausserdem ist der ganze Körper mit feinen, kurzen, anliegenden, weisslichen Härchen ziemlich gleichmässig und nicht sparsam bekleidet.

Der Kopf variirt an Grösse so wie bei der *F. ligniperda*, und es finden sich die unmerklichsten Abstufungen vom grössten zum kleinsten Kopfe, die grösseren Individuen haben auch einen im Verhältnisse viel grösseren Kopf als die kleineren; er ist bei ersteren bedeutend breiter als der Thorax, dreieckig mit sehr stark abgerundeten Ecken, der Hinterrand des Kopfes ist ausgebuchtet; bei den kleineren Individuen ist der Kopf wenig breiter als der Thorax, mehr weniger oval, und ist hinten nicht ausgebuchtet. Die Oberkiefer sind mit 4 — 5 starken Zähnen bewaffnet, welche vorne am stärksten und spitzigsten sind, und nach hinten an Stärke und Schärfe abnehmen; die Aussenseite der Mandibeln ist sehr fein und dicht längs gerunzelt, und mit grossen Puncten wie eingestochen, aus denen die Borsten entspringen. Der Clypeus ist mehr weniger viereckig mit abgerundeten Winkeln, ist vorne etwas breiter als hinten, mit hinterem in der Mitte etwas eingebogenem Rande, schwach gekielt, fein lederartig gerunzelt und mit zerstreuten Puncten, nahe dem Vorderrande mit einer Reihe kleiner Grübchen, aus welchen nach vorwärts gerichtete gelbe Borsten entspringen. Das Stirnfeld ist oft sehr undeutlich ausgeprägt, klein, dreieckig; der Vorderrand desselben ist etwas nach vorne ausgebuchtet, dem Hinterrande des Clypeus entsprecheud.

Die Stirnlappen sind schmal, aufgebogen, und convergiren nach vorne. Der lange, vorne schwach verdickte Schaft der zwölfgliedrigen Fühler überragt den Hinterrand des Kopfes; die Geissel ist um ihre 3—4 letzten Glieder länger als der Schaft, fadenförmig, die einzelnen Glieder sind cylinderisch, ziemlich gleichlang, und sehr fein und dicht behaart. Die Stirn, der Scheitel sowie die Unterseite des Kopfes sind feinlederartig gerunzelt, weitläufig und grob punctirt, letztere ist stark glänzend. Die Stirnrinne entspringt, wie stets, vom Hinterwinkel des Stirnfeldes und durchzieht die Stirne Die Netzaugen sind klein und flach. Die Punctaugen fehlen.

Der Thorax ist feinlederig gerunzelt und weitläufig grob punctirt.

Die Schuppe ist oval, oben mit stumpfer Spitze, manchmal mit einer sehr schwachen und kleinen Ausrandung, der Rand der Schuppe ist ringsum mit einer Reihe langer Borsten besetzt.

Der Hinterleib ist an seiner Oberseite ganz matt, sehr dicht und scharf quergestreift und dicht behaart, die Unterseite ist seichter quergestreift und glänzend.

Die mässig langen Beine haben eine feine anliegende Behaarung, die Schenkel sind sparsam mit langen Borstenhaaren, die Beugeseite der Schienen und Tarsen mit fast dornartigen Borsten versehen.

Weibchen. Schwachglänzend, schwarz, die Wurzel des Fühlerschaftes, die Gelenke der Beine und die Tarsen rothbraun. Der ganze Körper ist mit kurzen, anliegenden, silberweissen Haaren, so wie auch der Kopf, der Thorax, die Schuppe und der Hinterleib mit aufstehenden, bei letzterem in einer Reihe vor dem Hinterrande der Segmente eingepflanzten, gelben Borstenhaaren sparsam versehen

Der Kopf ist dreieckig mit abgerundeten Ecken, etwas breiter als der Mittelleib, hinten ziemlich ausgeschnitten; die Form und Sculptur der einzelnen Theile ist wie bei grossen Arbeitern mit dem Unterschiede, dass letzteren die kleinen Punctaugen fehlen.

Der Thorax ist fein gerunzelt, ziemlich gross und weitläufig punctirt, seine Form ist wie beim ♀ der *Form. ligniperda.*

Die Schuppe des Stielchens ist linsenförmig, oben schwach ausgerandet, fein quergerunzelt, der Rand mit langen abstehenden Borsten.

Der Hinterleib ist länglich oval, grösser als der Thorax, sehr fein und dicht quergerunzelt, und weitläufig punctirt; das 1. Segment nimmt kaum den 4. Theil des Hinterleibes ein; der Hinterrand eines jeden Segmentes ist häutig, vor diesem Hautrande ist eine Reihe Borsten eingepflanzt.

Die Beine sind ziemlich kurz, fein gerunzelt, mit feinen, anliegenden, weissen Härchen weitläufig bekleidet.

Die Flügel sind bräunlich getrübt, aber viel lichter als bei *Form. ligniperda* und *F. herculeana*, die Länge der Vorderflügel ist 14 -- 15^{mm}.

Männchen. Glänzend, schwarz, die Fühlergeissel und die Tarsen pechbraun; der Gelenkskopf des Fühlerschaftes gelblichroth. Der ganze Körper ist mit weisslichen abstehenden Haaren mässig, der Fühlerschaft und die

Beine sparsam, und die Fühlergeissel mit kurzen, anliegenden Härchen dicht besetzt.

Der Kopf ist rundlich, klein, schmäler als der Thorax, etwas länger als breit. Die Mandibeln sind gerunzelt, schmal, nach einwärts gebogen, am Grunde fast so dick als breit, gegen das Ende zu wenig breiter und dünn, und läuft endlich in eine sehr stumpfe Spitze aus. Der Clypeus ist ohne Mittelkiel, fein gerunzelt und schwach gewölbt. Die Stirnlappen sind schmal, wenig aufgebogen, nach vorne convergirend. Der sehr lange Schaft der dreizehngliedrigen Fühler überragt weit den Hinterrand des Kopfes; die fadenförmige Geissel ist um ihre zwei letzten Glieder länger als der Schaft, ihre Glieder sind ziemlich gleichlang, die ersteren etwas länger, die letzteren etwas kürzer, das Stirnfeld ist undeutlich ausgeprägt, viel breiter als lang, fein gerunzelt, stark glänzend. Die Stirn und der Scheitel sind fein lederartig gerunzelt; die Unterseite des Kopfes ist ebenfalls, aber oberflächlicher gerunzelt und glänzend. Die deutliche Stirnrinne endet vor dem mittleren Punctauge. Die Netz- und Punctaugen sind gross und stark gewölbt.

Das Pro- und Mesonotum sind fein gerunzelt und nicht glänzend, bloss die Längsfurchen des Mesonotums sind glatt und glänzend. Das Schildchen ist fein gerunzelt und matt, die stark abhängigen Seiten aber sind fast glatt und stark glänzend. Das Metanotum ist fast glatt und starkglänzend, der Basaltheil ist sehr kurz.

Die Schuppe ist niedrig, mässig dick, fein gerunzelt, oben breit halbmondförmig ausgerandet, die Ränder sind mit langen, abstehenden Borsten besetzt, die Ausrandung ist aber kahl.

Der Hinterleib ist sehr fein lederartig gerunzelt und glänzend.

Die Flügel sind gelblichweiss mit bräunlichgelben Rippen; die Vorderflügel sind so lang wie der ganze Körper.

Die Schenkel sind mit wenigen, langen, abstehenden Haaren, die Schienen etwas zahlreicher mit kurzen, anliegenden, steifen Haaren versehen.

Diese Art legt ihre Colonien so wie die vorigen Arten in alten, hohlen Bäumen an, schwärmt im Hochsommer, und wurde bisher besonders in der südlichen Hälfte Europa's gefunden; eine merkwürdige Ausnahme macht Nylander's Angabe, nach welcher sie in Schweden vorkömmt.

In Oesterreich bei Wien (Mayr), bei Purkersdorf (Frauenfeld), bei Scheibs (Erdinger); in Tirol bei Bozen (Gredler), bei Meran (Mayr), im *Val Cembra* (Strobel), bei Lavis (Strobel), bei Roveredo (Zeni); in Steiermark bei Leoben (Mus. Vienn. Caes.), bei Grosslobming (Miklitz); in Ungarn (Fabricius System. Piezatorum) bei Pesth (Kovats); in Siebenbürgen (Mayr Beitr. z. Ins. Fauna Sieb. und Fuss Beitr. z. Ins. Faun. Sieb. *); in Krain bei Laibach (Hauffen, Schmidt, Mayr), am Grosskahlenberge (Hauffen), bei Wipbach (Schmidt); im

*) Herr Prof. Fuss spricht im citirten Aufsatze pag. 24 über das Verhalten dieser Ameisenart zu den Blattläusen.

Küstenlande bei Triest am *Monte boscheto* (Mayr), bei Görz (Pazzani); in Dalmatien bei Spalato (Lanza); in der Lombardie (Villa) bei Mailand (Strobel), bei Pavia (Strobel). In den Nachbarländern in Baiern (Herr.-Schäffer, Topogr. v. Regensb.), bei Schwabhausen (Walser); im Kirchenstaate bei Imola (Pirazzoli), bei Bologna (Bianconi), bei Ravenna (Pirazzoli); in Piemont (Losana Form. Piem.; Mayr Beiträge zur Kenntn. d. Ameis.); auf der Insel Sardinien (Mayr Beitr. z. Kenntniss der Ameis.), auf der Insel Corsica (Mann).

4. Formica aethiops Ltr.

Operaria: *Nigra, sparse pilosa; mandibulae, funiculi antennarum, articulationes pedum ac tarsi brunnei; abdomen nitidum. Long.: 6 — 11mm.*

Formica aethiops Ltr. Ess. l'hist. fourm. de France, pag. 36, Hist. nat. fourm pag. 101; Losana Form. Piem. pag. 312; Lepel. Hist. nat. d. Ins. Hym. Tome I. pag. 212.

Formica nigrata. Nyl. Add. alt. pag. 35.

Formica pallens. Nyl. Add. alt. pag. 36.

Arbeiter. Schwarz, wenig glänzend mit Ausnahme des stark glänzenden Hinterleibes, die Oberkiefer, die Fühlerwurzel, die Fühlergeissel, die Gelenke der Beine und die Tarsen röthlichbraun. Der ganze Körper ist mit langen, weisslichen, abstehenden Borstenhaaren und mit kurzen, anliegenden Härchen sparsam bekleidet.

Der Kopf ist so wie bei den vorigen Arten von verschiedener Grösse und von derselben Form, die grösseren Individuen mit grossem dreieckigen hinten ausgebuchteten, die kleineren mit mehr oder weniger ovalen kleinen, hinten nicht ausgebuchteten Kopfe. Die Mandibeln sind fein längs gerunzelt und weitläufig grob punctirt, sechszähnig, die vorderen Zähne gross und spitz. Der Clypeus ist lederig gerunzelt, sparsam grob punctirt, gekielt, viereckig mit abgerundeten Winkeln, breiterem Vorder- und schmäleren und eingebuchteten Hinterrande. Das dreieckige Stirnfeld ist klein, schwach ausgeprägt. Die Stirnlappen sind schmal aufgebogen, und nach vorne convergirend. Der Schaft der zwölfgliedrigen Fühler überragt den Hinterrand des Kopfes; die Geissel ist um ihre drei letzten Glieder länger als der Schaft, fadenförmig, die einzelnen Glieder sind sehr fein und dicht behaart, ziemlich gleichlang und cylinderisch mit Ausnahme des conischen Endgliedes. Die Stirn ist sehr fein gerunzelt und weitläufig punctirt, ebenso der Scheitel, die Wangen und die Unterseite des Kopfes, doch ist letztere mehr verwaschen gerunzelt und glänzend. Die Stirnrinne ist deutlich; die Netzaugen sind rundlich, klein und flach; die Punctaugen fehlen.

Der Thorax ist fein lederartig gerunzelt und zerstreut punctirt.

Der Hinterleib ist klein, höchst fein dicht und seicht quergestreift, stark glänzend.

Die Beine sind mässig lang, sehr fein und seicht lederartig gerunzelt, glänzend mit kurzer, anliegender und sparsamer Behaarung.

Weibchen (nach L a t r e i l l e und N y l a n d e r). Schwarz, glänzend; die Oberkiefer, die Fühlergeissel, die Gelenke der Beine und die Tarsen sind braun. Die Oberfläche des Körpers ist fein lederig gerunzelt und punctirt. Die Schuppe ist fast viereckig, weniger dick aber breiter als beim Arbeiter, oben nicht ausgerandet. Die Flügel sind weisslich mit bräunlichem Stigma und Rippen. Die Vorderflügel sind 9mm lang bei den ♀ von 8mm Körperlänge. Länge des Körpers; 8 — 11mm.

Männchen (nach L a t r e i l l e und N y l a n d e r). Schwarz, glänzend, sehr fein lederig gerunzelt und punctirt; die Fühlergeissel und die Gelenke der Tarsen sind schwarzbraun. Die Augen sind kahl; die Beine behaart. Die Schuppe ist klein, oben etwas ausgerandet. Die Flügel sind weiss mit braunen Rippen und Stigma, die Länge der Vorderflügel beträgt ebenso viel als die Körperlänge. Länge des Körpers: 5 — 6mm.

Diese Art findet sich besonders an warmen, trockenen, sonnigen Hügeln und Bergen, in alten hohlen Bäumen oder unter Steinen in der Erde. In Oesterreich bei Wien (M a y r) und zwar am Leopoldsberge, bei Sievering und bei Mödling; in Tirol bei Bozen (G r e d l e r), bei Trient (M a y r), bei Lavis (S t r o b e l), bei Roveredo (Z e n i), bei Riva (M a y r); in Ungarn (F r i v a l d s k y); im Küstenlande bei Triest am Monte boscheto (M a y r); in der Lombardie (V i l l a). In den Nachbarländern in der Provinz Preussen (S i e b o l d Beitr. z. Faun. d. wirbell. Thiere d. Prov. Preuss.); in Baiern (H e r r i c h - S c h ä f f e r), bei Schwabhausen (W a l s e r); im Kirchenstaate bei Ravenna und Imola (P i r a z z o l i); in Piemont (L o s. Form. Piem. und M a y r Beitr. z. Kenntn. d. Ameis.); auf der Insel Corsica (M a n n); auf der Insel Sardinien (M a y r Beitr. z. Kenntn. d. Ameis.); in Sicilien (G r o h m a n n) bei Messina (Z e l l e r u. N y l. Add. alt).

5. *Formica marginata* Ltr.

Operaria *: Nigra, sparse pilosa; mandibulae, antennae ac pedes brunnei; abdomen nitidum. Long.:* 6 — 9mm.

Femina*. Nigra, sparse pilosa; mandibulae, antennae pedesque brunnei; abdomen nitidissimum. Long.:* 9 — 10mm.

Mas*. Niger, sparse pilosus, nitidus; funiculus antennarum, articulationes pedum et tarsi brunneo-testacei; scapus antennarum ac tibiae fere glabri. Long.:* 7 — 8mm.

Formica marginata Ltr. Ess. l' hist. fourm. France pag. 35., Hist. nat. fourm. pag. 103; L o s. Form. Piem. pag. 313.

Arbeiter. Schwarz, glänzend, die Oberkiefer, die Fühler und die Beine rothbraun oder gelbbraun. Der ganze Körper ist sparsam mit langen abstehenden Borstenhaaren und sehr kurzen anliegenden Härchen besetzt,

Der Kopf ist an Grösse und Form so verschieden wie bei den vorigen Arten. Die Oberkiefer sind vierzähnig, fein gerunzelt mit sehr groben Puncten. Der Clypeus ist gekielt, viereckig, mit stark abgerundeten Ecken, fein ledrig gerunzelt mit sparsamen Grübchen, der Vorderrand desselben ist mit einer Reihe nach abwärts stehender Borsten versehen. Das Stirnfeld ist dreieckig, deutlich abgegränzt, sehr seicht gerunzelt und ziemlich glänzend. Der Schaft der zwölfgliedrigen Fühler ist schwach gebogen, und überragt den Hinterrand des Kopfes; die Geissel ist um ihre drei letzten Glieder länger als der Schaft, fadenförmig, deren Glieder sind ziemlich gleichlang, die ersteren sind die längsten, die letzten die kürzesten mit Ausnahme des längeren Endgliedes. Die Stirn, der Scheitel, die Wangen und die Unterseite des Kopfes sind feinledrig gerunzelt mit einzelnen Grübchen. Die Stirnrinne ist schwach ausgeprägt. Die Punctaugen fehlen.

Der Thorax ist feinledrig gerunzelt. Die Schuppe ist dick, ziemlich schmal, länglich-eiförmig, an der Spitze manchmal eingedrückt, der ganze Rand ist mit Borstenhaaren besetzt.

Der Hinterleib ist höchst fein runzlig quergestreift mit sparsamen Borstenhaaren versehen, die in Grübchen eingepflanzt sind; der Hinterrand der Segmente ist häutig.

Die Schenkel sind sparsam, die Schienen reichlicher mit kurzen, fast anliegenden, gelblichen Börstchen besetzt.

Weibchen. Glänzend, schwarz, die Fühler und die Beine roth- oder gelbbraun, die Oberkiefer und manchmal auch der Clypeus, die Wangen und der Vorder- und Hinterrand des Pronotums sind röthlichbraun. Der ganze Körper ist mit äusserst zarten, kurzen, anliegenden, silberweissen Härchen, die sich sehr leicht abwischen lassen, sparsam, ausserdem aber mit weniger langen, abstehenden Borstenhaaren an Kopf, Thorax und Hinterleib versehen.

Der Kopf ist etwas breiter als der Thorax, hinten etwas ausgerandet. Die Mandibeln haben fünf starke Zähne und sind grob punctirt. Der Clypeus ist sehr fein gerunzelt und grob punctirt, viereckig mit abgerundeten Hinterecken, ohne Mittelkiel, der Vorderrand ist in der Mitte etwas ausgerandet. Der Schaft der zwölfgliedrigen Fühler überragt etwas den Hinterrand des Kopfes, ist am Ende etwas dicker als an der Wurzel; die Geissel ist etwas langer als der Schaft, deren Glieder sind ziemlich gleichlang und cylindrisch. Das Stirnfeld ist undeutlich ausgeprägt, dreieckig, so wie die Stirn, der Scheitel und die Wangen sehr fein lederartig gerunzelt und grob punctirt. Die Stirnrinne reicht bis an das mittlere Punctauge. Die Unterseite des Kopfes ist sehr fein quer gestreift und weitläufig punctirt. Die Netzaugen sind oval, flach; die Punctaugen klein.

Der Thorax ist fein ledrig gerunzelt und weitläufig punctirt; die Basalfläche des Metanotums ist sehr kurz, und bildet mit der abschüssigen Fläche fast einen rechten Winkel, welcher aber nicht scharf, sondern abgerundet ist.

Die Schuppe ist fein quergerunzelt, viereckig mit abgerundeten oberen Ecken, der obere Rand ist ausgerandet.

Der Hinterleib ist länglich-oval, fein quergerunzelt und weitläufig punctirt mit sehr kurzen Härchen sparsam und gleichmässig mit langen Borsten reihenweise besetzt, so dass auf jedem Segmente eine Borstenreihe nahe dem Hinterrande und eine nahe in der Mitte steht.

Die Beine sind lederartig gerunzelt, sparsam mit Härchen versehen.

Die Vorderflügel sind bis zum Stigma gelblich, der Endtheil wasserhell, die Länge des Vorderflügels ist 9^{mm}. Der Hinterflügel ist wasserhell.

Männchen. Schwarz, die Wurzel des Fühlerschaftes, die Geissel, die Gelenke der Beine, die Tarsen und die Genitalien sind bräunlichgelb. Der Kopf und der Thorax sind sehr sparsam, der Hinterleib aber reichlicher mit langen Borstenhaaren versehen.

Der Kopf ist wenig schmäler als der Thorax, hinten abgerundet. Die Mandibeln sind fein gerunzelt mit einzelnen, groben Puncten, matt, und laufen in eine stumpfe Spitze aus. Der Clypeus ist fein gerunzelt, mit einigen unregelmässig vertheilten Grübchen, ohne Mittelkiel. Die Stirnlamellen sind schmal, wenig aufgebogen. Die dreizehngliedrigen Fühler sind mit feinen, anliegenden, kurzen, weissen Härchen und zwar der Schaft sparsam, die Geissel reichlich versehen; der Schaft ist sehr lang, am Ende etwas verdickt, die Geissel ist beiläufig um den dritten Theil länger als der Schaft, fadenförmig, ihre Glieder sind cylindrisch und ziemlich gleich lang. Das Stirnfeld ist gerunzelt, nicht scharf abgegränzt; die seichte Stirnrinne reicht bis zum mittleren Punctauge. Die Stirn und der Scheitel sind fein gerunzelt, und weitläufig punctirt, matt. Die Unterseite des Kopfes ist sehr seicht gerunzelt und stark glänzend.

Der Thorax ist fein gerunzelt, das Pro- und Mesonotum mit Ausnahme der glatten Linien des letzteren glanzlos, die Scheibe des Schildchens wenig, aber dessen abschüssige Seiten stark glänzend, das Metanotum ist ebenfalls glänzend.

Die Schuppe ist glänzend, niedrig, viereckig, breiter als hoch, oben ausgerandet.

Der Hinterleib ist sehr fein und seicht quergerunzelt, glänzend, breiter als der Thorax, hinten zugespitzt.

Die Beine sind fein gerunzelt, lang und dünn, mit sehr kurzen, feinen, weisslichen Härchen sparsam bekleidet.

Die Flügel sind irisirend, besonders die Hinterflügel und gelblich, die Vorderflügel sind $6^{1/2 mm}$ lang.

Sie lebt in den von ihr selbst minirten Bauten theils unter Steinen, theils unbedeckt, aber ohne aufgeführten Hügel, sie wird auch in Mauerspalten, z. B. in Gärten, nistend gefunden, wo man sie häufig auf den an der Mauer gepflanzten Obst-, besonders aber Apricosenbäumen findet. Mein Freund, Dr. Kerner, beobachtete sie auch in Bienenstöcken, in welche sie ohne Zweifel des Honigs wegen eingedrungen ist. Sie zeichnet sich besonders durch ihre Furchtsamkeit und Flüchtigkeit aus, über die Schwärmzeit konnte ich keine Beobachtungen anstellen, so wie überhaupt ♀ und ♂ dieser Art selten zu finden sind. In Oesterreich in und bei Wien (Mayr), bei Mannersdorf (Mayr), bei Fahrafeld und Schwarzensee (in der Nähe von Pottenstein Mayr), bei St. Pölten (Schleicher), bei Mautern (Kerner, Mayr), bei Dürrenstein (Mayr); in Krain am Grosskahlenberge (Hauffen, Schmidt), am Eingange in die Höhle Mal bukuje (Schmidt); in Dalmatien auf der Insel Lagosta (Zeller). In den Nachbarländern in der Provinz Preussen bei Königsberg (Zaddach); in Baiern (Herrich-Schäffer); im Kirchenstaate bei Imola und bei Ravenna (Pirazzoli); in Toskana (Pirazzoli); in Piemont (Losana Form. Piem. Mayr. Beitr. z. Kenntn. d. Ameis.); auf der Insel Sardinien (Mayr Beitr. etc.)

6. *Formica fuscipes* Mayr.

Operaria: *Fusca, sparse pilosula; pars terminalis funiculi antennarum, frons, vertex, petiolus et abdomen nitidum picea; squama late emarginata Long.: 3½—4mm.*

Formica fuscipes Mayr. Beschr. einig. neuer Ameis.

Arbeiter. Braun, die zweite Hälfte der Fühlergeissel, die Stirn, der Scheitel, die Schuppe und der Hinterleib braunschwarz. Der Körper ist wenig glänzend mit Ausnahme des stark glänzenden Hinterleibes. Die vordere Hälfte des Kopfes und insbesondere der Hinterrand eines jeden Hinterleibssegmentes mit langen gelben Börstchen sparsam, und überdiess der Kopf sehr sparsam, die Fühler und die Beine aber reichlich mit äusserst kurzen, anliegenden, gelblichen Härchen versehen.

Der Kopf hält die Mitte zwischen dem Ovalen und Länglichviereckigen und ist etwas breiter als der Thorax. Die Mandibeln sind kurz, fein gerunzelt, stark eingezogen, das Ende und der Grund ziemlich gleichbreit, fünfzähnig, der vordere Zahn ist gross, die anderen nehmen nach hinten zu an Grösse ab. Der Clypeus ist gross, fein verworren gerunzelt, ohne Mittelkiel, ziemlich gleichmässig, aber nicht stark gewölbt. Die Stirnlamellen sind schmal und kaum aufgebogen. Der Schaft der zwölfgliedrigen Fühler überragt den Hinterrand des Kopfes, ist etwas gebogen und an der Geisselhälfte wenig verdickt; die Geissel ist um ihre drei letzten Glieder länger als der Schaft, fadenförmig, die Endhälfte um Weniges dicker, die einzelnen Glieder sind cylindrisch, ziemlich gleichlang, das Endglied etwas länger conisch. Das Stirnfeld ist nicht abgegränzt und bloss von dem Clypeus durch eine glatte Querfurche getrennt. Die Stirnrinne ist scharf ausgeprägt. Stirnfeld und die Stirn sind dicht und fein lederartig gerunzelt und sehr weitläufig grob und seicht punctirt. Der Scheitel ist fein quergerunzelt. Die Wangen, so wie die Unterseite des Kopfes sind fein lederartig gerunzelt und weitläufig punctirt.

Der Thorax ist vorne an den Seiten etwas rundlich erweitert, hinten seitlich zusammengedrückt. Das Pro-, Meso- und Metanotum sind fein ledrig quergerunzelt; die Seiten des Thorax fein längsgerunzelt; die Basalfläche des Metanotum ist etwas länger als die abschüssige Fläche, beide zusammen bilden einen stumpfen Winkel.

Die Schuppe ist dick, feinledrig gerunzelt, die vordere Fläche convex, die hintere plan, der obere Rand ist breit bogenförmig ausgeschnitten.

Der Hinterleib ist breiter als der Thorax, sehr fein quergerunzelt, der Hinterrand eines jeden Segmentes häutig.

Die Beine sind ziemlich kurz und fein gerunzelt.

Diese seltene Art lebt unter der Rinde alter Bäume, auf welchen ich sie in Gesellschaft der *Hypoclinea quadripunctata*, des *Leptothorax muscorum* und *cingulatus* herumlaufend fand. In Oesterreich bisher bloss in Wien im Prater (Mayr), in den Nachbarländern im Kirchenstaat bei Imola (Pirazzoli) und in Toskana (Pirazzoli) gefunden.

7. *Formica austriaca* Mayr.

Operaria: *Pallido-rufa, capitis pars superior, femora, tibiae ac pars superior squamae rubro-brunnea, abdomen nigrum; clypeus antice dilatatus, squama ovata apice subacuminata; abdomen sericeum. Long.:* 3 — 7^{mm}.

Formica austriaca Mayr Einige neue Ameisen.

Arbeiter. Der Kopf ist gelblich, braunroth, die Oberseite des Kopfes rothbraun; der Thorax ist licht gelbbraunroth, ebenso meist das Stielchen und der untere Theil der Schuppe, während der obere Theil braun ist; der Hinterleib ist schwarz mit röthlichem Hinterrande der Segmente; die Beine sind röthlichbraun, die Gelenke derselben und die Tarsen heller (doch sind diese angegebenen Farben nicht so constant, und sind oft lichter oder dunkler). Die Oberseite des Kopfes, das Pro- und Mesonotum, der Hinterleib und die Hüften sind mit langen abstehenden Borsten mässig und überdiess der ganze Körper mit höchst feinen und sehr kurzen anliegenden, weissgrauen Härchen, insbesondere aber der Hinterleib, reichlich mit Ausnahme der Mandibeln und der Hinterfläche der Schuppe bekleidet.

Der schimmernde Kopf ist breiter als der Thorax, dreieckig mit stark abgerundeten Ecken, dessen Hinterrand ist stark ausgebuchtet selbst bei den kleinsten Individuen. Die Oberkiefer sind am Grunde dicht und fein runzlig punctirt, vorne aber weitläufig und grob punctirt, sie haben 8 — 10 Zähne, wovon der vorderste stark, die hinteren aber schwach und oft undeutlich sind. Der Clypeus ist sehr gross, dreieckig, dessen hinterer Winkel ist stark abgerundet, die seitlichen sind ziemlich spitz, der Vorderrand erstreckt sich von einem Mundwinkel bis zum anderen, ist nicht ausgerandet, an den Mundwinkeln schwach aufgebogen; der Clypeus ist ziemlich flach, ungekielt, fein und ziemlich dicht punctirt. Die Stirnlamellen sehr kurz, sehr schmal und aufgebogen. Der Schaft der fein und dicht behaarten zwölfgliedrigen Fühler ist an seinem ersten Drittheile bogenförmig gekrümmt; die fadenförmige Geissel ist fast um ihre drei letzten Glieder länger als der Schaft, die einzelnen Glieder derselben sind kurz, cylindrisch, gleichlang, nur das erste Geisselglied ist doppelt, das zweite und das letzte sind ein einhalbmal so lang als die anderen. Das Stirnfeld ist nur sehr schwach angedeutet, es ist breiter als lang, und so wie die Stirn und der Scheitel fein und dicht punctirt. Eine seichte Stirnrinne zieht sich bis zum vorderen Punctauge. Die Netzaugen sind ziemlich flach. Die Punctaugen sind klein aber deutlich. Die Unterseite des Kopfes ist fein punctirt und glänzend.

Der etwas glänzende Thorax ist fein runzlig punctirt. Das Metanotum ist ziemlich gleichmässig bogenförmig gekrümmt, wodurch die Basal- und abschüssige Fläche ohne sichtbare Gränze in einander übergehen.

Die Schuppe ist oval, oben schwach zugespitzt.

Der Hinterleib ist kuglig-eiförmig, dicht mit anliegenden graulichen Härchen besetzt, wodurch er sein ausgezeichnet schönes seidenglänzendes Ansehen erhält (doch darf das Thier nicht in Alkohol gelegen sein, wodurch sich der Seidenschimmer verliert); das erste Hinterleibssegment nimmt den dritten Theil des Hinterleibes ein.

Die Beine sind mit kurzen, anliegenden, die Schenkel ausserdem mit einigen langen abstehenden Haaren besetzt.

Diese schöne Art legt ihre Colonien wahrscheinlich in hohlen Bäumen an, denn es ist mir bisher trotz vielfacher Bemühung noch nicht gelungen, ihre Bauten aufzufinden; sie zieht processionsweise auf Bäumen herum, wohin sie aber auch bloss der Blattläuse wegen gehen könnte. So besuche ich z. B. schon im dritten Jahre oftmals zwei einander nahe stehende alte Silberpappeln, wo man diese Ameisen stets processionsweise von einem Baume zum anderen wandernd findet, doch noch nie war ich im Stande, ihre Bauten oder die geflügelten Geschlechter zu finden. Diese Processionen sind manchmal sehr lang und für den ganzen Sommer permanent, indem die ☿ hin- und zurückgehen; eine solche Procession findet sich z. B. im Prater in Wien, welche 20 Klafter lang ist und vier Bäume verbindet, überdiess schickt diese noch eine 12 Klafter lange Seitenprocession aus, welche zu zwei anderen Bäumen führt. In Oesterreich in Wien im Prater (M a y r), beim Krumbach (W a l t e r); in Ungarn am Neusiedlersee bei Winden an einer Eiche (M a y r); in Dalmatien am Kreuzwege bei Skandona (F r a u e n f e l d), bei Spalato (L a n z a). In den Nachbarländern im Kirchenstaate bei Imola auf Eichen P i r a z z o l i), bei Bologna (B i a n c o n i); in Toskana (P i r a z z o l i)*).

---

*) In diese Gruppe gehören noch von nicht österreichischen Arten, welche in den Nachbarländern vorkommen oder vorkommen sollen, folgende:

Formica truncata S p i n o l a.

Operaria: *Obscure ferruginea, abdomen nigrum; caput antice abrupte truncatum, punctato-rugosum; squama subquadrata, emarginata. Long.* : 3 — 5/$_{mm}$.

II. Rotte *Lateralis.*

Die Arbeiter dieser Rotte haben einen eigenthümlichen Thorax. Das Metanotum ist vom Mesonotum durch einen tiefen Einschnitt getrennt. Das Charakteristische ist aber die Form des Metanotums selbst. Die Basalfläche ist horizontal, etwas höher als der übrige Thorax, scharf viereckig, von

---

Femina: Obscure ferruginea, abdomen nigrum; caput antice abrupte truncatum, punctato-rugosum, postice laevigatum; squama subquadrata, emarginata. Long.: 7 — 8mm.

Formica truncata Spinola. *Insectorum Liguriae Species novae aut rariores Genua* 1808 *tom.* 1, *pag.* 244; *Léon Dufour et Edouard* Perris *Mémoire sur les insectes Hym. qui nichent dans l'interieur des tiges sèches de la ronce* in den Annales *de la Société entom. de France tom.* IX. 1840, *pag.* 49.

Arbeiter: Dunkel bräunlich rostroth, grösstentheils glänzend, der Scheitel ist dunkler, die Erdhälfte der Fühlergeissel und der Hinterleib sind pechschwarz. Der Kopf und der Hinterleib sind sparsam mit ziemlich kurzen, gelblichen Borstenhaaren versehen.

Der Kopf ist gross, viereckig mit abgerundeten Ecken, länger als breit. dick, vorne stark abgestutzt und zwar so, dass die scharfen Ränder der Abstutzung mit den Oberkiefern einen Kreis bilden.

Die Mandibeln sind dreieckig, keilförmig, sehr breit, kurz, fünf- bis sechszähnig, längsgerunzelt und grob punctirt. Der Clypeus ist fast in einem rechten Winkel an seinem hinten Drittheil gebogen, schmal, mit vier Rändern wovon der Vorderrand der kürzeste, die nach hinten etwas divergirenden und zuletzt wieder convergirenden Seitenränder die längsten sind; die Hinterecken des Clypeus sind sehr stark abgerundet, so dass der Hinterrand bogenförmig erscheint.

Der ganze Clypeus, das gar nicht abgegränzte Stirnfeld, die vordere Hälfte der Stirn und die Wangen sind sehr grobpunctirt gerunzelt und glanzlos. Die Wangen sind so wie der Clypeus durch die Abstutzung in eine vordere etwas concave und in eine in einem rechten und scharfen Winkel stehende, seitliche, von oben nach unten convexe Gegend abgetheilt. Die sehr weit von einander entfernten Stirnlamellen sind kurz, schmal, wenig aufgebogen, convergiren nach vorne, liegen viel weiter nach rückwärts wie gewohnlich, nämlich in der Mitte des Kopfes. Die zwölfgliedrigen Fuhler, welche, wie bei allen Ameisen, unter den Stirnlamellen eingelenkt sind, liegen ebenfalls in der Mitte des Kopfes, der Schaft ist gegen das Ende verdickt seiner ganzen Länge entsprechend gebogen und mässig lang; die Geissel ist am Grunde dünn und nimmt gegen das Ende an Dicke zu, deren Glieder sind kurz, dick, ziemlich gleichlang, das erste Glied ist dunner und länger. Die sehr feine Stirnrinne zieht sich vom Clypeus bis zum Scheitel, wo sie mit einer Grube endigt, welche man leicht für ein Punctauge halten kann. Die hintere Hälfte der Stirn, der Scheitel, so wie die Unterseite des Kopfes sind sehr fein gerunzelt und glanzend. Die Netzaugen sind flach, oval und liegen fast an den Hinterecken des Kopfes. Die Punctaugen sind nicht sichtbar.

vorne nach hinten etwas convex, von einer Seite zur anderen plan; die abschüssige Fläche steht im rechten Winkel mit der Basalfläche, ist von oben nach unten concav, von einer Seite zur anderen plan. Die Punctaugen bloss bei den ♀ und ♂ sichtbar. Die Flügel der ♂ und ♀ haben keine *Costa recurrens*, daher bloss eine offene Discoidalzelle wie bei der ersten Rotte. Die geflügelten Geschlechter unterscheiden sich von jenen der ersten Rotte durch keine bestimmten Merkmale.

Der Thorax ist sehr fein und sehr seicht lederartig runzelig-gestreift und glänzend.

Die Schuppe ist ziemlich dick, viereckig, etwas breiter als hoch, oben oft sehr schwach, oft aber ziemlich stark ausgerandet.

Der Hinterleib ist glänzend, sehr fein quergestreift.

Die Beine sind mit gelben, kurzen Härchen ziemlich sparsam besetzt.

Weibchen. (Nach Spinola, Léon Dufour und Perris.) Der Kopf ist, wie ich aus den Beschreibungen der Autoren ersehe, so wie beim Arbeiter.

Der Thorax ist sehr glatt, unbewehrt, oben schwarz, in der Mitte röthlichbraun. Das Stielchen ist dick, fast viereckig. Der Hinterleib ist oval, schwarz, glänzend, am Grunde des zweiten Segmentes weisslich. Die Beine sind gelbroth, kahl. Merkwürdig ist, dass die Autoren angeben, dass dem Weibchen die Punctaugen fehlen, was mir sehr unwahrscheinlich vorkommt.

Diese so höchst sonderbar geformte Art, welche sich aber doch nicht generisch von *Formica* unterscheidet, erhielt ich von Herrn Pirazzoli, welcher sie bei Imola im Kirchenstaate (also ziemlich nahe dem österreichischen Italien, wesshalb zu hoffen ist, dass sie etwa auch bald zu unserer Fauna gehören wird) entdeckte. Sie wurde zuerst von Spinola in Ligurien (Piemont), später von Léon Dufour und Perris in den Aesten des Brombeerstrauches und in einer mispelförmigen Eichengalle in Frankreich beobachtet.

Formica sylvatica Ol.

Ich bin genöthigt, diese sehr zweifelhafte Olivier'sche Art wegen der Angabe Schilling's, dass sie in Preussisch-Schlesien vorkommt, zu citiren.

Olivier beschreibt das Weibchen in der Encycl. méth. Hist. nat. tom. 6, pag. 491 auf folgende Weise: Schwarz, der Kopf bloss ist rostbraun, die Fühler sind aber auch schwarz; die Schuppe ist eingliedrig; die Flügel sind durchsichtig, die Rippen schwarz; die Form und Grösse des ganzen Körpers ist der *Formica ligniperda* ähnlich.

Schilling sagt über diese Ameise in seiner Abhandlung: Bemerk. üb. die in Schles. etc. Folgendes: „Schwarz, Bruststück, Beine und Basis des Hinterleibes rothbraun, die Ränder der Hinterleibsringe stark gewimpert. 3 ½‴, lang. Hat grosse Aehnlichkeit mit *Formica rufa*, hat aber bedeutendere Grösse und der Rücken des Thorax ist auch bei den Arbeitern ohne Quereindruck bogenförmig. Bildet wie jene in Kieferwaldungen kegelförmige Haufen; die Puppen sind bedeutend grösser, werden als Rossameiseneier als Vogelfutter feilgeboten, da hingegen die Puppen der *Formica rufa* schlechthin unter dem Namen: Ameiseneier auf den Markt kommen."

8. *Formica lateralis* Ol.

Operaria: *Nitida, caput, thorax, squama et pedes rubra aut piceo-nigra, abdomen piceo-nigrum. Long.: 3 — 7mm,*

Femina. *Nitida; caput rubrum aut piceo-nigrum, thorax piceus, rare macula laterali rubra, abdomen piceo-nigrum; clypeus ac genae pilosae opaci, dense punctati, foveolis sparsis. Long.: 9 — 10mm.*

Mas. *Niger, pilosus; mandibulae, funiculi antennarum ac tarsi brunnei; scapi antennarum atque tibiae pilosi. Long.: 6 — 7mm.*

Formica lateralis Ol. Encycl. méth. Hist. nat. tom 6, pag. 497; Ltr. Hist. nat. Fourm. pag. 172; Lep. St. Farg. Hist. nat. Ins. Hym. tom 1. pag. 217; Mayr Beitr. z. Kenntn. d. Ameis.

Formica bicolor Ltr. Ess. l'hist. Fourm. France pag. 43.

Formica melanogaster Ltr. Hist. nat. Fourm. pag. 171.

Formica axillaris Spinola. Insect. Lig. Spec. novae aut rar. tom 1, pag. 243.

Formica atricolor Nyl. Add. alt. pag. 36.

Formica dalmatica Nyl. Add. alt. pag. 37.

Formica foveolata Mayr. Beschr. einig. neuer Ameis.

Arbeiter. Diese Art variirt in Bezug der Farbe des Kopfes und des Thorax, so wie auch in Bezug der Grösse ungemein, woraus sich auch die vielen Synonyme erklären.

Der Kopf ist roth in allen Nuançen bis zum Pechschwarzen, die Fühler sind roth oder bräunlich, die Endhälfte der Fühlergeissel ist stets schwärzlich; der Thorax ist roth, rothbraun oder pechschwarz, die hintere Hälfte ist stets dunkler; die Schuppe ist braun oder pechschwarz; der Hinterleib ist stets pechschwarz; die Beine sind rothbraun. Der glänzende Körper ist mit sehr feinen, kurzen, anliegenden, weissen Härchen, so wie auch mit abstehenden, langen, gelben Borstenhaaren sparsam, die Wangen mit kürzeren etwas reichlicher besetzt.

Der Kopf ist bei den grösseren Individuen dreieckig mit abgerundeten Winkeln, viel breiter als der Thorax mit wenig ausgerandetem Hinterkopfe; bei den kleineren Individuen ist der Kopf nur etwas breiter als der Thorax, länger als breit, und der Hinterkopf schwach ausgerandet. Die Mandibeln sind kurz, breit, mit fünf starken Zähnen, grob, längsgerunzelt und mit länglichen, kleinen Grübchen versehen. Der schwach gekielte Clypeus ist viereckig, fein lederartig gerunzelt, mit kleinen, länglichen, unregelmässig vertheilten Grübchen. Die Stirnlamellen sind schmal, aufgebogen, vorne etwas convergirend. Der Schaft der zwölfgliedrigen Fühler überragt bei den grösseren Individuen nur wenig, bei den kleineren bedeutend den Hinterkopf, er ist am Grunde verschmälert, und nimmt gegen das Geisselende an Dicke zu, er ist dicht und fein gerunzelt und weitläufig punctirt; die Geissel ist um ihre drei letzten Glieder länger als der Schaft, fadenförmig, nur am Grunde etwas dünner, ihre Glieder sind ziemlich gleichgross, cylindrisch, das Endglied ist conisch. Das häufig undeutlich abgegrenzte Stirnfeld ist klein, dreieckig, fein lederartig gerunzelt und glänzend. Die Stirnrinne ist ziemlich kurz. Die Stirn und der Scheitel sind schwach glänzend, fein lederartig gerunzelt mit wenigen groben Puncten. Die Wangen sind fein gerunzelt und mit länglichen Grübchen (so wie der Clypeus) versehen, aus denen nicht lange, gelbe, abstehende Borstenhaare entspringen. Die Unterseite des Kopfes ist fein lederartig gerunzelt und stark glänzend.

Der Thorax ist fein lederig gerunzelt und weitläufig grob punctirt; die Seiten desselben sind längsgerunzelt.

Die Schuppe ist fein lederig gerunzelt, ziemlich dick, fast viereckig mit stark abgerundeten Ecken, oben etwas breiter als unten, nicht oder nur schwach ausgerandet.

Der Hinterleib ist höchst fein und dicht quergerunzelt, stark glänzend; der Hinterrand eines jeden Segmentes häutig, vor diesem häutigen Rande mit einer Reihe nach rückwärts gerichteter Borstenhaare.

Die Beine sind ziemlich kurz, fein lederartig gerunzelt, sparsam mit feinen, anliegenden, weisslichen Härchen besetzt.

Weibchen. Pechbraun oder pechschwarz, glänzend, die Mandibeln, die Fühler und die Beine mit häufiger Ausnahme der dunkleren Schenkel rothbraun; der Kopf ist oft roth, die schwärzliche Stirn und die Kehle ausgenommen, der Thorax hat vorne oft beiderseits eine rothe Makel. Der ganze Körper ist mit abstehenden, gelben Borstenhaaren und ausserdem mit feinen, kurzen, anliegenden Härchen sparsam bekleidet.

Der Kopf ist dreieckig mit stark abgerundeten Hinterecken, etwas breiter als der Thorax, mit schwach ausgerandetem Hinterkopfe. Die Mandibeln, der Clypeus, die Stirnlappen, die Fühler, das Stirnfeld und die Wangen wie beim ☿. Die Stirnrinne ist fein aber scharf und reicht nicht bis zum vorderen Punctauge. Die Stirn, der Scheitel und die Unterseite des Kopfes sind so wie beim Arbeiter fein lederig gerunzelt und grob punctirt. Die Netzaugen sind wenig gewölbt; die Punctaugen klein.

Der Thorax ist fein lederig gerunzelt, dessen Seiten sehr fein runzlig gestreift; die Basalfläche des Metanotums ist nur halb so lang als die senkrechte abschüssige Fläche und geht ohne deutliche Grenze in letztere über.

Die Schuppe ist höchst fein quergerunzelt, ziemlich dick, viereckig mit abgerundeten Ecken, etwas breiter als hoch, die vordere Fläche sehr schwach convex, die hintere plan, der obere Rand ist manchmal schwach ausgerandet.

Der Hinterleib ist gross, breiter als der Thorax, oval, sehr stark glänzend und höchst fein quergerunzelt; der Hinterrand eines jeden Segmentes häutig und vor diesem mit einer nach hinten gerichteten Borstenreihe.

Die Beine sind ziemlich kurz, sehr fein gerunzelt und weitläufig punctirt mit feinen, anliegenden, sparsamen Härchen.

Die Flügel sind weissgelb, die Rippen und das Stigma bräunlichgelb; die Vorderflügel so lang als der ganze Körper.

Männchen. Schwarz, glänzend, die Oberkiefer, die Fühlergeissel und die Tarsen braun, selten sind die Oberkiefer und die Tarsen schwarz. Der ganze Körper ist mit langen abstehenden Haaren reichlich, die Schenkel sparsam besetzt.

Der Kopf ist schmäler als der Thorax, hinten abgerundet ohne Ausbuchtung. Die Oberkiefer sind sehr dicht und tief gerunzelt, schmal, vorne in einen breiten, grossen Zahn endigend. Der gewölbte Clypeus hat keinen Mittelkiel, ist fein lederartig gerunzelt mit sparsamen kleinen Grübchen. Die Stirnlamellen sind sehr schmal, aufgebogen, nach vorne convergirend. Der Schaft der dreizehngliedrigen Fühler ist sehr lang, an der Spitze etwas verdickt und überragt, zurückgelegt, weit den Hinterrand des Kopfes; die Geissel ist fast um ihre drei letzten Glieder länger als der Schaft, sehr fein und dicht behaart, fadenförmig, die einzelnen Glieder sind ziemlich gleichlang.

Das Stirnfeld ist deutlich abgegränzt, dreieckig mit scharfen Ecken, fein quergerunzelt. Die Stirnrinne zieht sich bis vor das mittlere Punctauge. Die Stirn, der Scheitel, die Wangen und die Unterseite des Kopfes sind fein lederig gerunzelt, besonders die Wangen mit einzelnen kleinen Grübchen.

Der Thorax ist sehr fein lederartig gerunzelt; die Basalfläche des Metanotums ist sehr kurz und geht ohne deutliche Grenze in die abschüssige Fläche über.

Die Schuppe ist niedrig, doppelt so breit als hoch, sehr fein quergerunzelt, dick, der obere Rand abgerundet und wenig oder nicht ausgerandet.

Der Hinterleib ist ziemlich klein, stark glänzend, höchst fein quergerunzelt.

Die Beine sind lang und dünn, sehr fein lederartig gerunzelt; die Schenkel sparsam, die Schienen reichlicher mit langen Borstenhaaren versehen.

Die Flügel sind weisslich durchscheinend, die Rippen und das Randmal bräunlichgelb.

Was die Synonyme anbelangt, so wurde als *Form. lateralis* von Olivier ein schwarzes ♀ mit rothem Kopfe und eben solchem Flecke an beiden Seiten des Thorax als *Form. bicolor*, als *melanogaster* von Latreille ein ☿ mit rothem Kopfe und Thorax und schwarzem Hinterleibe, als *Form. dalmatica* von Nylander ein schwarzer ☿ mit rothem Thorax, als *Form. atricolor* von Nylander ein ☿ und als *Form. foveolata* von mir alle drei Geschlechter mit schwarzer Farbe beschrieben.

Diese schöne Art findet sich unter Steinen, auf Oehl-, Wallnuss-, Eichen- und anderen Bäumen, den Blattläusen nachgehend, und legt ihre

Colonien besonders gerne in Mauerspalten an. Man trifft sie häufig in Gesellschaft des *Crematogaster scutellaris* Ol.*).

In Böhmen? (Grohmann)**); in Oesterreich bei Mödling nächst Wien (Mayr), bei Mautern (Kerner), im Alaunthale bei Krems (Kerner); in Tirol bei Naturns im Vintschgau (Gredler), bei Bozen (Gredler), bei Meran (Förster, Mayr), bei Lavis (Strobel), bei Arco (Strobel); bei Roveredo (Zeni); in Ungarn am Blocksberge bei Ofen (Kovats), bei Whisegrad nächst Gran (Kerner); im Küstenlande bei Tersato (Mann), bei Triest (Förster); in Dalmatien bei Zara (Frauenfeld), auf der Insel Lagosta (Zeller, Nyl. Add. alt), bei Ragusa (Frauenfeld), in Venetien auf der Insel Lido bei Venedig (Strobel); in der Lombardie bei Gargnano am Gardasee (Strobel). In den Nachbarländern in Baiern (Herrich-Schäffer); im Kirchenstaate bei Imola (Pirazzoli); in Sardinien (Mayr Beitr. z. Kenntn. d. Ameis.); in Sicilien (Zeller, Grohmann).

3. Rotte: Rufa.

Alle drei Geschlechter haben deutliche Punctaugen und ein scharf ausgeprägtes Stirnfeld. Der Thorax ist bei den Arbeitern in der Mitte eingeschnürt, dessen Farbe ist roth schwarzbraun oder schwarz; bei den schwarzen Arten ist bei den ☿ der Hinterkopf nicht oder nur sehr wenig ausgerandet. Die Flügel haben eine *Costa recurrens*, daher nebst der offenen noch eine geschlossene Discoidalzelle. Die Genitalien der Männchen sind gross. Die Länge der ☿ ist 5—9mm, die ♂ sind wenigstens 7mm lang, nur bei jenen Arten, wo der Hinterkopf stark bogenförmig ausgeschnitten ist, sind die ♂ 5—7mm lang und nicht oder sehr wenig glänzend.

Arbeiter.

A. Hinterkopf stark bogenförmig ausgeschnitten; Schuppe stark ausgerandet.

1. Vorderrand des Clypeus etwas aufgebogen, hinter dessen Rande zieht sich eine flache Rinne; die kurzen Maxillartaster reichen nur wenig über den Mundrand nach hinten.

   F. pressilabris.

2. Vorderrand des Clypeus nicht aufgebogen, ohne Eindruck hinter demselben; die langen Maxillar-Taster reichen fast bis zum Hinterhauptloche.

   F. exsecta.

---

*) Bei dieser Gelegenheit berichtige ich die in meinem Aufsatze (Verhandlungen des zool.-botan. Verein, 4. Band, Berichte pag. 31) angeführte Angabe des Herrn Professor Zeller, dass er eine dornenlose *Myrmica* mit *Crematogaster scutelaris* gefangen habe, welche *Myrmica* sich durch die Determination von Zeller'schen Originalexemplaren als *Formica lateralis* Ol. erwies.

**) Ich erhielt von Herrn Grohmann Ameisen aus Böhmen und Sicilien, und glaube, dass er die Etiquetten verfehlte, und Sicilien schreiben wollte.

B. Hinterkopf nicht oder wenig ausgerandet.

1. Clypeus in der Mitte des Vorderrandes ausgerandet; Stirnfeld glanzlos. ***F. sanguinea.***

2. Clypeus nicht ausgerandet.

a) Thorax roth, mit oder ohne schwarzbraunen Flecken.

α. Stirnfeld glänzend.

αα) Augen unbehaart; Stirn, Scheitel, oft ein kleiner Fleck am Pronotum, welcher den Hinterrand desselben nicht erreicht, so wie der Hinterleib schwarzbraun. ***F. rufa.***

ββ) Augen behaart; Stirn, Scheitel, ein grosser Fleck am Pro- und Mesonotum, auch der Hinterrand des Pronotums und der Hinterleib dunkel schwarzbraun. ***F. congerens.***

γγ) Der ganze Körper reichlich behaart, die Augen behaart; Kopf und Thorax roth; selten ist der Kopf an der Oberseite bräunlich und noch seltner am Pronotum ein sehr verwaschener dunkler Fleck; die Hinterleibsbasis ist fast stets roth. ***F. truncicola.***

β. Stirnfeld gerunzelt, glanzlos. ***F. cunicularia.***

b) Thorax braun oder schwarz.

α) Pechschwarz, glänzend, mit glänzendem Stirnfelde. ***F. gagates.***

β. Braun oder braunschwarz, nicht glänzend, höchstens schimmernd, mit mattem Stirnfelde.

αα) Reichlich beborstet, Hinterleib seidenglänzend. ***F. cinerea.***

ββ) Kopf und Thorax bloss an der Oberseite sparsam beborstet.

ααα. Wangen und Ränder des Pro- und Mesonotums roth. ***F. cunicularia.***

βββ. Wangen und Ränder des Pro- und Mesonotums braunschwarz. ***F. fusca.***

Weibchen.

A. Hinterkopf stark bogenförmig ausgeschnitten, Schuppe stark ausgerandet.

1. Vorderrand des Clypeus etwas aufgebogen, hinter demselben vertieft; die kurzen Maxillartaster überragen nur wenig den Mundrand nach hinten. ***F. pressilabris.***

2. Vorderrand des Clypeus nicht aufgebogen, hinter dem Vorderrande nicht eingedrückt; die langen Maxillartaster reichen fast bis zum Hinterhauptloche. ***F. exsecta.***

B. Hinterkopf nicht oder wenig ausgerandet.

1. Clypeus in der Mitte des Vorderrandes ausgerandet, Stirnfeld glanzlos.
F. sanguinea.

2. Clypeus nicht ausgerandet.

a) Thorax roth, Pro-, Mesonotum und Schildchen schwarzbraun oder bloss schwarz gefleckt.

aa. Stirnfeld glänzend.

α. Hinterleib stark glänzend, unbehaart.
F. rufa.

β. Hinterleib glanzlos wegen der feinen anliegenden reichlichen Behaarung.

αα) Thorax und Oberseite des Hinterleibes ohne Borstenhaare.
F. congerens.

ββ) Kopf, Thorax und Hinterleib reichlich beborstet.
F. truncicola.

bb. Stirnfeld glanzlos.
F. cunicularia.

b) Der ganze Körper braunschwarz.

aa. Pechschwarz, besonders der Hinterleib sehr stark glänzend.
F. gagates.

bb. Stirnfeld glanzlos.

α. Hinterleib stark grau schimmernd, nicht glänzend; Ränder des Pronotums, mehr oder weniger auch die Wangen röthlich.

αα) Der ganze Körper sparsam beborstet; Unterseite des Kopfes fast kahl. Länge des Körpers: 8—9mm.
F. cunicularia.

ββ) Der ganze Körper reichlich beborstet; Unterseite des Kopfes sparsam beborstet. Länge des Körpers: 10—11mm.
F. cinerea.

β. Hinterleib glänzend, nicht oder wenig schimmernd, oft braunfarbig; Wangen und Ränder des Pronotums schwarzbraun; der ganze Körper sparsam beborstet; Unterseite des Kopfes fast kahl. Länge des Körpers: 9—10mm.
F. fusca.

Männchen.

A. Hinterkopf stark bogenförmig ausgeschnitten, Körperlänge 5—7mm.

1. Augen unbehaart; die Maxillartaster reichen nur etwas über den Hinterrand des Mundes.
F. pressilabris.

2. Augen behaart; die Maxillartaster reichen fast bis zum Hinterhauptloche.
F. exsecta.

B. Hinterkopf wenig oder gar nicht ausgebuchtet; Körperlänge 9—11mm.

1. Augen behaart, Oberkiefer 1—2zähnig.

a) Augen und Hinterleib sparsam behaart; Oberkiefer ganz schwarzbraun.
F. rufa.

b) Augen und Hinterleib, überhaupt der ganze Körper, besonders aber der Kopf und Thorax reichlich behaart.

α. Oberkiefer schwarz; Schuppe oben breit ausgerandet, beiderseits mit scharfem Rande und stumpfen Winkel; Flügel etwas schwärzlich getrübt.

F. congerens.

β. Oberkiefer an der Spitze röthlich; Schuppe oben schwach ausgerandet, der Rand und der Winkel beiderseits stark abgerundet; Flügel braun getrübt.

F. truncicola.

2. Augen kahl.

a) Flügel bis zur Mitte braun getrübt.

α. Oberkiefer 4—5zähnig, Flügel breit.

F. sanguinea.

β. Oberkiefer 1—2zähnig; Flügel schmal.

F. gagates.

b) Flügel wasserhell, oder nur wenig grau getrübt.

aa. Fühlerschaft gelb.

α) Oberseite des Thorax dicht beborstet; Hinterleib mässig breit, seidenartig schimmernd, nicht glänzend.

F. cinerea.

β. Oberseite des Thorax bloss mit einzelnen Borsten, Hinterleib schmal, ziemlich glänzend.

F. fusca.

bb. Fühlerschaft schwarz.

F. cunicularia.

9. *Formica rufa* Nyl.

Operaria: *Ferruginea; frons, occiput et abdomen (saepe etiam macula parva pro- et mesonoti) nigro-fusca; oculi nudi; clypeus, occiput atque squama non emarginata; area frontalis nitida. Long.* 6—9^{mm}.

Femina: *Ferruginea, nuda; pars superior capitis et thoracis excepto metanoto et abdomen nitidissimum nigro-fusca; area frontalis nitida; clypeus, occiput ac squama non exsecta. Long.:* 9—11^{mm}.

Mas: *Fusco-niger, sparse pilosulus, genitalia et saepe pedes rufescentes; occiput non emarginatum; oculi sparse pilosi; mandibulae 1—2 dentatae, nigro-fuscae. Long.:* 9—11^{mm}.

Formica rufa Nyl. Adn. Mon. form. bor. Eur. pag. 902; Först. Hym. Stud. 1, H. pag. 13; Schenck Beschr. nass. Ameis. pag. 23; Smith Ess. Gen. and. Spec. Brit. Form. pag. 100.

Formica polyctena Först. Hym. Stud. 1. H pag. 15; Schenck Beschr. nass. Ameis. pag. 25.

Formica truncicola Först. ☿ Hym. Stud. 1. H. p. 21.

Formica piniphila Schenck Beschr. nass. Ameis. pag. 28.

Arbeiter. Braunroth, glanzlos, der Kiel des Clypeus, die Fühler, das Stirnfeld, die Stirn, der Scheitel, das Hinterhaupt, der Hinterleib mit Ausnahme eines kleinen Fleckes am Grunde und des Anus, und die Beine schwarzbraun, oft auch die Scheibe des Pronotum mit einer nicht an den Hinterrand stossenden dunklen Makel, ebenso oft an der vorderen Hälfte des Mesonotum ein kleiner dunkler Fleck. Der ganze Körper ist mit äusserst feinen, sehr kurzen, anliegenden Härchen sparsam, an der Oberseite des Hinterleibes aber reichlich bekleidet; überdiess ist entweder hauptsächlich der Hinterleib mit abstehenden Borstenhaaren versehen (*Form. rufa* Schenck und *F. polyctena* Schenck) oder es ist der ganze Körper mehr weniger beborstet (*Form. piniphila* Schenck), doch finden sich auch solche Arbeiter, welche die Mitte zwischen den zwei angeführten Arten der Behaarung halten.

Der Kopf ist dreieckig mit stark abgerundeten Ecken, breiter als der Thorax, hinten schwach ausgerandet. Die Oberkiefer sind breit, längsgestreift, 5—6zähnig. Der Vorderrand des fein gerunzelten und scharf gekielten Clypeus ist in der Mitte nicht ausgerandet. Die Stirnlamellen sind kurz und schmal. Der am Grunde gebogene Schaft der zwölfgliedrigen Fühler reicht bis zum Hinterrande des Kopfes und ist am Geisselende dicker als am Grunde; die Geissel ist fadenförmig, ihre einander gleichen Glieder sind cylindrisch, das Endglied ist conisch. Das Stirnfeld ist dreieckig, platt und stark glänzend. Die Stirn, der Scheitel, die Wangen und die Unterseite des Kopfes sind fein gerunzelt. Die glatte, stark ausgeprägte Stirnrinne erstreckt sich vom Stirnfelde bis zum vorderen Punctauge. Die eiförmigen Netzaugen sind ganz kahl oder haben nur einige weisse Härchen. Die drei Punctaugen sind klein. In seltenen Fällen zieht sich eine seichte Rinne vom vorderen Punctauge über das Hinterhaupt nach rückwärts zum Hinterhauptloche.

Der Thorax ist fein gerunzelt; der Basaltheil des Metanotum ist entweder kürzer als der abschüssige Theil (*F. rufa* Först. u. Schenck), oder er ist eben so lang (*F. polyctena* Först. u. Schenck), oder es hält die Mitte zwischen beiden Fällen. (Oft findet man in einer Colonie verschiedene Varietäten beisammen).

Die Schuppe ist gross, die obere Hälfte breit, der obere Rand in der Mitte oft etwas eingebogen.

Der Hinterleib ist kurz, eiförmig, fein gerunzelt, bloss der Hinterrand eines jeden Segmentes glatt und glänzend.

Die Beine sind mässig lang und sparsam beborstet.

Weibchen. Rostroth, die Mitte des Clypeus, die Fühlergeissel, die Stirn, der Scheitel, der Hinterrand des Pronotums, das Mesonotum, das Schildchen und der Hinterleib, ein Fleck seines Grundes ausgenommen, sind schwarzbraun. Der ganze Körper ist mit höchst feinen, anliegenden nur durch eine stärkere Loupe deutlich sichtbaren Härchen bekleidet, und nicht beborstet mit Ausnahme des Vorderrandes des Clypeus, der Mandibeln, der Unterseite des Hinterleibes und des Afters.

Der Kopf ist dreieckig, hinten nicht ausgebuchtet, kaum breiter als der Thorax. Die Oberkiefer sind längsgerunzelt, grob punctirt. Der Clypeus ist gekielt, runzelig längsgestreift, glanzlos. Das Stirnfeld ist stark glänzend und glatt. Die Stirnlamellen sind kurz. Der Schaft der zwölfgliedrigen Fühler ist lang, die Geissel fadenförmig. Die Stirn, der Scheitel und die Wangen sind längsgerunzelt. Die Stirnrinne ist deutlich vom Stirnfelde bis zum mittleren Punctauge. Die Netzaugen sind flach, oval, entweder kahl, oder mit wenigen Borstenhaaren, oder ganz kahl. Die Punctaugen sind mässig gross.

Der Thorax ist fein gerunzelt, glanzlos, bloss das Schildchen wenig oder stark glänzend (im letzteren Falle *Form. piniphila* Schenck).

Die Schuppe ist gross, oben etwas ausgerandet.

Der Hinterleib ist kugelig, ziemlich klein, stark und etwas metallisch glänzend, mit feinen Puncten zerstreut besetzt.

Die Beine sind mit feinen, anliegenden Härchen, insbesondere aber die Tibien und Tarsen dicht bekleidet.

Die Vorderflügel sind bis über die Mitte bräunlich getrübt.

Männchen. Braunschwarz, etwas graulich schimmernd, die Genitalien und oft auch die Beine röthlichbraun. Der ganze Körper ist reichlich mit fest anliegenden, sehr feinen, kurzen, gelblichen Härchen und überdiess besonders am Kopfe und Thorax meist dicht mit aufrecht stehenden, langen, bräunlichen Borstenhaaren bekleidet, mit Ausnahme der sparsamer beborsteten Beine.

Der Kopf ist dreieckig mit stark abgerundeten Ecken. Die Oberkiefer sind ziemlich schmal, gerunzelt mit einem vorderen grossen, spitzen aber flachen Zahne, überdiess mit einem hinteren, kleinen sehr stumpfen und oft undeutlichen Zahne. Der gewölbte, ungekielte Clypeus, das scharf abgegränzte, dreieckige Stirnfeld, die Stirn und der Scheitel sind ziemlich fein gerunzelt und grösstentheils glanzlos oder wenig glänzend. Die Stirnrinne ist fein; die länglich-eiförmigen, grossen Netzaugen sind sparsam behaart.

Der Thorax ist fein gerunzelt; das Mesonotum ist glanzlos, der übrige Thorax schimmernd, der abschüssige Theil des Metanotums glänzend, das Schildchen ist wenig glänzend (*Form. polyctena* und *rufa* Först.) oder nicht glänzend (*Form. piniphila* Schenck.)

Die Schuppe ist fast viereckig, niedrig, dick, oben breiter und in der Mitte ausgerandet, fein gerunzelt und glänzend.

Der Hinterleib ist an der Oberseite fein verworren gerunzelt, schimmernd, der Grund eines jeden Segmentes sehr fein quergerunzelt, glänzend, ohne anliegende Härchen und nur mit sehr sparsamen Puncten, aus denen Borstenhaare entspringen; die Unterseite des Hinterleibes ist stark glänzend.

Die Vorderflügel sind bis über das Randmahl braun getrübt.

Obwohl man vor Nylander's Arbeit unter *Formica rufa* mehrere weit verschiedene Arten verstand, so war es aber doch auch fehlerhaft, die Nylander'sche *F. rufa* noch zu zersplittern, obwohl Nylander selbst nicht ganz sicher war, ob er seine *F. major* als eigene Art oder als Varietät soll gelten lassen *). Ich muss es aufrichtig gestehen, dass ich Hunderte von Exemplaren dieser Art aus den verschiedensten Ländern untersucht habe und doch lange in Zweifel blieb, ob die *F. major* Nyl., welche sich durch Vergleichung mit Originalexemplaren der Autoren mit der *F. piniphila* Schenck synonym erwiesen hat, eine eigene Art sei oder nicht, obwohl mir öfters Mittelformen in die Hand kamen, welche ich keiner Art zurechnen konnte. Nun habe ich mich theils durch Untersuchung eines reichen Materiales, theils durch Beobachtung in der Natur, theils durch mir gütigst von den Autoren zugesandte Originalexemplare hinlänglich darüber belehrt und erfahren, dass die *F. rufa* Nyl., *F. polyctena* Först. und *F. piniphila* Schenck Synonyme sind.

Diese so weit verbreitete und häufige Art findet sich am häufigsten in Gebirgsgegenden in Nadelholz-, nicht so häufig in Laubholz-Waldungen, wo sie die für so kleine Thiere oft wirklich riesigen Hügel aufbaut, welche häufig 3—4 Fuss über der Oberfläche des Bodens emporragen, unter welchen Hügeln sich noch ein 3 — 4 Fuss tiefer Bau in der Erde befindet. In selteneren Fällen legt sie in hohlen, alten Bäumen oder unter Steinen in der Erde ihre Colonien an. Die Hügel bestehen hauptsächlich aus Erdklümpchen, Steinchen, Coniferen-Nadeln, Knospenschuppen, Holzstückchen, abgebissenen Grashalmstücken und Blättern.

Sie schwärmen vom April bis in den Herbst. Sehr eigenthümlich ist die so häufig zu beobachtende Stellung der Arbeiter, wo sie den Körper durch die Beine hochgestellt haben, den Hinterleib, nach abwärts gerichtet, an den Boden stemmen und den Kopf hoch nach aufwärts strecken; diese Stellung kommt aber auch bei den verwandten Arten vor. Die Puppen werden besonders häufig zum Vogelfutter, und die Arbeiter besonders früher zur Bereitung des *Spiritus formicarum* verwendet.

Es würde zu viel Raum beanspruchen, wenn ich alle mir bekannten Standorte dieser Art anführen würde, sondern verweise bloss auf die schon vorher im allgemeinen Theile angeführten Länder, in welchen sie bisher gefunden wurde, und mache bloss darauf aufmerksam, dass sie in feuchten, schattigen Wäldern am liebsten vorkommt und mir daher aus Italien bloss aus Clusone in der Lombardie von Herrn P. v. Strobel gesandt wurde.

Als interessanten Gast dieser Art erwähne ich den *Formicoxenus nitidulus* Nyl., welcher bisher bloss in den Colonien der *F. rufa*, obwohl sehr selten, gefunden wurde.

---

*) In neuerer Zeit ist er ebenfalls der Ansicht, dass die *F. major* bloss eine Varietat der *F. rufa* ist.

10. *Formica congerens* Nyl.

Operaria: *Ferruginea, pilosa; frons, occiput, thoracis dorsum antice ac abdomen nigro-fusca; oculi pilosi; area frontalis nitida; clypeus, occiput ac squama non emarginata (squama saepe leviter emarginata). Long.:* 4—9mm.

Femina: *Ferruginea, nuda, pars superior capitis et thoracis excepto metanoto et abdomen opacum nigro-fusca; area frontalis nitida; clypeus, occiput ac squama non exsecta. Long.:* 10—11mm.

Mas: *Niger, caput, oculi atque thorax crebre pilosa; genitalia ac pedes rufescentia; occiput non emarginatum; squama subquadrata, margine supra late emarginato utrinque angulo obtuso; alae albescenti-hyalinae, infuscatae. Long.:* 9—11mm.

Formica congerens Nyl. Adn. Mon. Form. bor. Eur. pag. 906, Add. alt. pag. 30; Först. Hym. Stud. 1. H. pag. 17; Schenck Beschr. nass. Ameis. pag. 30.

Arbeiter. Rostroth, glanzlos, Kiel des Clypeus, Fühler, Stirn, Scheitel, Pronotum bis an den Hinterrand, die Scheibe des Mesonotum und dessen Vorderrand, der obere Rand der Schuppe und der Hinterleib schwarzbraun, die Beine braun mit Ausnahme der braunrothen Knie. In seltenen Fällen ist der Kiel des Clypeus und der obere Rand der Schuppe rostroth, die schwarzen Flecke auf dem Thorax sind blässer und es sind solche Exemplare oft schwer von der vorigen Art zu unterscheiden. Der ganze Körper ist reichlich mit Borstenhaaren versehen.

Der Kopf unterscheidet sich von jenem der vorigen Art bloss dadurch, dass die Augen reichlicher behaart sind.

Der Thorax, die Schuppe, der Hinterleib und die Beine verhalten sich ebenso wie bei der vorigen Art, mit Ausnahme der schon erörterten Farbe und Behaarung derselben.

Von dem ☿ der vorigen Art unterscheidet er sich durch die behaarten Augen und durch die schwarzen Flecken am Thorax, welche grösser und dunkler sind und vom Pronotum bis an dessen Hinterrand reichen.

Weibchen. Rostroth, die Mitte des Clypeus, das Stirnfeld, die Fühler, die Stirn, der Scheitel, die hintere Hälfte des Pronotums, das Mesonotum sammt Schildchen und den Hinterleib mit Ausnahme eines kleinen Fleckes an der Basis und des Afters schwarzbraun; das Mesonotum, die Schienen und die Füsse gewöhnlich braun. Der ganze Körper ist reichlich mit höchst feinen, anliegenden Härchen versehen, entbehrt aber fast ganz der Borstenhaare, es finden sich nämlich solche bloss an der Unterseite des Hinterleibes constant; selten finden sich einige Borstenhaare am übrigen Körper zerstreut.

Der Kopf ist so wie beim ♀ der *F. rufa*, die Augen sind sparsam behaart.

Der Thorax und die Schuppe sind ebenso wie bei *F. rufa*. Der Hinterleib ist glanzlos, ohne Borstenhaare.

Die Flügel sind wasserhell, bis zur Mitte bräunlich getrübt, die Rippen sind braun,

Das ♀ dieser Art unterscheidet sich von jenem der *F. rufa* leicht durch den glanzlosen Hinterleib, von *F. truncicola* durch den borstenlosen Körper.

Männchen. Schwarz, glanzlos, bloss der Hinterleib schimmernd, die Genitalien und die Beine sind gelbbraun, die Hüften und die Basis der Schenkel ist braun. Die Behaarung ist so wie bei *F. rufa*, doch viel reichlicher, besonders ist der Kopf und Thorax dicht behaart; ebenso sind auch die Augen dichter behaart.

Der Kopf, der Thorax und der Hinterleib verhalten sich wie bei der vorigen Art.

Die Schuppe ist oben breit ausgerandet, wodurch beiderseits stumpfe Winkel gebildet werden, die Ränder sind ziemlich scharf.

Die Flügel sind fast wasserhell, bis zum Stigma nur etwas schwärzlich getrübt.

Das ♂ unterscheidet sich von jenem der vorigen Art durch die reichlichere Behaarung und die helleren Flügel, von der *F. truncicola* durch die schwarzen Oberkiefer, durch die Schuppe und durch die hellen Flügel.

Durch Zusendung von N y l a n d e r'schen und S c h e n c k'schen Originalexemplaren wurde der Zweifel des Herrn Prof. S c h e n c k, ob er die N y l a n d e r'sche *F. congerens* vor sich habe, behoben.

Diese Art findet sich häufig unter ähnlichen Verhältnissen, wie die *F. rufa* in Wäldern und auf Wiesen, auf Bergen und in Thälern, wo sie entweder Bauten aufführt, welche grössere oder kleinere Hügel über die Oberfläche des Bodens aus demselben Materiale, welches auch die vorige Art benützt, bilden, oder der Bau ist bloss unterirdisch und oben gar nicht erhoben, sondern man findet z. B. auf Wiesen eine graslose Stelle, welche mit Erde, Halmstücken u. dgl. bedeckt ist. Sie schwärmt gewöhnlich bei Beginn des Sommers. Sie wurde in Oesterreich von mir und von Andern sehr häufig gefunden (es sind mir bis jetzt etliche dreissig Standorte bekannt), wesshalb ich die Angabe der Orte übergehe; in Böhmen bei Kaplitz (K i r c h n e r); in Galizien bei Lemberg (W l a s t i r i o s); in Tirol (G r e d l.); in Steiermark bei Grosslobming und am Grössenberge (M i k l i t z); in Ungarn bei Pesth (F r i w a l d s k y, K o v a t s); in den Nachbarländern in der Provinz Preussen (H a g e n); in Rheinpreussen bei Aachen (F ö r s t e r); in Nassau (S c h e n c k); in Bayern bei Schwabhausen (W a l s e r); in der Schweiz bei Zürich (B r e m j), bei Schaffhausen (S t i e r l i n); in Neapel in den Abruzzen (P i r a z z o l i).

11. *Formica truncicola* Nyl.

Operaria *Rufo ferruginea, pilosa; abdomen castaneo-fuscum excepto abdominis basi, oculi pilosi; area frontalis nitida; clypeus non emarginatus; squama vel integra vel leviter emarginata. Long.:* 4 — 9mm.

Femina. *Rufo-ferruginea, pilosa; frons, occiput, thorax supra et abdomen opacum excepto basi fusco-nigra; antennae, tibiae tarsique fuscescentes; area frontalis nitida; clypeus non emarginatus; squama vel integra vel leviter emarginata. Long.:* 9 — 10mm.

Mas. *Niger, crebre pilosus, genitalia ac pedes rufescentia; occiput non emarginatum; oculi crebre pilosuli; squama subquadrata supra parum concaviuscula, margine et angulis lateralibus rotundatis; alae albescenti-hyalinae infuscatae. Long.:* 9 — 10mm.

Formica truncicola Nyl. Adnot. Mon. form. bor. Eur. pag. 907; Schenck Beschr. nass. Ameis. pag. 33.

Arbeiter: Hellrostroth, die Fühlergeissel schwärzlich, der Hinterleib, mit Ausnahme der vorderen Hälfte des ersten Segments braun; der Kopf manchmal, selten aber das Pronotum mit schwärzlichen Flecken. Der ganze Körper ist dicht mit abstehenden gelben Borsten besetzt.

Der Kopf ist dreieckig mit abgerundeten Ecken; die Oberkiefer sind sieben- bis achtzähnig, längsgerunzelt, matt, am Grunde glatt und stark glänzend. Der Clypeus ist ungekielt, selten mit einem schwachen Kiele, längsgestreift, am Vorderrande nicht ausgerandet. Das sehr stark glänzende Stirnfeld ist glatt und unbehaart, der am Grunde schwach gebogene Schaft der zwölfgliedrigen Fühler erreicht den Hinterrand des Kopfes; die Geissel ist fadenförmig. Die Stirnlappen sind sehr schmal und wenig aufgebogen. Die Stirn, der Scheitel, die Wangen und die Kehle sind sehr fein lederartig gerunzelt, matt, bloss die Kehle glänzt sehr stark. Die Stirnrinne und Punctaugen sind sehr deutlich. Die Netzaugen sind behaart. Der Hinterrand des Kopfes ist nicht ausgebuchtet.

Der Thorax ist fein und dicht gerunzelt, glanzlos.

Die Schuppe ist gross, oben wenig ausgerandet.

Der Hinterleib ist kurz, eiförmig, feingerunzelt und glanzlos.

Die Beine sind gerunzelt, mit kurzen Borstenhaaren reichlich versehen.

Der Arbeiter unterscheidet sich leicht von *F. sanguinea* durch den nicht ausgerandeten Clypeus, durch die behaarten Augen, so wie überhaupt durch die Behaarung des ganzen Körpers; von *F. rufa* durch die Behaarung und die Farbe; von *F. congerens* ebenfalls durch die Behaarung und die Farbe.

Weibchen. Hellrostroth, Stirn und Scheitel oder bloss eine Makel derselben (selten der Hinterkopf), die Fühler, drei Längsstreifen am Mesonotum, oder der hintere Rand des Pronotum, das ganze Mesonotum und das Schildchen, so wie der Hinterleib mit Ausnahme der vorderen Hälfte des ersten

Segmentes braunschwarz. Der ganze Körper ist reichlich mit weisslich-gelben, langen, aufrechtstehenden Borstenhaaren bekleidet. Die Oberkiefer des dreieckigen abgerundeten Kopfes sind längsgerunzelt, mit sechs bis sieben Zähnen, wovon besonders der vorderste gross und spitz ist. Der Clypeus ist ungekielt oder schwach gekielt, gross, fein gerunzelt und grob punctirt, dessen Vorderrand in der Mitte nicht ausgerandet; der hintere an das Stirnfeld gränzende Rand ist glatt und stark glänzend. Der Schaft der zwölfgliedrigen Fühler ist etwas kürzer als die acht ersten Geisselglieder; die Geissel ist am Grunde dünner als in der Mitte und am Ende. Das Stirnfeld ist glatt, sehr glänzend und unbehaart. Die sehr feine Stirnrinne reicht bis zum mittleren Punctauge. Der übrige Kopf ist fein gerunzelt, weitläufig punctirt und nicht glänzend. Die Netzaugen sind reichlich behaart.

Der Thorax ist fein gerunzelt, nicht glänzend, mit Ausnahme der abschüssigen Fläche des Metanotums.

Die Schuppe ist gross, oben gerundet und in der Mitte öfters leicht ausgerandet.

Der Hinterleib ist fein gerunzelt und punctirt, an der Oberseite glanzlos, an der Unterseite glänzend.

Die Flügel sind braun getrübt, an der Spitze etwas heller.

Das Weibchen unterscheidet sich von *F. rufa* besonders durch den glanzlosen Hinterleib, von *F. congerens* durch die reichliche Behaarung, von *F. cunicularia* durch das glänzende Stirnfeld, von *F. sanguinea* durch den nicht ausgerandeten Clypeus und die Behaarung.

Männchen. Schwarz, die Endhälfte der Oberkiefer, die Genitalien und die Beine, oft auch der obere Rand der Schuppe gelb- oder rothbraun. Der ganze Körper ist reichlich mit abstehenden Borstenhaaren besetzt, die Fühler und Beine sind aber sparsamer behaart; überdiess ist die Oberseite des Hinterleibes mit anliegenden gelben Haaren dicht besetzt.

Die längsgerunzelten, grob punctirten Oberkiefer haben vorne einen grossen, flachen, spitzen Zahn, nach rückwärts meist einen, selten zwei undeutliche Zähne. Der grobgerunzelte Clypeus ist glanzloss und bloss an seinem hinteren Rande seichter gerunzelt und glänzend. Der Schaft der dreizehngliedrigen feingerunzelten und glanzlosen Fühler ist kaum halb so lang als die Fühlergeissel, welche fadenförmig ist, und deren Glieder cylindrisch und ziemlich gleichlang sind. Die Stirnrinne ist breit. Die Stirn und der Scheitel gerunzelt. Die Punctaugen sind gross und gelb. Die Netzaugen sind reichlich behaart. Der Hinterkopf ist nicht ausgerandet.

Der Thorax ist gerunzelt, matt, die abschüssige Fläche des Metanotums glänzend.

Die Schuppe ist oben schwach ausgerandet, der Rand und die Winkel sind stark abgerundet.

Der Hinterleib ist feingerunzelt und punctirt, die Oberseite glanzlos, der hintere Rand aller Segmente, so wie die Unterseite des Hinterleibes glänzend.

Die Beine sind mehr weniger glänzend, ziemlich dicht mit anliegenden feinen Härchen besetzt und weitläufiger mit langen Borstenhaaren versehen.

Die braungetrübten Flügel werden gegen das Ende lichter.

Das Männchen ist von dem der *F. rufa* durch die röthlichen Oberkiefer, durch die reichlich behaarten Augen und den Hinterleib, von *F. congerens* durch die röthlichen Oberkiefer und den abgerundeten Rand der Schuppe, von *F. sanguinea* durch die behaarten Augen und die ein- bis zweizähnigen Oberkiefer unterschieden.

Diese Art führt keine über die Oberfläche hoch erhobenen Bauten auf, sondern legt ihre Colonie am liebsten in alten, hohlen Bäumen oder in Stöcken abgehauener Bäume an oder auch in der Erde, wo sie ihre über den Boden wenig erhobenen Bauten mit kleinen Grasstückchen, Coniferennadeln u. dgl. bedeckt, selten findet man sie unter Steinen. Sie schwärmt im Hochsommer, ist sehr bissig und liebt gerne mehr warme Orte, besonders abgeholzte von Wind geschützte Waldbestände.

In Böhmen bei Kaplitz (Kirchner); in Oesterreich am Leopoldsberge bei Wien (Mayr), bei Purkersdorf (Frauenfeld), am Jauerling (Kerner), im Wolfsteingraben bei Aggsbach (Mayr), bei Gresten (Schleicher), bei Scheibs und St. Anton (Erdinger), bei Hartenstein (Mayr), bei Pottenstein (Mayr), im Preiner Thale bei Schwarzau (Mayr), beim Hübner'schen Durchschlage (Mayr); in Salzburg am Schafberge (Mayr); in Tirol bei Bozen (Gredler); in Steiermark bei Grosslobming (Miklitz); in Krain (Schmidt); in der Lombardie bei Clusone (Strobel). In den Nachbarländern bei Lübeck (Milde); in Nassau (Schenk); in Bayern bei Schwabhausen (Walser); in der Schweiz am Fusse des Wiggis im Klonthale im Kanton Glarus (Bremj); in Piemont (Mayr, Beitr. z. Kenntn. d. Ameisen).

12. *Formica sanguinea* Ltr.

Operaria: *Rufo-ferruginea, sparse pilosa, abdomen saepissime frons ac vertex castaneo-nigra; clypeus in medio marginis anterioris emarginatus; area frontalis opaca. Long.:* 6 — 9mm.

Femina. *Rufo-ferruginea, vix pilosa; frons, occiput atque abdomen nigra; antennae, tibiae ac tarsi fusci; clypeus margine anteriore medio emarginatus; squama parum emarginata; alae a basi ad medium fuscescentes. Long.:* 9 — 11mm.

Mas. *Fusco-niger, caput et thorax vix pilosa; genitalia ac pedes rufescentia; mandibulae* 3 — 5 *dentatae; clypeus antice emarginatus; oculi nudi; alae fuscescentes. Long.:* 8 — 10mm.

Formica sanguinea Ltr. Ess. l'hist. Fourm. France pag. 37, Hist. nat. Fourm. pag. 150; Lepel. St. Farg, Hist. nat. Ins., Hym., Tome 1. pag. 203; Först. Hym. Stud. 1. Heft, pag. 20;

Schenck Nass. Ameis. pag. 36; Smith Ess. Gen. and Spec. Brit. Form. pag. 101.

Formica dominula Nyl. Adn. Mon. Form. bor. Eur. pag. 905.

Arbeiter: Hellrostroth, der Hinterleib braunschwarz, die Stirn und der Scheitel haben meist, das Pronotum hat selten grössere oder kleinere braune Flecken; die Flügelgeissel, selten auch der Schaft, und die Schienen und Tarsen mehr weniger bräunlich. Die kleinsten Individuen sind meist die dunkelsten. Der ganze Körper ist fast ohne Borstenhaare mit Ausnahme des Hinterleibes.

Die Oberkiefer sind sieben- bis achtzähnig, längsgerunzelt, weitläufig grobpunctirt. Der Clypeus ist schwach gekielt und fein längsgerunzelt, der Vorderrand in der Mitte ausgerandet. Das Stirnfeld ist sehr fein quergerunzelt, glanzlos. Der Schaft der zwölfgliedrigen Fühler erreicht den Hinterrand des Kopfes; die Geissel ist fadenförmig. Die Stirn ist fein lederartig gerunzelt. Die Stirnrinne ist deutlich und erreicht meist das vordere Punctauge nicht. Die Netzaugen sind kahl, klein und flach. Der Hinterrand des Kopfes ist nicht ausgebuchtet.

Der Thorax ist fein lederartig gerunzelt, die abschüssige Fläche des Metanotum ist fast doppelt so lang als die Basalfläche.

Die grosse Schuppe ist in der Mitte schwach ausgerandet.

Der Hinterleib ist fein gerunzelt, mit feiner anliegender Behaarung und abstehenden, ziemlich kurzen, gelblichen Borstenhaaren am Hinterrande der Segmente und vereinzelt an den Segmenten, die Unterseite trägt längere Borstenhaare.

Die Beine sind gerunzelt und sparsam beborstet, bloss die Tarsen sind, wie überhaupt bei den Ameisen, reichlich mit Borstenhaaren versehen.

Weibchen. Hellrostroth, der Hinterleib schwarz, das Stirnfeld, die Stirn, der Scheitel, drei längliche Flecken am Mesonotum, der Hinterrand des Schildchens und das Hinterschildchen mehr weniger schwarzbraun, manchmal bleiben aber Mesonotum und Schildchen roth; die Fühler, die Schienen und die Tarsen gewöhnlich rothbraun. Der ganze Körper ist sparsam, der Hinterleib aber dicht mit anliegenden, kurzen, weisslichen Härchen versehen; der Thorax hat fast gar keine Borstenhaare, der Kopf nur wenige, bloss der Hinterleib ist mässig, besonders an der Unterseite und am After beborstet.

Der Kopf ist etwas breiter als der Thorax, hinten schwach ausgebuchtet. Die Oberkiefer sind längsgerunzelt, grob punctirt. Der Clypeus ist fein längsgerunzelt, weitläufig punctirt, schwach gekielt, glanzlos und bloss an den Seitenrändern glänzend, dessen Vorderrand ist in der Mitte ausgerandet. Das Stirnfeld ist gross, fein gerunzelt, glanzlos, bloss an den Rändern glänzend. Die Stirnlappen und die Fühler sind wie bei *F. rufa.* Die Stirn, der Scheitel und der übrige Kopf sind sehr fein gerunzelt und weitläufig punctirt. Die Stirnrinne ist glänzend und deutlich. Die Netzaugen sind oval.

Der Thorax ist dicht, fein gerunzelt und punctirt.

Die Schuppe ist gross, oben am breitesten, sehr wenig ausgerandet.

Der Hinterleib ist sehr dicht punctirt.

Männchen. Braunschwarz, die Endhälfte der Fühlergeissel, die Genitalien und meist auch die Endhälfte der Oberkiefer röthlich, die Beine sind röthlichgelb. Der Kopf und der Thorax ist mit feinen, anliegenden Härchen mässig, der Hinterleib aber dicht bekleidet. Die aufrechtstehenden, feinen Borstenhaare sind nur einzeln und zerstreut stehend.

Die Oberkiefer sind drei- bis fünfzähnig. Der Clypeus ist gerunzelt, glanzlos und in der Mitte des vorderen Randes mehr oder weniger ausgerandet, der hintere Rand ist glatt und glänzend. Das Stirnfeld ist gerunzelt, glanzlos. Die Fühler und der übrige Kopf sind so wie bei der *Form. truncicola*. Die Netzaugen sind unbehaart.

Der Thorax ist ebenso wie bei *F. truncicola*, doch ist er nur mit einzeln stehenden Borstenhaaren besetzt.

Der Hinterleib ist ebenso wie bei der vorigen Art, doch fast ohne Borstenhaare.

Die Schienen sind ziemlich dicht mit anliegenden Härchen bekleidet.

Die Flügel sind bis zum Randmahl braun getrübt.

Diese Art legt ihre Colonien an verschiedenen Orten an, in den Strünken abgehauener Bäume, besonders aber in der Erde, wo ihre unterirdischen Bauten entweder unter einem Steine sich befinden, oder sie sind frei und oben mit verschiedenen Pflanzentheilen belegt; sie schwärmt im Hochsommer. Wie ich schon im allgemeinen Theile erwähnt habe, findet man in ihren Colonien meist die ☿ der *Form. cunicularia* und *F. fusca*, und Professor Schenck führt in seiner Abhandlung auch an, dass er in einem Neste dieser Art dreierlei fremde Ameisen, nämlich die zwei obbenannten und noch ☿ nebst Puppen der *F. aliena* fand.

In Böhmen (Grohmann); in Oesterreich in der Umgebung von Wien ziemlich häufig (Frauenfeld, Kerner, Mayr, Zwanziger), bei Unter-Olberndorf (Nöstelberger), bei Gresten (Schleicher), bei Mautern (Kerner), bei Aggsbach, Gansbach, Gurhof, Altenmarkt und im Preiner-Thale bei Schwarzau (Mayr); in Salzburg bei Gastein (Pröll); in Tirol bei Lavis (Strobel); in Steiermark bei Grosslobming (Miklitz); in Krain bei Laibach (Schmidt, Mayr); in der Lombardie (Villa). In den Nachbarländern in der Provinz Preussen (Siebold Beitr. z. Faun. d. wirbell. Th.); in Rheinpreussen bei Aachen (Förster); in Nassau (Schenck); in Bayern (Herrich-Schäffer) bei Schwabhausen (Walser); in der Schweiz (Bremj, Lepeletier) am Genfer See (Elditt und Schieferdecker); in Piemont (Mayr); in Sicilien (Mayr).

12. Formica pressilabris Nyl.

Operaria: *Ferruginea, frons, occiput ac abdomen nigro-fusca: palpi breves; clypeus post marginem anteriorem transversim depressus; occiput late, squama leviter emarginata. Long.:* 4½ — 6½mm

Femina: *Nigra, nitidissima; os, apex metanoti, petiolus trochanteres et anus pallescentia; palpi breves; clypeus post marginem anteriorem transversim depressus; occiput emarginatum; squama cordata, emarginata; alae hyalinae, costis et stigmate fuscescentibus Long.:* 6mm.

Mas: *Nigro-fuscus, metatarsi postici ac genitalia pallescentia; palpi maxillares breves; occiput et squama emarginata. Long.:* 5 — 6mm.

Formica pressilabris Nyl. Adn. mon. Form. bor. Eur. pag 911.

Arbeiter: Dunkel rostroth, der Hinterleib ist braunschwarz, die Fühler, die Stirn, der Scheitel, die hintere Hälfte des Pronotums in den vorderen Hälfte des Mesonotums und die Beine, öfters auch ein Fleck auf dem Metanotum und der obere Rand der Schuppe braun. Der Körper ist bloss mit kurzen, anliegenden Härchen besetzt, fast ohne Borstenhaare.

Der Kopf ist länger als breit, in der Mitte am breitesten, hinten sehr stark ausgebuchtet. Die kurzen Maxillartaster überragen nur wenig den Hinterrand des Mundes, während sie bei der folgenden Art fast bis zum Hinterhauptloche reichen. Die Oberkiefer sind breit, vielzähnig, längsgerunzelt und grob punctirt. Der Clypeus ist fein gerunzelt, glanzlos, kaum gekielt, der Vorderrand ist aufgebogen und hinter diesem ist der Clypeus quer eingedrückt. Das Stirnfeld sehr seicht quer gestreift, wenig oder gar nicht glänzend. Die Stirnlamellen sind schmal. Der Schaft der zwölfgliedrigen Fühler überragt den Hinterrand des Kopfes. Die Stirn, der Scheitel und die übrigen Kopftheile sind fein gerunzelt. Die Netzaugen sind oval mit einzelnen sehr feinen Härchen versehen. Die Punctaugen sind klein. Die Stirnrinne ist deutlich.

Der Thorax ist fein gerunzelt, glanzlos.

Die Schuppe ist hoch, schmal, oben ausgerandet, doch meist weniger wie bei der folgenden Art.

Der Hinterleib ist kurz eiförmig und fein gerunzelt.

Weibchen (nach Nylander). Sehr glänzend schwarz, der Kopf und der Thorax kastanienbraun, die Oberkiefer, die vorderen Winkel des Clypeus und der After gelbroth, das Prosternum, das Stielchen ohne Schuppe und die Hüften heller oder dunkler gelblich; die Beine bräunlich, die Tarsen heller. Der ganze Körper ist mit sehr feinen, anliegenden Härchen sparsam besetzt.

Der Kopf ist so geformt, wie bei der folgenden Art, hinten stark ausgebuchtet. Die Maxillartaster sind kurz, der Clypeus ist hinter dem Vorderrande quer eingedrückt.

Die Schuppe ist herzförmig, oben breit ausgerandet.

Die Flügel sind wasserhell, die Rippen und das Randmahl bräunlich.

Männchen. Schwarzbraun, die Beine etwas lichter, die Genitalien und die Tarsen besonders aber das erste Tarsenglied der hinteren Beine gelblich. Der ganze Körper ist, so wie der Arbeiter mit gelblich anliegenden, kurzen Härchen bekleidet, hat aber bloss an der Unterseite des Hinterleibes mit Ausnahme der stets beborsteten Tarsen wenige Borstenhaare.

Die feingerunzelten und grobpunctirten Oberkiefer haben vorne einen starken, flachen, spitzen Zahn, der hintere Zahn ist sehr undeutlich. Die Maxillartaster sind sehr kurz, sie reichen an die Unterseite des Kopfes nach hinten gelegt, wenig über den Hinterrand des Mundes. Der Clypeus ist fein gerunzelt, glanzlos und gekielt. Das Stirnfeld ist fast glatt und glänzend. Die Fühler sind dreizehngliedrig Die Stirnrinne ist deutlich. Die Stirn und der Scheitel sind feingerunzelt. Die Netzaugen sind kahl. Der Hinterkopf ist ausgerandet.

Der Thorax ist feingerunzelt und so wie der Kopf glanzlos, bloss das Metanotum ist glänzend.

Die Schuppe ist dick, ziemlich klein, etwas breiter als hoch, oben ausgerandet und glänzend.

Der Hinterleib schimmert stark und ist sehr feingerunzelt.

Die Beine sind ziemlich dicht mit festanliegenden, kurzen, gelben Härchen bekleidet.

Die Flügel sind wasserhell, nur unbedeutend bräunlich getrübt, die Rippen sind braun.

Diese seltene Art findet sich unter Steinen und in Erdbauten mit Hügeln, welche ziemlich klein (im Vergleiche zu den vorigen Arten) sind und aus Erde, Coniferennadeln, zerbissenen Grasstengeln u. dgl. bestehen; sie schwärmt im Hochsommer.

In Oesterreich bisher bloss im Aignerthale bei Mautern (Mayr), in Ungarn (Friwaldsky).

14. *Formica exsecta* Nyl.

Operaria: *Ferruginea, frons, occiput ac abdomen nigro-fusca; palpi longi; clypeus non depressus; occiput atque squama profunde excecta. Long.: 6 — 7mm.*

Femina: *Testaceo-rufa, vix pilosula; clypeus, frons, occiput, thorax supra, mesosternum et abdomen castaneo-atra; palpi longi; clypeus non depressus; occiput et squama profunde emarginata. Long.: 7 — 8mm.*

Mas: *Fusco-niger, genitalia ac pedes testaceo-pallescentia; oculi pilosi; palpi longi; occiput et squama emarginata. Long.: 6 — 7mm.*

Formica exsecta Nyl. Adn. Mon. Form. bor. Eur. pag. 909; Först. Hym. Stud. 1. Heft, pag. 23, Schenck Beschr. nass. Ameis. pag. 38.

Arbeiter: Rostroth, die vordere Hälfte der Fühlergeissel und der Hinterleib mit Ausnahme des Grundes schwarz; die Stirn und das Hinterhaupt braun, manchmal schwärzlichbraun, das Pronotum hat meist einen dunklen Fleck, die Beine sind braun. Der ganze Körper nicht reichlich mit kurzen anliegenden, und nur der Hinterleib und der vordere Theil der Oberseite des Kopfes mit wenigen langen Borstenhaaren versehen.

Der Kopf hat dieselbe Form wie bei *F. pressilabris*, ebenso die Oberkiefer. Die Unterkiefertaster reichen fast bis zum Hinterhauptloche, sind also so lang wie bei den meisten *Formica*-Arten, während sie bei der vorigen Art sehr kurz sind. Der Clypeus ist fein gerunzelt, schwach gekielt, der Vorderrand ist nicht aufgebogen und nicht ausgerandet, und hinter demselben ist der Clypeus nicht quer eingedrückt. Das Stirnfeld ist glatt und glänzend. Die Fühler, so wie die übrigen Kopftheile, verhalten sich so wie bei der vorigen Art.

Der Thorax, der Hinterleib und die Beine sind wie bei der vorigen Art.

Die Schuppe ist hoch, schmal, die obere Hälfte etwas breiter, der obere Rand stark halbmondförmig ausgerandet.

Weibchen. Gelbroth, der Hinterleib schwarzbraun mit Ausnahme des gelbrothen Basalfleckes, der Clypeus, die Fühlergeissel, die Stirn, der Scheitel, der hintere Rand des Pronotums, das Mesonotum, der hintere Rand des Schildchens, das Hinterschildchen und das Mesosternum rothbraun oder schwarzbraun. Der ganze Körper ist reichlich mit feinen, gelben, anliegenden Härchen und nur sehr sparsam mit Ausnahme der reichlich behaarten Unterseite des Hinterleibes mit langen abstehenden Borstenhaaren besetzt.

Der Kopf ist in der Mitte am breitesten, etwas breiter als der Thorax, der Hinterkopf ist sehr stark bogenförmig ausgerandet. Die Oberkiefer sind sehr breit, längsgerunzelt, grobpunctirt. Der Clypeus ist ungekielt, runzlig punctirt, dessen Vorderrand nicht aufgebogen und ohne Quereindruck. Das Stirnfeld ist glatt und stark glänzend. Der Schaft der zwölfgliedrigen Fühler überragt den Hinterrand des Kopfes, die Geissel ist fadenförmig. Die Stirn, der Scheitel, das Hinterhaupt, die Wangen und die Unterseite des Kopfes sind fein runzlig punctirt. Die Stirnrinne ist deutlich.

Der Thorax ist fein runzlig punctirt.

Die Schuppe ist dünn, oben breit, in der Mitte des oberen Randes sehr stark ausgebuchtet.

Der Hinterleib ist runzlig punctirt.

Die Flügel sind schwach bräunlich getrübt, die Rippen und das Randmahl sind braun.

Männchen. Braunschwarz, wenig glänzend, die Beine und die Genitalien bräunlichgelb oder gelblichbraun, besonders sind die Gelenke der Beine und die Tarsen lichter. Der ganze Körper ist mässig, die Oberseite des Hinterleibes aber dicht mit feinen, anliegenden Härchen bekleidet und nur mit zerstreuten, abstehenden Borstenhaaren besetzt.

Die feingerunzelten und grobpunctirten Oberkiefertaster haben vorne einen starken spitzen Zahn, der hintere Zahn ist sehr undeutlich. Die Unterkiefertaster sind lang und reichen, an die Unterseite des Kopfes zurückgelegt, fast bis zum Hinterhauptloche. Der Clypeus ist gerunzelt und gekielt. Das Stirnfeld ist fast glatt und glänzend. Der Schaft der dreizehngliedrigen Fühler ist etwas weniger als halb so lang wie die Fühlergeissel. Die Stirnrinne ist deutlich. Die Stirn und der Scheitel sind feingerunzelt. Die Netzaugen sind weitläufig behaart. Der Hinterkopf ist ausgerandet.

Der Thorax, die Schuppe und der Hinterleib verhalten sich so wie bei der vorigen Art.

Die Beine sind mit wenig abstehenden feinen Haaren ziemlich dicht bekleidet.

Die Flügel sind schwach bräunlich getrübt; die Rippen sind braun.

Diese und die vorige Art unterscheiden sich von allen andern Arten dieser Gruppe leicht durch die starke Ausrandung des Hinterkopfes.

Sie schwärmt im Hochsommer und findet sich nicht häufig auf Wiesen, in lichten Wäldern u. s. w. in beiläufig einen Fuss oder weniger im Durchmesser habenden Hügelbauten, welche aus Erde, Coniferennadeln, Holzstücken etc. bestehen. In Oesterreich am Gaisstein in der Nähe des Unterberges (Mayr), bei Bergern nächst Mautern (Kerner), im Klauswald bei Scheibbs (Erdinger), bei Gaming (Kerner), beim Hübner'schen Durchschlage an der steirischen Gränze (Mayr); in Steiermark bei Rachau und Grosslobming (Miklitz); in der Lombardie bei Clusone (Strobel). In den Nachbarländern in der Provinz Preussen bei Königsberg (Zaddach); in Rheinpreussen (Förster); in Nassau (Schenck).

15. *Formica cunicularia* Ltr.

Operaria: *Sparse pilosula, aut ferruginea, frons, occiput ac abdomen fusco nigra, aut fusca, genae ac margines pronoti semper rufescentes; area frontalis opaca; squama haud vel leviter emarginata Long.:* 5 — 7½mm.

Femina: *Cinereo-micans, sparse pilosula; aut ferrugineo-rufa, frons, occiput, maculae thoracis ac abdomen fusco-nigra, aut fusco-nigra, mandibulae, scapi antennarum, genae, margines pronoti, petiolus ac pedes rufo-brunnei; area frontalis opaca; clypeus non emarginatus; squama lata non emarginata; alae hyalinae. Long.* 8 — 9mm.

Mas: *Niger, sparse pilosulus; genitalia ac pedes rufo-testacea; mandibulae* 1 — 2*dentatae; oculi nudi; occiput non emarginatum; squama supra late emurginata; alae fere hyalinae aut parum fuscescentes. Long.:* 9 — 10mm.

Formica cunicularia Ltr. Hist. nat. Fourm. pag. 151. Los. Form. Piem. pag. 316; Lepel. St.Farg. Hist. nat. Ins., Hym. tome 1. pag. 203; Nyl. Adn. Mon. Form. bor. Eur. pag. 913; Först. Hym. Stud. 1. Heft pag. 25; Schenck Nass. Ameis. pag 40; Smith Ess. Gen. and Spec. Brit. Form. pag. 103.

Formica stenoptera Först. Hym. Stud. 1. Heft pag. 26.

Arbeiter: Die Färbung ist bei dieser Art sehr verschieden. Die lichtesten Exemplare sind in Bezug der Farbe der *Formica rufa* ähnlich, es ist nämlich der Kopf roth, die Stirn und das Hinterhaupt ist braunschwarz; der Thorax und die Schuppe sind roth, der Hinterleib ist braunschwarz, und die Beine sind mehr weniger rothbraun. Die dunkelsten Individuen gleichen sehr der *Formica fusca*, doch sind sie durch die röthlichen Wangen und Ränder des Pronotums leicht zu unterscheiden. Der ganze Körper ist mit höchst feinen, anliegenden, weissen, kurzen Härchen reichlich, doch nicht so dicht und zugleich seidenglänzend, wie bei der folgenden Art bekleidet; bei den lichteren Individuen ist der Thorax sparsamer, bei den dunkleren aber reichlicher behaart; ausserdem ist der Kopf und der Thorax mit einzelnen, der Hinterleib aber mit etwas zahlreicheren Börstchen besetzt.

Der Kopf ist mehr weniger dreieckig mit stark abgerundeten Ecken, hinten kaum oder gar nicht ausgerandet. Die Oberkiefer sind längsgerunzelt, grobpunctirt und gezähnt. Der Clypeus ist feingerunzelt, scharf gekielt und vorne nicht ausgerandet. Das Stirnfeld ist gerunzelt, glanzlos. Der Schaft der zwölfgliedrigen Fühler überragt den Hinterrand des Kopfes; die Geissel ist fadenförmig und nur am Grunde etwas verschmälert. Die Stirn, der Scheitel, die Wangen und die Unterseite des Kopfes sind feingerunzelt. Die Stirnrinne ist deutlich. Die Netzaugen sind fast unbehaart.

Der Thorax ist feingerunzelt.

Die Schuppe ist gross, oben breit, nicht ausgerandet.

Der Hinterleib ist kurz eiförmig, gerunzelt.

Weibchen. Diese sind in der Färbung ebenso verschieden, wie die Arbeiter. Die lichtesten ♀ sind gelbroth, die Fühlergeissel, die Stirn, der Scheitel, eine mittlere Makel und zwei seitliche Längsstreifen am Mesonotum, der hintere Rand des Schildchens und die Oberseite des Hinterleibes sind braunschwarz. Die dunkelsten ♀ sind braunschwarz, die Oberkiefer, der Fühlerschaft, die Wangen, die Ränder des Pronotums, die untere Hälfte der abschüssigen Fläche des Metanotums, das Stielchen mit dem unteren Theile der Schuppe und die Beine sind rothbraun. Der ganze Körper ist reichlich mit sehr feinen, anliegenden, kurzen Härchen und sehr zerstreut mit abstehenden, feinen Borstenhaaren besetzt.

Die Oberkiefer sind längsgerunzelt, grobpunctirt, sechs- bis siebenzähnig. Der gekielte Clypeus ist feingerunzelt und glanzlos, ebenso das Stirnfeld. Die Stirn und der Scheitel sind feingerunzelt und in Folge der Behaarung schimmernd. Die Netzaugen sind kahl.

Der Thorax ist feingerunzelt.

Die Schuppe ist oben wenig oder gar nicht ausgerandet.

Der Hinterleib ist feingerunzelt und stark schimmernd.

Die Flügel sind fast wasserhell oder sehr schwach bräunlich getrübt, deren Rippen sind gelbbräunlich.

Männchen. Schwarz, die Gelenke des Fühlerschaftes, die Beine und die Genitalien sind röthlichgelb, die Hüften und oft auch die Schenkel sind braun. Der ganze Körper ist mit anliegenden, feinen Härchen dicht, mit Borstenhaaren aber sehr zerstreut bekleidet; der Hinterleib entbehrt fast ganz die Borstenhaare. Der Kopf und der Thorax sind glanzlos, die abschüssige Fläche des Metanotums und die Schuppe sind glänzend; der Hinterleib glänzt und schimmert.

Die Oberkiefer haben ein bis zwei Zähne, wovon der vordere sehr gross und spitzig, der hintere aber stumpf und oft sehr undeutlich ist. Der Clypeus ist so wie die übrigen Kopftheile gerunzelt und glanzlos, bloss der hintere Rand des Clypeus ist meist glatt und glänzend, ebenso die Stirnrinne. Die Augen sind unbehaart. Im Uebrigen ist der Kopf wie bei den verwandten Arten.

Der Thorax und die Schuppe sind feingerunzelt, letztere ist oben breit ausgerandet.

Der Hinterleib und die Beine sind so wie bei den verwandten Arten.

Die Flügel sind wasserhell oder sehr schwach bräunlich getrübt, die Rippen sind braun.

Diese überall vorkommende Art legt ihre Colonien in der Erde unter Steinen, unter dem Grase u. s. w. an, führt auch Hügel auf, welche aber bloss aus Erde bestehen; sie ist nicht wie die *Formica rufa* und *F. congerens* bissig, sondern sucht sich bei Gefahr schnell einen Zufluchtsort auf. Wie schon erwähnt, werden die Arbeiter dieser Art, besonders aber die Puppen, von der *Formica sanguinea* und dem *Polyergus rufescens* geraubt, ein solcher Raub ist aber meist mit blutigen Kämpfen in Verbindung, bei welchen oft eine grosse Anzahl todt am Platze bleibt. In den Colonien dieser Art finden sich nicht selten Käfer, wie z. B. der *Haeterius quadratus*; auch Ameisen, und zwar die *Ponera contracta*, wurden in deren Colonien von Professor Schenck gefunden. Sie schwärmt im Hochsommer. Ich übergehe wegen des häufigen Vorkommens die Aufzählung der Standorte, und verweise in Bezug der Länder auf den allgemeinen Theil.

16. *Formica cinerea* Mayr.

Operaria: *Fusco-nigra, dense pilosa ac sericea; mandibulae, antennae ac pedes rufescentes, area frontalis opaca. Long.:* 5 — 6^{mm}.

Femina: *Fusca-nigra, dense pilosa ac cinereo-micans; mandibulae, antennae, anus atque pedes rufo-brunnei; area frontalis opaca. Long.:* 10 — 11^{mm}.

Mas. Nigro-fuscus, dense pilosus ac cinereo-micans; mandibulae, scapus antennarum, genitalia ac pedes flava aut ochracea; area frontalis opaca. Long.: 10^{mm}.

Formica cinerea Mayr Beschr. ein. neuer Ameisen.

Arbeiter: Braunschwarz, die Oberkiefer, die Fühler und die Beine röthlich, die Schenkel sind meist dunkler, manchmal auch die Wangen und die Ränder des Pronotums rothbraun; in seltenen Fällen ist der Thorax so wie bei den lichteren Varietäten der *Formica cunicularia* gefärbt. Der ganze Körper ist mit feinen, kurzen, anliegenden, seidenglänzenden Härchen sehr dicht bekleidet und dadurch seidenglänzend; überdiess ist der Kopf, der Thorax und die Schuppe mit aufrechtstehenden, der Hinterleib mit nach rückwärts gerichteten kurzen Börstchen reichlich besetzt.

Der Kopf ist dreieckig mit abgerundeten Ecken, breiter als der Thorax. Die Mandibeln sind längsgerunzelt und punctirt, vorne breit, am Innenrande mit sieben bis acht kleinen Zähnen. Der Clypeus ist gekielt und feingerunzelt. Das Stirnfeld ist feingerunzelt, glanzlos, bloss die Ränder insbesondere der Vorderrand sind glänzend. Die Stirn, der Scheitel und die Unterseite des Kopfes sind feingerunzelt. Die Stirnrinne ist schwach ausgeprägt. Die Netzaugen sind kahl, die Punctaugen klein.

Der Thorax und die Schuppe sind feingerunzelt, letztere ist oben breit, abgerundet und in der Mitte selten ausgerandet.

Der Hinterleib ist feingerunzelt, welche Runzelung wegen der dichten Behaarung nicht leicht zu sehen ist.

Weibchen. Braunschwarz, die Oberkiefer, die Fühler, der After und die Beine rothbraun; öfters sind auch die Wangen und die Ränder des Pronotums rothbraun. Der ganze Körper ist reichlich mit anliegenden, kurzen, weissen Härchen, doch nicht so dicht wie der Arbeiter bekleidet, in Folge dieser Behaarung grauschimmernd; überdiess sind Kopf und Thorax reichlich, die Oberseite des Hinterleibes aber weniger reichlich beborstet.

Der Kopf ist dreieckig mit abgerundeten Ecken, etwas breiter als der Thorax. Die Oberkiefer sind feingerunzelt und weitläufig punctirt, sieben- bis achtzähnig; die übrigen Kopftheile verhalten sich so wie beim Arbeiter.

Der Thorax ist feingerunzelt.

Die Schuppe ist oben breiter mit einer kleinen Ausrandung.

Der Hinterleib ist gross, sehr fein gerunzelt.

Die Flügel sind schwach schwärzlich getrübt.

Männchen. Unterscheidet sich von den zunächst verwandten Arten *Form. cunicularia* und *F. fusca* bloss durch die Farbe und durch die Behaarung. Schwarzbraun, die zweizähnigen Oberkiefer besonders an der Spitze, der Fühlerschaft, die Genitalien und die Beine mit Ausnahme der braunen Hüften gelb oder bräunlichgelb. Der Kopf, das Mesonotum und die Unterseite des Hinterleibes sind reichlich mit abstehenden, feinen Borstenhaaren und überdiess der ganze Körper, vorzüglich aber der Hinterleib, dicht mit sehr feinen, anliegenden, gelblichen Härchen bekleidet. Die Vorderflügel sind so schmal wie bei *F. fusca*.

Diese Art findet sich in Erdbauten unter Steinen. In Mähren bei Mistek (Schwab); in Oesterreich im Preiner Thale bei Reichenau (Mayr); in Tirol bei Botzen (Gredler), bei Lavis (Strobel), bei Roveredo (Zeni); in Ober-Ungarn bei dem Dorfe Scroka in Saros (Hasslinszky); in Krain bei Laibach (Hauffen, Schmidt), in Venetien auf der Insel Lido (Strobel); in der Lombardie am Stilfserjoch (Villa). In den Nachbarländern in der Provinz Preussen bei Königsberg (Zaddach); in Toscana (Pirazzoli); im Kirchenstaate bei Bologna (Bianconi), bei Imola (Pirazzoli).

17. *Formica fusca* L.

Operaria: *Fusco-nigra, sparse pilosula ac cinereo-micans; mandibulae, antennae, tibiae tarsique rufescentes, area frontalis opaca. Long.:* 5 — 6½mm.

Femina. *Fusco-nigra, sparse pilosula ac cinereo-micans, scapi antennarum, tibiae ac tarsi rufescentes, abdomen nitidum, subaenescens, area frontalis opaca. Long.:* 9 — 10mm.

Mas. *Fusco-niger, sparse pilosus, scapi antennarum, genitalia ac pedes rufo-testacea; mandibulae 1 — 2 dentatae; oculi nudi; occiput non emarginatum; squama non vel parum emarginata; alae angustae fere hyalinae. Long.:* 8 — 10mm.

Formica fusca Linné Faun. Suec. pag. 226, Syst. Nat. tom 1. pag. 963; Schrank. Enum. Ins. Austr. indig. pag. 413; Ltr. Hist. nat. Fourm. pag. 159; Losana Form. Piem. pag. 317; Lepel. St. Farg. Hist. nat. Ins., Hym. tom. 1. pag. 205; Nyl. Adn. Mon. Form. bor. Eur. pag. 919, Add. alt. pag. 30; Schenck Beschr. nass. Ameis. pag. 43.

Formica glebaria Nyl Adn. Mon. Form. bor. Eur. pag. 917; Först. Hym. Stud. pag. 31.

Arbeiter: Braunschwarz, die Oberkiefer, der Fühlerschaft, das Schaftende der Fühlergeissel, die Hüften, die Schienen und die Tarsen braun oder röthlichbraun. Der ganze Körper ist mit äusserst feinen, anliegenden Härchen dicht bekleidet, wodurch er ein schimmerndes Aussehen erhält, überdiess sind der Kopf und die Beine sehr sparsam, der Hinterleib weniger sparsam, der Thorax aber gar nicht beborstet.

Im Uebrigen gleicht der ☿ der *F. cunicularia* und wird von den dunkelsten Varietäten dieser Art durch die braunschwarzen Wangen und

Ränder des Thorax, von der *F. cinerea* leicht durch die Behaarung unterschieden.

Weibchen. Braunschwarz, der Fühlerschaft, die Schienen, die Tarsen und der After rothbraun oder lichter, die Oberkiefer und die Schenkel meist dunkelbraun, letztere oft so licht gefärbt wie die Schienen. Die Behaarung ist so wie bei dem ♀ der *F. cunicularia*; das Schildchen, die abschüssige Fläche des Metanotums und meist auch der Hinterleib, welcher stets bronceartig schimmert, glänzend.

Im Uebrigen verhält sich der ganze Körper wie bei *F. cunicularia.*

Männchen. Diess gleicht dem ♂ der *F. cunicularia* in allen Theilen, und ist von diesem bloss durch den röthlichgelben Fühlerschaft, durch die schmäleren Vorderflügel, so wie durch einen zarten Bau des Körpers, hingegen von *F. cinerea* durch sparsamere Behaarung und durch einen glänzenden, schmäleren Hinterleib unterschieden.

Herr Miklitz sandte mir eine Anzahl Männchen, welche er in einem Neste der *Form. fusca* bei Grosslobming fand, die in Allem den ♂ der *F. fusca* glichen, deren Fühlerschaft aber schwarz und deren Flügel gleichmässig schwärzlich getrübt waren, überdiess war der ganze Körper tiefschwarz und bloss die Gelenke der Beine, die Schienen, die Tarsen und die Genitalien waren röthlichgelb. Auch von Dr. Nylander erhielt ich ein ♂ dieser Art, dessen Fühlerschaft dunkelbraun war, und es dürfte, da ich überdiess bei Gastein in einer Colonie dieser Art ein solches Männchen fand, der gelbe Fühlerschaft kein sicheres Merkmal sein, so wie es überhaupt bei vielen Arten schwierig ist, die ♂ zu unterscheiden.

Die *Form. glebaria* Nyl. ist nur eine Varietät der *F. fusca*; selbst Dr. Nylander, der mir Exemplare von beiden Arten sandte, schrieb mir, dass er geneigt wäre, die *F. glebaria* bloss für eine Varietät zu halten.

Diese Art findet sich sehr häufig in Thälern und auf Bergen, unter Steinen und in Erdhügeln, in alten Bäumen u. s. w., und schwärmt im Hochsommer. Sie gleicht der *Form. cunicularia* in dem, dass sie ebenfalls von der *F. sanguinea* und von *Polyergus rufescens* geraubt wird, und dass in ihren Colonien ebenfalls der *Haeterius quadratus* vorkommt.

18. Formica gagates Ltr.

Operaria: *Piceo-nigra, mandibulae, antennae ac pedes picei; area frontalis nitida; abdomen pilosulum, nitidissimum. Long.: 4 — 7^{mm}.*

Femina. *Piceo-nigra, mandibulae, antennae ac pedes picei; area frontalis nitida; abdomen pilosum, nitidissimum; alae parum fuscescentes. Long.: 9 — 10^{mm}.*

Mas. *Fusco-niger, sparsissime pilosulus ac cinereo-micans, apices mandibularum, genitalia ac pedes, saepe etiam scapus antennarum rufo-*

testacea; mandibulae 1 — 2 *dentatae; oculi nudi; alae angustae, fuscescentes. Long.:* 10mm.

Formica gagates Ltr. Ess. l'hist. Fourm. France pag. 36, Hist. nat. Fourm. pag. 138; Losana Form. Piem. pag. 315; Lepel. St. Farg. Hist. nat. Ins., Hym., tom. 1. pag. 200.

Formica capsincola Schilling Bemerk. über die in Schlesien etc. pag. 54.

Formica picea Nyl. Adn. mon. Form. bor. Eur. pag. 917, Add. adn. mon. Form. bor. Eur. pag. 1059; Först. Hym. Stud. 1. Heft. pag. 30.

Arbeiter: Pechschwarz, die Oberkiefer, die Fühler mit Ausnahme der schwärzlichen Endhälfte der Geissel, die Gelenke der Beine, die Schienen und die Tarsen licht pechbraun. Der ganze glänzende Körper ist mit sehr feinen, gelben, anliegenden, kurzen Härchen so bekleidet, dass er nicht schimmert, sondern stark glänzt, was besonders am Hinterleibe beim Vergleiche mit der *F. fusca* auffällt, indem letztere viel dichter behaart ist; überdiess ist die Oberseite des Kopfes, das Pro- und Mesonotum mit einzelnen Borstenhaaren versehen, der Hinterleib aber ist reichlicher beborstet.

Der Kopf ist dreieckig mit stark abgerundeten Ecken, breiter als der Thorax, der Hinterrand ist nicht ausgerandet. Die Oberkiefer sind sechs- bis siebenzähnig, fein und dicht längsgestreift und weitläufig grobpunctirt. Der Clypeus ist feingerunzelt und scharfgekielt. Das Stirnfeld ist ebenfalls feingerunzelt und glänzend. Die Stirnrinne ist meist schwach ausgeprägt. Der Schaft der zwölfgliedrigen Fühler überragt bedeutend den Hinterrand des Kopfes, die Geissel ist fadenförmig. Die übrigen Kopftheile sind sehr feingerunzelt. Die Netzaugen sind unbehaart, die Punctaugen sehr klein.

Der Thorax ist sehr fein gerunzelt.

Die Schuppe ist gross, am Grunde schmal, oben breit und abgerundet, die Mitte des oberen Randes entweder gar nicht oder schwach ausgerandet.

Der Hinterleib ist rundlich, höchst fein quergestreift und stark glänzend.

Weibchen. Pechschwarz, die Oberkiefer, die Fühler, der After und die Beine pechbraun. Der Kopf, der Thorax und die Beine sind reichlich, der Hinterleib aber ist sparsam mit kurzen, anliegenden Härchen bekleidet; überdiess ist der ganze Körper sparsam, das Mesonotum etwas reichlicher beborstet. Der Kopf und Thorax sind etwas glänzend, aber mehr schimmernd, der Hinterleib ist stark glänzend.

Der Kopf ist dreieckig mit abgerundeten Ecken, nur etwas breiter als der Thorax, hinten nicht ausgerandet. Die Oberkiefer sind grob längsgerunzelt, sechs- bis siebenzähnig. Der Clypeus ist gekielt, feingerunzelt mit wenigen groben Puncten. Das Stirnfeld ist sehr fein und sehr leicht gerunzelt und glänzend. Die übrigen Kopftheile sind sehr fein gerunzelt.

Der Thorax ist sehr fein gerunzelt, das Mesonotum überdiess grob punctirt.

Die Schuppe ist gross, oben am breitesten, die Mitte des oberen Randes entweder gar nicht oder mässig ausgerandet. Bei zwei Weibchen fand ich an der linken Seite der winkligen Ausrandung einen sehr spitzen, nach aufwärts gerichteten Zahn als Fortsetzung der Schuppe, an der rechten Seite zeigte sich bloss ein sehr stumpfer Zahn. Die übrigen ♀ aus demselben Neste hatten entweder eine gar nicht oder schwach ausgerandete Schuppe.

Der sehr stark glänzende Hinterleib ist höchst fein quergestreift.

Die Flügel sind schwach bräunlich getrübt, deren Rippen sind braun.

Männchen. Braunschwarz, die Endhälfte der Oberkiefer, die Genitalien und die Beine, oft aber auch der Fühlerschaft röthlichgelb. Der ganze Körper ist reichlich mit höchst feinen, kurzen, anliegenden Härchen bekleidet, und durch diese schimmernd; überdiess ist er nur mit einzelnen Borstenhaaren versehen und bloss die Oberkiefer und die hintere Hälfte der Unterseite des Hinterleibes sind reichlich behaart.

Die Oberkiefer sind runzligpunctirt und zweizähnig. Der Clypeus ist gekielt, und so wie das glanzlose Stirnfeld feingerunzelt. Der Schaft der dreizehngliedrigen Fühler überragt, zurückgelegt, bedeutend den Hinterrand des Kopfes; die Geissel ist fadenförmig. Die Stirnrinne ist deutlich. Die übrigen Kopftheile sind sehr feingerunzelt. Die Netzungen sind unbehaart, die Punctaugen gross.

Der Thorax ist sehr fein gerunzelt, glanzlos, aber schimmernd in Folge der feinen Behaarung, bloss die abschüssige Fläche des Metanotums ist glänzend.

Die Schuppe ist dick, oben wenig oder breit ausgerandet.

Der Hinterleib ist schmal, stark schimmernd; nach Entfernung der Härchen sieht man die stark glänzenden, sehr fein quergerunzelten Hinterleibssegmente.

Die Flügel sind braun getrübt und schmal, und deren Rippen sind dunkelbraun.

Es dürfte mancher Entomolog ein Bedenken haben, dass ich die *Form. gagates* Ltr. mit der *Form. picea* Nyl. vereinigte, zweifelsohne sind aber diese zwei Arten synonym, denn der bisherige Anstoss war, dass Latreille von einer zweizähnigen Schuppe bei der *F. gagates* spricht; er sagt nämlich in der Hist. nat. Fourm. pag. 139 beim Arbeiter: „L'écaille est grande, ovée, le bord supérieur est tronqué au milieu, cette partie paraît plus élevée, et un peu bidentée.“ Beim Weibchen sagt er: „L'écaille est grande, ovée; le bord supérieur semble offrir trois côtés, dont celui du milieu un peu échancré, et comme bidenté.“ Latreille hatte jedenfalls solche Arbeiter zur Untersuchung, deren Schuppe stark ausgeschnitten war, ebenso war es beim Weibchen der Fall, bei dem es noch wahrscheinlicher ist, indem ich sogar oben Weibchen mit einem grossen spitzen Zahne beschrieb.

Ueber die Bauten dieser Art wurde weder von Dr. Nylander, der die Arbeiter auf Torfmooren fand, noch von Dr. Förster, der sie mit dem Schöpfer fing, noch von Latreille, der sie am Fusse der Bäume wohnen lässt, etwas beobachtet, und ich selbst, obschon ich so oft die Gelegenheit hatte, diese Art zu beobachten, fand niemals eine Colonie, sondern sah die Arbeiter auf Eichen, seltener auf anderen Pflanzen hin- und herlaufen, sich den Zuckersaft der Blattläuse zu holen, ohne dass es mir je trotz der angestrengtesten Nachforschung gelang, in Bezug der Bauten dieser Art etwas beobachten zu können. Es ist die grösste Wahrscheinlichkeit, dass die Schilling'sche *F. capsincola* mit dieser Art synonym sei, er sagt in seinen Bemerk. üb. d. in Schles. u. d. Gr. Glatz vorgef. Art. d. Ameis. pag. 54 über die von ihm aufgestellte Kapselameise *F. capsincola*: „Von der Grösse und Gestalt der vorigen, aber ihre Farbe geht mehr in's Pechbraune; wodurch sie sich aber nicht allein von den vorhergehenden, sondern von allen übrigen bisher bekannten Ameisen unterscheidet, ist ihre Lebensweise. Das Weibchen legt ihre Eier zerstreut an Baumstämme und befestigt sie mit einer klebrigen Feuchtigkeit an die Rande. Die herauskommenden Larven, welche ohne Schutzdach dem Winde und Wetter blossgestellt sein würden, werden von den Arbeitern mit einem zarten, wolligen Neste umgeben, welches in dem Masse, als die Larve wächst, von den Pflegemüttern immer grösser gemacht und weiter angebaut wird. Wenn endlich die Larve ihr vollendetes Wachsthum erreicht hat und zur Verpuppung reif ist, so verschliessen die Arbeiter das Nest einer jeden Larve, welches dann einer runden Hülse oder Kapsel gleicht, mit einer schleimigen Substanz, welche sie von sich geben, und die an der Luft zu einem pergamentähnlichen Häutchen verhärtet. Wenn die Zeit des Ausschlüpfens für die Puppe herannaht, so öffnen die Arbeiter mit ihrem Gebisse die Kapsel und ziehen die sich entwickelte Ameise heraus.“ Ich werde mich bemühen, diese Sache in's Klare zu bringen, und fordre auch die geehrten Myrmecologen auf, darüber Nachforschungen anzustellen.

In Oesterreich bei Wien am Kahlen- und Leopoldsberge (Zwanziger, Mayr); am Laaerberge, bei Schönbrunn und in der Brühl (Mayr), bei Unter-Olberndorf (Nöstelberger), bei Fahrafeld und bei Mannersdorf (Mayr); in Tirol in Botzen im Franziscanerkloster-Garten (Gredler), bei Trient (Mayr); in Ungarn am Wissegrad nächst Gran (Kerner); in Krain (Schmidt); in der Lombardie bei Gargnano am Gardasee (Strobel). In den Nachbarländern in der Provinz Preussen (Siebold), in Preussisch-Schlesien bei Bresslau (Schilling), in Rheinpreussen bei Aachen (Frstr.); in Baiern bei Regensburg (Herrich-Schäffer); in Piemont (Losana).

VI. Rotte: *Fuliginosa.*

Diese Rotte ist charakterisirt durch die pechschwarze Farbe, durch das verwaschen ausgeprägte Stirnfeld und durch den stark bogenförmig ausgebuchten Hinterkopf der drei Geschlechter. Die Punctaugen sind bei ☿ und ♀ sehr klein aber deutlich, beim ♂ sind sie ziemlich gross. Der Thorax des ☿ ist wie bei der vorigen Rotte in der Mitte eingeschnürt. Die ♂ haben kleine Genitalien. Die Vorderflügel haben eine geschlossene Discoidalzelle.

19. *Formica fuliginosa* Ltr.

***Operaria*:** *Piceo-nigra, nitidissima; mandibulae, flagellum antennarum ac tarsi rufescentia, scapus antennarum, femora tibiaeque picea; occiput late emarginatum; squama parva subovata. Long.:* 4 — 5^{mm}.

***Femina*.** *Piceo-nigra, nitidissima, mandibulae, antennae ac pedes rufescentes, tarsi dilutiores; ocelli minuti; occiput late emarginatum; squama parva subovata; alae a basi ad medium fuscescentes. Long.:* 6^{mm}.

***Mas*.** *Piceo-niger, articulationes scapi antennarum ac pedum, flagella antennarum atque tarsi pallescentia, occiput late emarginatum, squama subquadrata parum rotundata; alae fuscescentes. Long.:* 4 — 5^{mm}.

Formica fuliginosa Ltr. Ess. l'hist. Fourm. France pag. 36, Hist. nat. Fourm. pag. 140; Losana Form. Piem. pag. 315; Lepel. St. Farg. Hist. nat. Ins., Hym, tome 1. pag. 200; Schilling Bemerk. üb. die in Schles. etc. pag. 55; Nyl. Adn. mon Form. bor. Eur. pag. 915; Förster Hym. Stud. 1. Heft pag. 28; Schenck Beschr. nass. Ameis. pag. 45; Smith Ess. Gen. and Spec. Brit. Form. pag. 105.

Arbeiter: Sehr stark glänzend, pechschwarz; die Oberkiefer, die Taster, die Fühlergeissel und die Tarsen röthlich, die Schenkel und Schienen so wie der Fühlerschaft pechbraun. Der ganze Körper ist sparsam und kurz beborstet.

Der Kopf ist gross, herzförmig, viel breiter als der Thorax, am Hinterrande tief bogenförmig ausgeschnitten. Die Oberkiefer sind meist achtzähnig, fein runzlig längsgestreift mit sparsamen Puncten, von dem Grunde lauft eine glatte Furche gegen die Spitze, ohne jedoch diese zu erreichen. Der Clypeus ist sehr feingerunzelt, mehr weniger deutlich gekielt. Das Stirnfeld ist wie der Clypeus gerunzelt und undeutlich abgegränzt. Die besonders hinten schwach ausgeprägte Stirnrinne reicht bis zum vorderen Punctauge. Die Stirnlappen sind kaum aufgebogen und schmal. Der schwachgebogene Schaft der fein- und dichtbehaarten zwölfgliedrigen Fühler reicht bis zum Hinterrande des Kopfes; die Geissel ist gegen die Spitze sehr wenig verdickt. Die Punctaugen sind sehr klein; die Netzaugen rundlich, klein. Die übrigen Kopftheile sind höchst fein gerunzelt, punctirt und mit äusserst feinen, anliegenden Härchen mässig besetzt.

Der Thorax ist sehr fein lederartig gerunzelt.

Die Schuppe ist klein, sehr fein gerunzelt, mit fast parallelen Seitenrändern, oben abgerundet.

Der Hinterleib ist eiförmig, sehr fein lederartig gerunzelt.

Die Beine sind mit sehr kurzen, feinen gelblichweissen Härchen dicht bekleidet.

Weibchen. Sehr glänzend, pechschwarz, die Oberkiefer, die Taster, die Fühler und die Beine rothbraun, die Tarsen sind mehr gelbbräunlich. Der ganze Körper ist mit kurzen, anliegenden Härchen, so wie mit langen, abstehenden Borstenhaaren nicht sparsam besetzt.

Der Kopf ist so wie beim ☿, aber der Clypeus ist kaum gekielt, die Punctaugen sind grösser und die Netzaugen sind deutlich behaart.

Der Thorax ist so wie der Kopf höchst fein gerunzelt und scheint bei Anwendung gewöhnlicher Loupen glatt zu sein.

Die Schuppe ist so wie beim Arbeiter klein, ziemlich schmal mit parallelen Seitenrändern, oben abgerundet.

Der Hinterleib ist klein, sehr fein runzlig punctirt.

Die Vorderflügel sind vom Grunde bis zur Mitte bräunlich getrübt.

Männchen. Pechschwarz, die Gelenke des Fühlerschaftes und der Beine, so wie die Fühlergeissel, die Genitalien und die Tarsen gelbbräunlich. Die Behaarung ist eine sehr spärliche, bloss die Unterseite des Hinterleibes ist reichlich und lang behaart. Der Kopf, das Pro- und Mesonotum sind glanzlos oder wenig glänzend, das Schildchen, das Metanotum und der Hinterleib sind glänzend.

Der Kopf ist etwas breiter als der Thorax. Die Oberkiefer sind dicht längsgerunzelt, breit, aber doch nur einzähnig. Der Clypeus ist gerunzelt, mit einem schwachen, oft undeutlichen Kiele. Das Stirnfeld ist nicht scharf abgegränzt, gerunzelt und glanzlos. Die deutliche Stirnrinne reicht bis zum vorderen Punctauge, ist vorne seicht und nach hinten tief. Die Stirnlappen sind sehr schmal, kaum aufgebogen. Der Schaft der 13gliedrigen Fühler erreicht den Hinterrand des Kopfes, die fadenförmige Geissel ist fast doppelt so lang als der Schaft. Die übrigen Kopftheile sind fein gerunzelt. Die Punctaugen sind gross, die Netzaugen fast kahl.

Der Thorax ist sehr fein gerunzelt mit sehr zerstreuten Puncten.

Die Schuppe ist niedrig, ziemlich dick, oben abgerundet.

Der Hinterleib ist fein gerunzelt und sehr grob punctirt, wodurch sich das ♂ dieser Art leicht von den ♂ jener Arten, welche in der nächsten Rotte beschrieben sind, unterscheidet.

Die Flügel sind bis zur Mitte bräunlich getrübt.

Diese häufige Art legt ihre Colonien am liebsten in alten hohlen Bäumen an, in welchen sie sich im morschen Holze Gänge und Kammern mit ihren Oberkiefern aushöhlt. Einmal hatte ich Gelegenheit, einen von den gewöhnlichen Minirungen abweichenden Bau zu beobachten. Ich fand nämlich bei Förthof nächst der Stadt Stein in Unter-Oesterreich unter *Corylus avellana* auf Gneussunterlage einen höchst interessanten Bau, welcher aus einer Masse von Kammern und Gängen bestand, dessen Materiale, welches die dünnen aber sehr festen Wände bildete, aus zusammengekitteter Erde und sehr kleinen Steinchen bestand. Im Frankfurter Conversationsblatte (Beilage zur Oberpostamtszeitung) 1851, Nr. 184 wurden von A. Henninger ebenfalls solche Bauten beschrieben, welche Beschreibung auch in Schenck's Beschreibung nassau'scher Ameisen, pag. 47 abgedruckt ist. Ein sehr gut conservirter Bau befindet sich als Schaustück im k. k. zoologischen Kabinete in Wien. Diese so characteristisch geformte Ameise hat auch einen ganz eigenthümlichen Geruch, und schwärmt im Hochsommer. In ihren Bauten finden sich die meisten *Myrmedonien*-Arten.

V. Rotte: *Nigra.*

Die kleinen 2 — 4½^{mm} langen Arbeiter haben ein undeutliches oder wenigstens nicht scharf abgegränztes Stirnfeld, sehr kleine undeutliche Punctaugen, einen in der Mitte zusammengeschnürten, braunen, rothgelben oder gelben Thorax. Die Weibchen sind braun, nicht glänzend, im Vergleiche zu den ☿ und ♂ sehr gross, deren Stirnfeld ist undeutlich abgegränzt und die Vorderflügel haben eine geschlossene Discoidalzelle. Die höchstens 5^{mm} langen Männchen sind schwarzbraun oder heller, der Hinterkopf ist nicht ausgebuchtet, der Hinterleib ist nicht grob punctirt, die Genitalien sind ziemlich klein und die Flügel haben eine geschlossene Discoidalzelle; nur ausnahmsweise fehlt bei mehreren Arten, besonders bei *Form. nigra, aliena, flava* und *umbrata*, manchmal die *Costa recurrens* auf einem oder auf beiden Vorderflügeln, was bei ♀ sehr selten vorkommt (siehe meinen Aufsatz: Ueber den Werth bestimmter Merkmahle, welche gewöhnlich zur Characteristik der Gattungen der Insecten verwendet werden, in den Verhandlungen des zool.-botan. Vereins in Wien, Band V. Berichte pag. 8).

Arbeiter.

A. Kopf, Thorax und Hinterleib braun.

1. Fühlerschaft und Schienen mit abstehenden Borstenhaaren.
F. nigra.

2. Fühlerschaft und Schienen ohne abstehenden Borstenhaaren.
F. aliena.

B. Kopf und Hinterleib braun, Thorax gelbroth.

1. Fühlerschaft und Schienen mit abstehenden Borstenhaaren.
F. brunnea.

2. Fühlerschaft und Schienen ohne abstehenden Borstenhaaren.

a) Die Stirnrinne reicht bis zum vorderen Punctauge.

F. timida.

D*b)* ie Stirnrinne ist nur unmittelbar hinter dem Stirnfeld ausgeprägt.

F. aliena.

C. Kopf, Thorax und Hinterleib gelb (selten Kopf und Hinterleib bräunlichgelb).

1. Oberseite des Thorax und des Hinterleibes sparsam mit kurzen, aufrecht stehenden Borstenhaaren bekleidet.

F. mixta.

2. Oberseite des Thorax und des Hinterleibes reichlich mit langen aufrechtstehenden Borstenhaaren bekleidet.

a) Schienen mit feinen abstehenden Borstenhaaren.

F. umbrata.

b) Schienen ohne abstehenden Borstenhaaren.

α) Schuppe ziemlich niedrig, oben etwas breiter als unten, wenig oder gar nicht eingeschnitten.

F. flava.

β) Schuppe hoch, oben schmäler als unten, mehr weniger winklig eingeschnitten.

F. affinis.

Weibchen.

A. Kopf höchstens so breit als der Thorax.

1. Fühlerschaft und Schienen mit abstehenden Borstenhaaren; Flügel wasserhell.

a) Thorax röthlichbraun.

F. brunnea.

b) Thorax dunkelbraun.

F. nigra.

2. Fühlerschaft und Schienen fast ohne abstehenden Borstenhaaren.

a) Kopf schmäler als der Thorax.

α. Unterseite des Hinterleibes wenig oder gar nicht heller als die Oberseite; Flügel wasserhell.

F. aliena.

β. Unterseite des Hinterleibes bräunlichgelb; Flügel bis zur Mitte bräunlich getrübt.

F. flava.

b) Kopf so breit als der Thorax; Flügel bis zur Mitte bräunlich getrübt.

F. timida.

B. Kopf breiter als der Thorax; Flügel bis zur Mitte bräunlich getrübt;

1. Oberseite des Hinterleibes sehr sparsam kurz beborstet; Thorax und Schienen fast ohne Borstenhaare (Schuppe gar nicht oder wenig eingeschnitten).

F. mixta.

2. Oberseite des Hinterleibes, Thorax und Schienen reichlich kurz beborstet (Schuppe nicht oder wenig eingeschnitten).

F. umbrata.

3. Oberseite des Hinterleibes und Thorax reichlich lang beborstet; Schienen ohne Borstenhaaren (Schuppe stark winkelig eingeschnitten).

F. affinis.

Männchen.

A. Flügel wasserhell.

1. Stirnrinne scharf ausgeprägt, Flügel ganz wasserhell.

a) Fühlerschaft und Schienen mit abstehenden Borstenhaaren.

α. Stirn glänzend, sehr seicht gerunzelt.

F. nigra.

β. Stirn glanzlos, nicht seicht gerunzelt.

F. brunnea.

b) Fühlerschaft und Schienen ohne abstehenden Borstenhaaren.

F. aliena.

2. Stirnrinne schwach oder ganz undeutlich ausgeprägt; Stirn oft mit einem Quereindrucke; Flügel an der Basis schwach bräunlich getrübt, oder ganz wasserhell.

F. flava.

B. Flügel bis zur Mitte bräunlich getrübt.

1. Oberkiefer einzähnig; Augen kahl.

F. timida.

2. Oberkiefer fünfzähnig.

a) Augen fast kahl, Oberkiefer am Ende braungelb.

F. mixta.

b) Augen deutlich behaart.

α. Oberkiefer am Ende braungelb.

F. umbrata.

β. Oberkiefer ganz schwarz.

F. affinis.

20. *Formica nigra* Ltr.

Operaria: *Obscure fusca; mandibulae rufescentes, antennarum scapi, articulationes pedum atque tarsi testacei; antennarum scapi ac tibiae pilosuli. Long.: 3 — 4mm.*

Femina: *Obscure fusca, mandibulae, antennae tibiae tarsique rufescentes; caput thorace angustius; antennarum scapi ac tibiae pilis abstantibus. Long.: 7 — 10mm.*

Mas: *Fusco-niger, antennarum flagella, articulationes pedum ac tarsi testacea; sulcus frontalis distinctus; frons nitida, tenuiter rugulosa; antennarum scapi tibiaeque pilis abstantibus; alae hyalinae. Long.: 3¾ — 5mm.*

Formica nigra Ltr. Hist. nat. Fourm. pag. 156; Losana Form. Piem. pag. 317; Lepel. St. Farg. Hist. nat. Ins., Hym., tom. I. pag. 206; Nyl. Adn. Mon. Form. bor. Eur. pag. 920; Schenck Beschr. nass. Ameiss. pag. 49; Smith Ess. Gen. and Spec. Brit. Form. pag. 109.

Formica fusca Förat. Hym. Stud. 1. Heft pag. 33.

Lasius niger Fabr. Syst. Piezat. pag. 415.

Arbeiter. Dunkelbraun, die Oberkiefer rothbraun, der Fühlerschaft, die Gelenke der Beine und die Tarsen braungelb, der Thorax öfters heller als der Kopf und Hinterleib. Der ganze Körper ist mit anliegenden, höchst feinen Härchen und mit abstehenden, langen Borstenhaaren reichlich bekleidet.

Der Kopf ist dreieckig mit abgerundeten Hinterecken, etwas breiter als der Thorax, hinten wenig ausgerandet. Die Oberkiefer sind fein längsgestreift und sparsam grob punctirt, mit 7—8 Zähnen versehen. Der Clypeus ist sehr fein gerunzelt, glänzend und gekielt. Die übrigen Kopftheile sind sehr fein gerunzelt. Die sehr flachen Netzaugen sind fast kahl. Die Stirnrinne ist schwach ausgeprägt.

Der Thorax ist wenig glänzend, die Basalfläche des Metanotums bedeutend kürzer als die abschüssige Fläche.

Die Schuppe ist schmal, mit fast parallelen Seitenrändern, der obere Rand ist öfters etwas ausgerandet.

Der Hinterleib ist eiförmig, fein gerunzelt.

Die Schienen sind mit abstehenden Borstenhaaren versehen.

Der Arbeiter dieser Art unterscheidet sich von der *Formica aliena* durch die Behaarung des Fühlerschafts und der Schienen, auch etwas durch die Grösse, von dem der *F. brunnea* durch die Farbe des Thorax, von dem der *F. timida* durch die Farbe des Thorax und des Kopfes, so wie durch die Behaarung des Fühlerschafts und der Schienen.

Weibchen. Dunkelbraun, die Oberkiefer, Fühler, Schienen und Tarsen röthlichbraun; die Oberseite des Kopfes ist gewöhnlich etwas dunkler als der Thorax und der Hinterleib, manchmal auch die Oberseite des Thorax. Der ganze Körper, besonders aber der Hinterleib, ist mit anliegenden, kurzen, gelben Härchen dicht, überdiess auch mit abstehenden, langen Borstenhaaren sparsam bekleidet.

Der dreieckige Kopf ist schmäler als der Thorax. Die Oberkiefer sind breit, fein längsgestreift punctirt und vielzähnig. Der Clypeus ist ungekielt, fein runzlig punctirt, ebenso das Stirnfeld, die Stirn und der Scheitel. Der Fühlerschaft der zwölfgliedrigen Fühler ist mit abstehenden Borstenhaaren und die Netzaugen sind mit mehreren kurzen Börstchen versehen.

Der Thorax ist ziemlich glänzend.

Die Schuppe ist viereckig, oben winklig eingeschnitten.

Der Hinterleib ist verhältnissmässig gross, breit, oben etwas abgeflacht, und in Folge der kurzen, dichten Behaarung schimmernd.

Die Flügel sind lang und wasserhell. Die Schienen sind mit abstehenden Haaren versehen.

Das ♀ steht dem der *F. brunnea* am nächsten, ist aber durch die dunkelbraune Farbe von ihm verschieden; von *F. aliena* unterscheidet es sich durch die mit abstehenden Borstenhaaren versehenen Schienen und den Fühlerschaft, von *flava* und *timida* unterscheidet es sich durch dasselbe Merkmal, überdiess ist das ♀ von *flava* noch durch die braungelbe Unterseite des Hinterleibs und durch die bräunlich getrübten Flügel von dem ♀ der *F. nigra* verschieden. Von den übrigen ♀ dieser Rotte unterscheidet es sich leicht durch den kleinen Kopf, welcher schmäler als der Thorax ist.

Männchen. Braunschwarz, Fühlerschaft und Beine braun, Fühlergeissel, Gelenke der Beine, Tarsen und Genitalien, manchmal auch die Ränder des Schildchens bräunlichgelb. Der ganze Körper ist wegen reichlicher, höchst feiner, anliegender Behaarung schimmernd; überdiess ist er sparsam, der Hinterleib aber reichlicher mit abstehenden, langen Borstenhaaren bekleidet.

Der mehr weniger dreieckige Kopf ist etwas schmäler als der Thorax, dessen Theile sind fein gerunzelt, bloss die mit einem breiten, flachen Zahne versehenen Oberkiefer sind gröber gerunzelt. Der Clypeus ist ungekielt. Das Stirnfeld ist wie bei allen ♂ dieser Rotte nicht scharf abgegränzt. Die tiefe Stirnrinne reicht bis zum vorderen Punctauge. Der mit abstehenden Borstenhaaren versehene Fühlerschaft überragt etwas den Hinterrand des Kopfes; die Geissel ist fast doppelt so lang als der Schaft, fadenförmig, bloss das erste Glied ist dicker als die übrigen. Die Stirne ist sehr seicht gerunzelt und glänze d. Auf den Netzaugen sitzen öfters einzelne Borstenhaare. Die Punctaugen sind gross. Der Hinterkopf ist nicht ausgerandet.

Der fein gerunzelte Thorax ist glanzlos, und nur etwas schimmernd, die Basal- und abschüssige Fläche des glänzenden Metanotums sind von einander nicht abgegränzt, sondern bilden mitsammen eine sanft gewölbte, schiefe Fläche.

Der Hinterleib ist breiter als der Thorax, vorne am breitesten, hinten etwas zugespitzt. Die Schienen sind mit abstehenden Börstchen versehen.

Das Männchen dieser Art unterscheidet sich von dem der *F. brunnea* durch die sehr seicht gerunzelte, glänzende Stirn, von den ♂ der übrigen Arten dieser Rotte durch die tiefe Stirnrinne, durch die Behaarung des Fühlerschaftes und der Schienen, so wie durch die ganz wasserhellen Flügel *).

Es ist sehr wahrscheinlich, dass diese Art die häufigste Europas ist; sie findet sich fast überall, wo überhaupt Ameisen vorkommen. Am häufigsten findet man sie unter Steinen und in Hügelbauten aus Erde bestehend.

*) In manchen Fällen ist es nicht mögl ch, die ♂ dieser Rotte genau zu determiniren, besonders wenn man nicht zugleich die ☿ und ♀ desselben Nestes untersuchen kann.

Sie schwärmt im Hochsommer, und ihre Männchen sind es besonders, welche die schon im allgemeinen Theile besprochenen schön schimmernden Wolken an einem schwülen Sommerabende, vorzüglich nach mehreren vorhergegangenen regnerischen Tagen bilden. Ihre Colonien sind nicht selten, auch der Aufenthaltsort anderer Insecten, z. B. des *Claviger foveolatus*. Professor Schenck fand auch in dem Neste dieser Art den *Claviger longicornis* und die Puppe des *Microdon mutabilis*, aus welch letzterer er öfters die Fliege erzog. Ich übergehe die Anführung der Standorte wegen der überaus grossen Verbreitung und verweise auf den allgemeinen Theil.

21. *Formica brunnea* Ltr.

Operaria: *Rufa, capitis pars superior, abdomen ac pedes, exceptis articulationibus pedum ac tarsis, obscure fusca; antennarum scapi tibiaeque pilosi. Long.:* 3 — 4mm.

Femina: *Obscure rufo-fusca, pars inferior capitis atque thoracis, mandibulae, genae, antennarum scapi ac pedes, saepe etiam basis abdominis testaceo-rufescentes; antennarum scapi ac tibiae pilis abstantibus; caput thorace angustius; alae hyalinae. Long.* 8 — 9mm.

Mas: *Fusco-niger, antennarum flagella, margines segmentorum thoracis, articulationes pedum ac tarsi testacea; sulcus frontalis distinctus; frons opaca, fere profunde rugulosa; antennarum scapi tibiaeque pilis abstantibus; alae hyalinae. Long.:* 3¾ — 4mm.

Formica brunnea Ltr. Ess. l'hist. nat. Fourm. France pag. 41, Hist. nat. Fourm. pag. 168; Losana Form. Piem. pag. 319; Schilling Bemerk. über die in Schles. etc. pag. 55.

Arbeiter. Gelbroth, die obere Seite des Kopfes mit Ausnahme des Fühlerschaftes und der Geisselspitze und oft auch des Clypeus, der Hinterleib und die Beine mit Ausnahme der Gelenke und Tarsen dunkelbraun. Der ganze Körper ist so wie bei der vorigen Art behaart, eben so unterscheidet er sich auch in seinen Theilen nicht von derselben.

Weibchen. Dunkelrothbraun, die Unterseite des Kopfes und des Thorax, die Oberkiefer, die Wangen, der Fühlerschaft, das Metanotum und die Beine, oft auch die Fühlergeissel, die Rander des Schildchens und die Basis des Hinterleibes röthlichgelb. Im Uebrigen ist es durch keine ziemlich sicheren Charactere von dem ♀ der vorigen Art verschieden und es ist nicht selten schwer, ein einzelnes ♀ dieser Art genau zu determiniren.

Männchen. Diess unterscheidet sich von dem ♂ der vorigen Art bloss durch die schärfer gerunzelte und glanzlose Stirn; überdiess ist es auch etwas kleiner und die Ränder der Theile des Thorax sind stets bräunlichgelb.

Ich glaube, nicht zu fehlen, wenn ich diese hier beschriebene Art fü die Latreille'sche *Form. brunnea* halte, indem die Beschreibung so ziemlich, vorzüglich aber die Lebensweise übereinstimmt; ich beziehe aber die in Latreille's „Ess. l'hist. Fourm. France" beschriebene . *pallida*, welche er in der „Hist. nat. Fourm." zu dieser Art als Varietät stellte, nicht hierher, sondern belasse sie unterdessen als eine fragliche Art, indem aus dieser Beschreibung keine sichere Diagnose gestellt werden kann.

Sie findet sich insbesondere in Gärten, theils in Mauerspalten, theils in der Erde, obwohl sie auch anderswo ihre Colonien legt; sie ist nicht bissig und ist eine besondere Freundin der Blattläuse und des süsseren Obstes, obwohl sie auch todte Insecten und Anderes nicht verschmäht. Sie schwärmt im Hochsommer.

In Böhmen bei Teplitz (Walter); in Oesterreich in und bei Wien häufig (Mayr, Frauenfeld), in und bei Mautern (Kerner), bei Dürrenstein (Mayr), bei Gföhl (Erdinger), am Leithagebirge (Mayr); in Tyrol bei Hall und in Botzen (Gredler), bei Lavis (Strobel), bei Roveredo (Zeni); in Krain am Eingange in die Grotte Ledenizha bei Gross-Lieplein (Hauffen), bei Watsch und bei Laibach (Schmidt); im Küstenlande bei Fiume (Mann); in Dalmatien bei Spalato (Lanza); in Venetien auf der Insel Lido bei Venedig (Strobel); in der Lombardie (Villa) bei Gargnano, Gandino, Bergamo und Pavia (Strobel). In den Nachbarländern in Preussisch-Schlesien (Schilling); in Bayern bei Regensburg (Herrich-Schäffer); in der Schweiz (Stierlin); im Kirchenstaate bei Bologna (Bianconi), bei Imola (Pirazzoli); in Toskana (Pirazzoli); in Piemont (Losana)*).

---

*) Sehr verwandt scheint die *F. emarginata* Ltr. zu sein:

Formica emarginata Ltr. Ess. l' hist. Fourm. France pag. 43, Hist. nat. Fourm. pag. 163; Losana Form. Piem. pag. 319; Lepel. St. Farg. Hist. nat. Ins., Hym., tom 1, pag. 207.

Arbeiter (nach Ltr. und Lepel.): Leicht behaart, die Fühler kastanienbraun, der Schaft mehr röthlich; der Kopf gross, dreieckig, hinten etwas ausgerandet, glatt, kastanienbraun, um den Mund herum heller; Oberkiefer dreieckig gestreift und gezähnt. Der Thorax ziegelroth. Schuppe eirund, röthlich, aber in der Mitte etwas ausgerandet. Hinterleib kugelig, dunkel kastanienbraun. Beine röthlichbraun, Gelenke und Tarsen heller. Länge: 2 ½'''.

Weibchen. Farbe des Körpers und Form des Kopfes beiläufig wie beim ☿. Der Thorax glänzend, am Rücken kastanienbraun, an den Seiten und unten mehr hellröthlich. Schuppe gross, fast viereckig, röthlich, oben in der Mitte ausgerandet. Hinterleib breit, gross, kastanienbraun. Beine hellröthlich, Flügel weiss. Länge: 3 ½'''.

Männchen. Röthlichbraun, der Kopf dunkler, die Oberkiefer mehr röthlich, Fühler und Beine hellbraun. Schuppe klein, viereckig, ausgerandet. After röthlich. Flügel weiss. Länge: 2 /'''.

Latreille und Lepeletier führen an, dass diese Art in Mauerspalten und alten Bäumen wohnt, sich gerne bei den Wohnungen der Menschen aufhält, wo sie in die Schränke dringt, Früchte, Zuckerwerk und anderen

22. *Formica aliena* Först.

Operaria: *Obscure fusca, mandibulae rufescentes, antennae ac pedes pallescentes, thorax saepe testaceo-fuscus; sulcus frontalis brevis, antennarum scapi tibiaeque absque pilis abstantibus. Long.*: 2 — 3½mm.

Femina: *Obscure fusca, mandibulae, antennae ac pedes pallide rufescentes; caput thorace angustius; antennarum scapi ac tibiae absque pilis abstantibus; alae hyalinae. Long.*: 7 — 9mm.

Mas: *Fusco-niger, antennarum flagella, articulationes pedum ac tarsi, saepe etiam margines segmentorum thoracis testacea; sulcus frontalis distinctus; frons nitida; antennarum scapi tibiaeque absque pilis abstantibus; alae hyalinae. Long*: 3½ — 4mm.

Formica aliena Först. Hym. Stud. 1. Heft pag. 36; Schenck Beschr. nass. Ameis. pag. 51.

Arbeiter. Dunkelbraun, die Oberkiefer röthlich, die Fühler und die Beine röthlichgelb, die Geisselglieder mehr weniger braun geringelt, der Thorax oft hellbraun. Der ganze Körper ist so wie bei den zwei vorigen Arten behaart, doch mit dem Unterschiede, dass bei dem Fühlerschafte und den Schienen die abstehenden Borstenhaare fehlen. Die Grösse ist durchschnittlich eine geringere als bei *Form. nigra*. Die Stirnrinne ist nur unmittelbar hinter dem Stirnfelde deutlich, gegen das vordere Punctauge zu wird sie undeutlich.

Weibchen, Dieses unterscheidet sich von dem ♀ der *F. nigra* bloss durch die Schienen und den Fühlerschaft, welche wie beim ☿ keine abstehenden Borstenhaare haben; nur selten findet man einzelne Borstenhaare, wodurch man leicht in Zweifel geräth, welche Art man vor sich habe. Professor Schenck gibt den Hinterleib heller als bei *F. nigra* an, was wohl in vielen Fällen sich als richtig erweist, aber nicht durchgängig der Fall ist; weiters sagt er, dass die Discoidalzelle grösser sei, gegen welche Angabe ich nach Untersuchung einer grossen Anzahl erwähnen muss, dass ich sehr häufig eine kleinere geschlossene Discoidalzelle als bei der *Form. nigra* fand.

---

anfällt, ohne Fleisch oder andere nicht gezuckerte Vorräthe zu berühren; dass sie moschusartig riecht und zu Ende August schwärmt.

Nach Losana lebt diese Art in Piemont, doch ist es sehr wahrscheinlich, dass er irgend eine der in dieser Abhandlung beschriebenen Arten als *F. emarginata* beschrieb.

Dr. Nylander spricht in seinen Adn. Mon. Form. bor. Eur. pag. 911 die Meinung aus, dass diese Art seiner *F. exsecta* ähnlich sei, sich aber wesentlich von ihr unterscheide. Ich habe unterdessen diese Art in die Rotte *nigra* gestellt, weil ich glaube, dass sie mit *F. brunnea* die meiste Aehnlichkeit habe, und werde mich bemühen, seiner Zeit darüber eine Aufklärung geben zu können.

Diese Art legt so wie *F. nigra* ihre Colonien in der Erde, unter Steinen und anderswo an, liebt vorzüglich sonnige Hügel, und führt öfters fusshohe Hügel, aus Erde bestehend, auf; sie schwärmt so wie die Genannte im Hochsommer und das ♂ bildet nicht selten grosse wolkenartige Schwärme in den Lüften. In ihren Nestern findet sich ebenfalls, wie bei *F. nigra*, der *Claviger foveolatus* öfters vor. Professor Schenck fand auch ☿ und Puppen dieser Art in den Nestern der *F. sanguinea*.

In Böhmen bei Karlsbad (Milde); in Oesterreich sehr verbreitet; in Tirol bei Olang (Mayr), bei Bozen (Gredler), bei Meran (Mayr), bei Roveredo (Mayr, Zeni); in Steiermark bei Grosslobming (Miklitz); in Ungarn bei Pest (Kovats); in Krain bei Laibach und am Grosskahlenberge (Schmidt); in Dalmatien bei Zara (Frauenfeld); in Venetien auf der Insel Lido bei Venedig (Strobel); in der Lombardie bei Clusone (Strobel). In den Nachbarländern in der Provinz Preussen bei Königsberg (Sauter, Zaddach); in Rheinpreussen bei Aachen (Förster); in Nassau (Schenck); in Bayern bei Regensburg (Herrich-Schäffer); in der Schweiz bei Schaffhausen (Stierlin); im Kirchenstaate bei Bologna (Bianconi), bei Imola (Pirazzoli).

22. *Formica timida* Först. *)

Operaria: *Testaceo-rufa, capitis pars superior brunnea, abdomen obscure fuscum; sulcus frontalis longus; antennarum scapi tibiaeque absque pilis abstantibus. Long.*: 2½ — 4mm.

Femina: *Obscure fusca, mandibulae, antennae ac pedes pallide rufescentes; caput latitudine thoracis; antennarum scapi ac tibiae absque pilis abstantibus; alae a basi ad medium infuscatae. Long.*: 7—9mm.

Mas: *Fusco-niger, antennarum scapi ac pedes brunnei, antennarum flagella, articulationes pedum ac tarsi testacea; sulcus frontalis valde distinctus; oculi nudi; squama exsecta; antennarum scapi ac tibiae absque pilis abstantibus; alae a basi ad medium infuscatae: Long.*: 4—5mm.

Formica timida Först. Hym. Stud. 1. Heft pag. 35; Schenck Beschr. nass. Ameis. pag. 53.

Arbeiter. Röthlich braungelb, die Oberseite des Kopfes, mit Ausnahme der Fühler, gewöhnlich bräunlich oder röthlichbraun, der Hinterleib dunkelbraun. Der ganze Körper ist so wie bei *F. aliena* behaart.

Der Kopf ist so wie bei den vorigen Arten gebildet, zeichnet sich aber durch die wohl feine, aber deutlich ausgeprägte, vom Stirnfeld bis zum vorderen Punctauge reichende Stirnrinne aus.

---

*) Herr Jerdon hat in seiner Abhandlung „A. Catalogue of the Species of Ants in Southern India," welche in den Ann. and Magaz. of Nat. Hist. Nro. LXXIII. Jan. and Febr. 1854 enthalten ist ebenfalls eine *Form. timida* aufgestellt; da aber Herr Dr. Förster seine Art schon im Jahre 1850 beschrieb, so behält seine Art ihren Namen.

Der Thorax, die Schuppe und der Hinterleib sind so wie bei den vorigen Arten.

Weibchen. Dunkelbraun, die Oberkiefer gelbroth, die Fühler und Beine rothgelb. Der ganze Körper, besonders aber die Oberseite des Hinterleibes ist dicht mit gelblichen, anliegenden, kurzen Härchen bekleidet und dadurch stark schimmernd; überdiess ist er sehr sparsam mit abstehenden Borstenhaaren versehen; der Hinterrand aller Hinterleibssegmente trägt eine Borstenreihe; der Fühlerschaft und die Schienen haben keine abstehenden Borstenhaare.

Der Kopf ist so breit als der Thorax; im Uebrigen verhält er sich so wie bei den vorigen Arten. Die Augen sind kahl.

Der Thorax und der Hinterleib wie bei den vorigen Arten.

Die Schuppe ist viereckig, oben kaum ausgerandet.

Die Flügel sind von der Basis bis zum Randmal bräunlich getrübt.

Männchen. Braunschwarz, der Fühlerschaft und die Beine braun, der Zahn der Oberkiefer, die Fühlergeissel, der After, die Gelenke der Beine und die Tarsen bräunlichgelb. Der ganze Körper ist reichlich mit höchst feinen, anliegenden, kurzen Härchen, und sparsam mit abstehenden, langen Borstenhaaren bekleidet; der Fühlerschaft und die Schienen sind aber ohne abstehende Borstenhaare.

Die Oberkiefer sind fein längsgerunzelt, ziemlich breit, aber nur einzähnig. Die scharf ausgeprägte Stirnrinne erstreckt sich vom Stirnfeld bis zum vorderen Punctauge. Die Netzaugen sind kahl. Die übrigen Theile des Kopfes verhalten sich wie bei den vorigen Arten, ebenso der Thorax.

Die Schuppe ist viereckig, in der Mitte des oberen Randes winkelig eingeschnitten, an den Seiten mit aufwärts stehenden Borstenhaaren.

Der Hinterleib ist wie bei den vorigen Arten.

Das Männchen unterscheidet sich von dem der *F. nigra*, *brunnea*, *aliena* und *flava* leicht durch die bräunlichen Flügel, von *F. flava* überdiess durch die scharfe Stirnrinne; von den nachfolgenden Arten dieser Rotte durch die einzähnigen Oberkiefer.

Man findet diese nicht häufige Art vorzüglich unter der Rinde alter Bäume, und von Prof. S c h e n c k wurde sie einmal in einem Hause nistend gefunden; sie schwärmt im Juni und Juli. Ihr Betragen ist ein sehr auffallendes, indem sie, wenn ihr Gefahr droht, rasch einen Schlupfwinkel aufsucht, wie man es nicht so bald bei einer andern Art findet. Professor S c h e n c k fand bei dieser Art den *Batrisus formicarius*.

In Böhmen bei Teplitz (W a l t e r); in Oesterreich in Wien einmal in meinem Garten und im Prater an *Populus alba*, im Höllenthale und bei Dürrenstein (M a y r), bei Gresten (S c h l e i c h e r); in Krain bei Laibach (H a u f f e n, S c h m i d t); in Siebenbürgen (F u s s). In den Nachbarländern in Rheinpreussen bei Aachen (F ö r s t e r); in Lübeck (M i l d e); in Nassau

(Schenk); in der Schweiz (Stierlin); im Kirchenstaate bei Imola (Pirazzoli) *).

24. Formica flava Fabr.

Operaria: *Flava, rare caput atque abdomen brunneo-flava; thoracis pars superior pilis longis copiosis; squama parva, supra paululum latior, parum aut non exsecta; tibiae absque pilis abstantibus. Long.: 2 — 4mm.*

Femina. *Fusca, pars superior capitis et thoracis obscurior, mandibulae, antennae, genae, pars inferior abdominis ac pedes rufo-testacei; caput thorace angustius; antennarum scapi tibiaeque absque pilis abstantibus; alae basin versus parum infuscatae. Long.: 7 — 9mm.*

Mas. *Fusco-niger, antennarum flagella, genitalia, articulationes pedum atque tarsi testacea; mandibulae 1 — 2 dentatae; sulcus frontalis fere indistinctus; oculi pilosi; alae hyalinae, saepe basin versus parum infuscatae. Long.: 3 — 4mm.*

Formica flava Fabr. Ent. Syst. tom. 2. pag. 357; Ltr. Ess. l'hist. nat. Fourm. pag. 41, Hist nat. Fourm. pag. 166; Losana Form. Piem. pag. 321; Lepel. St. Farg. Hist. nat. Ins., Hym., tom. 1. pag. 208; Nyl. Adn. Mon. Form. bor. Eur. pag. 922; Först. Hym. Stud. 1. Heft pag. 38; Schenck Beschr. nass. Ameis. pag. 56; Smith Ess. Gen. and Spec. Brit. Form. pag. 108.

Arbeiter. Gelb, die Oberkiefer rothgelb, öfters das Ende der Fühlergeissel und manchmal auch der Kopf und der Hinterleib bräunlichgelb. Der ganze Körper, besonders aber der Hinterleib, ist dicht mit anliegenden, feinen Härchen und überdiess mit langen, abstehenden Borstenhaaren mässig besetzt.

Die Oberkiefer sind längsgerunzelt und vielzähnig. Der Clypeus und das Stirnfeld sind etwas glänzend und sehr fein gerunzelt, ebenso die übrigen

---

*) Hierher gehört auch:

Formica pallescens Schenck Beschr. nass. Ameis. pag. 55.

Weibchen (nach Schenck). 8mm. Kopf, Thorax, Stielchen, Schuppe Fühler, Oberkiefer und Beine blassgelb, Zähne der Oberkiefer braun, Hinterleib braun. Die Netzaugen ohne Borstenhaare. Flügel wasserhell, mit blassgelblichen Rippen und farblosem Randmahle. Fühlerschaft und Schienen dicht mit abstehenden Borsten besetzt; Brust und Hinterleib sparsam mit feinen, langen Borstenhaaren.

Männchen (nach Schenck). 4½mm. Kopf braun, Kiefer bräunlich; Thorax gelblich, schmutziger als beim ♀, Mesonotum mit drei braunen Längsstreifen, Schildchen und Hinterleib des Mesonotums bräunlich. Flügel ganz wasserhell, mit kaum merklichen Rippen. Netzaugen wie beim ♀.

Professor Schenck fand diese Art an einem Baume bei Dillenburg in Nassau; ich erhielt sie einmal vom königl. Museum zu Turin zur Determination mit der Vaterlandsangabe: Sardinien.

Kopftheile. Der Fühlerschaft ist wohl dicht mit sehr wenig abstehenden Härchen besetzt, entbehrt aber der Borstenhaare.

Der Thorax glänzt wenig, bloss die abschüssige Fläche des Metanotums ist glänzend, an dem Seitenrande desselben sind keine Borstenhaare eingepflanzt.

Die Schuppe ist klein, oben etwas breiter als unten, abgerundet oder nur selten etwas ausgerandet.

Der schimmernde Hinterleib ist gleichmässig mit Borstenhaaren besetzt.

Die Schienen haben keine abstehenden, langen Borstenhaare.

Der Arbeiter dieser Art unterscheidet sich von *F. mixta* und *F. umbrata* leicht durch die Behaarung, von *F. affinis* durch die Schuppe.

Weibchen. Braun, die Oberseite des Kopfes und des Thorax dunkler, die Oberkiefer, die Fühler, die Wangen, die Unterseite des Hinterleibes und die Beine röthlichgelb. Der ganze Körper ist reichlich mit höchst feinen, kurzen Härchen und mässig mit langen, abstehenden Borstenhaaren besetzt.

Der sehr fein runzlig punctirte, stark schimmernde Kopf ist schmäler als der Thorax. Die Oberkiefer sind fein längsgerunzelt, grob punctirt, sieben- bis neunzähnig. Die Netzaugen sind behaart. Der Fühlerschaft hat keine abstehenden Borstenhaare. Im Uebrigen wie bei den vorigen Arten.

Der fein runzlig punctirte und so wie der Kopf schimmernde Thorax ist ebenso wie bei den vorigen Arten gebildet.

Die Schuppe ist oben breiter als unten und in der Mitte des oberen Randes stark stumpfwinklig ausgeschnitten.

Der Hinterleib ist so wie bei den vorigen Arten lang und breit, viel grösser als der Thorax.

Die Beine haben keine abstehenden Borstenhaare.

Die Flügel sind von der Basis bis zur Mitte bräunlich getrübt.

Das ♀ unterscheidet sich von den vorerwähnten Arten durch die Behaarung des Fühlerschaftes und der Schienen, durch die röthlichgelbe Unterseite des Hinterleibes und durch die getrübten Flügel; von *F. timida* insbesondere und von den folgenden Arten leicht durch den kleinen Kopf.

Männchen. Braunschwarz, die Fühlergeissel, die Genitalien, die Gelenke der Beine und die Tarsen bräunlichgelb. Die Behaarung ist wie bei den vorigen Arten, nur der Fühlerschaft und die Schienen haben keine abstehenden Borstenhaare.

Die Oberkiefer sind ein-, selten undeutlich zweizähnig. Die Stirnrinne ist fast gar nicht ausgeprägt. Die Stirn hat oft einen Quereindruck. Die Netzaugen sind mit kurzen Börstchen versehen. Die übrigen Kopftheile der Thorax, die Schuppe, der Hinterleib und die Beine wie bei den vorigen Arten.

Die Flügel sind bloss an der Basis schwach bräunlich getrübt, oder ganz wasserhell.

Das ♂ dieser Art unterscheidet sich von allen ♂ dieser Rotte leicht durch die sehr undeutliche Stirnrinne und durch die fast wasserhellen Flügel.

Diese sehr häufige Art findet sich weniger gemein in hohen Gebirgen als hauptsächlich in Ebenen und Thälern auf sonnigen Wiesen, am Fusse alter Bäume u. s. w. entweder unter Steinen oder in unbedeckten Bauten, welche bloss aus Erde bestehen und oft eine nicht geringe Grösse haben. In ihren Nestern findet man häufig den *Claviger foveolatus* und andere Insecten. Sie schwärmt im Hochsommer und im Herbste. Es würde zu weit führen, die bisher bekannten Standorte anzuführen, da es ja auch wegen der allgemeinen Verbeitung in Europa kein Interesse hätte, sondern ich verweise bloss auf den allgemeinen Theil.

25. *Formica umbrata* Nyl.

***Operaria*:** *Flava, thoracis atque abdominis pars superior pilis longis copiosis; tibiae pilis abstantibus. Long.: 4 — 4½mm.*

***Femina*.** *Luteo-fusca, partes oris, antennae atque pedes testacei; caput thorace latius pars superior thoracis; abdomen ac tibiae pilis copiosis; squama saepe paululum execta; alae a basi ad medium infuscatae. Long : 7 — 8mm.*

***Mas*.** *Fusco-niger, mandibulae margine interno, antennarum flagella, genitalia, articulationes pedum, tibiae ac tarsi testacea; mandibulae 5 dentatae; sulcus frontalis distinctus; oculi pilosi; alae a basi ad medium infuscatae. Long.: 3½ — 4½mm.*

Formica umbrata Nyl. Add Adn. Form. bor. Eur. pag. 1048; Schenck Beschr. nass. Ameis. pag. 59; Smith Ess. Gen. and Spec. Brit. Form. pag. 106.

Formica mixta Förs t. Hym. Stud. 1. Heft pag 41 und 72 *).

Arbeiter: Die Färbung und bei anliegende Behaarung ist wie bei *F. flava*; der ganze Körper ist überdiess reichlich mit abstehenden Borstenhaaren besetzt; auch der Fühlerschaft, die Augen, die Seiten der abschüssigen Flächen des Mesonotums und die Schienen sind fein beborstet.

Der ganze Körper ist so wie bei *F. flava* gebildet, mit Ausnahme der Schuppe, welche höher, oben schmäler als unten, und entweder abgerundet oder schwach ausgerandet ist.

Der ☿ dieser Art unterscheidet sich von den verwandten Arten leicht durch die Behaarung insbesondere der Schienen.

Weibchen. Gelblich-rothbraun, selten röthlich dunkelbraun, die Wangen, die Fühler, das Stielchen mit der unteren Hälfte der Schuppe, oft auch der Clypeus und die Basis des Hinterleibes mehr weniger bräunlichgelb;

---

*) Sowohl durch die Beschreibung als auch durch mir gesandte Original-Exemplare hat es sich gezeigt, dass Dr. Förster unter *F. mixta* die Nylander'sche *F. umbrata* versteht; doch zu welcher Art ich seine *F. umbrata* rechnen soll, kann ich weder aus der Beschreibung, noch aus dem mir gesandten, leider nicht im besten Zustande sich befindenden ♂ dieser Art ermitteln.

sehr selten sind bei den dunkelsten Individuen die Fühler und Beine braun. Der ganze Körper ist dicht mit anliegenden, feinen Härchen und mit abstehenden, langen Borstenhaaren (welche letztere kürzer als bei *F. flava* sind) bekleidet *)

Der Kopf ist breiter als der Thorax, hinten halbmondförmig ausgerandet, sehr fein punctirt-gerunzelt. Die Oberkiefer sind grobgerunzelt, längsgetreift und sieben- bis achtzähnig. Der Clypeus ist ungekielt. Die Stirnrinne ist deutlich. Der Schaft der zwölfgliedrigen Fühler ist mit abstehenden Borstenhaaren dicht bekleidet und überragt etwas den Hinterrand des Kopfes. Die Netzaugen sind behaart. Im Uebrigen wie bei den vorigen Arten, ebenso der Thorax.

Die Schuppe ist viereckig mit parallelen Seitenrändern, oben gar nicht oder schwach bogenförmig, oder seicht winkelig ausgerandet.

Der Hinterleib unterscheidet sich in der Form von dem der vorigen Arten. Er ist kleiner, schmäler, mehr cylindrisch, etwa so lang oder wenig länger als der Thorax.

Die Beine sind mit feinen, abstehenden langen Börstchen versehen.

Die Flügel sind von der Basis bis zur Mitte bräunlich getrübt, kleiner und schmäler als bei den vorigen Arten.

Das ♀ dieser Art so wie der folgenden Arten unterscheidet sich von den vorher beschriebenen durch den breiten Kopf und den anders geformten Hinterleib, von den folgenden durch die Behaarung und durch die Schuppe.

Männchen. Braunschwarz, der Innenrand der Oberkiefer (selten die ganzen Oberkiefer), die Fühlergeissel (oft auch der Schaft), der After, die Gelenke der Beine und die Tarsen gelb oder bräunlichgelb; die Schenkel dunkel- oder gelbbraun. Die Behaarung ist wie bei den vorigen Arten.

Die Oberkiefer haben vorne einen grossen, nach rückwäts vier undeutliche, kleine Zähne. Der Clypeus hat meist einen Quereindruck. Die Stirnrinne ist scharf ausgeprägt. Die Netzaugen sind behaart.

Die Flügel sind bis zur Mitte bräunlich getrübt.

Im Uebrigen wie bei den vorigen Arten.

Das ♂ dieser Art ist am schwierigsten von dem der *F. affinis* und zwar durch die Farbe der Oberkiefer, welche wohl ein nicht sehr verlässliches Merkmal ist, unterschieden.

Diese Art findet sich ziemlich selten in der Erde unter Steinen oder auch ohne Bedeckung auf Wiesen, am Fusse alter Bäume, auf mit Gras bewachsenen Mauern, an sonnigen, trockenen Bergwiesen u. s. w. Von Herrn Miklitz wurde sie in dessen Wohnung unter Brettern gefunden. Sie schwärmt im Hochsommer.

---

*) Professor Schenck gibt den Kopf und den Thorax fast kahl an, bei welcher Angabe wohl eine Irrung vorgekommen ist, indem die ☿ dieser Art, welche er mir sandte, so wie auch alle jene, welche ich untersuchte, einen reichlich beborsteten Kopf und Thorax hatten.

In Oesterreich in Wien im Prater und bei Wien in der Nähe von Hütteldorf (Mayr), am Sandl bei Dürrenstein (Kerner); in Tirol am Berge Tschaffon bei Tiers zwischen 3 — 4000 Fuss über dem Meere (Gredler), bei Lavis (Strobel); in Kärnthen bei Döllach (Mayr); in Steiermark bei Grosslobming (Miklitz); in Krain (Schmidt); in der Lombardie bei Pavia (Strobel). In den Nachbarländern in der Provinz Preussen bei Königsberg (Sauter, Zaddach), in Rheinpreussen (Förster), in Lübeck (Milde), in Nassau (Schenck), in Bayern bei Schwabhausen (Walser), in Piemont (Mayr), auf der Insel Sardinien (Mayr).

26. *Formica mixta* Nyl.

Operaria: *Flava, pars superior thoracis atque abdominis pilis brevibus, sparsis; squama parva, saepe emarginata. Long.:* 3½ — 4mm.

Femina. *Luteo-fusca, partes oris, antennae, pars inferior capitis atque thoracis et pedes rufo-testacei; caput thorace paululum latius; pars superior abdominis pilis brevibus, sparsis; thorax tibiaeque fere nudae; squama non vel paululum exsecta; alae a basi ad medium infuscatae. Long.:* 7 — 8mm.

Mas. *Nigro-fuscus, mandibulae margine interno, antennarum flagella apice, genitalia, articulationes pedum ac tarsi testacea; mandibulae 5 dentatae, oculi fere nudi, alae a basi ad medium infuscatae. Long.:* 4½mm.

Formica mixta Nyl. Add. adn. mon. Form. bor. Eur. pag. 1050, Schenck Beschr. nass. Ameis. pag. 64.

Arbeiter: Die Farbe und anliegende Behaarung ist wie bei der vorigen Art. Kopf, Thorax und Hinterleib, auch die Seiten des Metanotum und die Netzaugen sind sparsam mit kurzen, aufrechtstehenden Börstchen besetzt, die Schienen haben keine abstehenden Borstenhaare.

Kopf, Thorax und Hinterleib verhalten sich im Uebrigen wie bei der vorigen Art.

Die Schuppe ist etwas niedriger und unbedeutend breiter als bei *Form. umbrata* und oben meist etwas bogenförmig ausgerandet.

Weibchen. Gelblichrothbraun, die Theile um den Mund, die Unterseite des Kopfes und des Thorax, die abschüssige Fläche des Metanotum, der grösste Theil der Schuppe und die Beine röthlichgelb. Der ganze Körper ist wohl dicht mit anliegenden, kurzen Härchen besetzt, aber der Kopf und der Thorax ist nur mit wenigen, die Oberseite des Hinterleibes sparsam mit kurzen Börstchen besetzt. Der Fühlerschaft und die Schienen haben fast gar keine abstehenden Borstenhaare. In allen übrigen Charakteren stimmt es mit dem ♀ der *Form. umbrata* überein.

Männchen. Schwarzbraun, der innere Rand der Oberkiefer, die Spitze der Fühlergeissel, die Genitalien, die Gelenke der Beine und die Tarsen bräunlichgelb. Die Behaarung ist wie bei den vorigen Arten.

Die Oberkiefer haben vorne einen grossen und nach hinten vier kleine, undeutliche Zähne. Die Netzaugen sind fast kahl. Im Uebrigen wie bei der vorigen Art.

Diese seltene Art lebt in der Erde, wo sie ihre unterirdischen Minirungen sehr oft unter Steinen anlegt, oder auch findet man sie anderswo, z. B. hat Professor Fuss sie unter Moos, welches einen Moor bedeckte, nistend gefunden; sie schwärmt im Hochsommer.

In Oesterreich nächst Wien bei Atzgersdorf, bei Mödling (Mayr) und bei Purkersdorf (Frauenfeld), dann bei St. Anton (Erdinger), bei Gresten (Schleicher); in Tirol (Gredler); in Siebenbürgen bei Borszék (Fuss Beitr. z. Ins. F. Sieb. in den Verh. u. Mitth. d. sieb. V. für Naturw. Jahrg. 6. pag. 24). In den Nachbarländern in der Provinz Preussen bei Königsberg (Sauter, Zaddach); in Nassau bei Weilburg (Schenck).

27. *Formica affinis* Schenck.

Operaria: *Flava, pars superior thoracis atque abdominis pilis longis copiosis; squama sublimis, supra angustior et exsecta; tibiae absque pilis abstantibus. Long.:* 3⅓ — 4⅓mm.

Femina. *Obscure luteo-fusca, partes oris, antennae ac pedes testacei; caput thorace latius; pars superior thoracis et abdominis atque tibiae pilis copiosis longis; squama exsecta; alae a basi ad medium infuscatae. Long.:* 7 — 8mm.

Mas. *Fusco-niger, antennae ac pedes brunnei, mandibulae 5 dentatae, sulcus frontalis distinctus, oculi pilosi, alae a basi ad medium infuscatae. Long.:* 4 — 4½.

Formica affinis Schenck. Beschreib. nass. Am. pag. 62.

Arbeiter: Die Farbe und die anliegende Behaarung ist so wie bei *F. umbrata*, doch weicht die borstige Behaarung wesentlich von dieser ab. Der Kopf und der Thorax (auch die Seiten der abschüssigen Fläche des Metanotums) sind ziemlich reichlich, der Hinterleib aber ist noch dichter und gleichmässig mit langen Borstenhaaren bekleidet; die Schienen haben keine abstehenden Borstenhaare.

Der stark glänzende Clypeus hat einen feinen Kiel. Die Netzaugen sind behaart.

Die Schuppe ist hoch, schmal, unten breiter als oben, der obere Rand ist wenig winkelig eingeschnitten, die Seitenränder dicht beborstet. Im Uebrigen wie bei *F. umbrata*.

Weibchen. Dunkel gelblichbraun, die Umgebung des Mundes, die Fühler und die Beine bräunlichgelb. Die Behaarung wie bei *F. umbrata*, die Oberseite des Thorax reichlich, die des Hinterleibes etwas sparsamer mit langen, abstehenden Borstenhaaren besetzt; die Schienen entbehren der abstehenden Borstenhaare.

Der Kopf, Thorax und Hinterleib im Uebrigen wie bei *F. umbrata*. Die Schuppe ist viereckig, tiefwinkelig ausgeschnitten.

Männchen. Dieses unterscheidet sich durch gar keine sicheren Charaktere von dem ♂ der *F. umbrata*, in den meisten Fällen sind die Kiefer ganz schwarzbraun, während sie bei *F. umbrata* entweder ganz bräunlichgelb sind, oder wenigstens deren innerer Rand so gefärbt ist; manchmal ist aber auch bei *F. affinis* der innere Rand der Oberkiefer gelblich. Im Allgemeinen ist wohl die *F. affinis* dunkler gefärbt, und dann sind die Fühler meist ganz braun und nur selten ist die Spitze der Fühlergeissel bräunlichgelb, ebenso sind auch die Beine braun und gewöhnlich nur die Tarsen heller. Professor Schenck gibt den Hinterleib borstiger an, was ich nicht bestätigt fand

Diese seltene Art findet sich in der Erde unter Steinen, an Mauern u. s. w.; ich sah sie noch nie einen Hügel aufbauen. Professor Schenck fand ein Nest im September schwärmend, während ich ein solches im Juni fand.

In Böhmen bei Carlsbad (Milde); in Oesterreich in Wien in einem Glashause des k. k. botanischen Gartens (Mayr), bei Purkersdorf (Frauenfeld), bei Mautern (Mayr), bei Gresten (Schleicher); in Krain am Grosskahlenberge (Schmidt); im Küstenlande bei Martinischka und bei Fiume (Mann). In den Nachbarländern in Nassau bei Wiesbaden und bei Weilburg (Schenck); im Kirchenstaate bei Imola (Pirazzoli) *).

---

*) Dieser Art zunächst steht eine bisher nur in Nassau aufgefundene Art:

Formica incisa Schenck.

Operaria: *Flava, thorax copiose, abdomen sparse pilosa; squama sublimis, supra angustior et fortiter exsecta; tibiae absque pilis abstantibus. Long.:* 4 ¼mm.

Formica incisa Schenck Beschr. nass. Ameis. pag. 63.

Diese Art unterscheidet sich von der *F. affinis* durch die tiefwinkelig eingeschnittene, an den Seitenrändern sehr zerstreut beborstete Schuppe und durch den Hinterleib, welcher am Hinterrande aller Segmente wohl eine Borstenreihe trägt, sonst aber nur mit zerstreuten Borstenhaaren besetzt ist.

Diese Art wurde bisher bloss einmal von Professor Schenck bei Weilburg in Nassau unter dem Moose an einer Buche gefunden, und er meint, dass sie zu der nachfolgend beschriebenen *F. bicornis* Först. etwa gehöre.

Formica bicornis Först.

Femina. *Fusca, pilosula, cinereo-micans; mandibulae, antennae, anus ac pedes rufo-testacei; caput thorace latius, postice late emarginatum; palpi brevissimi; mandibulae nitidae, sparse punctatae; clypeus nitidissimus, non carinatus; squama valde sublimis, supra circulatim exsecta; antennarum scapi, femora atque tibiae absque pilis abstantibus; alae fuscescentes. Long.:* 5mm.

Formica bicornis Förat. Hym. Stud. 1. Heft pag. 41.

Fabricius beschreibt in dem „Systema Piezatorum" eine *Formica truncorum* F., von welcher ich nicht anzugeben im Stande bin, welche Art Fabricius darunter gemeint habe, so wie es mir überhaupt zweifelhaft

---

Weibchen. Braun (Kopf und Oberseite des Thorax dunkler, Hinterleib heller), die Oberkiefer, mit Ausnahme der schwärzlichen Zähne, der vordere Rand des Clypeus, die Fühler, der After und die Beine röthlichgelb. Der ganze Körper ist sehr dicht mit höchst feinen, weisslichen, anliegenden Härchen bekleidet und dadurch stark graulich schimmernd, überdiess ist der Kopf, Thorax und Hinterleib reichlich mit sehr langen, aufrechtstehenden Borstenhaaren besetzt.

Der Kopf ist ohne Oberkiefer, viereckig, breiter als der Thorax, hinten ziemlich stark ausgebuchtet. Die Unterkiefertaster sind sehr kurz. Die Oberkiefer sind glatt, sparsam grobpunctirt, der Clypeus ist wenig gewölbt, ungekielt, und so wie der ganze Kopf sehr fein punctirt. Das Stirnfeld ist nicht scharf abgegränzt; von diesem bis zum vorderen Punctauge zieht sich die feine Stirnrinne. Der Schaft der zwölfgliedrigen Fühler hat keine abstehenden Borstenhaare und reicht bis zum Hinterrande des Kopfes; das erste Glied der Geissel ist ein einhalbmal, das letzte Glied doppelt so lang als die übrigen Glieder. Die Netzaugen sind behaart.

Der Thorax ist sehr fein punctirt und ausserdem mit eben so vielen groben Puncten versehen, als er Borstenhaare trägt. Die Scheibe des Mesonotums ist sehr flach.

Die Schuppe ist fast so hoch als das Metanotum, schmal, am Grunde mässig dick, nach oben zugeschärft, oben tief kreisförmig ausgeschnitten (wie bei keiner mir bekannten Ameise), wodurch zwei seitliche nach innen gebogene Hörner entstehen.

Der Hinterleib ist rundlich-eiförmig, so lang als der Thorax.

Die Beine haben keine abstehenden Borstenhaare

Die Vorderflügel sind bräunlich getrübt und werden gegen das Ende heller, ihre Länge ist 7mm.

Es wurde bisher bloss ein ♀ dieser Art von Dr. Förster bei Aachen in Rheinpreussen gefangen, welches mir vom Autor nebst anderen Arten freundschaftlichst zur Ansicht gesandt wurde.

Die drei nachfolgend beschriebenen Arten sind den jetzigen Myrmecologen noch nicht durch Autopsie bekannt geworden, ich führe sie hier aber an, weil sie in den Nachbarländern vorkommend von den betreffenden Autoren angeführt wurden.

Formica didyma Fabr.

Fabricius beschreibt diese Art in dem Systema Piezatorum pag. 398 auf folgende Weise: „Nigra, abdomine cinerescente; squama petiolari late emarginata." Er gibt an, dass sie in Italien vorkomme. Welche Art Fabricius darunter verstanden hat, weiss ich nicht. Latreille beschreibt sie in der Hist. nat. Fourm. pag. 278 auf folgende Art: „Elle a le facies de la fourmi fauve. La tête est noire, avec les antennes d'un brun foncé. Le corcelet est renflé, noir, sans taches. L'abdomen est ovale, avec un duvet cendré, luisant. L'écaille est ovale, didyme, ou plutôt largement échancrée. Les pieds sont noirs, avec les jambes d'un brun foncé." Es wäre noch am ehesten möglich, dass Fabricius die *Formica gagates* darunter verstanden hat.

ist, zu welcher Gattung sie zu stellen sei Fabricius sagt Folgendes von dieser Art:

„*Formica truncorum, ferruginea, abdomine ovato nigro, segmento primo ferrugineo. Habitat in truncis emortuis Moraviae. Omnino distincta a F. viatica* (sieh *Monocombus viaticus*), *magis affinis F. testaceae* (sieh *Polyergus*). *Antennae ferrugineae, articulo primo nigro. Mandibulae hujus generis fornicatae, extrorsum crassiores. Caput et thorax ferruginea, immaculata. Squama petiolaris elevata, rotundata, integra. Abdomen ovatum, nigrum, segmento primo ferrugineo. Pedes rufi. Alae obscurae.*“

Formica coerulescens Losana.

Losana sagt in den Form. Piem. pag. 314 von dieser Art, von welcher er bloss den Arbeiter beschreibt, Folgendes: „Nigricante-brunneo-coerulescens, mandibulis antennarumque primo articulo dilutioribus: squama subquadrata, emarginata; femoribus tibiisque brunneis, geniculis dilutioribus, tarsis pallide-rubescentibus. Long.: 0m, 003.“

„Sembra questa una varietà della nigra, con cui in gran parte conviene; ma ne differisce pel capo cordiforme, pel torace più nerastro, per la squama subquadrata, superiormente incavata, per l' abdome ovato, non che per il suo colore nerastro cerulescente incinerato, e per la sua brevità.“

„Essa abita ne'campi di preferenza, mentre la nigra preferisce gli orti, essa processionaria, si scava de' cunicoli superficiali nella terra per communicare colle varie sue caverne per mezzo di moltiplici buchi concentrici, e formati lunghesso i suoi cunicoli.“

Formica merula Losana.

Losana sagt von dem ☿ in den Form. Piem. pag. 313 Folgendes: „Castaneo-nigricans, oblonga, nitida, mandibulis flavo-fulvescentibus, squama brevissima, quadrilonga. Long.: 0m, 006.“

„Avendo questa formica il torace piùttosto ristretto, e lungo quanto il capo e l'abdome insieme, appare allungata; è di colore castagno intenso, lucentissima, glabra; il capo è quadrilungo, convesso, posteriormente attenuato, le sue mandibole trigone, striate, internamente rette essendo d'un color giallo, un po' rosseggiante nel capo nerastro-lucido rendonsi tosto sensibili; le antenne presso al labbro brevissimo, longitudinalmente solcato; escono di color castagno più chiaro per finir subclavate flavido-pallido-fulvescenti cogli articoli brunastri; tra le antenne la fronte forma una cavità orbiculare; gli occhi sono piccoli, laterali e nerastri; il torace, più restretto del capo, è lungo, bilobo, col lobo anteriore più grande, subrotondo; la squama è piccolissima, quadrilunga; l' abdome suborbiculato è glabro concolorato; i piedi sono d' un color castagno un po' più chiaro, cogli articoli ed i tarsi flavido-pallidi-fulvescenti.“

„Essa abita nelle rive arboreggiate, d' onde percorre specialmente i pioppi dagli afidi travagliati.“

2. *Tapinoma* Först.

Först. Hym. Stud. 1. Heft pag. 43.

Arbeiter. Die Oberkiefer sind breit, am Innenrande mit scharfen Zähnen bewaffnet. Die sechsgliedrigen Maxillartaster und die viergliedrigen Lippentaster sind lang. Die Oberlippe ist in der Mitte des unteren (eigentlich vorderen) freien Randes entweder tief ausgeschnitten (wie bei *Tap. nitens*) oder ausgebuchtet (wie bei *Tap. erraticum*). Die Fühler sind 11—12gliedrig. Die Stirnrinne und die Punctaugen fehlen. Das Stirnfeld ist nicht ausgeprägt oder (bei *Tap. nitens*) undeutlich abgegränzt. Die Netzaugen sind mässig gross und schwarz. Der unbewehrte Thorax ist schmäler als der Kopf, vorne mehr oder weniger halbkugelig, etwas hinter der Mitte zusammengeschnürt; die Basalfläche des Metanotums bildet mit der abschüssigen Fläche einen stumpfen Winkel. Die Schuppe des Stielchens ist stark nach vorne geneigt und bildet mit dem Stielchen einen Keil, dessen Basis an das Metanotum gränzt. Der fünfgliedrige Hinterleib bedeckt theilweise die Schuppe, hat zwischen seinem ersten und zweiten Segmente keine Einschnürung und enthält Giftdrüsen, aber keinen Stachel. Die Puppen sind meist in einen Cocon eingeschlossen.

Die **Weibchen** sind grösser als die ☿. Der Kopf mit den Mundtheilen und Fühlern ist wesentlich so wie beim ☿, doch hat er drei Punctaugen, welche beim ☿ fehlen. Der unbewehrte Thorax ist oben stark abgeflacht. Die Schuppe ist so wie beim ☿. Der Hinterleib ist ziemlich gross, flach, sonst so wie beim ☿. Die Flügel haben entweder eine oder keine geschlossene Discoidalzelle; die *Costa transversa* verbindet sich mit dem Stamme der *C. cubitalis* an der Theilungsstelle, so wie bei der vorigen Gattung.

Die **Männchen** sind schmächtiger gebaut als die ♀. Die Mundtheile verhalten sich im Wesentlichen so wie beim ☿ und ♀. Die Stirnrinne ist vorhanden; die Punct- und Netzaugen sind gross. Die Schuppe ist dick, stark nach vorne geneigt, und verschmilzt theilweise mit dem Stielchen. Der sechsgliedrige Hinterleib ist wenig länger als der Thorax. Die äusseren Genitalien sind stark vorragend. Die Rippenvertheilung der Flügel verhält sich so wie beim ♀.

Arbeiter.

A. Länge des Körpers: $2^{1}/_{2}$ — $3^{1}/_{2}$mm. Wenig glänzend; Hauptfarbe schwarz, Oberseite des Körpers ohne Borstenhaare, doch mit feiner, anliegender Behaarung; Fühler zwölfgliedrig.

T. erraticum.

B. Länge des Körpers: $1^{1}/_{2}$ — $2^{1}/_{2}$mm. Glänzend; Hauptfarbe braun, Oberseite des Hinterleibes sparsam beborstet; Fühler eilfgliedrig.

T. pygmaeum.

C. Länge des Körpers: 3 — 3½mm. Sehr stark glänzend; Hauptfarbe braun; Oberseite des Körpers sehr lang und reichlich behaart; ohne anliegende kurze Behaarung; Fühler zwölfgliedrig.

T. nitens.

Weibchen.

A. Länge des Körpers: 4½ — 5mm. Wenig glänzend, Hauptfarbe braunschwarz; die schwarzbraunen Fühler zwölfgliedrig; Hinterleib nur wenig länger als der Thorax.

T. erraticum.

B. Länge des Körpers: 3 — 4mm. Ziemlich stark glänzend; Hauptfarbe braun; die grösstentheils bräunlichgelben Fühler sind eilfgliedrig; Hinterleib bedeutend länger als der Thorax.

T. pygmaeum.

Männchen.

A. Länge des Körpers: 4 — 5mm.

T. erraticum.

B. Länge des Körpers: 1½ — 2mm.

T. pygmaeum.

1. Tapinoma erraticum Ltr.

Operaria: *Nigra, purum cinereo-micans; mandibulae, antennae ac pedes nigro-fusci, articulationes pedum tarsique pallescentes; antennae 12 articulatae; corporis pars superior absque pilis abstantibus. Long.:* 2½ — 3½mm.

Femina: *Fusco-nigra, cinereo-micans, articulationes pedum atque tarsi rufotestacei; antennae 12 articulatae; dorsum abdominis, thorace paululum longioris, fere absque pilis abstantibus. Long.:* 4½— 5mm.

Mas: *Fusco-niger, cinereo-micans, fere absque pilis abstantibus; articulationes pedum ac tarsi, saepe etiam tibiae testacei; antennae 13 articulatae. Long.:* 4—5mm.

Tapinoma erratica Smith Ess. Gen. and Spec. Brit. Form. pag 111.
Tapinoma collina Först. Hym. Stud. 1. Heft pag. 43; Schenck Beschr. nass. Ameis. pag. 67.
Formica erratica Ltr. Ess. l'hist. Fourm. France pag. 24, Hist. nat. Fourm. pag. 182.
Formica glabrella Nyl. Add. alt. pag. 38.

Arbeiter. Schwarz, die Oberkiefer, Fühler und Beine dunkelbraun, die Hüften, Knie und Tarsen gelblich. Der ganze Körper ist fast nur mit sehr feinen, kurzen, anliegenden Härchen mässig besetzt und trägt fast keine Borstenhaare.

Der Kopf ist dreieckig, mit zwei hinteren stumpfen und einem vorderen spitzen Winkel, breiter als der Thorax, hinten etwas ausgebuchtet. Die feinpunctirten Oberkiefer haben vorne 6—7 grössere, hinten noch einige kleinere Zähne. Der Clypeus ist sehr fein punctirtgerunzelt, ungekielt, in der Mitte des Vorderrandes halbkreisförmig ausgeschnitten, der Hinterrand ist nur durch eine sehr seichte bogenförmige Linie angedeutet. Der Schaft der zwölfgliedrigen Fühler überragt den Hinterrand des Kopfes; die Geissel wird gegen das Ende dicker. Die übrigen Kopftheile sind sehr fein punctirt gerunzelt.

Der Thorax, die Schuppe und der ovale Hinterleib sind sehr fein punctirt gerunzelt.

Weibchen. Braunschwarz, die Gelenke der Beine und die Tarsen, manchmal auch die Schienen und die Fühlergeissel rothgelb. Der ganze Körper ist so wie beim ☿ mit höchst feinen, anliegenden, kurzen Härchen reichlich besetzt, und fast nur die Unterseite des Hinterleibes ist mit abstehenden, langen Borstenhaaren versehen.

Der Kopf ist so breit als der Thorax und verhält sich in seinen Theilen so wie beim Arbeiter.

Der Thorax ist so wie der Hinterleib lederig fein gerunzelt, der letztere wohl breiter als der Thorax aber wenig länger.

Die Flügel sind nur sehr schwach bräunlich getrübt und haben meist eine geschlossene Discoidalzelle.

Männchen. Braunschwarz, die Gelenke der Beine und die Tarsen, oft auch die Schienen bräunlichgelb. Der ganze Körper ist reichlich mit sehr feinen, kurzen, anliegenden Härchen besetzt; überdiess sind bloss die Oberkiefer, das letzte Hinterleibssegment und theilweise die Unterseite des Hinterleibes ziemlich reichlich beborstet, die übrigen Theile tragen fast gar keine Borstenhaare.

Der Kopf ist dreieckig mit stark abgerundeten Hinterecken. Die Oberkiefer sind fein runzlig-punctirt, mit vielen kleinen Zähnchen am Innenrande versehen. Der Clypeus ist sehr stark gewölbt, ohne Mittelkiel, fein gerunzelt, in der Mitte des Vorderrandes halbkreisförmig ausgeschnitten, hinten scharf abgegränzt. Der Schaft der dreizehngliedrigen Fühler ist sehr lang und überragt bedeutend den Hinterrand des Kopfes; die Geissel ist ebenfalls sehr lang und fadenförmig.

Der Thorax, die Schuppe und der Hinterleib sind fein gerunzelt.

Die Flügel sind bräunlich getrübt und man findet öfter ♂ ohne geschlossener als mit geschlossener Discoidalzelle.

Diese Art, deren ☿ eine entfernte Aehnlichkeit mit dem der *Formica nigra* hat, findet sich nicht häufig in Erdbauten unter Steinen oder unbedeckt in Wiesen und anderswo.

In Oesterreich bei Wien am Laaerberg (Mayr), bei Purkersdorf (Frauenfeld), bei Dürrenstein, bei Mautern (Mayr), bei Gresten (Schleicher), bei Fahrafeld nächst Pottenstein und am Leithagebirge

(Mayr); in Tirol im Thale von Tiers (einem Seitenthale des Eisakthales, Gredler); bei Botzen (Gredler), bei Trient (Mayr), bei Roveredo (Zeni); in Ungarn am Blocksberge bei Ofen (Kovats); in Krain am Grosskahlenberge (Hauffen, Schmidt); im Küstenlande bei Triest (Frauenfeld), bei Draga und bei Fiume (Mann); in Dalmatien bei Zara (Frauenfeld); in Venetien auf der Insel Lido bei Venedig (Strobel); in der Lombardie bei Pavia (Strobel). In den Nachbarländern in der Provinz Preussen bei Königsberg (Zaddach); in Rheinpreussen (Förster); in Nassau (Schenck); in Baiern bei Regensburg (Herrich-Schäffer); im Kirchenstaate bei Imola (Pirazzoli); in Sardinien (Mayr).

2. *Tapynoma pygmaeum* Ltr.

Operaria: *Brunnea, nitida, mandibulae, antennarum scapus ac articulus primus funiculi, articulationes pedum, tibiae tarsique flavi; antennae* 11 *articulatae; abdominis dorsum sparse pilosum. Long.:* 1½—2½mm.

Femina: *Brunnea, nitida, mandibulae, antennarum scapus ac funiculi articulus primus, articulationes pedum, tibiae atque tarsi flava; antennae* 11 *articulatae; abdomen thorace longius. Long.:* 3—4mm.

Mas: *Brunneus, antennarum scapus, funiculus, articulus primus ac pedes testacei; antennae* 12 *articulatae. Long.:* 1½—2mm.

Tapinoma pygmaea Schenck Beschr. nass. Ameis. pag. 68.

Formica pygmaea Ltr. Ess. l'hist. Fourm. France pag. 45, Hist. nat. Fourm. pag. 183.

Arbeiter: Braun, glänzend, die Oberkiefer, der Fühlerschaft, das erste Glied der Fühlergeissel, die Gelenke der Beine, die Schienen und die Tarsen, manchmal auch die Schenkel gelb oder röthlichgelb. Der ganze Körper ist sparsam mit anliegenden feinen Härchen und der Hinterleib überdiess mit abstehenden langen Borstenhaaren versehen.

Der Kopf ist gross, viel breiter als der Thorax, dreieckig mit stark abgerundeten Hinterecken. Die Oberkiefer sind fast glatt mit wenigen Puncten, aus denen die Borstenhaare entspringen, am Innenrande mit einigen grossen Zähnen. Der Clypeus ist am Vorderrande nicht eingeschnitten und so wie die übrigen Kopftheile glatt mit zerstreuten Puncten, hinten bogenförmig abgegränzt. Der Schaft der eilfgliedrigen Fühler reicht bis zum Hinterrande des Kopfes und ist am Geisselende verdickt; die Geissel ist etwas länger als der Schaft, gegen die Spitze allmählig verdickt.

Der Thorax ist so wie der Hinterleib glatt mit zerstreuten Puncten.

Weibchen. Braun, glänzend, die Oberkiefer, der Fühlerschaft, das erste Glied der Fühlergeissel, die Gelenke der Beine, die Schienen und die Tarsen gelb. Der ganze Körper, besonders aber der Hinterleib reichlich mit gelblichen, anliegenden Härchen und nur sehr zerstreut mit langen, abstehenden Borstenhaaren versehen.

Der Kopf ist so breit als der Thorax, oder nur etwas breiter, rundlich, hinten gerade abgestutzt und etwas ausgebuchtet; dessen Theile verhalten sich so wie beim Arbeiter.

Der Thorax ist oben stark abgeflacht. Der Hinterleib ist bedeutend grösser als der Thorax, oben ziemlich flach.

Die Flügel sind schwach bräunlich getrübt und haben bloss eine offene Discoidalzelle.

Männchen. Braun, mehr schimmernd als glänzend, der Fühlerschaft, das erste Glied der Fühlergeissel und die Beine, öfters aber auch die ganze Fühlergeissel (mit Ausnahme eines braunen Ringes an allen Segmenten) und mehr oder weniger der Thorax bräunlichgelb. Der ganze Körper mässig mit kurzen, anliegenden Härchen und nur sehr zerstreut mit abstehenden langen Borstenhaaren versehen.

Der Kopf ist so breit als der Thorax, glatt und nur sparsam punctirt. Die Oberkiefer sind mit einigen Zähnen versehen. Der Schaft der zwölfgliedrigen Fühler überragt den Hinterrand des Kopfes; die Geissel ist länger als der Schaft, deren Endglied ist grösser als die übrigen Glieder.

Das Mesonotum ist oben stark abgeflacht, vorne im Vergleiche mit dem Pronotum stark gewölbt. Der ganze Thorax ist punctirt.

Der Hinterleib ist wenig breiter als der Thorax, hinten zugespitzt.

Die Flügel sind wasserhell und haben so wie beim ♀ keine geschlossene Discoidalzelle.

Diese niedliche Art findet sich auf sonnigen Wiesen, wo man sie nicht selten in den Blüthen, besonders der Compositen beobachten kann, an Mauern, am häufigsten aber unter Steinen, an sonnigen, dürren Bergabhängen. Sie schwärmt im Hochsommer.

In Oesterreich bei Wien am Leopoldsberge, auf der Türkenschanze, bei St. Marx, auf den Bergen um Mödling (Mayr), am Gaissberge (Rogenhofer), dann bei Dürrenstein (Mayr), im Alaunthale bei Krems (Kerner); in Tirol bei Castell bell im Vintschgau und bei Botzen (Gredler); bei Roveredo (Zeni), bei Riva am Gardasee (Mayr); in Ungarn bei Goyss am Neusiedlersee (Mayr), am Blocksberge bei Ofen (Kovats); in Krain bei Laibach und bei Seraunik unweit Dobrova (Schmidt); im Küstenlande bei Fiume und bei Martinischka (Mann); in Dalmatien bei Zara und Ragusa (Frauenfeld); in Venetien auf der Insel Lido (Mayr); in der Lombardie bei Pavia (Strobel). In den Nachbarländern in Nassau bei Weilburg (Schenck); in Bayern bei Regensburg (Herrich-Schäffer); im Kirchenstaate bei Bologna (Bianconi), bei Imola (Pirazzoli).

2. *Tapinoma nitens* Mayr.

Operaria: *Rufo-fusca, nitidissima, pilosa, mandibulae, capitis pars inferior atque thorax rufescentes, antennae pedesque flavae; antennae 12 articulatae. Long.:* 3—3½mm.

Tapinoma nitens Mayr. Einige neue Ameisen.

Arbeiter. Röthlichbraun, die Oberkiefer, die Unterseite des Kopfes und mehr oder weniger der Thorax braunroth (der Thorax meist mehr gelblichrothbraun); die Fühler und die Beine gelb, bloss das vordere Ende der Fühlergeisselglieder ist dunkelbraun. Der ganze Körper ist sehr stark glänzend, hat fast keine anliegende Behaarung und ist ziemlich reichlich mit sehr langen, abstehenden, gelben Borstenhaaren versehen, welche an den Fühlern und Beinen kürzer sind.

Der Kopf ist dreieckig, mit sehr stark abgerundeten Hinterecken (ohne Oberkiefer rundlich), hinten schwach ausgebuchtet, breiter als der Thorax. Die Oberkiefer sind fein längsgestreift und grob punctirt, mit fünf bis sechs Zähnen versehen, wovon der vorderste Zahn gross und spitzig ist. Der Clypeus ist glatt, gewölbt und gekielt. Das Stirnfeld ist undeutlich ausgeprägt und so wie die Stirn und der Scheitel glatt. Die Stirnlamellen sind sehr schmal. Der Schaft der zwölfgliedrigen Fühler überragt bedeutend den Hinterrand des Kopfes; die Geissel nimmt gegen das Ende an Dicke zu, deren Endglied ist so lang als die zwei vorletzten zusammen.

Der Thorax ist glatt.

Die Schuppe ist nicht so bedeutend von dem Hinterleibe bedeckt, wie bei den zwei vorigen Arten.

Der Hinterleib ist mehr oder weniger kugelig und hinten zugespitzt.

Diese schöne Art wurde bisher bloss in Siebenbürgen in Weingärten bei Grossscheuern nächst Hermannstadt, den Traubensaft leckend, (Fuss Beitr. z. Ins. F. Sieb.), dann im Schischkaer Walde bei Laibach in Krain (Hauffen, Schmidt) und in Dalmatien (Mus. Caes. Vienn.) gefunden.

3. *Hypoclinea* Först.

Förster in litt.

Arbeiter. Die Oberkiefer sind breit, am Innenrande gezähnt. Die sechsgliederigen Kiefer- und viergliederigen Lippentaster sind lang. Die Oberlippe ist in der Mitte des freien Unterrandes tief eingeschnitten. Die Fühler sind eilf- bis zwölfgliedrig. Es ist bloss ein Punctauge, oder es sind drei sehr kleine Punctaugen sichtbar. Das Stirnfeld und die Stirnrinne sind entweder gar nicht oder sehr undeutlich ausgeprägt. Die Netzaugen sind gross und schwarz. Das Pronotum ist, von oben gesehen, halbmondförmig mit ausgezogenen Spitzen. — Das Mesonotum ist schmäler und bei einer Art seitlich zusammengedrückt. Zwischen dem Meso- und Metanotum findet sich eine stärkere oder geringere Einschnürung. Der horizontale Basaltheil des Metanotums ist fast ebenso hoch oder höher als das Mesonotum, hinten beiderseits gezähnt; der abschüssige Theil steht senkrecht und ist ausgehöhlt. Die Schuppe des Stielchens ist stark nach vorne geneigt und bildet mit dem Stielchen einen Keil, dessen Basis an das Metanotum gränzt (ebenso wie bei *Tapinoma*). Der fünfgliedrige Hinterleib bedeckt die Schuppe nicht, hat zwichen dem ersten und zweiten Segment keine Einschnürung und enthält Giftdrüsen.

Die **Weibchen** dieser Gattung sind mir unbekannt.

Männchen (muthmasslich). Die Oberkiefer sind breit, am Innenrande mit sehr feinen Zähnchen besetzt. Die inneren Mundtheile sind im Wesentlichen wie beim ☿. Der Schaft der dreizehngliedrigen Fühler ist sehr kurz und reicht nicht bis zum Hinterrande des Kopfes; die Geissel ist dagegen lang. Das Stirnfeld und die Stirnrinne sind undeutlich. Die Punct- und Netzaugen sind gross. Der Thorax ist wohl schmal, aber vorne ziemlich hoch und nimmt nach hinten an Höhe ab Der Basal- und der abschüssige Theil bilden zusammen eine einzige gewölbte Fläche ohne Zähne. Das Stielchen ist knotenförmig verdickt und trägt keine Schuppe. Der Hinterleib ist sechsgliedrig, länglich-oval, zwischen dem ersten und zweiten Segmente nicht eingeschnürt. Die äusseren Genitalien sind ziemlich klein. An den Vorderflügeln verbindet sich die *Costa transversa* mit den zwei Aesten der Cubitalrippe, wodurch zwei geschlossene Cubitalzellen gebildet werden; überdiess findet sich auch eine geschlossene Discoidalzelle.

1. *Hypoclinea Frauenfeldi* Mayr (n. sp.).

Operaria: *Fusco-nigra, nitida, capitis pars inferior, antennae excepto apice scapi, thorax, pedum articulationes tarsique obscure testaceo-rufi; antennae* 11 *articulatae; caput laeve; squama bidentata. Long.:* $2\frac{1}{4}$ — 3^{mm}.

Arbeiter: Braun- oder pechschwarz, die Unterseite des Kopfes, die Fühler mit Ausnahme des Geisselendes des Schaftes, der Thorax, die Gelenke der Beine und die Tarsen bräunlich gelbroth, manchmal hat der Thorax am Pronotum und einem Theil des Mesonotums, so wie auch öfters am Metanotum dunkle Flecken. Der glänzende Körper ist fast unbehaart, bloss die Oberkiefer, die Fühler und die Beine sind reichlicher behaart.

Der Kopf ist breiter als der Thorax und fast eiförmig. Die Oberkiefer sind sehr seicht und weitläufig gerunzelt, und am Innenrande gezähnt. Der Clypeus ist gekielt, scheinbar glatt (bei stärkerer Vergrösserung seicht und weitläufig gerunzelt), hinter dem Vorderrande diesem entlang mit einer seichten Rinne. Die Stirnlamellen sind sehr schmal. Der Schaft der eilfgliederigen Fühler ist sehr lang, reicht, zurückgelegt, bis zum Vorderrande des Mesonotums und ist am Geisselende verdickt; die Geissel ist länger als der Schaft, fadenförmig, am Ende etwas dicker als am Grunde. Das Stirnfeld, die Stirn und der Scheitel sind scheinbar glatt, bei starker Vergrösserung aber erscheinen sie seicht und weitläufig gerunzelt. Die Stirnrinne ist sehr undeutlich ausgeprägt. Der Hinterkopf ist nicht ausgebuchtet.

Der Thorax ist fein gerunzelt, das Mesonotum ist seitlich zusammengedrückt, der Basaltheil des Metanotums ist höher als das Mesonotum und so gestellt, dass die zwei Zähne die Spitze des Metanotums bilden. Das Metanotum ist zwischen den Zähnen ausgehöhlt.

Die Schuppe ist hoch und dick, oben stark halbkreisförmig ausgeschnitten, wodurch beiderseits zwei sehr spitze, lange Zähne gebildet werden.

Der eiförmige Hinterleib ist sehr fein gerunzelt, breiter und fast so lang als der Thorax.

Die Beine sind lang.

Diese so zierliche und schlanke Art wurde bisher bloss bei Sign in Dalmatien von Herrn Frauenfeld gefunden.

9. *Hypoclinea quadripunctata* L.

Operaria: *Nigra, thorax et petiolus cum squama rufi, mandibulae, antennae, articulationes pedum, tibiae tarsique rufo-testacei; abdomen maculis quatuor lividis; antennae 12 articulatae; caput rugulosum et fortiter punctatum; squama crassa, non dentata. Long.: 3 — 4mm.*

Mas. *Niger, nitidus, mandibulae, antennarum scapus ac articulus primus funiculi, articulationes pedum, tibiae, tarsi atque genitalia rufo-testacea; antennae 13 articulatae, scapus brevissimus. Long : 4½mm.*

Hypoclinéa quadripunctata Först. in litteris.

Formica quadripunctata Linné. Mant. 1. 541; Fabr. Syst. ent. pag. 392; Ol. Enc. meth. Hist. nat. tom. 6. pag. 494; Ltr. Ess. l' hist. Fourm. France pag. 45, Hist. nat. Fourm. pag. 179; Losana Form. Piem. pag. 322.

Tapinoma quadripunctata Schenck. Beschr. nass. Ameis. pag. 129.

Arbeiter: Der Kopf ist schwarz, die Oberkiefer, die inneren Mundtheile und die Fühler mit Ausnahme des etwas dunkleren Geisselendes röthlich-braungelb; der Thorax und das Stielchen mit der Schuppe roth, sehr selten schwärzlichroth; der Hinterleib schwarz, an der vorderen Hälfte desselben mit vier schmutzig lichtgelben Makeln, welche nur selten undeutlich werden, oder gar nicht vorhanden sind. Der ganze Körper ist, mit Ausnahme der Oberkiefer, Fühlergeissel und Tarsen nur äusserst sparsam mit anliegenden, höchst feinen Härchen bekleidet.

Der Kopf ist breiter als der Thorax und eiförmig. Die Oberkiefer sind fein längsgerunzelt und am Innenrande mit kleinen Zähnchen besetzt. Der Clypeus ist gross, dreieckig, mit abgerundeter Hinterecke, ungekielt, ziemlich flach, fein gerunzelt und weitläufig grob punctirt, vorne in der Mitte eingedrückt. Die Stirnlamellen sind sehr schmal. Der Schaft der zwolfgliederigen Fühler reicht bis zum Hinterrande des Kopfes; die Geissel ist am Ende etwas dicker als am Grunde. Das Stirnfeld ist entweder gar nicht, oder bloss durch eine kleine quere Grube hinter dem Clypeus und vor der höchstens undeutlichen (oft aber gar nicht ausgeprägten) Stirnrinne angedeutet. Die Stirn, der Scheitel, die Wangen und die Unterseite des Kopfes sind fein gerunzelt und weitläufig grob punctirt. Es ist nur das mittlere Punctauge vorhanden.

Der Thorax ist so wie der Kopf gerunzelt und punctirt. Der Basaltheil des Metanotums ist so hoch als die vordere Hälfte des Mesonotums, etwas gewölbt und an den Seiten abgerundet, dessen Hinterrand ist zwischen den Zähnen kaum ausgebuchtet, hingegen ist der abschüssige Theil sehr stark ausgebuchtet.

Die Schuppe ist ebenso punctirt und gerunzelt wie der Kopf und der Thorax, sie ist oben etwas breiter als unten, fast viereckig, dick, oben in der Mitte etwas eingedrückt.

Der Hinterleib ist eiförmig, stark glänzend und höchst fein gerunzelt.

Die Beine sind nur mässig lang.

Weibchen (nach Latreille). Es ist dem ☿ sehr ähnlich. Der Kopf hat die Breite des Thorax, welch' letzterer eiförmig, hinten verlängert, abgestutzt und schwach zweizähnig ist; die vordere Hälfte (wahrscheinlich) des Mesonotums (la partie du dos venant après le premier segment) ist schwarz, weniger punctirt, die Mitte ist roth, so wie der übrige Theil des Thorax; das Schildchen ist theilweise schwarz. Der obere Rand der Schuppe ist schwärzlich. Die Flügel sind durchsichtig mit braungelblichem Randmahl. Länge des Körpers: 5mm.

Männchen (muthmasslich). Schwarz, die Oberkiefer, der Fühlerschaft, das erste Geisselglied, die Gelenke der Beine, die Schienen, die Tarsen und die äusseren Genitalien röthlich-braungelb. Der ganze Körper ist sparsam mit anliegenden, kurzen Härchen besetzt und fast nur die Oberkiefer und die Unterseite des Hinterleibes mit abstehenden langen Borstenhaaren versehen.

Der Kopf ist etwas breiter als der Thorax, die vordere Hälfte von der Spitze der Oberkiefer bis zu den Augen dreieckig, die hintere Hälfte ist abgerundet. Die Oberkiefer sind sehr breit, fein längsgerunzelt und grob punctirt, am Innenrande fein und gleichmässig gezähnt. Der Clypeus ist dicht längsgerunzelt, grob punctirt, ungekielt und hat vorne einen starken Quereindruck. Das Stirnfeld, die Stirn, der Scheitel, die Wangen und die Unterseite des Kopfes sind fein gerunzelt und weitläufig mit Puncten versehen, aus welchen wie beim ☿ die feinen, anliegenden Härchen entspringen. Der Schaft der dreizehngliedrigen Fühler ist sehr kurz, so lang als die zwei ersten Geisselglieder zusammen; die Geisselglieder sind ziemlich gleichlang, bloss das erste ist viel kürzer, das zweite und das letzte sind länger als die übrigen. Die grossen Punctaugen sind bei dem Exemplare, welches ich zur

Untersuchung vor mir habe, kirschroth. Die Netzaugen sind gross und stark vorragend.

Der Thorax ist seicht gerunzelt und weitläufig grob punctirt, bloss das Pronotum ist in der Mitte quer-, an den Seiten längsgerunzelt und das Metanotum ist nicht seicht-, sondern tief gerunzelt.

Das knotenförmige Stielchen ist fein gerunzelt.

Der glänzende Hinterleib ist sehr fein gerunzelt.

Die Flügel sind wasserhell, die Rippen und das Randmahl lichtbraun.

Ich glaube mich wohl nicht zu irren, wenn ich dieses ♂, welches ich am 25. Juli 1853 spät Abends, während es um eine Lampe herumflog, fing, zu dieser Gattung und Art gehörig rechne, indem einerseits Professor Herrich-Schäffer in seinem „Nomenclator entomologicus," 2. Heft, pag. 46 die Anzahl der Cubitalzellen bei *Form. quadripunctata* gleich jener bei Ponera angibt, und die eigenthümliche Punctirung sich bei diesem ♂ wie beim ☿ verhält.

Diese ziemlich seltene Art konnte ich noch niemals in einer Colonie beisammen finden, sondern beobachtete die ☿ bisher bloss an Bäumen mit verschiedenen *Leptothorax*-Arten in Gemeinschaft herumlaufend unter Baumrinden, auf Gesträuchen oder auf Planken. Nach Latreille lebt sie in sehr geringen Gesellschaften.

In Oesterreich in Wien im Prater (Mayr, Zwanziger), in meinem Garten (Mayr, etwa vom Prater herübergeflogen), bei Purkersdorf (Frauenfeld), bei Fahrafeld nächst Pottenstein (Mayr), bei Gresten (Schleicher), bei Unter-Olberndorf (Nöstelberger); in Tirol bei Glaning nächst Botzen 2600 F. ü. d. M. (Gredler), bei Lavis (Strobel); in Siebenbürgen bei Neudorf nächst Hermannstadt (Fuss); in der Lombardie am Stilfser Joch (Villa). In den Nachbarländern in Preussen (Ltr. Hist. nat. Fourm.); in Bayern bei Regensburg (Herrich-Schäffer), bei Schwabhausen (Walser); in der Schweiz bei Schaffhausen (Stierlin); im Kirchenstaate bei Imola (Pirazzoli); in Piemont (Losana).

4. *Monocombus* Mayr. n. g.

μονος eines, κομβος Knoten.

Arbeiter: Die Oberkiefer sind ziemlich breit, am Innenrande gezähnt. Die Maxillartaster sind sehr lang, die drei ersten Glieder sind unverhältnissmässig dick (im Vergleiche zu dem kleinen Unterkiefer), die drei letzten sind dünn; die vier ersten Glieder nehmen mehr und mehr an Länge zu, das vorletzte ist aber nur so lang als das erste, und das letzte ist noch kürzer. Die Lippentaster sind viergliedrig, und deren Glieder sind ziemlich kurz und gleichlang. Die Oberlippe ist in der Mitte des vorderen, freien Randes stark rechtwinkelig eingeschnitten, wodurch zwei Lappen entstehen;

die zwei Ränder eines jeden Lappens stehen im rechten Winkel zu einander. Die Fühler sind zwölfgliedrig, deren Schaft ist lang und die Geissel fadenförmig. Das dreieckige Stirnfeld ist deutlich ausgeprägt. Die Stirnrinne ist fein und meist undeutlich. Die Punctaugen sind ziemlich klein; ebenso die Netzaugen. Der Thorax ist in der Mitte zusammengeschnürt, seine vordere Hälfte ist halbkugelig; das Metanotum ist convex, die Basal- und abschüssige Fläche gehen unmerklich in einander über. Das Stielchen trägt oben einen Knoten. Der Hinterleib ist länglich-eiförmig, hinten etwas zugespitzt, zwischen dem ersten und zweiten Segmente nicht eingeschnürt.

1. *Monocombus viaticus* Fabr.

Operaria: *Sanguinea, opaca, antennae, pedes ac saepe petiolus rufo-brunnei, abdomen fusco-nigrum. Long.:* 10 — 13mm.

Formica viatica Fabr. Mant. Ins. tom. 1. pag. 308; Oliv. Enc. méth. Hist. nat. tom. 6. pag. 495; Ltr. Hist. nat. Fourm. pag. 173.

Formica megalocola Först. Verh. d. naturh. Vereins d. Rheinl. B. VII. pag. 485.

Arbeiter: Der Kopf, der Thorax und meist das Stielchen blutroth, die Fühler, die Beine, oft auch die Oberkiefer und das Stielchen dunkel rothbraun, der Hinterleib (und manchmal auch der Innenrand der Oberkiefer) braunschwarz, öfters mit einem Stiche in's Broncefarbige, der Hinterrand der Hinterleibssegmente röthlich. Der Thorax, das Stielchen und die Hüften sind reichlich, der übrige Körper aber ist sparsam mit höchst feinen, weissen, anliegenden Härchen versehen; lange, abstehende Borstenhaare finden sich zerstreut, nur die Oberkiefer, die Taster und die Tarsen sind reichlich beborstet.

Der Kopf ist breiter als der Thorax, hinten nicht ausgebuchtet und länger als breit. Die Oberkiefer sind glänzend, am Grunde glatt, gegen die Spitze tief und grob längsgestreift, am Innenrande mit gewöhnlich fünf Zähnen bewaffnet, von denen der vorderste am grössten ist. Der gekielte Clypeus ist so wie die übrigen Kopftheile glanzlos und fein granulirt gerunzelt. Der Fühlerschaft ist dünn und überragt bedeutend den Hinterrand des Kopfes; die Glieder der fadenförmigen Geissel sind ziemlich gleichlang, bloss das erste Glied ist etwas länger.

Der Thorax und das Stielchen sind so wie der Kopf fein granulirt gerunzelt und glanzlos.

Der Hinterleib ist sehr fein quergerunzelt und etwas schimmernd.

Ueber die Lebensweise dieser eigenthümlichen Art ist mir nichts bekannt.

In Ungarn am Blocksberge bei Ofen (Kovats) und am Rakos bei Pesth (Frivalsky); in Dalmatien (Botteri, Frauenfeld). Es dürfte auch von einigem Interesse sein, wenn ich die übrigen mir bekannten Fundorte dieser Ameise anführe: In Europa in Griechenland (Bremj, Wlastirios), in Spanien (Fabr., Ltr.); in Asien bei Tiflis (Museum zu Turin); in Syrien (Milde); in Africa in Nubien (Kotschy), in Algier (Förster Verhand. der naturhist. Ver. d. Rheinl. B. VII.).

5. *Polyergus* Ltr.

Latreille Hist. nat. Crust. et Ins. tome 13, pag. 256.

Arbeiter: Die Oberkiefer sind sehr schmal, schwach bogenförmig nach einwärts gekrümmt, am Grunde am stärksten, gegen das Ende mehr und mehr verschmälert und zugespitzt; ihre obere Seite ist convex, so dass die Oberkiefer von oben gesehen fast stielrund zu sein scheinen, ihre untere Seite ist concav, wodurch eine seichte Rinne gebildet wird, die sich vom Grunde des Oberkiefers bis zu dessen Spitze zieht. Die Maxillartaster sind kurz, viergliedrig, die zwei ersten Glieder sind kurz und dick, die zwei letzten dünn und etwas länger als die ersteren. Die Lippentaster sind ebenfalls kurz, zweigliedrig, deren Glieder sind ziemlich gleichlang, aber das erste Glied ist am Ende verdickt. Die Oberlippe ist in der Mitte ihres freien Randes ausgebuchtet und die Seitenränder gehen ohne sichtbare Gränze in den Vorderrand über. Die zwölfgliedrigen Fühler sind etwas mehr als bei den übrigen Gattungen dieser Unterfamilie dem Mundrande genähert, deren Schaft ist mässig lang, am Geisselende verdickt; die Geissel ist länger als der Schaft, in der Mitte etwas verdickt, am Ende zugespitzt. Das dreieckige Stirnfeld und die Stirnrinne sind scharf ausgeprägt. Die Punct- und die Netzaugen sind mässig gross. Der Thorax ist hinter der Mitte und zwar zwischen Meso- und Metanotum eingeschnürt, vorne am breitesten, in der Mitte am schmälsten; das Metanotum hat die Gestalt eines abgerundeten, stumpfen Kegels, welcher das Pro- und Mesonotum an Höhe übertrifft. Das Stielchen trägt so wie bei der Gattung *Formica* eine aufrechtstehende Schuppe, welche sehr dick, etwas höher als das Metanotum und ebenso hoch als der Hinterleib ist. Der Hinterleib ist kugelig-kegelförmig, dessen erstes Segment ist sehr gross und bedeckt etwas mehr als die Hälfte des Hinterleibes. Die folgenden Segmente nehmen rasch an Grösse ab; der Hinterleib ist zwischen dem ersten und zweiten Segmente nicht eingeschnürt und enthält einen Stachel.

Weibchen. Die einzelnen Kopftheile verhalten sich ähnlich wie beim Arbeiter. Der Thorax ist unvollkommen walzenförmig, seitlich stark und oben wenig zusammengedrückt; das Pro- und Metanotum ist grösser, das Mesonotum kleiner und weniger flach als bei den Gattungen *Formica* und *Tapinoma*. Die Schuppe ist so wie beim ☿. Der Hinterleib ist jenem des ☿ in der Form und Grösse des ersten Segmentes ähnlich und enthält ebenfalls einen Stachel. Die Vorderflügel haben eine geschlossene Discoidalzelle, und die *Costa tranversa* verbindet sich, so wie bei den Gattungen *Formica* und *Tapinoma*, mit der *Costa cubitalis* an der Theilungsstelle, wodurch bloss eine geschlossene Cubitalzelle entsteht.

Männchen. Die Oberkiefer sind so wie beim ☿ und ♀ schmal und zugespitzt, doch sind sie weniger gebogen, kürzer und spitziger. Die inneren Mundtheile verhalten sich so wie beim ☿ und ♀. Der Schaft der dreizehngliedrigen Fühler ist sehr kurz und die lange Geissel ist fadenförmig und am Ende zugespitzt. Das dreieckige Stirnfeld und die Stirnrinne sind scharf ausgeprägt. Die Punct- und Netzaugen sind gross und stark hervorragend. Der Thorax ist so wie bei der Gattung *Formica*. Das Stielchen trägt eine dicke, breiter als hohe, aufrechte Schuppe. Der Hinterleib ist etwa so breit als der Thorax und hinten zugespitzt. Die äusseren Genitalien ragen stark hervor. Die Rippenvertheilung der Flügel ist so wie beim ☿.

1. *Polyergus rufescens* Ltr.

Operaria : *Rufa, mandibulae ac area frontalis nitidissimae et fere laeves; abdomen flavido-micans setis copiosis flavescentibus Long.*: 6½—7mm.

Femina. *Rufa, post scutellum ac saepe margines segmentorum thoracis nigra; mandibulae ac area frontalis nitidissimae et fere laeves; abdomen flavido-micans; alae infuscatae. Long.*: 9½—10mm.

Mas. *Nigro-fuscus, antennae fuscae, mandibularum apex, articulationes scapi antennarum, genitalia ac pedes testacea; alae fere hyalinae. Long.*: 7mm.

Polyergus rufescens Ltr. Hist. nat. Ins. et Crust. tom. 13. pag. 256; Lepel. St. Farg. Hist. nat. Ins. Hym. tom. 1. pag. 198; Labram et Imhoff Ins. d. Schweiz 2. B.; Schenck Beschr. nass. Ameis. pag. 70 u. 137.

Formica rufescens Ess. l'hist. Fourm. France. pag. 44, Hist. nat. Fourm. pag. 186; Losana Form. Piem. pag. 324.

Arbeiter: Der ganze rothe Körper ist reichlich, der Kopf aber ohne Fühler sparsam mit sehr feinen, anliegenden, gelblichen Härchen bekleidet; überdiess ist der Hinterleib reichlich, der übrige Korper aber sparsam mit langen, gelben Borsten besetzt.

Der Kopf ist gross, länger als breit, breiter als der Thorax, vorne und hinten ziemlich gleichbreit. Die Oberkiefer sind sehr glänzend, glatt und nur zerstreut mit Puncten versehen, aus denen ziemlich kurze Borstenhaare entspringen. Der Clypeus ist sehr fein gerunzelt, ungekielt, gewölbt und hat hinter dem Vorderrande eine quere glatte Furche. Das Stirnfeld ist glänzend, glatt oder theilweise sehr fein und sehr seicht gerunzelt. Die Stirnlamellen sind schmal. Der Schaft der zwölfgliedrigen Fühler ist in eine an der Innenseite mit einem breiten Rande versehene Pfanne eingelenkt, er reicht nicht bis zum Hinterrande des Kopfes und ist am Geisselende verdickt; die Geissel ist um ihre fünf letzten Glieder länger als der Schaft, deren erstes, zweites und letztes Glied ist länger als die übrigen. Die Stirn, der Scheitel und die Wangen sind sehr fein aber scharf gerunzelt.

Der Thorax und die Schuppe sind so wie der Kopf sehr fein und scharf gerunzelt.

Der Hinterleib ist an den vorderen zwei Drittheilen dicht punctirt, an dem hinteren Drittheile sehr fein quergestreift.

Weibchen. Roth, das Hinterschildchen und oft auch die Ränder der einzelnen Thoraxsegmente schwarz. Der ganze Körper ist reichlich, der Kopf, das Mesonotum und das Schildchen sparsam, der Hinterleib aber dicht mit anliegenden, sehr feinen, kurzen und gelben Härchen bekleidet; überdiess ist die Unterseite des Hinterleibes reichlich, der übrige Körper aber sparsam mit langen, abstehenden, gelben Borstenhaaren versehen.

Der Kopf unterscheidet sich von jenem des ☿ bloss dadurch, dass er ihn etwas an Grösse übertrifft, und weniger scharf gerunzelt ist, wodurch er etwas glänzend erscheint.

Der Thorax und die Schuppe sind fein punctirt und dicht gerunzelt; das Mesonotum und das Schildchen sind glänzend.

Der Hinterleib ist dicht punctirt.

Die Flügel sind bräunlich getrübt und werden gegen das Ende fast wasserhell.

Männchen. Schwarzbraun, die Fühler braun, die Gelenke des Fühlerschaftes, die Spitze der Oberkiefer, der Hinterrand der Hinterleibssegmente, die Genitalien und die Beine bräunlichgelb, ein Fleck vorne in der Mitte und weiter hinten beiderseits in der Nähe der Flügelgelenke ebenfalls ein solcher röthlich. Der ganze Körper ist sparsam, die Fühler, das Metanotum und der Hinterleib aber reichlich mit sehr anliegenden, kurzen Härchen und nur mit einzelnen, am Hinterrande der Abdominalsegmente reichlicher eingepflanzten Borstenhaaren versehen.

Der Kopf ist so breit als der Thorax, breiter als lang. Die Oberkiefer sind fein gerunzelt und weitläufig grobpunctirt. Der ungekielte, gewölbte Clypeus, das Stirnfeld, die Stirn und der Scheitel sind fein gerunzelt und glanzlos. Der Schaft ist nur etwas länger als die drei ersten Geisselglieder; das erste Geisselglied ist sehr kurz, die folgenden nehmen gegen das Geisselende nach und nach an Länge ab, das Endglied ist wieder länger und zugespitzt. Der Hinterkopf ist nicht ausgerandet.

Der Thorax ist fein gerunzelt und glanzlos, das Metanotum aber ist glänzend.

Die Schuppe ist ziemlich niedrig, breit, dick und in der Mitte des oberen Randes ausgerandet.

Der Hinterleib ist etwas glänzend, sehr fein und seicht quergestreift und weitläufig punctirt.

Die Flügel sind fast wasserhell.

Diese interessante Ameise lebt in der Erde in einem minirten Baue, welcher an die Oberfläche mit einem Loche mündet. Wie schon im allgemeinen Theile erwähnt, raubt sie Larven, Puppen und vollkommene Arbeiter der *Form. fusca* und *Form. cunicularia*, welche zum Bauen und wahrscheinlich auch zu den übrigen Arbeiten verwendet werden. Ob die Imagines der genannten Arten, wenn sie von den ☿ des *Polyergus rufescens* nach Hause getragen werden, in den Colonien derselben bleiben, möchte ich sehr bezweifeln (welche Ansicht ich von allen Raubameisen hege), sondern ich glaube, dass bloss die von den ☿ des *Polyergus* aufgezogenen fremden Ameisen in den Colonien bleiben und daselbst Frohndienste verrichten. Ueber die Schwärmzeit konnte ich noch keine Beobachtungen anstellen. Unter den europäischen Ameisen findet sich ausser *Polyergus* nur noch eine Gattung (*Strongylognathus*), welche solche eigenthümlich gebildete Oberkiefer hat, aber zu den *Myrmiciden* gehört.

In Oesterreich bei Wien und zwar auf Wiesen (Mus. Caes. Vienn.) bei Atzgersdorf auf einem Wege an der südlichen Staatsbahn, am Leopoldsberge (Mayr), bei Hadersdorf (Frauenfeld); in Tirol (Gredler); in Krain (Schmidt); in der Lombardie bei Leffe (Strobel). In den Nachbarländern in der Provinz Preussen bei Königsberg (Zaddach); in Rheinhessen bei Mombach (Schenck); in der Schweiz bei Basel (Imhoff); im Kirchenstaate bei Imola (Pirazzoli); in Piemont (Losana).

Fabricius beschreibt eine *Formica testacea*, welche Dr. Herrich-Schäffer in seinem „Nomenclator entomologicus" 2. Heft pag. 197 zur Gattung *Polyergus* zieht, in seinem „Systema Piezatorum" pag. 400 auf folgende Weise: „*Testacea, mandibulis arcuatis, pedibusque fuscis. Habitat in Moraviae truncis emortuis. Magnitudo Formicae fuscae. Caput testaceum, mandibulis magnis, exsertis, arcuatis, fuscis. Antennae testaceae, articulo primo nigro. Thorax testaceus, postice litura parva, obsoleta, nigra; sub scutello prominens, bilobus. Squama petiolaris rotundata, integra. Abdomen ovatum, testaceum, immaculatum. Pedes fusci.*"

Welche Ameise Fabricius darunter verstanden haben mag, dürfte wohl nicht mehr zu eruiren sein.

II. Poneridae.

Das eingliedrige Stielchen trägt bei ☿, ♀ und ♂ eine aufrechte, dicke Schuppe und der bei den ☿ und ♀ fünf- und bei den ♂ sechsgliedrige Hinterleib ist zwischen dem ersten und zweiten Segmente eingeschnürt. In diese Unterfamilie gehören bloss zwei europäische Gattungen, von denen die eine bloss durch eine Art in Spanien repräsentirt ist; die andere Gattung ist die folgende.

1. *Ponera* Ltr.

Latreille Hist. nat. d. Crust. et Ins.

Arbeiter: Der Kopf ist viel länger als breit und breiter als der Thorax. Die Oberkiefer sind sehr breit und deren Innenrand ist fein gezähnt. Die Unterkiefer haben zweigliedrige Taster, von denen das erste Glied sehr kurz, das zweite hingegen mehr als doppelt so lang und am Ende etwas keulenförmig verdickt ist. Die Lippentaster sind ebenfalls zweigliedrig und deren Glieder sind so wie jene der Kiefertaster geformt. Die Oberlippe ist in der Mitte des vorderen freien Randes scharf eingeschnitten. Der Schaft der zwölfgliedrigen Fühler, welche einander ziemlich nahe stehen, ist lang, die Geissel ist am Ende etwas keulenförmig verdickt. Die Netzaugen sind sehr klein und sehr undeutlich, und Punctaugen sind gar nicht sichtbar. Der Thorax hat keine beträchtliche Einschnürung, ist vorne am breitesten und die Basalfläche des Metanotums, welche mit dem Mesonotum in derselben Ebene liegt, bildet mit der abschüssigen Fläche fast einen rechten Winkel. Das eingliedrige Stielchen trägt eine sehr dicke Schuppe, welche eben so hoch als der Hinterleib ist. Der fünfgliedrige Hinterleib, welcher zwischen dem ersten und zweiten Segmente eine Einschnürung hat, ist walzenförmig und hinten zugespitzt; seine zwei ersten Segmente sind gross und nehmen dreiviertel Theile des Hinterleibes ein, während die übrigen Segmente sehr klein sind. Der Hinterleib enthält einen Stachel.

Weibchen. Der Kopf mit den Mundtheilen und Fühlern ist so wie beim ☿ gebildet, hat aber ziemlich grosse, flache Netz- und mässig grosse Punctaugen. Der Thorax ist mehr weniger walzenförmig, oben und seitlich etwas abgeflacht und hinten verschmälert. Das Stielchen mit der Schuppe und der Hinterleib, welcher mit einem Stachel versehen ist, sind so wie beim Arbeiter. Die Vorderflügel zeichnen sich dadurch aus, dass die Cubitalrippe schon bald nach ihrem Beginne sich in ihre zwei Aeste auflöst und dass sich die *Costa transversa* mit ihren beiden Aesten verbindet, wodurch zwei geschlossene Cubitalzellen gebildet werden; überdiess wird durch das Vorhandensein der *Costa recurrens* auch eine geschlossene Discoidalzelle abgegränzt.

Männchen. Der Kopf ist sehr kurz, scheinbar breiter als lang; das Hinterhauptloch, dessen Ränder sich mit dem Thorax durch ein Gelenk verbinden, ist an der Unterseite des Kopfes ziemlich stark nach vorne gerückt, wodurch der Hinterkopf hoch erscheint. Die Oberkiefer sind sehr schmal und ungezähnt. Die Unterkiefertaster sind undeutlich viergliedrig *); die Lippentaster dreigliedrig. Der Schaft der dreizehngliedrigen Fühler ist äusserst kurz und die Geissel ist fadenförmig. Die Netzaugen sind gross, seitlich vorragend und stark nach vorne gerückt. Die Punctaugen sind gross. Der Thorax ist jenem des ♀ ähnlich. Die Schuppe des Stielchens ist so wie beim ☿ und ♀, nur ist sie etwas schmäler und niedriger. Der sechsgliederige Hinterleib ist jenem des ☿ und ♀ ähnlich, er trägt aber hinten einen nach abwärts gekrümmten dornförmigen Fortsatz. Die Rippenvertheilung der Flügel ist so wie beim ♀.

---

*) Bei dem Exemplare, welches ich untersuchte, zeigte sich an dem letzten Gliede des Unterkiefertasters, welches länger war als die drei ersten zusammen, in dessen Mitte eine leichte Einschnürung, ohne dass ich bei der stärksten Vergrösserung eine Gliederung sehen konnte.

1. *Ponera contracta* Ltr.

***Operaria*: *Fusco-brunnea, pube cinerascenti subdepressa, mandibulae, clypei pars anterior, antennae pedesque rufotestacei. Long.:* $2\frac{3}{4}$ — 3^{mm}.

Femina. *Fusca, pube cinerascenti subdepressa; mandibulae, clypei pars inferior, antennae pedesque rufo-testacei; alae hyalinae. Long.:* $3\frac{1}{2}$ — 4^{mm}.

Mas. *Niger, nitidus, mandibulae testaceae, pedes fusci tibiis tarsisque dilutioribus; alae hyalinae. Long.:* $2\frac{3}{4}$ — 3^{mm}.

Ponera contracta Ltr. Hist. nat. Crust. et Ins. tom. 13. pag. 257; Lepel. St. Farg. Hist. nat. Ins., Hym., tom. 1. pag. 195; Först. Hym. Stud. 1. Heft pag. 45; Schenck Beschr. nass. Ameis. pag. 72; Smith Ess. Gen. and Spec. Brit. Form. pag. 113.

Formica contracta Ltr. Hist. nat. Fourm. pag. 195; Fabr. Syst. Piez. pag. 410.

Arbeiter. Röthlichbraun, der Kopf dunkler, die Oberkiefer, die vordere Hälfte des Clypeus (öfters der ganze Clypeus), die Stirnlappen, die Fühler, der Hinterrand der Hinterleibssegmente, der After und die Beine röthlichgelb. Der ganze, schmale langgestreckte Körper ist reichlich mit fast anliegenden, gelben, ziemlich kurzen Haaren und fast nur der Hinterleib sparsam mit abstehenden langen, feinen Borstenhaaren bekleidet.

Der Kopf ist viel länger als breit, hinten halbmondförmig ausgebuchtet, breiter als der Thorax und fast eben so lang wie dieser. Die stark glänzenden, grossen Oberkiefer sind zerstreut punctirt und fein gezähnt. Der punctirte Clypeus ist kurz und hat längs der Mitte einen starken dicken Kiel. Der Schaft der mehr aneinander eingelenkten Fühler reicht fast bis zum Hinterrande des Kopfes; die Geissel ist am Ende keulenförmig verdickt. Ein Stirnfeld ist nicht ausgeprägt; die Stirnrinne ist wohl tief, aber nur kurz. Die Stirn und der Scheitel sind dicht punctirt. Die Netzaugen sind sehr undeutlich und sind stark nach vorne gerückt. Die Punctaugen fehlen.

Der Thorax ist weniger dicht punctirt als der Kopf und etwas glänzend.

Die Schuppe und der Hinterleib sind glänzend, sehr fein und seicht gerunzelt und punctirt.

Weibchen. Braun, der Kopf dunkler, die Oberkiefer, die vordere Hälfte des Clypeus (öfters der ganze Clypeus), die Stirnlamellen, die Fühler, der Hinterrand der Hinterleibssegmente, die Spitze des Hinterleibes und die Beine röthlichgelb. Die Behaarung ist so wie beim ☿.

Der Kopf gleicht in seinen Theilen ebenfalls jenem des ☿, doch sind hier grosse Punct- und eben solche, aber flache Netzaugen. Die Stirnrinne zieht sich bis zum vorderen Punctauge.

Der Thorax ist fein runzlig punctirt und etwas glänzend.

Die Schuppe und der Hinterleib sind seichter und feiner runzlig punctirt und daher mehr glänzend.

Die Flügel sind wasserhell, und ihre Länge gleicht beiläufig der des ganzen Körpers mit Ausnahme des Kopfes.

Männchen. Glänzend, schwarz, die Oberkiefer bräunlichgelb, die Beine braun, die Schienen und Tarsen meist gelbbraun. Der ganze Körper ist reichlich behaart.

Die Oberkiefer sind schmal, wenig gebogen, ziemlich kurz, an der Spitze abgerundet und ohne Zähne. Der Clypeus ist in der Mitte stark höckerartig gewölbt. Der Schaft der an der Einlenkungsstelle einander sehr genäherten Fühler ist etwas kürzer als das zweite Geisselglied; das erste Glied der fadenförmigen Geissel ist kugelig, die übrigen Glieder sind so ziemlich gleichlang und cylindrisch, das Endglied ist das längste und conisch zugespitzt. Der ganze Kopf ist fein gerunzelt. Die Netz- und Punctaugen sind gross.

Der Thorax ist fein gerunzelt.

Die Schuppe und der Hinterleib sind noch seichter gerunzelt und stark glänzend.

Die Flügel sind wasserhell.

Diese Art findet sich, obwohl selten, an den verschiedensten Orten, doch vorzüglich in der Erde unter Steinen oder unter Moos; sie schwärmt im Hochsommer, und eine Eigenthümlichkeit derselben ist, dass sie nie in zahlreichen Gesellschaften vorkommt. Die Puppen sind mir unbekannt.

In Oesterreich bei Wien (G i r a u d), bei Purkersdorf (F r a u e n f e l d), bei Gresten (S c h l e i c h e r); in Tirol bei Botzen (G r e d l e r); in der Lombardie (V i l l a). In den Nachbarländern in Rheinpreussen bei Aachen (F ö r s t e r); in Nassau bei Weilburg und bei Dillenburg (S c h e n c k); in Bayern (H e r r i c h - S c h ä f f e r); im Kirchenstaate bei Imola (P i r a z z o l i); in der Schweiz bei Zürich (G r ä f f e); in Piemont (M a y r) *).

---

*) L o s a n a beschreibt unter dem Namen *Formica quadrinotata* in den „Form. Piem." pag. 320 eine *Ponera*, welche allen jetzt lebenden *Myrmecologen* durch Autopsie nicht bekannt ist:

Ponera quadrinotata L o s.

Operaria: Elongata, subcylindrica, albido-flavescens, oculis nullis; squama subtrianguli, crassa, superius convexa, basi antice utrinque spinosa; abdomine hinc inde inferius nigro quadripunctata. Long.: 4 $/_1$ mm.

Questa formica di poco differisce dalla c o n t r a c t a *di* L a t r e i l l e*; il colore però della contracta è nerastro, nella nostra gialliacio pallido; essa è lunga, sublineare, la lunghezza delle mandibole è la metà di quella del capo; il capo ha $/_3$ della lunghezza del torace ed il torace e lungo quanto l' abdome; le mandibole un po' fulvescenti stendonsi fuor del capo, subtriangolale, arcate, al di sotto fornicate, nel lato loro interno rette, quasi 5 dendiculate; al di sotto*

III. Myrmicidae.

Das Stielchen besteht aus zwei knotenförmigen Gliedern, von denen das erste vorne mehr oder weniger stielförmig verlängert ist. Der Hinterleib, welcher beim ☿ und ♀ aus vier, beim ♂ aus fünf Segmenten besteht und bei ersteren einen Stachel trägt, ist zwischen dem ersten und zweiten

---

d' essi si allungano rette due lamelle in lunghezza pressochè eguali alle mandibole, membranacee, subtriangolari, d'un color più sbiadato; il capo fulvo-oscuro è quadrilungo, cioè un terzo più longo della sua larghezza, al di sotto piano, sopra convesso, e retto sul davanti, come posteriormente; dalla fronte presso il labbro brevissimo si solleva una lineare protuberanza nasale, ristretta, dai di cui lati presso il labbro sorgono le antenne subfiliformi approsimati, fulvescenti, della lunghezza solamente doppia del capo, cogli articoli superiori pressochè uguali. Essa non ha occhi, nè cavità oculari. Il torace un po' più angusto del capo è composto, come per lo più, di due coni, colle loro sommità l' una all' altra sovrapposte e schiacciate, con la base del primo presso il capo suborbiculato, e di esso ristretta: quella del secondo è verso l' abdome rivolta. Esso nella sua metà di profonda per elevarsi posteriormente subpiramidato. La squama concolorata è alta quanto l' abdome, subtriangulare, crassa, più convessa anteriormente che posteriormente; al di sopra è convessa con qualche pelo; nei lati anteriori della sua base ha una spina per ogni lato, brunastra, lunga assai. L' abdome un po' più largo pel capo, lievemente pubescente, anteriormente truncato, un po' più largo della squama, forma un cono retto, col primo anello, che si allunga quasi sino alla metà della totale di lui lunghezza, e coi lembi suoi come negli anelli seguenti, rientrando addentro, forma tra ogni due anelli una strangolamento. Ma dopo il primo, gli altri tre anelli seguenti subequali, formano un mezz' ovale. Volgendo poi l' insetto intieramente supino, veggonsi ne' fianchi tra le commessure del secondo e terzo anello due mocchie nere per ogni lato. I piedi brevi, crassi, sono più biancchicci del torace; la loro lunghezza è minore della metà dell' insetto anchè ne' posteriori: essi hanno due speroni, cioè due setole finali tortuose, non molto lunghe, ed i tarsi sono più eguali tra loro che nelle altre formiche.

Abita ne' giardini solitaria, non molti agile, e rarissima.

Ferner wurde von meinem Freunde, Herrn Pirazzoli, bei Imola im Kirchenstaate, also ziemlich nahe den Gränzen des österreichischen Staates, eine *Ponera* gefunden, welche ich hier beschreibe:

Ponera ochracea Mayr. n. sp.

Femina. Ochracea, dense adpresse pilosa, mesonoti margines laterales posteriores et medium marginis posterioris segmenti primi abdominis nigra. Long.: 4mm.

Bräunlichgelb, die hintere Hälfte der Seitenränder des Mesonotums, die Mitte des Hinterrandes des ersten oberen Hinterleibssegmentes schwarz, die Stelle des Scheitels, welche zwischen den drei Punctaugen liegt, so wie diese selbst, schwärzlich. Der ganze Körper ist dicht mit anliegenden, kurzen, gelblichen Härchen bekleidet.

Segmente nicht eingeschnürt. Die Puppen sind in keinen Cocon eingehüllt. Die Gattungen dieser Unterfamilie lassen sich auf analytischem Wege folgendermassen bestimmen:

Arbeiter.

A. Hinterleib hinten zugespitzt, an der Oberseite weniger gewölbt als an der Unterseite; Stielchen höher als gewöhnlich in den Hinterleib eingelenkt. Kiefertaster fünf-, Lippentaster dreigliedrig; Metanotum mit zwei Dornen . . . . ***Crematogaster.***

B. Hinterleib hinten nicht zugespitzt, dessen Oberseite mehr gewölbt als die Unterseite; Stielchen in der Mitte des vorderen Endes des Hinterleibes eingelenkt.

1. Oberseite des Thorax zwischen dem Meso- und Metanotum eingeschnürt; Länge des Körpers: 2½ — 12mm.

a) Pro- und Mesonotum bilden einen über das Metanotum bedeutend erhabenen Buckel; Länge des Körpers: 4 — 12mm; Kiefertaster vier-, Lippentaster dreigliedrig . . . . ***Atta.***

Der Kopf ist länger als breit, und etwas breiter als der Thorax. Die Oberkiefer sind sehr breit, fein gezähnt, weitläufig punctirt und glänzend. Der Clypeus ist fein gerunzelt, glanzlos und besonders hinten mit einem dicken hohen Mittelkiele versehen. Der Schaft der zwölfgliedrigen Fühler reicht fast bis zum Hinterrande des Kopfes, die Geissel ist am Schaftende dünn und nimmt gegen die Spitze bedeutend an Dicke zu, deren erstes Glied ist länger als breit, das zweite Glied ist klein, etwas breiter als lang, die folgenden haben die Form des zweiten, doch nehmen sie gegen die Spitze mehr und mehr an Grösse zu, das Endglied ist das grösste, es ist langer als die zwei vorletzten zusammen. Ein Stirnfeld ist nicht ausgeprägt. Die Stirnrinne ist tief und reicht bis zum mittleren Punctauge. Die Stirn, der Scheitel, die Wangen und die Seitengegend des Kopfes sind fein dicht gerunzelt und glanzlos. Die Netzaugen sind flach, die Punctaugen sind ziemlich gross.

Der Thorax ist fein, aber nicht so dicht gerunzelt als der Kopf, daher in sehr geringem Maasse glänzend.

Die dicke, fein gerunzelte Schuppe ist so hoch als der Hinterleib und Thorax.

Der Hinterleib ist walzenförmig, nur etwas breiter und eben so lang als der Thorax, fein runzlig punctirt und wenig glänzend.

Die Flügel sind mir unbekannt.

Die Beine sind kurz wie bei allen *Ponera*-Arten.

b) Pro- und Mesonotum bilden einen über das Metanotum mässig erhabenen Buckel; Länge des Körpers 4 — 4½mm; Kopf sehr gross; Metanotum mit zwei Zähnchen; Kiefer- und Lippentaster zweigliedrig **Oecophthora** *(miles)*.

c) Pro- und Mesonotum, über das Metanotum nicht oder wenig erhaben, bilden eine wenig gewölbte Scheibe.

α. Länge des Körpers: 2½mm; Kiefer- und Lippentaster zweigliedrig **Oecophthora** *(operaria)*.

β. Länge des Körpers: 3½ — 8mm; Kiefertaster sechs-, Lippentaster viergliedrig . . . . **Myrmica**.

2. Oberseite des Thorax zwischen dem Meso- und Metanotum nicht eingeschnürt, höchstens mit einer Furche. Länge des Körpers: 1½ — 3½mm.

a) Metanotum unbewehrt; Länge des Körpers: 1½ — 2½mm.

α. Kiefer- und Lippentaster zweigliedrig; Farbe des Körpers gelb . . . **Diplorhoptrum**.

β. Kiefertaster ein-, Lippentaster zweigliedrig; Farbe des Körpers schwarzbraun **Monomorium**.

b) Metanotum mit zwei Zähnen; Länge des Körpers wenigstens 2½mm.

α. Kopf und Thorax glatt und glänzend; Kiefertaster vier-, Lippentaster dreigliedrig; das zweite Glied des Stielchens unten mit einem Dorne **Formicoxenus**.

β. Kopf- und Thorax gerunzelt; Kiefertaster vier- bis fünfgliedrig, Lippentaster dreigliedrig; das zweite Glied des Stielchens ohne Dorn.

αα) Kopf, Thorax und Hinterleib grösstentheils schwarz; Clypeus zweizähnig; Zähne des Metanotum horizontal nach hinten gerichtet; Kiefertaster vier-, Lippentaster dreigliedrig . . . . . **Myrmecina**.

ββ) Thorax gelb, braun oder schwärzlich; Clypeus ungezähnt, Zähne des Metanotum nach hinten u. oben gerichtet; Kiefertaster vier-,

Lippentaster dreigliedrig; das zweite Glied des Stielchens breiter als lang; Kopf und Thorax ziemlich grob längsgestreift oder der letztere grob netzaderig . . . . ***Tetramorium.***

ττ) Thorax gelb oder bräunlichroth; Clypeus ungezähnt (nur bei einer Art undeutlich gezähnt); Zähne des Metanotum horizontal nach hinten oder nach hinten und oben gerichtet; Kiefertaster fünf-, Lippentaster dreigliedrig; das zweite Glied des Stielchens so lang als breit; Kopf u. Thorax ziemlich fein gerunzelt . . . ***Leptothorax.***

Weibchen.

A. Hinterleib hinten zugespitzt, an der Oberseite weniger gewölbt als an der Unterseite; Stielchen höher als gewöhnlich in den Hinterleib eingelenkt; Kiefertaster fünf-, Lippentaster dreigliedrig; an den Flügeln verbindet sich die *Costa transversa* bloss mit der äusseren Cubitalaste, wodurch nur eine geschlossene Cubitalzelle gebildet wird . . . . ***Crematogaster.***

B. Hinterleib hinten nicht zugespitzt, dessen Oberseite mehr gewölbt als die Unterseite; Stielchen in der Mitte des vorderen Endes des Hinterleibes eingelenkt.

1. An den Flügeln verbindet sich die *Costa transversa* an der Theilungsstelle mit der *Costa cubitalis*, wodurch nur eine geschlossene Cubitalzelle entsteht.

a) Stirn und Scheitel glatt und glänzend; Kiefertaster vier-, Lippentaster dreigliedrig; Länge des Körpers: 3mm; Kopf gelb; das zweite Glied des Stielchens unten mit einem Dorne ***Formicoxenus.***

b) Stirn und Scheitel längsgestreift oder fein verworren gerunzelt; Kiefertaster vier-, Lippentaster dreigliederig;

Länge des Körpers: 3 — 8mm (wenn nur 3mm, so ist die Farbe des Kopfes, des Stielchens und des Hinterleibes braunschwarz); das zweite Glied des Stielchens ohne Dorn . . . **Tetramorium.**

c) Stirn und Scheitel fein längsgestreift; Kiefertaster fünf-, Lippentaster dreigliederig; Länge des Körpers: 3—4½mm; Stielchen wenigstens an der Unterseite stets gelb (nur bei einer Art ganz schwarzbraun, wo aber die Ränder der Hinterleibssegmente gelb sind); das zweite Glied des Stielchens ohne Dorn . . . . . **Leptothorax.**

2. An den Flügeln verbindet sich die *Costa transversa* bloss mit dem äusseren Cubitalaste, wodurch nur eine geschlossene Cubitalzelle gebildet wird.

a) Metanotum bedornt; Kiefertaster vier-, Lippentaster dreigliedrig; Länge des Körpers 4mm; Hinterleib klein . . **Myrmecina.**

b) Metanotum unbewehrt; Kiefertaster zwei-, Lippentaster zweigliedrig; Länge des Körpers: 6¼ — 6½mm; Hinterleib verhältnissmässig sehr gross **Diplorhoptrum.**

3. An den Flügeln verbindet sich die *Costa transversa* mit beiden Cubitalästen, welche vollkommen ausgeprägt sind, wodurch zwei geschlossene Cubitalzellen gebildet werden.

a) Der breite Innenrand der Oberkiefer ist zugeschärft und bloss vorne mit zwei starken Zähnen bewehrt; Kiefertaster zwei-, Lippentaster zweigliedrig; das zweite Glied des Stielchens doppelt so lang; Länge des Körpers: 7 — 8mm . . . . . **Oecophthora.**

b) Der breite Innenrand der Oberkiefer ist gezähnt; Kiefertaster vier-, Lippentaster dreigliedrig; das zweite Glied des Stielchens so breit oder nur wenig breiter als lang; Länge des Körpers: 7 — 14mm . **Atta.**

4. An den Flügeln verbindet sich die *Costa transversa* mit beiden Cubitalästen, es ist aber ein Stück des äusseren Cubitalastes nicht ausgeprägt, wodurch eine halbgetheilte, geschlossene Cubitalzelle gebildet wird; Kiefertaster sechs-, Lippentaster viergliedrig . . ***Myrmica.***

Männchen.

A. Mesonotum mit zwei vertieften nach hinten convergirenden Linien.

1. An den Flügeln verbindet sich die *Costa transversa* mit beiden Cubitalästen, doch wird wegen Ausbleiben eines Stückes des äusseren Cubitalastes bloss eine aber halbgetheilte Cubitalzelle gebildet; Länge des Körpers: 4½ — 10mm ***Myrmica.***

2. An den Flügeln verbindet sich die *Costa transversa* bloss mit dem äusseren Cubitalaste; Oberkiefer sehr kurz, scheinbar fehlend, Flügel schwärzlich . ***Myrmecina.***

3. An den Flügeln verbindet sich die *Costa transversa* mit der *Costa cubitalis* an der Theilungsstelle.

a) Fühler zehngliedrig, zweites Geisselglied sehr lang . . . . ***Tetramorium.***

b) Fühler zwölf- bis dreizehngliedrig, Metanotum unbewehrt, erstes Glied des Stielchens höchstens ein einhalbmal so lang als das zweite Glied, Fühler meist milchweiss, selbst die Rippen, innerer Cubitalast meist sehr undeutlich oder öfters gar nicht ausgeprägt . . . . ***Leptothorax.***

c) Fühler dreizehngliedrig, Metanotum mit zwei kurzen Zähnchen, erstes Glied des Stielchens doppelt so lang als das zweite Glied, die Flügel bräunlich getrübt, innerer Cubitalast deutlich ausgeprägt, die Rippen bräunlichgelb . . . . ***Formicoxenus.***

B. Mesonotum ohne vertiefte convergirende Linien.

1. An den Flügeln verbindet sich die *Costa transversa* bloss mit dem äusseren Cubitalaste, wodurch bloss eine geschlossene Cubitalzelle gebildet wird; Fühler zwölfgliedrig . . . . ***Diplorhoptrum.***
2. An den Fühlern verbindet sich die *Costa transversa* mit beiden Cubitalästen, wodurch zwei geschlossene Cubitalzellen entstehen; Fühler dreizehngliedrig.
   a) Das Mesonotum überragt das Pronotum und einen Theil des Kopfes; der Kopf ist länger als breit; erstes Geisselglied cylindrisch; Schildchen stark gewölbt; Metanotum bloss bei der kleinsten Art (4mm lang) mit zwei Dornen bewehrt . . . . ***Atta.***
   b) Das Mesonotum überragt nur das Pronotum; Kopf so lang als breit, erstes Fühlerglied kugelig, Schildchen wenig gewölbt, Metanotum unbewehrt, Länge des Körpers: 4½—5mm. . ***Oecophthora.***

1. *Myrmica* Ltr. Mayr *)

Latreille Hist. nat. d. Crust. et Ins. pag. 258.

Arbeiter: Der Kopf ist mehr oder weniger oval, länger als breit und dessen Hinterkopf ist nicht ausgebuchtet. Die Oberkiefer sind breit und am Innenrande gezähnt. Die Unterkiefertaster sind sechs- und die Lippentaster viergliedrig. Die Oberlippe ist in der Mitte des vorderen, freien Randes ausgeschnitten und die dadurch gebildeten Lappen sind beiderseits abgerundet. Die Fühler sind zwölfgliedrig und mehr weniger keulenförmig. Das Stirnfeld ist dreieckig. Die Punctaugen fehlen. Die schwarzen Netzaugen sind flach. Der Thorax ist stets schmäler als der Kopf, aber hinter dem Mesonotum stark eingeschnürt, das Pro- und Mesonotum sind oben ziemlich flach

*) Man hatte bisher die Arten der von mir nachfolgend aufgestellten Gattungen: *Formicoxenus*, *Tetramorium*, *Leptothorax* und *Diplorhoptrum* in der Gattung *Myrmica* untergebracht, welche das Asyl für die grösste Anzahl der *Myrmiciden* wurde, obwohl man sechsgliedrige Kiefer und viergliedrige Lippentaster als Gattungscharakter derselben aufstellte, ohne sich zu kümmern, ob denn die zu *Myrmica* gestellten Arten dem Gattungscharacter derselben entsprechen oder nicht. Ich habe zur Gattung *Myrmica* nur solche Arten gezogen, welche wirklich sechsgliedrige Kiefer-, und viergliedrige Lippentaster haben, und habe die Gattung überdiess noch genauer abgegränzt.

und so hoch als das Metanotum, das letztere ist mit zwei Dornen bewaffnet, welche bloss bei einer Art durch Beulen ersetzt sind. Das erste Glied des Stielchens ist vorne stiel-, hinten knotenförmig, an der Unterseite vorne trägt es ein kleines Zähnchen, das zweite Glied ist etwas kürzer als das erste, knotenförmig und etwa so lang als breit. Der Hinterleib ist verhältnissmässig klein, oval, unten fast so wie oben gewölbt, dessen erstes Segment nimmt zwei Drittheile des Hinterleibes ein.

Weibchen. Die Form des Kopfes, so wie die Mundtheile und die Fühler sind ähnlich wie beim ☿, überdiess finden sich aber noch drei deutliche Punctaugen. Der Thorax ist oben und seitlich ziemlich flach, das Metanotum ist mit zwei Dornen bewaffnet, und bloss bei einer Art sind diese durch zwei Höcker ersetzt. Das Stielchen und der Hinterleib sind so wie beim ☿. Die Flügel zeichnen diese Gattung vor allen Ameisen durch die halbgetheilte, geschlossene Cubitalzelle aus, welche dadurch entsteht, dass von der *Costa basalis* sogleich zwei Cubitaläste entspringen, von denen aber ein Stück des äusseren Astes nicht ausgeprägt ist, und dass sich die *Costa transversa* mit beiden Cubitalästen verbindet; die *Costa recurrens* schliesst eine Discoidalzelle ab.

Männchen. Der Kopf ist länger als breit und eben so breit als der Thorax. Die Oberkiefer und inneren Mundtheile sind so wie bei den ☿ und ♀. Die Fühler sind dreizehngliedrig. Das Stirnfeld ist dreieckig, nach hinten aber meist nicht scharf abgegränzt. Die Netzaugen sind gross und hervorstehend, die Punctaugen sind ebenfalls gross. Das Pronotum wird vom Mesonotum überragt, ohne dass das letztere auch einen Theil des Kopfes überragen würde. Das Mesonotum ist ziemlich flach und hat zwei vom vorderen Ende der Seitenränder entspringende, vertiefte, meist gekerbte, nach hinten convergirende und etwa in der Mitte des Mesonotums zusammentreffende Linien, welche als eine einzige verschmolzen in der Mittellinie des Mesonotum zum Hinterrande des letzteren ziehen. Das Schildchen ist wenig gewölbt. Das Metanotum, welches tiefer als das Mesonotum und das Schildchen liegt, hat zwei Zähne und nur bei einer Art fehlen dieselben. Das erste Glied des Stielchens ist nicht so deutlich gestielt wie bei den beiden vorigen Geschlechtern, es ist aber dennoch länger als das zweite Glied. Der Hinterleib ist ähnlich wie beim ☿ und ♀. Ebenso sind die Flügel wie beim ♀.

Analytische Tabelle.

Arbeiter.

A. Metanotum ohne Dornen, bloss mit zwei Höckern.
M. rubida.

B Metanotum mit zwei Dornen.

1. Fühlerschaft nahe am Grunde bogenförmig gekrümmt.

a) Fühlerschaft stark bogenförmig, fast winkelig gekrümmt; Stirnfeld oft gestreift.

α) Die Gegend um die Augen netzmaschig, in den Maschen gekörnt; hinter den Stirnfeld die Streifen fein und zusammengedrängt; Grundfarbe des Thorax gelb; Länge des Körpers: $3^1/_2 - 4^1/_2$ mm.

M. rugulosa.

β) Die Gegend um die Augen netzmaschig, in den Maschen glatt; hinter dem Stirnfeld die Streifen grob und nicht dicht zusammengedrängt; Grundfarbe des Thorax roth; Länge des Körpers: $5^1/_2 - 6$ mm.

M. sulcinodis.

b) Fühlerschaft nicht stark gekrümmt; die Augengegend wohl netzmaschig, aber die Maschen fast glatt; hinter dem Stirnfelde sind die Streifen grob und nicht dicht zusammengedrängt; Stirnfeld glatt und glänzend.

α. Die Knoten des Stielchens fast glatt und nur mit schwachen Seitenfurchen; Zwischenraum zwischen den Dornen des Metanotums glatt.

M. laevinodis.

β. Die Knoten stark gerunzelt und mit starken Seitenfurchen; Zwischenraum zwischen den Dornen des Metanotums quergerunzelt.

M. ruginodis.

2. Fühlerschaft nahe am Grunde knieförmig gekrümmt.

a) Auf dem Knie des Fühlerschaftes sitzt ein quer gestellter halbkreisförmiger Lappen; der Zwischenraum zwischen den Dornen des Metanotums glatt.

M. lobicornis.

b) Auf dem Knie des Fühlerschaftes steht entweder kein oder ein nach aufwärts und innen gerichteter kleinen Lappen oder ein stumpfer Zahn; Zwischenraum zwischen den Dornen des Metanotums fein quergerunzelt.

M. scabrinodis.

Weibchen.

A. Metanotum ohne Dornen.

M. rubida.

B. Metanotum mit zwei Dornen.

1. Fühlerschaft nahe am Grunde bogenförmig gekrümmt.

a) Fühlerschaft stark bogenförmig, fast winkelig gekrümmt; Stirnfeld oft gestreift.

α) Die Gegend um die Augen netzmaschig, in den Maschen gekörnt; hinter den Stirnfeld die Streifen fein und zusammengedrängt; Grundfarbe des Thorax gelb; Länge des Körpers $5^1/_2 - 6^1/_2$ mm.

M. rugulosa.

β) Die Gegend um die Augen netzmaschig, in den Maschen glatt; hinter dem Stirnfeld die Streifen grob und nicht dicht zusammengedrängt; Grundfarbe des Thorax roth; Länge des Körpers: 6½—7mm.

M. sulcinodis.

b) Fühlerschaft wenig gekrümmt; hinter dem Stirnfelde ist die Stirn nicht dicht längsgestreift; Stirnfeld glatt und glänzend.

α. Die Knoten fast glatt und mit schwachen Seitenfurchen versehen; Dornen des Metanotums kurz und breit, Zwischenraum zwischen denselben fast glatt.

M. laevinodis.

β. Die Knoten grob gerunzelt mit groben tiefen Seitenfurchen; Dornen des Metanotums lang und schmal; Zwischenraum zwischen denselben quergerunzelt.

M. ruginodis.

2. Fühlerschaft knieförmig gekrümmt.

a) Auf dem Knie des Fühlerschaftes sitzt ein quergestellter Lappen; der Zwischenraum zwischen den Dornen glatt.

M. lobicornis.

b) Auf dem Knie des Fühlerschaftes sitzt kein oder ein nach oben und innen gerichteter kleiner stumpfer Zahn oder Lappen; der Zwischenraum zwischen den Dornen fein quergerunzelt.

M. scabrinodis.

Männchen.

A. Metanotum ohne Dornen und ohne Höcker; Länge des Körpers 8½—10mm.

M. rubida.

B. Metanotum mit zwei Dornen oder mit sehr kurzen, breiten oft sehr stumpfen Zähnchen; Länge des Körpers: 4½—6½mm.

1. Fühlerschaft halb so lang als die Geissel.

a) Stirnfeld glatt, glänzend, oder sehr fein verworren gerunzelt.

α. Schienen reichlich mit langen, abstehenden Borstenhaaren besetzt.

M. laevinodis.

β. Schienen sparsam mit kurzen fast anliegenden Haaren besetzt; Dornen des Metanotums lang und schmal, Zwischenraum zwischen denselben quergerunzelt.

M. ruginodis.

b) Stirnfeld längsgerunzelt.

M. sulcinodis.

2. Fühlerschaft viel kürzer als die halbe Geissel.

a) Zweites Geisselglied doppelt so lang als das erste Glied.

M. lobicornis.

b) Zweites Geisselglied so lang oder nur etwas länger als das erste Glied.

α. Kopf hinter den Augen mit feinen Längsstreifen; Beine mit langen meist fast wagrecht abstehenden Borstenhaaren reichlich besetzt; Schenkel in der Mitte etwas verdickt; Länge des Körpers: $5\frac{1}{2}$—$6\frac{1}{2}^{mm}$.

M. scabrinodis.

β. Kopf hinter den Augen fast ohne Längsstreifen; Beine mit mässig langen, nach hinten gerichteten Borstenhaaren spersam besetzt; Schenkel in der Mitte kaum verdickt; Länge des Körpers: $4\frac{1}{2}$—5^{mm}.

M. rugulosa.

1. Myrmica rubida Ltr.

Operaria: *Rubro-brunnea, flaviae pilosula; antennarum scapus basin versus arcuatim flexus; metanotum inerme. Long.:* 7—8^{mm}.

Femina: *Rubro-brunnea, flavide pilosula, capitis pars anterior mesonoti ac scutelli margo posterior atque segmentorum abdominis pars posterior nigricantes; antennarum scapus basin versus arcuatim flexus; metanotum inerme; alae flavide infuscatae. Long.:* $10\frac{1}{2}$—12^{mm}.

Mas: *Niger, pilosus, antennarum funiculi pars terminalis et articulationes pedum brunneae, basis antennarum, anus et tarsi, testacei, antennarum scapus brevissimus; metanotum inerme; alae infuscatae. Long.:* $8\frac{1}{2}$—10^{mm}.

Formica rubida Ltr. Hist. nat. Fourm. pag. 267; Schilling Bemerk. über die in Schles. etc. pag. 56.

Myrmica montana Labram u. Imhoff Ins. d. Schweiz 2. Band; Mayr Beitr. z. Kennt. d. Ameis.

Arbeiter. Röthlichbraun, zuweilen röthlichgelb, der Innenrand der Oberkiefer schwarz, der Hinterleib, mit Ausnahme des Grundes und der Aftergegend und manchmal auch die vordere Hälfte der Oberseite des Kopfes mehr oder weniger braun oder schwärzlich. Der ganze Körper ist reichlich mit langen, abstehenden, gelblichen Borstenhaaren bekleidet.

Die Oberkiefer sind breit, grob längsgestreift, nahe dem Innenrande glatt und glänzend, der letztere ist mit vielen kleinen und undeutlichen und nur vorne mit zwei mässig grossen Zähnen bewaffnet. Der Clypeus ist gewölbt, ungekielt, grob längsgestreift und sehr scharf abgegränzt. Die Stirnlamellen sind schmal. Der Fühlerschaft ist nahe am Grunde bogenförmig gekrümmt und reicht bis zum Hinterrande des Kopfes; die Geissel ist mehr als um ihre zwei letzten Glieder länger als der Schaft. Das Stirnfeld ist mit groben Längsstreifen durchzogen, zwischen diesen und besonders am Vorderrande glänzend. Die Stirnrinne ist ziemlich undeutlich. Die Stirn und der Scheitel sind ziemlich grob längsgestreift.

Das Pronotum ist ziemlich fein längsgestreift, seine Scheibe aber ist glänzend und glatt; das Mesonotum ist gerunzelt; das grob gestreifte und gerunzelte Metanotum hat statt der Dornen zwei kleine stumpfe Höcker.

Die beiden Glieder des Stielchens sind fein gerunzelt, deren Scheibe ist glänzend und am hinteren Gliede glatt, an beiden Seiten zieht sich eine tiefe Längsfurche.

Der Hinterleib ist glänzend und glatt, bloss mit weitläufigen Puncten, aus welchen die Borstenhaare entspringen.

Weibchen. Röthlichbraun, bisweilen röthlichgelb, der Innenrand der Oberkiefer, der Hinterrand des Mesonotums und des Schildchens, und mehr oder weniger die Oberseite des Kopfes und die obere hintere Hälfte der Hinterleibssegmente, mit Ausnahme des Hinterrandes derselben, schwärzlich. Der ganze Körper ist reichlich mit feinen, gelblichen, abstehenden, langen Haaren bekleidet.

Der Kopf und dessen Theile verhalten sich so wie beim ☿. Die Stirnrinne, welche bis zu den ziemlich kleinen Punctaugen zieht, ist stärker ausgeprägt als beim ☿.

Das Pronotum ist längsgestreift, dessen Mitte glatt und glänzend. Das Mesonotum ist in der Mitte längsgestreift und an beiden Seiten glatt; das Schildchen ist glatt und beiderseits der Länge nach gerunzelt. Das Metanotum ist fein quergestreift und hat zwei höckerartige, stumpfe Leisten.

Das Stielchen und der Hinterleib sind so wie beim ☿.

Die Flügel sind gelblichbraun getrübt und 9½—10mm lang.

Männchen. Schwarz, der Innenrand der Oberkiefer, die Endhälfte der Fühlergeissel und die Gelenke der Beine rothbraun, die Wurzel der Fühler, die Spitze des Hinterleibes und die Tarsen bräunlichgelb, der Hinterrand der Abdominalsegmente meist röthlich durchscheinend. Der ganze Körper ist reichlich mit langen gelblichen Borstenhaaren bekleidet.

Der Kopf ist wenig breiter als der Thorax, aber länger als breit. Die breiten Oberkiefer sind längsgestreift, nahe dem Innenrande mit einer Punctreihe versehen und schwach glänzend, der Innenrand ist vorne mit grösseren, hinten mit kleinen, undeutlichen Zähnen bewaffnet. Der Clypeus ist grob längsgestreift, ungekielt und stark gewölbt. Der Fühlerschaft ist kaum so lang als die zwei ersten Geisselglieder zusammen; die Geissel ist fadenförmig, deren erstes Glied ist sehr kurz, das zweite Glied ist fast so lang als der Schaft und cylindrisch, alle übrigen Glieder sind von der Form und Länge des zweiten Gliedes. Das Stirnfeld ist längs- öfters auch quergerunzelt. Die Stirnrinne zieht sich vom Stirnfelde bis zum mittleren Punctauge. Die Stirn ist längsgestreift und der Scheitel ist grob längsgerunzelt. Die Unterseite des Kopfes ist runzlig gestreift.

Das Pronotum ist runzlig gestreift. Das Mesonotum gerunzelt und vorne quergerunzelt; das Schildchen ist fein gerunzelt. Das Metanotum ist unbewehrt; dessen abschüssige Fläche ist quergestreift.

Das Stielchen ist gerunzelt, die Scheibe der Knoten sehr fein gerunzelt und glänzend.

Der Hinterleib ist stark glänzend und glatt.

Die Flügel sind bräunlich getrübt und etwas kürzer als der ganze Körper.

Diese Art liebt vorzugsweise gebirgige Gegenden, wo sie über 5000 Fuss üb. d. M. noch vorkommt, obwohl sie auch nicht selten an sandigen Flussufern in Thälern gefunden wird, sie lebt unter Steinen und gräbt sich in der Erde einige Gänge aus; sie liebt den Saft der Blattläuse und schwärmt im Hochsommer. Häufig findet man ein einzelnes eierlegendes Weibchen unter einem Steine in einer kleinen Grube.

In Böhmen bei Kaplitz (Kirchner); in Mähren bei Mislek (Schwab); in Oesterreich im Höllenthale und am Schneeberge (Mayr), bei Reichenau (Kollar), beim Hübner'schen Durchschlage an der steierischen Gränze (Mayr), am Oetscher (Mus. Caes. Vienn.), an der Traisen und an der Donau bei Melk (Schleicher), am Jauerling (Kerner); in Salzburg bei der Stadt Salzburg (Zwanziger), am Schafberge (Mus. Caes. Vienn.), bei Gastein (Mayr); in Tirol beim Bade Bergfall nächst Olang (Mayr), im Tiersthale (Gredler), bei Botzen und zwar auf der Gänsalpe, Seiseralpe, im Talferbeet und in der Kaiserau (Gredler); in Kärnthen am Iselsberge bei Winklern und im Möllthale (Mayr); in Steiermark auf den Alpen (Mus. Caes. Vienn.), bei Grosslobming (Miklitz); in Ungarn am Plattensee (Mus. Caes. Vienn.); in Siebenbürgen (Fuss Beitr. z. Ins. F. Sieb. u. Bielz) bei Freck und bei Kerzeschora (Fuss); in Krain an der Save bei Laibach und bei Wipbach (Schmidt); in der Lombardie auf dem Stilfserjoch (Villa). In den Nachbarländern in der Provinz Preussen bei Königsberg (Zaddach); in Preussisch-Schlesien in der Nähe des Glazer Schneeberges (Schilling Bemerk. über die in Schles. etc.); in Baiern (Herrich-Schäffer); in der Schweiz (Bremj, Milde, Imhoff), bei Zürich (Gräffe), am Mont blanc (Dohrn), am Monte Rosa (Stierlin); in Piemont (Mayr Beitr. z. Kenntn. d. Ameis.)

2. *Myrmica laevinodis* Nyl.

Operaria: *Testaceo-ferruginea, flavide pilosula, caput supra abdominisque dorsum medium fuscescentia; antennarum scapus paululum arcuatim flexus; caput longitudinaliter striatim rugulosum; metanotum spinis duabus; petioli nodi sublaeves. Long.:* 4½—5mm.

Femina. *Testaceo-ferruginea, flavide pilosula, caput supra, pronotum, scutellum abdominisque medium fuscescentia; antennarum scapus paululum arcuatim flexus; metanotum dentibus duobus latis. Long.:* 6½ — 7mm.

Mas. *Nigro-fuscus, nitidus, flavido-pilosulus, mandibulae, antennarum funiculi, abdominis apex, articulationes pedum tarsique pallescentes; area frontalis subtilissime rugulosa; antennarum scapus dimidio funiculi; metanotum dentibus duobus, valde obtusis, minutissimis; tibiae pilis longis abstantibus. Long.:* 5½mm.

Myrmica laevinodis Nyl. Adn. Mon. Form. bor. Eur. pag. 927; Först. Hym. Stud. 1. Heft pag. 64; Schenck Beschr. nass. Ameis. pag. 75; Smith Ess. Gen. and Spec. Brit. Form. pag. 118.

Arbeiter. Rothgelb oder selten bräunlich rothgelb, die Oberseite des Kopfes und die Mitte des ersten oberen Hinterleibssegmentes braun. Der ganze Körper ist mässig mit langen, abstehenden Borstenhaaren besetzt.

Die Oberkiefer sind längsgerunzelt, sparsam tief punctirt, 7–8zähnig, die drei vordersten Zähne sind gross und spitz, die hinteren klein. Der glänzende Clypeus ist mit starken Längsstreifen durchzogen, er ist ungekielt und gleichmässig gewölbt. Das Stirnfeld ist stark glänzend und glatt. Die Stirnlappen sind seitlich sehr wenig erweitert und aufgebogen. Der Fühlerschaft ist nahe am Grunde mässig bogenförmig gekrümmt, doch nicht winkelig gebogen, ohne Fortsätze an der Beugungsstelle. Der übrige ganze Kopf ist mit starken, erhabenen Längsstreifen durchzogen; die hintere Augengegend ist mehr oder weniger netzmaschig, indem die Streifen von der Ober- und Unterseite des Kopfes zusammentreffen und sich verworren kreuzen; die Maschen selbst sind meist glatt und glänzend.

Das Pro- und Mesonotum unregelmässig grob gerunzelt, doch glänzend, an den Seiten längsgerunzelt. Das mit zwei langen spitzen Dornen bewaffnete Metanotum ist an der Basalfläche unregelmässig oder quer gerunzelt und an der abschüssigen Fläche zwischen den Dornen glatt und stark glänzend.

Die Knoten des Stielchens sind sehr fein gerunzelt (dadurch fast glatt erscheinend) und glänzend.

Der Hinterleib ist kurz eiförmig, glatt und stark glänzend.

Der ☿ dieser Art ist jenem der zwei nächstfolgenden Arten sehr ähnlich, doch durch sichere Charactere hinlänglich unterschieden.

Weibchen. Rothgelb oder bräunlichroth, der Innenrand der Oberkiefer, die Oberseite des Kopfes, der Hinterrand des Pronotums, eine Makel an der Flügelwurzel, der grösste Theil des Schildchens und die Scheibe des ersten Hinterleibssegmentes braun, öfters schwarzbraun. Der ganze Körper ist mässig mit langen abstehenden Borstenhaaren bekleidet.

Die einzelnen Theile des Kopfes sind so wie beim ☿, zu welchen noch die Punctaugen kommen.

Das Pronotum ist in der Mitte fein quer-, an den Seiten ziemlich grob längsgerunzelt. Das Mesonotum ist auf seiner breiten, flachen Scheibe mit starken, parallelen Längsstreifen und vorne in der Mittellinie oft mit einer glatten, glänzenden Stelle versehen; das Schildchen ist längsgestreift. Das Metanotum ist mit zwei im Vergleiche mit den anderen Arten kurzen und breiten Dornen, welche am Grunde beiläufig so breit als dieselben lang sind, bewaffnet; die Basalfläche des Metanotums ist längs- oder quergerunzelt, die abschüssige Fläche zwischen den Dornen glatt und glänzend, nur bei starker Vergrösserung sieht man nahe der Basalfläche sehr feine Querstreifen.

Die Knoten des Stielchens sind ziemlich fein gerunzelt und glänzend, an den Seiten öfters mit schwachen Längsfurchen versehen.

Die Flügel sind sehr schwach bräunlich getrübt.

Das ♀ unterscheidet sich von den nächstverwandten Arten am besten durch die breiten kurzen Dornen.

Männchen. Glänzend, schwarzbraun, die Oberkiefer, die Taster, die Fühlergeissel, die Basis des Schaftes, die Hinterleibsspitze, die Gelenke der Beine und die Tarsen gelbbraun. Der ganze Körper ist mit langen Borstenhaaren ziemlich sparsam, die Beine aber mit langen, abstehenden Borstenhaaren reichlich bekleidet.

Der Kopf ist etwa so breit als der Thorax oder wenig breiter. Die Oberkiefer sind fein längsgerunzelt, und siebenzähnig. Der Clypeus ist gewölbt, ungekielt, ziemlich fein gerunzelt. Das Stirnfeld ist entweder glatt und glänzend oder sehr fein und seicht gerunzelt. Der Fühlerschaft, welcher den Hinterrand des Kopfes überragt, ist ungefähr halb so lang als die Geissel; das erste Geisselglied ist kurz und am Ende etwas verdickt, das zweite bis siebente Glied ist länger als das erste und cylindrisch, das achte bis eilfte ist noch etwas grösser, das Endglied ist etwas kürzer als die zwei vorletzten Glieder zusammen. Die Stirn ist fein und undeutlich runzlig längsgestreift, der Scheitel ist gröber längsgestreift. Die Augengegend, die Wangen und die Kehle verworren gerunzelt.

Das sehr kurze Pronotum ist sehr fein lederartig gerunzelt, scheinbar glatt. Das Mesonotum ist glatt und nur seitlich fein gerunzelt; das Schildchen ist vorne glatt, hinten schwach gerunzelt. Das Metanotum ist mit zwei sehr stumpfen und sehr kurzen Zähnen bewaffnet, dessen Basalfläche und die Seitenflächen gestreift, die abschüssige Fläche zwischen den Zähnen glatt und stark glänzend.

Die Knoten des Stielchens sind ziemlich glatt, ebenso ist auch der Hinterleib glatt und stark glänzend.

Die Flügel sind sehr schwach bräunlich getrübt.

Das ♂ ist sehr schwierig von jenem der *Myrm. ruginodis* zu unterscheiden, indem die Behaarung der Beine allein die ♂ dieser beiden Arten unterscheidet, obwohl die ☿ und ♀ hinreichend characterisirt sind.

Die Latreille'sche *Formica rubra* ist zweifelsohne ein Collectivname für alle jene *Myrmica*-Arten, welche Dr. Nylander beschrieben hat und welche wirklich zu dieser Gattung gehören, und ich finde es höchst sonderbar, dass Herr Curtis in seiner Abhandlung: »On the Genus Myrmica and other indigenous Arts« in der Transact. of the Linn. Soc. of London Vol. XXI. die *Myrmica scabrinodis* Nyl. für die Latreille'sche *Myrmica rubra* hält, indem es durchaus nicht zu entziffern ist, welche Art Latreille zur Beschreibung vor sich hatte.

Diese Art findet sich fast überall, wo überhaupt Ameisen vorkommen, sie baut keine Hügel, sondern minirt Gänge und Höhlungen in der Erde unter Steinen oder Moos oder unbedeckt, obwohl sie auch in alten Bäumen und in Mauern öfters gefunden wird; sie schwärmt im Hochsommer. Nach Professor Schenck lebt bei ihr und den verwandten Arten *Lomechusa.*

3. *Myrmica rugulosa* Nyl.

Operaria: *Testaceo-ferruginea, flavide pilosula, caput supra abdominisque dorsum in medio fuscescentia; antennarum scapus subgeniculatim flexus; caput post aream frontalem subtiliter et dense longitudinaliter, ad oculos fortius reticulatim rugulosum; metanotum spinis duabus; petioli nodi subtiliter rugulosi. Long.:* $3^{1}/_{2}$—$4^{1}/_{2}$mm.

Femina: *Testaceo-ferruginea, flavide pilosula, caput supra, pronoti et scutelli margo posterior, mesonoti latera atque abdomen fuscescentia; antennarum scapus subgeniculatim flexus; caput post aream frontalem subtiliter et dense longitudinaliter, ad oculos fortius reticulatim rugulosum; metanotum spinis duabus; petioli nodi rugulosi; alae a basi ad medium fuscescentes Long.:* $5^{1}/_{4}$—$6^{1}/_{2}$mm.

Mas: *Nigro-fuscus, nitidus, flavide pilosulus, mandibulae, antennarum funiculi ac abdominis apex, articulationes pedum tarsique pallescentes; antennarum scapus longitudine quadrantis funiculi; articulus primus funiculi secundo paulo longior; pedes pilis paululum abstantibus, femora in medio vix incrassata; alae a basi ad medium infuscatae. Long.:* $4^{1}/_{2}$—$4^{3}/_{4}$mm.

Myrmica rugulosa Nyl. Add. alt. adn. mon. Form. bor. Eur. pag. 32.
Myrmica clandestina Först. Hym. Stud. 1. H. p. 63; Schenck Beschr. nass. Ameis. pag. 84.

Arbeiter. Rothgelb, selten bräunlich rothgelb, die Mitte der Oberseite des Hinterleibes, öfters der ganze Hinterleib mit Ausnahme der vorderen Hälfte des ersten Segmentes und die Oberseite des Kopfes mehr oder weniger braun. Der ganze Körper ist sparsam mit langen abstehenden Borstenhaaren besetzt.

Die Oberkiefer und der Clypeus sind so wie bei der vorigen Art. Das Stirnfeld ist entweder glatt und bloss am hinteren Rande ragen die Längsstreifen der Stirn in dasselbe hinein, oder es ist das ganze Stirnfeld längsgestreift. Die Stirnlappen sind seitlich wenig erweitert und aufgebogen. Der Fühlerschaft, welcher fast bis zum Hinterrande des Kopfes reicht, ist nahe am Grunde stark bogenförmig, fast winkelig gekrümmt. Die Stirn ist dichter und feiner als bei der vorigen Art längsgestreift. Die Augengegend des Kopfes grob netzaderig, die Maschen aber nicht wie bei *M. laevinodis* glatt, sondern fein granulirt-gerunzelt.

Das Pro- und Mesonotum ist grob unregelmässig gerunzelt; das Metanotum mit zwei langen, spitzen Dornen bewehrt, die Basalfläche grob längsrunzlig, die abschüssige Fläche zwischen den Dornen glatt und glänzend. Die Seiten des Thorax sind längsgerunzelt.

Die Knoten des Stielchens sind fein gerunzelt und mit einigen Längsfurchen versehen.

Der Hinterleib ist glatt, glänzend und nur sehr zerstreut punctirt.

Weibchen. Rothgelb oder braunroth, der Innenrand der Oberkiefer, die Oberseite des Kopfes, der Hinterrand des Pronotums und des Schildchens, die Seiten des Mesonotums (manchmal aber auch das ganze Pro- und Mesonotum und Schildchen) und der Hinterleib braun oder schwärzlich. Der ganze Körper ist ziemlich reichlich mit langen abstehenden Borstenhaaren besetzt.

Der Kopf gleicht jenem des ☿, die drei Punctaugen des ♀ abgerechnet.

Das Pronotum ist grob gerunzelt; das Mesonotum und das Schildchen grob längsgestreift. Das Metanotum ist mit zwei langen, spitzen Dornen versehen und zwischen denselben ist die abschüssige Fläche glatt und glänzend. Die Seiten des Thorax sind grob längsgestreift.

Die Knoten des Stielchens sind gerunzelt.

Der Hinterleib ist glatt und glänzend.

Die Flügel sind vom Grunde bis zur Mitte bräunlich getrübt.

Männchen. Schwarzbraun, glänzend, die Oberkiefer, die beiden Enden des Fühlerschaftes, das erste Geisselglied, die Endhälfte der Geissel (oft auch die ganze Geissel), die Spitze des Hinterleibes, die Gelenke der Beine und die Tarsen bräunlichgelb. Der ganze Körper ist ziemlich sparsam mit langen, feinen Borstenhaaren bekleidet.

Die Oberkiefer sind sehr fein gerunzelt und vier- bis fünfzähnig. Der Clypeus ist fein und unregelmässig gerunzelt. Die Stirnlappen sind sehr schmal und mässig aufgebogen. Der Fühlerschaft ist nur so lang als die drei ersten Geisselglieder zusammen; das erste Geisselglied ist sehr kurz, das zweite fast um die Hälfte länger als das erste und dünner, das dritte bis achte um Weniges kürzer als das zweite, das neunte bis eilfte dicker und unbedeutend länger als die vorigen, das Endglied fast so lang als die zwei vorletzten Glieder zusammen. Das Stirnfeld, die Stirne und der Scheitel sind fein gerunzelt. Die Stirnrinne reicht bis zum mittleren Punctauge.

Der Thorax ist gerunzelt, bloss der vordere Theil des Mesonotums und die abschüssige Fläche des Metanotums sind glatt und stark glänzend. Das Metanotum ist mit zwei stumpfen, breiten Zähnchen bewehrt.

Die Knoten des Stielchens sind fein gerunzelt, bloss die Scheibe des zweiten Knotens ist so wie der Hinterleib glatt und stark glänzend.

Die Beine sind mit feinen, im Vergleiche zu jenen des ♂ der *M. scabrinodis*, mit welchen das ♂ dieser Art die meiste Aehnlichkeit hat, ziemlich kurzen, nach hinten gerichteten Borstenhaaren besetzt.

Die Flügel sind vom Grunde bis zur Mitte bräunlich getrübt.

Durch die Zusendung eines Originalexemplars von Herrn Dr. Nylander erlangte ich die Gewissheit, dass die *Myrmica rugulosa* Nyl. mit der *Myrmica clandestina* Först. synonym sei.

Diese seltene Art findet sich unter Steinen in der Erde, in welcher sie in nicht zahlreicher Gesellschaft Gänge ausgräbt; sie schwärmt im Hochsommer.

In Mähren bei Mistek (Schwab); in Galizien bei Lemberg (Wlastirios); in Oesterreich in Wien in meinem Garten, in Auen bei Mautern, bei Hohenstein, beim Hübner'schen Durchschlage und im Preinthale bei Reichenau (Mayr); in Tirol bei Botzen (Gredler). In den Nachbarländern bisher bloss in Rheinpreussen bei Crefeld (Förster) und in Nassau bei Weilburg (Schenck).

4. Myrmica ruginodis Nyl.

Operaria: *Testaceo-ferruginea, flavide pilosula, caput supra abdominisque dorsum in medio fuscescentia; antennarum scapus paululum arcuatim flexus; area frontalis laevis, nitida; caput longitudinaliter striatim rugulosum; metanotum spinis duabus longis; petioli nodi rugosi. Long.:* 5—5½mm.

Femina: *Testaceo-ferruginea, flavide pilosula, caput supra, scutelli margo posterior atque abdominis dorsum in medio fuscescentia; antennarum scapus paululum arcuatim flexus; area frontalis laevis, nitida; caput longitudinaliter striatim rugulosum; metanotum spinis duabus longis. Long.:* 6½—7mm.

Mas: *Nigro-fuscus, nitidus, flavide pilosulus, mandibulae, antennarum funiculus, abdominis apex, articulationes pedum ac tarsi pallescentes; antennarum scapus dimidio funiculi; area frontalis subtilissime rugulosa; metanotum dentibus duobus valde obtusis; tibiae pilis brevibus fere adpressis. Long.:* 5½—6mm.

Myrmica ruginodis Nyl. Adn. mon. Form. bor. Eur. pag. 929; Först. Hym. Stud. 1. H. pag. 66; Schenck Beschr. nass. Ameis. pag. 77; Smith Ess. Gen. and Spec. Brit. Form. pag. 116.

Myrmica vagans Curtis Gen. Myrm. pag. 213.

Arbeiter. Dieser ist jenem der *Myrmica laevinodis* sehr ähnlich und unterscheidet sich bloss durch folgende Merkmale von letzterer Art: Die Länge des Körpers ist etwas bedeutender, der Thorax ist etwas gröber gerunzelt, die Dornen des Metanotums sind etwas länger, die abschüssige Fläche des Metanotums zwischen den Dornen ist besonders an der vorderen Hälfte quergerunzelt. Von der *Myrm. sulcinodis* unterscheidet er sich leicht durch das glatte Stirnfeld, von der *Myrm. scabrinodis* und *lobicornis* durch den Fühlerschaft, andere Charactere nicht gerechnet.

Weibchen. Dieses unterscheidet sich von dem ♀ der *Myrm. laevinodis* bloss durch den etwas gröber gerunzelten Thorax, durch die langen schmalen Dornen des Metanotums, die zwischen den Dornen quergerunzelte abschüssige Fläche und durch die gerunzelten Knoten des Stielchens. Von den übrigen Arten unterscheidet es sich so wie der ☿.

Männchen. Dieses ist von dem ♂ der *M. laevinodis* sehr schwierig zu unterscheiden, indem sich bloss ein einziges Merkmal auffinden lässt, obwohl sich die beiden anderen Geschlechter hinlänglich unterscheiden. Es sind nämlich die Schienen dieser Art mit etwas kürzeren und fast anliegenden Borstenhaaren sparsamer besetzt als es bei *M. laevinodis* der Fall ist. Von den übrigen ähnlichen Arten unterscheidet es sich leicht durch den langen Fühlerschaft und von *M. sulcinodis* durch das sehr fein verworren gerunzelte, nicht längsgestreifte Stirnfeld.

Diese Art findet sich so wie *M. laevinodis* überall häufig, insbesondere unter Steinen, wie überhaupt die Arten der Gattung *Myrmica* gerne unter Steinen leben; sie schwärmt im Hochsommer.

5. *Myrmica sulcinodis* Nyl.

Operaria: *Sordide rubida, caput supra, mandibulis antennisque exceptis, atque abdomen fusco-nigra; caput, thorax et petiolus longitudinaliter striatim profunde exarata; area frontalis striata; antennarum scapus ad basin subgeniculatim flexus; metanotum spinis duabus longis. Long.:* 5½—6mm.

Femina. *Sordide rubida, mandibulae, antennae atque pedes ochracei, caput, pronotum, pars posterior mesonoti, scutellum, latera thoracis partim ac abdomen fusco-nigra; caput, thorax et petiolus longitudinaliter striatim profunde exarata; area frontalis striata; antennarum scapus ad basin subgeniculatim flexus; metanotum spinis duabus longis. Long.:* 6½ — 7mm.

Mas. *Nigro-fuscus, mandibulae, antennae, abdominis apex ac pedes pallescentes; antennarum scapus dimido funiculi; area frontalis longitudinaliter striata; metanotum dentibus duobus obtusissimis. Long.:* 5½ — 6mm.

Myrmica sulcinodis Nyl. Adn. Mon. Form. bor. Eur. pag. 934; Smith Ess. Gen. and Spec. Brit. Form. pag. 119.

Myrmica perelegans Curtis. Gen. Myrm. pag. 214.

Arbeiter: Schmutzig roth oder bräunlichroth, die Oberseite des Kopfes mit Ausnahme der Oberkiefer und Fühler, und der Hinterleib braunschwarz. Der ganze Körper ist mit abstehenden, langen Borstenhaaren mässig bekleidet.

Die Oberkiefer sind dicht und grob längsgestreift, sieben- bis achtzähnig, die vordersten Zähne gross und spitz. Der Clypeus, die Stirn und der Scheitel mit groben Längsstreifen durchzogen. Das Stirnfeld ist etwas weniger grob längsgestreift. Der Fühlerschaft ist nahe am Grunde stark bogenförmig, fast winkelig gekrümmt. Die Seitengegend des Kopfes ist netzmaschig, die Maschen selbst aber sind glatt und stark glänzend.

Der Thorax ist sehr grob runzlig längsgefurcht, das Metanotum ist mit zwei langen, spitzen Dornen bewaffnet, zwischen diesen ist die abschüssige Fläche glatt und glänzend.

Die Knoten des Stielchens sind sehr grob runzlig längsgefurcht.

Der Hinterleib ist glatt und stark glänzend.

Weibchen. Schmutzig roth oder bräunlichroth, die Oberkiefer, Fühler und Beine bräunlichgelb, der Kopf, mehr oder weniger das Pronotum, die hintere Hälfte des Mesonotums, das Schildchen, theilweise die Seiten des Thorax und der Hinterleib braunschwarz. Der ganze Körper ist mässig mit langen, ziemlich feinen, abstehenden Borstenharen besetzt.

Der Kopf verhält sich so wie beim ☿.

Der Thorax ist sehr grob runzlig längsgefurcht. Das Metanotum ist mit zwei langen, spitzen Dornen bewaffnet, zwischen diesen ist die abschüssige Fläche glatt und stark glänzend.

Die Knoten des Stielchens sind sehr grob runzlig längsgefurcht.

Der Hinterleib ist glatt und glänzend.

Die Flügel sind fast wasserhell.

Männchen. Schwarzbraun, die Oberkiefer, die Fühler, die Hinterleibsspitze, die Gelenke der Beine, die Schienen und Tarsen bräunlichgelb, die Schenkel braun. Der ganze Körper ist mit langen, abstehenden Borstenhaaren mässig besetzt.

Die Oberkiefer sind ziemlich fein längsgerunzelt, sparsam grob punctirt und mit fünf stumpfen Zähnen versehen. Der Clypeus, das Stirnfeld, die Stirn und der Scheitel sind mit mässig feinen Längsstreifen durchzogen. Die Fühlerschaft, welcher zurückgelegt bis zum Hinterrande des Kopfes reicht, ist etwa halb so lang als die Geissel, das erste Glied ist ziemlich kurz, das zweite länger als das erste, aber nicht doppelt so lang, das dritte bis siebente ist etwa so lang als das erste, das achte und eilfte etwas länger und dicker als die vorigen, das Endglied um die Hälfte länger als das vorletzte Glied.

Der Thorax ist ziemlich fein längsgerunzelt, nur die abschüssige Fläche des Metanotums und theilweise das Mesonotum sind glatt und stark glänzend. Das Metanotum hat zwei höckerartige, sehr stumpfe, kleine Zähne.

Die Knoten des Stielchens sind fein längsgerunzelt, die Scheibe des zweiten Knotens ist glatt.

Der Hinterleib ist glatt und glänzend.

Die Flügel sind schwach bräunlich getrübt.

Diese seltene Art findet sich in den österreichischen Staaten unter Steinen in subalpinen oder wenigstens gebirgigen Gegenden, wo sie im Monate August schwärmt.

In Oesterreich bei Fahrafeld nächst Pottenstein, im Höllenthale, am Hengstberge beim Schneeberge, am Schneeberge und am Semmering (Mayr); in Salzburg bei Gastein (Mayr); in Tirol im Vintschgau (Förster); in Steiermark auf der Raxalpe (Mayr); in Krain auf der Alpe Velki planina bei Stein (Schmidt). In den Nachbarländern in der Schweiz am Monte Rosa (Stierlin).

6. *Myrmica scabrinodis* Nyl.

Operaria : *Testaceo-ferruginea, caput supra abdominisque dorsum in medio fuscescentia; lamina frontalis aurito-dilatata; antennarum scapus geniculatim flexus, genu saepissime lobo aut dente obtuso erecto; caput longitudinaliter striatim rugulosum; metanotum spinis duabus et parte declivi subtiliter rugulosa; petioli nodi rugosi. Long.:* $3\frac{1}{4}$ — 5^{mm}.

Femina. *Testaceo-ferruginea, caput supra, mesonoti maculae tres et abdominis dorsum in medio, saepe mesonotum, scutellum et mesosternum fuscescentia; lamina frontalis aurito-dilatata; antennarum scapus geniculatim flexus, genu saepissime lobo aut dente obtuso, erecto; caput longitudinaliter striatum rugulosum; metanotum spinis duabus et parte declivi sutiliter rugulosa; petioli nodi rugosi. Long.:* $5\frac{1}{2}$ — $6\frac{1}{2}^{mm}$.

Mas. *Nigro-fuscus, mandibulae, scapi, funiculi atque abdominis apices, articulationes pedum atque tarsi pallescentes; antennarum scapus longitudine quadrantis funiculi, hujus articulus 2 primo paulo longior; pedes pilis abstantibus, femora in medio incrassata. Long.:* $5\frac{1}{2}$ — 6^{mm}.

Myrmica scabrinodis Nyl. Adn. Mon. Form. bor. Eur. pag. 930; Förſt. Hym. Stud. 1. H. pag. 67; Schenck Beschr. nass. Ameis. pag 78; Smith Ess. Gen. and Spec. Brit. Form. pag. 115.

Myrmica rubra Curt. Gen. Myrm. pag. 213.

Arbeiter: Röthlichgelb, selten bräunlich rothgelb, die Oberseite des Kopfes und die Mitte der Oberseite des Hinterleibes braun, öfters ist die Oberseite des Kopfes so wie der Thorax röthlichgelb. Der ganze Körper ist mässig mit langen, abstehenden Borstenhaaren bekleidet.

Die Oberkiefer sind längsgerunzelt, weitläufig grob punctirt, meist achtzähnig. Der Clypeus, die Stirn und der Scheitel sind mit Längsstreifen nicht dicht durchzogen. Das Stirnfeld ist meist glatt und glänzend, öfters findet man aber Streifen von der Stirn in dasselbe ragen, selten ist es seiner ganzen Länge nach mit Längsstreifen durchzogen. Die Stirnlappen sind fast ohrförmig erweitert und aufgebogen. Der Fühlerschaft ist nahe am Grunde fast rechtwinklig gekrümmt, an der knieförmigen Biegung sitzt meist ein sehr stumpfer, nach aufwärts gerichteter Zahn oder ein nach innen und aufwärts gerichteter, kleiner Lappen. Die Seiten des Kopfes sind netzaderig und die Maschen sind glatt und glänzend.

Der Thorax ist sehr grob längsgerunzelt; das Metanotum ist zwischen den langen Dornen mit mehreren queren Runzeln versehen.

Die Knoten des Stielchens sind grob gerunzelt, meist mit einigen starken Längsfurchen an den Seiten.

Der Hinterleib ist glatt und glänzend.

Weibchen. Röthlichgelb, selten bräunlich rothgelb, der Innenrand der Oberkiefer, der grösste Theil der Oberseite des Kopfes, drei Flecken am Mesonotum, der Hinterrand des Schildchens (öfters das ganze Mesonotum und Schildchen), das Mesosternum und die Mitte der Oberseite des Hinterleibes (manchmal der ganze Hinterleib) braun. Der ganze Körper ist mit langen, gelblichen Borstenhaaren mässig besetzt.

Der Kopf verhält sich so wie beim ☿.

Das Pronotum ist grob gerunzelt; das Mesonotum ist grob längsgestreift, ebenso die Seiten des Thorax. Das Metanotum ist mit zwei langen, spitzen Dornen bewehrt und zwischen denselben schwach quergerunzelt.

Die Knoten des Stielchens sind grob gerunzelt.

Der Hinterleib ist glatt und glänzend.

Die Flügel sind bis zur Mitte bräunlich getrübt.

Männchen. Glänzend, schwarzbraun, die Oberkiefer (manchmal nur der Innenrand derselben), das Geisselende des Fühlerschaftes, die Spitze der Geissel und des Hinterleibes, die Gelenke der Beine und die Tarsen bräunlichgelb. Der ganze Körper ist mit langen, abstehenden Borstenhaaren versehen.

Der Kopf ist so wie bei *Myrm. rugulosa*, es ist aber die Seitengegend des Kopfes hinter den Augen mit feinen Längsstreifen durchzogen, während diese bei *M. rugulosa* fast fehlen.

Der Thorax, das Stielchen und der Hinterleib sind so wie bei *M. rugulosa*, aber die Beine sind mit langen, meist fast wagrecht abstehenden Borstenhaaren reichlich besetzt, und die Schenkel sind in der Mitte, obwohl wenig, verdickt. Ebenso ist auch ein Unterschied in der Länge des Körpers.

Diese Art findet sich häufig unter denselben Verhältnissen wie die *Myrm. laevinodis* und *ruginodis*; ebenso ist auch ihre Schwärmzeit dieselbe *).

---

*) In Siebold's „Beitr. zur Faun. d. wirbell. Th. d. Pr. Preuss." ist eine *Myrmica rugosa* Koch und *M. melanocephala* Koch angeführt. Indem ich wegen Nachlässigkeit beschuldigt werden könnte, diese beiden Arten nicht citirt zu haben, so erwähne ich, dass Herr Professor Siebold nicht bloss die Gefälligkeit hatte, mir zu berichten, dass diese zwei Arten nur in litteris bekannt sind, sondern er sandte mir auch die Koch'schen Originalexemplare, woraus ich ersah, dass Herr Koch die *Myrmica laevinodis* und *scabrinodis* als *M. rugosa* Koch und die *M. acervorum* Nyl. als *M. melanocephala* Koch determinirte.

7. Myrmica lobicornis Nyl.

Operaria: *Sordide rubida, caput supra et abdomen fusco-nigra; antennarum scapus geniculatim flexus, genu lobo transverso; caput longitudinaliter striatim rugulosum; metanotum spinis duabus et parte declivi laevi; petioli nodi rugosi. Long.: 5 — 6^{mm}.*

Femina. *Sordide rubida, caput supra, mesonotum partim, scutelli margo posterior, mesosternum et abdominis dorsum nigro-fusca; antennarum scapus geniculatim flexus, genu lobo transverso; caput longitudinaliter striatim rugulosum; metanotum spinis duabus et parte declivi laevi; petioli nodi rugosi. Long.: 5 — 6^{mm}.*

Mas. *Nigro-fuscus, mandibulae, apices scapi, funiculi atque abdominis, articulationes pedum ac tarsi pallescentes; antennarum scapus longitudine quadrantis funiculi, hujus articulus 2. primo paulo longior; pedes pilis paululum abstantibus, femora in medio vix incrassata. Long.: 6 — 6½^{mm}.*

Myrmica lobicornis Nyl. Adn. mon. Form. bor. Eur. pag. 932 und Add. alt. pag. 31; Först. Hym. Stud. 1. H. pag. 69; Schenck Beschr. nass. Ameis. pag. 82.

Arbeiter: Schmutzig braunroth, die Beine lichter, die Oberseite des Kopfes und der Hinterleib braunschwarz oder röthlich schwarzbraun. Der ganze Körper ist mässig mit langen, abstehenden Borstenhaaren besetzt.

Der Kopf ist so wie bei *M. scabrinodis*, doch sind die Stirnlappen viel weniger erweitert, auf dem Knie des Fühlerschaftes (indem dieser so wie bei der vorigen Art winkelig gebogen ist) sitzt ein quer stehender fast halbkreisförmiger Lappen, und das Stirnfeld ist stets scharf längsgestreift.

Der Thorax ist ebenfalls so wie bei der vorigen Art, aber die abschüssige Fläche zwischen den langen Dornen ist ganz glatt und stark glänzend.

Die Knoten sind grob gerunzelt und längsgefurcht.

Der Hinterleib ist glatt und glänzend.

Weibchen. Schmutzig braunroth, der Innenrand der Oberkiefer, die Oberseite des Kopfes, der Hinterrand des Pronotums, zwei längliche Flecke an den Seiten des Mesonotums, (oft auch ein Fleck vorne in der Mitte desselben oder das ganze Mesonotum), die hintere Hälfte des Schildchens, das Mesosternum und die Oberseite des Hinterleibes mit Ausnahme des Grundes und der Spitze schwarzbraun. Der ganze Körper ist mässig mit langen abstehenden Borstenhaaren besetzt.

Der Kopf ist so wie beim ☿.

Der Thorax so wie beim ♀ der vorigen Art, nur mit dem Unterschiede, dass die Dornen etwas kürzer aber nicht breiter sind, und dass die abschüssige Fläche zwischen den Dornen so wie beim ☿ vollkommen glatt und stark glänzend ist.

Die Knoten des Stielchens, der Hinterleib und die Flügel sind wie bei der vorigen Art.

Männchen. Dieses unterscheidet sich von dem der vorigen Art bloss durch wenige Merkmale. Das zweite Geisselglied ist doppelt so lang als das erste Glied, die Schenkel sind in der Mitte kaum verdickt und die Beine sind sparsamer mit nach hinten gerichteten und kürzeren Borstenhaaren bekleidet.

Diese seltene Art lebt so wie die vorgenannten Arten dieser Gattung unter Steinen in der Erde, und schwärmt im Hochsommer.

In Böhmen bei Kaplitz (Kirchner); in Oesterreich bei Wien am Laaerberge und am Leopoldsberge, bei Fahrafeld nächst Pottenstein, bei Ober-Bergern nächst Mautern (Mayr); am Jauerling bei Melk (Kerner); in Krain (Schmidt); in der Lombardie bei Leffe (Strobel). In den Nachbarländern in der Provinz Preussen bei Königsberg (Elditt und Schiefferdecker); in Rheinpreussen bei Aachen (Förster); in Nassau (Schenck); in Baiern bei Regensburg (Herrich-Schäffer) *).

2. *Formicoxenus* Mayr n. g.

Formica und *ξένος* Gast.

Arbeiter. Der glatte, glänzende Kopf ist länglich viereckig mit stark abgerundeten Ecken, länger als breit und breiter als der Thorax. Die Oberkiefer sind am Ende nicht viel breiter als am Grunde, deren Innenrand ist

---

*) In den Nachbarstaaten kommen noch folgende *Myrmiciden* vor, welche unter dem Collectivgattungsnamen *Myrmica* beschrieben wurden:

Myrmica leonina Los. Form. Piem. pag. 332.

Losana beschreibt den Arbeiter dieser Art folgendermassen:

„*Rufa, rugosa; thorace continuo, arcuato; spinis duobus brevissimis posticis; abdomine ovato depresso, postice nigrofasciato Long.*: 11mm.“

„*Al primo aspetto questa formica rassomiglia alla rubra, o all' unifasciata, come alla tuberosa di Latreille; ma ben considerata essa differisce da quelle in ogni sua parte, come nella sua lunghezza. Questa ha il capo subquadrato, depresso, posteriormente quasi retto. Le sue mandibole trigone, piuttosto esili, bianco-giallognole, col margine interno retto, leggermente denticulato; il labbro superiore è ovato, un po' saliente; dai due lati superiori escono le antenne, inferiormente di color lionato, un po' più chiaro che quella del capo, e superiormente più sbiadato ancora; la fronte è depressa, zigrinata, con una lieve cavità centrale: gli occhi rosso-nerastri sono laterali, di mezzana grandezza, a mezzo il capo collocati. Il torace eguaglia in larghezza di capo*

mit Zähnen besetzt. Die Unterkiefertaster sind viergliedrig. Die Lippentaster sind dreigliederig (scheinbar zweigliedrig), deren erstes Glied ist lang und dünn, das zweite und dritte sind nicht lang aber breit und können bei

---

esso è arcato, continuo del dorso, direi, cucullato; lo scudello obliquamente troncato è la metà de' suoi lati di una brevissima spina armato. I piedi, piuttosto brevi e meno lionati, hanno i tarsi biancastro-lionati. Il picciuolo ventrale ha due nodi pressochè uguali, torulosi, di cui il primo più piccolo, è al picciuolo sovrapposto, il secondo più grande con circonda. L'abdome è ovalo depresso, come il capo colorato e zigrinato, un po' più largo del torace; è più grande di quella della rubra e dell' unifasciata, e posteriormente da una fascia trasversale nera macchiato, e di corti peli guarnito."

„Essa abita sulle alpi, e la trovai in agosto su quelle di Valdieri, errante fra le Form. ligniperda attorno a faggi soleggiati; la sua lunghezza solo, molto più grande delle altre formiche binodi, basterebbe per doverla separare da ogni altra sua congenere, tanto più perchè essa non ha pungiglione offensivo."

Myrmica trinodis Los. Form. Piem. pag. 327.

Losana sagt von dieser merkwürdigen Ameise:

Operaria: *„Castaneo brunnea, nitida; nodis pedicellaribus tribus; scutello quadrispinoso. Long.: 3mm."*

„Essa è pubescente, col capo ovato acuminato, liscio, di color castagno-nerastro, lucente, della grandezza dell' abdome. Le mandibole trigone, dilatate, internamente falcate, flavo-fulvescenti, lievemente punteggiate, striate, pubescenti. Le antenne, inserite presso al labbro che è breve, bruno sotto al cubito, fulvescenti al di sopra, hanno il primo nodo assai grande e lungo, quindi quelle di mezzo piccoli, eguali, con i tre ultimi sempre più crescenti, onde esse riescono subclavate. Gli occhi, laterali, sono rufi, piuttosto piccoli. Il torace più stretto del capo, obovato, bruno, lucido, va posteriormente decrescendo in un lobo, minore giallastro, in fine obliquamente troncato; nel di lui scudello vi sono quattro spine più o meno apparenti, ma le posteriori sono più tenui. Il picciuolo ventrale è lungo, con tre nodi, di cui il primo, minore, è formato da due tubercoli sublaterali, il secondo, medio, è subsquamiforme, ed il terzo, più grande, toruloso. I piedi hanno i femori e le tibie brunastre nel mezzo dilatate; le articolazioni ed i tarsi pallido-fulvescenti; l'abdome ovalo un po' depresso, della larghezza del capo è castagno-bruno, lucido; esso varia talvolta di colore, come il rimanente del corpo."

„Abita ne' giardini, ove fa monticelli di terra: essa, come dissi, varia facilmente di colore, onde ve ne ha di quelle che sono pallido-fulvescenti, con l'abdome posteriormente nero-lucido, ed ora biancastro-livido, vario; altre hanno il torace, ed i piedi solamente, pallido-fulvescente, con l'abdome tutto nerastro, lucido, mentre il torace ed i piedi sono sempre meno lucidi."

Myrmica pallida Nyl. Add. alt. pag. 42,

Dr. Nylander beschreibt den Arbeiter dieser Art folgendermassen:

„Tota pallide testacea, laevis, nitida, sparse pilosa, metathorace mutico, pedibus decumbenti-pilosulis, longitudine corporis 4mm. E Messina a Cel.

flüchtiger Untersuchung für ein einziges Glied gehalten werden. Die Oberlippe ist vorne abgerundet und in der Mitte des Vorderrandes schwach ausgebuchtet.

Zeller. Satis similis M. laevinodi, sed pallidior, paulo minor, glabra, marginibus laminae frontalis supra radices antennarum minus explicatis, oculis minoribus atris, metathorace mutico. Area frontalis indistincta. Antennarum articuli 4 ultimi majores. Nodus petiolaris anterior declivitate antica nuda duplo longiore quam postica, infra antice dentis vel protuberantiae nullum vestigium."

Myrmica Minki Först.

Operaria: *Ferruginea, abdominis dorsum in medio fusco-nigrum; caput subtiliter reticulatim et thorax fortius rugosa; area frontalis angusta, laevis; oculi minutissimi; metanotum dentibus duobus acutis, minutis; petioli segmentum primum elongatum, rugosum, et secundum globiforme, sublaeve. Long.:* 3½mm.

Femina: *Ferruginea, caput supra, mesonotum atque abdominis dorsum fuscescentia, abdominis pars inferior ferrugineo-testacea; caput subtiliter reticulatim et thorax fortius longitudinaliter rugosa; area frontalis angusta, laevis; oculi mediocri; metanotum spinis duabus brevibus acutis; petioli segmentum primum elongatum, rugosum et secundum globiforme, longitudinaliter rugosum; alae infuscatae. Long.:* 5mm.

Myrmica Minkii Först. Hym. Stud. 1. H. pag. 63; Schenck Beschr. nass. Ameis. pag. 142.

Arbeiter. Rostroth, die Oberseite des Hinterleibes mit Ausnahme des Grundes und der Spitze braunschwarz, die Oberseite des Kopfes und des Thorax mehr oder weniger bräunlich angeraucht. Der ganze Körper ist mit abstehenden Borstenhaaren sparsam bekleidet.

Der Kopf ist ziemlich gross, breiter als der Thorax und etwa so lang als der letztere. Die Oberkiefer sind breit längsgestreift und mit kleinen aber spitzen Zähnen bewaffnet. Die Unterkiefertaster sind vier-, die Lippentaster dreigliederig. Der Clypeus ist besonders hinten schmal, glatt, stark glänzend und beiderseits durch zwei von den Stirnlappen kommende scharfe Kiele begränzt. Das Stirnfeld ist schmal, glatt, glänzend, tief eingeprägt und vom Clypeus nicht getrennt. Der Schaft der zwölfgliedrigen Fühler reicht fast bis zum Hinterrande des Kopfes und ist nahe am Grunde wenig bogenförmig gekrümmt; das erste Geisselglied ist ziemlich lang, das zweite ist das kürzeste, die folgenden nehmen nach und nach an Grösse und Dicke zu, das Endglied ist fast so lang als die drei vorhergehenden zusammen. Die Stirn ist längsgerunzelt, der Scheitel und die Seitengegend des Kopfes ist schön netzaderig. Die äusserst kleinen Netzaugen sind mehr nach vorne gerückt gegen die Mundwinkel (als diess gewöhnlich der Fall ist). Die Punctaugen fehlen.

Der Thorax ist vorne am breitesten und zwischen dem Meso- und Metanotum ist er mässig eingeschnürt; er ist grob längsgerunzelt und auch etwas netzaderig. Das Metanotum ist mit zwei kurzen, spitzen, aufgerichteten Zähnen bewaffnet, zwischen denselben ist die abschüssige Fläche fast glatt und stark glänzend.

Der Clypeus ist gross, ungekielt, von einer Seite zur anderen ziemlich flach, von vorne nach hinten schwach convex. Das Stirnfeld ist kaum angedeutet. Die Geissel der eilfgliedrigen Fühler ist keulenförmig*). Die Punctaugen sind bei den meisten Individuen vorhanden; merkwürdiger Weise gibt es aber auch manche Exemplare, bei welchen man selbst bei der stärksten mikroscopischen Vergrösserung keine Andeutung von Punctaugen

---

Das stark verlängerte erste Glied des Stielchens ist an der vorderen Hälfte stiel- an der hinteren knotenförmig, das zweite Segment ist knotenförmig und kaum länger als breit; der erste Knoten ist mässig fein gerunzelt, der zweite ist sehr seicht gerunzelt und fast glatt.

Der Hinterleib is kurz oval, etwa so lang als der Thorax, glatt und glänzend, das erste Segment nimmt fast dreiviertel Theile des Hinterleibes ein.

Weibchen. Rostroth, die Oberseite des Kopfes mit Ausnahme der Oberkiefer, des Clypeus und der Fühler, das Mesonotum, das Schildchen und die Oberseite des Hinterleibes mit Ausnahme des Grundes und der Spitze bräunlich, die Unterseite des Hinterleibes röthlichgelb. Der ganze Korper ist reichlich mit langen, feinen, weisslichen Borstenhaaren bekleidet.

Der Kopf verhält sich so wie beim Arbeiter, doch finden sich beim Weibchen drei grosse Punct- und zwei mässig grosse aber flache Netzaugen.

Der Thorax zeichnet sich dadurch aus, dass er sogleich hinter dem Schildchen schief abgestutzt ist, so dass das Metanotum zur Länge des Thorax oben nichts mehr beiträgt. Der Thorax ist grob längsgerunzelt, das Metanotum ist mit zwei kurzen, spitzen, am Grunde ziemlich breiten Dornen bewehrt, die abschüssige Fläche zwischen denselben ist oben etwas quergerunzelt, aber vollkommen glatt und stark glänzend.

Das Stielchen verhält sich so wie beim Arbeiter, doch ist der zweite Knoten längsgerunzelt.

Der Hinterleib ist eiförmig, glatt und glänzend, dessen ersten Segment nimmt fast mehr als dreiviertel Theile des ganzen Hinterleibes ein.

Die Flügel sind vom Grunde bis zur Spitze bräunlich getrübt, die Rippenvertheilung ist so wie bei *Tetramorium*, *Leptothorax* etc., es verbindet sich die Costa transversa nahe an der Theilungsstelle mit der Costa cubitalis, wodurch bloss eine geschlossene Cubitalzelle gebildet wird.

Diese merkwürdige Art wurde bisher bei Crefeld in Rheinpreussen (Förster) und bei Weilburg in Nassau (Schenck) nur in einzelnen Exemplaren gefunden.

Obwohl ich den Arbeiter und das Weibchen in natura vor mir habe, so wage ich es doch noch nicht, über das generische Verhalten meine Meinung auszusprechen und würde gerne vorher ein Männchen dieser so höchst interessanten Ameise untersuchen.

*) Durch die Ansicht von Originalexemplaren aus den Händen der Herren Dr. Förster und Dr. Nylander überzeugte ich mich, dass die *Myrmica laeviuscula* Först. (vide Först. Hym. Stud. 1. H. pag. 73) und die *Myrmica nitidula* Nyl., welche nur wegen der Anzahl der Fühlerglieder als verschiedene Arten galten, eine und dieselbe Art sind, und dass auch die Nylander'sche Art eilfgliedrige Fühler hat. Die Angabe Nylander's, dass sie zwölfgliedrige Fühler habe, mag entweder von einem Schreibfehler oder einem

aufzufinden im Stande ist. Die mässig grossen, flachen Netzaugen stehen etwas hinter der Mitte des Kopfes. Der glatte und glänzende Thorax ist hinter dem Mesonotum nicht eingeschnürt, es ist bloss eine feine Furche, welche die Gränze zwischen dem Meso- und Metanotum bildet, vorhanden. Das Metanotum ist mit zwei horizontal stehenden, nach hinten gerichteten, dicken Zähnen bewaffnet. Das erste Glied des Stielchens ist vorne nicht stielförmig verlängert, es ist knotenförmig und verlängert sich nach oben in einen stumpfen Kegel, nach unten in einen dicken, starken und stumpfen Zahn; das zweite Glied ist knotenförmig, etwas breiter als lang und an der Unterseite mit einem nach abwärts und vorne gerichteten Dorne versehen. Der Hinterleib ist mässig gross, oval; das erste Segment bedeckt fast den ganzen Hinterleib.

Weibchen. Der Kopf mit seinen Theilen verhält sich ebenso wie beim ☿, doch sind die drei Punctaugen stets vorhanden. Das Mesonotum ist abgeflacht; das Metanotum ist wie beim ☿ mit zwei Zähnen bewehrt, die Basal- und abschüssige Fläche desselben sind nicht deutlich von einander abgegränzt. Das Stielchen ist so wie beim ☿, ebenso der Hinterleib. Die Costa transversa der Flügel verbindet sich mit der Costa cubitalis nahe an der Theilungsstelle der letzteren, wodurch nur e i n e geschlossene Cubitalzelle gebildet wird; die Costa recurrens schliesst eine Discoidalzelle ab.

Männchen. Der Kopf ist länger als breit, breiter als der Thorax, etwa fünfeckig, wovon die vereinigten Spitzen der Oberkiefer die vordere Ecke, die Augen die mittleren, und die Vereinigungsstellen der Seitenränder mit dem Hinterrande des Kopfes die stark abgerundeten hinteren Ecken bilden. Die Oberkiefer sind breit und gezähnt. Der Clypeus ist gekielt, von einer Seite zur andern convex, von vorne nach hinten fast plan. Das Stirnfeld ist sehr schmal und tief. Die dreizehngliedrigen Fühler sind nahe an einander gerückt; deren Schaft ist kürzer als die drei ersten Geisselglieder zusammen; die Geissel ist fast fadenförmig, gegen die Spitze etwas verdickt. Die Punct- und Netzaugen sind gross, letztere sind stark nach vorne gerückt und hervorstehend. Der Pro- und Mesothorax ist (worunter ich das Notum und Sternum verstehe) hoch, davon nimmt das Scutellum den höchsten Punct ein; der Metathorax ist sehr verlängert, das Mesonotum ist mit zwei nach hinten convergirenden vertieften Linien versehen; das Metanotum ist mit zwei nach aufwärts gerichteten Zähnchen bewaffnet. Das erste Glied des Stielchens ist stielförmig, bloss hinten etwas knotenförmig verdickt, doppelt so lang als das zweite Glied, welches knotenfömig und eben so lang als breit ist Der Hinterleib ist länglich-eiförmig. Die Flügel sind wie beim ♀.

---

anderen Irrthume herrühren, oder aber es wäre möglich, dass er zufälliger Weise ein solches Exemplar untersuchte, welches abnormerweise zwölfgliederig: Fühler hatte, was wohl auch möglich ist, wie ich es in meinem Aufsatze: „Ueber den Werth bestimmter Merkmale, welche gewöhnlich zur Characteristik der Gattungen der Insecten benützt werden," in den Verhandlungen des zool.-bot. Vereins, Bd. V., Berichte, pag. 10, gezeigt habe.

1. Formicoxenus nitidulus Nyl.

Operaria: *Rufa, laevis, nitidissima, subnuda, abdomen basi et apice exceptis fusco-nigrum; metanotum dentibus duobus horizontalibus, validiusculis. Long.:* 2½ — 3¼mm.

Femina. *Rufa, laevis, nitidissima, subnuda, caput supra partim et thoracis dorsum fuscescentia, abdomen fusco-nigrum; metanotum dentibus duobus, validiusculis; alae hyalinae. Long.:* 3½ — 4mm.

Mas. *Nigro-fuscus, sparse pilosus, mandibulae, antennae pedesque pallescentes; metanotum dentibus duobus validiusculis, erectis, brevibus; alae parum infuscatae. Long.:* 3½mm.

Myrmica nitidula Nyl. Add. adn. Mon. Form. bor. Eur. pag. 1038, Add. alt. pag. 34; Först. Hym. Stud. 1. H. pag. 55.
Myrmica laeviuscula Först. Hym. Stud. 1. Heft pag. 54 und 72.
Myrmica debilis Först. Hym. Stud. 1. H. pag. 52.

Arbeiter: Gelbroth, an manchen Stellen bräunlich gelbroth, der Hinterleib mit Ausnahme des Grundes, der Spitze und einigen, bei verschiedenen Individuen wechselnden Stellen an der Unterseite desselben braunschwarz. Der ganze Körper ist nur mit wenigen, zerstreuten, kurzen und sehr feinen Haaren besetzt.

Die Oberkiefer sind vier- bis sechszähnig, glatt, nur mit wenigen Längsrunzeln und einigen groben Puncten versehen. Der Clypeus ist, wenn man den Kopf von der Seite ansieht, vorstehend, glatt, sehr stark glänzend, mit einzelnen feinen Puncten, nahe am Hinterrande mit einem kurzen Quereindrucke. Das Stirnfeld ist kaum angedeutet, dreieckig, mit in die Länge gezogener, spitzwinkliger Hinterecke, sehr fein längsgestreift. Die Stirnlappen sind kurz, und nur wenig erweitert. Der Fühlerschaft ist etwas bogenförmig gekrümmt, am Geisselende dicker als am Kopfende und reicht nicht bis zum Hinterrande des Kopfes; die Geissel ist keulenförmig, ihre ersten sieben Glieder sind sehr kurz, das achte und neunte ist stark verdickt und grösser als die vorigen, das Endglied ist etwas länger als die zwei vorletzten zusammen und stumpf zugespitzt. Die Stirnrinne ist deutlich ausgeprägt. Die Stirn, der Scheitel und die Seitengegend des Kopfes sind glatt, sehr stark glänzend und sehr zerstreut punctirt; nur bei guter Beleuchtung sieht man äusserst feine und seichte Längsrunzeln durch die Stirne und den Scheitel ziehen.

Der Thorax ist glatt und sehr stark glänzend. Das Metanotum ist mit zwei horizontal nach hinten gerichteten starken Zähnen bewaffnet; die abschüssige Fläche zwischen den Zähnen ist sehr glatt und sehr stark glänzend.

Das Stielchen ist nur theilweise sehr fein gerunzelt, meist glatt.

Der Hinterleib ist glatt und stark glänzend.

Weibchen. Gelbroth, die Mitte der Oberseite des Kopfes, der Rücken und einzelne Flecken an den Seiten des Thorax bräunlich, der Hinterleib mit Ausnahme des Grundes, der Spitze und dem grössten Theile der Unterseite braunschwarz. Die Behaarung wie beim ☿.

Der Kopf verhält sich so wie beim ☿, nur mit dem Unterschiede, dass beim ♀ stets drei Punctaugen vorhanden sind, und dass die sehr feinen Längsrunzeln der Stirn und des Scheitels meist deutlicher zu sehen sind.

Der Thorax ist glatt und stark glänzend, das Metanotum ist so wie beim ☿ gezähnt.

Das Stielchen und der Hinterleib sind so wie beim ☿.

Die Flügel sind wasserhell, die Rippen gelbbraun, das Randmahl braun.

Männchen. Schwarzbraun, die Oberkiefer, die Fühler, die Ränder des Pronotums und die Beine bräunlichgelb. Der ganze Körper ist sparsam mit sehr feinen, ziemlich kurzen, weisslichen Haaren bekleidet.

Die Oberkiefer sind glänzend, deren Innenrand ist mit einem grossen vorderen und zwei hinteren kleinen Zähnen bewaffnet. Der Clypeus ist gekielt und fein gerunzelt. Das Stirnfeld ist äusserst schmal und tief. Der Schaft der dreizehngliedrigen Fühler ist sehr kurz, kürzer als die drei ersten Geisselglieder; das erste Glied der am Grunde dünnen, an der Spitze etwas dickeren Geissel ist etwas dicker als das zweite, dieses etwas länger als das erste, das dritte ist so dünn als das zweite und so lang als das erste, die folgenden werden noch etwas dicker und länger, das Endglied ist etwas länger als die zwei vorletzten zusammen. Die Stirnrinne ist vorne theilweise undeutlich, nach hinten wird sie immer breiter, bis sie am mittleren Punctauge anlangt. Die Stirn, der Scheitel und die Seitengegend des Kopfes sind fein aber dicht gerunzelt.

Das Pro- und Mesonotum ist fein gerunzelt, fast glanzlos, bloss die vordere Hälfte des Mesonotums ist weniger dicht gerunzelt und etwas glänzend. Das Metanotum ist mit zwei sehr kurzen, nach aufwärts gerichteten, starken Zähnchen *) bewaffnet, die Basal- und abschüssige Fläche sind glatt und glänzend, hingegen die Seiten des Metanotums fein gerunzelt.

Das Stielchen ist fast glatt und glänzend.

Der Hinterleib ist glatt und stark glänzend.

Die Flügel sind schwach bräunlichgelb getrübt, die Rippen sind bräunlichgelb.

---

*) Herr Dr. Förster beschreibt das Mesonotum unbewehrt: es scheint diese Angabe auf einem Irrthume zu beruhen, indem ich dasselbe Exemplar, nach welchem er diese Art beschrieb, durch seine Güte zur Ansicht erhielt und gezähnt finde.

Diese merkwürdige und sehr seltene Ameise lebt in den Colonieu der *Formica rufa* Nyl. und es ist nur zu bedauern, dass über ihre Lebensweise noch nichts bekannt ist.

In Oesterreich bisher bloss einmal von mir bei Pottenstein gefangen. In den Nachbarländern in der Provinz Preussen bei Königsberg (Sauter, Schiefferdecker und Elditt); in Rheinpreussen bei Aachen und bei Crefeld (Förster).

3. *Myrmecina* Curt.

Curtis Brit. Ent. p. 265.

Arbeiter: Der Kopf ist breiter als der Thorax, ohne Oberkiefer viereckig mit abgerundeten Hinterecken. Die Oberkiefer sind ziemlich breit und gezähnt. Die Unterkiefertaster sind viergliedrig, das erste, zweite und vierte Glied sind lang und das dritte ist sehr kurz. Die Lippentaster sind dreigliedrig. Die Oberlippe ist vorne an den Seiten abgerundet und in der Mitte etwas ausgebuchtet. Der Clypeus ist mit zwei nach vorne gerichteten, stumpfen Zähnen versehen. Das Stirnfeld ist undeutlich begränzt. Die Stirnlappen convergiren nach vorne und sind etwas aufgebogen. Der Schaft der zwölfgliedrigen Fühler ist nahe am Grunde wenig winkelig gebogen; die Geissel ist keulenförmig. Die Punctaugen fehlen. Die Netzaugen sind klein, rundlich und flach. Der Thorax ist vorne am breitesten und verschmälert sich allmählig nach hinten, er ist zwischen dem Meso- und Metanotum an seiner Oberseite nicht eingeschnürt. Das Metanotum ist mit zwei horizontal nach hinten gerichteten Dornen bewaffnet. Das erste Glied des Stielchens ist ungestielt, knotenförmig, unbedeutend länger als breit, an der Oberseite vorne beiderseits mit einem zahnartigen, stumpfen Höcker versehen und von der Seite gesehen ist es oben dachförmig mit einer vorderen und einer hinteren abhängigen Fläche; das zweite Glied ist knotenförmig und etwas breiter als lang; beide Glieder sind an der Unterseite unbewehrt. Der Hinterleib ist eiförmig und wird fast ganz von seinem ersten Segmente bedeckt. Die Beine sind dick und kräftig gebaut, so wie überhaupt der ganze Körper gedrungen und kräftig ist.

Weibchen. Der Kopf ist so wie beim ☿, mit Ausnahme der hier vorhandenen Punct- und der grösseren aber doch flachen Netzaugen. Der Thorax ist vorne am breitesten (aber doch nicht so breit als der Kopf), nach rückwärts schmäler, hinter dem Schildchen schief nach abwärts und etwas nach hinten abgestutzt, so dass das Metanotum fast nichts mehr zur Länge des Thorax beiträgt. Das Pronotum ist vorne beiderseits mit einem sehr kleinen, oft mehr oft aber weniger deutlichen Zähnchen versehen. Das Mesonotum ist flach. Das Metanotum ist mit zwei horizontal nach hinten gerichteten Dornen bewaffnet. Das Stielchen, der kleine Hinterleib und die Beine sind ähnlich wie beim ☿. Die Costa transversa der Flügel verbindet sich bloss mit dem äusseren Aste der Costa cubitalis, wodurch bloss eine einzige geschlossene Cubitalzelle gebildet wird; der äussere Ast der Costa cubitalis verbindet sich stets mit der Costa marginalis, wodurch eine geschlossene Radialzelle entsteht; die Costa recurrens ist nicht vorhanden, wesshalb keine geschlossene Discoidalzelle vorhanden ist.

Männchen. Der Kopf ist breit, kurz, etwas breiter als der Thorax, und hinter den Augen verschmälert. Die Oberkiefer sind schmal, an dem Innenrande so breit als am Grunde, gezähnt und verbogen. Die Kiefertaster sind viergliedrig wie beim ☿, doch ist das dritte Glied nicht auffallend verkürzt. Die Lippentaster und die Oberlippe sind wie beim ☿. Der Clypeus ist breit aber kurz, ungekielt und nicht gezähnt. Das Stirnfeld ist nicht deutlich ausgeprägt. Der Schaft der dreizehngliedrigen Fühler ist sehr kurz; die Geissel ist fadenförmig. Die Punctaugen, besonders aber die Netzaugen, sind gross und letztere stark hervorstehend. Das Mesonotum hat die zwei nach hinten convergirenden Linien eingedrückt und überragt vorne bloss das Pronotum. Der Metathorax ist nicht verlängert, und das Metanotum ist mit zwei Zähnchen bewehrt. Das erste Glied des Stielchens ist ähnlich jenem der vorigen Geschlechter, das zweite Glied ist knotenförmig und etwas länger als breit; beide Glieder haben hinten an ihrer Oberseite einen Quereindruck. Der Hinterleib ist länglich, hinten zugespitzt; das erste Segment bedeckt zwei Drittheile des Hinterleibes. Die Flügel sind wie beim ♀. Die Beine sind verhältnissmässig ziemlich dick.

1. *Myrmecina Latreillei* Curt.

Operaria: *Nigra, pilosula, caput antice, antennae ac pedes rufa; clypeus bidentatus; caput atque thorax longitudinaliter striatim rugulosa; metanotum spinis duabus horizontalibus. Long.:* 3 — 3¼mm.

Femina. *Nigra, pilosula, caput antice, antennae ac pedes, saepe etiam pronotum, thoracis latera petiolusque rufa; clypeus bidentatus; caput atque mesonotum longitudinaliter striatim rugulosa; metanotum spinis duabus horizontalibus; alae fusco-umbratae. Long.:* 3½ — 4mm.

Mas. *Fusco-niger, nitidissimus pilosus, partes oris testaceae, antennae pedesque brunnei; mandibulae partim occultae; metanotum dentibus duobus brevibus; alae fusco-umbratae. Long.:* 3⅓ — 3½mm.

Myrmecina Latreillei Curt. Brit. Ent. VI. pag. 265, Gen. Myrm. pag. 218; Smith Ess. Gen. and Spec. Brit. Form. pag. 132.

Myrmica striatula Nyl.*) Add. alt. Adn. Mon. Form. bor. Eur. pag. 40.

---

*) Nach einer brieflichen Mittheilung des Herrn Dr. Nylander.

Myrmica bidens Förat. Hym. Stud. 1. H. pag. 50; Schenck Beschr. nass. Ameis. pag. 94.

Myrmica graminicola Först. Hym. Stud. 1. H. pag. 58.

Arbeiter: Schwarz, die Oberkiefer, der Clypeus, die Wangen, die Fühler, die abschüssige Fläche des Metanotums, die Unterseite des Stielchens, der After und die Beine gelbroth oder bräunlichroth. Der ganze Körper ist reichlich mit ziemlich langen, weisslichen, abstehenden Borstenhaaren bekleidet.

Die am Innenrande gezähnten Oberkiefer sind besonders am Grunde fein längsgerunzelt. Der Clypeus ist zwischen den Zähnen entweder ausgehöhlt und glatt oder mit einem Längskiele versehen. Das sehr undeutlich oder öfters gar nicht abgegränzte Stirnfeld mit groben Längsrunzeln durchzogen. Der nahe am Grunde winkelig gebogene Fühlerschaft reicht fast bis zum Hinterrande des Kopfes; das erste Geisselglied ist am Ende verdickt, das zweite ist sehr kurz, breiter als lang, die nächst folgenden sechs Glieder sind so wie das zweite geformt, nehmen aber an Grösse nach und nach zu, das neunte und zehnte sind bedeutend grösser, das Endglied ist in der Mitte stark verdickt, am Ende zugespitzt und es ist etwas länger als die zwei vorletzten zusammen. Die Stirn und der Scheitel sind ziemlich grob und tief längsgerunzelt.

Der Thorax ist längsgerunzelt, das Metanotum mit zwei horizontal nach hinten gerichteten Dornen bewehrt und zwischen diesen ist die abschüssige Fläche so ziemlich glatt und glänzend.

Das Stielchen ist grob gerunzelt.

Der Hinterleib ist glatt und glänzend.

Weibchen. Schwarz, die Oberkiefer, der Clypeus, die Fühler, die Wangen, die abschüssige Fläche des Metanotums, meist auch das Pronotum, die Seiten des Thorax und des Stielchens gelb- oder braunroth. Der ganze Körper ist dicht mit abstehenden, ziemlich langen, weisslichen Borstenhaaren bekleidet.

Der Kopf ist mit Ausnahme der hier vorhandenen Punctaugen und der grösseren Netzaugen so wie beim ☿.

Der ganze Thorax ist gerunzelt, das Mesonotum runzlig längsgestreift und das wie beim ☿ bedornte Metanotum ist zwischen den Dornen glatt und glänzend.

Die Knoten des Stielchens und der Hinterleib sind so wie beim ☿.

Die Flügel sind schwärzlich-braun getrübt.

Männchen. Braunschwarz oder schwarz, stark glänzend, die Ober- und Unterkiefer, die Ober- und Unterlippe gelb oder bräunlichgelb, die Fühler und Beine braun oder gelblichbraun. Der ganze Korper ist mässig mit langen, abstehenden, weisslichen Haaren bekleidet.

Die hinter der Oberlippe grösstentheils versteckten Oberkiefer sind mit einzelnen Puncten besetzt, aus denen Borstenhaare entspringen, der Innenrand ist mit drei starken Zähnen bewaffnet, von denen der vordere der grösste ist. Der Clypeus ist so wie die Stirn und der Scheitel ziemlich glatt und stark glänzend, bloss die Gegend zwischen dem Clypeus und den Augen ist quergerunzelt. Der Schaft der dreizehngliedrigen Fühler ist beiläufig so lang als das zweite Geisselglied; die Geissel ist fadenförmig, deren erstes Glied ist kurz, das zweite ist länger als das erste, die folgenden sind so wie das zweite, doch nehmen sie gegen das Geisselende nach und nach etwas an Dicke zu und um weniges an Länge ab, das Endglied ist etwa so lang als die zwei vorletzten zusammen. Die sehr feine Stirnrinne vertieft sich unmittelbar vor dem mittleren Punctauge zu einer Grube.

Der Thorax ist scheinbar glatt, bei starker Vergrösserung sieht man ihn sehr fein und seicht gerunzelt. Das Metanotum ist mit zwei starken, obwohl ziemlich kurzen Zähnen versehen. Die Basalfläche ist stark längsgestreift, die abschüssige Fläche ist oben etwas gerunzelt, unten aber glatt.

Das Stielchen ist längsgerunzelt.

Der Hinterleib ist glatt und glänzend.

Die Flügel sind so wie beim ♀ schwärzlich-braun getrübt.

Diese seltene Art lebt unter Steinen in der Erde, in welcher sie sich Gänge und Zellen ausgräbt, und schwärmt im Hochsommer. Ihrem gedrungenen Körperbau ist auch entsprechend ihre Bewegung eine träge, so wie sie auch bei Gefahr nicht entflieht, sondern nicht selten hat man Gelegenheit, diese Thierchen auf der Hand mit an den Leib gedrückten Beinen einige Zeit unbeweglich liegen zu sehen.

In Oesterreich in Wien und zwar in meinem Garten und im Prater (Mayr); in Tyrol in Botzen im Franziskanerklostergarten (Gredler); in Krain (Schmidt). In den Nachbarländern in Rheinpreussen bei Bonn, Aachen und im Siebengebirge (Förster); in Nassau bei Wiesbaden und Weilburg (Schenck); im Kirchenstaate bei Imola (Pirazzoli).

4. *Tetramorium* Mayr. n. g.

τετρα vier, *μόριον* Glied *).

Arbeiter: Der Kopf ist ohne Oberkiefer viereckig mit abgerundeten Hinterecken, breiter als der Thorax. Die Oberkiefer sind breit und am Innenrande gezähnt. Die Unterkiefertaster sind vier-, die Lippentaster dreigliedrig. Die Oberlippe ist in der Mitte des vorderen Randes schwach stumpfwinklig ausgebuchtet. Der Clypeus ist mässig lang und breit, von vorne nach rückwärts convex, von einer Seite zur anderen fast plan. Die Stirnlappen sind

*) In Beziehung auf die Unterkiefertaster.

ziemlich schmal. Der Schaft der zwölfgliedrigen Fühler ist nahe am Grunde etwas bogenförmig gekrümmt; die Geissel ist keulenförmig. Das Stirnfeld ist kaum angedeutet. Die Punctaugen fehlen; die Netzaugen sind ziemlich klein, oval und in der Mitte des Seitenrandes des Kopfes gelegen. Der Thorax ist vorne am breitesten und hinten am schmälsten. Zwischen dem Meso- und Metanotum ist oben keine Einschnürung, sondern bloss eine feine Furche. Das Metanotum ist mit zwei nach aufwärts und hinten gerichteten Dornen bewehrt. Das erste Glied des Stielchens ist vorne kurz gestielt, oben hinten knotenförmig, welcher Knoten ebenso lang als breit und etwas höher ist als der Knoten des zweiten Gliedes; das zweite Glied ist knotenförmig, breiter als lang und breiter als der Knoten des ersten Gliedes; die Unterseite des Stielchens ist unbedornt, höchstens findet man auf dem zweiten Glied einen sehr kurzen, stumpfen, zahnartigen Höcker. Das erste Segment des Hinterleibes bedeckt mehr als dreiviertel Theile des letzteren. Die Beine sind ziemlich dick.

Weibchen. Der Kopf ist so wie beim ☿ mit Ausnahme der hier vorhandenen Punctaugen und der grösseren Netzaugen. Bloss eine Art dieser Gattung *(Tetramorium atratulum)* weicht in Bezug der einzelnen Kopftheile ab, indem es einen seiner ganzen Länge nach in der Mitte hasenschartenähnlich gespaltenen Clypeus, eine ungewöhnlich tiefe Stirnrinne, eilfgliedrige Fühler und einen stark bogenförmig ausgebuchteten Hinterkopf hat. Der Thorax ist etwas vor den Flügelgelenken am breitesten; das Mesonotum und Schildchen liegen in derselben Ebene und sind flach; das Metanotum ist mit zwei nach hinten und aufwärts gerichteten Dornen oder zahnartigen Höckern versehen. Das Stielchen ist so wie beim ☿. Der Hinterleib ist länglich-eiförmig, dessen erstes Segment bedeckt ein halb bis zwei Drittel desselben. Die Costa transversa verbindet sich mit der Costa cubitalis an deren Theilungsstelle, wodurch nun eine einzige geschlossene Cubitalzelle gebildet wird; die Costa recurrens ist vorhanden, daher sich auch eine geschlossene Discoidalzelle vorfindet; bloss bei einer Art *(Tetr. atratulum)* fehlt die Costa recurrens, oder ist bloss rudimentär vorhanden, daher auch die geschlossene Discoidalzelle fehlt.

Männchen. Der Kopf ist klein, schmäler als der Thorax. Die Oberkiefer sind schmal und gezähnt. Die Kiefertaster und Lippentaster sind so wie bei den vorigen Geschlechtern. Der Clypeus ist mässig gewölbt, ungekielt und reicht bis zwischen die Fühler. Das Stirnfeld ist undeutlich ausgeprägt. Der Schaft der zehngliedrigen Fühler ist so lang als das lange zweite Geisselglied. Die Netzaugen sind gross und hervorstehend. Das Mesonotum, welches zwei nach hinten convergirende Linien eingedrückt hat, überragt bloss das Pronotum, der Metathorax ist nicht verlängert; das Metanotum ist mit zwei äusserst kurzen oft undeutlichen Zähnchen versehen. Das Stielchen ist ähnlich jenem des ☿ und des ♀.

Der Hinterleib ist eiförmig, hinten zugespitzt und dessen erstes Glied bedeckt die Hälfte desselben. Die Flügel sind so wie beim ♀. Die Beine sind dünn und lang.

1. Tetramorium Kollari Mayr.

Operaria: *Flava aut ochracea, abdomen absque basi nigro-fuscum; clypeus atque frons costis longitudinalibus; vertex, capitis latera, thorax petiolusque reticulata. Long.:* 3½ — 4mm.

Femina. *Flava, abdomen absque basi nigro-fuscum; clypeus et frons costis longitudinalibus; vertex, capitis latera, pronotum petiolusque reticulata; metanotum spinis duabus; alae hyalinae. Long.:* 5¾ — 5¼mm.

Mas. *Testaceus aut testaceo-brunneus, antennae pedesque lividi, vertex, thorax partim atque abdomen nigro-fusca. Long.* 4½ — 5mm.

Myrmica Kollari Mayr Beschr. ein. neuer Ameisen.

Arbeiter. Gelb oder bräunlichgelb, der Innenrand der Oberkiefer und der Hinterleib mit Ausnahme des Grundes schwarzbraun. Der ganze Körper ist mässig mit langen, abstehenden Borstenhaaren bekleidet.

Die Oberkiefer sind breit, glänzend, punctirt, seicht und sparsam längsgerunzelt, und am Innenrande vorne mit zwei grösseren und nach hinten mit mehreren kleineren Zähnen bewaffnet. Den Clypeus durchziehen meist drei Längsrippen, die sich durch die Stirn und den Scheitel bis zum Hinterhauptloche fortsetzen; zwischen diesen Rippen verlaufen erhabene Längsrunzeln. Der Fühlerschaft reicht nicht bis zum Hinterrande des Kopfes, das erste Geisselglied ist etwa doppelt so lang als breit, das zweite ist sehr kurz und klein, die nächstfolgenden nehmen bis zum achten allmählig an Grösse zu, das neunte und zehnte sind bedeutend grösser und das Endglied ist beiläufig so lang als die zwei vorletzten zusammen. Die Stirn ist mit Längsrippen durchzogen und zwischen denselben noch mit einzelnen Längsrunzeln versehen. Der Scheitel, die Wangen, die Seitengegend und die Unterseite des Kopfes sind grob netzaderig.

Der Thorax ist grob netzaderig, aber die abschüssige Fläche zwischen den Dornen des Metanotums ist nur mit einzelnen Querrunzeln versehen und glänzend.

Die Knoten des Stielchens sind ebenfalls grob netzaderig.

Der Hinterleib ist glatt und glänzend.

Weibchen. Gelb, der Innenrand der Oberkiefer und der Hinterleib mit Ausnahme des Grundes schwarzbraun. Der ganze Körper ist mit Borstenhaaren sparsam, der Hinterleib aber reichlicher besetzt.

Der Kopf ist so wie beim ☿ mit Ausnahme der Punctaugen und der grösseren Netzaugen.

Das Pronotum ist grob netzaderig, das Mesonotum und Schildchen längsgestreift. Das Metanotum hat zwei nach aufwärts und hinten gerichtete Dornen; dessen Basalfläche ist grob netzaderig, ebenso die Seitenflächen und die abschüssige Fläche zwischen den Dornen ist quergerunzelt.

Die Knoten und der Hinterleib sind wie beim ☿.

Die Flügel sind wasserhell, die Rippen gelblichweiss.

Männchen. Gelbbraun, glänzend, die Fühler und Beine blassgelb, der Scheitel, einzelne variable Flecke am Thorax, besonders aber der Hinterleib schwarzbraun. Der ganze Körper ist mit langen Haaren mässig bekleidet.

Die Oberkiefer sind sehr seicht gerunzelt, glänzend, mit einzelnen Puncten und meist vierzähnig. Der Clypeus ist fast glatt und mit zwei bis vier Längsrippen durchzogen. Der Fühlerschaft ist kurz, so lang als das zweite Geisselglied; das erste Geisselglied ist sehr kurz, das zweite ist so lang als der Schaft, das dritte bis achte ist mehr als doppelt so lang als dick und das Endglied ist etwas kürzer als die zwei vorletzten zusammen. Die Stirn ist ziemlich fein längsgerunzelt. Die Seitengegend des Kopfes ist netzaderig, die Unterseite gerunzelt. Die Punctaugen sind gross; die Netzaugen sind sehr gross; stark gewölbt und hervorragend.

Das Pronotum ist sehr fein granulirt gerunzelt; mit einigen runzligen Streifen. Das Mesonotum ist oben flach, glänzend, fast glatt mit einigen Puncten. Das Schildchen ist längsgestreift. Das gerunzelte Metanotum ist mit zwei leistenartigen, sehr kurzen, stumpfen Zähnchen versehen.

Der erste Knoten des Stielchens ist fein gerunzelt, der zweite ist fast glatt.

Der Hinterleib ist glatt und glänzend.

Die Flügel sind wasserhell.

Diese wahrscheinlich durch exotische Pflanzen eingeschleppte Ameise lebt in den Warmhäusern des hiesigen k. k. botanischen Gartens und des kaiserlichen Gartens zu Schönbrunn (bei Wien) in den Lohbeeten, in denen sie Gänge ausgräbt; sie nährt sich theils vom abgesonderten Zuckersaft der Blattläuse, theils von anderen Substanzen, und die Geflügelten zeigen sich gewöhnlich im Monate April.

Tetramorium caespitum Ltr.

Operaria: *Fusco-nigra, mandibulae, antennae, articulationes pedum tarsique brunnei; aut testacea, caput supra brunneum, abdomen basi excepta fuscum; caput atque thorax subtiliter longitudinaliter rugulosa; metanotum spinis brevibus; petioli nodi subtiliter rugulosi. Long.:* 2 — 3½^{mm}.

Femina. *Fusco-nigra, nitida, mandibulae, antennarum funiculi, articulationes pedum tarsique rufo-brunnei, abdominis segmentorum margines posteriores rufi; antennae 12 articulatae; caput, pronotum metanotumque striata; mesonotum laeve; metanotum spinis brevibus. Long.:* 6 — 8mm.

Mas. *Fusco-niger, nitidus, abdomen nigro-fuscum, mandibulae, antennae pedesque aut fusci aut testacei. Long.:* 6—7mm

Formica caespitum Ltr. Hist. nat. Fourm. pag. 251.

Myrmica caespitum Ltr. Hist. nat. Crust. et Ins. pag. 259; Losana Form. Piem. pag. 327; Curtis Gen. Myrm. pag. 215; Smith Ess. Gen. and Spec. Brit. Form. pag. 122.

Myrmica fuscula Nyl. Adn. Mon. Form. bor. Eur. pag. 935, Add. Adn. Mon. Form. bor. Eur. pag. 1053; Först. Hym. Stud. 1. H. pag. 56; Schenck Beschr. nass. Ameis. pag. 86.

Myrmica impura Först. Hym. Stud. 1. Heft pag. 48.

Myrmica modesta Först. Hym. Stud. 1. Heft pag. 49.

Arbeiter. Die lichtesten Individuen sind gelbbraun, die Oberseite des Kopfes röthlichbraun und der Hinterleib mit Ausnahme des Grundes braun. Die dunkelsten Individuen sind braunschwarz, die Oberkiefer, die Fühler, die Wangen, die Gelenke der Beine und die Tarsen röthlichbraun. Zwischen diesen beiden Extremen gibt es die mannigfaltigsten Uebergänge und Mittelformen und häufig hat man Gelegenheit in einem und demselben Neste alle Uebergänge von der lichtesten bis zur dunkelsten Farbe zu finden. Der ganze Körper ist ziemlich reichlich mit langen, abstehenden Borstenhaaren bekleidet.

Die Oberkiefer sind grob längsgerunzelt, nahe dem Innenrande punctirt, fünf- bis siebenzähnig. Der Clypeus ist längsgestreift, ebenso das undeutliche Stirnfeld. Der Schaft der zwölfgliederigen Fühler erreicht nicht den Hinterrand des Kopfes; das erste Geisselglied ist doppelt so lang als dick, die sieben folgenden sind sehr kurz und nehmen gegen die Geisselspitze an Grösse nach und nach zu, das neunte und zehnte Glied sind viel grösser und das Endglied ist beiläufig so lang als die zwei vorletzten zusammen. Die Stirn und der Scheitel sind mit scharfen parallelen, dichten Längstreifen versehen, ebenso ist die Augengegend und die Unterseite des Kopfes gestreift

Der Thorax ist längsgestreift; das Metanotum ist mit zwei kurzen, spitzen, nach hinten und aufwärts gerichteten Dornen bewaffnet.

Die Knoten des Stielchens sind fein gerunzelt

Der Hinterleib ist glatt und glänzend.

Weibchen. Braunschwarz, glänzend, die Oberkiefer, die Fühlergeissel (oft auch der Fühlerschaft), die Gelenke der Beine, die Tarsen und oft auch die Schienen rothbraun, der Hinterrand der Hinterleibssegmente röthlich durchscheinend. Der ganze Körper ist mit langen, abstehenden Borstenhaaren reichlich besetzt.

Die Oberkiefer sind grob längsgerunzelt und punctirt. meist siebenzähnig, der Clypeus, das Stirnfeld, die Stirn, der Scheitel und die Seitengegend des Kopfes sind dicht längsgestreift. Der Schaft der zwölfgliedrigen Fühler reicht fast bis zum Hinterrande des Kopfes; die Geissel ist fast um ihre zwei letzten Glieder länger als der Schaft, deren erstes Glied ist doppelt so lang als breit, die sieben folgenden sind stark verkürzt und nehmen gegen die Geisselspitze nach und nach an Dicke zu, die zwei vorletzten Glieder sind grösser als die vorigen und das Endglied ist fast so lang als die zwei vorletzten zusammen. Die Stirnrinne zieht sich vom Stirnfelde bis zum mittleren Punctauge.

Das Pronotum ist vorne sehr fein quer-, an den Seiten gröber längsgestreift. Das Mesonotum ist glatt, glänzend, mit groben Puncten, aus welchen die Borstenhaare entspringen, in der Nähe des Hinterrandes, oft aber auch an den Seiten und an der ganzen hinteren Hälfte des Mesonotums, fein längsgerunzelt; öfters zieht sich von der Mitte des Hinterrandes eine vertiefte Linie nach vorwärts gegen die Mitte des Mesonotums. Das Schildchen ist glatt, mit einzelnen Puncten, öfters theilweise fein längsgestreift. Das Metanotum ist mit zwei kurzen, nach hinten und aufwärts gerichteten, spitzen Dornen bewaffnet, dessen Basalfläche ist längs- oder quergestreift, und die abschüssige Fläche zwischen den Dornen ist stets quergestreift, die Seiten des Thorax sind scharf längsgestreift.

Die Knoten des Stielchens sind ziemlich grob gerunzelt.

Der länglich-eiförmige Hinterleib ist glatt und glänzend.

Die Flügel sind wasserhell, die Rippen und das Randmahl gelbbräunlich.

Männchen. Braunschwarz, glänzend, die Oberkiefer, die Fühlergeissel (oft auch der Fühlerschaft) und die Beine braun, gelbbraun oder braungelb, der Hinterleib stets braun, mit röthlich durchscheinenden Hinterrändern der einzelnen Segmente. Der ganze Körper ist mässig mit langen, abstehenden, feinen Borstenhaaren besetzt.

Die Oberkiefer sind meist 6zähnig, schwach längsgerunzelt und grob punctirt. Der Clypeus, das Stirnfeld und die Stirn sind längsgerunzelt. Der Schaft der zehngliedrigen Fühler ist nur so lang als das zweite Geisselglied, die Geissel ist fadenförmig, deren erstes Glied ist am Ende etwas dicker und doppelt so lang als dick, das zweite Glied ist dünn, lang, länger als ein Drittheil der Geissel, das dritte Glied ist so lang als das erste, die folgenden sind etwas länger als das dritte Glied. Die Stirnrinne ist oft undeutlich, meist aber deutlich, breit, aber seicht und platt. Oefters zieht sich ein feiner Quereindruck durch die Stirn, wodurch die Stirnrinne gekreuzt wird. Der Scheitel ist quergerunzelt, die Augengegend verworren gerunzelt.

Das Pronotum ist vorne mässig fein quer-, an den Seiten längsgerunzelt. Das Mesonotum ist ausser den zwei convergirenden Linien und zwei feinen von der Mitte des Vorderrandes durch die Mitte des Mesonotums ziehenden Linien fast glatt und nur zerstreut punctirt oder schwach längsgestreift, selten quergestreift. Das Schildchen ist entweder glatt oder gestreift. Das Metanotum hat beiderseits einen sehr kurzen, stumpfen Zahn, der öfters höckerartig ist, die Basalfläche des Metanotums ist längsgestreift, die abschüssige Fläche zwischen den Zähnchen längs- oder quergestreift.

Die Knoten des Stielchens sind fein längsgerunzelt.

Der Hinterleib ist glatt und stark glänzend.

Die Flügel sind wie beim ☿.

Diese Art ist eine der häufigsten und findet sich fast überall, selbst in den Häusern wird sie nicht selten nistend beobachtet. Sie baut am liebsten auf Wiesen in der Erde, wo sie ihre sehr tiefen unterirdischen Bauten unter einem Steine anlegt, oder über dieselben einen bloss aus Erde bestehenden Hügel aufbaut. Sie schwärmt im Hochsommer. In ihren Colonien fand Prof. Schenck *Strongylognathus testaceus* und einen *Batrisus*.

3. *Tetramorium atratulum* Schenck.

***Operaria*:** *Nigra, mandibulae, genae, antennarum funiculi tarsique brunnei; caput atque thorax fortiter longitudinaliter rugulosa; metanotum spinis brevibus; petioli nodi subtiliter rugulosi. Long.:* 3—3 ½mm.

***Femina*.** *Fusco-nigra, opaca, nuda, mandibulae, antennae pedesque testacei; clypeus profunde exsectus; antennae* 11 *articulatae; metanotum tuberculis duobus; alae subhyalinae. Long.:* 2¾—3mm.

Myrmica atratula Schenck. Beschr. nass. Ameis. pag. 91.

Arbeiter: Dieser ist von dem ☿ der vorigen Art höchst schwierig zu unterscheiden, er gleicht nämlich den dunkelsten Varietäten der vorigen Art, unterscheidet sich aber, obwohl sehr schwierig, durch die etwas gröberen, schärferen und nicht so gedrängt stehenden Streifen des Kopfes und des Thorax.

Weibchen. Schwarz oder braunschwarz, fast glanzlos, die Oberkiefer, die Fühler und die Beine röthlichbraun. Der ganze Körper ist mit Ausnahme der Fühler und Beine fast unbehaart.

Die Oberkiefer sind sehr fein gerunzelt, deren Innenrand ist ungezähnt, bloss vorne zugespitzt. Der Clypeus ist fast bis zu seinem Hinterrande hasenschartenartig ausgeschnitten, und hinter diesem schon beginnt die ungewöhnlich tiefe und breite Stirnrinne, welche bis zum vorderen Punctauge reicht. Der Schaft der eilfgliedrigen Fühler überragt etwas den Hinterrand des Kopfes; das erste Geisselglied ist etwas verlängert und am Ende verdickt, die folgenden sind kurz und werden nach und nach gegen die Geisselspitze grösser, das Endglied ist so lang als die zwei vorletzten zusammen. Die Stirn und der Scheitel sind fein gerunzelt. Der Hinterkopf ist bogenförmig ausgebuchtet.

Der Thorax ist fein gerunzelt, das Metanotum hat zwei nach oben gerichtete Höcker.

Die ziemlich breiten Knoten des Stielchens sind sehr fein gerunzelt.

Der Hinterleib ist ebenfalls sehr fein gerunzelt.

Die Flügel sind nur sehr schwach bräunlich getrübt, die Costa recurrens derselben fehlt oder ist nur rudimentär vorhanden, daher auch die geschlossene Discoidalzelle fehlt.

Diese sehr seltene und, wenn man bloss ☿ vor sich hat, sehr schwierig zu unterscheidende Art findet sich in Erdbauten unter Steinen. Prof. Schenck fand die geflügelten Weibchen im Juni und Juli.

In Oesterreich im Aignerthale bei Mautern (Mayr) und in Ungarn auf dem Berge Wissegrad bei Gran (Mayr). In den Nachbarländern bisher bloss in Nassau bei Weilburg (Schenck) *).

---

*) An diese Gattung reiht sich zunächst die Gattung:

Strongylognathus Mayr.

Mayr Ueber die Abtheilung d. Myrm. u. eine neue Gatt. derselb.

Arbeiter: Der Kopf ist ohne Oberkiefer viereckig mit vorderen rechtwinkligen und hinteren spitzwinkligen Ecken, hinten tief halbmondförmig ausgebuchtet. Die Oberkiefer sind (so wie bei Polyergus) fast stielrund, sehr schmal, bogenförmig gekrümmt mit der Concavität nach innen und vorne zugespitzt; bei geschlossenen Oberkiefern bleibt zwischen diesen und dem Vorderrande des Clypeus, da die Oberlippe hinter diesem versteckt ist, ein dreieckiger Raum frei. Die Unterkiefertaster sind vier-, die Lippentaster dreigliedrig. Die Oberlippe ist vorne in der Mitte schwach stumpfwinklig ausgeschnitten, wodurch zwei abgerundete Lappen gebildet werden. Der Clypeus ist von vorne nach hinten convex, von einer Seite zur anderen flach. Das Stirnfeld ist scharf abgegränzt, mit hinterer in die Länge gezogener Ecke. Die zwölfgliedrigen Fühler sind ziemlich nahe dem Mundrande eingefügt, deren Schaft ist mässig lang, die Geissel keulenförmig. Die Punctaugen fehlen, die Netzaugen sind klein. Der Thorax ist vorne am breitesten und wird nach rückwärts allmählig schmäler. Das Mesonotum ist vom Metanotum durch eine Furche getrennt, das letztere ist mit zwei ziemlich stumpfen Zähnchen bewaffnet. Das Stielchen ist so geformt wie bei der Gattung Tetramorium; das erste Glied ist vorne stiel-, hinten und oben knotenförmig, der Knoten höher als der des zweiten Gliedes; dieses ist bloss knotenförmig, breiter als lang und zugleich breiter als der Knoten des ersten Gliedes. Der Hinterleib ist klein, kugelig, drei Viertheile desselben werden vom ersten Segmente bedeckt. Die Beine sind mässig lang und ziemlich dick.

Weibchen. Der Kopf ist mit Ausnahme der hier vorhandenen Punct- und der grösseren Netzaugen, so wie beim ☿. Der Thorax ist vorne am breitesten, eben stark abgeflacht und dessen Metanotum mit zwei Zähnen bewehrt. Das Stielchen ist ähnlich jenem des ☿. Der ovale Hinterleib ist über die Hälfte vom ersten Segmente bedeckt. Die Flügel haben eine geschlossene

5. *Leptothorax* Mayr n. g.

λεπτος schlank, θώραξ Brust

Arbeiter. Der feingerunzelte Kopf ist länger als breit und breiter als der Thorax. Die Oberkiefer sind breit und gezähnt. Die Unterkiefertaster sind fünfgliedrig, deren letztes Glied ist das längste von allen. Die Lippen-

---

Discoidalzelle und die Costa transversa verbindet sich mit der Costa cubitalis an deren Theilungsstelle, wodurch bloss eine einzige geschlossene Cubitalzelle entsteht.

Männchen. Der Kopf ist schmäler als der Thorax, länger als breit, fast fünfeckig, und hinten bogenförmig ausgerandet. Die Oberkiefer sind sehr schmal, kurz und in einen Zahn endigend. Die Taster sind wie bei den vorigen Geschlechtern. Die Oberlippe ragt zwischen dem Clypeus und den Oberkiefern hervor. Der Clypeus ist kurz aber breit und hinter dem Vorderende quer eingedrückt. Die Fühler sind zehngliedrig und deren Schaft ist kurz. Die Netz- und Punctaugen sind gross. Das Mesonotum, welches die zwei nach hinten convergirenden Linien eingedrückt hat, überragt das Pronotum. Das Metanotum trägt beiderseits ein sehr kurzes, oft undeutliches Zähnchen. Das Stielchen ist ähnlich wie beim ☿, aber der Knoten des ersten Gliedes und weniger deutlich auch der des zweiten Gliedes sind beiderseits etwas höckerartig verlängert. Der Hinterleib ist eiförmig, hinten etwas zugespitzt; dessen erstes Segment bedeckt fast drei Viertheile desselben. Die Flügel sind so wie beim ♀. Die Beine sind dünn.

Strongylognathus testaceus **Schenck.**

Operaria: *Testacea, abdomen fascia obscura deleta; caput striatum; clypeus ac area frontalis laeves; thorax substiliter rugulosus. Long.:* $2^1/_2$—3mm.

Femina. *Rubro-brunnea, corporis pars inferior, mandibulae, antennae, pronotum pedesque testacea; caput striatum, clypeus ac area frontalis laeves; thorax longitudinaliter striatus. Long.:* $3^1/_4$—4mm.

Mas. *Piceus, nitidus, os, antennae, fascia deleta ante marginem posteriorem segmentorum abdominis testacea; caput striatum, postice dentibus duobus. Long.:* 4mm.

Strongylognathus testaceus Mayr Ueber die Abth. d. Myrm. u. eine neue Gatt. ders.

Eciton? testaceum Schenck. Beschr. nass. Ameis. pag. 117.

Myrmus emarginatus Schenck. Entomologische Zeitung 1853 pag. 299.

Arbeiter: Stark glänzend, bräunlichgelb, der Hinterleib mit einer quer über die Mitte ziehenden verwaschenen dunklen Binde. Der ganze Körper ist mit Ausnahme der Beine mit langen, abstehenden Borstenhaaren sparsam besetzt.

Die Oberkiefer haben an der innern Seite eine schwärzliche Längsleiste, die äussere vordere Seite derselben ist glänzend, glatt und nur weitläufig punctirt. Der Clypeus ist glatt und stark glänzend. Das kleine Stirnfeld ist scharf dreieckig, glatt und sehr stark glänzend. Der Fühlerschaft ist nahe am Grunde bogenförmig gekrümmt, überragt, zurückgelegt, wohl die Augen, reicht aber nicht bis zum Hinterrande des Kopfes; das erste Geisselglied ist doppelt so

taster sind dreigliedrig. Die Oberlippe ist in der Mitte des Vorderrandes schwach stumpfwinklig ausgerandet. Der Clypeus ist sehr wenig gewölbt oder vorne concav, bei einer Art undeutlich gezähnt. Die Fühler sind eilf-

---

lang als dick, das zweite bis achte Glied ist kurz, die zwei vorletzten Glieder sind viel grösser als die vorigen und das Endglied ist etwas länger als die zwei vorletzten Glieder zusammen. Die Stirn, der Scheitel, die Wangen und die Augengegend sind grob längsgestreift.

Der Thorax ist grösstentheils längsgerunzelt, das Metanotum trägt beiderseits eine Längsleiste, welche in der Mitte zahnartig erweitert ist, die abschüssige Fläche ist quergestreift.

Das Stielchen ist grösstentheils gerunzelt und der zweite Knoten ist von einigen Längsstreifen durchzogen.

Der Hinterleib ist glatt und glänzend.

Weibchen: Rothbraun, die Fühler, die Oberkiefer, die Unterseite des ganzen Körpers, das Pronotum und die Beine bräunlichgelb, die obere Seite des Kopfes ist gewöhnlich dunkler als die des Thorax. Der ganze Körper ist ziemlich reichlich mit abstehenden, langen Borstenhaaren bekleidet.

Der Kopf ist so wie beim ☿ mit Ausnahme der Punct- und Netzaugen.

Das Pro- und Mesonotum sind längs- das mit zwei kleinen Zähnchen bewehrte Metanotum ist quergestreift.

Das Stielchen ist gerunzelt.

Der Hinterleib ist glatt und glänzend.

Die Flügel sind milchweiss, etwas irisirend.

Männchen. Braunschwarz, die Mundtheile, der Vorderrand des Clypeus, die Fühler, eine verwaschene Binde von dem Hinterrande der Abdominalsegmente mehr oder weniger röthlichgelb oder bräunlichgelb. Der ganze Körper ist mit langen, abstehenden Haaren besetzt.

Die Oberkiefer sind weitläufig längsgerunzelt. Der Clypeus, die Stirn und die vordere Hälfte des Scheitels sind längs-, die hintere Scheitelhälfte aber ist quergestreift. Der Fühlerschaft erreicht nicht den Hinterrand des Netzauges; die Geissel ist an der Spitze wenig verdickt, deren erstes Glied ist kurz, das zweite fast so lang als der Schaft, das dritte etwas kürzer als das erste, das vierte bis achte ist etwas länger als das dritte, und das Endglied ist etwas länger als die zwei vorletzten zusammen. Das Stirnfeld ist gross, längsgestreift und sehr undeutlich abgegränzt.

Das Pronotum ist runzlig gestreift; das Mesonotum ist scharfkantig längsgestreift mit drei glatten, glänzenden Flecken; das Metanotum trägt beiderseits ein sehr kurzes Zähnchen, dessen Basalfläche ist längsgestreift, ebenso das obere Drittheil der abschüssigen Fläche, die zwei unteren Drittheile sind quergestreift.

Das Stielchen ist fein gerunzelt.

Der Hinterleib ist glatt und glänzend.

Die Flügel sind so wie beim ♀.

Diese interessante Ameise, welche bisher nur von Prof. S c h e n c k in Nassau gefunden wurde, lebt in Gesellschaft mit dem *Tetramorium caespitum*, und Prof. S c h e n c k ist der richtigen Meinung, dass sie eine Raubameise sei, welche die Larven und Puppen des *Tetramorium caespitum* raubt, indem einerseits der Bau ihrer Oberkiefer (wie bei der Raubameise *Polyergus*), andererseits das Betragen der beiden Arten beim Aufdecken einer Colonie dafür spricht.

bis zwölfgliedrig. Die Punctaugen sind wohl meist vorhanden, aber oft sehr undeutlich, ebenso das Stirnfeld. Die Netzaugen sind nicht klein. Der fein gerunzelte und schlanke Thorax ist vorne am breitesten und verschmälert sich allmählig nach hinten, er ist oben zwischen dem Meso- und Metanotum nicht eingeschnürt, sondern bloss mit einer Furche versehen. Das Metanotum trägt zwei horizontal nach hinten oder schief nach hinten und aufwärts gerichtete Dornen. Das erste Glied des Stielchens ist vorne kurz stielförmig, hinten knotenförmig; das zweite Glied ist knotenförmig unten nicht bedornt, der Knoten ist so lang als breit und etwas niedriger als der erste Knoten. Der Hinterleib ist rundlich oder oval und über drei Viertheile desselben werden von seinem ersten Segmente bedeckt.

Weibchen. Der Kopf ist mit Ausnahme der Punct- und Netzaugen so wie beim ☿. Der Thorax ist von vorne bis zur Mitte ziemlich gleichbreit oder nur unbedeutend in der Mitte breiter. Das Mesonotum ist stark abgeflacht. Das mit zwei horizontal nach hinten oder nach hinten und aufwärts gerichteten Zähnen oder Dornen versehene Metanotum vermehrt die Länge des Thorax um seine eigene Länge und hat eine nur wenig nach abwärts geneigte Basalfläche. Das Stielchen ist so wie beim ☿, nur ist der zweite Knoten meist unbedeutend breiter als lang. Der Hinterleib ist ei- oder länglicheiförmig, und wenigstens zwei Drittel desselben werden von seinem ersten Segmente bedeckt. Die Flügel sind milchweiss oder sehr schwach gelblich, ebenso deren Rippen. Die Costa transversa verbindet sich mit der Costa cubitalis an deren Theilungsstelle, wodurch bloss eine einzige geschlossene Cubitalzelle entsteht; der innere Cubitalast ist oft nicht deutlich ausgebildet; die geschlossene Discoidalzelle ist vorhanden.

Männchen. Der Kopf ist kurz und breiter als der Thorax. Die Oberkiefer sind nicht breit, gezähnt oder ungezähnt. Der Clypeus ist schwach gewölbt. Der Schaft der zwölf- bis dreizehngliedrigen Fühler ist kurz, die Geissel ist fadenförmig. Die Punctaugen sind gross, die Netzaugen stehen stark hervor. Das Mesonotum ist mit zwei nach hinten convergirenden Linien versehen. Der Metathorax ist nicht verlängert und das Metanotum ist mit zwei Beulen, selten mit zwei sehr kurzen Zähnchen versehen. Das erste Glied des Stielchens ist hinten knotenförmig verdickt und nach vorne conisch zulaufend; das zweite Glied ist knotenförmig. Das erste Segment des Hinterleibes bedeckt etwa zwei Drittel des letzteren. Die Flügel sind so wie beim ♀ gebildet.

Arbeiter:

A. **Fühler eilfgliedrig.**

1. Beine mit abstehenden Borstenhaaren.

L. acervorum.

2. Beine ohne abstehenden Borstenhaaren.

a) Länge des Körpers: 3—3½mm.; Oberseite des Kopfes und des Hinterleibes bräunlich; Clypeus von der Mitte des Vorderrandes nach hinten mit einem breiten, glatten, glänzenden und concaven Eindrucke.

L. Gredleri.

b) Länge des Körpers: $2^1/_4$mm. Oberseite des Kopfes und des Hinterleibes dunkelbraun; Clypeus von der Mitte des Vorderrandes nach hinten wohl ziemlich glatt und glänzend aber flach.

L. muscorum.

B. Fühler zwölfgliedrig.

1. Clypeus in der Mitte stark eingedrückt, beiderseits mit einem stumpfen Zähnchen.

L. clypeatus.

2. Clypeus in der Mitte nicht eingedrückt und ungezähnt.

a) Keule der Fühlergeissel gelb oder roth.

α. Thorax bräunlichroth, Oberseite des Kopfes und des Hinterleibes mit Ausnahme des Grundes braunschwarz; Dornen des Metanotums fast horizontal und kurz.

L. corticalis.

β. Thorax gelb oder röthlichgelb, Oberseite des Kopfes und eine Binde an jedem Hinterleibssegmente braun; Dornen des Metanotums nach hinten und aufwärts gerichtet und ziemlich lang.

αα. Thorax röthlichgelb; Mesonotum und Basalfläche des Metanotums im Vergleiche zu den anderen Leptothorax-Arten grob längsgerunzelt; Knoten des Stielchens etwas feiner gerunzelt.

L. affinis.

ββ. Thorax gelb; Mesonotum und Basalfläche des Metanotum fein gekörnt gerunzelt; Knoten sehr fein gerunzelt, fast glatt erscheinend.

ααα. Oberseite des Kopfes bräunlich.

L. Nylanderi.

βββ. Oberseite des Kopfes gelb.

L. parvulus.

b) Keule der Fühlergeissel schwärzlich oder braun.

α. Die ganze Oberseite des Kopfes schwarzbraun oder braunschwarz.

αα. Thorax bräunlich rothgelb, im Vergleiche zu den andern Leptothorax-Arten ziemlich grob längsgerunzelt; Oberseite des Kopfes braunschwarz, Unterseite braun.

L. nigriceps.

ββ. Thorax gelb, oder blass röthlichgelb, sehr fein und undeutlich längsgerunzelt; Oberseite des Kopfes schwärzlichbraun, Unterseite gelb.

L. tuberum.

β. Oberseite des Kopfes gelb oder nur die vordere Hälfte braun oder schwärzlich.

αα. Vordere Hälfte der Oberseite des Kopfes schwärzlich oder braun; Oberseite des ersten Hinterleibssegmentes mit einer in der Mitte unterbrochenen Binde oder ohne Binde.

L. interruptus.

ββ. Vordere Hälfte der Oberseite des Kopfes gelb oder schwach angeraucht; Oberseite des ersten Hinterleibssegmentes mit einer breiten nicht unterbrochenen Binde.

L. unifasciatus.

Weibchen:

A. Fühler eilfgliedrig.

1. Beine mit abstehenden Borstenhaaren.

L. acervorum.

2. Beine ohne abstehenden Borstenhaaren.

a) Mesonotum braun; Länge des Körpers $2^3/_4$—3^{mm}.

L. muscorum.

b) Mesonotum gelb, bloss an den Flügelgelenken schwärzlich; Länge des Körpers: $3^1/_2$—$3^3/_4{}^{mm}$.

L. Gredleri.

B. Fühler zwölfgliedrig.

1. Oberfläche des Hinterleibes braun, ohne Binden.

a) Keule der Fühlergeissel braun; Unterseite des Hinterleibes schmutzig gelb.

L. tuberum.

b) Keule der Fühlergeissel gelb; Unterseite des Hinterleibes braun.

L. corticalis.

2. Hinterleib gelb, wenigstens dessen Oberseite mit braunen Binden.

a) Keule der Fühlergeissel braun oder schwärzlich.

α. Metanotum mit zwei kurzen Zähnen; Thorax grösstentheils gelb.

L. unifasciatus.

β. Metanotum mit zwei ziemlich langen Dornen; Thorax grösstentheils braun.

L. interruptus.

b) Keule der Fühlergeissel gelb.

α. Erstes Hinterleibssegment an der Ober- und Unterseite mit einer bis an den Hinterrand des Segmentes reichenden braunen Binde.

L. Nylanderi.

β. Erstes Hinterleibssegment bloss auf der Oberseite mit einer braunen nicht bis zum Hinterrande reichenden Binde.

L. parvulus *).

*) Indem bis jetzt nur wenige ♂ dieser Gattung bekannt sind, so lässt sich keine analytische Tabelle für dieselben anfertigen.

1. *Leptothorax clypeatus* Mayr.

Operaria: *Luteo-rufa, abdomen absque basi et ano piceum; clypeus in medio impressus laminis duabus dentiformibus; antennae 12 articulatae; pedes absque pilis abstantibus. Long.:* 3½mm.

Myrmica clypeata Mayr Beschr. ein. neuèr Ameis.

Arbeiter: Schmutzig gelbroth, der Hinterleib mit Ausnahme des Grundes und des Afters pechschwarz. Der ganze Körper ist mit Ausnahme der Beine sehr sparsam mit ziemlich kurzen, abstehenden Borstenhaaren besetzt.

Die Oberkiefer sind längsgerunzelt, mit Puncten versehen, aus denen die Borstenhaare entspringen, und deren Innenrand ist vorne mit zwei ziemlich grossen Zähnen bewaffnet, hinten aber bloss schneidend ohne deutlichen Zähnen. Der Clypeus ist gross, längsgerunzelt, in der Mitte stark der Länge nach eingedrückt und glatt, beiderseits hat er eine nahe am Mundrande zahnartig endende Leiste. Der Schaft der zwölfgliedrigen Fühler ist mit feinen, kurzen Härchen reichlich besetzt, nahe am Grunde schwach bogenförmig gekrümmt und reicht nicht bis zum Hinterrande des Kopfes; die Geissel ist am Ende etwas verdickt, ihr erstes Glied ist doppelt so lang als dick, das zweite bis achte Glied ist kurz, das neunte und zehnte grösser, das Endglied spindelförmig dick, fast so lang als die beiden vorletzten Glieder zusammen. Das Stirnfeld und die Stirnrinne sind undeutlich ausgeprägt. Die Stirn, der Scheitel und die Unterseite des Kopfes sind mittelfein, aber dicht und scharf, der Länge nach gerunzelt und glanzlos.

Das Pronotum ist mittelfein gerunzelt und glanzlos, der Hals aber quergerunzelt. Das Mesonotum ist granulirt gerunzelt und glanzlos.. Das Metanotum ist mit zwei ziemlich langen nach hinten und etwas aufwärts gerichteten, wenig divergirenden Dornen bewaffnet, die Basalfläche ist fein granulirt-, die abschüssige dicht quergerunzelt. Die Seiten des Thorax sind theils längs-, theils granulirt-gerunzelt.

Das Stielchen ist fein gerunzelt.

Der Hinterleib ist glänzend und glatt.

Ich fand diese schöne Art einzeln im Prater in Wien an einem Baume.

2. *Leptothorax acervorum* Nyl.

Operaria: *Rufa aut brunneo-rubra, antennarum* 11 *articulatarum clava, capitis abdominisque pars superior nigro-fuscae; clypeus impressione longitudinali laevi: pedes pilis abstantibus. Long.:* 3½—3¾mm.

Femina. *Rufa, antennarum* 11 *articulatarum clava, capitis, thoracis abdominisque pars superior et partim thoracis latera nigro-fusca; pedes pilis abstantibus. Long.:* 3½—4mm.

Mas. *Nigra, articulationes pedum tarsique pallescentes; antennae* 12 *articulatae; metanotum utrinque angulatim tuberculatum; alae lacteo-hyalinae. Long.:* 4—4½mm.

Myrmica acervorum Nyl. Adn. Mon. Form. bor. Eur. pag. 936; Först. Hym. Stud. 1 H. pag. 61; Schenck Beschr. nass. Ameis. pag. 97; Smith Ess. Gen. and Spec. Brit. Form. pag. 124.

Arbeiter: Gelbroth oder braunroth, die Oberseite des Kopfes und des Hinterleibes mit Ausnahme der Basis des letzteren und die Keule der Fühlergeissel schwarzbraun, die Oberkiefer, der Fühlerschaft und die Grundhälfte der Geissel gelbroth oder braunroth. Der ganze Körper ist mit abstehenden Borsten mässig besetzt.

Die Oberkiefer sind fein längsgerunzelt, grob punctirt und am Innenrande gezähnt. Der Clypeus ist längsgestreift, längs der Mitte mit einem fast glatten Eindrucke. Der Schaft der eilfgliedrigen Fühler reicht nicht bis zum Hinterrande des Kopfes, die sieben ersten Glieder der Geissel sind klein und kurz, die zwei vorletzten gross und dick und das Endglied ist etwas länger als die zwei vorletzten zusammen; die drei letzten Glieder bilden die Keule. Das meist undeutlich abgegränzte Stirnfeld, die Stirn und der Scheitel sind fein längsgestreift. Die Punctaugen fehlen oder sind manchmal undeutlich zu sehen.

Der Thorax ist mittelfein gerunzelt, oft längsgerunzelt. Das Metanotum ist mit zwei fast horizontal nach hinten gerichteten langen Dornen bewaffnet.

Das Stielchen ist fein gerunzelt.

Der Hinterleib ist glatt und glänzend.

Die Beine sind mit abstehenden Borstenhaaren besetzt, wodurch sich diese Art von den nächstverwandten Arten leicht unterscheidet.

Weibchen. Gelbroth oder schmutzigroth, die Oberseite des Kopfes, des Thorax, des Hinterleibes und oft auch des Stielchens, die Keule der Fühlergeissel, Flecken an den Seiten des Thorax und oft auch die Unterseite des Kopfes und des Hinterleibes mehr oder weniger schwarzbraun, manchmal ist das Mesonotum gelbroth und hat nur drei schwärzliche Makeln. Die Behaarung ist so wie beim ☿.

Der Kopf ist so wie beim ☿, die Punctaugen sind aber stets deutlich.

Das Pronotum ist gerunzelt und an den Seiten längsgestreift, das Mesonotum und die Seiten des Thorax sind längsgestreift, das Metanotum ist mit zwei horizontalen langen Dornen bewaffnet.

Das Stielchen, der Hinterleib und die Beine sind so wie beim ☿.

Die Flügel sind nebst den Rippen milchweiss.

Männchen. Tiefschwarz, die Oberkiefer und die Beine dunkelbraun, die Gelenke der Beine und die Tarsen gelblich. Der ganze Körper, besonders aber der Kopf, ist reichlich, mit sehr langen, weisslichen, abstehenden Haaren bekleidet.

Die Oberkiefer sind scharf längsgestreift, kurz, vorne abgestutzt und ungezähnt. Der Clypeus ist so wie der übrige Theil des Kopfes grob und verworren gerunzelt. Der Schaft der zwölfgliedrigen Fühler ist sehr kurz und dick, nicht so lang als das zweite Geisselglied; das erste Geisselglied ist sehr kurz und kugelig, das zweite ist sehr lang, die folgenden kürzer als das zweite und ziemlich gleichlang, das letzte Glied ist etwas länger als das vorletzte. Die Stirnrinne ist tief eingedrückt und reicht bis zum mittleren Punctauge.

Das Pronotum und die vordere Hälfte des Mesonotum sind verworren-, die hintere Hälfte des Mesonotums, das Schildchen und das Metanotum sind längsgerunzelt; das letztere hat beiderseits eine fast winklig ausgezogene Beule.

Das Stielchen ist fein gerunzelt.

Der Hinterleib ist glatt und stark glänzend.

Die Flügel sind so wie beim ♀ milchweiss.

Diese Art findet sich auf Bäumen unter der Rinde oder unter Moos auf Felsen, oder auf einer anderen Unterlage, selten unter Steinen in kleinen Colonien; sie schwärmt in der Mitte des Sommers, und in ihren Colonien fand Dr. Nylander die von ihm beschriebene, dem Soldaten der Gattung *Oecophthora* ähnliche, $4^1/_2$mm lange, gelbe *Myrmica sublaevis*.

In Oesterreich in Wien im Prater, bei Schwarzensee nächst Pottenstein (Mayr); bei Gresten (Schleicher); in Tirol am Araba in Enneberg 6000' ü. d. M. (Gredler); in Steiermark bei Grosslobming (Miklitz); in Krain (Schmidt); in der Lombardie auf den Alpen (Villa). In den Nachbarländern in der Provinz Preussen (Siebold) bei Königsberg (Sauter); in Rheinpreussen bei Aachen (Förster); bei Lübek (Milde); in Nassau (Schenck); in der Schweiz am Klönthalsee im Haag (Bremj).

3. *Leptothorax Gredleri* Mayr. n. sp.

***Operaria*:** *Ferrugineo-testacea, antennarum 11 articulatarum clava, capitis abdominisque pars superior fuscescentes; clypeus impressione longitudinali laevi; metanotum spinis horizontalibus fortibus; pedes absque pilis abstantibus. Long.: 3–$3^1/_2$mm.*

***Femina*.** *Ferrugineo-testacea, antennarum 11 articulatarum clava, capitis abdominisque pars superior et macula lateralis mesonoti utrinque fuscescentes; clypeus impressione longitudinali laevi; pedes absque pilis abstantibus. Long.: $3^1/_2$–$3^3/_4$mm.*

Myrmica muscorum Schenck Beschr. nass. Ameis. pag. 99.

Arbeiter: Röthlich braungelb, die Keule der Fühlergeissel, so wie die Oberseite des Kopfes und des Hinterleibes bräunlich. Der ganze Körper ist mit Ausnahme der Beine mit abstehenden Borstenhaaren mässig besetzt.

Im Uebrigen verhält sich der ☿ ebenso wie der der vorigen Art, und unterscheidet sich von diesem durch die Farbe des Körpers und die Beine, welche nicht, wie bei *L. acervorum*, mit abstehenden Borstenhaaren bekleidet sind.

Weibchen. Röthlichbraungelb, die Keule der Fühlergeissel, die Oberseite des Kopfes und des Hinterleibes, so wie an den Flügelgelenken des Mesonotums bräunlich oder schwärzlich. Die Beine haben keine abstehenden Borstenhaare, wodurch sich das ♀ leicht von der vorigen Art unterscheidet.

Im Uebrigen so wie bei der vorigen Art, mit Ausnahme der Flügel, welche irisirend und glashell sind und gelbbraune Rippen haben.

Diese Art wurde von Prof. Schenck, von dem ich ☿ dieser Art erhielt, und sehr wahrscheinlich auch von Dr. Förster für die Nylander'sche *Myrmica muscorum* gehalten. Durch den Besitz Nylander'scher Originalexemplare bin ich in der Lage, berichten zu können, dass Nylander eine andere Art, welche nachfolgend beschrieben ist, darunter verstand, welche bisher nur von meinem verehrten Freunde Professor Gredler bisher aufgefunden wurde.

Oben beschriebene Art findet sich so wie der *L. acervorum* unter Moos und unter Baumrinden; sie schwärmt im Hochsommer.

Bisher bloss in Oesterreich in Wien im Prater (Mayr), bei Schönbrunn (Mus. Caes. Vienn.); in Salzburg im Fuscher-Thal (Mayr). In den Nachbarländern bisher mit Gewissheit bloss in Nassau (Schenck).

4. Leptothorax muscorum. Nyl.

Operaria: *Rufa, capitis abdonimisque pars superior obscure fusca, antennarum 11 articulatarum clava fuscescens; clypeus absque impressione; pedes absque pilis abstantibus. Long: 2¾mm.*

Femina. *Rufa, capitis, thoracis abdominisque pars superior obscure fuscescentes, antennae 11 articulatae clava fuscescenti; clypeus absque impressione; alae hyalinae costis testaceis; pedes absque pilis abstantibus. Long.: 2¾—3mm.*

Mas. *Niger, mandibulae pedesque testacei; antennarum 12 articulatarum scapus brevissimus; metanotum utrinque angulatim tuberculatum; petiolus nitidus; alae hyalinae costis testaceis. Long: 2½mm.*

Myrmica muscorum Nyl. Add. Adn. Mon. Form. bor. Eur. pag. 1054.

Arbeiter: Gelbroth, die Oberseite des Kopfes und des Hinterleibes dunkelbraun, die Keule der eilfgliedrigen Fühler bräunlich. Der Clypeus hat keinen Eindruck, aber eine glänzende, glatte, flache Stelle. Der Thorax ist schmächtiger als bei der vorigen Art. Im Uebrigen stimmt der ☿ mit Ausnahme der noch feineren Sculptur des Kopfes und Thorax und der geringeren Grösse mit L. Gredleri überein.

Weibchen. Gelbroth, die Oberseite des Kopfes und des Hinterleibes, so wie das Mesonotum und Schildchen dunkelbraun, die Keule der eilfgliederigen Fühler bräunlich. Der Kopf ist so wie beim ☿. Im Uebrigen wie beim ♀ der vorigen Art mit Ausnahme der geringeren Grösse.

Männchen. Tiefschwarz, die Oberkiefer und Beine mehr oder weniger gelbbräunlich, die Fühler und die Seiten des Thorax schwarzbraun. Der Kopf ist reichlich, der übrige Körper aber ziemlich sparsam mit langen, weisslichen Haaren bekleidet.

Die Oberkiefer sind kurz, längsgerunzelt, am Ende abgestutzt und ohne Zähne. Der Clypeus ist gewölbt, ungekielt und grob längsgestreift. Das Stirnfeld ist scharf ausgeprägt und grob gerunzelt. Der Schaft der zwölfgliedrigen Fühler ist sehr kurz, so lang als das zweite Geisselglied; die Geissel ist fadenförmig, an der Grundhälfte etwas verschmälert, deren erstes Glied ist sehr kurz und kugelig, das zweite ist lang und dünn, die folgenden sind etwas kürzer aber untereinander gleichlang, das Endglied ist so lang als das zweite Geisselglied, aber dicker und spindelförmig. Die Stirnrinne ist tief. Die übrigen Kopftheile sind dicht granulirt gerunzelt und glanzlos.

Der Thorax ist seicht gerunzelt, theilweise glänzend; das Metanotum hat beiderseits einen etwas winkelig vorgezogenen Höcker, die Basalfläche ist gekörnt-längsgerunzelt, die abschüssige Fläche fast glatt, bloss mit einigen feinen Längslinien, und glänzend.

Das Stielchen ist fast glatt und glänzend.

Der Hinterleib ist glatt und stark glänzend.

In den österreichischen Staaten bisher bloss in Tirol von Prof. G r e d l e r am Ritten bei Botzen gefunden *).

5. *Leptothorax corticalis* S c h e n c k.

***Operaria*:** *Brunneo-rubra, capitis abdominisque pars superior fusco-nigra, pedes fusci, articulationes pedum tarsique dilutiores; antennae 12 articulatae clava brunneo-rubra; metanotum dentibus duobus horizontalibus. Long.:* $2^1/_2-3^1/_4$ mm.

***Femina*.** *Brunneo-rubra, capitis, thoracis petiolique pars superior et abdomen nigro-fusca, mandibulae, antennae 12 articulatae pedesque testacei; metanotum dentibus duobus horizontalibus. Long.:* $3^1/_2$ mm.

Myrmica corticalis S c h e n c k Beschr. nass. Ameis. pag. 100.

Arbeiter: Braunroth, die Oberseite des Kopfes, mit Ausnahme der braunrothen oder gelblichen Oberkiefer und Fühler, und des Hinterleibes mit Ausnahme des Grundes braunschwarz, die Beine braun, die Gelenke der Beine und die Tarsen lichter. Die Oberseite des Kopfes, des Thorax. des Stielchens und des Hinterleibes mit abstehenden, ziemlich kurzen, gelben Borstenhaaren bekleidet, die Beine aber mit anliegenden Härchen versehen.

Die Oberkiefer sind längsgerunzelt und gezähnt. Der Clypeus so wie die übrigen Kopftheile fein längsgerunzelt, Die Fühler sind zwölfgliedrig, die einzelnen Glieder sind so wie bei den vorigen Arten geformt. Das Stirnfeld ist deutlich abgegränzt, sehr fein gerunzelt und meist glänzend. Die Punctaugen sind meist vorhanden aber ziemlich undeutlich.

Der Thorax ist mässig fein längsgerunzelt, zwischen den Runzeln, besonders aber am Mesonotum, fein gekörnt. Das Metanotum mit zwei kurzen, ziemlich starken, nach hinten gerichteten Zähnen, zwischen denselben gerunzelt.

---

*) Auf der pag. 291 hat sich bei den Arten *Leptothorax Gredleri* und *L. muscorum* ein Fehler eingeschlichen; es soll nämlich heissen:

76. *L. Gredleri Mayr.* Nassau, Oesterreich, Salzburg.

77. *L. muscorum Nyl.* Finnland (N y l.) Tirol.

Die Knoten des Stielchens sind ebenfalls gerunzelt.

Der Hinterleib ist glatt und glänzend.

Weibchen. Braunroth, die Oberseite des Kopfes, des Thorax und des Stielchens, so wie der Hinterleib schwarzbraun, der letztere oft braun, die Oberkiefer, die zwölfgliederigen Fühler und die Beine gelbbraun. Die Behaarung und die Theile des Kopfes sind so wie beim ☿.

Das Pronotum ist scharf, das Mesonotum aber seicht längsgerunzelt. Das Metanotum ist so wie der ☿, mit zwei nach hinten gerichteten, ziemlich starken und kurzen Zähnen bewaffnet.

Die Knoten des Stielchens sind längsgerunzelt.

Der Hinterleib ist glatt.

Die Flügel sind noch nicht bekannt.

Diese niedliche Art findet sich, obwohl selten, an Bäumen, auf welchen sie theils unter der Rinde, theils aber in der Rinde, in welcher sie sich Gänge und Kammern ausnagt, ihre Colonien anlegt.

In Oesterreich in Wien im Prater (Mayr), bei Lainz nächst Wien (Schmidt und Motschulski); in Tyrol am Ritten bei Botzen (Gredler). In den Nachbarländern bisher bloss in Nassau bei Weilburg (Schenck).

6. *Leptothorax nigriceps* Mayr. n. sp.

Operaria: *Rubro-testacea, antennarum 12 articulatarum clava et caput supra fusco-nigra, abdomen basi excepta atque caput infra fusca; thorax distincte longitudinaliter rugulosus; metanotum spinis duabus mediocribus. Long.:* $2\frac{1}{2}^{mm}$.

Arbeiter: Bräunlich rothgelb, die Keule der zwölfgliederigen Fühler insbesondere aber die ganze Oberseite des Kopfes vom Clypeus bis zum Hinterhauptloche braunschwarz, bloss die Oberkiefer und die Fühler mit Ausnahme der Keule sind rothgelb, die Unterseite des Kopfes, der Hinterleib, mit Ausnahme des gelben Grundes, und die Schenkel braun. Die Behaarung so wie überhaupt die Form des ganzen Körpers, insbesondere aber die Runzelung des Thorax, ist so wie bei *L. corticalis*, und unterscheidet sich von dieser Art, Subtilitäten in der Farbe, welche ich schon angegeben habe, abgerechnet, durch die schwarze Fühlerkeule, die mässig langen, nach hinten und etwas nach aufwärts gerichteten Dornen und durch die etwas geringere Grösse des Körpers. Von dem nachfolgend beschriebenen *Leptoth. tuberum* unterscheidet sich der ☿ durch die Farbe des ganzen Körpers und den deutlich, ziemlich grob längsgerunzelten Thorax, während er bei *L. tuberum* sehr fein und undeutlich längsgerunzelt ist.

Ich fand bloss einen ☿ dieser characteristischen Art an einem Baume bei Fahrafeld nächst Pottenstein in Oesterreich.

7. *Leptothorax affinis* Mayr n. sp

Operaria *: Ferrugineo-testacea, capitis abdominisque pars superior fuscescens; antennae 12 articulatae; clypeus longitudinaliter rugulosus absque impressione longitudinali laevi; thorax distincte longitudinaliter rugulosus; metanotum spinis retro et sursum directis, longis; pedes absque pilis abstantibus. Long.:* $2^{2}/_{3}$—$2^{3}/_{4}$mm.

Arbeiter: In der Farbe gleich dem ☿ des *L. Gredleri*, höchstens ist der Thorax etwas mehr röthlich, ebenso gleicht er ihm auch in vielen Characteren, unterscheidet sich aber nebst der etwas geringeren Grösse durch folgende Merkmale: der Clypeus ist ziemlich grob längsgerunzelt, und hat keinen breiten, glatten, glänzenden Längseindruck; die Fühler sind zwölfgliederig, und die Keule der Geissel ist rothgelb, nur die zwei vorletzten Glieder sind an jenem Rande, welcher der Spitze der Geissel näher ist, bräunlich geringelt, wie diess überhaupt bei jenen *Leptothorax*-Arten, welche eine gelbe Fühlerkeule haben, fast stets der Fall ist; der Thorax ist etwas gröber längsgerunzelt und das Metanotum trägt zwei nach hinten und aufwärts gerichtete ziemlich lange und dünne Dornen, während diese bei *L. Gredleri* horizontal nach hinten gerichtet, kürzer und dicker sind. Von jenen *Leptothorax*-Arten, welche auch zwölfgliedrige Fühler und eine gelbe Fühlerkeule haben, unterscheidet sich diese Art durch die Farbe und den im Vergleiche grob gerunzelten Thorax und die wohl etwas feiner als der Thorax aber doch ziemlich grob gerunzelten Knoten des Stielchens.

Ich fing diese seltene Art im Prater in Wien an Bäumen herumlaufend.

8. *Leptothorax tuberum* Nyl.

Operaria *: Pallide ferrugineo-flava, caput supra ac antennarum 12 articulatarum clava nigro-fuscescentia, abdomen supra basi excepta subfasciatim fuscescens; thorax subtiliter longitudinaliter rugulosus; metanotum spinis acutis, mediocribus. Long.:* $2^{1}/_{4}$—3mm.

Femina (Nach Nylander.) *Brunneo-fusca, sparse pilosula, mandibulae, antennarum scapus basisque flagelli et pedes dilute pallidi, venter sordide pallescens; alae totae lacteo-hyalinae; spinae metanoti parvae dentiformes. Long.:* $3^{1}/_{4}$mm.

Myrmica tuberum Nyl. Adn. Mon. form. bor. Eur. pag. 939; Schenck Beschr. nass. Ameis. pag. 141.

Arbeiter: Gelb oder blass röthlichgelb, die ganze Oberseite des Kopfes mit Ausnahme der Oberkiefer, des Fühlerschaftes und der Basalhälfte der Fühlergeissel schwärzlichbraun, die Oberseite des Hinterleibes mit Ausnahme des vorderen Drittheils des ersten Segmentes braun, selten ist der Hinterrand der Abdominalsegmente gelb. Die Oberseite des Kopfes, des Thorax, des Stielchens und des Hinterleibes ist mit ziemlich kurzen Börstchen sparsam besetzt.

Die Oberkiefer sind längsgerunzelt und gezähnt. Der Clypeus, das Stirnfeld, die Stirn und der Scheitel sind dicht längsgerunzelt. Die zwölfgliederigen Fühler sind so wie bei den vorigen Arten.

Der Thorax ist sehr fein und besonders an der Oberseite des Meso- und Metanotums undeutlich längsgerunzelt. Das Metanotum ist mit zwei mässig langen, spitzen, nach hinten und aufwärts gerichteten Dornen bewaffnet.

Die Knoten des Stielchens sind ziemlich fein verworren-, fast gekörntgerunzelt.

Der Hinterleib ist glatt.

Der ☿ dieser Art unterscheidet sich von den Arten, welche ebenfalls zwölfgliederige Fühler und eine schwärzliche Fühlerkeule haben, durch seinen Kopf, welcher auf der ganzen Oberseite schwärzlichbraun, auf der Unterseite aber gelb oder schwach bräunlichgelb ist, und durch die Farbe des Hinterleibes. Zur Beschreibung des ☿ hatte ich ein Nylander'sches und ein Schenck'sches Exemplar vorliegen, wodurch ich ersah, dass die Schenck'sche *M. tuberum* mit der Nylander'schen Art identisch ist.

Weibchen. Da ich dieses durch Autopsie nicht kenne, so citire ich die Nylander'sche Beschreibung: *Long.: 1½‴. Capite minori supra convexiori et colore sculpturaque thoracis alia a praecedentis ♀ (L. acervorum) mox distincta. Caput parvum fere ut in ☿, sed plaga nitidiuscula frontali obsoletiori, ocellis distinctis et antennis paulo validioribus. Thorax tumidus longitudine abdominis brunneo-fuscus totus (rubedine picea quasi interlucente), longitudinaliter subtiliter striatulus; metanotum supra subtiliter granulatum, spinis parvis dentiformibus, spatio concaviusculo infra easdem subtiliter transversim rugoso. Alae totae albissime hyalinae, anticae long. 2‴, absque vestigio areae secundae cubitalis h. e. nervulo a stigmate in nervum radialem ducto, ubi coincidunt, desinente nec decussationem ullam formante; area radiali clausa. Nodi petioli inaequaliter rugulosi. Abdomen ovale depressiusculum pallide castaneum, basi ventreque pallidioribus.*

Vom Männchen, welches Dr. Nylander muthmasslich dafür hält, sagt dieser folgendes: *Quem hujus speciei esse credo, simillimus est mari praecedentis (Lept. acervorum) nec adhuc differentias alias invenire potui, quam magnitudinem paulo minorem, oculos magis forte prominulos, pilositatem paulo magis cinerascentem et nervum decussantem alarum paulo breviorem (h. e. nervus, qui a basi areae radialis in discum extenditur nervumque latus discoidali-longitudinale arearum cubitalis primae et radialis formantem decussat). At forte haec forma mera varietas est praecedentis.*

Diese seltene Art findet sich unter Steinen und Baumrinden.

In Oesterreich bei Gresten (Schleicher); in Tirol bei Tiers und bei Botzen (Gredler); in Krain (Schmidt). In den Nachbarländern in Nassau bei Dillenburg (Schenck) und in der Schweiz bei Schaffhausen (Stierlin).

9. *Leptothorax unifasciatus* Ltr.

***Operaria*:** *Pallide ferrugineo-flava, antennarum 12 articulatarum clava ac fascia lata abdominis supra fuscae, rare caput supra antice paululum fuscescens. Long.:* 2½—3¼mm.

Femina. *Pallide ferrugineo-flava, antennarum 12 articulatarum clava, fascia lata segmenti primi abdominis supra et fasciae angustae segmentorum posteriorum nigro-fuscae, caput supra et scutellum fuscescentia; metanotum dentibus duobus brevibus. Long.:* 4—4½mm.

Mas. *Fusco-niger, mandibulae, antennarum 13 articulatarum scapus pedesque fusci, antennarum funiculus, articulationes pedum tarsique lividi; mesonotum antice dense rugulosum. Long.:* 3—3½mm.

Formica unifasciata Ltr. Ess. l'hist. Fourm. France. pag. 47, Hist. nat. Fourm. pag. 257.

Myrmica unifasciata Losana Form. Piem. pag. 332; Nyl. Add. alt. pag. 44; Schenck Beschr. nass. Ameis. pag. 101; Smith Ess. Gen. and Spec. Brit. Form. pag. 128.

Arbeiter. Gelb oder blass röthlichgelb, die Fühlerkeule, eine breite Binde an der Oberseite der hinteren Hälfte des ersten Abdominalsegmentes und meist auch eine schmale Binde auf der Oberseite eines jeden Hinterleibssegmentes braun, öfters ist die vordere Hälfte der Oberseite des Kopfes schwach bräunlich. Der ganze Körper ist mit abstehenden Borstenhaaren sparsam besetzt, die Beine aber sind fast kahl.

Die Oberkiefer sind längsgerunzelt, grob punctirt, und vier- bis fünfzähnig. Der Clypeus ist längsgerunzelt, wenig gewölbt und ungekielt. Das Stirnfeld ist schwach, nur manchmal scharf ausgeprägt und längsgerunzelt. Die Fühler sind zwölfgliedrig. Die Stirn und der Scheitel sind fein netzaderig längsgerunzelt.

Der Thorax ist fein netzaderig längsgerunzelt. Das Metanotum ist mit zwei mässig langen nach hinten und aufwärts gerichteten Dornen bewaffnet.

Die Knoten des Stielchens sind fein netzaderig gerunzelt.

Der Hinterleib ist glatt und glänzend.

Der ☿ ist von der vorigen Art durch die Farbe des Kopfes und des Hinterleibes, von dem *L. interruptus* durch die ununterbrochenen Binden des Hinterleibes so wie durch den gelben oder nur etwas vorne an der Oberseite angerauchten Kopf unterschieden.

Weibchen. Gelb oder blass röthlichgelb, die Keule der Fühlergeissel, eine breite Binde an der Oberseite des ersten Hinterleibssegmentes und eine schmale Binde an dem Hinterrande der folgenden Segmente schwarzbraun, die Oberseite des Kopfes und theilweise oft auch die Seiten des Thorax und des Schildchens bräunlich, die Flügelgelenke am Mesonotum schwarz. Die Behaarung und der Kopf sind so wie beim ☿ mit Ausnahme der beim ♀ vorhandenen ziemlich grossen Punctaugen.

Der Thorax ist scharf längsgestreift; das Metanotum ist mit zwei kurzen Zähnen bewehrt, zwischen denselben quergerunzelt.

Die Knoten des Stielchens sind gerunzelt.

Der Hinterleib ist glatt und glänzend.

Die Flügel sind wasserhell.

Männchen. Braunschwarz, die Oberkiefer, der Fühlerschaft mit Ausnahme des Geisselendes und die Beine braun, die Fühlergeissel, die Gelenke der Beine und die Tarsen blassgelb. Der ganze Körper ist mit abstehenden Borstenhaaren sparsam versehen, die Beine aber sind fast nackt.

Die Oberkiefer sind längsgerunzelt und vier- bis fünfzähnig. Der mässig gewölbte Clypeus, das sehr undeutlich abgegränzte Stirnfeld, die Stirne und der Scheitel sind längsgerunzelt, die Seiten des Kopfes aber sind netzmaschig. Der Schaft der dreizehngliederigen Fühler ist so lang als die zwei ersten Geisselglieder zusammen; das erste Geisselglied ist verdickt, das zweite ist dünn und beiläufig von derselben Länge wie das erste Glied, die folgenden Glieder sind so geformt wie das zweite, nehmen aber gegen das Geisselende mehr und mehr an Länge und Dicke zu, das Endglied ist spindelförmig und fast so lang als die zwei vorletzten zusammen.

Das Pronotum ist seicht gerunzelt. Das Mesonotum ist vorne verworren-, hinten aber längsgerunzelt. Das Metanotum ist sehr fein gerunzelt und hat beiderseits einen zahnartigen Höcker.

Die Knoten des Stielchens sind seicht gerunzelt.

Der Hinterleib ist glatt.

Die Flügel sind wasserhell.

Diese niedliche aber nicht seltene Art findet sich am häufigsten an warmen sonnigen Hügeln unter Steinen in Erdbauten, obwohl sie auch unter Moos, an Bäumen und anderswo vorkömmt; sie schwärmt im Hochsommer. Herr Director K o l l a r fand ☿ und ♀ mit der Brut in einer alten Bedeguare.

In Oesterreich bei Wien in der Briel (M a y r), auf der Mauer (K o l l a r), bei Fahrafeld nächst Pottenstein, bei Mannersdorf, im Preinthal bei Reichenau (M a y r), bei Mautern (K e r n e r), auf den Jochwänden bei Goisern nächst Ischl (M a y r); in Tirol bei Botzen (G r e d l e r, M a y r); in Krain (S c h m i d t). In den Nachbarländern in Nassau (S c h e n c k); in der Schweiz (B r e m j); im Kirchenstaate bei Bologna (B i a n c o n i), bei Imola (P i r a z z o l i); in Piemont (L o s a n a, M a y r).

10. Leptothorax interruptus Schenck.

Operaria: *Pallide ferrugineo-flava, caput supra antice, antennarum 12 articulatarum clava et fascia interrupta abdominis supra nigro-fusca. Long.: 2½mm.*

Femina. *Fusca, mandibulae, antennae 12 articulatae, excepta clava fusco-nigra, pedesque flavi, abdomen flavum supra fasciis latis nigro-fuscis, metanotum spinis mediocribus. Long.: 3¾—4mm.*

Mas. *Fusco-niger, antennae 13 articulatae pedesque fusci, mandibulae articulationes pedum tarsique pallescentes. Long.: 2½mm.*

Myrmica interrupta Schenck Beschr. nass. Ameis. pag. 106 u. 140.

Arbeiter. Dieser unterscheidet sich von dem der vorigen Art bloss durch die meist schwärzliche vordere Hälfte der Oberseite des Kopfes und durch die entweder in der Mitte unterbrochene oder ganz fehlende braune Binde an der Oberseite des ersten Hinterleibssegmentes.

Weibchen. Braun, die Oberkiefer, die Fühler, mit Ausnahme der schwärzlichen Keule, und die Beine gelb; der Hinterleib an der Unterseite gelb, an der Oberseite ist die gelbe Farbe durch die breiten nicht unterbrochenen Binden bloss auf den Vorder- und Hinterrand der einzelnen Segmente beschränkt. Das Metanotum ist mit zwei mässig langen Dornen versehen. Im Uebrigen gleicht das ♀ jenem des *L. unifasciatus*.

Männchen. Braunschwarz, die Fühler und die Beine braun, die Oberkiefer, die Gelenke der Beine und die Tarsen gelblich. Der ganze Körper ist sehr spärlich behaart.

Die Oberkiefer sind glänzend, sehr seicht längsgerunzelt und vier- bis fünfzähnig. Der Clypeus, das kaum abgegränzte Stirnfeld, die Stirn und der Scheitel sind längsgerunzelt. Der Schaft der dreizehngliedrigen Fühler ist beiläufig so lang als das Drittheil der Geissel; das erste Geisselglied ist ziemlich kurz, am Ende verdickt, das zweite bis achte Glied ist kurz, cylindrisch, das neunte Glied etwas länger, das zehnte und eilfte sind noch länger und zugleich dicker, das Endglied ist doppelt so lang als das vorletzte und dicker.

Der Thorax ist fein gerunzelt; das Metanotum hat beiderseits einen kleinen zahnartigen Höcker.

Die Knoten des Stielchens sind sehr fein gerunzelt.

Der Hinterleib ist glatt und stark glänzend.

Die Flügel sind wasserhell.

Diese seltene Art findet sich unter Moos oder einzeln auf der Erde herumirrend.

In Oesterreich in Wien in meinem Garten (Mayr); in Tirol bei Glaning nächst Botzen (Gredler). In den Nachbarländern bisher bloss in Nassau von Professor Schenck aufgefunden.

11 *Leptothorax Nylanderi* Först.

Operaria: *Pallide ferrugineo-flava, caput supra fuscescens, abdomen fasciis fuscis; antennae flavae 12 articulatae; mesonotum metanotique pars basalis subtiliter granulata; petioli nodi subtilissime rugulosi. Long.:* 2½ 3mm.

Femina. *Pallide ferrugineo-flava, abdomen supra ac infra fusce fasciatum, caput supra, maculae laterales mesonoti, scutellum petiolusque supra saepe fuscescentia Long.:* 4¼—4½mm.

Mas. *Fusco-niger, thorax obscure fuscus, mandibulae, antennae 13 articulatae pedesque lividi aut rufescentes; thorax petiolusque sublaeves, nitidi. Long.:* 3mm.

Myrmica Nylanderi Först. Hym. Stud. 1. H. p. 53.

Myrmica cingulata Schenck Beschr. nass. Ameis. pag. 104.

Arbeiter. Gelb oder blass röthlichgelb, die Oberseite des Kopfes bräunlich, die Fühler ganz gelb, der Hinterleib auf dem ersten Segmente oben und unten mit einer breiten an den Hinterrand stossenden, auf den andern nur oben mit einer schmalen braunen Binde. Im Uebrigen wie bei *L. unifasciatus.*

Weibchen. Gelb oder blass rothgelb, die Oberseite des Kopfes und des Stielchens, so wie zwei Flecken an den Seiten des Mesonotums oft auch vorne in der Mitte desselben bräunlich; der Hinterleib oben und unten am ersten Segmente mit einer breiten, an den anderen Segmenten mit schmäleren Binden. Die Dornen des Metanotums sind ziemlich kurz. Die Flügel sind etwas milchweiss, ebenso deren Rippen. Im Uebrigen wie bei *Lept. unifasciatus.*

Männchen. Braunschwarz, der Thorax dunkelbraun, die Oberkiefer, Fühler und Beine blassgelb oder röthlichgelb, der Clypeus rothbraun.

Die Oberkiefer sind vier- bis fünfzähnig, sehr seicht längsgerunzelt. Der Clypeus ist weitläufig längsgerunzelt; das Stirnfeld undeutlich abgegränzt. Der Schaft der dreizehngliedrigen Fühler etwa so lang als die drei bis vier ersten Geisselglieder; die sieben ersten Geisselglieder sind untereinander ziemlich gleichlang, die folgenden vier Glieder sind dicker und länger und das Endglied ist fast länger als die zwei vorletzten zusammen. Die Stirn und der Scheitel sind fein längs-, die Seiten des Kopfes aber fein verworren gerunzelt.

Die vordere Hälfte des Mesonotums ist stark glänzend und fast glatt, die hintere Hälfte aber ist feinrunzlig-längsgestreift. Das Metanotum ist fein gerunzelt und trägt zwei kleine zahnartige Höcker, nur bei einem Exemplare fand Professor Schenck zwei feine, spitze Zähnchen.

Die Knoten des Stielchens sind in der Mitte glatt und glänzend, an den Seiten und hinten fein gerunzelt.

Der Hinterleib ist glatt und glänzend.

Die Flügel sind wasserhell, fast milchweiss, ebenso die Rippen.

Durch die Vergleichung Förster'scher und Schenck'scher Exemplare der Arten *Myrmica Nylanderi* Först. und *M. cingulata* Schenck, welche ich durch die Herren Autoren erhielt, ergab sich die Identität der beiden Arten.

Diese nicht seltene Art findet sich an Bäumen, unter deren und in deren Rinde sie ihre Colonien anlegt, dann unter dem Moose; sie schwärmt im Hochsommer.

In Oesterreich in Wien im Prater, bei Wien am Kahlenberge, am Laaerberge und bei Dornbach (Mayr), bei Purkersdorf (Frauenfeld), bei Gresten (Schleicher), bei Fahrafeld nächst Pottenstein (Mayr); in Krain bei Laibach im Schischkaer Wald (Schmidt) und bei Rosenbach (Hauffen); in Dalmatien bei Ragusa (Frauenfeld); in der Lombardie (Villa). In den Nachbarländern in Rheinpreussen bei Aachen (Förster); in Nassau bei Weilburg und Wiesbaden (Schenck); im Kirchenstaate bei Imola (Pirazzoli).

12. *Leptothorax parvulus* Schenck.

Operaria: *Pallide ferruginea-flava, abdominis segmentum primum supra fascia lata nigro-fusca; antennae flavae 12 articulatae; mesonotum ac metanoti pars basalis subtiliter granulata; petioli nodi subtilissime rugulosi Long: 2¾—2½mm.*

Femina. (Nach Schenck.) *Testacea, antennae 12 articulatae ac abdomen flava, fascia lata segmenti primi abdominis supra et fasciae angustae segmentorum posteriorum fuscae. Long.: 4½—5mm.*

Myrmica parvula Schenck Beschr. nass. Ameis. pag. 103 u. 140.

Arbeiter. Dieser unterscheidet sich von dem ☿ der vorigen Art bloss durch die gelbe Oberseite des Kopfes und die etwas geringere Grösse des ganzen Körpers.

Weibchen. Professor Schenck beschreibt dieses folgendermassen: „Es ist von doppelter Grösse der Arbeiter, ohngefähr von derselben Farbe, Kopf und Thorax braungelb, Fühler gelb, ebenso die verdickten Endglieder; Hinterleib gelb, auf der Oberseite des ersten Segmentes eine breite braunschwarze Binde, breiter, als bei *unifasciata*, den Hinterrand nicht erreichend; die übrigen haben eine schmale Binde an der Basis. Die Beine gelb. Sowohl von *unifasciata*, als *cingulata (L. Nylanderi)* durch die Lage der Binde, von ersterer auch durch die Farbe der Fühlerkeule, von letzterer durch die gelbe Bauchseite verschieden; auch ähnlich dem ♀ von *interrupta*, aber schlanker und ausser der Lage der Binde durch die gelbe Fühlerkeule abweichend."

Diese Art möchte ich fast für eine Varietät des *L. Nylanderi* ansehen; sie findet sich selten unter Moos oder auf Bäumen.

In Oesterreich bei Wien in Schönbrunn und bei Aggsbach im Gurhofgraben (Mayr); in der Lombardie in den Alpen (Villa). In den Nachbarländern in der Provinz Preussen bei Königsberg (Zaddach); in Nassau bei Weilburg (Schenck)

6. *Diplorhoptrum* Mayr n. g.

διπλόος doppelt, ῥόπτρον Keule *).

Arbeiter: Der Kopf ist länger als breit und breiter als der Thorax. Die Oberkiefer sind mässig breit und mit grossen spitzen Zähnen bewaffnet. Die Kiefertaster sind zweigliedrig, jedes Glied ist cylindrisch, etwa doppelt so lang als breit, und das zweite Glied trägt an der Spitze eine starke Borste. Die Lippentaster sind ebenfalls zweigliedrig, aber keulenförmig, deren erstes Glied ist lang und am Grunde etwas dicker als am Ende, das zweite Glied ist dick, spindelförmig und etwas kürzer als das erste Glied. Die Oberlippe ist vorne tief zweilappig, die Lappen sind vollkommen halbkreisförmig. Der Clypeus ist durch zwei Leisten, welche zwischen den Fühlern ganz nahe aneinanderliegend nach vorne divergiren und am Vorderrande des Clypeus in zwei spitze Dornen endigen, in drei Felder getheilt, von denen das mittlere zwischen den Leisten liegende von einer Seite zur anderen concav ist. Die Fühler sind zehngliedrig; die zwei letzten Glieder der Geissel sind stark keulenförmig verdickt **). Das Stirnfeld ist schmal und besonders hinten sehr undeutlich abgegränzt. Die Stirnrinne ist kurz aber ziemlich tief und breit. Die Punctaugen fehlen. Die Netzaugen sind sehr klein und mehr dem Mundrande als dem Hinterrande des Kopfes genähert. Der Thorax ist zwischen dem Meso- und Metanotum nicht eingeschnürt, sondern bloss mit einer Furche versehen. Das Metanotum hat keine Zähne oder Beulen. Das erste Glied des Stielchens ist vorne stielförmig, hinten mit einem hohen, ziemlich breiten Knoten versehen, welcher den Knoten des zweiten Gliedes überragt, unten ist das erste Glied mit einem spitzen Zahne bewaffnet; das zweite Glied ist knotenförmig, etwas breiter als lang und auch um weniges breiter als der Knoten des ersten Gliedes, unten nicht gezähnt. Der Hinterleib ist rundlich, ziemlich klein.

Weibchen. Dieses ist im Verhältnisse zum ☿ sehr gross. Der Kopf ist rundlich, breiter als der Thorax. Die Oberkiefer sind mässig breit, mit starken, spitzen Zähnen am Innenrande bewaffnet. Die Taster sind so wie beim ☿. Der Clypeus, bis hinter die Fühler reichend, hat zwei Leisten, welche eine tiefe Furche zwischen sich fassen und am Vorderrande des Clypeus als spitze Zähne endigen. Die Fühler sind eilfgliedrig und die zwei letzten Geisselglieder bilden eine Keule. Das Stirnfeld ist tief, fast halbmondförmig und klein. Die Stirnrinne ist breit und in der Mitte grubenartig vertieft. Die Punctaugen sind gross; die Netzaugen verhältnissmässig mittelgross.

---

*) In Beziehung auf die Fühler und die Lippentaster.

**) Prof. Schenck gibt die Fühler eilfgliedrig an, indem er am Ende der Keule noch ein sehr kurzes, schmales, zugespitztes Glied zu sehen glaubte; doch überzeugte ich mich durch meine Präparate im Canadabalsam, wodurch derartige Zweifel leicht behoben werden, vom Gegentheile.

Das Metanotum trägt bloss zwei kleine Beulen. Das Stielchen ist ähnlich wie das des ☿, das erste Glied ist aber unten nicht gezähnt. Der Hinterleib ist sehr gross, viel breiter als der Thorax und doppelt so lang als breit; die drei ersten Segmente sind ziemlich gleichlang, bloss das erste ist etwas länger. Die *Costa transversa* der Fügel verbindet sich bloss mit dem äusseren Cubitalaste, wodurch nur e i n e geschlossene Cubitalzelle entsteht; die *Costa recurrens* gränzt auch eine geschlossene Discoidalzelle ab.

Männchen. Dieses hält in Bezug der Grösse die Mitte zwischen dem ☿ und dem ♀. Der Kopf ohne Oberkiefer ist fast breiter als lang, etwas schmäler als der Thorax und hinten abgerundet. Die Oberkiefer sind schmal, am Innenrande mit grossen, spitzen Zähnen versehen. Die Taster sind so wie beim ☿, nur das zweite Glied der Lippentaster ist kürzer. Der Clypeus ist in der Mitte stark gewölbt aber ohne Mittelkiel. Die Fühler sind zwölfgliedrig, deren Schaft ist äusserst kurz, die Geissel ist fadenförmig. Das Stirnfeld ist eingedrückt, aber doch undeutlich abgegränzt. Die Netz- und Punctaugen sind gross. Das Mesonotum hat keine nach hinten convergirenden Linien, es ist vorne stark gewölbt und überragt nicht bloss das Pronotum, sondern auch, obwohl unbedeutend, einen kleinen Theil des Kopfes. Das Metanotum hat keine Dornen. Das erste Glied des Stielchens ist vorne stiel- hinten knotenförmig, beiderseits auf dem Knoten mit einer kleinen Beule, zwischen den Beulen ausgerandet; das zweite Glied ist knotenförmig, breiter und grösser als das erste Glied. Das erste Segment des Hinterleibes bedeckt etwa die Hälfte des letzteren, dieser ist breiter als der Thorax und beiläufig so lang als der letztere. Die Flügel sind so wie beim ♀. Die Beine sind dünn.

1. *Diplorhoptrum fugax*. Ltr.

Operaria: *Flava aut testacea, nitida, pilosa, abdomen saepissime fascia fuscescente indistincta; caput punctatum. Long.:* 1¾—2½mm.

Femina. *Nigro-fusca, nitida, pilosa, mandibulae, antennae pedesque ferrugineo-testacei. Long.:* 6¼—6½mm.

Mas. *Niger, nitidus, pilosus, mandibulae, excepto margine interno testaceo, antennae pedesque fusci; articulationes pedum tarsique testacei. Long.:* 4—4½mm.

Formica fugax L t r. Ess. l'hist Fourm. France pag. 46; Hist. nat. Fourm. pag. 265; S c h i l l i n g Bemerk. üb. die in Schles. etc. pag. 56.

Myrmica fugax L e p e l. S t. F a r g. Hist. nat. Ins., Hym., Tom. 1, pag. 184; S c h e n c k Beschr. nass. Ameis. pag. 107; S m i t h Ess. Gen. and Spec. Brit. Form. pag. 127.

Myrmica flavidula N y l. Add. alt. pag. 43 *).

*) Nach einer brieflichen Mittheilung des Herrn Dr. N y l a n d e r sind *M. fugax* und *M. flavidula* N y l. synonym.

Arbeiter: Gelb oder gelbbräunlich, das erste Hinterleibssegment meist mit einer bräunlichen undeutlich abgegränzten Binde. Der glänzende Körper ist mit langen, gelblichen, abstehenden Haaren reichlich besetzt.

Die Oberkiefer sind glatt, sparsam grob punctirt, am Innenrande mit vier grossen, spitzen Zähnen bewehrt. Der Clypeus, so wie die übrigen Kopftheile sind glatt und nur zerstreut punctirt. Der Schaft der zehngliedrigen Fühler, am Grunde schwach gebogen, reicht nicht bis zum Hinterrande des Kopfes, überragt aber die Augen; das erste Geisselglied ist am Grunde dünn und wird gegen das Ende dicker, das zweite bis siebente Glied ist sehr kurz und klein, das achte ist gross und dick, so lang als die drei vorhergehenden zusammen, das Endglied ist sehr gross und sehr dick, fast so lang als die übrige Geissel; die zwei letztgenannten Glieder bilden die Keule.

Der Thorax ist glatt und zerstreut punctirt; ebenso das Stielchen und der Hinterleib.

Weibchen. Schwarzbraun, die Oberkiefer, die Fühler und die Beine, so wie, obwohl oft ziemlich undeutlich, die Ränder der Hinterleibssegmente und öfters auch die Unterseite des Hinterleibes braungelb. Der ganze Körper ist reichlich behaart.

Die Oberkiefer sind vierzähnig, schwach längsgerunzelt und grob punctirt. Das Stirnfeld ist glänzend und glatt. Der Schaft der eilfgliedrigen Fühler überragt etwas die Augen; das erste Geisselglied ist doppelt so lang als dick, die sieben folgenden sind kürzer als dick und nehmen nach und nach gegen die Spitze der Geissel etwas an Grösse zu, das neunte und zehnte Geisselglied bilden zusammen die Keule, das erstere ist etwa so lang als die zwei vorhergehenden zusammen, das Endglied ist doppelt so lang als das vorletzte Glied. Die Stirn ist fein längsgestreift und grob punctirt. Das breite Stirnfeld ist glatt und glänzend. Der Scheitel, die Augengegend und die Wangen sind stark grobpunctirt.

Das Pronotum ist vorne fein gerunzelt, an den Seiten glatt mit einzelnen Puncten. Das Mesonotum ist punctirt. Das Metanotum ist an der Basalfläche glatt, an der abschüssigen Fläche zwischen den kleinen Beulen fein und dicht quergerunzelt. Die Seiten des Thorax sind mehr oder weniger längsgestreift. — Die Knoten des Stielchens sind wenig gerunzelt.

Der Hinterleib ist glänzend und punctirt.

Die Flügel sind fast wasserhell, die Rippen und das Randmahl gelblich.

Männchen. Schwarz, glänzend, die Oberkiefer, mit Ausnahme des braungelben Innenrandes derselben, die Fühler und die Beine braun, die Geissel aber und die Tarsen bräunlichgelb. Der ganze Körper ist reichlich mit langen Haaren versehen.

Die Oberkiefer sind längsgerunzelt und am Innenrande mit drei grossen Zähnen bewaffnet. Der Clypeus ist ziemlich glatt und glänzend. Der Schaft der zwölfgliedrigen Fühler ist sehr kurz, nur so lang als das zweite Geisselglied, aber dicker; die Geissel nimmt gegen das Ende an Dicke ab. Das erste Glied ist kugelig, etwas kürzer als der Schaft, die folgenden Glieder sind dünn und jedes so lang als der Schaft, die drei letzten Glieder sind länger und dünner als die vorigen. Die Stirn ist fein runzlig längsgestreift. Die Stirnrinne zieht sich bis zum vorderen Punctauge. Der Scheitel ist fein gerunzelt, ebenso die Seitengegend des Kopfes. — Das Pronotum ist fein gerunzelt, das Mesonotum ist oben flach, von der Mitte des vorderen Randes desselben zieht sich eine flache nadelrissige Längsfurche zur Mitte des Mesonotums, wo sie verschwindet, die nadelrissige Sculptur verbreitet sich aber von da gegen die Flügelgelenke und gegen den Hinterrand des Mesonotums; das Mesonotum ist vorne glatt und grob punctirt. Das Metanotum ist fein gerunzelt, ebenso die Knoten des Stielchens.

Der Hinterleib ist glatt und stark glänzend.

Die Flügel sind so wie beim ♀.

Diese Art legt ihre zahlreich bevölkerten Colonien am häufigsten in der Erde unter Steinen, seltner unter Moos oder anderswo an; sie ist sehr bissig und wehrt sich auf's tapferste, wenn sie angegriffen wird, und nicht selten hat man Gelegenheit, eine Anzahl dieser kleinen Thierchen im Kampfe mit einer grösseren Ameise zu sehen, so wie es auch sehr amüsant zu sehen ist, wie die ☿ die grossen Puppen der ♀ wegschleppen. Sie schwärmt im Spätsommer und nach mehreren regnerischen Tagen sieht man nicht selten um diese Jahreszeit an einem warmen, windstillen Abende grosse Schwärme der ♂ und ♀ dieser Art in den Lüften.

In Oesterreich in Wien im Stadtgraben und im Prater, bei Mödling, bei Groissbach (Mayr); in Tirol bei Campil nächst Botzen am Eisakufer (Gredler), bei Botzen und am Lago di Loppio (Mayr); in Krain bei Laibach (Hauffen, Schmidt), am Grosskahlenberge und im tiefsten Raume der Grotte Potiškauž beim Dorfe Kumpale (Hauffen); im Küstenlande bei Triest am Monte boscheto (Mayr); in der Lombardie bei Pavia (Strobel). In den Nachbarländern in Preussisch-Schlesien (Schilling); in Nassau (Schenck); in Baiern (Herrich-Schäffer); in der Schweiz bei Zürich und bei Basel (Heer); im Kirchenstaate bei Imola (Pirazzoli).

7. *Monomorium* Mayr n. g.

μόνος eines, μόριον Glied *).

Arbeiter: Der Kopf ist länger als breit, und breiter als der Thorax. Die Oberkiefer sind mässig breit, am Innenrande mit grossen, spitzen Zähnen bewaffnet. Die Unterkiefertaster sind eingliedrig, an der Spitze mit einer Borste. Die Lippentaster sind zweigliedrig, das erste Glied ist sehr dünn, das zweite sehr dick, beide ziemlich gleichlang. Die Oberlippe ist vorne zweilappig. Der Clypeus reicht zwischen den Fühlern bis hinter dieselben, ist in der Mitte stark gewölbt und von dem höchsten Puncte der

*) In Beziehung auf die Kiefertaster.

Wölbung, welche zwischen den Fühlern liegt, zieht sich eine breite Rinne in der Mittellinie zum Vorderrande des Clypeus, welcher an dieser Stelle schwach ausgerandet ist. Die Fühler sind zwölfgliedrig, die Geissel ist am Ende stark keulenförmig verdickt, die Keule ist aus den drei letzten Gliedern gebildet. Die Punctaugen fehlen. Die Netzaugen sind klein, etwas näher dem Mundrande als dem Hinterrande des Kopfes. Der Thorax hat zwischen dem Meso- und Metanotum eine breite Furche und ist kaum eingeschnürt. Das Metanotum hat keine Dornen und keine Höcker. Das erste Glied des Stielchens ist vorne kurz stiel-, hinten knotenförmig; das zweite Glied ist knotenförmig, etwa so breit als der Knoten des ersten Gliedes, aber nicht so hoch; beide Glieder sind unten ungezähnt. Das erste Hinterleibssegment bedeckt mehr als zwei Drittheile des kleinen, rundlichen Hinterleibes.

1. *Monomorium minutum*. Mayr n. sp.

Operaria : *Picea, nitidissima, laevis, sparse pilosula, mandibulae, antennarum funiculus, clava excepta, articulationes pedum tarsique pallescentes. Long.:* 1½ — 1¾ mm.

Arbeiter: Pechschwarz, sehr stark glänzend, die Oberkiefer, der Fühlerschaft mit Ausnahme der Keule, die Gelenke der Beine und die Tarsen gelblich. Der ganze Körper ist mit abstehenden Borstenhaaren sparsam besetzt.

Die Oberkiefer sind glatt, glänzend und am Innenrande mit vier starken Zähnen bewaffnet. Der Clypeus ist so wie die übrigen Kopftheile glatt und sehr stark glänzend. Der Schaft der zwölfgliedrigen Fühler reicht nicht bis zum Hinterrande des Kopfes; das erste Geisselglied ist ziemlich lang, nicht bedeutend verdickt, die folgenden Glieder sind sehr kurz und klein, die drei letzten Glieder bilden die Keule und zwar ist das neunte Glied viel grösser als das achte, das zehnte Glied grösser als das neunte, und das Endglied noch bedeutend länger als die zwei letzten Glieder zusammen.

Der Thorax ist glatt und stark glänzend, bloss die Furche zwischen dem Meso- und Metanotum ist ziemlich grob längsgestreift.

Die Knoten des Stielchens und der Hinterleib sind glatt und stark glänzend.

Ueber die Lebensweise dieser Ameise kann ich nichts angeben, ich weiss nur, dass sie Herr v. Strobel auf dem Grase mit dem Schöpfer fing.

In der Lombardie (Villa); in Venetien auf der Insel Lido bei Venedig (Strobel). In den Nachbarländern bisher bloss im Kirchenstaate bei Imola (Pirazzoli).

8. *Oecophthora* Heer.

Heer: Ueber die Hausameise Madeira's.

Arbeiter: Der Kopf ist ohne Oberkiefer fast viereckig mit stark abgerundeten Hinterecken und breiter als der Thorax. Die Oberkiefer sind sehr breit, am Innenrande gezähnt. Die Unterkiefertaster, so wie auch die Lippentaster sind zweigliedrig. Die Oberlippe ist in der Mitte des vorderen Randes wenig eingeschnitten, an den Seiten abgerundet. Der Clypeus ist mässig gewölbt und ungekielt. Das Stirnfeld ist gross und dreieckig. Die Fühler sind zwölfgliedrig, der Schaft ist sehr lang, die Geissel ist an ihrer Endhälfte verdickt. Die Punctaugen fehlen; die Netzaugen sind ziemlich klein. Der Thorax ist zwischen dem Meso- und Metanotum stark eingeschnürt, das Pro- und Mesonotum sind wenig höher als das Metanotum und bilden eine wenig gewölbte Scheibe. Das Metanotum trägt zwei nach aufwärts und hinten gerichtete Zähne. Das erste Glied des Stielchens ist vorne lang stielförmig, hinten knotenförmig; das zweite Glied hat die Form eines Knotens, welcher grösser und besonders breiter als der Knoten des ersten Gliedes ist; an der Unterseite beider Glieder findet sich weder ein Zahn noch ein Höcker. Der Hinterleib ist klein und rundlich.

Soldat: Der Kopf ist im Vergleiche mit dem übrigen Körper enorm gross, er ist, die Oberkiefer abgerechnet, viereckig, hinten aber stark ausgebuchtet, so dass die Hinterecken des Kopfes als abgerundete, nach hinten gerichtete Höcker erscheinen. Die Oberkiefer sind am Innenrande wie beim ☿ sehr breit, zugleich aber auch sehr stark, der Innenrand ist schneidend und bloss vorne mit zwei Zähnen versehen. Die Taster sind so wie beim ☿. Der Clypeus ist kurz, in der Mittellinie mit einem Kiele oder statt dessen öfters mit einer Rinne; hinter dem Clypeus liegt das stark vertiefte, kleine Stirnfeld. Die Stirnlamellen sind erweitert und aufgebogen. Die zwölfgliederigen Fühler sind sehr nahe dem Mundrande eingelenkt, der Schaft ist verhältnissmässig zum Kopfe ziemlich kurz, erreicht nicht den Hinterrand des Kopfes und er ist an der Basalhälfte bogenförmig gekrümmt; die Geissel ist an ihrer Endhälfte etwas verdickt. Eine sehr tiefe, breite Stirnrinne zieht sich vom Stirnfelde bis zum Hinterhauptloche. Die Punctaugen fehlen und die Netzaugen sind sehr klein und etwas näher dem Mundwinkel als der Hinterecke des Kopfes. Der Thorax ist zwischen dem Meso- und Metanotum stark eingeschnürt, das Pro- und Mesonotum sind viel höher als das Metanotum und das Pronotum bildet beiderseits einen Höcker.

Das Metanotum trägt beiderseits einen nach aufwärts und etwas nach hinten gerichteten Zahn oder Dorn. Das Stielchen und der Hinterleib sind so wie beim ☿ gebildet.

Weibchen. Der Kopf ist etwa so breit als der Thorax, ziemlich kurz, dreieckig mit abgerundeten Ecken. Die Oberkiefer, die Taster, der Clypeus, das Stirnfeld und die Fühler sind so wie beim Soldaten. Die breite Stirnrinne zieht sich vom Stirnfelde bis zum mittleren Punctauge, und verlängert sich von da bis zum Hinterhauptloche. Die Netzaugen sind mässig gross, rundlich und nahe dem Mundwinkel. Die Punctaugen sind mässig gross. Der Thorax ist ziemlich niedrig, oben sehr stark abgeflacht. Das Metanotum hat keine Basalfläche, sondern die abschüssige Fläche zieht sich vom Schildchen schief nach abwärts und hinten; beiderseits stehen zwei zahnartige Höcker oder zwei Dornen. Das erste Glied des Stielchens ist keilförmig oder hinten am dicksten, zugleich mit einem breiten, nach oben gerichteten, abgestutzten Fortsatze, nach vorne nach und nach schmäler werdend; das zweite Glied ist knotenförmig, doppelt so breit als lang, und mehr als doppelt so breit als das erste Glied. Der Hinterleib ist gross, hinten abgerundet, seine Gelenksverbindung mit dem Stielchen erinnert sehr an jene der Gattung *Crematogaster*, indem das Stielchen schon etwas höher als es gewöhnlich der Fall ist, in den Hinterleib eingelenkt, und der letztere (besonders bei der *Oecophthora pusilla*) oben ziemlich flach und unten gewölbt ist, doch ist bei *Crematogaster* der Hinterleib hinten zugespitzt, was bei *Oecophthora* nicht der Fall. Die Flügel haben eine geschlossene Discoidalzelle; die Costa transversa verbindet sich mit beiden Cubitalästen, wodurch zwei geschlossene Cubitalzellen gebildet werden.

Männchen. Der Kopf ist so lang als breit, etwas schmäler als der Thorax. Die Oberkiefer sind am Grunde sehr schmal, erweitern sich etwas gegen den Innenrand und sind an diesem scharf gezähnt. Die Unterkiefertaster sind dreigliedrig, und zwar ist das erste und zweite Glied kurz, das dritte lang. Die Lippentaster sind zweigliedrig, das erste Glied ist lang und dünn, das zweite noch etwas länger, dicker und sehr schwach gekrümmt. Der Clypeus ist ziemlich stark gewölbt. Das Stirnfeld ist undeutlich ausgeprägt. Die Fühler sind bei einer Art dreizehn- (*Oec. pallidula*), bei einer anderen aussereuropäischen Art siebzehngliedrig, deren Schaft ist kurz, die Geissel fadenförmig. Die Stirnrinne ist undeutlich, die Stirn hat in der Mitte einen queren Eindruck. Die Punctaugen sind sehr gross und sehr stark vorragend; die Netzaugen sind ebenfalls gross und stark vorragend. Der Thorax ist nicht hoch; das Mesonotum, welchem die nach hinten convergirenden Linien fehlen, überragt bloss das Pronotum, und zwar so, dass das Pronotum und der vordere Rand des Mesonotums fast senkrecht übereinander stehen; das Schildchen ist wenig gewölbt. Das Metanotum hat bloss zwei kleine Höcker, in der Mitte zieht sich die ganze Länge hindurch eine eingedrückte Linie. Das Stielchen ist ähnlich jenem des ♀. Der Hinterleib ist breiter als der Thorax und hinten zugespitzt; das erste Segment bedeckt beiläufig die Hälfte des Hinterleibes. Die Flügel sind so wie beim ♀.

1. *Oecophthora pallidula* Nyl.

Operaria: *Ferrugineo-testacea aut fusca, laevis, nitidissima, caput supra atque abdomen fusca aut nigro-fusca, mesonotum metanotumque subbidentatum rugulosa. Long.: $2^1/_4 - 2^1/_2$ mm.*

Miles: *Rufus, nitidissimus, mandibularum margo interior atque abdomen basi excepta nigricantia; metanotum dentibus duobus brevibus. Long.: $4 - 4^1/_2$ mm.*

Femina. *Nigro-fusca, mandibulae, genae, antennae, caput infra, margines segmentorum abdominis, pedes et partim metanotum petiolusque* *testaceo-rufescentia*; *metanotum tuberculis dentiformibus duobus*. *Long.*: 7 — 8mm.

Mas. *Fusco-niger*, *nitidus*, *mandibulae*, *antennae 13 articulae*, *margines segmentorum thoracis*, *genitalia pedesque testacea*. *Long.*: 4½ — 5mm.

Myrmica pallidula Nyl. Add. alt. pag. 42.

Oecophthora subdentata Mayr. Einige neue Ameisen.

Arbeiter: Röthlich braungelb, die Oberseite des Kopfes bräunlich, der Hinterleib meist mit Ausnahme des Grundes dunkelbraun, oder die Grundfarbe des Körpers ist braun, der Kopf aber und der Hinterleib sind schwarzbraun. Der ganze Körper ist mit sehr langen gelbweissen Haaren sparsam versehen.

Die Oberkiefer sind seicht längsgerunzelt und grob punctirt, deren Innenrand ist vorne mit zwei grösseren nach hinten mit acht bis zehn kleinen aber scharfen Zähnen bewaffnet. Der Clypeus so wie der übrige Kopf ist glatt und stark glänzend und nur die Wangen sind längsgerunzelt. Das Stirnfeld ist deutlich abgegränzt und dessen Hinterecke ist entweder abgerundet oder spitz. Die Fühler sind zwölfgliedrig, deren Schaft ist sehr lang und überragt bedeutend den Hinterrand des Kopfes; die Geissel bildet an ihrer Endhälfte eine nicht stark verdickte Keule, welche aus drei Gliedern besteht, die übrigen Geisselglieder sind sehr kurz und klein, bloss das erste Geisselglied ist länger. Die Stirnrinne ist nicht ausgeprägt.

Das Pronotum ist glatt und glänzend, nur vorne an der halsförmigen Verengerung fein gekörnt. Das Mesonotum ist fein gerunzelt und nur vorne glatt und glänzend. Das fein gerunzelte Metanotum hat beiderseits einen kurzen, oft stumpfen, höckerartigen, nach aufwärts gerichteten Zahn.

Die Knoten des Stielchens und der Hinterleib sind glatt und stark glänzend.

Soldat: Gelbroth oder röthlichgelb, die Oberkiefer dunkler, der Innenrad der Oberkiefer und der Hinterleib mit Ausnahme des Grundes dunkelbraun oder schwärzlich. Der ganze Körper ist mit ziemlich langen Haaren reichlicher als der ☿ bekleidet, insbesondere ist der Kopf stark behaart.

Die Oberkiefer sind längsgerunzelt und grob punctirt, deren Innenrand ist schneidend zugeschärft und bloss vorne mit zwei grossen Zähnen bewaffnet. Der Clypeus ist längsgestreift mit einem scharfen Kiele in der Mittellinie oder, obwohl selten, statt diesem mit einer Rinne. Die Stirn, die innere Augengegend und die Wangen sind längsgestreift. Die Fühler sind so wie beim ☿, doch mit dem Unterschiede, dass deren Schaft im Verhältnisse zum grossen Kopfe kurz ist und, zurückgelegt, den Hinterrand des Kopfes nicht erreicht. Die hintere Kopfhälfte ist glatt und stark glänzend.

Der Thorax ist glatt und glänzend, nur das Meso-Metasternum und die Seiten des Metanotums sind stark gerunzelt, die abschüssige Fläche des Metanotums ist fein quergerunzelt. Das letztere ist mit zwei spitzen, nach aufwärts gerichteten Zähnen bewaffnet.

Die Knoten des Stielchens sind fein gerunzelt.

Der Hinterleib ist glatt und stark glänzend.

Weibchen. Schwärzlich braun, die Oberkiefer, Wangen, Fühler, die Unterseite des Kopfes, die Ränder des Kopfes, und der Hinterleibssegmente, die Beine und meist auch die abschüssige Fläche und die Seiten des Metanotums, so wie die Unterseite des Stielchens gelbroth oder röthlich braungelb. Der ganze Körper ist mit gelblichen, abstehenden Borstenhaaren mässig versehen.

Die Oberkiefer, der Clypeus, die Stirn und die Wangen sind so wie beim Soldaten, nur mit dem Unterschiede, dass sie gröber gerunzelt sind. Ebenso sind auch die Fühler wie beim Soldaten. Die breite flache Stirnrinne ist glatt und glänzend. Der Scheitel und die hintere Augengegend ist seicht gerunzelt. Die Unterseite des Kopfes ist nahe dem Mundrande längsgerunzelt, hinten aber glatt und glänzend.

Das Pronotum ist längsgerunzelt; das Mesonotum glatt und glänzend, ebenso das Schildchen. Das Metanotum hat beiderseits einen kurzen, zahnartigen Höcker und ist zwischen denselben sehr fein und sehr seicht gerunzelt und glatt; die Seiten des Metanotums sind grob gerunzelt.

Das erste Glied des Stielchens ist gerunzelt, das zweite aber glatt und glänzend.

Der Hinterleib ist ebenfalls glatt und glänzend.

Die Flügel sind bräunlich getrübt, die Rippen sind gelbbraun.

Männchen. Braunschwarz, die Oberkiefer, die Fühler, die Ränder der Segmente des Thorax, die Genitalien und die Beine, oft auch der Clypeus braungelb. Der ganze Körper ist reichlich behaart.

Die Oberkiefer sind vierzähnig und fein gerunzelt. Der Clypeus so wie die übrigen Kopftheile sind so ziemlich glatt und glänzend, nur die Gegend zwischen dem Clypeus und den Netzaugen ist ziemlich grob längsgerunzelt. Der Schaft der dreizehngliedrigen Fühler ist kaum so lang als die zwei ersten Geisselglieder zusammen; das erste Geisselglied ist kurz und kugelig, die folgenden Glieder sind länger und cylindrisch, untereinander ziemlich gleichlang, das Endglied ist etwas länger und spindelförmig.

Der Thorax ist glatt und glänzend, nur das Metanotum ist fein und dicht gerunzelt; das letztere hat zwei kleine Höcker.

Das erste Glied des Stielchens ist fein gerunzelt, das zweite aber glatt und glänzend; ebenso auch der Hinterleib.

Die Flügel sind wie beim ♀ bräunlich getrübt.

Diese Art hat grosse Aehnlichkeit mit der *Oecopthora pusilla* Heer, welche in Madeira grosse Verwüstungen in den Häusern anrichtet, unterscheidet sich aber von letzterer wesentlich durch die kurzen Zähne des Metanotums beim Arbeiter und Soldaten, durch die zahnartigen Höcker des Mesonotums beim

♀ und durch die dreizehngliedrigen Fühler beim ♂ *). Sie ist die einzige europäische Art, welche viererlei Geschlechter hat. Man findet sie in den südlicheren Theilen des österreichischen Staates unter Steinen in der Erde,

---

*) Die Frage, ob die *Myrmica megacephala* Losana mit dieser Art synonym sei, lasse ich noch unbeantwortet, und gebe hier die Uebersetzung der Losana'schen Beschreibung, indem ich die Originalabhandlung eben nicht zur Hand habe:

Myrmica megacephala Los.
Form. Piem. pag. 328.

Operaria: Fulva, capite maximo, subquadrato; scutello bispinoso. Long.: 3mm.

Obwohl die *M. megacephala* des Latreille ein wenig von der unsrigen verschieden zu sein scheint und von Ile de France kam, so können wir mit Inbegriff der Abbildung und Beschreibung doch nur die *Megacephala* erkennen, welche in unseren Gärten lebt; denn die unsere ist auch löwenfarbig, behaart, hell etc. Der Kopf ist fast viereckig, sehr gross, hinten eingezogen, oben tief gefurcht, von intensiverer Farbe, an seiner vorderen Hälfte mit Längsstreifen, an der hinteren Hälfte glatt und noch glänzender. Die Mandibeln dreieckig, gross, auf der inneren Seite schwach sichelförmig, oben gestreift, gelblichbraun, über die Lippe sich hinaus verlängernd. Bei der sehr kurzen Lippe gehen die sehr kurzen Fühler aus, sie sind schwach keilig, oben löwengelb; die Augen schwärzlich, klein. Bei durchfallendem Lichte sind die Fühler und Mundtheile durchschimmernd röthlich. Der Thorax schwach zweilappig, von hellerer Farbe und viel schmäler als der Kopf, deutlich gezahnelt am ersten halbrundlichen Lappen; das Schildchen trägt zwei mehr weniger lange Dornen, die Füsse ziemlich kurz, gelblich, etwas fulvescirend, an den vorderen ist statt des borstigen Sporns häufig eine blattartige, lineare Membran. Vor dem kleinen Hinterleib zwei Knoten, von denen der erste der kleinere und fast schuppig ist, der zweite grösser, rund, mit vier Knötchen an seinem Umfange. Der Hinterleib ist viel kürzer als der Kopf, behaart, gedrückt eiförmig, durchsichtig schwarz, glänzend und im Lichte betrachtet zeigt er unter der Epidermis ein längliches Grübchen, welches am Stielchen aufläuft auf die Oberseite des Hinterleibes.

Sie wohnt in unseren Gärten (in Turin nämlich), wo sie sich zahlreiche Höhlen macht, die von Erdhäufchen umgeben sind, aus welchen sie herausgeht, bald in Procession, bald allein, um kleine Insecten und Larven zu fangen. Aber in der gleichen Familie gibt es von so verschiedener Gestalt, Grösse und Farbe, dass sie, isolirt betrachtet, von verschiedenen Arten zu sein scheinen; es gibt solche von 2 — 2 1/2mm Länge. Diejenigen, welche wir so weitläufig beschrieben haben, sind die grössten, die andern, weniger langen haben einen herzförmigen Kopf, der viel grösser ist, als der Hinterleib, und die Fühler viel länger als die oben beschriebenen Grossköpfe (capitate). Die Farbe variirt von mehr bis minder löwenfarbig, und es gibt solche von gelblich röthlicher Färbung, bei denen der Hinterleib entweder bloss schwarz getupft ist, oder mit einem Puncte ausserhalb und oberhalb und einem schwarzen unregelmässigen Flecken, und hinten bald mehr bald weniger schwarz, auch weisslich graulich aber immer von derselben Form mit denselben Dornen am Schildchen.

obwohl sie in Dalmatien auch in Häusern von Herrn Frauenfeld gefunden wurde, wo sie in den Insectenschachteln grosse Verwüstungen anrichtete (siehe: Frauenfeld's Reise an den Küsten Dalmatiens in den Verhandl. d. zool. bot. Vereins, Band 4. Abhandl. pag. 460). Die Arbeiter sind sehr bissig, die Soldaten aber suchen bei Gefahr rasch einen Zufluchtsort auf.

In Tirol bei Meran (Mayr), bei Lavis und Arco (Strobel), bei Roveredo (Zeni); in Siebenbürgen (Dohrn); in Krain bei Wipbach (Schmidt); im Küstenlande bei Görz (Pazzani); in Dalmatien bei Zara und Ragusa (Frauenfeld); in der Lombardie bei Gargnano am Gardasee und bei Pavia (Strobel). In den Nachbarländern auf der Insel Sardinien und in Piemont (Mayr Beitr. z. Kenntn. d. Ameis); auf der Insel Sicilien bei Messina (Zeller und Nyl. Add. alt.); im Kirchenstaate bei Imola (Pirazzoli); in Toskana (Pirazzoli).

9. *Atta* Fabr.

Fabricius: Systema Piezatorum pag. 421.

Arbeiter: Der Kopf ist in Bezug auf die Grösse sehr verschieden, er kann nur wenig breiter als der Thorax sein, er kann aber auch im Verhältnisse zum übrigen Körper so gross sein wie der Soldat der Gattung *Oecophthora*, obwohl diese Individuen mit grossem Kopfe nur ☿ sind, indem sich von dem kleinsten Kopfe bis zum grössten die vollständigsten Uebergänge vorfinden, was bei *Oecophthora* nicht der Fall ist. Die Oberkiefer sind breit, oft scharf, oft aber sehr undeutlich gezähnt. Die Kiefertaster sind vier-, die Lippentaster dreigliedrig. Die Oberlippe ist in der Mitte des Vorderrandes stumpfwinklig ausgeschnitten. Der Clypeus ist ungekielt und ziemlich flach. Das Stirnfeld ist tief abgesetzt, mit abgerundeter Hinterecke. Die Fühler sind zwölfgliedrig; die Geissel ist an der Endhälfte mässig verdickt. Die Punctaugen fehlen. Die Netzaugen sind mässig gross. Der Hinterkopf ist besonders bei den grossen Individuen stark ausgebuchtet. Der Thorax ist in der Mitte stark zusammengeschnürt; das Pro- und Mesonotum bilden einen über das Metanotum stark erhobenen Buckel; das letztere ist gezähnt oder ungezähnt. Das erste Glied des Stielchens ist vorne ziemlich lang stielförmig, hinten mit einem hohen vorne und hinten zusammengedrückten Knoten; das zweite Glied ist knotenförmig und ungefähr so lang als breit. Der Hinterleib ist rundlich, ziemlich klein und zwei Drittheile bis drei Viertheile desselben werden vom ersten Segmente bedeckt.

Weibchen. Die Kopftheile sind mit Ausnahme der hier vorhandenen Punctaugen und der stets deutlich gezähnten Oberkiefer fast so wie beim ☿. Der Thorax ist hoch; das Schildchen nimmt den höchsten Punct ein. Das Metanotum trägt zur Länge des Thorax oben nichts mehr bei, es ist abschüssig und mit oder ohne Dornen versehen. Das Stielchen ist so wie beim ☿. Der Hinterleib ist mässig gross und oval. Die Costa transversa der Flügel verbindet sich mit den beiden Cubitalästen, wodurch zwei geschlossene

Cubitalzellen gebildet werden; die Costa recurrens gränzt eine geschlossene Discoidalzelle ab.

Männchen. Der Kopf ist länger als breit und schmäler als der Thorax. Die Oberkiefer sind breit und mit scharfen Zähnen besetzt. Die Taster sind so wie beim ☿ und ♀, ebenso die Oberlippe. Der Clypeus ist ungekielt und wenig gewölbt. Das Stirnfeld ist deutlich abgegränzt. Die Fühler sind dreizehngliedrig, deren Schaft ist kurz und die lange Geissel fadenförmig. Die Punct- und Netzaugen sind ziemlich gross. Der Thorax ist hoch und das stark gewölbte Schildchen nimmt den höchsten Punct ein. Das Mesonotum hat keine nach hinten convergirenden Linien und überragt nicht nur das Pronotum, sondern auch einen kleinen Theil des Hinterkopfes. Der Metathorax ist entweder kurz und unbedornt, oder lang und mit zwei starken Zähnen versehen. Das Stielchen ist ähnlich wie beim ☿. Der Hinterleib ist eirund, hinten zugespitzt. Die Flügel sind so wie beim ♀.

1. *Atta subterranea* Ltr.

Operaria: *Brunnea aut ferrugineo-testacea, nitidissima, caput supra obscurius, abdomen absque basi nigrum; metanotum spinis duabus. Long.: 4—4½mm.*

Femina. *Ferrugineo-testacea, nitidissima, capitis thoracisque partes superiores fuscescentes, abdomen nigro-fuscum, margines segmentorum abdominis ferugineo-testacei; metanotum spinis duabus. Long.: 7—8mm.*

Mas. *Testaceus, nitidissimus, caput supra et abdomen nigro-fusca, thorax supra fuscescens; metanotum elongatum dentibus duobus. Long.: 4—4½mm.*

Formica subterranea Ltr. Ess. l'hist. Fourm. France pag. 45, Hist. nat. Fourm. pag. 219; Schilling Bemerk. üb. die in Schles. etc. pag. 55.

Myrmica subterranea Schenck Beschr. nass. Ameis. pag. 110.

Arbeiter: Röthlichbraun oder röthlich braungelb, sehr stark glänzend, die Oberseite des Kopfes dunkler, der Hinterleib mit Ausnahme des Grundes schwarz oder schwarzbraun, die Oberkiefer, der Fühler und die Beine bräunlichgelb. Der ganze Körper ist mit langen, abstehenden Borstenhaaren ziemlich sparsam besetzt.

Der Kopf ist breiter als der Thorax, etwa um die Hälfte länger als breit, etwas grösser als der Hinterleib, besonders aber länger als dieser. Die Oberkiefer sind längsgerunzelt, grob punctirt und am Innenrande vorne mit grossen, hinten mit kleineren und oft undeutlichen Zähnen bewaffnet. Der Clypeus ist längsgestreift und vorne in der Mitte ausgerandet. Die Stirnlamellen sind schmal und aufgebogen. Der Schaft der zwölfgliedrigen Fühler ist am Grunde dünn und bogenförmig gekrümmt, am Geisselende etwas verdickt, reicht, zurückgelegt, bis zum Hinterrande des Kopfes; das erste Geisselglied ist dünn und doppelt so lang als breit, das zweite ist sehr kurz die folgenden nehmen immer mehr an Grösse zu und das Endglied ist fast so lang als die zwei vorletzten zusammen. Das Stirnfeld ist längsgestreift. Die Stirnrinne ist nicht ausgeprägt. Die Stirn, der Scheitel und die Wangen sind ziemlich fein längsgerunzelt. Das Pronotum ist an der Scheibe glatt, an den Seiten aber sehr seicht längsgerunzelt. Das Meso- und Metanotum sind stark gerunzelt, das letztere ist mit zwei nach hinten gerichteten spitzen Dornen versehen und zwischen diesen fein gerunzelt.

Das Stielchen ist fast glatt mit einzelnen Runzeln.

Der Hinterleib ist glatt und glänzend.

Weibchen. Röthlich braungelb, die Oberseite des Kopfes und des Thorax bräunlich, der Hinterleib mit Ausnahme der Ränder der Segmente und des grössten Theiles der Unterseite des Hinterleibes schwarzbraun oder dunkelbraun. Der ganze Körper ist sparsam mit gelblichen abstehenden Haaren versehen.

Der Kopf ist so wie beim ☿ und unterscheidet sich nur durch eine stärkere Sculptur des Kopfes, durch eine obwohl oft sehr undeutliche Stirnrinne und durch ziemlich grosse Punctaugen.

Das Pronotum ist längsgerunzelt, das Mesonotum glatt und stark glänzend mit sparsamen Puncten, aus welchen die Borstenhaare entspringen; das Schildchen ist an den Rändern gerunzelt, dessen Scheibe aber ist glatt und glänzend. Das Metanotum trägt zwei lange, spitze Dornen, die quergerunzelte Basal- und abschüssige Fläche ist schief nach abwärts und hinten gerichtet, und beide Flächen sind von einander nicht deutlich abgegränzt.

Das Stielchen ist fein gerunzelt, und bloss die Scheiben der Knoten sind oft glatt und glänzend.

Der Hinterleib ist glatt und stark glänzend.

Die Flügel sind wasserhell mit bräunlichgelben Rippen und Randmahl.

Männchen. Braungelb, stark glänzend, die Oberseite des Kopfes mit Ausnahme der Oberkiefer, des Clypeus und der Fühler schwärzlich, die Unterseite des Kopfes und die Oberseite des Thorax braun; der Hinterleib meist schwarzbraun. Der ganze Körper ist sparsam behaart.

Der Kopf ist lang und auffallend dünn. Die Oberkiefer sind fast glatt nur mit wenigen Puncten, am Innenrande gezähnt. Der Clypeus ist glänzend, sehr weitläufig und seicht gerunzelt. Der Schaft der dreizehngliedrigen Fühler ist nur so lang als die drei ersten Geisselglieder zusammen; die Geissel ist an der Endhälfte unbedeutend dicker als an der Basalhälfte, die einzelnen Glieder sind ziemlich gleichlang, bloss die letzten Glieder sind etwas grösser. Das Stirnfeld ist längsgerunzelt. Die glatte, glänzende Stirnrinne zieht sich vom Stirnfelde bis zum vorderen Punctauge. Die Stirn und der Scheitel sind sehr fein und dicht gerunzelt und weitläufig grob punctirt.

Das Pro-, Mesonotum und Schildchen sind glänzend, glatt und nur mit Puncten sparsam besetzt. Der Metathorax ist stark verlängert. Das glatte Metanotum trägt zwei grosse, dicke, kegelförmige, nach aufwärts gerichtete Zähne.

Das Stielchen und der Hinterleib sind glatt und glänzend.

Die Flügel sind so wie beim ♀.

Diese seltene Art, welche sich von den beiden folgenden am auffallendsten durch das bedornte Metanotum unterscheidet, lebt unter Steinen in der Erde oder auf alten Mauern, welche mit Erde bedeckt sind und schwärmt im Hochsommer.

In Oesterreich am Leopoldsberge bei Wien und bei Mannersdorf (Mayr); in Tirol bei Botzen an der Talfer (Gredler); bei Roveredo (Mayr); in Krain (Schmidt). In den Nachbarländern in der Provinz Preussen (Siebold Beitr. z. F. d. wirbell. Th. d. Pr. Preuss.); in Preussisch-Schlesien (Schilling Bemerk. üb. die in Schles. etc.); in Nassau (Schenck).

2. *Atta capitata* Ltr.

Operaria: *Piceo-nigra, nitida, antennarum funiculi, articulationes pedum tarsique rufo-testacei, mandibulae, saepe caput aut thorax brunneo-rubra; caput ac pronotum nitida, subtilissime striato-rugulosa; metanotum inerme. Long.:* 4—12mm.

Femina. *Piceo-nigra, nitida, sparse pilosula, antennarum funiculus, articulationes pedum tarsique rufo-testacei, mandibulae, saepe etiam caput brunneo-rubra; pronotum sublaeve; metanotum inerme. Long.:* 13 — 14mm.

Mas. *Niger, nitidus, mandibularum apices, articulationes pedum, tarsi, saepe etiam antennarum funiculus testaceo-rufescentes; metanotum sublaeve, nitidum, inerme. Long.:* 9—11mm,

Atta capitata Lep. St. Farg. Hist. nat. Ins., Hym. tom. 1. pag. 173.

Formica capitata Ltr. Ess. l'hist. Fourm France 46, Hist. nat. Fourm. pag. 234.

Formica juvenilis Fabr. Syst. Piez. pag. 403.

Myrmica capitata Los. Form. Piem. pag. 325.

Arbeiter: Die Farbe des Körpers und die Grösse des Kopfes sind sehr verschieden. Der Kopf ist pechschwarz oder braunroth, die Oberkiefer stets braunroth, die Fühlergeissel röthlichbraungelb; der Thorax und das Stielchen pechschwarz oder braunroth; der Hinterleib pechschwarz; die Beine dunkelbraun oder lichter, die Gelenke der Beine und die Tarsen röthlichbraungelb oder bräunlichgelb. Der ganze Körper ist mässig behaart.

Der Kopf ist bei den kleinen Individuen nicht bedeutend breiter als der Thorax, ohne Oberkiefer viereckig aber länger als breit, hinten wenig oder gar nicht ausgebuchtet (die Ausbuchtung am Hinterhauptloche abgerechnet), und die Stirnrinne ist gar nicht vorhanden oder sehr kurz; bei den grössten Individuen ist der Kopf bedeutend breiter als der Thorax, sehr gross, ohne Oberkiefer viereckig und so lang als breit, hinten stark ausgebuchtet, und die deutliche Stirnrinne verlängert sich bis zum Hinterhauptloche; zwischen diesen beiden Formen gibt es die unmerklichsten Uebergänge. Die Oberkiefer sind grob längsgerünzelt (höchstens nahe dem Gelenke glatt und stark glänzend), sechs- bis siebenzähnig, die Zähne sind aber bei manchen Individuen kaum angedeutet. Der Clypeus hat in der Mitte oft einen Quereindruck und er ist grob längsgerunzelt. Die Stirnlamellen sind kurz und stark aufgebogen. Die Fühler sind so wie bei der vorigen Art. Das Stirnfeld ist glatt, oder fein verworren gerunzelt, oder grob längsgerunzelt. Die Stirn, der Scheitel und die Seitengegend des Kopfes sind sehr fein und sehr seicht gestreift, oder streifig-gerunzelt, zerstreut punctirt und stark glänzend. Die Wangen sind viel gröber längsgerunzelt. Die Unterseite des Kopfes ist sehr stark glänzend, sehr fein gestreift und zerstreut punctirt.

Das Pronotum ist so wie der Kopf sehr fein und seicht gestreift und glänzend, manchmal etwas gröber gestreift oder runzelig. Das Meso- und Metanotum sind mässig fein quergerunzelt, das letztere trägt beiderseits einen stumpfen, kleinen Höcker.

Das Stielchen ist fein gerunzelt, nur die Scheibe des zweiten Knotens ist gewöhnlich glatt und stark glänzend.

Der Hinterleib ist glatt und stark glänzend.

Weibchen. Pechschwarz, glänzend, die Oberkiefer, oft auch der ganze Kopf braunroth, die Fühlergeissel, die Gelenke der Beine und die Tarsen röthlichbraungelb. Der ganze Körper ist ziemlich sparsam behaart.

Der Kopf ist etwas breiter als der Thorax, ohne Oberkiefer viereckig, hinten abgestutzt und nur am Hinterhauptloche ausgebuchtet. Die Oberkiefer sind grob längsgestreift und sieben- bis achtzähnig. Der Clypeus ist grob längsgerunzelt, in der Mitte oft mit einem flachen Quereindrucke. Die Fühler sind so wie beim ☿. Das Stirnfeld ist fein gerunzelt oder längsgestreift. Die Stirn und der Scheitel sind ziemlich fein längsgerunzelt und zerstreut punctirt. Die Unterseite des Kopfes ist fein gerunzelt und punctirt.

Das Pronotum ist fast glatt oder sehr seicht, besonders in der Nähe des Vorderrandes streifig-gerunzelt. Das Mesonotum ist glatt, stark glänzend und nur sehr zerstreut punctirt, ebenso auch das Schildchen. Das meist quergestreifte Metanotum trägt beiderseits einen kleinen, zahnartigen Höcker.

Das Stielchen ist gerunzelt.

Der Hinterleib ist glatt und glänzend.

Die Flügel sind sehr schwach gelbbräunlich getrübt, die Rippen und das Randmahl sind gelbbraun.

Männchen. Schwarz, glänzend, der Innenrand der Oberkiefer, die Gelenke der Beine, die Tarsen, die Genitalien und oft auch die Fühlergeissel gelbröthlich. Der ganze Körper, besonders aber der Kopf und der Thorax ist reichlich mit langen, abstehenden Borstenhaaren bekleidet.

Die Oberkiefer sind grob längsgerunzelt und gezähnt. Der Clypeus, das Stirnfeld, die Stirn und der Scheitel sind oft äusserst fein oft aber nur mässig fein gerunzelt. Der Schaft der dreizehngliedrigen Fühler ist etwas kürzer als die drei ersten Geisselglieder zusammen; die Geisselglieder sind cylindrisch und ziemlich gleichlang, das Endglied ist etwas länger und am

Ende zugespitzt. Die breite, flache, glänzende Stirnrinne reicht bis zum mittleren Punctauge.

Das Pronotum ist seicht und weitläufig längsgerunzelt. Das Mesonotum ist zerstreut punctirt und glänzend. Das Metanotum hat beiderseits einen unmerklichen Höcker oder derselbe fehlt ganz, es ist glatt oder fast glatt und hat seiner ganzen Länge nach in der Mittellinie meist eine Rinne.

Das Stielchen ist gerunzelt.

Der Hinterleib ist glatt und stark glänzend.

Die Flügel sind so wie beim ♀.

Diese Art lebt in den südlicheren Ländern Europas unter Steinen in der Erde und anderswo.

In Ungarn bei Pesth (Kovats); im Küstenlande bei Fiume und bei Tersato (Mann); in Dalmatien bei Makarska und Ragusa (Frauenfeld), bei Spalato (Lanza), bei Zara (Manderstjerna); in der Lombardie bei Pavia (Strobel). In den Nachbarstaaten in Piemont (Losana Form. Piem. u. Mayr Beitr. z. Kenntn. d. Ameis.); im Kirchenstaate bei Imola (Pirazzoli); in Korsica (Mann); in Sardinien (Mayr Beitr. z. Kenntn. d. Ameis.); in Sicilien (Grohmann, Mus. Caes. Vienn., Zeller), bei Palermo (Förster).

3. *Atta structor*. Ltr.

***Operaria*:** *Brunnea aut nigro-fusca, mandibulae, clypeus, genae, antennarum funiculi, articulationes pedum tarsique testaceo-rufescentes; caput pronotumque fere opaca dense striata, metanotum inerme. Long.:* 4—9mm.

***Femina*.** *Fusco-nigra, dense pilose, pedes fusci, mandibulae, genae, antennae in medio, articulationes pedum tarsique rufescentes; pronotum dense striatum; metanotum inerme. Long.:* 9—10mm.

***Mas*.** *Niger, mandibularum antennarumque apices, articulationes pedum tarsique testacei; metanotum dense striatum, inerme. Long.:* 7½—8mm.

Atta structor Lep. St. Farg. Hist. nat. Ins. Hym., tom. 1. pag. 174; Schenck Beschr. nass. Ameis. pag. 113.

Formica structor Ltr. Ess. l'hist. Fourm. France pag. 46, Hist. nat. Fourm. pag. 236; Schilling Bemerk. üb. d. in Schles. etc. pag. 56.

Formica aedificans Schilling Bemerk. üb. d. in Schles. etc. pag. 56.

Myrmica mutica Nyl. Add. alt. pag. 39.

Arbeiter: Rothbraun oder schwarzbraun die Oberkiefer, der Clypeus, die Wangen, die Fühlergeissel, die Unterseite des Kopfes, die Gelenke der Beine und die Tarsen gelbröthlich. Der ganze Körper ist mit langen abstehenden Borstenhaaren reichlich bekleidet.

Der fast glanzlose Kopf variirt in Bezug der Grösse so wie bei der vorigen Art und ist ebenso geformt. Die Oberkiefer sind grob längsgerunzelt und deren Innenrand ist meist sehr undeutlich gezähnt. Der Clypeus ist grob längsgerunzelt, in der Mitte oft mit einem Quereindrucke; in der Mitte des Vorderrandes meist etwas ausgebuchtet. Die Fühler sind so wie bei der vorigen Art. Das Stirnfeld ist grob längsgestreift. Die Stirn, der Scheitel und die Wangen sind mässig grob und dicht, die Gegend um das Hinterhauptloch und die Unterseite des Kopfes aber weitläufig längsgerunzelt.

Der Thorax ist grob und dicht runzlig gestreift und so wie der Kopf fast glanzlos. Das Metanotum hat statt der Zähne zwei kleine Höcker.

Das Stielchen ist grob gerunzelt.

Der Hinterleib ist glatt und glänzend.

Weibchen. Braunschwarz oder schwarzbraun, die Beine braun oder röthlichbraun, die Oberkiefer, die Wangen, die zweite Hälfte des Fühlerschaftes, die erste Hälfte der Fühlergeissel, die Gelenke der Beine und die Tarsen röthlich. Der ganze Körper ist mit langen, abstehenden Borstenhaaren dicht bekleidet.

Die Oberkiefer sind längsgerunzelt, und mit sechs bis acht vorne deutlichen, hinten undeutlichen Zähnen bewaffnet. Der Clypeus ist grob runzlig längsgestreift. Die Fühler sind so wie beim ☿. Das Stirnfeld ist meist grob längsgerunzelt, manchmal aber fast glatt. Die Stirn, der Scheitel und die Wangen sind ziemlich grob und dicht runzlig längsgestreift.

Das Pronotum ist scharf und dicht längsgestreift. Das Mesonotum ist mit Ausnahme der gerunzelten Ränder grob punctirt Das Metanotum ist scharf und dicht quergestreift und mit zwei Höckern versehen.

Das Stielchen ist grob gerunzelt.

Der Hinterleib ist glatt und glänzend.

Die Flügel sind sehr schwach bräunlich getrübt, die Rippen und das Randmahl gelbbraun.

Männchen. Schwarz, der Innenrand der Oberkiefer, die Spitze des letzten Geisselgliedes, die Gelenke der Beine und die Tarsen braungelb. Der ganze Körper ist reichlich behaart.

Das ♂ dieser Art unterscheidet sich von dem der *Atta capitata* durch das ziemlich grob und dicht längsgestreifte Pronotum, das ebenso oder quergestreifte Metanotum und die geringere Grösse des ganzen Körpers.

Diese nicht seltene Art findet sich in der Erde in unterirdischen Bauten, welche meist mit einem Loche an die Oberfläche münden, welches Loch rings mit einem Erdwalle umgeben ist, wodurch es das Ansehen eines Kraters erhält; weiters lebt diese Art unter Steinen, in Felsenspalten und sogar in Häusern in Mauerspalten. Sie schwärmt im Spätfrühjahr.

In Böhmen (Grohmann); in Oesterreich bei Wien nicht selten (Brauer, Mayr, Mus. Caes. Vienn.), bei Fahrafeld nächst Pottenstein (Mayr), bei Mautern (Kerner), bei Dürrenstein, bei Mannersdorf und am Leithagebirge (Mayr); in Tirol bei Trient und bei Riva (Mayr); in Ungarn am Blocksberge bei Ofen (Frivaldsky, Kerner, Kovats, Mayr); in Croatien bei Martinischka (Mann); im Küstenlande bei Görz am Monte santo (Pazzani); in Dalmatien bei Ragusa, und bei Zara (Frauenfeld), bei Spalato (Lanza); in Venetien bei Padua (Strobel); in der Lombardie bei Gargnano am Gardasee, bei Fiorano in der Provinz Bergamo (Strobel); am Stilfser Joch (Villa). In den Nachbarstaaten in Preussisch-Schlesien (Schilling); in Nassau bei Wiesbaden (Schenck); im Kirchenstaate bei Bologna (Bianconi, Pirazzoli), bei Imola (Pirazzoli); in Sardinien und in Piemont (Mayr); in Toskana (Pirazzoli); in Sicilien bei Circenti (Nocito).

10. *Aphaenogaster* Mayr.

Mayr Beitr. z. Kenntn. d. Ameis.

Arbeiter: Der Kopf ist länglich-eiförmig, fast doppelt so lang als breit, etwas breiter als der Thorax und in der Mitte am breitesten. Die Oberkiefer sind sehr breit und am Innenrande vorne deutlich, hinten undeutlich gezähnt. Die Kiefertaster sind fünf-, die Lippentaster dreigliedrig. Die Oberlippe bildet vorne zwei fast halbkreisförmige Lappen. Der Clypeus ist wenig gewölbt und hinter der Mitte meist quer eingedrückt. Der Schaft der zwölfgliedrigen Fühler ist sehr lang, die Geissel fast fadenförmig, am Ende wenig verdickt. Das Stirnfeld ist seitlich und hinten scharf abgegränzt und tief, vom Clypeus aber meist undeutlich abgesetzt. Die Punctaugen fehlen; die Netzaugen sind mässig gross, flach, und liegen ziemlich in der Mitte des Seitenrandes des Kopfes. Der Thorax ist seitlich stark zusammengedrückt, und daher schmal, in der Mitte breit zusammengeschnürt. Das Metanotum trägt zwei nach hinten und aufwärts gerichtete Dornen. Das erste Glied des ungezähnten Stielchens ist vorne ziemlich lang gestielt und trägt hinten an der Oberseite einen Knoten; das zweite Glied ist knotenförmig und etwas länger als breit. Der Hinterleib ist ziemlich klein, länglich eiförmig, scharf, äusserst fein und sehr dicht gestreift, nicht glänzend (die einzige Myrmiciden-Gattung, wo der Hinterleib nicht glatt und glänzend ist); das erste Abdominalsegment nimmt drei Viertheile des Hinterleibes ein. Die Beine sind lang *).

1. *Aphaenogaster senilis* Mayr.

Operaria: *Atra, opaca, albide setulosa, mandibulae, antennarum funiculus pedesque fusci; clypeus granulatus striis longitudinalibus, margine anteriore subemarginatus. Long.: 6—7½mm.*

Femina. *Fusco-rubra, albide pilosula, opaca, mesonotum scutellumque obscuriora, tarsi dilutiores; clypeus granulatus ac longitudinaliter*

*) Aus Versehen wurde diese Gattung in der analytischen Tabelle nicht angeführt. Sie unterscheidet sich leicht von allen Myrmiciden-Gattungen, dass beim ☿ und ♀ die Oberseite des Hinterleibes glanzlos ist.

striatus; metanotum granulatum, transverse striatum, spinis duabus acutis. Long. circiter 8^{mm}.

Aphaenogaster senilis Mayr Beitr. z. Kenntn. d. Ameis.

Arbeiter: Schwarz, die Oberkiefer, der Grund und die Spitze des Fühlerschaftes, die Fühlergeissel und die Beine braun. Der ganze Körper ist mit abstehenden, ziemlich langen, silberweissen, glänzenden Borsten besetzt.

Der Kopf ist glanzlos mit Ausnahme der Fühlergeissel und Unterseite des Kopfes. Die Oberkiefer sind längsgestreift, am Innenrande mit einer Punctreihe, sechszähnig, die vorderen Zähne stark, die hinteren undeutlich ausgeprägt. Der Clypeus ist in der Mitte des Vorderrandes schwach ausgerandet, und seine Oberfläche ist stark längsgestreift, zwischen den Streifen gekörnt. Die Stirnlappen sind erweitert, aufgebogen und längsgestreift. Der Fühlerschaft ist an seiner vorderen Seite längsgestreift, er überragt, zurückgelegt, den Hinterrand des Kopfes; die Geisselglieder sind ziemlich gleichlang. Das Stirnfeld ist längsgestreift, zwischen den Streifen gekörnt, ebenso auch die Stirn. Der Scheitel ist gekörnt mit einzelnen Längsrunzeln, die Wangen sind gekörnt und längsgerunzelt.

Der Thorax ist gekörnt und glanzlos, das Metanotum ist zwischen den spitzen, mässig langen Dornen quergestreift und unter den Dornen bis zur Einlenkung des Stielchens glänzend und glatt.

Die Knoten des Stielchens sind gekörnt-gerunzelt, der zweite Knoten ist auch mit einzelnen Längsrunzeln versehen.

Das erste Hinterleibssegment ist glanzlos, bloss seidenschimmernd, mit scharfen, sehr feinen und sehr dichten Streifen, die anderen Segmente sind weniger scharf gestreift, ebenso ist die Unterseite des Hinterleibes seicht gestreift und glänzend, oft fast glatt.

Weibchen. Braunroth, das Mesonotum und Schildchen dunkler und die Tarsen lichter. Die Behaarung ist wie beim ☿.

Der Kopf unterscheidet sich von jenem des ☿ bloss durch die hier vorhandenen drei gelblichen Punctaugen.

Das Pronotum ist glanzlos, runzlig-gekörnt, und dessen Hinterrand glänzend. Das Mesonotum ist glanzlos, stark gekörnt-gerunzelt und von der Mitte des Vorderrandes zieht sich eine seichte, mit feinen Längsstreifen versehene Furche gegen die Mitte der Scheibe des Mesonotums. Das Schildchen ist glanzlos und stark gekörnt-gerunzelt. Das Metanotum ist glanzlos, gekörnt und quergestreift, an den Seiten längsgestreift, mit zwei spitzen Dornen; unter den Dornen ist das Metanotum bis zur Einlenkung des Stielchens glatt und glänzend.

Der Knoten des ersten Gliedes des Stielchens ist gekörnt gerunzelt.

(Da das einzige flügellose ♀, welches ich zur Untersuchung hatte, kein zweites Stielchenglied und keinen Hinterleib mehr besass, so konnte ich auch die Gattungscharactere der ♀ dieser Gattung nicht anführen.)

Ueber die Lebensweise dieser schönen, schlanken Ameise ist mir noch gar nichts bekannt geworden.

Im österreichischen Staate bisher bloss in Dalmatien bei Sign und bei Zara (Frauenfeld) gefunden. In den Nachbarländern in Sicilien (Zeller) und in Sardinien (Mayr) *).

11. *Crematogaster* Lund

Ann. Sciences natur. Tome XXIII, pag. 132.

Arbeiter Der Kopf ist rundlich, hinten abgestutzt, nur am Hinterhauptloche ausgebuchtet, breiter als der Thorax. Die Oberkiefer sind mässig breit und gezähnt. Die Kiefertaster sind fünf-, die Lippentaster dreigliederig. Die Oberlippe ist am vorderen Rande nicht ausgerandet. Der Clypeus ist ziemlich gross, wenig gewölbt und ungekielt. Das Stirnfeld ist dreieckig mit spitzwinkliger Hinterecke und nicht scharf abgesetzt. Die Fühler stehen weit auseinander und sind eilfgliedrig **); der Schaft ist ziemlich lang, die Geissel etwas am Ende verdickt. Die Stirnrinne ist oft sehr undeutlich oder fehlt ganz. Die Punctaugen sind nicht wahrnehmbar. Die Netzaugen sind oval, ziemlich klein und liegen etwas hinter der Mitte des Seitenrandes des

---

*) Eine zweite Art dieser Gattung, welche bisher nur in Sardinien gefunden wurde, habe ich in meinem Aufsatze: „Beitr. z. Kenntn. d. Ameis." beschrieben:

Aphaenogaster sardous Mayr.

Operaria: Rubido-flava, pilosula, opaca; clypeus longitudinaliter rugosus. Long.: 6—7mm.

Arbeiter. Röthlichgelb, der Innenrand der Oberkiefer schwarz, der Hinterleib auf seiner Oberseite in der Mitte öfters schwärzlich. Der ganze Körper ist glanzlos, mit Ausnahme der Unterseite des Kopfes und des Hinterleibes, so wie der Beine glänzend; die glanzlosen Körpertheile sind mit langen, weisslichen Haaren sparsam, der Hinterleib aber reichlicher besetzt.

Die Oberkiefer sind längsgerunzelt, fünfzähnig und zwar sind die vorderen Zähne stark, die hinteren sehr undeutlich ausgeprägt. Der Clypeus ist stark längsgerunzelt. Die Stirnlappen sind dick, längsgestreift und etwas aufgebogen. Die Fühler sind so wie bei *Aphaen. senilis*. Das Stirnfeld ist längsgestreift. Die Stirn ist gekörnt mit erhabenen Längsstreifen. Die Stirnrinne fehlt. Der Scheitel ist gekörnt, mit erhabenen runzligen Längsstreifen. Die Unterseite des Kopfes ist seicht gerunzelt und glänzend.

Das Pro- und Mesonotum ist gekörnt, das letztere hat hinten Längsrunzeln. Das Metanotum trägt zwei am Grunde dicke, sehr spitzige Dornen; die Basalfläche und abschüssige Fläche zwischen den Dornen sind quer- und die Seiten des Metanotums längsgestreift.

Das Stielchen ist fein gerunzelt.

Der Hinterleib ist auf der Oberseite sehr fein quergestreift und auf der Unterseite glatt.

**) In einem Falle fand ich sie abnormerweise zwölfgliedrig.

Kopfes. Der Thorax ist vorne am breitesten, in der Mitte am schmälsten, hinter dem Mesonotum bei einer Art mit einer tiefen, schmalen Einschnürung. Das Metanotum ist mit zwei nach hinten und etwas nach aufwärts gerichteten, nach hinten divergirenden Dornen versehen. Das erste Glied des Stielchens ist ziemlich flach, fast viereckig, vorne mit einem sehr kurzen Stiele; das zweite Glied ist knotenförmig und halb so lang als das erste Glied. Das Stielchen ist höher als bei allen andern europäischen Ameisen und zwar nicht an der Gränze zwischen Ober- und Unterseite des Hinterleibes, sondern an der Oberseite des letzteren eingelenkt. Der Hinterleib ist oben fast flach, unten gewölbt, etwa so breit als der Kopf oder etwas breiter, viel breiter als hoch, vorne am breitesten und hinten zugespitzt; das erste Abdominalsegment bedeckt ungefähr die Hälfte des Hinterleibes. Die Beine sind kräftig.

Weibchen. Der Kopf unterscheidet sich von jenem des ☿ bloss durch die Punctaugen und die stets scharf ausgeprägte Stirnrinne. Der Thorax ist seitlich zusammengedrückt, auch oben ziemlich flach, er ist hoch und hinter dem Schildchen schief abgestutzt. Das Metanotum trägt zwei Dornen, welche weit auseinander stehen, wodurch die abschüssige Fläche breit wird. Das Stielchen ist ähnlich wie beim ☿. Die Gelenksverbindung des Stielchens mit dem Hinterleib und die Form des letzteren verhalten sich so wie beim ☿. Die Costa transversa der Flügel verbindet sich bloss mit dem äusseren Cubitalaste, daher nur eine geschlossene Cubitalzelle vorhanden ist; die Costa recurrens schliesst eine Discoidalzelle ab; nur in einem Falle fehlte sie.

1. *Crematogaster scutellaris* Ol.

***Operaria*:** *Tota nigra, mandibulae rufescentes; aut nigra, caput, excepta antennarum clava, rufum, pedes picei; aut rufa, abdomen fusco-nigrum; thorax post metanotum supra sulco transverso, profundo. Long.:* 3½ — 5¼mm.

Femina. *Rufa, mandibulae et thorax supra obscuriores, abdomen et partim petiolus fusco-nigra. Long.:* 9 — 10mm.

Formica scutellaris Ol. Enc. meth. Hist. nat. tom. 6 pag. 497; Ltr. Ess. l' hist. Fourm. France pag. 48, Hist. nat. Fourm. pag. 261.
Myrmica Rediana Géné Memoria per servire alla Storia naturale di alcuni Imenotteri in Memoria della Società Italiana delle Scienze, Parte fisica del Tomo XXIII.
Myrmica rubriceps Nyl. Add. alt. pag. 44.
Acrocoelia ruficeps Mayr Einige neue Ameisen.
Acrocoelia Schmidti Mayr Einige neue Ameisen.

Arbeiter: Ganz schwarz, bloss mit röthlichen Oberkiefern; oder schwarz, der Kopf mit Ausnahme der Keule der Fühlergeissel gelbroth, die Beine pechbraun; oder gelbroth und der Hinterleib allein braunschwarz mit Ausnahme des röthlichbraunen Grundes; zwischen diesen Modificationen finden sich alle Uebergänge. Der ganze Körper ist mit anliegenden, kurzen gelblichen Härchen mässig, aber nur mit einzelnen abstehenden Borstenhaaren bekleidet.

Die Oberkiefer sind grob längsgetreift, sparsam punctirt und vier- bis fünfzähnig. Der Clypeus ist mit Längsrunzeln durchzogen und ziemlich glänzend. Das Stirnfeld ist sehr fein und runzlig gestreift. Die Stirnlappen sind schmal, parallel und weit von einander entfernt. Der an der Grundhälfte bogenformig gekrümmte Fühlerschaft reicht bis zum Hinterrande des Kopfes; das erste Geisselglied ist doppelt so lang als dick, am Ende etwas dicker als am Grunde, das zweite Glied ist kürzer, die folgenden sind so wie das zweite, nehmen aber gegen die Geisselspitze nach und nach etwas an Grösse zu, die zwei vorletzten Glieder sind viel grösser, als die vorigen und das Endglied ist spindelförmig und fast so lang als die zwei vorletzten zusammen. Die Stirn, der Scheitel und die Seitengegend des Kopfes sind glänzend und sehr fein längsgestreift, manchmal aber erscheinen sie glatt und nur bei starker Vergrösserung sieht man die seichten Längsstreifen; die hintere Hälfte des Scheitels ist meist quergerunzelt. Die Stirnrinne ist oft deutlich, oft aber kaum wahrnehmbar oder gar nicht vorhanden. Die Wangen sind mässig fein längsgestreift. Die Unterseite des Kopfes ist fast glatt und stark glänzend.

Der Thorax ist wenig oder ziemlich stark glänzend, mittelmässig fein oft aber ziemlich grob längs- oder verworren gerunzelt, die abschüssige Fläche des Metanotums ist sehr fein verworren gerunzelt oder glatt und glänzend. Das Mesonotum ist oben vom Metanotum durch eine tiefe ziemlich schmale Querfurche getrennt.

Das erste Glied des Stielchens ist flach, vorne breiter als hinten mit geraden nach hinten convergirenden Seitenrändern, vorne in der Mitte etwas ausgehöhlt und nur mit einem äusserst kurzen kleinen Stiele versehen, so dass der Vorderrand des ersten Gliedes (der kleine Stiel abgerechnet) an den Thorax ansteht; das zweite Glied ist knotenförmig, etwas breiter als lang, oben in der Mitte mit einer Längsrinne und beiderseits mit einer kleinen fast halbkugeligen Erhöhung; beide Glieder des Stielchens sind sehr fein gerunzelt.

Der Hinterleib ist glänzend, sehr fein und seicht gerunzelt und weitläufig punctirt.

Weibchen. Gelbroth, die Oberkiefer und die Oberseite des Kopfes rothbraun, der Hinterleib und grösstentheils die Oberseite des Stielchens, meist auch die Unterseite des zweiten Stielchengliedes braunschwarz. Der ganze Körper ist mit langen, abstehenden, feinen Borstenhaaren und mit kurzen anliegenden Härchen mässig bekleidet.

Die Kopftheile sind so wie beim ☿, nur mit dem Unterschiede, dass beim ♀ Punctaugen vorhanden sind, dass die Stirnrinne stets tief eingedrückt ist und dass der Kopf stärker längsgestreift ist.

Das Pronotum ist fein und seicht längsgerunzelt. Das Mesonotum ist fast glatt und glänzend, bloss mit wenigen sehr seichten Runzeln und mit zerstreuten Puncten besetzt. Das Schildchen ist glatt und glänzend. Das Metanotum ist fein gestreift, die abschüssige Fläche aber ist oben sehr fein gerunzelt und unten glatt und stark glänzend.

Das Stielchen ist so wie beim ☿.

Der Hinterleib ist sehr fein und sehr seicht gerunzelt, stark glänzend und weitläufig punctirt.

Die Flügel sind fast wasserhell, die Rippen und das Randmahl gelbbraun.

Männchen. Dieses ist mir durch Autopsie nicht bekannt, Professor Géné beschreibt es aber in der oben citirten Abhandlung auf folgende Weise: »*Nero, lucente; bocca, antenne e gambe giallognole: nervi e punto marginale delle ali leggiermente fuliginosi. Lungh.: 5mm. Color generale del corpo nero, poco lucente. Testa piccola, più angusta del torace, con tre ochietti lisci proportialmente grossissimi, di un nero lucidissimo, antenne filiformi col primo articolo corto, cilindrico, gli altri granosi, di color pagliarino o giallognolo: mandibole strette, dello stesso colore. Torace convesso all' innanzi, continuo, liscio, senza spina posteriormente. Primo e secondo nodo dell'abdomine quasi uguali, globosi, quello sparso di alquante rugosità ed attaccato al torace per un peduncolo triangolare, questo leggermente solcato nel mezzo della sua faccia superiore. Abdomine punteggiato, villoso. I piedi sono del colore delle antenne con una forte spina alle tibie anteriori. Le ali incolore, hanno i nervi e il punto marginale leggierissimamente ombreggiati.*«

Diese dem südlichen Europa eigenthümliche Art legt ihre zahlreichen Colonien insbesondere in Mauerspalten, seltner unter Steinen an, und bildet auf der Wanderung zu Oel-, Feigenbäumen, zu Pistacien, zu *Ribes rubrum* u. s. w., auf welchen sie die Blatt- und Schildläuse besucht, um sich ihres Zuckersaftes zu bedienen, oder auch zu Weinstöcken oder Pflaumenbäumen, um den Saft der irgendwie von ihrer Hülle theilweise beraubten Früchte zu geniessen, grosse Processionen, ähnlich jenen der *Formica austriaca*, unter welchen sich nicht selten auch einzelne ☿ der *Formica lateralis* vorfinden. Nach der Angabe des Professor Géné, welcher in der oben citirten Abhandlung eine weitläufige Beschreibung der Lebensweise dieser Art gab, von welcher ich aber der mir gestellten Gränzen wegen nur das Wichtigste und grösstentheils selbst Beobachtete anführte, schwärmt sie in den letzten Tagen des Monats September, doch hat Herr Zeni schon im Juli ♀ und ♂ (welche letztere er aber nicht erhaschen konnte) gefunden.

In Tirol in und bei Botzen (Gredler, Mayr), bei Meran an der Zenoburg (Mayr), bei Lavis (Strobel), bei Roveredo (Zeni); in Krain bei Wipbach (Schmidt); im Küstenlande bei Fiume (Mann), bei Görz (Pazzani); in Dalmatien bei Makarska, Zara (Frauenfeld), bei Spalato (Lanza, Schmidt); in Venetien auf der Insel Lido bei Venedig (Strobel, Mayr); in der Lombardie (Villa), bei Gargnano am Gardasee, bei Urgnano in der Bergamasker Ebene (Strobel) und bei Chiavenna (Heer). In den Nachbarländern in der Schweiz im Canton Tessin (Heer); im Kirchenstaate bei Imola (Pirazzoli); in Toskana (Pirazzoli); in Sardinien (Mayr Beitr. z. Kennt. der Ameis.); in Piemont (Géné, Mayr) bei Nizza (Förster); in Sicilien (Grohmann) bei Messina (Nyl. Add. alt. u. Zeller).

2. *Crematogaster sordidula* Nyl.

Operaria: *Piceo-nigra, mandibulae, antennae tarsique fusci; aut sordide brunnea vel testacea, abdominis pars posterior fusco-nigra: thorax post mesonotum absque sulco profundo, transverso. Long.:* 2½—3mm.

Femina. *Nigra, mandibulae, antennae, basis abdominis pedesque fusci. Long.:* 6—6½mm.

Myrmica sordidula Nyl. Add. alt. pag. 44.

Acrocoelia Mayri Schmidt in Mayr's Beitr. z. Kenntn d. Ameis.

Arbeiter: Pechschwarz, die Oberkiefer, die Fühlergeissel (oft auch der Fühlerschaft), die Tarsen und mehr oder weniger auch die Gelenke der Beine braun; oder der ganze Körper ist schmutzig rothbraun oder braungelb und nur die hintere Hälfte des Hinterleibes ist braunschwarz; zwischen diesen beiden Modificationen gibt es die unmerklichsten Uebergänge. Der ganze stark glänzende Körper ist mässig mit langen, abstehenden Borstenhaaren besetzt.

Die Oberkiefer sind grob längsgerunzelt und vierzähnig. Der Clypeus ist glatt oder nur vorne mit einzelnen seichten Längsrunzeln. Die Fühler sind so wie bei der vorigen Art. Das undeutlich ausgeprägte Stirnfeld, die Stirn und der Scheitel sind glatt, ebenso auch die Wangen und die Unterseite des Kopfes.

Der Thorax ist glatt oder nur an einzelnen Stellen sehr seicht längsgestreift und hat zwischen dem Meso- und Metanotum keine schmale Querfurche.

Das Stielchen unterscheidet sich von jenem der vorigen Art dadurch, dass das erste Glied hinten breiter als vorne oder wenigstens ebenso breit ist und dass das zweite Glied oben keine Längsrinne und keine halbkugeligen Erhöhungen hat, sondern mässig gewölbt ist; beide Glieder sind fein gerunzelt, nur die Scheibe des zweiten Gliedes ist glatt.

Der Hinterleib ist glatt.

Weibchen. Schwarz, stark glänzend, die Oberkiefer, die Fühler, die Beine und mehr oder weniger auch die Basis des Hinterleibes braun. Der ganze Körper ist mit langen, abstehenden, feinen Borstenhaaren mässig besetzt.

Die Oberkiefer sind grob längsgerunzelt, punctirt und fünf bis sechszähnig. Der Clypeus, das Stirnfeld, die Stirn und der Scheitel sind glatt und stark glänzend, bloss in der Nähe der Fühler finden sich einige Längsstreifen. Die Fühler sind so wie beim ☿. Die Stirnrinne ist tief eingedrückt. Die Punctaugen sind gross.

Der ganze Thorax ist glatt und glänzend.

Das Stielchen ist so wie beim ☿, nur mit dem Unterschiede, dass es deutlicher gestielt ist.

Der Hinterleib ist glatt.

Ueber die Farbe der Flügel kann ich nur erwähnen, dass ich ein ♀ besitze, welches noch ein Rudiment eines Flügels hat, welches braun getrübt ist.

Ueber die Lebensweise dieser südlichen Art ist mir gar nichts bekannt.

In Dalmatien (Schmidt) bei Zara (Manderstjerna), bei Spalato (Frauenfeld), auf der Insel Lagosta (Zeller). In den Nachbarländern bisher bloss in Sicilien bei Messina (Nyl. Add. alt., Zeller).

Abkürzungen.

Curt. Gen. Myrm.: Curtis: On the Genus Myrmica, and other indigenous Ants in den Transactions of the Linnean Society of London. Vol. XXI., 3. Theil 1854.

Fabr. Ent. Syst.: Fabricius: Entomologia systematica emendata. 1792 — 96 Hafniae.

Fabr. Syst. Piez.: Fabricius: Systema Piezatorum. 1804.

Först. Hym. Stud. 1. H.: Förster: Hymenopterologische Studien, 1. Heft, Aachen 1850.

Fuss Notiz. u. Beitr. z. Ins. F. Sieb.: Fuss: Notizen und Beiträge zur Insectenfauna Siebenbürgens in den Verhandlungen und Mittheilungen des siebenbürgischen Vereins für Naturwissenschaften zu Hermannstadt. Jahrg. IV. Nro. 12. 1853.

Fuss Beitr. z. Ins. Faun. Sieb.: Fuss: Beitrag zur Insectenfauna Siebenbürgens in den Verhandlungen und Mittheilungen des siebenbürgischen Vereins für Naturwissenschaften zu Hermannstadt. Jahrg. VI. Nro. 2, 1855.

Heer Ueber die Hausameise Madeira's. An die Zürcher'sche Jugend auf das Jahr 1852, von der naturforschenden Gesellschaft LIV. Stück.

Lepel. St. Farg. Hist. nat. Ins., Hym. tom. 1.: Lepeletier St. Fargeau: Histoire naturelle des Insectes, Hymenoptères. Tome I. 1836.

Linné Faun. Suec.: Linné: Fauna Suecica. Ed. I. Holm. 1746.

Linné Syst. nat.: Linné: Systema naturae.

Ltr. Ess. l'hist. Fourm. France.: Latreille: Essai sur l'histoire des fourmis de la France.

Ltr. Hist. nat. Form.: Latreille: Histoire naturelle des Fourmis. Paris 1802.

Los. Form. Piem.: Losana Saggio sopra le Formiche indigene del Piemonte in den Memorie della Reale Accademia delle Scienze di Torino. Tomo XXXVII. 1834.

Mayr Beitr. z. Ins. Faun. Sieb.: Mayr: Beiträge zur Insecten-Fauna von Siebenbürgen in den Verhandlungen und Mittheilungen des siebenbürgischen Vereins für Naturwissenschaften zu Hermannstadt. Jahrg. IV. Nro. 8 1853.

Mayr Beitr. z. Kenntn. d. Ameis.: Mayr: Beiträge zur Kenntniss der Ameisen in den Verhandlungen des zoologisch-botanischen Vereines in Wien. Band III. 1853, Abhandlungen pag. 101.

Mayr Beschr. ein. neuer Ameis.: Mayr: Beschreibungen einiger neuer Ameisen in den Verhandlungen des zoologisch-botanischen Vereines in Wien. Band III. 1853, Abhandlungen pag. 277.

Mayr Einige neue Ameisen in den Verhandlungen des zoologisch-botanischen Vereines in Wien. Band II. 1852, Abhandlungen pag. 143.

Mayr Ueber d. Abtheil. d. Myrm. u. eine neue Gatt. ders.: Mayr: Ueber die Abtheilung der *Myrmiciden* und eine neue Gattung derselben in den Verhandlungen des zoologisch-botanischen Vereins in Wien. Band III. 1853, Abhandlungen pag. 387.

Nyl. Adn. Mon. Form. bor. Eur.: Nylander: Adnotationes in Monographiam formicarum borealium Europae in den Actis societatis scientiarum Fennicae. Tome II. Fasc. III. pag. 875.

Nyl. Add. Adn. Mon. form. bor. Eur.: Nylander: Additamentum Adnotationum in Monographiam formicarum borealium Europae in den Actis societatis scientiarum Fennicae. Tome II. Fasc. III. pag. 1041.

Nyl. Add. alt.: Nylander: Additamentum alterum Adnotationum in Monographiam formicarum borealium in den Actis Societatis scientiarum Fennicae 1848 pag. 26.

Oliv. Enc. méth. Hist. nat.: Olivier: Encyclopédie méthodique, Historie naturelle.

Schenck Beschr. nass. Ameis.: Schenck: Beschreibung nassauischer Ameisen-Arten in den Jahrbüchern des Vereines für Naturkunde im Herzogthum Nassau. Herausgegeben von Sandberger. 8. Heft. Wiesbaden 1852.

Schilling Bemerk. üb. d. in Schles. etc.: Schilling: Bemerkungen über die in Schlesien und der Grafschaft Glatz vorgefundenen Arten der Ameisen in der Uebersicht der Arbeiten und Veränderungen der schlesischen Gesellschaft für vaterländische Cultur im Jahre 1838. Breslau.

Schrank Enum. Ins. Austr.: Schrank: Enumeratio Insectorum Austriae indigenorum 1781.

Scopoli Entom. Carn: Scopoli: Entomologia carniolica 1763 Vindobonae.

Siebold Beitr. z. Faun. d. wirbell. Th. d. Pr. Preuss.: Siebold: Beiträge der wirbellosen Thiere der Provinz Preussen. 11. Beitrag. Die preussischen Hymenopteren in Richter's preussischen Provinzial-Blättern.

Smith Ess. Gen. and Spec. Brit. Form.: Smith: Essay on the Genera and Species of British Formicidae in den Transactions of the Entomological Society. Vol. III. N. S. Part. III. pag. 95.

Spinola Insect. Lig. Spec. novae aut rar.: Spinola: Insectorum Liguriae Species novae aut rariores. Tom. 1. Fasciculus 4. Genua 1808.

Erklärung der Tafel.

Fig. I. Vorderflügel von *Formica nigra* als Schema der Gattungen *Formica*, *Tapinoma*, *Polyergus*, *Tetramorium*, *Strongylognathus* und *Leptothorax*.

Fig. II. Vorderflügel von *Diplorhoptrum fugax* als Schema der Gattungen *Myrmecina*, *Diplorhoptrum* und *Crematogaster*.

Fig. III. Vorderflügel von *Atta subterranea* als Schema der Gattungen *Hypoclinea*, *Ponera*, *Oecophthora* und *Atta*.

Fig. IV. Vorderflügel von *Myrmica ruginodis* als Schema der Gattung *Myrmica*.

Fig. V. Hinterflügel von *Formica ligniperda*.

1. *Costa marginalis.*
2. — *scapularis.*
3. — *externo-media.*
4. — *basalis.*
5. — *cubitalis.*
6. — *transversa.*
7. Aeusserer Cubitalast.
8. Innerer Cubitalast.
9. *Costa transverso-media.*
10. — *recurrens.*
11. — *interno-media.*

a) *Cellula scapularis.*
b) *Stigma.*
c) *Cellula externo-media.*
d) — *cubitalis clausa.*
e) — *cubitalis aperta.*
f) — *radialis.*
g) — *discoidalis aperta.*
h) — *discoidalis clausa.*
i) — *interno-media basalis.*
k) — *interno-media apicalis.*

Register.

Verbesserungen.

Seite	288	Zeile	15 u. 16	v. o. auszulassen: Bayern (? Herrich-Schäffer).
„	288	„	12	v. u. statt L. lies: Fabr.
„	289	„	5	v. o. auszulassen: Bayern (Herrich-Schäffer).
„	289	„	7	v. o. auszulassen: Bayern (? Herrich-Schäffer).
„	290	„	21	v. o. dazuzusetzen: Schweiz.
„	290	„	5	v. u. dazuzusetzen: Tirol.
„	290	„	3	v. u. dazuzusetzen: Oesterreich, Ungarn.
„	291	„	20	v. o. statt: Tirol lies: Nassau, Oesterreich, Salzburg.
„	291	„	21 u. 22	v. o. statt: Rheinpreussen, Nassau, Oesterreich, Salzburg lies bloss: Tirol.
„	291	„	13	v. u. auszulassen: Rheinpreussen
„	292	„	5	v. o. dazuzusetzen: Piemont, Kirchenstaat.
„	292	„	10	v. o. auszulassen: Bayern.
„	292	„	17	v. u. auszulassen: Bayern (Herrich-Schäffer).
„	292	„	14	v. u. statt: *sordidulus* lies: *sordidula*.
„	298	„	3	v. o. auszulassen: Bayern (? Herrich-Schäffer).
„	317	„	16	v. o. statt: Anmeis. lies: Ameise.
„	375	„	11	v. o. statt: *Tapynoma* lies: *Tapinoma*.
„	382	„	2	v. u. statt: Frivalsky lies: Friwaldsky.
„	384	„	10	v. o. statt: ☿ lies: ♀.
„	426	„	6	v. u. setze vor *Tetramorium*: 9. dazu.

Beiträge
zur
Kenntniss der Verwandlung
der
Neuropteren.

Von

Friedrich Brauer.

Ascalaphus Macaronius *) Scop.

Ich habe der geehrten Versammlung im verflossenen Jahre Alles, was ich, theils aus den Werken früherer Beobachter, theils durch gütige Mittheilung meiner Freunde, theils durch eigene Erfahrung über dieses interessante Thier wusste, mitgetheilt.

Ich vermochte damals nur über die Lebensweise der Larve bis zur dritten Häutung Aufschluss ertheilen zu können. Die fortgesetzten Beobachtungen an einem über Winter lebend erhaltenen Exemplare scheiterten, da die Larve im April ohne sichtliche Ursache abstarb. Ich hatte dieselbe im Winter der Kälte ausgesetzt und die Erde des Zwingers mit Schnee belegt. Ohne sich einzugraben überdauerte sie den Winter zwischen Moos und Erde. Im Frühjahre schon, aufangs März, begann sie zu erwachen und herumzustreifen. Ein Versuch sie mit gequetschten Larven von *Tenebrio molitor*, welche ihr auf die Saugzangen gelegt wurden, zu ernähren, glückte und die Larve bekam einen von Nahrung strotzenden Hinterleib. Sehr erstaunt war ich, die Larve schon bis Mitte April am Leben erhalten, plötzlich eines Tages abgestorben zu sehen. Wahrscheinlich wurde dieselbe durch das Auflegen des Futters auf die Zangen zu sehr gestört und vielleicht an einer zeitigen Häutung gehindert.

---

*) *Hungaricus* Ramb.

Alles Nachsuchen, am Kalenderberg bei Mödling, um neue Larven zu zu finden, war vergeblich, und wäre es vielleicht noch für lange Zeit geblieben, hätte nicht die Imago selbst den Wegweiser abgegeben. Ein am 2. Juni morgens 8 Uhr gefundener, frischausgeschlüpfter *Ascalaphus* liess bald zwischen, durch *Cuscuta* verstrickten Zweigen von *Anthillis vulneraria* und *Teucrium montanum* den, nahe der Erde, an diesen Pflanzen festgesponnenen Cocon auffinden. Die Nymphenhaut war halb aus demselben herausragend, wie diess bei *Myrmecoleon* der Fall ist. Der Cocon selbst ist kugelförmig, schön blauweiss, dabei sehr dünn gesponnen und leicht zusammendrückbar. Sein Durchmesser beläuft sich auf fünf Linien. In demselben liegt der Larvenbalg zusammengedrückt wie bei *Myrmecoleon*, so dass der Kopf auf die Bauchseite angedrückt ist, während das letzte Hinterleibsegment nach rückwärts aufgebogen ist. Die Saugzangen sind nicht abgebrochen wie bei der Larvenhaut von *Osmylus*. Weiteres Nachsuchen setzte mich in den Besitz von zwei leeren und einem vollen Cocon nebst einer grossen erwachsenen Larve. Sämmtliche später gefundenen Cocons so wie die Larve waren zwischen den Zweigen von *Genista pilosa*. Die in dem vollen Cocon vorgefundene Nymphe ist im Verhältniss zur Imago klein. Der Kopf trägt die grossen, getheilten Netzaugen und ist im Ganzen dem der Imago ähnlich, sowohl in Form als Farbe, letzteres natürlich nur kurz vor dem Ausschlüpfen der Imago. Die Mundtheile sind von der Imago verschieden. Die Oberkiefer sind kurz und dick mit starker Endspitze und fünf sägeartigen Zähnen am Innenrande. Bei der Imago sind die Oberkiefer dreiseitig und haben am vorderen Innenrande einen, am hinteren zwei ungleiche Zähne und starke gebogene Endspitzen. Die Unterkiefer haben bei der Nymphe einen flachen, länglichen, abgerundeten Lappen als Helm und ein ebenso gebildetes Kaustück. Das erste Tasterglied ist klein cylindrisch, das zweite dick, keulenförmig, das dritte ebenso aber kleiner und das vierte kurz spindelförmig. Bei der Imago sind der längere Helm und das kürzere Kaustück hornig, nach einwärts gebogen und am Innenrande dicht braun behaart. Die drei ersten Tasterglieder dünn, cylindrisch, das zweite am längsten, das letzte lang schwach spindelförmig, alle behaart. Der Endlappen der Unterlippe ist bei der Nymphe ausgeschnitten, bei der Imago abgestutzt, die Taster sind hier dünn mit zwei cylindrischen und einem spindelförmigen Gliede, dort dick und kurz bei sonst gleicher Bildung. Die Fühler sind nur zwei Linien lang und wie ein Halsband hinter den grossen Augen um den Hals und Thorax geschlungen. Ihr Endknopf ist zwischen Kopf und Thorax unten verborgen. Die dem Kopfe zugewendete Seite ist lichter, die abgewendete dunkel schwarzbraun, indem nur die abgewendete Seite feste Hornplatten zu besitzen scheint *), die getrennt von den mehr durchsichtigeren röhrenförmigen Plättchen der anderen

*) Eine ähnliche Bildung zeigen auch die Fühler der *Osmylus*-Larve.
E. Heeger durch gütige Mittheilung.
H. Hagen *Linnaea* Ent. Tom. 8. 1853. S. 380.

Seite, nur mit ihnen durch eine Membran in Verbindung, bis zum Endknopf hinreichen; von da an erscheinen die einzelnen Glieder einfach, auch sieht man deutlich, dass der Endknopf aus der dem Kopfe zugewendeten Seite hervorgeht. Er ist rostfarben, zum Erstaunen klein, sogar schmäler als der übrige Fühler und endigt mit einer weissen Spitze. Der Thorax ist von dem der Imago nur durch seinen gedrungeneren Bau unterschieden. Die Schienen der Beine sind nach vor- und auswärts gebogen, sonst gleichen sie jenen des vollendeten Kerf. Die Flügelscheiden sind kurz, reichen bis zum dritten Adominalsegment (inclusive), sind an der Basis und vorderen Theile schön gummiguttigelb, an der Spitze und Hinterrand röthlichgrau. Man sieht den Verlauf der Adern als wellenförmige dunkle Linie nebst einem deutlichen braunen Pterorstigma. Der Hinterleib zeigt zehn Segmente, ist ungefähr halb so lang als bei der Imago und zeigt acht lichtere deutliche Stigmen. Von der Seite gesehen, stehen die Rückenplatten am Ende sägeartig ab. Das zweite bis achte Segment zeigt auf der Rückenseite in der Mitte des Hinterrandes zwei kleine konische durchsichtige Wärzchen. — Die Bauchseite ist dunkelroth mit schwarzen unregelmäsigen Längslinien, die Rückenseite ist schwarz. Die Haare sind an der Nymphe spärlich und nur am Kopfe an der Stirn und Mundtheilen etwas länger und dichter, aber mit dem Pelz der Imago nicht einmal annäherungsweise zu vergleichen. Durch diese Verschiedenheit erhält die Nymphe auf den ersten Blick ein etwas entfremdendes Ansehen. Länge der Nymphe sechs Linien, im Cocon bei starker Krümmung vom Thorax bis After 5'''.

Die gleichzeitig mit den Cocons gefundene grosse Larve deutet darauf hin, dass das Nymphenstadium nur kurze Dauer haben kann und wie ich glaube, sich auf höchstens drei Wochen beläuft, da die Thiere bis Ende Juli ihre Eier absetzen und bis Mitte August, oft schon früher, verschwinden. Merkwürdig ist, dass die Larve die ihr zum Frasse dargereichte Fliege ohne Scheu durch geschickte schnelle Kopfbewegung erhaschte und aussog, während bekanntlich die jüngeren Larven schwer in der Gefangenschaft Nahrung zu sich nehmen.

Die neuerdings gemachten Beobachtungen bestätigen abermals die Stellung der Gattung *Ascalaphus* im Systeme, zeigen die grosse Verwandtschaft von ihr mit *Myrmecoleon* und Annäherung an *Chrysopa*. Als Unterschied aber von allen *Hemerobinen* dürfte bei allen *Myrmecoleontinen* (inclusive *Ascalaphus*) die Nymphenhaut im Cocon stecken bleiben, während bei ersteren die Nymphe oft stundenlang umherkriecht und erst weit von ihrer Ruhestätte sich zur Imago entwickelt *(Chrysopa Hemerobius, Drepanopteryx, Osmylus)*.

Erklärung der Abbildung.

Fig. 1. Nymphe vergr. von der Seite gesehen.
„ 2. Kopf derselben von vorne gesehen mit vorgezogenem Fühler vergrössert.
a) Die vom Kopf abgewendete Seite vergrössert.
b) Die dem Kopf zugewendete „ „
c) Endknopf des Fühlers vergrössert.
Fig. 3. Mundtheile der Nymphe vergrössert.
a) Oberkiefer „
b) Unterlippe sammt Taster vergrössert.
c) Unterkiefer „ „ „
„ 4. Mundtheile der Imago mit gleicher Bezeichnung.
„ 5. Cocon mit herausragender Nymphenhaut, natürliche Grösse.
„ 6. Larvenbalg aus dem Cocon genommen.

Mantispa pagana Fabr.

Ich habe bereits im Jahre 1852 *) meine Beobachtungen über das Eierlegen und eine Abbildung der jungen Larve veröffentlicht, bin jedoch seit jener Zeit nicht mehr in die glückliche Lage gekommen, Larven zu erhalten. Durch einen glücklichen Zufall fand ich am 23. Juni dieses Jahres am Kalenderberg bei Mödling mitten auf einer grossen Wiese den Cocon dieses merkwürdigen Thieres. Derselbe war in einer kleinen, einen Zoll tiefen, cylindrischen Grube in der Erde versteckt und zwar zwischen Gras und andern Pflanzen. Derselbe ist oval, ziemlich fest und aus grünlichweissen Fäden gesponnen. Sein Längsdurchmesser beträgt fünf, der Quere drei Linien. Aussen umgibt ihn ein mehr loses Gespinnst, ähnlich wie bei *Osmylus* und *Drepanopteryx*. Die Nymphe ist gross, fünf Linien lang. Der Kopf gleicht dem der Imago, nur sind die Mundtheile etwas verschieden. Die Oberkiefer sind stärker und werden von der Oberlippe nicht bedeckt, sonst tragen sie am Innenrande wie bei der Imago einen Zahn. Die Tasterglieder der Unterkiefer und Lippe sind kürzer und dicker als beim vollendeten Thier. Die Fühler sind etwas kürzer als nach dem Ausschlüpfen und laufen im Bogen nach oben und seitswärts nach aussen von den grossen Netzaugen. Der Prothorax ist kurz, nur halb so lang als bei der Imago. Der vordere trompetenartige Theil scheint unverändert zu bleiben und nur der hintere, schmälere mit zahlreichen Querfalten versehene Theil zur späteren beträchtlichen Verlängerung beizutragen. Die Raubfüsse sind völlig entwickelt und zusammen-

*) Wiegmann's Archiv p. 1.

gelegt wie beim Ruhezustand des vollendeten Thieres, Meso- und Metathorax sind gedrungen; sonst haben sie nichts Auffallendes, ihre Beine sind dicker als bei der Imago, besonders das letzte Tarsenglied. Die Flügelscheiden reichen, in starkgekrümmter Lage der Nymphe im Cocon, bis zum fünften Hinterleibsegment, sind schmal, licht grauviolett und zeigen eine lichtere Costa und dunkle Längs- und Queradern mit dem Verlauf jener der Imago. Der Hinterleib ist wie beim vollendeten Thier, nur kürzer und dicker. Bauch und Rückenplatten sind schön gelb mit rothbraunen Mittel- und Seitenlinien, die Zwischenhaut aber mehr ocherfarbig. Die beiden letzten Segmente sind äusserst klein und zeigen kleine Grübchen als spätere Geschlechts- und Afteröffnung. Die acht Stigmen des Abdomen sind dunkel und leicht zu sehen.

Zu bemerken ist noch, dass in der Nähe der Stelle, wo der Cocon gefunden worden, ein Ameisenhaufen war.

Besonderes Interesse gewährte mir der Umstand, dass die Larve einen Cocon nach Art der *Hemerobinen* spinnt, indem gerade hierdurch ein deutlicher Beweis geliefert wird, dass die Gattung *Mantispa* zur Familie der *Megalopteren*, und nicht zu den *Raphidiiden* gehört, deren Larven nie einen Cocon spinnen und deren langer Prothorax schon bei der Nymphe fast ausgebildet ist. Leider war der im Cocon vorgefundene Larvenbalg so schlecht erhalten, dass er zur Untersuchung über den Saugapparat der Larve untauglich war. Uebrigens bestätigen die oben angeführten Puncte hinreichend, glaube ich die Richtigkeit der von Dr. Hagen in der Entomolog. Zeitung (1852, pag. 36) und von mir ebendaselbst (pag. 73) ausgesprochenen Meinung, dass *Mantispa* zu den *Megalopteren* zu stellen sei. Auch Westwood (Modern classif. of Insect pag. 59, V. II.) macht auf die Verwandtschaft mit *Hemerobius* aufmerksam.

Einen gerechten Zweifel hege ich jedoch, aus den bisher gemachten Beobachtungen, dass die von M. Bourgeois und Latreille bei Lyon gefundene Larve die einer *Mantispa* sei. Wenn auch der gefundene Cocon nicht die Lebensweise und den Aufenthalt der Larve anzeigt, o muss man doch zugeben, dass die Art der Verpuppung so wenig mit *Raphidia* identisch ist, dass auch die Lebensweise der Larve eine andere sein muss, zudem ist die von mir aus Eiern erhaltene junge Larve schon so auffallend von *Raphidia* verschieden, dass Latreille gewiss mehr von ihr gesagt hätte, als: „gebildet wie die von *Raphidia*, nur beträchtlich grösser.“ (Considérations Général. pag. 69.)

Erklärung der Abbildung.

Fig. 7. Nymphe von der Seite gesehen in natürlicher Lage im Cocon vergrössert.

„ 8. Nymphe von unten gesehen, etwas gestreckt.

„ 9. Prothorax der Nymphe von oben.

„ 10. Letztes Tarsenglied von vorne gesehen.

„ 11. Cocon in der Erde. Verticaler Durchschnitt des Erdloches.

Nachtrag

zur

Flora von Iglau.

Von

H. W. Reichardt.

Einleitung.

Seit Herr Professor Pokorny in den Vereinsschriften die ihm von mir eingeschickten Verzeichnisse der um Iglau neu aufgefundenen Pflanzen publicirte, (Sitzungsberichte d. zool.-bot. Vereins II. p. 105 und III. p. 187) hatte ich Gelegenheit eine nicht unbeträchtliche Anzahl von Arten besonders aus der grossen noch weniger bekannten Abtheilung der Pilze zu beobachten, und glaube desshalb, dass es angezeigt sein dürfte, Alles was nach dem Erscheinen von Herrn Prof. Pokorny's Vegetations-Verhältnissen von Iglau für dieses Gebiet neu aufgefunden wurde, zusammen zu stellen, und als einen kleinen Nachtrag zur Flora von Iglau dem geehrten Vereine zur Veröffentlichung zu übergeben.

Iglau's Flora enthält bis jetzt 1411 Arten, von denen auf die Phanerogamen 750, und auf die Cryptogamen 661 Species entfallen.

Dr. Schlosser führt in seiner Flora Mährens bei 47 Species, welche bis jetzt noch nicht beobachtet wurden, Iglau, oder im Bereiche der Iglauer Flora liegende Orte als Fundorte an; ich erlaube mir ein Verzeichniss derselben am Schlusse beizufügen.

Von den um Iglau bis jetzt beobachteten 661 Arten Cryptogamen entfallen auf die Pilze 333 Species. Iglau's Pilzflora ist somit noch sehr weit davon entfernt, auch nur so ziemlich gründlich durchforscht zu sein, und ich würde es nie wagen, etwas so Unvollständiges zu veröffentlichen, wenn ich nicht der Meinung wäre, dass jeder, wenn auch noch so geringe Beitrag zur Pilzflora Mährens, welches in dieser Beziehung noch beinahe ganz unbekannt ist, von Interesse sein dürfte.

So viel sich aus dem bis jetzt vorhandenen Materiale schliessen lässt, ist Iglau's Pilzflora eine reiche zu nennen, denn alle jene Umstände, welche wie Herr Prof. Pokorny in seinen Vegetations-Verhältnissen auseinander setzte einerseits dazu beitragen, der Phanerogamen-Flora Iglau's jenen eigenthümlichen, beinahe nordischen Character zu verleihen, begünstigen andererseits die Pilz-Vegetation.

Die ziemlich bedeutende Erhebung über die Meeresfläche bedingt nämlich eine verhältnissmässig niedere Jahrestemperatur, diese wieder eine bedeutende Menge wässeriger Niederschläge, ferner eine schärfere Abgränzung der einzelnen Jahreszeiten, und endlich eine längere Dauer des meist sehr feuchten Frühlings und Herbstes. Diese Umstände, obwohl der Entwicklung der Phanerogamen-Flora ungünstig, bieten gerade den Pilzen alle Bedingungen zur üppigen Entfaltung in reichlichem Masse.

Zieht man ferner noch in Betracht, dass Iglau's Wälder meist aus Nadelholz bestehen, und beinahe ein Viertel des Gesammt-Areales in Anspruch nehmen, ferner dass dieselben bei dem Mangel von grösseren Flüssen von zahlreichen kleinen Waldbächen durchrieselt werden, so lässt sich die grosse Ueppigkeit erklären, mit welcher sich Pilze im Iglauer Florengebiete vorfinden. So überziehen z. B. die zierlichen *Trichien* und *Arcyrien* modernde Baumstrünke oft ganz, und färben sie roth, gelb oder braun. Interessant ist die Iglauer Flora desswegen, weil sich in ihr für Deutschlands Flora sehr seltene Pilze wie *Geaster fornicatus* Fries vorfinden, vorzüglich aber aus dem Grunde, weil von mir Krombholz'sche Species, die bis jetzt nur in Böhmen sich vorfanden, beobachtet wurden. Von diesen will ich nur die *Morchella bohemica* Krombh. erwähnen.

Dieser Umstand berechtigt zu dem Schlusse, dass sich im Floren-Gebiete Iglau's ganz gewiss viele der bis jetzt bloss aus Böhmen bekannten Krombholz'schen Arten vorfinden, und es wäre ohne Zweifel eine lohnende Arbeit, die dortige Gegend in dieser Beziehung genau zu durchforschen.

Pilze.

1. *Protomyces endogenus* Ung. Auf *Galium Mollugo* im Iglavathale, Karlswalde und am Hohenstein.
2. *Uredo sitophila* Ditm. Auf Gerste nicht selten.
3. — *apiculata* Strauss. Auf Blättern von *Ervum hirsutum* L. um die Schwane.
4. — *Ficariae* Alb. u. Schw. Auf Blättern von *Ranunculus Ficaria* am Heulos.
5. — *muricella* Wallr. Auf der Unterseite von *Falcaria*-Blättern um Breitenhof.
6. — *suaveolens* Pers. Ueberzieht oft die ganze Unterseite der Blätter von *Cirsium arvense* Scop.; so schon am Exercierplatze.
7. — *Violarum* DC. Auf Blättern von *Viola hirta* L. im Iglavathale, besonders um die Gaskomühle.
8. — *Vincetoxici* DC. Auf Blättern von *Vincetoxicum officinale* Mnch. um Petrowitz.
9. — *Leguminosarum* Rbh. Auf vielen *Leguminosen*; besonders auf *Vicia Faba* L., *Lathyrus pratensis* L. und *Orobus vernus* L.
10. — *Lini* DC. Auf den Blättern von *Linum catharticum* L. am Hohenstein.
11. — *filicum* Rbh. Auf *Cystopteris fragilis* Bernh.
12. — *Euphorbiae* Pers. Auf *Euphorbia dulcis* L. am Hohenstein.
13. — *Capraearum* DC. Auf *Salix Capraea* L. um das Poppitzer Jägerhaus.
14. — *populina* Jacq. Auf *Populus tremula* L. an der Prager Strasse.
15. — *potentillarum*. Auf Blättern von *Potentilla opaca* L. um Breitenhof.
16. — *Pyrolae* Mart. Auf *Pyrola uniflora* L. und *secunda* L. in den Poppitzer Wäldarn
17. — *Labiatarum* DC. in den Formen a *Menthae* auf *Mentha aquatica* um die Steinmühle, und b *Leonuri*, auf *Leonurus Cardiaca* um Pistau.
18. — *Alchemillae* Pers. Häufig auf der Unterseite von *Alchemilla*-Blättern an trockenen Rainen.
19. — *Campanularum* Pers. Auf Blättern von *Campanula Trachelium* L. und *C. rapunculoides* L. um Ranzern und Poppitz.
20. — *Rhinanthacearum* DC. als b *Melampyri* auf *Melampyrum arvense* L. um Trebitsch; als c *Rhinanthorum* auf *Rhinanthus major* Ehrh. um den Silberhof.
21. — *miniata* Pers. Auf *Rosaceen* besonders auf *Rosa alpina* L. und *Spiraea Ulmaria* L. häufig.
22. — *Ruborum* DC. Auf *Rubus*-Blättern am Hohenstein.
23. — *fulva* Schum. a *Sonchorum*. Auf *Sonchus arvensis* L., b *Senecionum* auf *Senecio nemorensis* L. in den Holzschlägen des Hohensteins.

24. *Uredo Senecionum* Schum. Auf *Senecio viscosus* L. am Hohenstein.
25. — *Orchidis* Mart. Auf *Orchis sambucina* L. am Hohenstein.
26. — *linearis* Pers. Bedeckt die Blätter von *Secale cereale* oft ganz.
27. — *Rubigo vera* DC. Auf den Blättern von *Triticum repens* L. um die Holzmühle.
28. *Physoderma maculare* Wallr. Auf Blättern von *Alisma Plantago* nicht selten; so um Sandhöfel.
29. *Aecidium Convallariae* Schum. Auf Blättern von *Convallaria majalis* L. um den Silberhof.
30. — *Compositarum* Mart. in den Formen: a *Prenanthis* auf *Lactuca muralis* Fres. am Hohenstein, b *Tussilaginis* auf *Tussilago Farfara* L. in den Poppitzer Holzschlägen, und c *Hieracii* auf *Crepis paludosa* Mch. um die Gaskomühle.
31. — *rubellatum* Rbh. a *Rumicis*. Häufig auf *Rumex Acetosa* L. b *Polygoni* auf jungen Blättern von *Polygonum Persicaria* L. beim Eisenhammer.
32. — *Cichoriacearum* DC. Auf Blättern von *Scorzonera humilis* L. um Pfauendorf; auf *Tragopogon pratensis* L. auf der Spitelwiese häufig.
33. — *Nymphoides* DC. Auf *Nymphaeen* - Blättern in den Poppitzer Teichen.
34. — *Asperifolii* Pers. Bis jetzt nur auf Blättern von *Pulmonaria officinalis* L. am Spitzberge.
35. — *Urticae* Schum. Auf Blättern von *Urtica urens* L. um die Tabak-Fabrik.
36. — *Lychnidis* Rabh. Auf *Stellaria nemorum* L. am Heulos.
37. — *Cruciferarum* Link. Auf *Barbarea*-Blättern am Heulos.
38. — *Parnassiae* Rbh. Auf Blättern von *Parnassia palustris* L. um Pfauendorf.
39. — *Ranunculacearum* DC. b *Ficariae* auf *Ran. Ficaria* L. im Iglavathale, c *Aquilegiae* auf *Aquilegia vulgaris* L. am Hohenstein. e *Clematidis* auf Blättern der hin und wieder in Gärten gezogenen *Clematis recta* L.
40. — *Falcariae* DC. Auf *Falcaria Rivini* Host und *Bupleurum falcatum* L. um Breitenhof.
41. — *Euphorbiae* Pers. Bedeckt oft die ganze Unterseite der Blätter von *Euphorbia Esula* L. und bewirkt ein krankhaftes Aussehen der Pflanze.
42. — *Leguminosarum* Rabh. b *Orobi verni* auf *Orobus vernus* L. im Iglavathale.
43. — *elongatum* Link. a *Rhamni* auf den Blättern von *Rhamnus Frangula* häufig, b *Berberidis* auf *Berberis vulgaris* L. im Karlswalde.
44. — *cornutum* Pers. Auf Blättern von *Sorbus Aucuparia* L. am Hohenstein.

45. *Roestelia cancellata* Rebent. Gemein auf Birnbaumblättern.
46. *Peridermium pini* Wallr. a *corticola* auf abgefallenen Zweigen von *Pinus sylvestris* um die Hammermühle.
47. *Puccinia graminis* Pers. Auf Gräsern häufig; am schönsten auf *Bromus asper* Murr. am Spitzberge.
48. — *arundinacea* Hedw. fil. Auf Blättern von *Phragmites communis* Trin. im Karlswalde.
49. — *Caricis* DC. Auf *Carex panicea* L. am Segelberge.
50. — *Polygonorum* Schlecht. Auf *Polygonum amphibium* L. in den Poppitzer Teichen.
51. — *Sagittariae* Rabh. Auf Blättern von *Sagittaria sagittaefolia* L. an Teichrändern um Kathrein.
52. — *discoidarum* Link. Auf *Tanacetum vulgare* L. um das Berghäusel.
53. — *Bardanae* Corda. Auf *Lappa minor* Gärtn. um Poppitz.
54. — *Anemones* Pers. Häufig auf den Blättern von *Anemone nemorosa* L.
55. — *Adoxae* DC. Auf Blättern von *Adoxa moschatellina* am Heulos.
56. *Dicoccum obtusum* Corda. Auf faulenden Kieferholze im Ranzerwäldchen.
57. *Sporidesmium paradoxum* Cord. Auf der Rinde eines abgestorbenen Birkenstammes am Heulos.
58. — *atrum* Link. Auf der Rinde von *Cornus sanguinea* am Heulos.
59. — *cellulosum* Klotsch. Auf abgestorbenen Zweigen von *Tilia parvifolia* Ehrh. um die Hauptwache.
60. *Phragmidium incrassatum* Link. Auf Blättern von *Rosa centifolia* in Gärten.
61. — *obtusum* Schm. e K. Auf *Ulmus*-Blättern um den Hasensprung.
62. *Exosporium Rubi* Nees. Auf *Rubus*-Blättern am Hohenstein.
63. *Torula herbarum* Link. Auf vertrockneten Stengeln von *Cirsium palustre* Scop. auf der Spitalwiese.
64. — *expansa* Pers. Auf trockenen Stengeln von *Umbelliferen* am Herrenmühlberge.
65. *Melancomium bicolor* Nees. Auf abgestorbenen Zweigen von *Quercus pedunculata* Ehrh. am Schatzberge.
66. *Tubercularia vulgaris* Tode. Auf abgestorbenen Zweigen verschiedener Bäume und Sträucher gemein. Die Form b *purpurata* auf der hier bloss in Gärten gezogenen *Vitis vinifera* L.
67. — *confluens* Pers Auf der im Mai 1853 gefällten Pfarrlinde.
68. — *granulata* DC. Auf abgefallenen Aesten von *Corylus Avellana* L. am Heulos.
69. — *nigricans* Bull. Auf Aesten von *Aesculus Hippocastanum* L. um den Kirchhof.
70. *Ozonium stuposum* Pers. Auf faulen Brettern in dem 1852 wieder eröffneten Schachte am Schatzberge.
71. *Rhizomorpha subterranea* Pers. mit *Ozonium*.

72. *Erineum betulinum* Schum. Häufig auf Blättern von *Betula alba* L. am Heulos.
73. — *populinum* Pers. Auf abgefallenen Blättern von *Populus tremula* um Altenberg.
74. — *alneum* Pers. Auf Blättern von *Alnus glutinosa* Gärtn. um die Jesuitenmühle.
75. — *Padi* Dur. Auf *Prunus Padus* am Heulos.
76. — *purpurascens* Gärtn. Auf Blättern von *Acer campestre* L. um die Goskomühle.
77. *Phyllerium tiliaceum* Pers. Auf *Tilia*-Blättern nicht selten.
78. — *Juglandis* Schl. Auf Blättern der sehr selten in Gärten gezogenen *Juglans regia* L.
79. — *Vitis* Tr. Auf *Vitis*-Blättern.
80. *Trichothecium roseum* Lk. Auf abgefallenen Zweigen am Heulos.
81. *Cladosporium epiphyllum* Nees. Auf Blättern von *Populus tremula* L. am Heulos.
82. — *gracile* Corda. Auf Blättern von *Quercus pedunculata* Ehrh. am Schatzberge.
83. — *bruneum* Corde. Auf Blättern von *Populus pyramidalis* Roz. um die Schiessstätte.
84. *Polythrincium Trifolii* Kunze. Auf Blättern von *Trifolium medium* L. um Hohenstein.
85. *Mucor Mucedo* L. Auf allen faulenden organischen Substanzen.
86. — *caninus* Pers. Auf Hundekoth gemein.
87. — *fusiger* Link. Auf faulenden Pilzen, besonders *Clavarien*- und *Boletus*-Arten in den Poppitzer Wäldern.
88. — *stercorarius* L. Auf faulenden Thierleichen im Ziegelteiche.
89. — *flavidus* Pers. Auf *Clavaria botrytis* Pers auf dem Schatzberge.
90. *Depacea fagicola* Tr. Auf *Fagus*-Blättern am Hohenstein.
91. — *Dianthi* Alb. et Schw. Auf Blättern von *Saponaria officinalis* L. um Kathrein.
92. *Ectostroma Hyperici* Tr. Auf *Hypericum perforatum* L. um die Goskomühle.
93. *Leptostroma vulgare* Lk. Auf vertrockneten Grashalmen um die Holzmühle.
94. — *Liriodendri* Link. Auf abgefallenen Blättern des im Wieser Parke cultivirten *Liriodendron Tulipifera* L.
95. *Excipula sphaerioides* Tr. Auf Blättern von *Salix Caprea* L. am Exercierplatze.
96. — *Heraclei* Rabh. Auf der unteren Blattfläche von *Heracleum Sphondylium* L. auf der Spitalweise.
97. *Hysterium Pinastri* Schrd. Auf abgefallenen Tannennadeln häufig.
98. — *arundinaceum* Schrd. Auf vertrockneten Halmen von *Phragmites communis* Trin. am Iglavaufer um die böhmische Mühle.

99. *Hysterium culmigenum* Tr. e. Wallr. Auf Grashalmen um die Schwimmschule.
100. *Rhytisma urticae* Fr. Auf *Urtica dioica* L. um die lange Wand.
101. — *punctatum* Fr. Gemein mit dem folgenden.
102. — *acerinum* Fr. Auf Blättern von *Aer Pseudoplatanus* L. und *A. platanoides* gemein.
103. — *salicinum* Fr. Auf *Salix Caprea* am Hohenstein.
104. — *umbonatum* Wahlbg. Auf Blättern von *Salix Caprea* um Poppitz.
105. *Polystigma fulvum* DC. Auf Blättern von *Prunus Padus* L. am Heulos.
106. — *rubrum* DC. Auf *Prunus spinosa* L. im Karlswalde.
107. — *betulinum* Link. Auf abgestorbenen Blättern von *Betula alba* L. um Gossau.
108. — *Ulmi* Lk. Auf Blättern von *Ulmus campestris* L. um den Hasensprung.
109. — *Pteridis* Lk. Auf *Pteris aquilina* L. hinter der Goskomühle.
110. *Sphaeria Gnomon* Tode. Auf feuchtliegenden Blättern von *Carpinus Betulus* L. um Trebitsch.
111. — *circinans* Rabh. Auf Blättern von *Phragmites communis* Trin. in den Pfauendorfer Teichen.
112. — *acuta* Hoffm. Auf abgestorbenen Stengeln von *Urtica dioica* L. um die Tabak-Fabrik.
113. — *Armeriae* Cord. Auf abgestorbenen Stielen der *Statice elongata* Hoffm. in Gärten.
114. — *Lonicerae* Sow. Auf *Lonicera Xylosteum* L. in Gärten.
115. — *myriadea* DC. Auf abgefallenen Eichenblättern im Karlswalde.
116. — *fimbriata* Pers. Auf Blättern von *Carpinus Betulus* L. um Trebitsch.
117. — *Berberidis* Pers. Auf abgestorbenen Stämmen von *Berberis vulgaris* L. im Karlswalde.
118. — *populina* Pers. Auf Blättern von *Populus pyramidalis* Roz. am Heulos.
119. — *cinnabarina* Tode. Auf Buchenrinde am Spitzberge.
120. — *corniculata* Ehrh. Auf der Rinde von *Acer* am Spitzberge.
121. — *disciformis* Hoffm. Auf abgestorbenen Aesten am Hohenstein.
122. — *lenta* Tode. Auf Pappelrinde am Heulos.
123. — *fusca* Pers. Auf Buchenrinde am Hohenstein.
124. *Hypoxylon vulgare* Lk. Gemein auf alten, faulenden Baumstämmen.
125. — *carpophilum* Lk. Auf den Früchten und Pericarpien von *Fagus silvatica* am Spitzberge.
126. *Perisporium vulgare* Corda. Auf Blättern von *Phragmites communis* Trin. meist mit *Sphaeria circinans* Rabh. in den Pfauendorfer Teichen.
127. — *exuberans* Fr. Auf Stengeln von *Allium Cepa* L. in Gärten.

128. *Erysibe fuliginea* Lk. Auf Blättern von *Sanguisorba officinalis* L. auf der Spitalwiese.
129. — *macularis* Schlecht. Auf *Humulus Lupulus* L. im Iglavathale.
130. — *depressa* Lk. a *Bardanea*. Auf *Lappa major* Gärtn. um die Goskomühle.
131. — *communis* Lk. Auf Blättern und Stengeln vieler Pflanzen. Ich beobachtete sie auf *Gramineen*, *Compositen*, *Rubiaceen*, *Umbelliferen* und *Ranunculaceen*.
132. — *guttata* Link a *Coryli*. Auf *Corylus*-Blättern am Heulos.
133. — *bicornis* Link. Auf Blättern von *Acer campestre* L. im Iglavathale.
134. — *adunca* Link. b *Salicum*. Auf Blättern von *Salix amygdalina* L. und von *S. fragilis* L. um die Schwimmschule und den Eisenhammer. c *Rosacearum* auf Blättern von *Rosa*-Arten.
135. *Sclerotium inclusum* Schw. e. K. Auf Blättern von *Populus pyramidata* Roz am Heulos.
136. — *complanatum* Tode. Auf Blättern von *Betula alba* L. am Heulos.
137. *Tuber albidum Caesalpin.* mit
138. — *pallidum* Rabh. in den Wäldern um Polna und Deutschbrod, von wo sie auch, obwohl seltener als *T. cibarium* Sibth. zu Markte gebracht werden.
139. *Spumaria alba* DC. Erschien im Jahre 1852 nicht selten auf Waldwiesen um Kathrein, wurde sonst nicht beobachtet.
140. *Arcyria fusca* Fr. Auf faulen Baumstrünken in den Hohensteiner Wäldern.
141. *Trichia varia* Pers. Auf alten Weidenstämmen um die Heulosmühle.
142. — *fallax* Pers. Auf faulen Baumstrünken am Hohenstein.
143. — *rubiformis* Pers. Auf alten Buchenstämmen um Poppitz.
144. *Stemonitis fusca* Roth. Auf vertrockneten Stengeln von *Fragaria vesca* L. am Hohenstein.
145. *Tulostoma mammosum* Fr. An Sandwegen um den neuen Waldhof selten.
146. *Lycoperdon Bovista* L. Gemein auf Triften, grasigen Rainen und trockenen Wiesen, wo er oft die Grösse eines Kindskopfes erreicht.
147. — *caelatum* Bull. An Rainen häufig.
148. — *pusillum* Batsch. Auf Brachen um Poppitz.
149. *Bovista plumbea* Pers. Gemein an Rainen und auf trockenen Wiesen.
150. *Geaster fornicatus* Fr. Diesen seltenen und schönen Pilz fand ich in einem Exemplare am Hohenstein gegen Rothen-Kreuz zu.
151. *Cyathus Olla* Pers. Wälder am Spitzberge.
152. *Tremella albida* Huds. mit
153. — *fimbriata* Pers. Auf abgefallenen Aesten am Hohenstein.
154. *Exidia glandulosa* Fr. Auf der Rinde abgestorbener Zweige am Heulos.
155. — *Auricula Judae* Fr. Auf modernden *Sambucus*-Stämmen in den Poppitzer Wäldern.

156. *Clavaria uncialis* Grev. Auf abgefallenen Zweigen in der Waldschlucht der Iglava gegen Oberdorf.
157. — *Ardenia* Saw. In Wäldern am Schatzberge.
158. — *rosea* Dalm. Zwischen Gebüschen an dem Waldbache hinter dem Hohenstein.
159. — *crocea* Pers. Auf faulen Baumstrünken in den Poppitzer Wäldern.
160. — *amethystina* Bull. Auf mageren Waldwiesen hinter dem Hohenstein.
161. *Spathulea flavida* Rabh. In grossen Gruppen, besonders in feuchten Moospolstern im Herbste. In den Poppitzer Wäldern.
162. *Sparassis crispa* Fr. An sandigen Waldhohlwegen in den Hohensteiner Wäldern.
163. *Pezіza Jungermanniae* Fr. Auf *Jungermannia trichophilla* L. um Kathrein.
164. — *rubella* Pers. Auf der Rinde abgestorbener Stämme in den Poppitzer Wäldern.
165. — *carnea*. Auf entrindeten Buchenstämmen am Hohenstein.
166. — *citrina* Batsch. Auf faulenden Stämmen am Spitzberge.
167. — *fusca* Pers. Auf abgefallenen Weidenzweigen am Heulos.
168. — *coccinea* Jacq. In allen grösseren Waldungen im Frühjahre häufig.
169. — *fascicularis* Alb. Auf trockener Rinde von *Populus tremula* am Heulos.
170. — *brunnea* Alb. e Schw. Auf alten Brandstellen in den Hohensteiner Wäldern.
171. — *aurantia* Oeder. In feuchten Wäldern am Grunde alter Buchen am Spitzberge.
172. *Helvella pezizoides* Afzel. Sehr selten in den Wäldern des Spitzberges.
173. — *Monachella* Fr. In Bergwäldern am Hohenstein, und am Segelberge.
174. — *Infula* Fr. Auf den Sumpfwiesen um die Poppitzer Teiche.
175. — *esculenta* Pers. In Nadelwäldern hinter dem Pradlefer Jägerhause links von der Strasse.
176. *Morchella conica* Pers. a *genuina*. Auf alten Garten- und Hofmauern. b *ceracea* kommt auf trockenen Hutweiden unter Wachholder, Erlen und Haselnusssträuchern vor.
177. — *esculenta* Pers. Kommt auf sandigem Boden in Nadel- und Laubwäldern häufig vor. Sie ist einer der beliebtesten Schwämme, und wird sehr häufig auf den Markt gebracht.
178. — *bohemica* Krombh. Diesen seltenen, bisher nur in Böhmen gefundenen Pilz traf ich am Spitzberge unter Gebüschen von *Corylus Avellana* L. im Jahre 1853 nicht selten an.
179. *Thelephora calcea* Pers. Auf alten Weiden um die lange Wand.
180. — *rugosa* mit
181. — *nigrescens* Schrad. Auf Buchenästen am Hohenstein.
182. — *frustulata* Pers. Auf faulen Buchenstämmen mit den vorigen.
183. — *terrestris* Ehrh. Auf sandigen Wegen in Kieferwaldungen häufig.

184. *Craterellus cornucopioides* Pers. mit
185. — *lutescens* Fr. In Wäldern auf feuchten Moosplätzen häufig.
186. *Hydnum niceum* Pers. mit
187. — *diaphanum* Schr. Auf faulenden Baumstrünken in den Wäldern längs der Waldschlucht der Iglava bei Oberdorf.
188. — *ochraceum* Pers. Auf alten Nadelholzstämmen um Weissenstein.
189. — *gelatinosum* Scop. Auf faulen Baumstämmen in den Puklitzer Wäldern.
190. — *coralloides* Scop. Am Grunde alter Buchenstämme in den Poppitzer Wäldern.
191. — *Auriscalpium* L. Unter Moos auf alten Tannenzapfen häufig. Um die Steinmühle am Schatzberge.
192. — *melaleucum* Tr. selten in den Weissensteiner Nadelwäldern.
193. — *zonatum*. In den Buchenwäldern des Hohensteins.
194. — *aurantiacum* Alb. e Schw. In Nadelwäldern nicht selten. Am Schatzberge.
195. — *rufescens* Pers. In den Nadelhölzern des Karlswaldes.
196. — *foetidum* Secr. Selten unter dem sehr häufigen *H. imbricatum* L.
197. *Merulius lacrymans* Schum. An abgestorbenen Bäumen, faulenden Brettern u. s. w. gemein; nicht minder häufig in feuchten Wohnungen, wo er oft die Unterseite der Dielen ganz überzieht, und dadurch der Gesundheit sehr schädlich wird.
198. — *serpens* Tode. Auf faulendem Nadelholze im Karlswalde.
199. *Polyporus vulgaris* Fr. Auf gefällten Nadelholzstämmen in den Poppitzer Wäldern.
200. — *salicinus* Fr. Auf alten Weidenstämmen gemein.
201. — *versicolor* Fr. Auf faulenden Buchenstämmen in den Poppitzer Wäldern.
202. — *applanatus* Wallr. An Obstbäumen in Gärten nicht selten.
203. — *betulinus* Fr. Auf abgestorbenen Birkenstämmen im Birkenwäldchen bei Gossau.
204. — *adustus* Fr. Auf alten Baumstämmen im Karlswalde.
205. — *destructor* Fr. In feuchten Wohnungen häufig, aber nicht so zerstörend, wie *Merulius lacrymans* Schum.
206. — *lucidus* Fr. An alten Buchenstämmen um Kumarovic.
207. — *elegans* Fr. Selten an alten Baumstämmen um den Silberhof.
208. — *perennis* Fr. Häufig in trockenen Nadelwäldern um Weissenstein.
209. *Boletus rufus* Pers. In den Poppitzer Wäldern.
210. — *aeneus* Bull. Selten unter *B. edulis*.
211. — *lupinus* Fr. Auf Waldwiesen am Hohenstein.
212. — *Satanas* Lenz. In grossen Laubwäldern selten. So am Hohenstein um Poppitz.
213. — *pachypus* Fr. In den Kathreiner Nadelwäldern.

214. *Boletus badius* Fr. In den Wäldern des Spitzberges.
215. — *granulatus* L. Unter *B. luteus* L. besonders in feuchten Jahren.
216. — *elegans* Schum. In Nadelwäldern um Pfauendorf.
217. *Lenzites sepiaria* Fr. An alten Geländern häufig; schon am Heulos.
218. — *betulina* Fr. An alten Baumstämmen gemein.
219. *Cantharellus muscorum* Fr. Am Grunde alter Bäume zwischen Moos am Spitzberge.
220. — *lutescens* Rabenh. An sumpfigen Waldrändern bei Weissenstein.
221. — *aurantiacus* Fr. Häufig auf feuchten Waldwiesen.
222. *Nyctalis asterophora* Fr. Auf verfaulter *Russula* in den Poppitzer Wäldern.
223. *Russula lutea* Huds. Einzeln in den schattigen Wäldern um Pfauendorf.
224. — *integra* L. Nicht häufig in den Laub- und Nadelwäldern des Hohensteins und Schatzberges.
225. — *fragilis* Pers. In den Weissensteiner Wäldern vereinzelt.
226. — *xerampelina* Schaeff. Nicht häufig in den Poppitzer Wäldern.
227. — *rubra* DC. In Laub- und Nadelwäldern allgemein verbreitet.
228. *Russula vesca* Fr. Mit der vorigen.
229. *Gomphidius glutinosus* Fr. In trockenen Nadelwäldern um Weissenstein.
230. *Rhimovis pannoides* Rabenh. Auf faulenden Nadelholzstämmen gemein.

Agaricus L.

231. a *Coprinus* Lk. *ephemerus* Bull. Häufig auf Mistbeeten.
232. — *congregatus* Saw. Am Grunde alter Stämme in kleinen Rasen.
233. — *fimetarius* L. Gemein auf alten modernden Baumstrünken.
234. — *atramentarius* Bull. Häufig an Zäunen, besonders um Dörfer.
235. b *Pratella* Pers. *disseminatus*. An alten, hohlen Stämmen am Hohenstein.
236. — *gracilis* Pers. Unter Gebüschen auf den Poppitzer Waldwiesen.
237. — *titubans* Bull. Auf Kuhmist in Wäldern gemein.
238. — *fagicola* Lasch. In kleinen Rasen am Grunde alter Buchstämme am Spitzberge.
239. — *obtusatus* Pers. Am Grunde alter Eichenstämme um Pfauendorf.
240. — *callosus* Fr. Gemein auf Hutweiden.
241. — *spadiceus* Schäff. Nicht selten an lichten Waldstellen am Schatzberge, um Weissenstein.
242. — *semiglobatus* Batsch. Häufig an grasigen Abhängen.
243. — *aeruginosus* Curt. Selten in den Wäldern des Hohensteins.
244. — *echinatus* Roth. Auf Lohbeeten in Gärten.
245. — *silvaticus* Schäff. In Nadelwäldern häufig.
246. — *campestris* L. Im Frühjahre an Rainen, auf Brachen und Wiesen gemein. Wird als Champignon genossen.
247. c *Derminus* Fr. *paludosus* Fr. Zwischen *Sphagnen* im Kalischter Torfmoore.
248. — *Bryorum* Lasch. Selten auf moosigen Waldwiesen um Poppitz.
249. — *Hypnorum* Lasch. Häufig zwischen *Hypnen* in Nadelwäldern.

250. c *Derminus carpophilus* Fr. Sehr selten auf abgefallenen Pericarpien *Fagus* am Spitzberge.
251. — *rimosus* Bull. In den Hohensteiner Wäldern.
252. — *lacerus* Fr. Häufig in trockenen Nadelwäldern.
253. d *Cortinarius* Fr. *umbrinus* Pers. Häufig in trockenen Nadelwäldern.
254. — *purpureus* Bull. In den Laubwäldern des Hohensteins.
255. — *sanguineus* Wulf. In Laubwäldern am Spitzberge.
256. — *eumorphus* Pers. mit dem vorigen.
257. e *Hyporhodius* Fr. *salicinus* Pers. Um die Heulosmühle auf alten Weidenstämmen.
258. f *Leucosporus* Fr. *Campanella* Batsch. Am Grunde alter Kiefern um die Hammermühle.
259. — *muscorum* Hoffm. Zwischen Moosen in den Wäldern des Spitzberges.
260. — *vulgaris* Pers. Gemein in Wäldern.
261. — *epiphyllus* Pers. Häufig auf modernden Blättern.
262. — *Rotula* Scop. mit
263. — *Vaillantii* Fr. In den Wäldern des Spitzberges auf kleinen, abgestorbenen Zweigen.
264. — *foetidus* Fr. Häufig auf abgefallenen Aesten.
265. — *ramealis* Bull. Mit dem vorigen am Schatzberge.
266. — *murinus* Batsch. Auf schattigen Stellen der Waldwiesen häufig.
267. — *oreades* Bolt. Truppweise in den Poppitzer Wäldern.
268. — *urens* Bull. In den Pfauendorfer Wäldern.
270. — *confluens* Pers. Gemein in Wäldern.
271. — *longipes* Bull. An lichten Stellen der Hohensteiner Wälder.
272. — *metachrous* Fr. Allgemein in den Nadelwäldern des Iglavathales verbreitet.
273. — *phyllophilus* Pers. Zwischen modernden Blättern am Spitzberge.
274. — *fumosus* Pers. Häufig auf feuchten Waldwiesen.
275. — *subdulcis* Bull. In Nadelwäldern häufig.
276. — *quietus* Fr. In Laubwäldern häufig.
277. — *deliciosus* L. Auf trockenen Hutweiden besonders unter *Juniperus*-Gesträuchen gemein.
278. — *umbrinus* Pers. In den Weissensteiner Nadelwäldern.
279. — *uvidus* Fr. In feuchten Laubwäldern des Spitzberges.
280. — *torminosus* Schäff. Auf Grasplätzen, an Rainen gemein, wird als Gift-Reizker vom Volke gekannt.
281. — *brevipes* Bull. Gemein in Holzschlägen.
282. — *graveolens* Pers. Auf Wiesen im ersten Frühlinge gemein.
283. — *galbanus* Lasch. Selten in den Weissensteiner Wäldern.
284. — *saponaceus* Fr. Nach starkem Regen in Wäldern gemein.
285. — *luridus* Schäff. Mit dem Vorigen, doch seltener.

286. f *Leucosporus* Fr. *leucoxanthus* Pers. An lichten Stellen der Poppitzer und Hohensteiner Wälder.

287. — *prasinus* Schäff. In den Wäldern des Hohensteins häufig.

288. — *puniceus* Fr. mit

289. — *miniatus* Fr. Auf Waldwiesen häufig. Beide werden kleiner Fliegenschwamm genannt.

290. — *ovinus* Bull. Auf Hutweiden gemein.

291. — *pratensis* Pers. Auf Wiesen allgemein verbreitet.

292. — *colubrinus* Krombh. Unter den ihm sehr ähnlichen *Ag. procerus* Scop. auf sonnigen Waldwiesen um Weissenstein.

293. — *vaginatus* Bull. Auf wüsten Plätzen, Schutt, gemein; nie in Wäldern.

294. — *pantherinus* DC. In den Laubwäldern des Spitzberges nicht selten.

Flechten.

295. *Isidium corallinum* Ach. Häufig auf den Felsen des Iglavathales.

296. *Pulveraria chlorina* Ach. Auf den Gneissfelsen des Iglavathales häufig und aus dem *Thallus* der *Biatora lucida* entstehend.

297. *Verrucaria nitida* Schrd. Auf Buchenstämmen in den Poppitzer Wäldern.

298. *Collema rupestre* Rabh. Auf bemoosten Felsen am Spitzberge.

299. *Peltigera polydactyla* Flk. In Wäldern zwischen Moosen nicht selten.

300. — *aphthosa* Willd. In Waldhohlwegen der Weissensteiner Wälder.

301. — *malacea* Ach. Selten an schattigen Stellen der Goskomühler Felsen.

302. *Cladonia digitata* Hoffm. An lichten Stellen der Hohensteiner und Schatzberger Wälder.

303. — *deformis* Hoffm. In den Formen: a *pulvinata* und e *proboscidea* in den Wäldern am Hohenstein.

304. — *bellidiflora* Fr. Auf den Felsen des Iglavathales mit *Cl. coccifera* L. doch viel seltener.

305. *Stereocaulon condensatum* Hoffm. Selten auf den Herrenmühlfelsen.

306. *Cetraria glauca* Ach. An alten Buchenstämmen in den Wäldern des Spitzberges.

Evernia prunastri Fr. und *furfuracea* Ach. die so selten fructificiren, fand ich im Jahre 1852 in den Poppitzer Wäldern mit *Apothecien*.

Algen.

307. *Nostoc commune* Vauch. Auf Lehmboden gemein.

308. *Anabaina flos aquae* Ktzg. Ueberzieht als ein zartes Häutchen stehende Gewässer. Schön in den Pfauendorfer Tümpeln.

309. *Leptothrix muralis* Ktzg. Gemein auf feuchten Mauern.
310. *Limnochlide flos aquae* Ktzg. In Teichen hinter Giesshübel an *Conferven*.
311. *Chaetophora tuberculosa* Hook. In Teichen um Giesshübel.
312. — *endiviaefolia* Ag. In den Pfauendorfer Tümpeln.
313. *Draparnaldia glomerata* Ag. Selten in dem Waldbache hinter dem Hohenstein.
314. *Oedogonium fugacissimum* Rabenh. Im April in den Poppitzer Röhrenteichen häufig.
315. — *tumidulum* Lk. Im Frühjahre in den Lachen des Sandhöfler Steinbruches.
316. *Conferva rivularis* L. Im Bache vor dem Eisenhammer nicht selten.
317. — *bombycina* Ag. In den Lachen des Sandhöfler Steinbruches.
318. — *fontinalis* L. Im Bassin am Ursprunge der Iglava.
319. — *fracta* Dillw. In stehenden Gewässern gemein.
320. — *crispata* Roth. Im Ziegelteiche.
321. *Spirogyra nitida* Link. In Pfützen gemein

Laubmoose.

322. *Physcomitrium pyriforme* Brid. An Grabenrändern auf aufgeworfener Erde um die Röhrenteiche.
323. *Orthothrichum leiocarpum* Br. e. Sch. Auf Buchenstämmen in allen Wäldern gemein.
324. *Bryum turbinatum* Schwägr. Auf Sumpfwiesen um Ebersdorf.
325. *Polytrichum gracile* Menz. In dem Kalischter Torfmoore.
326. *Hypnum ruscifolium* Neck mit *b prolixum* am Solovitzer Waldbache.
327. — *cordifolium* Hedw. Auf Sumpfwiesen beim Pfaffenwäldchen.

Equisetaceen.

328. *Equisetum pratense* Meyer. An Feldraines und trockenen grasigen Abhängen um Hossau. (Zool.-bot. Verein II. Sitzungsb. p. 105.)

Phanerogamen.

329. *Holcus mollis* L. In Holzschlägen am Hohenstein und beim Hasensprung. (Zool.-bot. Verein II. Sitzungsb. p. 105.)
330. *Poa bulbosa* L. β *vivipara*. Nicht selten an trockenen Abhängen; am grossen Heulos, am Windmühlberge bei der Schwimmschule. (Z.-b. V. II. Sitzb. p. 105.)

331. *Elymus europaeus* L. Holzschläge am Hohenstein. (Z.-b. V. III. Sitzb. pag. 187.)
332. *Brachypodium sylvaticum* B. Holzschläge am Schatzberge und Hohenstein.
333. *Carex paniculata* L. Auf Sumpfwiesen um Pfauendörf.
334. — *teretiuscula* Good. Auf Sumpfwiesen hinter Hossau. (Z.-b. V. II. Sitzb. p. 105.)
335. — *sylvatica* Huds. An Waldbächen hinter dem Hohenstein, in dem Poppitzer Wäldern. (Z.-b. V. II. Sitzb. p. 105.)
336. *Sparganium natans* L. Am Mühlteiche bei Oberdubenky. (Z.-b. V. II. Sitzb. p 105.)
337. *Colchicum autumnale* L. In wenigen Exemplaren auf der Spitalwiese; bloss in den Jahren 1842, 1852 und 1854. (Z.-b. V. II. Sitzb. pag. 105)
338. *Allium vineale* L. Mit der Varietät *β descendens* in Feldern um Poppitz. (Z.-b. V. III. Sitzb. p. 187.)
339. *Corallorrhiza innata* R. Br. In dunklen, schattigen Wäldern selten; am Hohenstein, in den Poppitzer Wäldern. (Z.-b. V. II. Sitzb. pag. 105.)
340. *Peristylus viridis* Lindl. Sehr selten; auf den Abhängen um die Herrenmühle und um Hossau (Z.-b. V. III. Sitzb. p. 187.)
341. *Cephalanthera ensifolia* Rich. Selten in den Hohensteiner Wäldern. (Z.-b. V. III. Sitzb. p. 105.)
342. *Potamogeton rufescens* Schr. Selten in stehenden und fliessenden Wässern, hinter Giesshübel, bei Ihlavka. (Z.-b. V. II. Sitzb. pag. 106.)
343. — *obtusifolius* M. e K. In den Lachen des Sandhöfler Steinbruches.
344. *Carpinus Betulus* L. Bildet zwischen Pirnitz und Teltsch einen kleinen Hain.
345. *Chenopodium rubrum* L. An Gräben, wüsten Plätzen, Schutthaufen, nicht selten; beim Johanneshügel. (Z.-b. V. II. Sitzb. p. 106.)
346. *Polycnemum arvense* L. An Wegrändern um die Holymühle.
347. *Amaranthus retroflexus* L. In den Beeten der Pflanzsteige. (Z.-b. V. II. Sitzb. p. 106.)
348. *Knautia silvatica* Coult. Unter Gebüschen an der Iglava im Oberdorfer Waldthale.
349. *Eupatorium cannabinum* L. Selten im Iglavathale um die Steinmühle.
350. *Inula Conyza* DC. An den felsigen Abhängen des Iglavathales von der Gaskomühle bis nach Wiese.
351. *Anthemis Cotula* L. Auf Brachen um die Herrenmühle.
352. *Artemisia Absynthium* L. Auf steinigen Bergabhängen um Altenberg und bei der Brünner Brücke. (Z.-b. V. III. Sitzb. p. 187.)

353. *Gnaphalium luteo-album* L. In zwei Exemplaren am Iglavaufer bei der Goskomühle. Kommt sehr häufig ausserhalb des Floren-Gebietes im Sande der Neuhauser und Budweiser Teiche vor.
354. *Filago minima* L. Sandige Wege um Holzmühl und Weissenstein. (Z.-b. V. III. Sitzb. p. 187.)
355. — *gallica* L. Sandwege um die Schwimmschule.
356. *Xeranthemum annuum* L. In Flachsbeeten auf der Pflanzsteige.
357. *Crepis foetida* L. Auf sandigen Abhängen um die Schwimmschule. Sie wurde schon früher von Dr. Schlosser um Iglau beobachtet (Flora Mährens p. 224), von mir aber trotz alles Nachsuchens erst heuer wieder gefunden.
358. *Hieracium pratense* Tsch. Auf Wiesen um Holzmühl.
359. — *vulgatum* Kch. In Holzschlägen am Hohenstein.
360. *Sambucus Ebulus* L. An einem Feldraine bei Wolframs. (Z.-b. V. II. Sitzb. p. 106.)
361. *Syringa vulgaris* L. Erhält sich in Hecken um den Bechinischen Hof und die lange Wand schon über zwanzig Jahre verwildert, und ist somit als eingebürgert zu betrachten.
362. *Vinca minor* L. Sehr selten. Am Grunde eines alten Buchenstammes am Schatzberge.
363. *Nepeta Cataria* L. Wirklich wild auf dem Schutte der wüsten Plätze vor dem Pirnitzer Thore.
364. *Leonurus Cardiaca* L. Auf wüsten Plätzen um Pistau und Poppitz. (Z.-b. V III. Sitzb. p. 187.)
365. *Galeopsis bifida* Böningh. Auf Brachen um Sandhöfel.
366. *Anchusa officinalis* L. Als Unkraut in Kartoffelfeldern um den Silberhof.
367. *Symphytum tuberosum* L. An den bewaldeten Abhängen des Iglavathales hinter der Goskomühle, und in Holzschlägen hinter dem Hohenstein. (Z -b. V. III. Sitzb. p. 187.)
368. *Asperugo procumbens* L. Auf Schutt bei der Heulosmühle. (Z.-b. V. III. Sitzb. p. 187.
369. *Verbascum collinum* Schr. In einem Exemplare an einer Stelle um die Militär-Schwimmschule, wo *Verbascum Thapsus* L. und *nigrum* L. gesellschaftlich vorkommen, somit die Möglichkeit einer Bastardbildung geboten wird.
370. — *orientale* M. B. An sonnigen Abhängen um die lange Wand, unter Gebüschen am kleinen Heulos.
371. *Linaria minor* Desf. Auf Brachen um den neuen Waldhof.
372. *Antirrhinum Orontium* L. Auf Brachen um Fussdorf.
373. *Melampyrum arvense* L. Unter der Saat um Trebitsch und Frauenthal. Ist hier selten. (Z.-b. V. III. Sitzb. p. 187.)
374. *Primula elatior* Jacq. Unter Gebüschen um Hungerleithen. (Z.-b. V III. Sitzb. p. 187.

375. *Lysimachia nemorum* L. In den Wäldern des Hohensteins. (Z.-b. V. II. Sitzb. p. 106.)
376. *Anagallis coerulea* L. Auf Bracben um Handlhof. (Z.-b. V. III. Sitzb. pag. 187.)
377. *Vaccinium uliginosum* L. In Torfmooren um Ober-Dubenky. (Z.-b. V. II. Sitzb. p. 106.
378. *Pimpinella magna* L. An Rainen um Wetterhof.
379. *Bupleurum falcatum* L. Im Iglavathale hinter dem Breitenhöfer Jägerhause. (Z.-b. V. II. Sitzb. p. 106.)
380. *Imperatoria Ostrutium* L. Mehrere Exemplare mit Wurzelblätter, aber nur ein einziges in Blüthe am Spitzberge. (Z.-b. V. III. Sitzb. pag. 188.)
381. *Orlaya grandiflora* Hoffm. In Wäldern hinter dem Hohenstein. (Z.-b. V. II. Sitzb. p. 106.)
382. *Caucalis daucoides* L. Selten auf wüsten Plätzen um die lange Wand. (Z.-b. V. III. Sitzb. p. 188.)
383. *Cornus mas* L. Um Wolframs in Hecken.
384. *Sedum Fabaria* Koch. Sehr selten an Rainen um Peterkau. (Z.-b. V. III. Sitzb. p. 188.)
385. — *hexangulare* L. Mit *S. acre* doch seltener. (Z.-b. V. II. Sitzb. pag. 106.)
386. *Sempervivum tectorum* L. Auf alten Mauern, wie am Heulos, am Johanneshügel; massenhaft jedoch auf den mit Torfziegeln gedeckten Firsten der Bauernhäuser in Ihlavka und Oberdubenky. (Z.-b. V. II. Sitzb. p. 106.)
387. *Nasturtium anceps* Rchb Mit *N. silvestre* R. Br. am Iglavaufer vor der Herrenmühle.
388. *Sisymbrium Columnae* L. In Leinäckern um die Holzmühle.
389. — *Alliaria* Scop. Unter Gebüschen bei der Goskomühle. (Z.-b. V. III. Sitzb. p. 188.)
390. *Camelina dentata* Pers. In Leinäckern. (Z.-b. V. II. Sitzb. p. 106.)
391. *Lepidium campestre* R. Br. Auf Brachen um die Goskomühle (Z.-b. V. II. Sitzb. p. 188.)
392. *Nymphaeae semiaperta* Klingsgr. (*N. neglecta* Hsl.) In einem Teiche zwischen Pfauendorf und dem Schatzberge (Z.-b. V. III. Sitzb. p. 188.)
393. *Montia minor* Gmel. An Pfützenrändern am Segelberge
394. *Spergula pentandra* L. Sehr selten in Feldern am Fusssteige nach Poppitz.
395. *Malva silvestris* L. In Gemüsegärten um Holzmühl.
396. *Rhamnus cathartica* L. An den buschigen Abhängen des Iglavathales vor der Goskomühle.

397. *Euphorbia platyphyllos* L. Selten in Gemüsegärten um Stecken (Z.-b. V. III. Sitzb. p. 188.)
398. *Geranium palustre* L. Auf Sumpfwiesen bei der Jesuitenmühle. (Z.-b. V. II. Sitzb. p. 106.)
399. *Circaea intermedia* Ehr. Im Waldthale der Iglava vor Oberdorf.
400. *Peplis Portula* L. An Gräben zwischen Wald und Wetterhof. (Z.-b. V. II. Sitzb. p. 106.)
401. *Crataegus monogyna* Jacq. Selten in den Hecken des Iglavathales.
402. *Fragaria collina* Ehrh. An Rainen um Ranzern gegen das Pfaffenwäldchen hin selten. (Z.-b. V. III. Sitzb. p. 188.)
403. *Prunus insititia* L. An Rainen um Gossau.
404. *Genista pilosa* L. In den Wäldern des Hohensteins. (Z.-b. V. II. Sitzb. p. 106.)
405. — *germanica* L. In den Wäldern des Spitzberges.
405. *Medicago minima* L. In den Beeten auf der Pflanzsteige.
407. *Trifolium alpestre* L. An grasigen Abhängen im Iglavathale um die Herren- und Goskomühle. (Z.-b. V. III. Sitzb. p. 188.)
408. *Vicia villosa* Roth. Auf Aeckern um den Silberhof.

Schliesslich füge ich noch ein Verzeichniss von Pflanzen bei, welche Herr Dr. Schlosser in seiner Flora Mährens als im Bezirke des Iglauer Floren-Gebietes vorkommend anführt, die aber trotz sorgfältiger Nachforschungen bisher noch von Niemanden beobachtet wurden.

Jene Arten, welche die Herren Pohl, Presl und Duschek in den ebenfalls theilweise zur Flora Iglau's gehörigen Taborer-, Czaslauer- und Budweiser Kreisen als daselbst vorkommend angeben, die aber bis jetzt noch nicht aufgefunden wurden, sind in Herrn Pr. A. Pokorny's Vegetations-Verhältnissen von Iglau, p. 151, aufgeführt.

Die angegebenen Seitenzahlen beziehen sich auf Dr. Schlosser's „Flora von Mähren"

1. *Thalictrum galioides* Nestl. In Bergrissen um Saar p. 48.
2. *Ceratocephalus falcatus* Pers. Auf Felsen jenseits der Iglava bei Trebitsch p. 54.
3. *Conringia orientalis* Pers. Auf Aeckern um Schölletau und Stannern. pag. 67.
4. *Arabis Gerardi* Bess. Auf einer felsigen Anhöhe um Bochdalov pag. 73.
5. — *auriculata* L. Auf trockenen und steinigen Hügeln um Saar pag. 74.

6. *Alyssum alpestre.* Auf Felsen bei Trebitsch und Schöllelau p. 76.
7. *Drosera intermedia* Hayne mit
8. — *longifolia* L. Auf Moorbrüchen bei Teltsch p. 82.
9. *Polygala uliginosa* Rchb. Um Teltsch p. 86.
10. *Alsine tenuifolia* Wahlbg. mit
11. — *viscosa* Schr. Auf unfruchtbaren Aeckern bei Trebitsch p. 97.
12. *Rosa austriaca* Jacq. mit
13. — *gallica* L. Auf trockenen Bergtriften um Bochdalov und Saar an der böhmischen Grenze p. 141
14. *Potentilla Neumanniana* Rchb. Auf sonnigen Hügeln bei Trebitsch pag. 149.
15. *Scleranthus collinus* Horn. Auf Felsen bei Trebitsch und Saar pag. 162.
16 *Sedum albellum* Bess. Auf einem schroffen Felsen in den Waldungen bei Saar schon auf böhmischer Seite p. 163.
17. *Astrantia pallida* Presl mit
18. — *major* M. An feuchten Stellen in den Bergwäldern um Heraletz pag. 174.
19. *Asperula montana* Kit. Auf den Felsen der Igla bei Trebitsch p. 189.
20. *Achillea lanata* Spr. Auf trockenen Hügeln, Felsen um Trebitsch pag. 218.
21. *Veronica praecox* All. Auf den Felsen bei Trebitsch nicht selten, aber leicht zu übersehen p. 259.
22. *Pedicularis Sceptrum carolinum* L. (p. 263) mit
23. *Pinguicula flavescens* Fl. Auf Moorboden um Teltsch p. 267.
24. *Salvia glutinosa* L. In waldigen Gebirgsgegenden an Hecken im Iglauer Kreise pag. 273.
25. — *austriaca* L. Auf grasigen Hügeln und Feldrainen um Trebitsch pag. 273.
26. *Teucrium Botrys.* Auf Sandhügeln bei Trebitsch p. 281.
27. *Naumburgia thyrsiflora* Rchb. p. 287 mit
28. *Primula farinosa* L. p. 288 und
29. *Empetrum nigrum* L. Auf Torfwiesen um Teltsch.
30. *Ulmus glabra* Mill. mit
31. — *montana* Sm. In Gebirgswäldern des Iglauer Kreises p. 313.
32. *Salix mollissima* Ehrh. An den Iglavaufern oberhalb Trebitsch ziemlich häufig p. 318.
33. *Scheuchzeria palustris* L. um Teltsch p. 326.
34. *Satyrium hircinum* L. Auf Waldhöhen um Saar p. 337.
35. *Ophrys aranifera* L. Auf einer feuchten Bergwiese am Wege von Trebitsch nach Budwitz p. 338.
36. *Cypripedium Calceolus* L. In schattigen Waldungen um Trebitsch, Saar pag. 338.

37. *Epipactis palustris* Sw. p. 339 mit
38. *Tofieldia palustris* Whlbg. Auf Torfwiesen um Teltsch p. 354.
39. *Schoenus nigricans* L. mit
40. — *ferrugineus* L., ferner
41. *Rhynchospora alba* Whlbg, und
42. — *fusca* R. e Sch. Auf Sümpfen um Teltsch p. 363.
43. *Carex clandestina* Good. Auf den Felsen an der Igla bei Trebitsch pag. 365.
44. — *distans* L. Auf feuchten Wiesen um Teltsch p. 369.
45. — *divulsa* Good. Um Trebitsch p. 372.
46. *Hierochloa australis* Röm. In Wäldern um Saar p. 383.
47. *Avena praecox* P. B. Auf den Felsen jenseits der Igla bei Trebitsch im Steingerölle p. 389.

Beiträge

zur

Grotten-Fauna Krains.

Von

Ludwig Miller.

Herr F. Schmidt in Laibach, der der entomologischen Welt durch seine Entdeckungen rühmlichst bekannte Forscher, hat mir einige Thiere aus den Krainer Grotten mitgetheilt, welche Gegenstand der nachstehenden Erläuterung bilden. Zur nähern Beleuchtung der *Adelops*-Arten erscheint es mir nicht unwichtig, die Diagnosen der schon bekannten Arten zu wiederholen.

Wie bereits erwähnt (Verhandl. des zool.-botan. Vereins in Wien, Band I., Seite 131.), ist der Name *Adelops* Tellkampf dem Schiödte'-schen *Bathyscia* vorzuziehen.

Ueber die Gattung *Adelops* Tellk.

* *Antennarum clavae articuli elongati*:

Ad. Milleri: *elongatus*, *ferrugineus*, *pilis luteolis obtectus*, *antennis longissimis*, *fere longitudine corporis*, *elytris fortiter transversim rugosis*.
Long.: 1¼‴.

F. Schmidt, Verhandlungen des zool.-botan. Vereins in Wien.

Diese Art ist durch ihre längliche, fast gleichbreite Gestalt, die Länge der Fühler und die grob runzeligen Flügeldecken sehr verschieden.

Aus der Passica-Grotte und aus jener im Mokritz-Berge.

Ad. Khevenhülleri: *breviter ovatus, convexus, ferrugineus, fulvo pubescens, elytris subtilissime transversim strigosis.*
Long.: 1 — 1¼‴.

Miller, Verhandl des zool.-botan. Vereins in Wien, Bd. I., S. 131.

Rostroth, gelb behaart. Die Fühler länger als Kopf und Halsschild, die Keule deutlich abgesetzt, das achte Glied, wie bei allen Arten dieser Gattung, kleiner als die übrigen der Keule. Kopf und Halsschild undeutlich weitläufig punctirt; letzteres um die Hälfte kürzer als an der Basis breit, gegen die Spitze verschmälert, die Seiten schwach gerundet, der Hinterrand in weitem Bogen ausgerandet, die Hinterwinkel recht oder etwas spitz. Die Flügeldecken gewölbt, sehr fein und dicht quer nadelrissig und punctirt, gerundet, die Spitzen stumpf zugerundet.

Von Seiner Durchlaucht dem Herrn Fürsten von Khevenhüller in in der Adelsberger Grotte entdeckt. Von Herrn F. Schmidt und Freyer wurde diese Art in grösserer Anzahl aufgefunden, und zwar in der Grotte bei Gabrovica in Innerkrain und in der Grotte bei Ferneće unweit Sesana.

Als ich die Beschreibung dieser Art entwarf, hatte ich nur ein einzelnes Stück vor mir; eine Anzahl von Exemplaren, welche mir Herr F. Schmidt mittheilte, haben mich belehrt, dass dieselbe mannigfachen Abänderungen unterliege; besonders ist die Form des Halsschildes veränderlich, die Hinterwinkel sind manchmal weiter ausgezogen, spitz, und der Seitenrand erscheint gegen dieselben geschwungen, auch ist die Behaarung bei manchen Exemplaren stärker.

Ad. Freyeri: *breviter ovatus, convexus, fusco-ferrugineus, pube depressa fulva dense vestitus, supra longius seriatim pilosus.*
Long.: 1‴.

Adelops Freyeri F. Schmidt in litt.

Von der Grösse des vorhergehenden; kurz-eiförmig, flacher gewölbt. Die Fühler länger als Kopf und Halsschild, fein behaart, gegen die Spitze mit einigen längeren Haaren besetzt. Das Halsschild gegen die Spitze stark verschmälert, an der Basis in weitem Bogen ausgerandet, die Seiten von der Mitte etwas ausgebuchtet, die Hinterwinkel spitz, nach hinten ausgezogen. Die Behaarung auf dem Halsschilde und den Flügeldecken ist in Reihen geordnet. Die Flügeldecken gewölbt, an den Seiten gerundet, die Spitzen schwach abgerundet.

Diese Art ist dem *Ad. Khevenhülleri* ähnlich, aber an der geringen Wölbung und der reihenweise stehenden gröbern Behaarung der Oberseite leicht zu erkennen.

Von Herrn F. Schmidt in der Grotte Dolga jama im Sumberg, zwei eine halbe Stunden von Laibach entfernt, entdeckt, ferner in der Grotte Ihausca, dann in der Grotte Postovka in Unterkrain aufgefunden.

Ad. globosus Mill.: *breviter ovatus*, *convexus*, *rufo-ferrugineus*, *tenuissime pubescens*, *thorace lateribus rotundato.*
Long.: ¼‴.

Den beiden vorhergehenden in der Gestalt ähnlich, aber viel kleiner. Rothbraun, sehr dicht behaart. Das Halsschild an der Basis weit ausgerandet, hier etwas schmäler als in der Mitte, an den Seiten schwach gerundet-erweitert, gegen die Spitze verschmälert, vorn ausgerandet, die Vorderwinkel vorstehend, die Hinterwinkel nach hinten ausgezogen. Die Flügeldecken mit dem Halsschild gemeinschaftlich gewölbt, gegen die Spitze schwach gerundet-verschmälert.

In der Grotte Ledenica bei Gr. Liplein im Juni 1854 von Heinrich Hauffen entdeckt.

Ad. byssinus: *breviter-ovatus*, *valde convexus*, *fusco-ferrugineus*, *fulvo-pubescens*, *articulis palporum labialium longitudine subaequalibus.*
Long. vix: ½‴.

Bathyscia byssina Schiödte, Specimen faunae subterr. pag. 10.

Hoch gewölbt, mit der höchsten Wölbung vor der Mitte der Flügeldecken; sehr fein punctirt und behaart. Fühler dünn, von mehr als halber Körperlänge, die Keulenglieder länger als breit, das letzte länglich eiförmig. Das Halsschild doppelt so breit als lang, nach vorn verschmälert, die Seiten stark gerundet, die Hinterecken spitz, vortretend. Die Flügeldecken doppelt so lang als das Halsschild, gegen die Spitze allmälig verschmälert, an den Seiten schwach gerundet.

Aus der Adelsberger Grotte.

Ad. acuminatus Mill.: *habitu cuneiformi*: *elytra apicem versus valde angustata*; *convexus*, *ferrugineus*, *tenuissime pubescens.*
Long.: ⅓‴.

Rostgelb, sehr fein behaart. Die Fühler fast von der Länge des Kopfes und Halsschildes, das erste Glied der Keule länger, die drei folgenden, etwas kürzer als breit, das letzte kurz-eiförmig. Kopf und Halsschild sehr fein undeutlich punctirt; letzteres hinten weit ausgerandet, die Seiten gerundet, die Hinterecken spitz, vorstehend. Halsschild und Flügeldecken zusammengewölbt, mit der höchsten Wölbung an der Wurzel. Die Flügeldecken nach hinten stark verengt, wodurch das Thier ein keulförmiges Ansehen erhält.

Diese durch ihren Habitus ausgezeichnete Art wurde in der Grotte bei Treffen entdeckt.

** *Antennarum clavae articuli breves (art. 8—10 transversi).*

Ad. Schiödtei: *ovatus, elytris apicem versus attenuatis, parum convexus, ferrugineus, griseo-pubescens.*

Bathyscia Schiödtei v. Kiesw., Stett. Entom. Zeitung 1850. p. 223. — Annales de la soc. entom. de France 1851 p. 394.

Länglich eiförmig, rostroth, gelb behaart. Die Fühler kürzer als Kopf und Halsschild, die Keule deutlich abgesetzt, ihre Glieder sehr kurz. Halsschild doppelt so breit als lang, die Seiten gerundet, die Hinterwinkel spitz, weit ausgezogen. Die Flügeldecken schwach gewölbt, vorn fast von der Breite des Halsschildes, gegen die Spitze bedeutend verschmälert.

In den Pyrenäen von Herrn von Kiesenwetter entdeckt.

Ad. ovatus: *ovatus convexus, apicem versus attenuatus, ferrugineus thoracis lateribus rotundati angulis posticis valde productis. Long.: ½'''.*

Bathyscia ovata v. Kiesw. Stett. Ent. Zeitung 1850 p. 223. — Annales de soc. entom. de France 1851 p. 395.

Viel kleiner als der vorhergehende, hoch gewölbt, die Flügeldecken gegen die Spitze verschmälert.

In den Pyrenäen von Herrn von Kiesenwetter entdeckt.

Ad. montanus: *ovatus, convexus, ferrugineus, articulo secundo palporum labialium brevissimo.*

Bathyscia montana Schiödte, Specimen faunae subterr. p. 11.

Etwas kleiner als *Ad. ovatus*, schwächer gewölbt, die Flügeldecken gegen die Spitze kaum verschmälert.

Aus der untern Grotte von Luegg. In grosser Menge wurde dieses Insect auch am Schlossberg in Laibach und von Veldes in Krain unter Laub gefunden.

Ad. Aubei: *elongato-ovatus, lateribus subparallelis, parum convexus, ferrugineus, pubescens, elytris stria suturali impressis. Long.: ⅓ — ½'''.*

Bathyscia Aubei v. Kiesw. Stett. Entom. Zeitung 1850 p. 223. — Annales de la soc. entom. de France 1851 p. 394.

Von länglicher, gleichbreiter, wenig gewölbter Form, und ausgezeichnet durch die deutliche Sutural-Linie.

Aus der Gegend von Toulon.

Machaerites m.

Ein neues *Pselaphiden*-Genus.

Antennae tenues, 11-articulatae, articulo primo longissimo, tuberculo frontali insertae.

Palpi maxillares longissimi, articulo tertio cultriformi.

Oculi nulli.

Tarsi unguiculo singulo.

Im Habitus ist diese Gattung einem *Bythinus* nicht unähnlich, und *Amaurops Aubei* Fairm. sehr verwandt, aber durch die Bildung der Fühler und Maxillar-Palpen und den Mangel der Augen unter den *Pselaphiden* ausgezeichnet. Der Kopf ist fast doppelt so lang als breit, der Mund vorstehend. Die Fühler sind auf einer durch eine seichte weite Furche durchzogenen Beule der Stirn eingefügt, dünn; das erste Glied sehr lang, von der Länge der fünf folgenden zusammen. Die Maxillar-Palpen sehr lang, das erste nnd zweite Glied grob sägeförmig gezähnt, das dritte messerförmig, leicht gekrümmt. Die Schenkel in der Mitte verickt, die Füsse nur mit einer Klaue.

M. spelaeus m.: *rufo-castaneus, subtiliter fulvo-pubescens, thorace lateribus rotundato, transverso, palporum maxillarium articulo tertio longissimo, cultriformi, subcurvato. Long.:* 1‴.

Glänzend-braunroth, fein und sparsam gelbbraun behaart. Der Kopf fast doppelt so lang als breit, ober der Einlenkung der Fühler beiderseits mit einem rundlichen Eindruck. Die Stelle der Augen vertreten eckig vorstehende Wülste. Die Maxillar-Palpen stark, das erste und zweite Glied mit groben Sägezähnen besetzt, das dritte sehr lang, etwas auswärts gekrümmt, messerförmig, sehr dicht mit grauen abstehenden Härchen bedeckt. Die Fühler dünn, sämmtliche Glieder länger als breit; das erste Glied von der Länge der fünf folgenden zusammen, gegen die Spitze verdickt, das zweite etwas dünner als das erste, merklich länger als breit, die folgenden sieben sehr fein, von abnehmender Länge, die letztern nur wenig länger als breit, das zehnte und eilfte verdickt, das zehnte rundlich, das letzte eiförmig, an der Spitze mit einem Haarbüschel. Das Halsschild etwas kürzer als breit, an den Seiten stark gerundet, an der Basis und an der Spitze gerade abgestutzt, vor den Hinterecken beiderseits mit einer Grube. Flügeldecken an der Basis mit zwei länglichen Eindrücken, etwas schmäler als das Halsschild, wie dasselbe unpunctirt, spärlich behaart. Die Schenkel in der Mitte verdickt. Schienen lang, die vordern gerade, die hintern gegen die Spitze schwach gekrümmt.

Dieses Thier wurde am 10. October 1854 von Herrn F. Schmidt in der Grotte von Struge entdeckt.

Beitrag

zur

Flora von Wien.

Von

Siegfried Reissek.

1. *Linum perenne* L.

Auf Wiesen im unteren Theile der Stockerauer Au, insbesondere an der Ueberfuhr nach Greifenstein häufig.

Wurde bis jetzt im engeren Gebiete der Wiener Flora nicht beobachtet. Im oberen Donauthale kommt es an vielen Orten vor; bei Regensburg (Fürnrohr), Deggendorf, Passau (Sendtner), Linz (Duftschmid), im westlichen Theile der oberen Bucht des Wiener Beckens (Kerner). Im unteren Donauthale ist es bei Pest häufig (Sadler). Bei uns wächst es in Gemeinschaft mit *Bromus erectus*, *Brizu media*, *Brachypodium pinnatum*, *Festuca ovina*, *Orchis militaris*, *Tragopogon orientalis*, *Hieracium Pilosella*, *Polygala vulgaris*, *Anthyllis Vulneraria*, *Astragalus Cicer* u. a. Nach der Schur blüht es reichlich wieder, von Mitte Juli an. Zur Diagnose von dem verwandten *L. austriacum* gehört auch, dass es den ganzen Tag über in Blüthe steht, während letzteres nur Vormittags, oder höchstens in den ersten Nachmittagsstunden mit geöffneten Blüthen anzutreffen ist.

2. *Carduus crispo-nutans* Koch.

(*C. polyanthemos* Schleich.)

Am Ueberschwemmungsdamme der oberen Brigittenau mit seinen Stammältern, welche dort häufig wachsen, 1855 zu Anfang des Juli in zwei Exemplaren gefunden.

Sehr üppig, nahezu mannshoch. In der Tracht mehr zu *C. crispus* sich neigend. Die ersten Köpfchen einzeln, langgestielt, die übrigen zu zweien oder dreien gehäuft.

3. *Verbascum Lychniti-phlomoides.*

Im westlichen Theile der Lobau an steinigen Ufern mit den Stammältern.

Entschiedene Mittelform beider. Die drei kürzeren Staubfäden durchaus, die zwei längeren am Grunde weissbehaart.

4. *Achillea Ptarmica* L.

Im niederen Buschwerke junger Inselböden und an den Ufern älterer Inseln. In der Brigittenau oberhalb der Kapelle und gegenüber der Nordwestspitze der Zwischenbrückenau; auf den kleinen Inseln am Freibade im Prater; zwischen Schönau und Fischament.

Diese Art, deren Spontaneität im Gebiete in neuerer Zeit bezweifelt und deren Vorkommen Gartenflüchtlingen zugeschrieben wurde, ist zuverlässig wild und ursprünglich. Im oberen Donauthale und an den Nebenflüssen des Stromes kommt sie vielfach vor, dieselben mitunter begleitend und von ihnen in die Ebenen hinabgeführt, wie diess Schnizlein und Frickhinger (Vegetationsverh. p. 146) an der Wörnitz beobachtet haben. In unseren Gegenden wandert sie ebenfalls mit den Fluten. Man findet sie desshalb meist in der Nähe des Flusses, wo die Rhizome vom Hochwasser abgesetzt wurden. Da an solchen Orten immer auch bald Weidengebüsch sich ansiedelt, wenn es nicht schon ursprünglich vorhanden ist, so wird sie von demselben bald überhöht und zuletzt erstickt. Man wird sie desshalb an den meisten Orten wo sie einmal gefunden wurde, nach 10—15 Jahren vergeblich suchen, oder dann nur kümmerlich und steril antreffen. Ich habe sie vor dreizehn Jahren am Kaiserwasser in der unteren Brigittenau auf jungem Uferlande in der Nähe eines Waldes gesammelt, wo sie mit *Angelica sylvestris* und *Senecio saracenicus* gemeinschaftlich vorkam, und wo unweit davon *Myricaria germanica* den Strand bedeckte. Jetzt ist sie dort verschwunden, den Platz hat dichter Wald eingenommen, in dessen Schatten auch die *Myricaria* gezogen wurde und ausstarb.

So wird es unzweifelhaft auch mit den übrigen bekannten Standorten nach einer Reihe von Jahren geschehen. Indessen wird sie sich wieder anderwärts ansiedeln.

Wahrscheinlich kommt sie noch in verschiedenen anderen Localitäten vor, die aber, weil die Inseln so selten von Botanikern besucht werden, unbekannt sind.

5. *Aster salignus* Willd.

Dieser Aster ist seit lange aus der Wiener Gegend bekannt, aber meistentheils unter Verhältnissen gefunden worden, welche bei dem bekannten Hinausgehen seiner Gattungsverwandten aus Gärten und Anlagen, Zweifel in seine Spontaneität erzeugen mussten. Nun dürfte er wohl als eine legitime Art unserer Flora zu vindiciren sein. In den Auen der Donauinseln und

Hauptufer kommt er mehrfach unter einer völlig abgeschlossenen wilden Vegetation vor: im Prater am Heustadelwasser; bei Kaiser-Ebersdorf und in der Lobau. In der grössten Menge, felderweise im geschlossenen Bestande, hier und da von Röhricht und grauen Brombeeren durchsetzt, füllt er das Weidengehölz unterhalb der Ueberfuhr in der Lobau, vom Uferhause aus. Ebenfalls hart am Rohrsumpfe und mit Rohr gemischt, wächst er im Walde zwischen Ebersdorf und der Donau. Im Prater zeigt er sich in der Mischflur von *Senecio saracenicus* mit allerhand Hochstauden, auch hier fehlt das Rohr nicht völlig. Im Ganzen entsprechen seine hiesigen Vorkommnisse jenen an der oberen Donau, wo er sporadisch vorkommt, und von wo aus er wahrscheinlich auch zu uns herabgelangt ist, so wie jenen am Bodensee, wo er im Röhrichte der Sumpfwiesen von Sendtner angetroffen worden ist.

6. *Typha minima* Hoppe.

Eine seit Jahren in unserer Flora vermisste, nichts desto weniger ziemlich verbreitete Pflanze der Donauinseln bei Wien. Nur der Umstand, dass sie häufig an schwer zugänglichen und vegetationsarmen Orten wächst, mag die Schuld tragen, dass sie nicht öfter gefunden wurde. Ich habe sie im Verlaufe des verflossenen und im heurigen Sommer an folgenden Orten gefunden: auf einer kleinen, niedrig bebuschten Insel zunächst des Biberhaufens bei Greifenstein, in der Klosterneuburger Au, am Tamariskenhaufen, unteren Neuboden, Mühl- und Schierlingshaufen. Sie steht nie anders als am Ufer, oder in der Nähe desselben, so weit die Hochwasser reichen, im Buschwerke oder am Saume desselben, gewöhnlich im reinen Sande tief mit ihren Rhizomen sich verbreitend und wenn sie vom Buschwerke nicht eingeengt ist, truppweise den Platz bedeckend. Zieht sich das Wasser von ihrem Standorte zurück, werden Sand- und Kiesbänke vorgelagert und der Platz trockener, so schwindet sie, steril werdend und sich schnell verschmächtigend, sehr bald. In der Regel aber wird sie nach kürzerer oder längerer Zeit vom Gebüsche überwachsen, zuerst von Purpurweiden, hierauf von baumartigen Salicinen und Grauerlen, und schwindet dann schnell. Man wird sie daher nur ausnahmsweise für längere Dauer auf einem Standorte finden. In sämmtlichen Oertlichkeiten, welche ich oben angegeben habe, wird sie sich meines Erachtens nach nicht länger als zehn Jahre halten, in der Klosterneuburger Au wahrscheinlich nicht einmal so lange, indem sie schon jetzt Anstrengungen machen muss, ihre Kolben aus dem Weidengebüsche an das Licht zu heben. Da sie an den Ufern und auf ungefestigten Böden wächst, so geschieht es auch häufig, dass ihr Standort vom Wasser zerstört wird.

7. *Hemerocallis fulva* L.

Im Auwalde zwischen Kaiser-Ebersdorf und der Donau.

Ich habe diese Art vor etwa zehn Jahren am gedachten Orte nesterweise mitten im Walde zwischen wildem Augebüsche und Gestäude angetroffen. Sie hat sich seit dieser Zeit unverändert erhalten. Da die Localität im Ueberschwemmungsgebiete liegt, so könnte sie immerhin aus dem oberen Donaulaufe, wo sie im Bereiche der Nebenflüsse, so an der Isar stellenweise vorkommt, herabgelangt sein, wie denn z. B. die Rhizome von *Iris Pseudacorus* so häufig angeflösst werden. Wahrscheinlich indess stammt sie aus einer Anlage an der Schwechat, von deren Fluten sie herabgeschwemmt wurde. Im Gebiete derselben, an der Tristing bei Dornau, fand sie auch Host verwildert. Bemerkenswerth bleibt bei Allem ihr gutes Gedeihen, welches ihre einstige Einbürgerung zur Folge haben könnte.

8. *Echium altissimum* Jacq.

Ein zweiter Fundort dieser seltenen, bisher nur zwischen der Schwechat und dem Mitterbache bei Rannersdorf gefundenen Art, liegt an den letzten Häusern von Schwechat rechts von der Strasse, welche nach Fischament und Bruck führt. Sie kommt hier auf Weideplätzen unter dem massenhaft auftretenden *Cytisus austriacus* vor. Ehemals, als die umliegende Gegend noch unbebaut war, muss sie einer grösseren Verbreitung genossen und sich einerseits bis auf den Laaerberg, andererseits bis Rauhenwart und weiterhin ausgedehnt haben. Gegenwärtig schützt sie nur das Vorhandensein der Weide in ihrer Existenz, indem sie vom Viehe unberührt bleibt und ihre Früchte zeitigen kann, was im Wiesenlande unter dem Einflusse der Schur nicht möglich wäre. An eine dauernde Ansiedlung im Ackerlande ist aber natürlich ebenso wenig zu denken.

Beiträge

zur

Kryptogamenflora Unter-Oesterreichs.

Von

Anton Röll.

In der letzten Junisitzung unseres Vereines hat der Herr Vice-Präsident, Sectionsrath Ritter von Heufler einige Pilze, von deren Vorkommen in Unter-Oesterreich er Kenntniss erhielt, und die in dem von Professor Pokorny und mir bearbeitetem Verzeichnisse entweder ganz fehlen, oder bei denen kein bestimmter Standort angegeben ist, vorgeführt. Diesem Beispiele folgend und von der Ueberzeugung geleitet, dass die Schriften unseres Vereines gewissermassen ein Repertorium bilden sollen, aus dem der jeweilige Stand unserer naturhistorischen Kenntnisse über unser Vaterland leicht zu erkennen ist, nehme ich mir die Freiheit, Ihnen, verehrte Herren, heute ebenfalls ein ähnliches Verzeichniss zu übergeben, und zwar enthält dasselbe 84 Pilze, die ich in Unter-Oesterreich an den angegebenen Orten gesammelt habe, und von denen 36 in dem erwähnten Verzeichnisse fehlen, die übrigen 48 aber ohne Standort angegeben sind.

Durch des Herrn Sectionsrathes von Heufler und diesen meinen Beitrag wurde somit die Kenntniss der kryptogamischen Flora unseres engeren Vaterlandes um 39 Species vermehrt und von 51 Species wurden sichere Standorte angegeben, so dass diese Flora nun 1257 Species, und darunter 580 Pilze zählt.

Schliesslich bemerke ich um allenfalsigen Reklamationen zu begegnen, dass ich durch die Veröffentlichung dieses Verzeichnisses keineswegs behaupten will, als hätte ich diese Species wirklich zuerst und allein in Oesterreich gesammelt, sondern ich trage nur mein Schärflein zur Kenntniss dieser schönen Flora bei. Wenn daher schon früher einer meiner Vorgänger auf diesem Gebiete einzelne dieser Arten gesammelt, möge er sich nur selbst die Schuld zuschreiben, da er so lange mit der Bekanntmachung seiner Funde gezaudert, dass ihm ein Anderer zuvorgekommen.

In dem Verzeichnisse sind die eingeklammerten Zahlen die auf Rabenhorst's Handbuch bezüglichen. Die mit einem Sternchen bezeichneten sind in meinem in Pokorny's Vorarbeiten enthaltenen Verzeichnisse nicht aufgezählt.

Verzeichniss

einer Anzahl für die Flora Unter-Oesterreichs neuer Pilze.

* 1. (10) *Uredo Caricis* Pers. In den Früchten von *Carex*, am Kahlenberge.

2. (26) *U. apiculata* Strauss. An den Blättern von *Cytisus Laburnum* in der Brühl.

3. (42) *U. muricella* Wallr. Auf *Umbelliferen*-Blättern in der Brühl.

4. (43) *U. suaveolens* Pers. Häufig auf der Ober- und Unterseite der Blätter von *Cirsium arvense* um Brunn a. G. und im Marchfelde.

5. (44) *U. flosculosorum* Alb. et Schw. Häufig, und zwar meist auf der unteren Blattfläche von *Leontodon Taraxacum* und anderer Syngenisten um Brunn a. G., in der Brühl, im Marchfelde.

* 6. (47) *U. Polygonorum* DC. Auf den Blättern und Stengeln von *Polygonum aviculare* an Wegen um Brunn a. G. und Perchtoldsdorf.

* 7. (67) *U. Poterii* Schlecht. Auf der Unterseite der Blätter und den Blattstielen von *Poterium Sanguisorba* im Marchfelde und auf den Bergen in der Brühl.

8. (70) *U. Euphorbiae* Pers. Auf den Blättern und den Stengeln mehrerer *Euphorbia*-Arten im Marchfelde und in der Brühl.

* 9. (74) *U. Vitellinae* DC. Auf der Unterseite von Weidenblättern im Marchfelde.

10. (84) *U. Potentillarum* DC. Auf den Blättern von *Potentilla* und *Agrimonia* im Marchfelde und um Brunn a. G.

11. (102) *U. miniata* Pers. Sehr häufig auf den Blättern, Kelchen und Stengeln mehrerer wilder Rosenarten um Brunn a. G., am Laaerberge.

12. (103) *U. Ruborum* DC. Meist mit *Phragmidium incrassatum* auf der Unterseite der Blätter von *Rubus caesius* im Marchfelde.

13. (104) *U. Rosae* DC. Ebenfalls mit *Phragmidium incrassatum* auf den Blättern von Rosen, sowohl cultivirter als wilder, im Marchfelde, um Brunn, sehr häufig und fast alljährlich auf der Rosenrabatte im offizinellen Theil des botanischen Gartens am Rennweg; ferner um Reichenau.

14 (105) *U. Symphyti* DC. Auf den Blättern von *Symphytum tuberosum* im Marchfelde.

15. (109) *U. fulva* Schum. Im Marchfelde.

* 16. (110) *U. Senecionis* Schum. Auf der Unterseite der Blätter von *Senecio alpinus* am Grünschacher.

17. (181) *Aecidium Ranunculacearum* DC., e) *Clematidis*. An den Blättern und Blattstielen von *Clematis Vitalba* und *recta* am Gisshübl im Marchfelde, am Laaerberge.

* 18. (199) *Puccinia arundinacea* Hedw. An den Blättern von *Phragmites communis* im Marchfelde, im Prater.

* 19. (201) *P. Caricis* DC. Auf *Carex*-Blättern im Marchfelde.

20. (217) *P. Betonicae* DC. Auf den Blättern von *Salvia verticillata* sehr häufig um Perchtoldsdorf und Brunn a. G.

21. (221) *P. Compositarum* Schlecht. Auf den Blättern von *Centaurea*, *Cirsium* und anderer *Compositen*-Arten im Marchfelde, um Brunn a. G., auf *Chrysanthemum*, *Leucanthemum* am Abhange des Sattels.

* 22. (222) *P. Discoidearum* Link. Auf Blättern von *Artemisia* im Marchfelde.

* 23. (230) *P. Centaureae* DC. An den Blättern und Stengeln von *Centaurea Cyanus* im Marchfelde.

* 24. (244) *P. Epilobii* DC. Auf Blättern von *Epilobium hirsutum* um Brunn a. G. ziemlich häufig.

* 25. (355) *Torula fructigena* Pers. Auf herabgefallenen Aepfeln in Reichenau.

26. (527) *Tubercularia vulgaris* Tode. An abgestorbenen Baumzweigen im botanischen Garten zu Wien, dann in Parkanlagen im Marchfelde.

27. (611) *Rhizomorpha subcorticalis* Pers. Unter der Rinde von Weiden, Ulmen u. dgl. in Gloggnitz, im Marchfelde, im Prater.

28. (682) *Erineum betulinum* Schum. Auf der Unterseite der Blätter von *Betula alba* im Marchfelde.

29. (628) *E. alneum* Pers. Auf der Unterseite der Blätter von *Alnus incana* und *glutinosa* im Marchfelde und um Reichenau.

30. (635) *Phyllerium Juglandis* Schleich. Auf der Unterseite der Wallnuss-Blätter um Brunn a. G. und im Marchfelde.

* 31. (637) *Ph. quercinum* Pers. Auf Eichenblättern im Marchfelde.

32. (642) *Ph. Vitis* Fries. Auf Weinblättern um Brunn a. G. 1855 sehr häufig.

* 33. — *Ph. Lauri an* Species nova? Auf den Blättern von *Laurus nobilis* im Schwarzenbergischen Garten zu Wien.

* 34. (668) *Sepedonium caseorum* Link. Auf der Rinde von altem, in Wien käuflichem Käse.

35. (959) *Rhacodium cellare* Pers. Auf Weinfässern in Kellern sowohl in Wien als im Marchfelde.

* 36. (1033) *Cladosporium epiphyllum* Nees. Auf trockenen Eichenblättern im botanischen Garten, am Laaerberg und im Marchfelde.

* 37. (1247) *Depazea cruenta* Kunze. Auf den Blättern von *Convallaria Polygonatum* und *latifolia* am Laaerberge, im Marchfelde und in der Brühl.

* 38. (1411) *Hysterium quercinum* Pers. An abgestorbenen Eichenästen am Gallitzinberge.

* 39. (1464) *Rhytisma Onobrychis* DC. Auf den Blättern von *Onobrychis* und *Lathyrus* im Marchfelde und bei Brunn a. G.

* 40. (1502) *Polystigma fulvum* DC. An den Blättern von *Prunus*-Arten im Marchfelde.

* 41. (1528) *Sphaeria recutita* Fries. Auf abgestorbenen Blättern von *Carex* im Marchfelde.

* 42. (1593) *Sph. Bombarda* Batsch. Auf den Baumstrünken im Marchfelde, in der Hütteldorfer Au, am Kahlenberge.

* 43. (1675) *Sph. conigena* Duby. Auf Zapfenschuppen im Marchfelde.

44. (1927) *Sph. deusta* Hoffm. An alten Baumstämmen um Reichenau, im Marchfelde, im Halterthale.

45. (1954) *Hypoxylon vulgare* Link. An Baumstrünken im Halterthale, im Marchfelde.

46. (2011) *Erysibe macularis* Schlecht., d) *Alchemillae.* Auf *Alchemilla vulgaris* im Marchfelde.

47. (2019) *E. communis* Link., f) *Cucurbitacearum.* Auf Blättern von *Cucurbita Pepo* im Marchfelde.

m) *Leguminosarum.* Auf den Blättern von *Trifolium* und *Onobrychis* um Brunn a. G.

48. (2021) *E. guttata* Link. a) *Coryli*. Auf den Blättern von *Corylus Avellana* im Marchfelde.

* 49. (2024) *E. bicornis* Lnk. Auf Ahornblättern an Spalieren im Marchfelde und um Brunn a. G.

50. (2025) *E. horridula* Wallr. a) *Asperifoliarum*. Auf *Symphytum*-Blättern im Marchfelde.

* 51. (2027) *E. penicillata* Link. a) *Alni*. Auf den Blättern von *Alnus incana* im Marchfelde.

52. (2037) *Sclerotium Clavus* DC. a) *Secalis* um Brunn a. G., c) *Lolii* im Marchfelde.

53 (2077) *Scl. Semen* Tode. Auf faulenden Blättern und Stengeln verschiedener Pflanzen im Marchfelde und im botanischen Garten.

* 54. (2165) *Trichia turbinata* With. Auf faulendem Holze im Marchfelde.

* 55. (2173) *T. rubiformis* Pers. Auf faulendem Holze im Marchfelde.

* 56. (2217) *Stemonitis obtusata* Fries. Auf Moos und moderndem Holze im Marchfelde.

57. (2382) *Lycoperdon gemmatum* Batsch. Auf trockenem sandigen Boden um Reichenau, in Schönbrunn. im Marchfelde.

58. (2386) *L. caelatum* Bull. Auf Grasplätzen am Schneeberg.

* 59. (2367) *Polysaccum Pisocarpium* Fries. Auf einem sandigen Wegabhang bei Warthölzel um Reichenau.

60. (2413) *Cyathus striatus* Willd. An alten Baumstrünken im Marchfelde und in der Hütteldorfer Au.

61. (2449) *Exidia glandulosa* Fr. An Baumstrünken in der Hütteldorfer Au und am Knappenberg bei Reichenau.

62. (2534) *Clavaria corallioides* Lin. In den Wäldern am Haberberg bei Reichenau.

* 63. (2535) *Cl. palmata* Pers. In Laubwäldern im Marchfelde.

64. (3879) *Peziza aurantia* Oed. An faulenden Baumstämmen im Schönbruner Park.

* 65. (2934) *Thelephora calcea* Pers. a) *acerina* auf Ahornrinde im Marchfelde,
c) *illinita* auf Tannenbretern im Marchfelde.

66. (2938) *Th. comedens* Nees. Auf Zweigästen im Halterthale.

67. (2989) *Th. hirsuta* Willd. Auf verschiedenen Bäumen am Haberberg und Knappenberg bei Reichenau, im Marchfelde.

* 68. (3011) *Th. terrestris* Ehrh. Auf der Erde am Haberberge bei Reichenau.

69. (3070). *Hydnum Auriscalpium* Linn. Auf unter der Erde liegenden Zapfen im Marchfelde.

70. (3110) *Trametes gibbosa* Fr. Im Marchfelde.

* 71. (3113) *T. suaveolens* Fr. Im Marchfelde.

72. (3140) *Polyporus versicolor* Fr. Im Marchfelde, am Knappenberge bei Reichenau.

73. (3141) *P. zonatus* Fr. Im Marchfelde.

74. (3143) *P. hirsutus* Fr. In den Gahnswäldern.

* 75. (3271) *Lenzites trabea* Fries. An der Thalhofriese bei Reichenau.

76. (3274) *Schizophyllum commune* Fr. An alten Baumstämmen um Reichenau.

77. (3291) *Cantharellus cibarius* Fr. Im Marchfelde, am Haberberg bei Reichenau.

* 78 (3314) *Russula heterophylla* Fr. Am Haberberge bei Reichenau.

79. (3335). *Agaricus deliquescens* Bull. Am Fusse von Bäumen an der Böschung des Wienufers bei der Tandelmarkt-Brücke.

* 80. (3338) *A. congregatus* Sow. In Schönbrunn.

* 81. (3451) *A. badipus* Pers. Im Marchfelde.

82. (3673) *A. stypticus* Bull. Am Zimmerholz im Bergwerke im Knappenberg bei Reichenau.

83 (3765) *A. Rotula* Scop. Im botanischen Garten.

84 (3766) *A. androsaceus* L. Im Marchfelde.

Der Jauerling.

Eine pflanzengeografische Skizze

von

Dr. Anton Kerner.

Der Jauerling, der höchste (3030 W.-Fuss) über dem Meere erhobene Berg der südlichen Ausläufer des böhmisch-mährischen Gebirges, bietet durch diese seine günstige Lage eine der grossartigsten Fernsichten über ganz Nieder-Oesterreich, indem man von seinem Gipfel einerseits gegen Süden den ganzen Zug der norischen Alpen vom oberösterreichischen Traunstein bis an den Wienerwald, so wie die zwischen diesen Alpen und dem böhmisch-mährischen Gebirge liegende Ebene und das Donauthal, anderseits gegen Osten die Hainburger Berge und gegen Norden einen grossen Theil des Waldviertels bis gegen die böhmische Gränze überblickt. Von dem Hauptstocke des böhmisch-mährischen Gebirgplateaus wird er ringsum durch Thäler abgeschnitten, und zwar gegen Süden durch das Donauthal und gegen Nord-Ost und Nord-West durch die Thäler des Spitzen- und Weitenbaches, die nur durch eine wenig gehobene Wasserscheide, die Zaucha genannt, von einander getrennt werden und beide in die Donau münden. Der Jauerling besteht aus Gneiss, dem sich an einigen Stellen Hornblendeschiefer und kristallinischer Kalk unterordnen; nur an den Abfällen des Berges gegen die Thäler finden sich Felsmassen entblösst, während seine stundenweit ausgedehnte Hochebene grösstentheils mit Wiesen bedeckt ist, auf denen nur am Gipfel, dem sogenannten Burgstocke, einige zerstreut liegende Quarzblöcke sich vorfinden.

Die Abfälle gegen die Thäler sind fast durchgehends mit dichten Wäldern bedeckt, die aus Buchen, Föhren, Tannen und Fichten zusammengesetzt werden, an den höheren Puncten wird die Fichte vorherrschend und ebenda finden sich, namentlich an der östlichen Abdachung, auch Gruppen uralter Ahornbäume *(Acer Pseudoplatanus)*, deren Vorkommen dem Berge den Namen gegeben zu haben scheint, indem „Jauerling" oder „Javornik" aus dem slavischen Worte „Javor=Ahorn" herstammend so viel als Ahornberg bedeutet In dem Schatten dieser Wälder finden *Pyrola uniflora*, *secunda chlorantha*, *Cardamine trifolia* und *Soldanella montana*, ferner *Dentaria enneaphyllos* und *bulbifera* ein üppiges Gedeihen, so wie sich *Sarothamnus vulgaris*, *Vicia cassubica*, *Dianthus deltoides*, *Gentiana ciliata* und *Rubus saxatilis* an den Waldrändern vorfinden.

Auf dem Plateau des Berges, auf dem sich ziemlich viele Dörfer finden, werden selbst an den höchstgelegenen Puncten einzelne Strecken Landes zum Feldbaue benützt, aber der grösste Theil der Hochfläche wird von stundenweit sich ausdehnenden Wiesen eingenommen und diese bieten für den Botaniker die wichtigste Fundgrube seltener Pflanzen. Unzählige Gebüsche sind über diese Wiesenflächen wie ausgesäet und werden aus *Corylus*

Avellana, *Salix aurita*, *Rosa alpina* und *canina*, *Alnus viridis* und *Sorbus Aria* zusammengesetzt; nur hier und da steht ein einzelner alter Fichtenstamm, Zeugniss gebend, dass diese Wiesen einst von ausgedehnten Wäldern bedeckt waren.

Vaccinium vitis idaea, *Rubus saxatilis*, *Pyrola rotundifolia*, *Soldanella montana*, *Corydalis cava* und *fabacea*, *Laserpitium latifolium* und *Archangelica officinalis* sind die Pflanzen, welche im Schatten dieser Gebüsche ihren Unterstand finden und an den Ufern der Bäche, die von denselben Sträuchern umbuscht werden, mischen sich den angeführten Pflanzen noch *Geum rivale*, *Lysimachia nemorum*, *Chaerophyllum hirsutum*, *Crepis paludosa*, *Cineraria rivularis* und *Polypodium Phegopteris* bei.

Obwohl sich eine grosse Anzahl sumpfiger Stellen vorfindet und hier und da sogar Sphagnumpolster sich ausbreiten, so kann man diese doch nirgends mit dem Namen Torf belegen und es fehlen auch hier die den Torf fast überall begleitenden *Vaccinium uliginosum* und *Oxycocos*, *Andromeda polifolia* u. dgl., desto mehr muss es auffallen an diesen Sumpfflächen. *Eriophorum alpinum* und *vaginatum*, *arex dioica*, *limosa* und *pulicaris*, *Drosera rotundifolia*, *Viola palustris*, *Sedum villosum* und andere Torfpflanzen aufzufinden. An den nicht sumpfigen Stellen hat die Wiesenflora grosse Aehnlichkeit mit jener der Wiesen des Wiener-Sandsteingebirges, doch fehlen viele der auf letzterem so häufigen *Saxifraga bulbifera*, *Primula acaulis*, *Gentiana verna* und *Orobus albus*. Von den Wiesen der Ebenen sind diese Bergwiesen auffallend durch das Fehlen der auf ersteren so gemeinen Wiesenpflanzen *Salvia pratensis*, *Dianthus Carthusianorum*, *Hedysarum Onobrychis*, *Anthyllis vulneraria*, *Coronilla varia* und *Pastinaca sativa* verschieden, so wie sich auch bezüglich der einzelnen Entwickelungsstadien der Flora und der in diesen vorherrschenden Farben wesentliche Unterschiede ergeben. Die Flora der Wiesen der Ebene zeigt drei scharf abgegränzte Perioden, von denen die erste auf das Ende des Monats April und Anfang des Mai fallend durch *Taraxacum officinale* und vorherrschend gelbe Farbe charakterisirt wird. Auf sie folgt die zweite Periode in der ersten Hälfte des Juni. Gräser, *Leguminosen*, *aryophylleen* und *Labiaten* sind die zu dieser Zeit vorzüglich vertretenen Familien, *Salvia pratensis* und *Trifolium pratense* die charakterisirenden Pflanzen, Blau und Roth die hervorstechenden Farben; in die dritte Periode endlich die auf den Juli fällt, werden blühende Umbellisten vorherrschend, *Pastinaca sativa* und *Pimpinella Saxifraga* sind die Pflanzen, Gelb und Weiss die Farben, welche die Wiesenflora zu dieser Zeit bezeichnen.

Auf den Höhen des Jauerlings ist eine solche Scheidung in Perioden nicht mehr so scharf ausgeprägt, es lassen sich hier nur mehr zwei Perioden und selbst diese ohne scharfe Gränze in einander übergehend, und weder die eine noch die andere durch eine hervorstechende Farbe charakterisirt, wahrnehmen. Die erste derselben beginnt im halben Mai mit den Blüthen von *Primula elatior*, *Anemone nemorosa*, *Scorzonera humilis*, *Soldanella montana* und *Cineraria sudetica*; etwas später entfaltet eine Fülle von *Orchideen* und *Carices* ihre Blüthen. *Orchis mascula* und *globosa*, vorzüglich aber *Orchis sambucina* und deren rothblühende Varietät *incarnata* schmücken zu dieser Zeit die Wiesen mit ihren Blüthen. Durchgängig sind aber die zu dieser Zeit in Blüthe kommenden Pflanzen ausdauernde, und immer zeigen sich die Individuen zu einer Art auf Gruppen zusammengedrängt, während die Pflanzenarten, welche in der nun folgenden Periode ihre Blüthen entfalten, meist ein- und zweijährige Gewächse sind, und über die ganze Wiesenfläche ausgestreut erscheinen. Diese zweite Periode beginnt Ende Juni; *Pedicularis palustris*, *Rhinanthus major*, *Arnica montana*, *Sedum villosum* stehen in voller Blüthe; Anfangs August schliesst auch diese Periode ab, die Wiesen bekommen ein fahles, überständiges Aussehen, und *Centaurea phrygea*, *Thesium pratense* und *Erica vulgaris* sind ihre letzten Zierden.

Die Erhebung des Berges ist noch keine so bedeutende, dass man erwarten könnte, an seinen Abhängen mehrere durch ihre Vegetation verschiedene Zonen zu finden, und es finden sich auch in der That nur wenige Pflanzen, die an demselben die obere Gränze ihres Vorkommens finden. So verschwinden *Cornus sanguinea* und *Ligustrum vulgare* bei einer Höhe von 2200'. Die Kultur des Weinstockes und Pfirsichbaumes, der sich an den südlichen Abfällen gegen die Donau gepflanzt findet, reicht ihre obere Gränze bei 1600'. *Fagus sylvatica* und *Quercus Robur* gedeihen noch auf den höchsten Puncten bei 3000' in rüstigen Bäumen, und es ist diess um so interessanter, als ich erstere in den Alpen, die doch um ein bedeutendes südlicher liegen, oft schon bei 3800' verschwinden sah, und *Quercus pedunculata* in den Alpen nirgends über 2000' aufsteigt, und auch in den benachbarten bayrischen Alpen (Sendtner) bei 2900' ihre obere Gränze findet.

Wie schon früher erwähnt, wird noch auf dem Plateau des Berges Feldbau betrieben. Selbst nahe beim Burgstocke bei 3000' finden sich noch Hafer- und Roggenfelder, bei südlicher Neigung der Bodenfläche auch Weizen. Gerste, Mohn, Lein, Erdäpfel werden noch nächst dem Dorfe Oberndorf auf einer Höhe von 2500' cultivirt, ebenso finden sich daselbst um die Bauernhäuser Obstgärten mit Birnen, Aepfel und Zwetschken, obwohl die Früchte der ersteren wohl nur als Mostobst benützt werden.

Die Ackerunkräuter bilden hier wie im ganzen Waldviertel eine sehr constante Gruppe, bestehend aus *Alchemilla arvensis*, *Filago minima*, *Hypericum humifusum*, *Holcus mollis*, *Lolium arvense*, *Camelina dentata* etc. und ich hatte schon im verflossenen Jahre *) Gelegenheit, auf dieses höchst interessante Verhältniss aufmerksam zu machen.

Was die klimatischen Verhältnisse dieses Berges anbelangt, so ist sehr zu bedauern, dass wir weder von diesem durch seine Lage gewiss höchst wichtigen Puncte, noch überhaupt aus irgend einem Orte des ganzen durch seine naturhistorischen Verhältnisse so eigenthümlichen Waldviertels Beobachtungen in dieser Beziehung besitzen. Annäherungsweise lassen sich dieselben, wenigstens was die Temperatursverhältnisse anbelangt, aus der Temperatur der Quellen (respective Bodentemperatur) bestimmen. Der Jauerling beherbergt eine grosse Fülle von Quellen, selbst auf seinen höchsten Erhebungen. Da jedoch die Humusschichte, welche das impermeable Gestein bedeckt, nirgends eine bedeutende ist, so fliessen alle Quellen sehr oberflächlich und zeigen darum grosse Schwankungen in ihrer Temperatur während dem Verlaufe des Jahres so, dass sich dieselben bei einigen auf 5 ja 6° Cels. ausdehnen. Im Mittel stellt sich die aus den Quellen für die Höhenzone von 2500 bis 3000 Fuss berechnete Bodentemperatur auf 7, 6, 5° Cels. eine Zahl, die die mittlere Lufttemparatur wohl um ein Bedeutendes übersteigt. Erstens ist es eine längst bewiesene Sache, dass in unseren Breiten die Bodentemperatur über die Lufttemperatur erhöht sei, welche Erhöhung sich auf 0,8° Cels. feststellen lässt und davon abhängt, dass im Winter die Schneedecke jeden Einfluss einer sehr erniedrigten Lufttemperatur abwehrt. anderseits lehrt die Erfahrung, dass sich die mittlere Temperatur einer Quelle desto höher herausstellt, je grösseren Schwankungen sie unterliegt, was nach dem oben Gesagten bei unseren Quellen sehr in Betracht zu kommen hat, endlich hat die Vergleichung vieler derartigen Beobachtungen das Re-

*) Beitrag zur Kenntniss der Flora des Mühlviertels. Verhandl. d. zool.-bot. Ver. Jahrg. 1854 pag. 213.

sultat geliefert, dass Quellen an freien Gehängen oder auf Hochebenen entsprungen, im Durchschnitt um 0, 1° Cels. sich über das allgemeine Mittel erheben.

Bringt man nun alle diese Momente in Anschlag, und sucht man demnach die wahrscheinliche Mitteltemperatur der Luft des gleichen Ortes zu bestimmen, so stellt sich diese mit ziemlicher Wahrscheinlichkeit für die Höhenzone von 2500 bis zum Gipfel am Jauerling auf 6, 75° Cels. heraus.

Hiermit stimmen auch die Beobachtungen über den Eintritt bestimmter Entwickelungsstadien der Vegetation überein.

Die schneefreie Zeit auf dieser Höhe beträgt im Durchschnitt sechs Monate, und es ist daher die Zeit, welche den Pflanzen zu ihrer Entwicklung gegönnt ist, im Vergleiche mit der Ebene um zwei Monate verkürzt, ein Umstand, der namentlich für die Feld-Cultur von grosser Wichtigkeit ist, indem sechs Monate gerade noch ausreichen, damit der kurz nach Wegschmelzen des Schnees gebaute Hafer und Gerste noch reifen könne, und anderseits die Nothwendigkeit erwächst, Winterroggen schon weit früher als in der Ebene zu bauen.

Die ersten Spuren der Vegetationsfähigkeit lassen sich Ende April wahrnehmen. Zu selber Zeit werden Hafer und Gerste gebaut. Im Allgemeinen fällt die Entknospung der Bäume und Sträucher auf den Anfang Mai, die volle Blüthe der Obstbäume, Birnen, Aepfel und Zwetschken auf den halben Mai, die Blüthe des Roggens auf das Ende des Monats Juni, die volle Rosenblüthe auf Anfang Juli, der Roggenschnitt und die Heuernte auf den halben August und endlich der Haferschnitt auf die erste Hälfte des Monats Oktober. Aus sorgfältigen, in dieser Beziehung angestellten Beobachtungen ergibt sich für obige Höhenzone eine mittlere Vegetationsverspätung im Vergleiche mit der Ebene von 30 Tagen und zwar:

April 20,
Mai 22,
Juni 24,
Juli 30,
August 39,
September 43.

Vergleicht man die hier angegebenen Zahlen, so fällt uns ferner noch auf, dass die Verspätung im Frühjahre am geringsten, im Herbste am grössten sei, eine Thatsache, die sich mir auch aus vielen andern in dieser Beziehung angestellten Beobachtungen ergab, und die der Gegenstand einer besonderen Besprechung werden soll.

Beobachtungen

über den

Wurzel-Auswuchs an *Alyssum incanum* L.

(Berteroa incana DC. und *Fartesia incana* R. Br.)

und dessen Erzeuger.

Von

Gustav R. v. Haimhoffen.

Dieser Auswuchs erscheint an den Wurzeln obiger Pflanze, mehr oder weniger tief unter der Erde auch an den Faserwurzeln, als runde fleischige, einzeln sitzende oder gehäufte einkammerige Gallen, von der Grösse einer Erbse und kleiner, anfangs grünlich und fester, bei weiterer Ausbildung weicher und von gleicher Farbe mit der Wurzel.

Nach den verschiedenen Wachsthums-Perioden des Auswuchses finden sich auch die Larven in verschiedener Grösse darin vor, von denen die vollkommen ausgewachsenen sich eine geräumige, bräunlich ausgefärbte, ziemlich dichtwandige Kammer aushöhlen, die sie jedoch sogleich verlassen, wenn man die Galle öffnet, oder später selbst durchstechen, um in die Erde zur Verwandlung zu gehen.

In jeder Galle wohnt nur eine Larve.

Ausgewachsen ist diese $1/2'''$ lang, anfangs beinweiss, später mehr gelblich, runzlig, glänzend, im Liegen etwas gekrümmt, walzig, zwölfringlig, der hornige Kopf vom geringern Durchmesser, als die übrigen Leibesabschnitte, honiggelb mit zwei lichteren über den Scheitel gegen die Mundtheile hinabziehenden Binden gezeichnet. Die Kieferhäkchen braun spitzig, einwärts gekrümmt, an der Spitze schwärzlich. Ober diesen an jeder Seite zwei schwarze Stigmen. Leibesringe so wie die sechs Fusswarzen mit feinen Börstchen besetzt. Bei manchen der Larven der Darmkanal rücklings als dunklere Linie mehr oder weniger durchscheinend. Der Leib gegen den

After spitzer zulaufend. Die Larven, wenn gestört, lebhaft. Besonders schnell suchen sie wieder in die Erde, wenn sie aus ihrer Ruhe daselbst gescheucht werden, einzudringen.

Mehrfache Versuche von mir angestellt, den Erzeuger des Auswuchses zu erhalten, blieben Anfangs fruchtlos. Ich steckte Auswüchse, die am 2. Februar 1854 gesammelt und noch nicht sehr ausgebildet waren, in ein Fläschchen mit feuchtgehaltener Erde. Als ich einen der Auswüchse am 27. Februar 1854 untersuchte, war er leer und hatte ein Loch. In der Erde fand sich auch die Larve wieder vor. Ihre Farbe war etwas dunkler geworden. Sie schlüpfte, als ich die Erde um sie herum wegzunehmen versuchte, schnell wieder unter dieselbe.

Am 28. März 1854 untersuchte ich eine zweite Galle. Die Wurzel hatte bereits junge Trieb-Blättchen angesetzt. Die Galle war aber verschrumpft und faulig geworden, zerfiel bei Berührung und es blieb an dem Theile der Wurzel, woran die Galle sass, nur eine schwärzliche Höhlung nach Innen übrig. Ich entdeckte auch die Larve unter der Erde, die ich wieder vorsichtig bedeckte.

Nach abermaliger Untersuchung am 23. April 1854 fand sich die Larve in der Erde noch vor, war noch weiss, hatte sich aber in ein durchsichtiges weisses glänzendes Gewebe gehüllt. Sei es nun, dass ich durch dieses vorzeitige Nachforschen dieselbe in ihrer Verwandlung gestört hatte, oder vielleicht die Erde zu trocken hielt, ich erlangte kein Resultat.

Ich sammelte nun viele Auswüchse von jeglicher Ausbildung und zu verschiedenen Zeiten und gab sie alle in grosses Glas mit fortwährend feucht erhaltener Erde, so dass sie nur oberflächlich davon bedeckt waren und hatte vorderhand wenigstens als Ersatz meines bisherigen erfolglosen Forschens die Lust, nach fünf bis sechs Wochen seit Einzwingerung der Auswüchse zwei Linien lange, hübsche, schwarze Schlupfwespen, aus der Ordnung der *Braconiden*, Männchen und Weibchen, im Glase zu entdecken. Bald darauf führten auch weitere Versuche zum gewünschten Resultate.

Denn bei Untersuchung von Auswüchsen, welche ich Mitte Octobers 1854 gesammelt hatte, fand ich beim vorsichtigen Wühlen in der Erde schwarzbräunliche von Erdklümpchen umhüllte längliche walzige Tönnchen, welche wegen der der Erde ganz gleichenden Farbe kaum als solche zu erkennen waren; nach Entfernung der Erdtheile zeigte sich die schmutzig gelb gewordene mit Börstchen besetzte Larvenhaut, durch welche die weissliche Körpersubstanz der Larve in weiterer Verwandlung begriffen durchschien. Mehrere Gallen hatten ein Loch und waren leer, faulig oder zusammengeschrumpft, und bald hatte ich die Freude, mehrere Rüsselkäfer, die lang ersehnten Erzeuger des Auswuchses im Glase zu erblicken.

Es geht nun hervor, dass die Larven dieser Käfer in die Erde gehen, sich daselbst verwandeln und überwintern. Die Verpuppung hatte ich nicht Gelegenheit näher beobachten zu können, obwohl mir Puppen ziemlich ausgebildet, von weisslicher Farbe vorkamen.

Zur gewissern Ueberzeugung über die Zeit der Verwandlung steckte ich einen ziemlich ausgebildeten Auswuchs, welcher Mitte Novembers 1854 gesammelt wurde, separat am 6. December 1854 in ein Gläschen mit reiner Erde. Des andern Tages war die Larve in die Erde gekrochen, der Auswuchs leer. Ein Monat darauf, am 6. Jänner 1855 erschien der Rüsselkäfer. Die Verwandlung in der Erde hatte also vier Wochen gedauert, was sich auch bei späteren Versuchen bestatigte, wobei jedoch die Zucht im Zimmer berücksichtiget werden mag.

Ueber das Vorkommen dieses Auswuchses, den ich noch nirgends näher beschrieben fand, muss noch bemerkt werden, dass er sowohl an den Wurzeln blühender und verblühter, einjähriger und vorjähriger, jedoch nicht abgestorbener Pflanzen, welche zweijährig sind, sich vorfindet. Ich fand Wurzelgallen die ganze Zeit hindurch vom August 1854 bis zum März des nächsten Jahres in allen Stadien mit Larven besetzt. Von da an bis zur Blüthezeit finden sich deren nicht mehr vor, oder später erst im Entstehen, nach kürzlich vollbrachter Infection durch die neu ausgeschlüpfte und überwinterte erste Generation.

Die Gallen erhalten bis zur vollen Ausbildung ihre runde natürliche Form und Gestalt, gehen aber dann durch Faulung zu Grunde und sind daher in diesem Zustande zur naturgetreuen Präparirung für Sammlungen wohl nicht geeignet.

In Anbetracht der Einverleibung dieses Auswuchses in eine Abtheilung der bisher bekannten Systeme, dürfte er hinsichtlich seiner fleischigen, dichteren und der ihn umgebenden Masse homogenen Zellenbildung, nach Hammerschmidt's »Entwicklung der Pflanzenauswüchse durch Insecten« in die Ordnung *Sarcomata subrotunda* gestellt werden. Hammerschmidt selbst führt jedoch diesen Auswuchs noch nicht auf.

Seit dem nun bereits vor Kurzem von dem hochschätzbaren Vereins-Secretäre, Herrn Kustos-Adjuncten am k. k. Naturalien-Kabinete Frauenfeld, ein neuer das bisherige Chaos der Auswüchse entwirrender und neues Licht über die Natur und Gruppirung derselben verbreitender höchst geistreicher Versuch, betitelt »die Gallen«, welcher über alle früheren Verirrungen und Halbarbeiten weit erhaben aus dessen geübter Feder floss, dürfte diesem, so wie allen andern bisher bekannten Auswüchsen ihre systematische Stellung wohl gesichert sein, wonach ich mir erlaube, den Fleischauswuchs an *Alyssum*, wenn ich nicht irre, nach Herrn Frauenfeld's Eintheilung unter die Abtheilung II., A, einschliessende Gallen mit nicht begrenzter Kammer reihen zu dürfen.

Die Lebensweise des Käfers im Freien konnte ich nicht beobachten. Im Zwinger geht derselbe nach mehreren Tagen zu Grunde.

Den Artnamen dieses den Herren Coleopterologen ohne Zweifel und vielleicht als gemein bekannten Rüsselkäfers habe ich bisher nicht zu ermitteln Gelegenheit gehabt.

Der Käfer ist 1''' lang, schwarz, dem ersten Anscheine nach sehr ähnlich jenem in den Druckschriften des zool.-botan. Vereines, Jahr 1853, von Herrn Frauenfeld beschriebenen *Gymnetron campanulae*, jedoch kleiner und bei genauerer Untersuchung von demselben besonders durch den Rückenschild unterschieden.

Der Rückenschild ist an beiden Seiten rund gewölbt, gegen oben schmäler, aber nicht spitz zulaufend, sondern nur wenig zusammengezogen, mit einem gerade stehenden, deutlichen, wenig ausgebogenen, gleich abgestutzten Rande. Schildchen keines. An dessen Stelle eine herzförmige Vertiefung, von welchen über den Rückenschild eine Längsrinne bis gegen den Rand hinläuft und sich dort verliert. Die obern Flügelränder bilden nicht eine gerade Linie, sondern einen spitzen in die Vertiefung abwärts gezogenen herzförmigen Winkel. Die gefurchten Flügeldecken haben am äussern obern Eck einen Höcker und sind viel breiter als der Rückenschild.

Insbesondere hatten die Käferlarven von Feinden zu leiden, die, wie erwähnt, zur Abtheilung der *Braconiden* gehörig, sich unter der Erde in den Käferlarven verwandelten und als nette 1⅓''' lange, sehr lebhafte Thierchen, Männchen und Weibchen in Menge im Glase erschienen, selbst dann, als die Gallen schon lange aus demselben entfernt waren, in welchen bloss Larven und Tönnchen zurückblieben. Diese Parasiten hatten also die Käferlarven selbst tief unter der Erde aufgesucht, was auch die an den meisten Wurzelgallen bemerkbaren feinen Löcher wie Nadelstiche bewiesen.

Ich fand alle diese Auswüchse an bewachsenen lehmigen sandigen Abhängen auf der Türkenschanze in mehr lockerer Erde, aus welchen sich die Wurzeln mit Auswüchsen leicht ziehen liessen, während jene ohne diese nur mit Gewalt derselben entrissen werden konnten.

Die

Lepidopteren,

gesammelt auf einer entomologischen Reise in Corsika im Jahre 1855.

Beschrieben von

Josef Mann.

Ich hatte mir vorgenommen, dieses Jahr eine entomologische Reise nach der Insel Corsica zu unternehmen, und da mir dazu vom k. k. Oberstkämmerer-Amte ein mehrmonatlicher Urlaub bewilliget wurde, so trat ich meine Reise am 7. April an, traf am 19. auf Corsica ein, und verweilte auf dieser Insel bis zur zweiten Hälfte des Monats Juli.

Bevor ich zur Aufzählung der von mir erbeuteten Falter schreite, will ich versuchen, die schönen Gegenden, welche mir als Jagdrevier dienten, so gut ich es vermag, zu schildern.

Vorerst wählte ich die Hauptstadt der Insel, Ajaccio zu meinen Standort.

Diese Stadt liegt an der Westseite der Insel am nördlichen Ende eines Golfes auf einer Landzunge, an deren Ende sich ein Kastell befindet. — Die beiden Ränder des Golfes sind von ungleicher Länge, der nördliche ist der kürzere und läuft in westlicher Richtung bis zur Punta della Carata, wo sich die sogenannten Blutinseln (Isole Sanguinarie), welche einige Thürme und Fanale enthalten, befinden; der südliche zieht sich in mehreren Einbuchtungen von Norden nach Süden bis zum Capo Muro, um dessen Spitze man in den Golf von Valinca gelangt.

Das ganze Terrain von Ajaccio besteht aus Granitboden. Am Nordrande des Golfes sieht man keine Ortschaften, auf dem südlichen nur wenige, und ausser diesen nur einige einsam und meist auf einer Landzunge stehende Thürme und einzeln in den Weingebirgen stehende Häuschen. Letztere haben oft das Ansehen einer Villa, sind meist ein Stockwerk hoch, und nehmen sich im Grün sehr lieblich aus, sie werden grösstentheils als Sommeraufenthalt benützt. Einen weiteren Schmuck verleihen der Gegend die vielen um Ajaccio meist auf der Nordseite befindlichen Kapellen. — Diese stehen in Weingärten, Olivenhainen, und selbst in Gärten; sind sehr verschiedenartig geformt, rund oder viereckig, gekuppelt in Sarkophag- oder Tempelform, von Blumen, Cypressen und Trauerweiden umgeben, und mit Mauern oder Geländern eingefasst. In diesen Kapellen ruhen die Todten, und jede nur einigermassen bemittelte corsische Familie hat ihre eigene Familiengruft.

Ajaccio selbst zieht sich zu beiden Seiten des Golfes entlang. Die Häuser sind meist hoch, besonders am Cours Napoleon und in der Rue Fesch, und haben an der Vorderseite 5, an der hinteren 6 bis 8 Stockwerke. — Beide Strassen haben eine ansehnliche Länge und laufen mit einander parallel; die übrigen Gässen sind kürzer, jedoch ziemlich regelmässig.

Am Marktplatze, der mit einem Brunnen, und weiter gegen die Queue zu mit einer Statue Napoleons geziert ist, stehen zwei Reihen grosser Ulmenbäume. Von diesem Platz gelangt man auf den Diamant-Platz, welcher sehr gross, und an seinen Seiten mit jungen Bäumen bepflanzt ist. — Von hier hat man eine prachtvolle Aussicht auf das Meer, der Platz wird daher besonders als Promenade benützt, dient aber auch als Exerzierplatz für das Militär.

Vom Diamantplatze gelangt man in den breiten Cours Napoleon, von welchem sich eine Allee bis zum botanischen Garten (giardini Pipinini) hinzieht, ihr Anfang besteht aus Pomeranzen- und Citronenbäumen, weiters ist sie dann aus Platanen, Ulmen-, Maulbeer- und Celtisbäumen gemischt.

Links am Eingange von Ajaccio befindet sich eine herrliche metallene Statue des Generals Grafen Abbatucci, welche Louis Napoleon 1854 setzen liess.

Zu beiden Seiten des schönen Golfes steigen die Berge auf, von ihnen ist der Pozzo di Borgo bei Ajaccio der höchste, er bildet mit den nördlichen Bergen ein tiefes Thal, in welches von Ajaccio aus eine Strasse durch schöne Weingärten führt, und das von einem Bächlein durchschlängelt ist, an seinem nördlichen Ende ist der Ort San Antonio.

An den Pozzo di Borgo reiht sich nördlich der Berg Lizza und südlich der Rosso an, von welchem sich die Gebirgskette bis zum Berg Doro weiterzieht; der Doro ist wieder durch ein Bergjoch mit dem Monte Renoso verbunden, über welches die beinahe 4000 Fuss über den Meeresspiegel gelegene Poststrasse nach Corte führt. Die Gebirgskette des Renoso senkt sich dann gegen das Meer herab, und scheidet südlich das Thal Campo di Loro (in neuerer Zeit Gravonethal genannt), nördlich das Thal Prunelli. Ersteres Thal durchfliesst der Campo di loro oder die Gravone, ein aus den Schneefeldern des Mont Doro und Renoso entspringender Fluss, welcher nach zwölfstündigem Laufe in den Golf von Ajaccio ausmündet.

Zu beiden Seiten des Thales erheben sich Ortschaften auf den Bergen, als Cutoli, Peri, Vecioni, Tavera und Bogognano, letzterer ist der Cantonsort und der grösste von allen und liegt an dem wilden Schlunde von Vizzavona, welcher von alten Kastanienbäumen begränzt wird, die sich noch hoch gegen den steilen Monte Renoso hinziehen, und die Ueberreste des einst ungemein grossen Waldes von Bogognano sind. Der Renoso setzt seinen Gebirgszug südlich in einer Kette von Bergen bis zum Capo noro fort, und scheidet das Thal Prunelli ab, er verbindet sich mit dem Berge Braga, welcher wieder östlich durch ein Bergjoch mit dem Berge Forca verbunden ist.

Das Thal Prunelli ist von dem gleichnamigen Flusse durchschnitten, welcher seinen Ursprung am Berge Braga hat, und beim Thurme Capitello in den Golf mündet. — Dieses Thal hat wenige, durchaus hoch gelegene Ortschaften, als auf der Nordseite: Occana und Tolla, auf der südlichen Cicia und Cavro, und ganz hoch oben auf dem Ausläufer des Berges Braga den Cantonsort Bastelica. — Durch Cavro führt die von Ajaccio kommende Strasse nach Bonofaccio.

Um Ajaccio ist fast Alles cultivirt, die Berge, Hügel und Thäler prangen von Oehl-, Feigen-, Mandel-, Aprikosen- und anderen Obstpflanzungen, Weingärten, Weizen- und Gerstenfeldern, welche mit üppigen Wiesen wechseln und von kleinen Flüssen durchschlängelt sind. An der gegen die Blutinsel hinziehenden Berglehne, welche viele Thäler enthält, werden Citronen und Pomeranzen gebaut, und es findet sich hier nicht selten die Fächerpalme und der Feigencactus, dessen Blätter eine enorme Grösse erreichen, und die gewöhnlich zum Einfrieden der Weingärten dienen; hie und da sieht man auch die Agave americana.

Die noch uncultivirten Berge und Lehnen sind mit sehr üppigem Pflanzenwuchse versehen. Die Pflanzen sind nicht reich an Artenzahl, (überhaupt scheinen sich die gleichen Arten über die ganze Insel zu verbreiten), aber von einer Ueppigkeit, wie ich sie noch nirgends gesehen. Gleich am Golfe sind nächst der Strasse eine Menge Distelarten, Wolfsmilch, Binsen und Salzpflanzen. — An den Hügeln beginnen *Elychrysium angustifolium*, *Lavandula staechas*, *Scrophularia ramosissima*, *Cistus salviaefolius*, *villosus*, *creticus etc. Asphodelus microcarpus*, dessen Blüthenstengel nicht selten eine Höhe von 7 — 8 Fuss erreichen, *Genistae juncea*, *Cytisus triflorus* und *lanigerus*, *Phyllirea* zu erscheinen. Sie ziehen sich ziemlich hoch auf die Berge hinauf, wo sich dann *Erica scoparia* und *arborea*, die Mirthe, dann Lorbeer, *Arbutus*, *Terebynthen*, wilde Oliven und immergrünes Eichengesträuch befindet, überall scheinen jedoch in diesen Höhen Granitsteine durch, und ragen in grossen Blöcken hervor. Alle Pflanzen strömen Wohlgerüche aus, und haben da, wo ein Flüsschen rinnt, eine noch weit mehr erhöhte Ueppigkeit. Die noch höher gelegenen Stellen der Berge sind grösstentheils Hutweiden, und haben ein um so kahleres Ansehen, als sie von Schafen und Ziegen emsig abgeweidet werden.

Hohe Bäume sieht man wenig bei Ajaccio. Ausser einigen Eichen und Kastanienbäumen ragt nur hie und da ein *Quercus Ilex* oder *suber* zwischen Weingärten hervor. Besonders schmücken die Gegend die um die Grabkapellen befindlichen schlanken immergrünen Cypressen. Nur ein kleines Wäldchen von *Quercus Ilex*, das mir ziemlich alt schien, befindet sich im Thale nach San Antonio.

Von Ajaccio aus zieht die Poststrasse stets nahe am Golfe bis zum botanischen Garten, hinter welchen sie links nach dem Gravonethal einbiegt, und über eine kleine Höhe zwischen Weingärten, dann ziemlich eben zwischen Feldern bis zur Poststation Taraco führt. Von da an windet sie sich spiralförmig immer höher bis zum Bergjoch des Mont Doro und zieht bei dem Fort Vizzavona abwärts, durch einen schönen Buchen-, sodann durch einen zum Canton Bogognano gehörigen Nadelwald, zieht sich spiralförmig durch einen Kastanienhain nach Vivario, Murcacciole, Serraglio, San Pietro, steigt dann sehr steil nach Cassanova hinan, von wo sie abwärts nach Corte, und von da bald auf- bald abwärts nach Bastia führt. Der Fluss Campo di loro oder Gravone ist zu beiden Seiten mit wenig Unterbrechungen von verschiedenen Laubholzarten eingefasst. An seiner Mündung ist die Gegend sehr sumpfig, ungesund, und von den Einwohnern sehr gefürchtet, daher sich auch alle Ortschaften höher auf den Bergen befinden.

Zwei Stunden von Ajaccio im Gravonethal führt nördlich die Poststrasse ebenfalls über hohe Berge nach der Stadt Vico, die wegen ihrer heissen Quellen in den Sommermonaten viel von Badegästen besucht ist, südlich führt die Strasse nach dem Badhause Campo di loro; dieses besitzt eine mässig warme Quelle, und hat ebenfalls zahlreichen Zuspruch.

Die von Ajaccio nach Taraco führende Poststrasse theilt sich beim botanischen Garten, und führt rechts südlich am Golf über die Lazarethspitze, den Gravonefluss und durch das Thal Prunelli, wo sie sich spiralförmig empor nach Cavro, Sartene und Bonofaccio windet. Meine Ausflüge führten mich bloss auf die Berghöhe hinter Cavro. Von hier aus übersieht man das Thal Prunelli und das Thal Tarovo, und hat eine prachtvolle Ansicht des grossen Golfes mit dem freundlichen sich im Wasser spiegelnden Ajaccio; zu den Füssen liegt das von Weingärten ganz umgrenzte Dorf Cavro und in der Ferne der Pozzo di Borgo.

In den hohen Gebirgsorten führen überall schöne Strassen, als nach Alata und Appieto etc. Selbst auf den Pozzo di Borgo führt über eine Wasserleitung ein guter Reit- und Fussweg. Je höher man hinaufgeht, desto herrlicher werden die Ansichten der Gebirge, der Thäler und des Meeres, und man sieht selbst einen Theil der Küste von Sardinien. Am überraschendsten und von unvergleichlicher Schönheit ist die Aussicht vom Gipfel des Berges, denn die ganze Gegend liegt gleichsam wie eine ausgebreitete Karte vor dem Auge.

Am Rande des Meeres liegt Ajaccio mit seinem herrlichen Golfe, oberhalb der Stadt N a p o l e o n s Villa Milelli; nördlich der Hügel San Giovanni mit seiner Ruine, neben ihm eine schöne Villa mit vier gothischen Eckthürmen (dem Prinzen Bacciochi gehörend), der botanische Garten und die fruchtbare Ebene; nach Nord, Ost und Süden endlich laufen viele Thäler in die Gebirge aus.

Gegen Osten ragen die 10.000 Fuss hohen schneebedeckten Berge Mont Rotondo, Doro und Renoso hervor, südlich sieht man die vielen Gebirge gegen Sartene über den Cap Muro hinaus; in weiter Ferne die Berge der Insel Sardinien, im Westen das unübersehbare Meer, im Norden den weiten Golf von Sagone, die Gebirge von Vico, die vielen Ortschaften von Cinarca, die Städte Sagone, Marbeuf, den Thurm Carghese, und als westliche Spitze des Golfes Porto das Cap Sapo bosso.

Als ich im April in Ajaccio anlangte, durchstreifte ich sogleich die Gegend nach allen Richtungen, bemerkte aber auf der Menge von Pflanzen und Sträuchern weder Raupenfrass noch Puppengespinnste; ein böses Vorzeichen, das mir nur eine schwache Ausbeute verhiess, welches ich später auch leider bestätiget fand.

Meine Jagdplätze waren hauptsächlich der Pozzo di Borgo mit seinen Thälern und Schluchten, der Monte Rosso, das Thal von Campo di loro und Prunelli; auf diesen Plätzen, so wie auf den Hügeln der Lazarethspitze fand ich noch das Meiste, an der Nordseite gegen die Blutinsel zu, aber sehr wenig, da hier stets ein heftiger Wind wehte.

Mitte Juli nahm ich meinen Aufenthalt in Corte, dem Mittelpuncte der Insel. Die Stadt liegt hoch auf einem Felsen, und ist von zwei Seiten von hohen schroffen Granitwänden der Berge Rotondo und Bajalorba umschlossen, durch deren Schluchten sich zwei Flüsse den Weg bahnen, der eine ist der Tavignano, und kommt aus dem gleichnamigen Thale; der andere, die Rostonica kommt aus dem Hinterthale Niolo, beide Flüsse entspringen auf den Schneefeldern des Rotondo und vereinigen sich bei Corte.

Um Corte selbst ist wenig zu machen, da Alles bis hoch in den Bergen hinauf so weit cultivirt ist, bis nackte Granitfelsen ein Bebauen unmöglich machen. Ich machte daher einen Ausflug durch das Hirtenthal zu den Urwaldungen, welche hier in einer Entfernung von drei Stunden von Corte beginnen. Das Thal ist ein grossartiger, von gigantischen Felsen, deren Häupter zum Theil mit Kiefern, Tannen und Lärchen geziert sind, umgebener Schlund. Der Fussweg führt an den Lehnen dieser Felsen aufwärts. Im Thale schäumt brausend die Restonica.

Die Flora ist dieselbe wie bei Ajaccio, hat aber auch einige andere bei dieser Stadt nicht vorkommenden Pflanzen, als: *Santolina incana*, *Teucrium Marum*, die dickstämmige *Ferula*, einige *Thymus* und *Saxifragen*.

Meine Ausbeute in dieser Gegend war nicht lohnend. Um Corte und selbst im Hirtenthale waren ausser *Elychrysium* und *Santolina incana* alle Pflanzen verdorrt und daher fast gar kein Insect zu sehen, da ich auch auf den Alpen nichts finden konnte, so verliess ich Corte und begab mich nach Bastia.

Dieses hat eine noch reichere Vegetation als Ajaccio. — In besonders vielen Exemplaren bluht hier zwischen Oliven und Weingärten die *Agave americana*; die Blüthenarme eines einzelnen Stengels beliefen sich auf 33 bis 55, ein Stamm trägt mithin Tausende von weisslichgelben Blüthen.

Ich stieg einige Tage in den Bergen von Bastia herum, von welchen man ebenfalls prachtvolle Aussichten auf Meer und Land, ja selbst bis Elba, den Inseln Capraja Pianosa, Gorgana und der Küste von Toskana hat, fand aber nur unbedeutend mehr Insecten, als bei Corte.

Die Corsen sind gefällig und gastfreundlich gegen Fremde. Ohne Anlass werden sie gewiss Niemanden beleidigen, und das Barbarische was sie haben sollen, habe ich nirgends finden können. Banditen, von denen mancher frühere Reisende so viel zu erzählen wusste, existiren, Dank den klugen Massregeln der französischen Regierung, die auch zum übrigen Wohl der Insel ihr möglichstes thut, schon lange nicht mehr.

Die gesammelten Schmetterlinge zähle ich in derselben Reihenfolge, wie in meinem vorjährigen in diesen Schriften enthaltenen Aufsatze auf; leider ist die Artenzahl nicht sehr reichhaltig.

Andere Insectenordnungen berücksichtigte ich möglichst. Von Käfern und Heuschrecken fand ich wenig, von Dipteren, Hymenoptern und Neuroptern mehr, und darunter manche interessante oder neue Art.

Auch die giftige Spinne *Latrodectus malmignatus* Walk: brachte ich in mehreren Exemplaren. Ich fand sie am häufigsten an den südlichen Lehnen des Pozzo di Borgo, auf den Bergen der Lazarethspitze und auf Hügeln im Campo di loro-Thal, ihre Nester sind oft drei bis vier Zoll hoch an Stängeln ober der Erde angesponnen; ihr Biss ist sehr gefährlich und führt oft den Tod herbei; die Corsen hüten sich daher, ihr zu nahe zu kommen, und schneiden daher selbst Gerste und Korn nicht nahe über dem Boden, sondern schon 6 Zoll unter den Aehren ab.

Papilio *Podalirius* L. Im Mai auf den Abhängen des Pozzo di Borgo und auf den Rosso in ganz schlechten Exemplaren fliegen gesehen.

Machaon L. Ende April und Mitte Juli am Pozzo di Borgo im Gravonethal und bei Cavro geflogen.

Pieris *Brassicae* L. Ende Juni und Juli nicht selten bei Ajaccio, auch bei Corte und Bastia angetroffen, die Exemplare waren alle sehr gross.

Rapae L. Ende Juni und Juli in Thälern und auf Bergen nicht selten gewesen.

Napi L. Ende April und Anfang Juni auf Berglehnen, Wiesen und Hutweiden geflogen, im Juli traf ich sie noch auf dem Bergjoch des Mont Doro.

Daplidice. L. April und Anfang Juli auf dem Pozzo di Borgo, den Hügeln der Lazarethspitze, bei Corte und Bastia vorkommend.

Antocharis *Tagis* Esp. Die Varietät *Belemida* Hübner 929 (*bellezina* Boisd.) Im April bis Mitte Mai auf den Pozzo di Borgo selten und ziemlich hoch oben; sie hat einen sehr schnellen Flug.

Cardamines L. Im April und Mai in den Thälern des Pozzo di Borgo nicht selten.

Eupheno L. In den Thälern der Lazarethspitze die Raupen gefunden, welche derzeit bei mir als Puppen liegen.

Leucophasia *Sinapis* L. Im April am Pozzo di Borgo einzeln, im Juli in der ganzen Gegend um Ajaccio sehr häufig gefangen, auch bei Corte und Bastia nicht selten angetroffen.

Colias *Edusa*. F. Mitte Juli auf den Abhängen des Pozzo di Borgo und

Rosso, bei den Blutinseln, und in Bastia nicht gar selten gefunden. Alle Exemplare sind gross, und feurig gefärbt.

Rhodocera *Rhamni* L. Im April in der Gegend von Ajaccio nicht selten. Im Juli auf dem Berge Lizza häufig.

Cleopatra L. Mitte Juli einige auf den Bergen bei Bastia angetroffen.

Thecla *Rubi* L. Im April und Mai überall um Sträucher, besonders um den Erdbeerstrauch häufig geflogen.

Polyommatus *Dorilis* Hufgl. (*Circe* S. V.) Mitte Juni bei San Antonio und Alata auf Berglehnen, und Hutweiden angetroffen.

Phlaeas L. Im April auf dem Pozzo di Borgo, die hellgefärbten, im Juli in der ganzen Gegend; um Ajaccio und auch bei Bastia die dunklen, fast schwarzgefärbten gefunden, die dunklen Exemplare sind grösser als die hellen.

Lycaena *Telicanus* Hbst. Ende Juni auf den Abhängen des Pozzo di Borgo, einige auf den blühenden Myrthen gefangen.

Tiresias (*Amyntas* S. V.) Im Mai einzeln bei Cavro angetroffen.

Acis S. V. Mai auf den Lehnen des Pozzo di Borgo und bei den Blutinseln.

Cyllarus F. Mai und Juli bei Ajaccio und im Campo di loro nicht selten.

Hylas S. V. Mitte Juli auf den Höhen des Pozzo di Borgo und Rosso.

Battus. S. V. Anfang Mai in den Thälern Campo di loro und Prunelli, im Juli auf den Pozzo di Borgo und auf den Bergen bei Bastia angetroffen.

Aegon S. V. Im Juni und Juli nicht selten gewesen, am häufigsten flog er auf der sonnigen Lehne des Pozzo di Borgo.

Argiolus. Im April und Mitte Mai um Ajaccio in Thälern und Schluchten häufig.

Icarus Hufgl. (*Alexis* S. V.) Im Mai überall häufig, auch im Juli, dann aber in sehr kleinen Exemplaren, auch bei Corte und Bastia.

Alexis Hufgl. (*Agestis* S. V.) Im Mai und Juli überall häufig, die Weiber stets mit sehr breiter rother Randbinde.

Alcon S. V. Im Juni bei Cavro, und auf der Lazarethspitze einige gefangen, scheint selten zu sein.

Arion L. Im Juli oben auf den Pozzo di Borgo geflogen.

Lybithea *Celtis* L. Im Juni bei Ajaccio um hohe Celtisbäume fliegen gesehen, auch in dem Thale bei San Antonio geflogen.

Limenitis *Camilla* S. V. Im Juni in Thälern des Pozzo di Borgo geflogen, auch im Juli bei Bogognano und Bastia angetroffen.

Argynnis *Latonia* L. Im Juni auf Berglehnen und in Thälern auf den Wegen an nassen Stellen geflogen.

Cyrene Bon. Im Juli auf den hohen Bergen ober Bastia vorkommend.

Paphia L. Im Juli auf den Lehnen des Pozzo di Borgo und im Thale Prunelli angetroffen.

Pandora S. V. Im Juli auf dem Pozzo di Borgo, und bei Corte im Hirtenthale Niolo einige fliegen gesehen, sie flogen an steilen Abhängen, wo ich sie nicht verfolgen konnte.

Vanessa Cardui L. Im Juni allenthalben sehr häufig.

Atalanta L. Im Juni nicht selten, in Thälern um Hecken geflogen, die Raupe fand ich auf Parietaria officinalis.

Io L. Im Juli an der Strasse nach Corte hinter dem botanischen Garten nicht selten. Die Raupen waren im Juni massenweis auf Nesseln.

Antiopa. Im April um Ajaccio einzeln um Hecken geflogen; im Juli auch bei Bastia um Olivenbäume fliegen gesehen.

Ichnusa Bon. Im April eine erwachsene Brut Raupen in einer Schlucht des Pozzo di Borgo gefunden, im Mai bei dem Berg Lizza, und eine Brut am Gravonefluss gefunden, die ersten brachten 23 Tage in der Puppe zu, ehe sie auskrochen. Von einer Brut hatten die Puppen Fadenwürmer, und entwickelten sich nur wenige; die Brut aus dem Gravonethal gelangte nicht zur Verpuppung, sondern ging als Raupen zu Grunde. Im Juli fand ich auf einer Alpe ober Corte eine erwachsene Brut von 33 Raupen, welche sich in Bastia verpuppten und in Wien auskrochen, doch erhielt ich nur 18 Stück reine Falter. Da sich die Puppen oben an der Schachteldeckel frei hängend angesponnen hatten, so hielt ich die Schachtel auf der Eisenbahn von Livorno bis Florenz sorgfältig auf den Knieen, dass sie nicht so stark geschüttelt werden sollten. In Florenz nahm ich die Puppen von dem Deckel weg, legte sie in eingefeuchtetes Moos, und überliess sie nun ihrem Schicksale.

In Wien in meiner Wohnung angelangt, sah ich gleich nach meinen Puppen, und hatte das Vergnügen, sechs vollkommen ausgewachsene Falter zu erblicken, in einigen Tagen krochen dann noch zwölf aus, zwei Puppen waren unterwegs aus dem Moos gerollt, und verkrüppelten beim Auskriechen, zwei waren gequetscht, und eine angestochen. Hätte ich in Ajaccio die Puppen abgenommen und auf Moos gelegt, so wäre die Zucht besser gerathen, denn eine Brut konnte der Trockenheit wegen nicht die Puppenhülsen sprengen, und musste vertrocknen. — Die Raupe ist sehr verschieden von der von Urticae. — Um Ajaccio sah ich keinen Falter fliegen, wohl aber fing ich einen im Hirtenthale ziemlich hoch in der Waldregion, und einen bei Bastia.

Polychloros L. Im Juni nicht selten um Bäume und Hecken bei Ajaccio und Cavro gewesen.

Triangulum F. Im Juli einzeln in den Thälern des Pozzo di Borgo geflogen.

C. album L. Im April und Juli in Thälern um Hecken bei Ajaccio und auch bei Bastia nicht selten gewesen.

Hipparchia *Procida* Hbst. Im Juli einzeln auf den Berglehnen des Pozzo di Borgo und auf den Bergen ober der Lazarethspitze geflogen.

Satyrus *Hermione*. L. Mitte Juli auf dem Berge Pozzo di Borgo angetroffen.

Jolaus Bon. Im Juli bei Corte im Hirtenthal, und bei Bastia auf Bergen gefangen.

Semele v. *Aristaeus* Bon. Im Juli auf den Bergen der Lazarethspitze und im Gravonethal auf den Berglehnen bei Cutoli gefangen. Die Begattung geschieht in den Morgen- und Abendstunden, bei Tage sitzt er unter Pflanzen versteckt, um der Hitze auszuweichen.

Pararga *Tigelius* Bon. Anfang Mai und Aufang Juli bei Ajaccio in Olivengärten, dann auf den Lehnen der Berge an den sonnigen Seiten der Hohlwege, und an Felsenwänden.

Meone Hb. Im Mai und Juli in dem Thale nach San Antonio um Hecken fliegend anzutreffen, auch fand ich ihn bei Bastia um Hecken fliegend, stets den Schatten suchend.

Epinephele *Janira* V. *Hispulla* Esp. Anfang Juni bis Mitte Juli auf den Lehnen des Pozzo di Borgo, Lizza, Rosso, bei Bogognano, Cavro etc. angetroffen, auch sah ich noch verflogene Exemplare gegen Ende Juli bei Bastia.

Tithonus L. Ende Juni und Anfang Juli in dem Thale San Antonio um Hecken und Sträucher geflogen, auch bei den Blutinseln und im Pruuellithal gefunden, und zwar Männer, die Weiber waren selten.

Ida Esp. Im Juli auf dem Pozzo di Borgo und den Bergen der Lazarethspitze bloss Männer gefangen, die Weiber, welche viel später erscheinen, fing ich erst in den Bergen von Bastia.

Coenonympha *Arcania* L. Im Juni bei Ajaccio und Cavro einzeln auf Berglehnen vorkommend.

Corinna Hbst. Im April, Mai und im Juli hoch oben auf den Lehnen des Pozzo di Borgo in den Morgenstunden fliegend; in den untern Theilen ist selten ein Stück zu sehen, auch bei Bastia traf ich ihn. Auf dem Pozzo di Borgo fand ich auch die Puppen unter Steinen angeheftet, welche erst grün, später braun wurden, und nach 10—12 Tagen den Falter lieferten.

Pamphilus L. Im April und Mai, dann wieder im Juli überall häufig. *Lyllus* sah ich keinen.

Hesperia *Malvarum* O. War Anfangs Mai und im Juli auf den Lehnen der Berge und in Thälern auf der Strasse nicht gar selten, auch um Bastia flog er häufig.

Alveus v. *Fritillum* Hb. 464. Im Mai und Juni auf den Bergen der Lazarethspitze und bei Cavro.

Alveolus Hb. Im April am nördlichen Ufer bei der griechischen Kapelle einige gefangen.

Therapne Rb. Im Mai auf der Lazarethspitze einige gefangen, später sah ich keine mehr, scheint sehr selten zu sein.

Tages L. Im Mai und Juli nicht selten auf Strassen an feuchten Stellen angetroffen, auch bei Bastia gesehen.

Comma L. Im Gravonethal an sandigen Stellen auf Blumen im Juni nicht selten.

Sylvanus Fab. Im Juni auf den Abhängen des Pozzo di Borgo und bei San Antonio.

Spec.? Noch eine mir unbekannte grosse *Hesperia* sah ich auf der Lazarethspitze im Juni, konnte sie aber trotz aller angewandten Mühe nicht erwischen, die Oberseite sah der *Pumilio* ähnlich, die Unterseite war roth und weiss gefleckt.

Thyris *Fenestrina* S. V. Im Juni einige bei Ajaccio um Clematishecken gefangen.

Sesia (*Meriaeformis* B. Index pag. 48. *) Im Juni hoch oben auf den Lehnen des Pozzo di Borgo in der Mittagshitze um blühenden *Rumex* geflogen, die Männer flogen sehr schnell und suchten die Weiber, welche nach langsamen Fluge sich an die Stengel der Ampfers setzten, und so den Mann erwarteten.

Chrysidiformis Esp. Ende Juni bloss ein Stück auf den Lehnen des Pozzo di Borgo um blühende Myrthen schwärmend, gefangen.

Macroglossa *Fuciformis* L. Im Juli bei Bastia ein Stück auf einer Blume schwärmend gesehen.

Stellatarum L. Im April, Mai, Juni und Juli in der Gegend von Ajaccio häufig, so auch bei Corte und Bastia.

Deilephila *Dahlii* Tr. Den Schmetterling im Juli bei Bastia getroffen.

Livornica Esp. Im Mai einige ganz verflogene Stücke bei der Lazarethspitze gefunden.

Sphinx *Convolvuli* L. Im Juli die erwachsene Raupe auf Stoppelfeldern gefunden.

Ligustri L. Im Juli ebenfalls um Ajaccio auf Zaunhecken die Raupen gesehen.

Acherontia *Atropos* L. Im Juli um Ajaccio die Raupe nicht selten in Kartoffelgärten.

Zygaena *Corsica* Rb Im Juli bei Bastia auf Berglehnen, doch selten. Die Raupe lebt auf *Thymus*. Es ist diess die einzige *Zygaenen*-Art, welche auf Corsica vorkommt.

---

*) Herr Staudinger in Berlin, dem ich diese Art bei seinem Hiersein mittheilte, erklärte sie ganz bestimmt für die ihm von Herrn Boisduval selbst gegebene *meriaeformis* Boisd.; ich nahm daher keinen Anstand, sie als solche zu versenden und zwar um so weniger, als Herr Boisduval bei seiner *maeriaeformis Laspeyres philanthiformis* Fig. 28 (non Fig. 23 — 27) citirt, mit welcher meine corsische Art übereinstimmt.

Eben als dieser Aufsatz unter der Presse war, meldet Herr Staudinger Herrn Lederer, dass meine Art von *maerieformis* weit verschieden sei, und er darüber nächstens in der Stettiner Zeitung berichten werde. Da ich *meriaeformis* nicht besitze, und sie vom Herrn Boisduval zu kurz beschrieben ist, so kann ich darüber kein Urtheil abgeben, und muss auf Herrn Staudinger's zu erwartenden Aufsatz verweisen.

Phragmathaecia *Arundinis* Hb. Anfang Mai an der Strasse beim botan. Garten, ein abgeflogenes Weib an einem Maulbeerbaum gefunden.

Cossus *Ligniperda* F. Die Spuren der Raupe an Ulmen, Ahorn und Maulbeerstämmen bemerkt.

Psyche *Unicolor* Hufgl. (*Graminella* S. V.) Im Juni um Ajaccio die Säcke mit den Raupen gefunden, im Juli erhielt ich die Falter daraus.

Villosella O. Die Säcke einzeln an Mauern bei der griechischen Kapelle gefunden.

Apiformis Rossi. Im Mai die angesponnenen Säcke an Steinen und Felsenwänden des Pozzo di Borgo und bei Cavro gefunden. Ende Mai erschienen einige Falter, die männlichen Puppen wanden sich ganz aus den Säcken heraus, ich legte sie auf feuchtes Moos, doch vertrockneten sie entweder ganz, oder lieferten nur krüppelhafte Falter. Die Weiber drängen sich nicht aus dem Sack heraus.

Cilix *Spinula* S. V. Im Mai bei Ajaccio um Schlehenhecken gefunden.

Saturnia *Pyri* S. V. Im Mai bei Ajaccio einige an Baumstämmen und Mauern angetroffen.

Gastropacha *Quercifolia* L. Bei Cavro im Juni auf Obstbäumen die Raupe gesehen.

Bombyx *Castrensis* L. Die Raupen auf sonnigen Berglehnen des Pozzo di Borgo und auf der Lazarethspitze nicht selten gewesen.

Trifolii S. V. Im Juni die Raupe nicht selten um Ajaccio.

Quercus L. Ebenfalls um Ajaccio, die Raupe auf Laubhölzer gesehen.

Rubi L. Im April sah ich viele Männer auf den Lehnen des Pozzo di Borgo, des Rosso und auf den Bergen der Lazarethspitze in den Abendstunden schwärmen.

Porthesia *Chrysorrhoea* L. Im Mai und Juni die Raupen in ziemlicher Anzahl auf Gesträuch auch in den Weingärten auf Aprikosenbäumen.

Auriflua S. V. Im Juni am Gravone oder Campo di loro-Fluss die Raupe anf Weissdornsträuchern angetroffen.

Ocneria *Dispar* L. Die Raupen überall um Ajaccio bis hinauf nach Bogognano, Corte und Bastia angetroffen; manche einzeln stehende Korkeichen waren ganz kahl abgefressen.

Orgyia *Gonostigma* F. Die Raupe im Juli nicht selten auf Brombeersträuchen.

Leucoma *Salicis* L. Im Juni die Raupen auf italienischen Pappeln angetroffen.

Lithosia *Pallifrons* Zell. In den Thälern der Lazarethspitze die Raupen im Mai an Steinen und Felsenwänden auf Flechten gefunden. Die Falter erschienen von Anfang bis Ende Juni, und flogen nach Sonnenuntergang. Es ist diess dieselbe Art, welche Boisduval in den *Icones*, *planche* 57, F. 9 als *Vittelina* abbildete.

Caniola Hb. Im Juni in der Allee von Ajaccio einige an Baumstämmen gefunden.

Complana L. Im Juli auf dem Pozzo di Borgo ein Stück aus einem Terebynthenstrauch gescheucht.

Emydia *Grammica* L. Im Juli auf einer Anhöhe des Pozzo di Borgo und im Campo di loro auf Hutweiden einzeln angetroffen.

Deiopeia *Pulchella* L. Anfang Mai einzeln auf den Lehnen des Pozzo di Borgo, Anfang Juni auf der Lazarethspitze ziemlich viele gefunden. Sie flogen in den Morgenstunden, Nachmittags scheuchte ich sie aus *Echium*. Auch die Raupe fand ich auf dieser Pflanze, wo sie gern die Blüthen zur Nahrung wählte, der Falter erschien nach der Verpuppung 10 — 14 Tage.

Nemeophila *Russula* L. Im Anfang Juni am Pozzo di Borgo, ein verflogenes Männchen gefangen.

Arctia *Caja* L. Bloss die Raupen im Juni auf grasreichen Stellen angetroffen.

Villica L. Die Raupen Anfangs Mai erwachsen. Die entwickelten Falter zeigen keine Abweichung von den hiesigen.

Lubricipeda S. V. Im Mai bei Ajaccio an Baumstämmen gefunden.

Menthastri S. V. Im Mai in dem Thale nach San Antonio an Mauern und an Steinen angetroffen.

Phragmatobia *Fuliginosa* L. Ende April und Mai nicht selten um Ajaccio; auch bei Cavro gefunden.

Euprepia *Pudica* Esp. Im April und Mai einzeln die Raupen an Mauern gefunden.

Ocnogyna *Corsica* Rb. Im April auf der Nordseite bei Ajaccio in Poderen auf pflanzenreichen Anhöhen mehrere Männer gefangen. Sie fliegen bei Tage im Sonnenschein, und sind sehr schnell. Ende Juni sammelte ich eine Menge Raupen an Mauern, wo sie des Abends auf die Futterpflanzen aus ihrem Versteck kamen; sie fressen sehr viele Arten von Pflanzen, als *Echium*, Camillen, Klee, Schafgarbe, Wegerich etc. Viele Raupen waren (besonders die weiblichen) von einer noch näher zu bestimmenden Tachinarienart angestochen. Die Falter werden sich wohl erst im Frühjahre entwickeln.

Harpyia *Vinula* L. Im Juni im Campo di loro, an alten Weidenstämmen am Flusse angetroffen.

Pygaera *Bucephala* L. Im Juni im Prunellithal ein Paar in Copula gefangen.

Clostera *Curtula* L. Im Mai bei Ajaccio in der Allee einige an Ulmenstämmen angetroffen.

Acronicta *Rumicis* L. Im Mai bei Ajaccio in der Allee an Ulmenstämmen gefunden, sie waren grösser und blässer in der Färbung als die hiesigen.

Bryophila *Glandifera* S. V. Im Juli bei Corte an einem Olivenbaume ein Weib gefunden.

Episema *Caeruleocephala* L. Im Mai die Raupen auf Mandelbäumen gesehen.

Agrotis *Segetum* S. V. Im Mai einige an Mauern bei Ajaccio angetroffen.

Exclamationis L. Im Mai auf den Lehnen des Pozzo di Borgo an Steinen sitzend gefunden.

Triphaena *Interjecta* Hb. Im Juli in dem Thale nach San Antonio aus Hecken gescheucht. Ist stets selten.

Comes H. Im Juli an den Lehnen des Berges Pozzo di Borgo aus Hecken gescheucht.

Subsequa S. V. Im Juli bei Cavro ebenfalls aus Hecken gescheucht.

Pronuba S. V. Im Juli in Erdäpfelfeldern bei Ajaccio angetroffen.

Janthina S. V. Juli auch aus Hecken am Fusse des Pozzo di Borgo gescheucht.

Dianthoecia *Capsophila* Boisd. Im April und Mai bei dem botanischen Garten einige Exemplare in den Morgenstunden an Maulbeerstämmen gefunden.

Capsincola Esp. Im Mai bei Ajaccio ein verflogenes Exemplar an einem Baumstamme angetroffen.

Dentina Esp. Im Mai an Felsenstücken auf dem Pozzo di Borgo gefunden.

Conspersa S. V. Im Mai an der Strasse nach Cavro an den Wänden der Hohlwege gefunden.

Comta F. Im Mai in dem Thale nach San Antonio einige an Mauern gefunden.

Corsica Rb. Im April bei Ajaccio an Mauern und Bergrändern angetroffen.

Atriplicis S. V. Im Mai bei Alata einige aus Hecken gescheucht.

Phlogophora *Meticulosa* L. Im April und Mai auf der Nordseite von Ajaccio bei den Todtenkapellen nicht selten.

Eurhipia *Adulatrix* H. Im Juni bei San Antonio an Mauern gefunden.

Miselia *Oxyacanthae*. Im April ein abgeflogenes Weib an einer Mauer bei Alata angetroffen.

Mamestra *Oleracea* L. Im Mai bei Ajaccio an Weingärten-Mauern gefunden.

Brassicae S. V. Im Juni nicht selten aus Hecken gescheucht, und an alten Mauern gesehen.

Charadrina *Cubicularis* S. V. Im Juni nicht selten an Mauern um Ajaccio zu sehen gewesen.

Selini Boisd. Im Mai auf dem Pozzo di Borgo Ein Stück gefangen.

Xylina *Puta* Hb. Im Mai bei Ajaccio einige an Baumstämmen gefangen.

Cleophana *Hyperici* F. Im Juni auf dem Pozzo di Borgo einige an Erdlehnen gefunden.

Platyptera Esp. Im Juni einige um blühendes *Echium* geflogen.

Scrophularivora? Rb. Die Raupen im Juni eingetragen, sie liegen noch im Puppenzustande.

Abrostola *Triplasia* S. V. Im Juni im Campo di loro auf einer Hutweide Ein Stück gefangen.

Plusia *Chrysitis* S. V. Flog im Juni in dem Thale nach San Antonio Abends um *Mentha*.

Gamma L. Im Mai, Juni und Juli, überall in Thälern und auf Bergen häufig.

Circumflexa S. V. Im Juni auf der Lazarethspitze ein abgeflogenes Stück in der Abendstunde gefangen.

Heliothis *Dipsacea* S. V. Im Mai auf den Berglehnen des Pozzo di Borgo um *Echium* nicht selten.

Peltigera S. V. Im Juni um Ajaccio und Cavro um *Echium* geschwärmt, aber alle Exemplare, welche ich fing, waren abgeflogen.

Acontia *Solaris* S. V. Im Juni und Juli um Ajaccio in Thälern und auf Bergen nicht selten gewesen. Auch um Bastia flogen sie häufig.

Luctuosa S. V. Im April bis Juli um Ajaccio, Cavro, Corte, Bastia nicht selten gewesen, auf der Strasse nach Cavro an einer nassen Stelle eine ganze Partie angetroffen.

Erastria *Sulphurea* S. V. Im Mai und Juli auf Berglehnen und Stoppelfeldern häufig um Ajaccio und Bastia angetroffen.

Fuscula S. V. Im Juni auf der Lazarethspitze an einer Quelle um Mentha des Abends häufig geflogen.

Anthophila *Ostrina* Tr. Im Juni und Juli, auf dem Pozzo di Borgo, Lazarethspitze und im Campo di loro auf Distelhaiden einzeln gefunden.

Parva Tr. Im Juli am Meeresrande bei der Lazarethspitze Abends um eine gelb blühende Distel geflogen.

Elichrysi Rb. Im Juni auf den Lehnen des Pozzo di Borgo, den Bergen der Lazarethspitze und Cavro um *Elichrysum angustifolium* geflogen. Im Mai fand ich in den zusammengesponnenen Blüthenknospen Raupen, welche mir die Schmetterlinge lieferten.

Amoena Hb. Im Juni bei der Lazarethspitze um Disteln gefangen.

Zethes *Insularis* Rb. (*Natlyi* Freyer) Im Juni am Pozzo di Borgo, der Lazarethspitze und bei den Blutinseln aus Hecken gescheucht.

Ophiusa *Algira* L. Im Juni bei Ajaccio in den Thälern aus Hecken gescheucht.

Geometrica F. Im Juli bei Bastia auf Berglehnen, doch selten.

Suava H. Im Juni und Juli auf den Bergen der Lazarethspitze einige gefangen.

Tirrhaea Fb. Anfangs Mai an der Strasse nach Cavro Ein Stück an einer Erdwand angetroffen.

Catephia *Ramburii* Bd. Im Mai beim botanischen Garten an einer Ulme Ein Stück gefunden.

Euclidia *M.* S. V. Im Mai am Bozzo di Borgo auf den Lehnen einige fliegen gesehen.

Glyphica S. V. Im Mai, Juni auf Berglehnen um Ajaccio auch im Juli bei Bastia angetroffen.

Eucrostis *Herbaria* H. Im Juni auf der Südseite des Pozzo di Borgo, auf *Elichrysum* gefangen, sie ist, wenn sie aufgescheucht wird, sehr schnell im Fluge.

Nemoria *Cloraria* H. Im Juni einige aus Brombeerhecken bei Ajaccio gescheucht.

Acidalia *Perochrearia* F. R. Im Juni einige auf den Lehnen des Monte Rosso gefangen.

Ochreata Scop. War im Juni und Juli auf den Berglehnen des Pozzo di Borgo, Lizza, Cavro, Corte und Bastia nicht gar selten. Alle Exemplare sind ungewöhnlich gross.

Sericeata H. Im Juni bei Alata auf einer Berglehne einige gefangen.

Scutulata S. V. Juni in dem Thale bei San Antonio, einzeln aus Hecken gescheucht.

Asbestaria Zell. Im Mai und Juni in den Thälern um den Pozzo di Borgo aus Hecken gescheucht.

Camparia H. S. Im April um Ajaccio aus Hecken gescheucht.

Sodaliaria H. Sch. Im Juni bei San Antonio und Cavro aus Hecken gescheucht.

Reversata Tr. Juni auf dem Pozzo di Borgo ebenfalls aus Hecken gescheucht.

Politaria H. Im Juli auf der Lazarethspitze, auch bei Bastelicia und Bastia einzeln aus Sträuchern gescheucht.

Filicata Hb. Im Mai und Juni um Ajaccio, Cavro und bei Corte nicht selten.

Holosericata Dp. Im Juli auf den Lehnen des Pozzo di Borgo und auf Hutweiden im Campo di loro, auch bei Bastia angetroffen.

Dilutaria Hb. Im Juli im Thale nach San Antonio gegen Abend um *Mentha* fliegend.

Pusillaria Hb. Im Juni an Gebäuden und im Zimmer in Ajaccio gefunden.

Circuitaria Hb. Juni und Juli bloss auf Berglehnen des Pozzo di Borgo auf *Globularia* gefangen; sie hat die Eigenheit sich stets derart an die Stengel und Blätter zu setzen, dass die Füsse nach oben, und die obere Seite der Flügel nach unten gekehrt ist, sie stimmt darin und in ihrem eigenthümlichen Fluge mit *Pygmaearia* und *Vittaria* überein, welche auch diese Eigenschaft haben.

Ruficostata Z. Im Mai und Juni um Ajaccio einzeln um immergrüne Hecken gefangen, auch im Juli noch bei Bastia gefunden.

Degeneraria H. Im Juni um Ajaccio aus Hecken gescheucht.

Deversaria H. S. Im Juli auf den Berglehnen bei Bastia gefangen.

Rubricata S. V. Im Mai und Juni um Ajaccio auf Berglehnen und auf Hutweiden nicht selten.

Immutata L. Im Mai an den Rändern von Hohlwegen an der Strasse nach Cavro gefunden, sie sind viel greller gezeichnet, als ich sie in der Türkei, in Dalmatien, Croatien und bei uns antraf, bloss bei Wippach fand ich 1854 ein ganz gleich gezeichnetes Exemplar.

Infirmaria Rb. Im Juli in dem Thale nach San Antonio aus immergrünen Hecken gescheucht, in Form der Flügel und Zeichnung steht sie der *Efflorata* Z. nahe, welche ich 1847 aus Toskana brachte.

Carnearia n. sp. Sie hat die Grösse und Form von *Infirmaria* Rb. und hat auch bei ihr die richtige Stelle, sie ist gleich durch die fleischröthliche Färbung und violettgrauen Fransen von *Infirmaria* zu unterscheiden. Alle Flügel so wie der Rücken und Hinterkörper sind fleischröthlich, der Kopf zwischen den Fühlern weisslich, das Untergesicht schwarzbraun. Halskragen bräunlichgelb.

Die Flügel sind durch zwei geschwungene Binden, welche nur aus Puncten formirt werden, in drei, fast gleichbreite Felder getheilt, und jedes Mittelfeld hat einen schwarzen Punct. Alle Flügel haben dicke, schwarze Saumpuncte und violettgraue Fransen, was diese Art sogleich von *Infirmaria* unterscheidet.

Der Vorderrand der Vorderflügel ist von der Wurzel aus bis zur ersten Binde eisengrau angeflogen, ähnliche sehr feine Atome sind auch auf der übrigen Fläche der Vorder- und Hinterflügel zerstreut.

Auf der Unterseite sind diese Atome sehr gehäuft, die Flügel daher düster gefärbt, die hintern aber weniger, als die vordern. Alle Flügel haben die äussere Mittellinie sehr deutlich, die Mittelpuncte weniger scharf. Die Fühler haben nur ganz kurze feine Wimpern. Die Hinterbeine sind ungespornt und ungemein kurz.

Ich fing nur zwei, in Färbung ganz übereinstimmende Exemplare, beide Männchen, im Juli, das eine bei Ajaccio, das andere bei Corte.

Efflorata Z. Im Juli bei Bastia Ein Weibchen gefangen, um Ajaccio fand ich sie nicht.

Imitaria H. Im Juni in der Umgebung von Ajaccio aus Hecken gescheucht.

Paludata L. Im Mai und Juni auf Wiesen und auf Berglehnen bei Ajaccio im Campo di loro und Prunellithale.

Decorata S. V. Im Juli auf den sonnigen Lehnen des Pozzo di Borgo einige gefangen.

Zonosoma *Ocellaria* H. Im Juli bei Cavro Ein Weibchen von einem Weissdornstrauch geklopft.

Pupillaria H. Im April und im Juli um Ajaccio aus Hecken gescheucht, auch bei Bastia im Juli angetroffen.

Porata F. Im Mai am Pozzo di Borgo aus Sträuchern gescheucht.

Timandra *Amataria* L. Flog im Juni auf den Lehnen des Pozzo di Borgo und der Lazarethspitze an grasreichen Stellen.

Zerene *Adustata* S. V. Im Juni in den Thälern um den Pozzo di Borgo um Hecken nicht selten.

Cabera *Pusaria* L. Im Juni im Campo di loro am Flusse um Erlen nicht selten.

Exanthemata Scop. Im Juni im Prunellithal einzeln aus Hecken gescheucht.

Urapteryx *Sambucaria* L. Im Juni bei Alata ein Stück gefangen.

Rumia *Crataegata* L. Im Juni um Ajaccio aus Dornhecken gescheucht.

Venilia *Macularia* L. Im Mai und Juni allenthalben um Ajaccio in Thälern und auf Bergen.

Hemerophila *Abruptaria* Thbg. Im April einen verflogenen Mann an der nördlichen Seite von Ajaccio bei der griechischen Kapelle gefangen.

Boarmia *Rhomboidaria* S. V. Im Mai an der Strasse nach Cavro in Hohlwegen und Erdlehnen die Männer nicht selten gewesen, sie sind alle sehr dunkel gefärbt, und weichen von den hiesigen bedeutend ab. Die Weiber waren sehr selten.

Consortaria F. Im Mai am Flusse Campo di loro Ein Stück an einer Erle gefangen.

Crepuscularia S. V. Im Mai bei Ajaccio einige an Mauern sitzen gesehen.

Gnophos *Asperaria* H. 484. Im Mai auf den Abhängen des Gebirgszuges nach der Punta della Carata einige gefangen, sie sind sehr scheu und fliegen ausserordentlich schnell.

Sartata Tr. Bei Cavro im Juni ein Weib an einem Steine sitzend angetroffen.

Ematurga *Atomaria* L. Im Juni auf den Lehnen des Pozzo di Borgo geflogen. Die Exemplare sehr klein.

Phasiane *Glarearia* S. V. Flog im Juli bei Bastia auf Berglehnen, um Ajaccio sah ich keine.

Aspilates *Citraria* H. Im April fand ich nur abgeflogene Männer, im Mai erschienen frische Männer und Weiber, sie flogen auf dem südlichen Abhange des Pozzo di Borgo bis Mitte Juni, wo ich sie noch auf dem Gipfel dieses Berges antraf.

Scoria *Dealbata* L. Im Juli auf einer trockenen Lehne des Berges Rosso bei dem Orte Valle angetroffen.

Aplasta *Ononaria* Fuessl. Im Juli auf dem Abhange des Pozzo di Borgo einen Mann gefangen.

Sterrha *Sacraria* L. Mitte Juli auf der Lazarethspitze auf einem Stoppelfelde einige gefangen, auch bei Bastia angetroffen.

Ortholitha *Plumbaria* F. Im Mai auf den Lehnen des Pozzo di Borgo auf grasreichen Stellen geflogen.

Bipunctaria S. V. Im Juli auf dem Gipfel des Pozzo di Borgo angetroffen.

Minoa *Fuscata* Hufgl. Im Mai bei Ajaccio auf Berglehnen einzeln angetroffen.

Anaitis *Plagiata* L. Im Juni auf den Abhängen des Pozzo di Borgo und bei Bogognano geflogen.

Chesias *Obliquata* S. V. Ende April bei der griechischen Kapelle ein Weib gefangen, welchem das Röthliche der Vorderflügel gänzlich mangelte.

Cidaria *Ocellata* L. Im Mai und Juni nicht selten aus Hecken gescheucht, in der Umgebung von Ajaccio.

Ablutaria H. S. Ende April an den Lehnen des Pozzo di Borgo an Steinen sitzend getroffen.

Fluctuata L. Im Mai bis Juli überall um Ajaccio nicht selten aus Hecken gescheucht, und an Mauern und Baumstämmen angetroffen, auch bei Bastia nicht selten.

Montanata S. V. Im Juni bei Bogognano auf Berglehnen geflogen.

Ferrugata L. In den Thälern im Mai und Juli um Ajaccio angetroffen, auch bei Corte aus Hecken gescheucht.

Galiata S. V. Im Mai und Juni an der Strasse nach Cavro an den Wänden der Hohlwege gefunden.

Tristata L. Im Juni auf dem Pozzo di Borgo um Gesträuch geflogen, auch im Juli noch bei Bastia geflogen.

Rivata Hb. Im Juni in dem Thale nach San Antonio aus Hecken gescheucht. Am Abende flogen sie um Hecken.

Rivulata S. V. Im Juni in Thälern des Pozzo di Borgo, Abends um Mentha geflogen, auch bei der Lazarethspitze, und im Campo di loro fand ich welche um Nesseln.

Albulata S. V. Im Juni auf einer Wiese an der Ausmündung des Campo di loro.

Decolorata H. Im Juni ein Weib bei Cavro an einer Hecke gefangen.

Candidata S. V. Im Juni bei Alata einige aus Sträuchern gescheucht.

Bilineata L. Vom April bis Juli in der ganzen Umgebung von Ajaccio in Hecken, auch bei Corte und Bastia in Thälern und auf Bergen nicht selten.

Riguata H. Im Juni auf den Lehnen des Pozzo di Borgo einzeln angetroffen.

Derivata S. V. Im April bei Ajaccio aus Dornhecken gescheucht, doch waren alle schon abgeflogen.

Conjunctaria Led. Im Mai ein Weib an einer Mauer bei Ajaccio gefangen.

Tersata S. V. Im Juni bei Ajaccio und Cavro aus Hecken gescheucht.

Vitalbata S. V. In dem Thale nach San Antonio einzeln aus Dornhecken gescheucht.

Eupithecia *Pumilata* H. *Parvularia* H. S. 187. Herrn Herrich-Schäffer's Figur passt ganz auf die von mir aus Corsica gebrachten Exemplare, welche einen röthlichen Farbenton haben. Im Juni bei Ajaccio aus Hecken gescheucht.

Perfidata n. sp. Diese Art reiht sich zwischen *Pumilata* und *Laquearia* H. S. 181. Die Grundfarbe ist aschgrau, durch die feinen weisslichen Querbinden wird das Grau mehr hervorgehoben.

Sie gleicht an Gestalt der *Laquearia*, so auch die Binden der Vorderflügel, jedoch fehlt die rostgelbe Binde vor dem Aussenrande; die nächst dem Wurzelfelde ist etwas beim Manne bräunlich angeflogen. Der Mittelfleck ist sehr dick, und schliesst die Mittelzelle. Auf den Hinterflügeln erscheinen die Binden sanft und mehr verloschen. Die schwarze Einfassung der Flügel ist durch feine graue Puncte, welches die Adern sind, getrennt, und die Fransen gescheckt. An dem Hinterkörper sind zu beiden Seiten an jedem Ringe ein schwarzer Punct vorhanden.

Die Unterseite der Flügel ist seidenartig grau, die Binden scheinen nur schwach durch, jedoch sind die Mittelpuncte und die Randpuncte der Flügel stark ausgedrückt. Beim Manne sind die Beine grau. Schienen und Füsse gelblich, beim Weibe durchgehends dunkel und die Fussglieder weisslich geringelt.

Ich fand diese seltene Art Anfangs Mai auf der Lazarethspitze um einen *Terebinthus*-Strauch in den Morgenstunden.

Glaucomictata n. sp. Der Schmetterling hat die Grösse und den Flügelschnitt von *Hospitata*, und steht in Farbe und Zeichnung, welche diese Art überhaupt sehr kenntlich machen, der wenig bekannten *Extremata* Hüb. ziemlich nahe.

Der Kopf, Rücken und die Fühler sind gelblichweiss. Der Hinterleib ist oben blaugrau mit bräunlichen Hinterrändern der Segmente, und eine Reihe schwärzlicher Puncte über die Mitte und an den Seiten; seine Unterseite und die Afterspitze des Männchens sind gelblichweiss.

Die Grundfarbe der Vorderflügel ist weiss, mit bleichgelbem Anfluge, welcher im Leben rosenfarb schillert. Die Zeichnung ist sehr scharf und auffallend. An der Basis bleibt ein sehr kleines Feld der Grundfarbe, das am Vorderrande einen schmalen, bläulichschwarzen Striemen führt; dann folgt eine dunkle, nicht ganz bis zur Flügelmitte reichende Binde, diese ist bläulichgrau, an ihrer Innenseite undeutlich, an der äusseren aber sehr scharf begränzt, beginnt am Vorderrande breit und verschmälert sich gegen die Mitte zu. Zwei undeutliche gelblichweisse Doppellinien durchziehen sie, die innere ist sehr unbestimmt, und hinter der äussern ist die Binde am dunkelsten und schärfsten, sie erscheint hier am Vorderrande als ein bläulichschwarzer, dreieckiger Fleck, dessen Spitze abwärts gekehrt und durch einen licht holzbraunen, einwärts bis zur Innenrand-Rippe der Mittelzelle ziehenden Strich verbunden ist; von da an ist die Binde bläulichschwarz und braun gemischt, oben gleichbreit und etwas nach aussen gebogen, wodurch auf die genannte Rippe ein einwärts gerichteter spitzer Winkel gebildet wird. Hinter dieser Binde erscheint die Grundfarbe als ein breites Feld, indem auf der Querrippe ein tiefschwarzer Strich steht und welche von einer undeutlichen schmutzig lichtbraunen Doppellinie begränzt ist; an der Innenseite dieser Linie sind die Rippen schwarz beschuppt, wodurch sich eine pfeilstrichartige Zeichnung bildet. Das Saumfeld ist längs des Aussenrandes holzbraun. In diesem Grund zieht nahe vor dem Saume eine weissliche Zackenlinie, die am Vorderrande von der oben erwähnten lichtbraunen Doppellinie weit entfernt ist (da diese schon hinter dreiviertel Theil des Vorderrandes entspringt) aber bei der Mitte der Flügelbreite an sie anstösst und parallel mit ihr in den Innenwinkel ausläuft; sie ist daselbst mitten von einer bläulichschwarzen, nach oben aber verlöschenden, dicken Linie durchzogen, ein gleichförmiger Fleck hängt am Vorderrande im Mittelraume zwischen den beiden hellen Linien, und die Flügelspitze ist durch einen gelblichweissen Wisch getheilt. Die Saumlinie ist schwarz, abgesetzt, die Fransen sind weisslich und grau gescheckt. Auf den Hinterflügeln setzen sich die Binden der vorderen fort. Sie sind aber nur am Innenrande scharf und werden von da an allmälig schwächer; auf der Querrippe steht ebenfalls ein schwarzer Strich; Saumlinie und Fransen sind wie auf den Vorderflügeln. Die Unterseite ist glänzend weiss, die Zeichnung der Oberseite erscheint hier grau und matt, nur die Mittelzeichen aller Flügel sind tiefschwarz.

Ende April und Anfangs Mai fand ich diesen schönen Spanner an der Strasse nach Cavro an Erdabhängen.

Hypena *Proboscidalis* L. Mitte Juli bei San Antonio Abends um Nesseln geflogen.

Rostralis L. Im April bei Ajaccio überwinterte, aus Hecken gescheucht.

Obsitalis H. Im Juli in dem Thale San Antonio Abends um Parietaria geflogen.

Palpalis F. Juli in demselben Thale aus Hecken gescheucht.

Herminia *Tentacularis* L. Im Juli einige bei Corte gefangen, waren jedoch schon verflogen.

Crinalis Tr. Im Mai und Juni um Ajaccio aus Brombeerhecken gescheucht.

Nola *Centonalis* H. Im Juli hinter der Lazarethspitze Abends einige um Mentha gefangen.

Chlamydulalis Hb. Juli bei Ajaccio aus einer Hecke bei der alten Ruine am Hügel Giavani gescheucht. Ist stets selten.

Aglossa *Pinguinalis* L. Im Juli an Mauern um Ajaccio gesehen.

Cuprealis H. Im Juni einen Mann in Ajaccio im Zimmer gefangen.

Hypotia *Corticalis* S. V. Im Juli auf der Lazarethspitze und am Pozzo di Borgo sehr selten.

Asopia *Farinalis* L. Im Juni in Ajaccio im Zimmer nicht selten gewesen.

Pyralis *Combustalis* F. R. Im Juli drei Stück bei Corte auf einer Berghutweide auf *Elichrysum* gefangen.

Botys *Cingulalis* L. Im Mai auf Hutweiden um Ajaccio.

Punicealis S. V. Im Mai und Juni auf der Lazarethspitze und im Campo di loro um Mentha geflogen.

Purpuralis L. Im Mai und Juli auf den Berglehnen des Pozzo di Borgo nicht selten gewesen; auch bei Bastia vorkommend.

Cespitalis S. V. Vom April bis Juli allenthalben um Ajaccio auf Hutweiden und Berglehnen, auch bei Corte und Bastia nicht selten.

Palealis S. V. Im Juni auf den Lehnen des Pozzo di Borgo einzeln erhalten, im Juli fand ich auch die Var. *Selenalis* Hb. bei Bastia in einigen Exemplaren.

Forficalis L. Im Mai ein Stück im Campo di loro gefangen.

Cinctalis Tr. Im Juli bei Bastia ein Weib gefangen.

Pandalis H. Im Mai im Campo di loro am Flussrande einige bekommen.

Verticalis L. Juli im Thale nach San Antonio und bei der Lazarethspitze nicht selten um Parietaria.

Urticalis L. Im Juli bei Ajaccio an einem Bächlein auf Nesseln gefunden.

Polygonalis S. V. Im Juni einen Mann bei der Villa Milelli gefangen.

Silacealis H. Flog im Mai beim Badehause in Campo di loro auf einem Brachfelde.

Virginalis D. Im Juli einzeln auf den Lehnen des Pozzo di Borgo vorkommend.

Numeralis H. Im Mai und Juni auf den sonnigen Lehnen der Berge Lizza, Pozzo di Borgo und Rosso, auch auf den Bergen oberhalb der Lazarethspitze angetroffen, mehrere waren sehr gross und röthlich gefärbt.

Fulvalis Hb. Im Juli bei Ajaccio aus Brombeerhecken gescheucht, auch bei Bastia angetroffen.

Ferrugalis H. Im April und dann im Juni auf Berglehnen und um Hecken in der ganzen Gegend um Ajaccio einzeln vorkommend.

Sericealis S. V. Im Juni in den Thälern der Lazarethspitze Abends um Mentha geflogen.

Ochrealis H. Im Juli ein Stück bei Bastia gefangen.

Testacealis Z. Im Juni bei San Antonio einige gefangen, die meisten verflogen.

Verbascalis S. V. Im Juni bei Ajaccio um die Grabkapellen und auf der Südseite des Pozzo di Borgo auf grasreichen Stellen angetroffen.

Rubiginalis H. Im Juni in den Thälern der Lazarethspitze und im Campo di loro auf grasreichen Stellen angetroffen.

Politalis S. V. Im Mai auf den Lehnen des Pozzo di Borgo einige gefangen.

Frumentalis L. Im Juni bei Cavro ein Weib gefangen.

Cynaeda *Dentalis* H. Im Juli einzeln auf der Lazarethspitze angetroffen.

Stenopteryx *Hybridalis* H. Im April und Juni überall um Ajaccio vorkommend.

Stenia *Suppandalis* H. Am Meeresufer bei der Lazarethspitze um die gelbblühenden Disteln zwei Männer in Juli gefangen.

Infidalis mihi. Dieser hat die grösste Aehnlichkeit mit *Carnealis*, so dass man ihn für eine Varietät dieser Art halten könnte; wenn ihn nicht mehrere Merkmale von demselben spezifisch trennten.

Die Färbung des ganzen Thieres ist schmutziggrau. Die Beschuppung staubig und glanzlos. Der Hinterkörper hat helle Leibringe und an den Seiten des Körpers befinden sich schwarze Längsstriche, welche *Carnealis* nicht hat. Die Beine sind grau, Schienen und Füsse weisslichgrau, die Fühler graubraun, sehr zart schwarz geringelt. Die Vorderflügel führen zwei, die Hinterflügel eine sehr dunkle Binde, auch die Makel auf dem Vorderflügel ist dunkel mit einem weissgrauen Punct versehen. Die Binden theilen die Vorderflügel in drei Felder, da die äussere Linie des Mittelfeldes mehr gegen den Saum hinausgerückt ist, so erscheint das Mittelfeld noch einmal so breit als bei *Carnealis*, bei welcher die Flügel gleich breite Felder haben. Vor den Fransen aller Flügel ist der Saum heller, auf den Flügeladern etwas dunkler unterbrochen, die Fransen selbst einfach grau.

Die Unterseite ist dunkelgrau, die Vorderflügel sind bis zur Aussenrandbinde einfach dunkelgrau, hinter dieser etwas heller gefärbt, ihr Mittelpunct ist nur schwach zu sehen.

Die Hinterflügel sind unten eben so gefärbt und gezeichnet wie oben, mit deutlicherem dunklen Mittelpunct. Bei *Carnealis* ist die Unterseite wie oben gefärbt und gezeichnet, was bei *Infidalis* nicht der Fall ist.

Auffallend ist der Unterschied beim Weib. Diese hat viel schmälere und gestrecktere Flügel, als das Weib von *Carnealis*.

Von dieser Art fing ich einige Exemplare im Juli auf den Berglehnen der Lazarethspitze, einige Mitte Juli bei Corte gefangen, sie flogen sehr schnell in den Morgenstunden um *Cistus* und *Elichrysum angustifolium*.

Bruguieralis Dup. Ende Juni um Hecken des Pozzo di Borgo gefangen.

Mitopeda *Punctalis* F. Im Juli bei Ajaccio aus Brombeerhecken gescheucht.

Diasemia (Steph.) *Literalis* L. Im Mai einzeln auf den Lehnen des Pozzo di Borgo geflogen, in Färbung von unseren Exemplaren nicht abweichend.

Nymphula *Rivulalis* Dup. Mitte Mai im Campo di loro beim Badhause Ein Paar in den Morgenstunden gefangen. Im Juni fand ich mehrere ober der Lazarethspitze bei einer Quelle, wo sie nach Sonnenuntergang flogen. Die Weiber waren sehr selten.

Agrotera *Nemoralis* S. V. Im Juni um Ajaccio aus Hecken gescheucht.

Endotricha *Flammealis* S. V. Im Juni in dem Thale nach San Antonio mehrere aus Dornhecken gescheucht; sie waren in der Färbung sehr dunkel, ein Exemplar fast schwarz.

Choreutes *Incisalis* Tr. im Mai und Juli bei Ajaccio, Corte und Bastia auf Brombeersträuchern geschwärmt, die im Mai fliegenden Exemplare sind grösser als ich sie je sah.

Alternalis Tr. Im Juni in dem Thale nach San Antonio, Campo di loro und bei den Blutinseln um *Parietaria* geflogen.

Praetiosana (Praetiosalis Dup.) Im Juli auf der Lazarethspitze um Disteln und *Elichrysum* Abends geschwärmt, war selten und sieht der *Vibralis* sehr ähnlich.

Heterogenea *Testudinana* H. Im Juni auf den Pozzo di Borgo von jungen Eichengebüsch abgeklopft.

Teras *Logiana* H. 64. Im Juli bei Cavro aus einer Hecke Ein Stück gescheucht.

Abildgaardana F. Im Juni auf der Lazarethspitze um Weissdornsträuchern geflogen. auch in dem Thale nach San Antonio und Campo di loro.

Nyctemerana H. Im Juni oberhalb Alata ein Stück aus einer Dornhecke gescheucht.

Boscana F. *(Cerussana* H.) Im Juli bei Corte und Bastia um Ulmengesträuch geflogen.

Asperana S. V. Im April in dem immergrünen Eichenwald hinter Ajaccio an Baumstämmen sitzend gefunden, die meisten waren verflogen.

Quercinana Z. Im Juni einige aus jungen Korkeichen-Hecken gescheucht.

Oenectra *Pilleriana* S. V. Im Juli einzeln auf den Lehnen des Pozzo di Borgo und dann bei Bastia auf den Berglehnen angetroffen.

Tortrix *Laevigana* S. V. Im Juni in dem Thale nach San Antonio auf *Mentha* an den Flüsschen, und auf der Lazarethspitze Abends geflogen.

Dumicolana Z. Im Juni einige an Mauern bei Ajaccio auf Epheu angetroffen.

Dumeriliana D. Im Juni im Thale von San Antonio aus Eichengebüsch gescheucht.

Viridana L. Im Juni bei Ajaccio einzeln um Eichen angetroffen.

Loefflingiana L. (*Plumbana* H.) Im Mai und Juni auf dem Pozzo di Borgo um Eichengebüsch gefangen.

Conwayana F. (*Hoffmannseggana* H.) Im Juli bei Ajaccio in der Allee an einem Ulmenbaume Ein Stück gefangen.

Obliterana Heyd. Im Juni bei Ajaccio, Cavro und Bastelica aus Hecken gescheucht.

Strigana H. Im Mai und Juni auf den Lehnen des Pozzo di Borgo und Rosso nicht selten.

Ochreana S. V. Im Juni auf den Lehnen des Pozzo di Borgo und auf der Lazarethspitze angetroffen.

Rusticana Tr. Im Mai am Ausflusse des Campo di loro auf einer Wiese in der Morgenstunde geflogen.

Sylvana F. R. Im Juni auf Berglehnen bei Ajaccio angetroffen.

Tesserana S. V. Im Mai auf den Lehnen des Pozzo di Borgo und im Campo di loro Thal auf Hutweiden gefunden.

Argyrolepia *Baumanniana* S. V. Im Mai und Juni nicht selten um Ajaccio.

Coccyx *Zephyrana* T. Im Mai auf Berglehnen und Hutweiden um Ajaccio nicht gar selten.

Flagellana D. Im Juli Ein Stück auf dem Pozzo di Borgo und eines bei Bastia gefangen.

Cochylis *Callosana* (Mann i. l. H. S.) Im Juni einige in den Thälern bei der Lazarethspitze Abends gefangen.

Languidana mihi. Der Wickler hat viele Aehnlichkeit mit *Kindermanniana*; Kopf, Rücken und Hinterleib sind weisslich, die Beine gelblich, die Fühler oben weissgelb, unten bräunlich.

Die Vorderflügel sind licht bräunlich olivengelb, von drei glanzlos weissen, matten Querbändern durchzogen. Das erste derselben läuft über das Drittel der Flügellänge, das zweite steht etwas vor zwei Drittheile derselben, das dritte in der Flügelspitze selbst. Die ersten zwei laufen parallel neben einander, haben jedes ungefähr die Breite des Rückens und schliessen mitten ein gleich breites Band der Grundfarbe ein; sie sind in der Mitte etwas auswärts gebogen, und an der Aussenseite des äusseren entspringt ein schmaler weisslicher Streif am Vorderrande des Flügels, welcher bis zum Innenrande zieht und daselbst nahe vor dem Innenwinkel ausläuft. Das äussere Band ist an der Flügelspitze so breit wie die beiden andern, läuft aber nach unten spitz in den Saum aus, dessen Ende es nicht ganz erreicht.

In alle weisslichen Zeichnungen sind olivengelbe Schuppen derart eingemengt, dass sie zerfaserte Querlinien bilden, im Wurzelfelde stehen einige weissliche Schuppen. Die Fransen sind weisslichgelb, die Hinterflügel weissgrau mit helleren Fransen.

Unten sind die Vorderflügel dunkler, die hinteren heller grau, alle mit weisslichgrauen Fransen; auf der vorderen schimmern die Querbänder der Oberseite matt durch.

Ich fand diesen hübschen Wickler im Mai und Anfangs Juni auf den Berglehnen der Lazarethspitze, wo er in den Morgen- und Abendstunden um *Cistus salviaefolius* flog.

Tischerana F. R. Im Juni einige auf den Berglehnen des Pozzo di Borgo gefangen.

Impurana mihi. Steht der *Elongana* zunächst, ist aber nur halb so gross, ungefähr wie *Dispaceana*.

Die Vorderflügel haben die Form und Zeichnungsanlage von *Elongana*, die Grundfarbe aber ist ein durchgehends gleichmässiges Aschgrau. Die Zeichnung ist nur wenig dunkler, bräunlichgrau und nicht scharf vom Flügelgrunde geschieden, während bei *Elongana* die untere Längshälfte des Flügels durch ihre helle Färbung vom dunklen Vorderrande grell absticht und die Mittelbinde scharf und schwarzbraun ist; auch hat *Elongana* zerstreute grobe, schwarzbraune Puncte auf dem grössten Theile der Flügelfläche, *Impurana* aber nur sehr feine braungraue Schüppchen, welche kaum mit der Loupe bemerkbar sind.

Die Fransenbezeichnung der Vorder- und die Hinterflügel sind wie bei *Elongana*, aber ebenfalls viel matter gefärbt; die Hinterflügel sind an der Spitze viel mehr gerundet.

Unten sind die Vorderflügel dunkel, die hintern heller grau, erstere haben aschgraue, von einer dunkleren Längslinie durchzogene, letztere weissgraue Fransen.

Ich fing diesen Wickler nur in zwei Exemplaren. Anfangs Mai am Fusse des Pozzo di Borgo.

Im Jahre 1853 fand ich ihn bei Fiume in der Nähe des Pulverthurmes, ebenfalls Anfangs Mai, und auch nur in wenigen Stücken; er scheint stets selten zu sein.

Pentactinana mihi. Dieser Wickler unterscheidet sich durch seine eigenthümliche an *Nephopteryx Janthinella* erinnernde Farbenmischung von allen mir bekannten *Cochylis*-Arten.

Er hat die Flügelform von *Elongana*, ist aber ein Viertel grösser, wie *Tischerana*. Der Körper ist grau, der Rücken und die Vorderflügel sind holzbraun. Der Vorderrand ist in ansehnlicher Breite bläulichgrau, diese Farbe ist nach innen in die Grundfarbe verwaschen, und geht auch gegen die Flügelspitze zu in dieselbe über. Ein blaugrauer schräger Wisch zieht vom Innenrande des Flügels gegen die Querrippe zu und deutet die Mittelbinde an; ein gleichfärbiger ähnlich geformter Fleck steht in einiger Entfernung vor dem Innenwinkel. Auf der Querrippe steht ein schwarzer Punct und die von hier auslaufenden Rippen sind etwas heller gefärbt als der Flügelgrund, wodurch sich eine matte strahlenartige Zeichnung bildet. Auf der ganzen Flügelfläche sind spärliche schwarze Schuppen zerstreut. Die Fransen sind dunkelgrau und gelblich gescheckt von einer schwärzlichen Längslinie durchzogen.

Die Hinterflügel sind aschgrau mit lichteren Fransen.

Die Unterseite ist grau, die Vorderflügel sind sehr dunkel, die hinteren weit heller gefärbt.

Ich fing nur Ein einziges Männchen Ende April Abends in einem Podere bei Ajaccio an einer sumpfigen Stelle unter Oelbäumen; trotz dem mehrere Abende fortgesetzten Suchen konnte ich keines mehr erbeuten.

Rubellana H. Im Mai auf den Berglehnen des Pozzo die Borgo und der Lazarethspitze gefunden.

Heydeniana (Mann i. l.) Z. H. S. 369. Im Mai bei Ajaccio einzeln um wildes Oelbaumgestrüpp geflogen.

Roseofasciana mihi. Dieser Wickler hat die Grösse und Form ganz wie die von mir bei Rodaun entdeckte und von Herrich-Schäffer Fig. 81 abgebildete *Purpuratana*.

Kopf, Fühler, Beine und Rücken sind gelblich, der Hinterleib zieht mehr ins Graue. Die Vorderflügel sind nebst den Fransen blassgelb. Eine rosenfarbe Binde zieht schräg über die Mitte des ganzen Flügels, ist aber wie bei *Dipsaceana* geformt, während sie bei *Purpuratana* unten fast doppelt so breit ist, als oben; eine weit undeutlichere bleichere rosenfarbe Binde zieht nahe vor dem Saume, stösst aber nicht ganz an denselben an und ist genau wie bei *Purpuratana* geformt.

Die Hinterflügel sind licht aschgrau mit helleren Fransen. Unten sind die Vorderflügel dunkelgrau, an der Spitze und auf den Fransen gelblich, die hinteren sammt den Fransen gelblich lichtgrau. Ich fing nur ein Männchen in dem Thale nach San Antonio im Mai an einem Bache; bei Brussa fand ich mehrere Exemplare ebenfalls im Mai an einem Flüsschen.

Manniana Tr. F. R. Taf. 51. Im Mai im Thale nach San Antonio Abends um *Mentha* einzeln geschwärmt.

Postremana Z. (*Ambiguana* Tr.) Im Mai auf der Lazarethspitze einige um Disteln gefangen.

Schreibersiana Fröl. Im Mai bei Ajaccio in der Allee an Ulmenstämmen angetroffen.

Penthina *Pruneticolana* Z. Bei Ajaccio im Mai aus Brombeerhecken gescheucht.

Variegana S. V. Im Juli bei Corte aus Hecken gescheucht.

Sellana H. Im April und Juni auf den Lehnen des Pozzo di Borgo und auf den Berglehnen der Lazarethspitze Abends geflogen.

Botrana S. V. (*Vitiosana* Jacq. *Reliquana* Tr.) Im Mai bei Ajaccio um Weingärten geflogen.

Cynosbana Tr. Im Mai und Juni nicht selten um Dornhecken.

Thapsiana Z. Im Juni einzeln auf den Lehnen des Pozzo di Borgo gefunden.

Altheana mihi. Dieser Wickler steht der *Triquetrana* S. V. in Form und Zeichnung ganz nahe, nur ist er ein wenig grösser. Der Kopf, Rücken und die Grundfarbe der Vorderflügel sind bräunlich gelb, letztere (beim Manne ohne Umschlag an der Basis) mit vielen mehr oder weniger deutlichen feinen schwärzlichen Querstrichelchen und Pünctchen.

Die Vorderrandshäckchen sind weisslich und stehen paarweise. Das äusserste Paar ist am schärfsten und schliesst in der Flügelspitze den schwärzlichen Augenfleck ein, der der Gattung *Penthina* eigenthümlich ist; die übrigen Paare sind viel matter. Auf dem Innenrande sitzt ein nicht weit von der Wurzel beginnender, fast bis zur Mitte des Flügels reichender schwärzlich-brauner Fleck auf; er reicht nur bis zur Mitte der Flügelhöhe, hat ungefähr dieselbe Form wie bei *Triquetrana*, und ist nur nach aussen scharf abgegränzt, nach innen aber verwaschen.

Der vor dem Saume stehende Spiegelfleck hat die Grösse und Form wie bei *Triquetrana*, ist bläulichweiss mit ganz wenigem Metallglanze, und hat zwei bis drei sehr kleine schwarze Schuppenflecke in der oberen Hälfte seines Aussenrandes. An die Innenseite des Spiegelfleckes stösst noch ein auf dem Innenrande des Flügels breit beginnender, nach oben keilförmig zulaufender schwärzlichbrauner Fleck und ein gleichfärbiger längsstrichartiger Wisch befindet sich noch im Raume zwischen dem Vorderrandshäckchen und dem Spiegelflecke. Zwischen den beiden zuerst genannten braunen Flecken ist der Flügelgrund viel reiner und heller, fast weisslich. Die Saumlinie ist bläulichgrau; die Fransen sind gelbgrau, an der Flügelspitze schwärzlich.

Die Hinterflügel sind wie bei *Triquetrana* aschgrau, an der Wurzel etwas heller mit breiten weisslichgrauen Fransen. Unten sind die Vorderflügel dunkelgrau mit helleren Vorderrandshäckchen, die hintern etwas lichter, am Vorderrande mit schmutzigbraunen Querstrichelchen. Den Wickler fing ich schon 1850 in Dalmatien, hielt ihn aber irrigerweise für *Hübneriana* Z II. 1854 zog ihn Herr von Hornig aus Raupen, die er mit der von *Gelechia malvella* bei Wien auf *Althea rosea* gefunden und nicht näher beobachtet hatte. Herrn von Hornig's Exemplare entwickelten sich im September und sind viel dunkler, als meine, die ich im Juni bei Ajaccio auf Malven fing.

Porrectana Z. Steht der *Botrana* ganz nahe. Im Mai hinter der Lazarethspitze in Thälern Abends um Disteln geflogen.

Ocellana S. V. Im Juni einige an Baumstämmen um Ajaccio gefangen.

Paedisca *Mancipiana* mihi Steht der *Brunnichiana* zunächst, ist aber etwas kleiner, der Schmetterling ist leicht kenntlich an der trüb lehmig braungelben, staubig grau überflogenen Färbung der Vorderflügel.

Kopf, Fühler und Palpen haben die Farbe der Vorderflügel. Letztere sind etwas gestreckter als bei *Brunnichiana* und sehr matt gezeichnet. Vorderrandshäckchen sind nur drei Paar vorhanden. Sie sind weisslichgelb, sehr undeutlich und das äusserste Paar setzt sich als matte Doppellinie längs des Saumes, nicht ganz an ihn anstossend fort. Auf den Innenrand sitzt noch etwas hinter der Mitte der Flügellänge eine weisslich gelbe Mackel auf, welche schräg nach Innen gestellt, etwas sichelförmig gekrümmt, zweimal so hoch als breit ist, und bis an den Innenrand der Mittelzelle reicht. Die übrige Flügelfläche ist nebst den Fransen staubig braungrau. Die Hinterflügel sind dunkelaschgrau, im Discus und auf den Fransen etwas heller.

Unten sind die Vorderflügel dunkelgrau mit drei deutlichen graugelben Vorderrandsflecken und Andeutung eines vor ihnen stehenden vierten. Die hintern lichtgrau, alle mit hellen grauen Fransen. Ich fand diesen Wickler im Mai und Juni in den Thälern der Lazarethspitze Abends um Disteln fliegend. Die Weibchen durch plumperen Bau und walzenförmigen Körper von den Männchen verschieden, waren im Verhältniss zu den Männchen höchst selten.

Quaggana Kollar in lit. Der *Cuphana* in Grösse und Flügelform zunächst, aber von viel lieblicherer Zeichnung. Die Vorderflügel sind licht olivenbraun, weissgrau gebändert. Ein wenig deutlich begränztes Band steht nahe an der Basis, ein deutliches zieht über das erste Drittel des Flügels; beide laufen schräg nach Aussen vom Vorder- zum Innenrande und jedes ist von einer undeutlichen feinen Linie durchzogen. Nahe hinter der zweiten Binde stehen am Vorderrande vier weissgraue Fleckchen in gleicher Entfernung von einander. Das erste derselben ist getheilt, und zieht zum dritten Häckchen ein über die Mitte der Flügelbreite reichender weissgrauer Bogen, an welchen sich ein gleichgeformter in verkehrter Richtung derart anhängt, dass seine breite Seite auf den Innenrand aufsitzt und einerseits nahe vor der zweiten Binde, andererseits in den Innenwinkel endet. Diese beiden Bogen haben im Mittelraume olivenbraune Ausfüllung und sind da, wo sie zusammenhängen X-artig verbunden. Das vorletzte und letzte Häckchen setzen sich schräg bis in den Raum fort, welcher dicht unter der Flügelspitze ebenfalls weissgrau ist.

Die Saumlinie ist schwarz punctirt und die weissgrauen Bänder sind ebenfalls hier und da durch schwärzliche Schuppen begränzt. Die Fransen sind fast mit dem Flügelgrunde gleich gefärbt, ziehen aber etwas mehr ins Graue.

Die Hinterflügel sind aschgrau mit helleren Fransen.

Unten sind die Vorderflügel dunkel, die hinteren hellgrau, erstere mit bleichgelben Vorderrandsflecken, alle mit lichten grauen Fransen.

Ich fand diesen Wickler einzeln im Juni auf der Lazarethspitze auf *Elichrysum angustifolium*, im Jahre 1846 entdeckte ich ihn im Arno oder Cassentino-Thale bei Pratovecchio im Toskanischen.

Ich fing ihn auch 1849 bei Fiume und 1851 bei Brussa ebenfalls im Juni. Er scheint überall selten zu sein.

Cuphana Ti. Im Mai um Ajaccio auf Hutweiden und Berglehnen. Die Männer nicht selten gewesen.

Phoxopteryx *Lanceolana* H. Im Mai im Thale Campo di loro und auf der Lazarethspitze auf feuchten Stellen nicht selten.

Comptana Fröl. Im Mai auf den Lehnen des Pozzo di Borgo einzeln angetroffen.

Badiana S. V. Im Juni auf der Lazarethspitze und bei Cavro einige gefunden.

Siculana H. Im Mai um Ajaccio aus Dornhecken gescheucht, im Juli auch bei Corte angetroffen.

Aspis *Udmanniana* L. In dem Thal nach San Antonio und im Campo di loro als Raupen auf Brombeeren angetroffen.

Sericoris *Lacunana* S. V. Im Juni im Thal Campo di loro gefunden.

Urticana H. Im Mai bei Ajaccio an Bächen um Nesseln geflogen.

Conchana H. im Juni auf den Pozzo di Borgo einige gesehen, waren verflogen.

Striana S. V. Im Mai auf der Lazarethspitze am Fusse des Mont Rosso auf grasreichen Stellen gefunden.

Cespitana H. Vom Mai bis Juli um Ajaccio nicht selten gewesen.

Carpocapsa *Pomonana* L. In Ajaccio an Häusern und im Zimmer gefunden.

Woeberiana S. V. Im Juni ein Stück an einem Mandelbaum gefangen.

Grapholitha *Hypericana* H. Im Juni einige auf dem Pozzo di Borgo gefangen.

Zachana Tr. Im Mai auf den Berglehnen der Lazarethspitze und den grasreichen Thälern getroffen.

Germana Fröl. Im Mai auf der Lazarethspitze und im Thal Campo di loro Abends geflogen.

Jungiana Fröl. Im Mai bei Ajaccio ober den Grabkapellen um *Cistus salviaefolius* gefangen.

Orobana Tr. Im Mai auf der Lazarethspitze, dem Pozzo di Borgo und Mont Lizza auf Disteln gefangen.

Juliana Curtis. Im Juni auf den Lehnen des Pozzo di Borgo gefangen.

Abrasana F. R. H. S. Im Juni bei Ajaccio in der Allee auf Ulmen geflogen.

Pasivana H. Im Juli einzeln bei Ajaccio aus Dornhecken gescheucht.

Luridalbana H. S. (Mann in lit.) Auf der Lazarethspitze im Juni auf *Lavandula staechas* gefangen.

Musculana H. Im Mai, im Thale nach San Antonio einzeln aus Hecken gescheucht.

Chilo *Forficellus* Thbg. Im Juli an der Ausmündung des Campo di loro einen verflogenen Mann gefangen.

Crambus *Culmellus* L. Im Juli auf der Alpe bei Corte einige gefangen.

Saxonellus Zk. Im Juli bei Bastia Ein Stück gefangen.

Cassentiniellus Z. Isis. Im Juni in dem Thale nach San Antonio und in den Thälern der Lazarethspitze einige erhalten.

Contaminellus H. Im Juni und Juli in den Thälern der Lazarethspitze des Abends nach Sonnenuntergang geflogen, war nicht gar selten.

Eromene *Superbellus* Mann Z. Im Juni am Fusse des Pozzo di Borgo einige gefangen, waren aber ziemlich abgeflogen.

Cyrilli Costa (*Funiculellus* Tr.) Im Juni in den Thälern der Lazarethspitze einen Mann gefangen; diese Art scheint überall selten zu sein.

Eudorea *Crataegaella* H. Bei Ajaccio ein Stück an der Mauer einer Grabkapelle gefangen.

Coarctata Z. (*Hesperiella* Kllr. i. l.) Im Mai und im Juli bei Ajaccio aus Hecken gescheucht.

Aphomia *Colonella* L. Im Juni einen Mann an einem Baumstamme gefangen.

Semnia *Punctella* Tr. Im Juli am Fusse des Pozzo di Borgo angetroffen, die Exemplare sind grösser als ich sie sonst im Süden antraf, und viele bräunlich gefärbt.

Ephestia *Interpunctella* H. In Ajaccio im Zimmer gefangen.

Homoeosoma *Nimbella* Z. Im April bei Ajaccio Abends auf den Berglehnen geflogen.

Binaevella H. Im Juli einige auf den Lehnen des Pozzo di Borgo gefangen.

Sinuella F. Im Mai bis Juli überall in der Umgebung von Ajaccio, Corte und Bastia auf Berglehnen und Hutweiden.

Acrobasis *Obliqua* Z. Im April und Mai auf den Berglehnen des Pozzo di Borgo, Rosso und der Lazarethspitze, wie an den Berglehnen nach den Blutinseln Abends um *Cistus salviaefolius* geflogen.

Myelois *Cribrum* S. V. Im Mai auf einer ziemlich hohen Berglehne in einem Podere ober den Grabkapellen Abends in sehr grossen Exemplaren um Disteln gefangen.

Legatella H. Im Juli bei Cavro ein Stück aus einer Dornhecke gescheucht.

Afflatella mihi. In Form und Zeichnung der *Ceratoniella* ähnlich, zufolge der nur dreiästigen Median-Ader der Hinterflügel und der aufwärts gekrümmten Palpen aber in Zeller's Abtheilung *A. b.* gehörig.

Der Körper ist aschgrau, nebst den Beinen anliegend beschuppt. Die Palpen sind sichelförmig aufwärts gekrümmt, die Nebenpalpen ganz kurz und fadenförmig, die Zunge spiral, die Fühler in beiden Geschlechtern ohne Krümmung, beim Mann mit sehr kurzen dichten Wimpern und einen schwarzen Schuppenstrich auf der Oberseite dicht an der Basis.

Die Vorderflügel sind glanzlos hellgrau, mit feineren, dunkleren Atomen besäet. Ihre Zeichnung ist sehr undeutlich, und besteht nur aus einem dunklen, grauen, matten Bogenstreif, über das erste Drittel des Flügels einen dunkelgrauen, an seinen beiden Enden undeutlich punctartig verdickten Strich auf der Querrippe und einen gleichfarbigen Schrägwisch vor der Flügelspitze. Vor dem Saume zieht noch eine ganz verloschene graue

Querlinie, und die Saumlinie ist gleichfalls etwas dunkler grau; die Fransen sind ein wenig heller als der Flügelgrund.

Die Hinterflügel sind gelblich aschgrau mit dunkelgrauer Saumlinie und helleren Fransen. Unten sind alle Flügel grau, am Vorderrande dunkler, als gegen den Innenrand zu. Die vorderen haben beim Manne die eigenthümliche Auszeichnung, dass sie nahe an der Basis im Raume zwischen der Vorderrandsrippe und dem Vorderrande des Flügels selbst eine graue Schuppenwulst besitzen.

Ich fand diese Art an den Lehnen des Pozzo di Borgo und der Lazarethspitze im Juni auf *Elichrysum angustifolium*. Ihr Flug ist scheu und schiessend, und der Schmetterling selten.

Tetricella S. V. Im Mai auf der Lazarethspitze um Dornhecken einige gefangen.

Transversella Dup. Im Juni auf den Berglehnen ober den Grabkapellen auf *Lavandula staechas* gefangen.

Cantenerella Dup. Im Juli auf der Lazarethspitze und deren Berglehnen aus *Cistus salviaefolius* - Sträuchern gescheucht. War sehr selten.

Ancylosis *Cinnamomella* Dup. (*Dilutella* Tr.) Im Mai auf den Lehnen des Mont Lizza gefangen. Ich sah nur wenige fliegen.

Nephopteryx *Dahliella* Tr. Im Juli zwei Stück bei Cavro gefangen.

Pempelia *Zinckenella* Tr. Im Juni auf den Berglehnen des Pozzo di Borgo.

Carnella L. Im Juni und Juli. Ueberall in der Umgebung von Ajaccio, Corte und Bastia häufig.

Obductella F. R. Im Juli bei Bastia zwei Stück gefangen.

Adornatella Tr. Im Juni auf den Berglehnen des Pozzo di Borgo geflogen.

Palumbella S. V. Im Mai an den Lehnen des Mont Rosso einzeln angetroffen.

Tinea *Imella* H. Im Mai bei Ajaccio einzeln Abends um alte Mauern geflogen.

Rusticella H. Im Thale nach San Antonio im Juni einzeln aus Hecken gescheucht.

Tapetiella L. Ein Stück in Ajaccio im Zimmer gefangen.

Granella L. Im Juni im Thale nach San Antonio Abends um Hecken geschwärmt.

Spretella S. V. (*Fuscipunctella* Haw.) In Ajaccio und Corte im Zimmer geflogen.

Pellionella L. Ebenfalls in Ajaccio im Zimmer gefangen.

Lampronia *Variella* F. R. Im Juni auf dem Pozzo di Borgo einige um Brombeerhecken gefangen, sie waren aber schon verflogen.

Incurvaria *Masculella* H. Im Mai bei Ajaccio und im Thal Campo di loro bei Sonnenschein in den Morgenstunden um Schlehengesträuch geflogen.

Micropteryx *Calthella* L. Im Mai im Thale Prunelli einige auf *Tamerix*-Blüthen gefangen.

Facetella Z. Im Mai auf den Lehnen des Pozzo di Borgo auf *Terebynthen*-Blüthen gefangen. Die Art fand ich zuerst 1850 im April auf der Insel Lissa in Dalmatien, und im Mai bei Spalato auf dem Mont Mariano ebenfalls auf blühenden *Terebynthen*.

Nemotois *Chalcochrysellus* mihi. Reiht sich an *Minimellus*, *Barbatellus* und *Prodiquellus*, denen sie in Form und Zeichnung ungemein nahe steht.

Der Körper und die Palpen des Männchens sind schwarz, letztere mit sehr langen, borstigen Haaren besetzt; die Fühler haben dieselbe Länge, wie bei den verwandten Arten und sind silberweiss, nur an der Oberseite der Basis schwarz beschuppt.

Die Vorderflügel sind an der Spitze ein klein wenig mehr gerundet, als bei den obengenannten Arten, haben aber fast ganz dieselbe Färbung und Zeichnung, nur sind bei *Minimellus* die Flügel von der Basis bis zur Mittelbinde grünlich messinggelb, hinter derselben röthlich golden, bei *Barbatellus* und *Prodiquellus* wohl vor und hinter der Binde röthlich goldgelb, wie bei meinem *Chalcochrysellus*, die Binde selbst ist aber bei dieser Art doppelt so breit, als bei den zwei oben genannten; ebenfalls bei den genannten Arten mangelt auf dem Vorderflügel unweit dem Aussenrande der eingedrückte schwarze Schuppenfleck.

Weiters sind die Hinterflügel des Männchens dunkelgrau, gegen die Basis zu ungemein bleich mit weisslichgelben Fransen, also von allen verwandten Arten verschieden. Das Weib ist etwas kleiner mit kürzeren runden, fast wie beim Manne gezeichneten Vorderflügeln; dunkelgrauen, violett schillernden Hinterflügeln, broncefarbener Saumlinie und gelblichgrauen Fransen, rostgelber Stirn und schwarzen, violett glänzenden Fühlern, welche nur wenig länger als der Vorderrand des Vorderflügels sind, rostgelbe Basis und weisse Spitzen haben.

Unten sind die Flügel beim Manne grau, an Vorderrand und Spitze violett glänzend; der Mittelraum und die Fransen der hinteren sind hier ebenfalls sehr bleich. Beim Weibe ist der Violettglanz über den grössten Theil der Flügel verbreitet und die Fransen sind broncefarb.

Ich fand diese schöne Art im Mai in dem Thale der Lazarethspitze stets nach Regen aus dem hohen Grase an den Stengeln hinauflaufend. Ich bekam nur wenige Männchen und zwei Weibchen.

Plutella *Xylostella* L. Im April, Mai und Juli überall um Ajaccio auf Bergen und Thälern nicht selten.

Ypsolophus *Asinellus* H. Im Juni auf den Lehnen des Pozzo di Borgo einen Mann gefangen.

Verbascellus S. V. Im Mai und Juni einzeln auf der Lazarethspitze auf *Scrophularia* gefunden.

Lineatellus in lit. H. S. 560. Im Mai auf den Lehnen des Pozzo di Borgo und an den Berglehnen nach den Blutinseln Abends geflogen.

Striatellus S. V. Im Juni auf der Lazarethspitze, im Thale Campo di loro auf Berglehnen und Hutweiden nicht selten gewesen.

Lanceolellus (Kllr. in lit.) H. S. 402. Im Mai einen Mann bei Cavro gefangen.

Anchinia *Cyrniella* mihi. Aus der Verwandtschaft von *Aristella*, *Schlaegerella* und der von mir in diesen Schriften bekannt gemachten *Argentistrigella*. Der *Schlaegerella* steht sie am nächsten, ist aber kleiner und etwas kurzflüglicher, die Farbe der Vorderflügel ist noch dunkler als bei *Aristella*, der Vorderrand und die Querstrime sind wohl wie bei *Schlaegerella*, aber viel reiner weiss und schärfer abstehend, als bei dieser Art und *Aristella*.

Die Hinterflügel, Unterseite, Palpen, Fühler und Beine sind wie bei *Schlaegerella*.

Das Weib ist kleiner, schmalflüglicher und bleicher gefärbt als das Männchen.

Im Juni und Juli an den Lehnen des Pozzo di Borgo und auf den Hügeln der Lazarethspitze einige Männchen und ein Weibchen erbeutet.

Oecophora *Kollarella* Costa (*Flavedinella* F. R.). Im Juni auf den Lehnen des Mont Rosso auf *Lavendula Staechas* geflogen.

Leuwenhoeckella. Im Mai bei Alata auf einer Hutweide gefangen.

Metzneriella Tr. Im Mai bei San Antonio ein Stück aus einem Lorbeerstrauch gescheucht.

Lacteella S. V. Im Mai in Ajaccio ein Stück im Zimmer gefangen.

Chenopodiella Hb Im Juni bei Ajaccio an einer Weingartenmauer einige gefangen.

Dissimilella H. S. F. 989. Mitte Juli auf den Lehnen des Pozzo di Borgo einige gefangen.

Phycidella Z. Im Juni bei Ajaccio im Thal nach San Antonio einige aus Dornhecken gescheucht.

Lavandulae mihi. Diese Schabe steht der *Mouffetella* L. sehr nahe, hat aber breitere und kürzere Flügel, sie ist in der Färbung durchaus braungrau, nur die Fühler sind weiss geringelt. Die braungrauen Vorderflügel sind mit feinen, dunklen, grauen Atomen belegt, wodurch sie ein rauhes Ansehen erhalten. In der Mitte des Flügels stehen zwei schwarze, kurze Längsstriche untereinander, so zwar, dass sie den Flügel in drei gleiche Theile theilen, zwischen ihnen und dem Aussenrande steht in der Mitte noch ein grosser schwarzer Punct. Die Hinterflügel sind einfach braungrau, die Fransen am Hinterwinkel etwas heller. Die Unterseite aller Fügel ist dunkelgrau mit Seidenglanz.

Ich fand gegen Ende Mai auf der Lazarethspitze die schon eingesponnenen Raupen auf *Lavandula Staechas* in den obern Blättern der Zweige. Den 10. Juni entwickelte sich eine Schabe, den 12. folgte noch eine, die andern Puppen vertrockneten.

Oleella Boyer *de Fonsc.* Im Juni fing ich einige bei Ajaccio um Olivenbäume.

Quadrifariella mihi. Hat in Grösse und Zeichnungsanlage einige Aehnlichkeit mit *Angustella*, die Flügel sind aber viel kürzer, breiter und runder, die hinteren auch viel kürzer gefranst. Ueberhaupt stimmt der Schmetterling in Flügelform und Fransen mehr mit *Psecadia Signella* und *Signatella* überein, und hat bei *Oecophora* kaum seine richtige Stellung, da es aber sowohl in dieser Gattung, als bei *Psecadia* ohnehin noch Mehreres zu sichten gibt, so führe ich ihn einstweilen hier auf, bis sich eine passendere Stelle findet.

Der Körper ist oben schwarzgrau und weiss. Der Hinterleib ist etwas flach gedrückt und die Hinterränder der Segmente sind auf der Oberseite weiss gerandet, die Beine sind weiss und schwarz geringelt, die Hinterschienen aussen etwas längshaarig mit zwei Paar Spornen. Der Kopf ist mit etwas borstigen weisslichen Schuppen besetzt, die Palpen sind weiss und schwarz gefleckt, anliegend beschuppt, aufwärts gekrümmt mit langem spitzen Endgliede.

Die Fühler reichen bis zu zwei Drittel des Vorderrandes, die Vorderflügel sind weiss und schwarz geringelt, an der Spitze nicht verdünnt, sondern daselbst fast so dick, wie an der Basis, beim Manne dicker als beim Weibe, in beiden Geschlechtern unbewimpert.

Die Vorderflügel sind grobschuppig, glanzlos und haben als Grundfarbe ein mit weisslichen Schuppen belegtes Schwarz. Sie sind von drei weissen, fast geraden und schräg nach aussen gerichteten Querbändern durchzogen. Die beiden ersten sind ziemlich breit, jedes etwa halb so breit als lang, das innere steht dicht an der Basis, das äussere endet bei der Flügelmitte, zwischen beiden bleibt nur ein schmaler Streif von der Grundfarbe, der mitten weiss unterbrochen ist, da hier beide Binden durch einen kleinen Querast verbunden sind; beim Manne sind diese beiden Binden gelblich überflogen, beim Weibe aber nicht. Das dritte Band beginnt bei drei Viertel des Vorderrandes und zieht schräg gegen den Innenwinkel zu; es ist nur halb so breit als die übrigen, beim Weibe läuft es vor dem Innenwinkel aus, beim

Manne reicht es aber nur bis zur Mitte des Flügels. Längs des Saumes stehen weissliche, in der weissen Binde schwärzliche grobe Schuppen. Die Fransen sind breit, weissgrau, beim Manne gegen den Innenwinkel zu dunkler.

Die Hinterflügel sind eisengrau mit helleren Fransen, beim Weibe etwas lichter gefärbt als beim Manne.

Unten sind alle Flügel grau mit gleichfarbigen Fransen, die vorderen mit schmaler, weisslicher Kante.

Ich fing diese seltene Art auf der Lazarethspitze an einer kleinen Felsenparthie in drei Exemplaren.

Scythropia *Crataegella* L. Im Juli auf der Lazarethspitze auf Weissdornhecken. Die Exemplare sind etwas dunkler als die hiesigen.

Cerasiella H. F. R. Im Juni um Weissdorn bei Ajaccio geflogen.

Yponomeuta *Variabilis* Z. Im Juli auf Schlehenhecken angetroffen.

Evonymellus S. V. Im Thale nach San Antonia die Raupe häufig angetroffen.

Irrorellus H. Im Juni bei Cavro einige an einer Hecke gefangen.

Psecadia *Sexpunctella* H. Im Mai bei Ajaccio an Zaunhecken, und auf den Lehnen des Pozzo di Borgo auf *Echium* gefunden.

Echiella S. V. Im Mai und Juni bei Ajaccio in der Allee an Baumstämmen nicht selten gewesen.

Depressaria *Depressella* H. Im Juni bei Ajaccio einige um Hecken gefangen.

Radiella H. Im Juli bei Bastia einige aus Hecken gescheucht.

Corticinella Z. (*Cuprinella* Z. il.) Im Juni im Thale nach San Antonio einige gefangen.

Altricornella mihi. Sehr nahe an *Ocellana* Fab. (*Characterella*) dieselbe Grösse, Flügelschnitt, Farbe und Zeichnungsanlage; die Fühler sind aber bei meinen sehr reinen Exemplar entschieden schwarz (bei *Ocellana* bräunlichgelb), die Mittelpuncte sind weiter von einander getrennt, beide gleich gross und tiefschwarz, der unter ihnen stehende Wisch und der unter ihm saumwärts befindliche, licht gekernte Punct sind ebenfalls, doch matter schwarz, während *Characterella* diese Zeichnung stets mit Roth gemischt hat, alles Uebrige ist wie bei *Ocellana*.

Ich fand dieses Männchen in meinem Raupenkasten frisch ausgekrochen, wo ich die Raupe wahrscheinlich mit Futterpflanzen für die *Ocnogyna Corsica* eingetragen hatte.

Carcina *Fagana* S. V. Im Juli im Thale nach San Antonio aus Eichenhecken gescheucht, sie weichen von unseren in der Färbung sehr ab, welche dunkel karmoisinroth ist.

Gelechia *Gallinella* Ti. Im Juni auf dem Pozzo di Borgo um Erica geflogen.

Striatopunctella Kllr. Im Mai auf den Lehnen des Pozzo di Borgo einige gefangen.

Vilella Z. Im April im Thale nach San Antonio Abends um Nesseln geflogen.

Scabidella Z. Im April und Mai auf den Lehnen des Pozzo di Borgo und der Lazarethspitze in den Abendstunden geflogen.

Plebejella Z. Im Juni in den Thälern der Lazarethspitze Abends einzeln um Brombeergesträuch geflogen.

Scriptella H. Im Mai einige im Thale Campo di loro um Gebüsch gefangen.

Cythisella Ti. Im Mai bei Ajaccio einige aus Hecken gescheucht.

Ligulella S. V. Im Juni einige um Hecken gefangen.

Coronillella Tr. Im Mai auf den Lehnen des Pozzo di Borgo geflogen.

Flamella Tr. Im Mai und Juni auf den Lehnen des Pozzo di Borgo und der Lazarethspitze geflogen.

Cerealella Oliv. Im Mai bei Ajaccio einige an Mauern geflogen.

Paupella Z. (*Melanolepidella* Koll. in lit.) Im Mai auf den Berglehnen ober den Grabkapellen nach Sonnenuntergang geflogen. 1846 fand ich sie auf der Haide von Ardenza bei Livorno in Toscana.

Campicolella Z. Im April bei Ajaccio ober den Grabkapellen Abends auf den Bergen um *Erica* geflogen.

Inopella Zll. Im April auf den Berglehnen bei der griechischen Kapelle einige gefangen.

Quinquepunctella Kllr. in lit. H. S. 573. Im Anfang Mai auf Berglehnen des Pozzo di Borgo, Rosso und Lazarethspitze Abends geflogen.

Stipella H. Im Mai einzeln auf *Chenopodium* geflogen.

Herrmannella F. Im Mai in Poderen bei Ajaccio an Mauern gefangen.

Torridella Z. Im Juni zwei Stück an den Lehnen des Pozzo di Borgo gefunden, ist bis jetzt noch eine grosse Seltenheit.

Subericinella Mann. H. S. 541. Im Mai einige auf den Lehnen des Mont Rosso gefangen.

Pictella Z. Im Juni auf der Lazarethspitze auf *Lavandula staechas* einige gefangen.

Selaginella mihi. Sie hält das Mittel zwischen *Aestivella* Mtz. und *Aprilella* Mann. in lit. H. S. 963. Der Vorderflügel sammt den Fransen und Rücken sind ockergelb, der Kopf blassgelb, ebenso die Palpen und Beine. Am Aussenrande ist die gewöhnliche Binde etwas verloschen, die Mittel- wie die Vorderrandader und der Vorderrand sind weisslich, auch vom Aussenrande ziehen sich weissliche Striche bis in die Fransen; die ganze Zeichnung ähnelt der von *Paupella* Z.

Die Fühler sind dunkelbraun, meist geringelt. Das zweite Palpenglied ist kürzer, das dritte länger als bei *Aprilella*. Hinterflügel und Körper sind aschgrau, am Vorderrand des Flügels sind die Fransen blass ockergelb, dann werden sie gelblichgrau. Die

Unterseite der Vorderflügel ist dunkel graubraun, die Fransen ockergelb. Die Hinterflügel sind sammt den Fransen unten so gefärbt wie oben.

Ich fing diese Schabe Ende Juni auf Myrthen-Blüthen in den Abendstunden auf dem Pozzo di Borgo.

Roeslerstammia *Fumociliella* mihi. Sie hat die Grösse und Gestalt von *Vesperella* (Kll. in. lit.) H. S. 348, ist aber etwas grösser.

Der Körper ist sammt den Beinen schmutziggelb, der Kopf mit gleichfarbigen, wolligen, zusammengestrichenen Haaren besetzt; die Palpen sind dünn, lang und sichelförmig, ebenfalls gelblich, die Fühler hell und dunkel geringelt.

Die Vorderflügel sind blass holzgelb mit dunkelbraunen Fransen (sie ähnelt hierin etwas der *Plutella Porrectella*), letztere sind an der Flügelspitze und am Innenrande etwas heller gefärbt, und auch im obern Drittel des Saumes durch einen hellen Wisch unterbrochen.

Die Zeichnung ist sehr verworren und undeutlich. Die Grundfarbe ist mit vielen mehr oder weniger gehäuften schwärzlichen und einigen blassgelben mehligen Atomen bestreut; erstere stehen am Vorderrande von der Basis bis zur Mitte desselben am dichtesten. Bei der Mitte des Flügels entspringt am Vorderrande ein gegen den Innenwinkel zulaufender, schwärzlicher Schrägwisch; er ist am Vorderrande am deutlichsten und erlischt bei der Mitte der Flügelbreite, hinter ihm bilden die helleren und dunkleren Atome eine querstrichelartige Zeichnung, besonders am Vorderrande. Auf dem Innenrand sitzt etwas vor der Mitte desselben, eine weissliche, wenig deutliche Makel auf, welche auswärts gebogen am Innenrande von wenigen schwärzlichen Schüppchen begränzt ist, und sich nach oben in den Flügelgrund verliert. Die Hinterflügel sind aschgrau mit blässeren Fransen.

Unten sind alle Flügel aschgrau, die vorderen mit drei gelblichen Fleckchen am Vordergrunde gegen die Spitze zu, und schwärzlichen Fransen, die hinteren sammt den Fransen einfärbig grau.

Ich entdeckte diese Schabe 1846 im Mai bei Livorno, bei Ajaccio scheuchte ich sie am Hügel San Giovani aus Hecken, und bekam gerade ein Pärchen.

Eglanteriella mihi. Hat der Habitus und die Flügelform von *Granitella*, ist aber nur halb so gross. Der Körper und die Palpen sind grau, letztere sehr schwach, anliegend beschuppt und sichelförmig gekrümmt, dabei aber etwas abwärts hängend, die Fühler hell und dunkel geringelt, der Kopf grau, etwas wollig.

Die Vorderflügel sind verworren, etwas schiefergrau gemischt und mit feinen, schwärzlichen und bräunlichen Atomen übersät.

Die Zeichnungsanlage hat, die verschiedene Färbung abgerechnet, Aehnlichkeit mit der von *Granitella*. Erkennen lässt sich ein bräunlicher auf den Innenrand aufsitzender, dreieckiger Fleck, eine querbindenartige, trübbraune breite Stelle dahinter und bräunliche Stellen am Aussenrande, in welchem vor der Flügelspitze zwei hellgraue, häkchenartige Vorderrandsflecke stehen. Die Saumlinie ist schwärzlich, die Fransen sind grau.

Die Hinterflügel sind aschgrau mit etwas lichteren Fransen. Die Unterseite aller Flügel ist einfärbig grau, die Fransen sind hier ebenfalls etwas heller.

Ich fand diese Art bei Ajaccio im Mai nur in zwei Exemplaren um wilde weisse Rosensträucher.

Aechmia *Oculatella* (Mann i. l.) Zell. Entom. Ztg. Im Mai bei Ajaccio auf einer Wiese nahe an einem Bächlein einige Stücke gefangen.

Equitella Var. Scop. Im Juni auf der Lazarethspitze zwei Stücke gefangen, alle weisse Zeichnung ist viel reiner und schärfer. Der Sichelfleck breiter und der Metallglanz röthlich lilla.

Tinagma *Lithargyrella* (Kllr. i. l.) Zeller. Im Mai einige auf den Lehnen des Pozzo di Borgo auf *Erica* gefangen.

Coleophora *Trochilipennella* Costa. (*Semibarbella* Kllr. i. l.) Im Mai auf den Lehnen des Pozzo di Borgo geflogen, auch auf der Lazarethspitze und dem Mont Rosso angetroffen.

Coelebipennella Ti. Im Juni auf den Lehnen des Pozzo di Borgo und auf der Lazarethspitze gefangen, und auch die Säcke auf *Elichrysum angustifolium* gefunden.

Vulnerariae Z. Im Juni auf den Lehnen des Pozzo di Borgo gefangen.

Marginatella (H. S. 683.) Im Juni zwei Stück bei Cavro auf einer Berglehne gefangen.

Albifuscella F. R. Z. Im Mai eir[illegible]n auf der Lazarethspitze und im Thale Campo di loro bei[illegible]adehause gefunden.

Leucapenella H. Im Juni a[illegible]n Lehnen des Pozzo di Borgo und Mont Lizza einige gef[illegible]n.

Succursella H. S. 887. Im [illegible] an den sonnigen Lehnen des Pozzo di Borgo in wenigen Exe[illegible]aren gefangen. Ist nahe mit *Ciconiella* F. R. i. l. verwandt. [illegible]err Zeller zieht in seiner Anmerkung Nr. 1. Linnea 4. B[illegible]d, Seite 365: *Ciconiella* F. R. als Var. zu *Millefolii*. Die Säcke [illegible]eider Arten sind aber verschieden. *Ciconiella* erzog ich 1852 und [illegible]ie Säcke stimmten genau mit H.-Schäffer's Figur 895.

Badiipenella F. R. i. l. Zell. Linnea. Im Mai einige um Ulmen gefangen.

Zelleria *Hepariella* (Mann i. l.) H. S. 819. *Somnulentella*, schlecht gerathen. Ich entdeckte die Art bei Livorno, und fand sie wieder in einigen Exemplaren bei Ajaccio um wildes Olivengesträuch fliegend.

Gracilaria *Tringipennella* (F. R. i. l.) Zell. Isis 1839. Im Mai auf den Lehnen des Pozzo di Borgo einige gefangen.

Auroguttella Steph. (*Lacertella* F. R. i. l.) Im Mai auf der Lazarethspitze in den grasreichen Thälern angetroffen.

Coriscium *Quercetellum* Z. Im April bei Ajaccio einige aus Eichengebüsch gescheucht.

Ornix *Ampliatella* Zeller. Im Mai bei Cavro aus Dornhecken gescheucht.

Cosmopteryx *Argyrogrammos* Z. (*Goldeggiella* F. R. i. l.) Im Mai und Juni auf den Lehnen und Hutweiden des Pozzo di Borgo, Mont Lizza, Rosso etc. Abends nach Sonnenuntergang geflogen.

Elachista *Testacella* H. Im April zwei Stücke bei Ajaccio gefangen.

Miscella H. Im Juni einige auf der Lazarethspitze angetroffen.

Ictella H. Im Mai auf den Lehnen des Pozzo di Borgo gefangen.

Isabellella Costa. Im Juni ebenfalls auf den Lehnen des Pozzo di Borgo einzeln angetroffen. Ich fand diese schöne Schabe 1846 bei Livorno, dann 1849 bei Fiume, 1850 bei Spalato daselbst am zahlreichsten auf einer Hutweide, 1851 auch bei Brussa, ebenfalls auf Berghutweiden. H.-Schäffer's Fig. 818 (*Opulentella*) ist sehr schlecht ausgefallen.

Serratella Tr. Im Juni auf *Globularia*-Blüthen einige gefangen.

Pomposella F. R. Z. Isis. Im Juni zwei Stück auf Grasspitzen gefangen.

Albiapicella F. R. i. l. H. S. 979. Im Mai einzeln auf der Lazarethspitze angetroffen.

Dohrnii Z. Diese prachtvolle und seltene Schabe fand ich im Juli auf der Lazarethspitze, nach Sonnenuntergang um *Cistus salviaefolius* und *Elichrysum angustifolium*.

Cingilella F. R. H. S. 940. Im Juni einige auf den Berglehnen des Pozzo di Borgo gefangen.

Rudectella F. R. H. S. 1020. Im Mai auf der Lazarethspitze in den Thälern einzeln angetroffen.

Festaliella H. Im Mai zwei Stück auf Brombeerhecken gefunden.

Opostega *Salaciella* Ti. Im Mai auf der Lazarethspitze in dem Thale, wo sich die Quelle befindet, gefangen.

Menthinella mihi. Hat die Grösse, Form und Färbung von *Salaciella*, dieselbe Bildung der Körpertheile; die Vorderflügel haben aber in den Fransen unweit der Flügelspitze einen tief schwarzen

Punct, längs des Saumes spärlich goldbraune Schuppen und einen gleichfärbig verloschenen Schrägwisch von der Mitte des Vorderrandes nach aussen zu. Fühler, Palpen und Beine sind wie bei *Saliciella*.

Ich fand diese Schabe in zwanzig Exemplaren im Thale nach San Antonio im Juli spät Abends langsam um *Mentha* fliegend.

Nepticula *Huebnerella* H. H. S. 829—830. (*Gratiosella* F. R. in lit.) Im Mai bei Ajaccio einige auf Pflanzenblättern gefangen.

Lithocolletis *Endryella* mihi. Sie gehört zu den Arten, welche ein Schwänzchen an der Flügelspitze haben und steht der *Distentella* (F. R. in lit.) Zell. zunächst, ist aber etwas grösser.

Der Körper ist grau, der Rücken und die Vorderflügel sind bräunlichgelb, goldfarb glänzend. Die Behaarung des Kopfes goldbraun und weiss gemischt. (Die *Distentella* rein weiss.) Die Fühler sind weiss, fein dunkler geringelt.

Die Zeichnung ist wie bei *Distentella*, nämlich ein weisser ästiger Längsstrich durch die Mitte des Flügels, der von der Basis bis fast zu dem ersten Paar Gegenflecken reicht, aber viel schmäler, als bei *Distentella* und beiderseits fein schwärzlich gesäumt ist, vier wie bei *Distentella* gestellten weissen Flecken am Vorder- zwei am Innenrande, alle an der Innenseite schwärzlich gesäumt, und feiner schwärzlichen Saumlinie, an der Flügelspitze steht aber bei *Endryella* dicht vor dem Schwänzchen ein tief schwarzer Punct, der bei *Distentella* nicht vorhanden ist.

Die Hinterflügel sind ein klein wenig dunkler als bei *Distentella*. Unten sind die Vorderflügel braungrau, die hinteren gelblichgrau, alle lichte Zeichnung schimmert matt von oben durch, der schwarze Punct ist aber so scharf wie oben.

Im April bei Ajaccio von *Quercus ilex* gescheucht, und nur in drei Stücken gefunden.

Messaniella Z. Linnaea. Im April zwei Stück um Hecken gefangen.

Elatella Z. Linnaea H. S. Fig. 757 (*Confertella* F. R. in lit.) Ich fing ein einzelnes Exemplar im Mai an einer Hecke bei Cavro.

Tischera *Complanella* H. Im Juni auf dem Pozzo di Borgo um Eichen einige gefangen.

Emyella Dup. Im Mai bei Ajaccio auf Brombeergesträuch.

Adactyla Z. (*Agdistis* H.) *Heydenii* Z. H. S. Fig. 45. Im Juli auf der Lazarethspitze Abends um *Mentha* gefangen.

Pterophorus *Rhododactylus* S. V. Im Juli bei Ajaccio und Bogognano um wilde Rosen geflogen.

Zetterstedtii Z. Im Mai in dem Thale Campo di loro bei dem Badhause einige gefangen.

Cosmodactylus H. Im Juni auf der Lazarethspitze in den Thälern um Pflanzen einige gefangen, auch erhielt ich ein ganz frisch ausgekrochenes Exemplar aus einer Raupe, welche ich mit Futterpflanzen unbemerkt nach Hause getragen hatte.

Distans Z. Im Mai und Juni, auf den Berglehnen des Pozzo di Borgo gefangen.

Laetus Z. Im Juni einige am Mont Lizza gefangen.

Aridus Z. Im Juli auf den Lehnen des Pozzo di Borgo, und auf den Berglehnen bei Bastia geflogen.

Plagiodactylus Z. Im Juli auf einer Alpe bei Corte zwei Stück gefangen.

Fuscus Retz. Im Juli auf den Pozzo di Borgo einige gefangen.

Pterodactylus L. Im April und Juli nicht selten um Ajaccio.

Giganteus mihi. Eine der grössten Arten, so gross wie *Nemoralis*, in Flügelform der *Lithodactylus* am nächsten, in Färbung und Zeichnung aber mehr dem *Fuscus* ähnlich.

Körper, Fühler, Palpen und Beine sind leicht braungelb (von diesen die Mittelschienen am Ende knotig verdickt), eben so die Vorderflügel. Diese haben die Spitzen der Federn sichelförmig gebogen. Die obere Feder ist stärker gekrümmt als die untere, und steht über diese weit vor; bei ihr sind die Fransen durchaus dunkelgrau, bei der untern Feder haben sie aber nur an der äussern Hälfte diese Farbe, an der innern und längs des Innenrandes sind sie mit der Flügelfläche gleichfärbig.

An der Stelle, wo sich der Flügel spaltet, steht ein undeutlicher grauer punctartiger Fleck, von welchem ein matt blaugrauer Längswisch nach Innen zieht; auf den Flügeln sind schwarze Atome derart zerstreut, dass sie am Innenrande vom Anfang bis zur Mitte derselben, am reichlichsten, im blaugrauen Wische und gegen den Vorderrand zu spärlicher stehen, und sich gegen die Spitzen der Feder zu, welche oben bräunlich gerandet sind, ganz verlieren.

Die Hinterflügel haben röthlich bleigraue, fein gelblich gesäumte Rippen und etwas matter grau gefärbte Fransen.

Unten sind alle Flügel sammt den Fransen so gefärbt wie die Oberseite der Hinterflügel und alle Rippen gelblich gesäumt.

Ich fing von dieser Art nur drei Männchen im Juli, eines bei Bastia hoch oben auf einem Berge und zwei im Hirtenthale bei Corte.

Tephradactylus H. Im Juli bei Bastia Ein Exemplar gefangen.

Semiodactylus mihi. Diese hat die Grösse und Flügelform von *Tetradactylus* und ist wegen ihrer grünlichgelben Färbung, dem schwärzlichen mit drei gelben Flecken versehenen Vorderrand der ersten, und den geschechten Fransen am Innenrand der zweiten Feder, mit keiner bekannten Art zu verwechseln.

Kopf, Rücken und Hinterleib sind schön schwefelgelb, letzterer unten grau, Schenkel und Schienen sind der Länge nach fein blassgelb und schwarzbraun gestreift, Tarsen und Fühler fein gelblich und schwarzbraun geringelt.

Die Vorderflügel sind grünlich schwefelgelb. Die obere Feder ist durch einen breiten schwärzlich graubraunen Vorderrandstreif in zwei gleiche Hälften getheilt, die Flügelspitze und zwei Flecke davor, diese im ersten und zweiten Drittel der Federlänge (von dem Puncte an, wo sich die beiden Federn theilen, gerechnet) sind schwefelgelb. Die Fransen sind schwefelgelb, dicht hinter dem zweiten Vorderrandsflecke bis an die Spitze aber grauschwarz. Die untere Feder ist schwefelgelb mit einem schwärzlich graubraunen Wisch, von dem Theilungspuncte einwärts; ihre Fransen haben einen dem ersten Vorderrandsflecke schräg gegenüberstehenden gelben Flecken, vor ihm sind sie matt, hinter ihm bis zur Spitze grauschwarz.

Die Hinterflügel sind bräunlichgrau mit etwas matter gefärbten Fransen.

Unten sind alle Flügel braungrau, nur die innerste Feder der Hinterflügel ist blass schwefelgelb, die gelben Flecken sind wie auf der Oberseite.

Ich fand diese Art im Juni auf der Lazarethspitze an einer feuchten Stelle Abends um *Mentha* fliegend, und fand sie auch im Thale nach San Antonio an einem Bache, ebenfalls um *Mentha.*

Icterodactylus mihi. Steht der *Tetradactylus* und *Meristodactylus* sehr nahe; ist aber leicht kenntlich an ihrer rein schwefelgelben Färbung, die besonders auf Kopf, Rücken und Hinterleib vortritt.

Die Grösse und Flügelform ist wie bei *Tetradactylus.* Die Vorderflügel haben einen verhältnissmässig breiten schwärzlich braunen Vorderrand, welcher die obere Feder fast in zwei gleichen Hälften theilt, sonst aber keine Zeichnung. Die Fransen sind wie bei *Tetradactylus.*

Auf den Hinterflügeln stechen die licht graugelben Rippen von den dunklergrauen Fransen eigenthümlich ab, was bei *Tetradactylus* nicht der Fall ist.

Auf der Unterseite sind alle Flügel von der Basis an grau, nach aussen zu blass schwefelgelb, und ihre Fransen sind grau.

Ich fing diese seltene Art auf der Lazarethspitze bei der Quelle um *Cistus salviaefolius.*

Malactadactylus L. Linnaea. Im Juni auf den Lehnen des Pozzo di Borgo und der Lazarethspitze geflogen.

Pentadactylus L. Im Juni überall um Ajaccio angetroffen, auch im Juli bei Corte und Bastia.

Siceliota Z. Linnaea. H. S. Fig. 40. Im Juni bis Juli auf den Berglehnen des Pozzo di Borgo und der Lazarethspitze geflogen. Die Raupe fand ich im Mai auf *Elichrysum angustifolium*.

Baptodactylus (Kllr. in lit.) Zell. Linnaea. Ende April und dann wieder im Juli auf den Berglehnen ober den Grabkapellen des Pozzo di Borgo und der Lazarethspitze, sie flogen um *Elichrysum*; wurden sie aufgescheucht, so suchten sie stets ihre Zuflucht an dieser Pflanze.

Aleucita *Polydactyla* H. Im April in dem Thale nach San Antonio aus Geissblatthecken gescheucht, die Exemplare sind alle blass.

Poladactyla Zell. Linnaea. 6. Band. Seite 407. Mitte Juni und Juli auf der Lazarethspitze und in dem Thale nach San Antonio aus Hecken gescheucht, auch bei Bastia einige gefangen.

Catalogue

des

Insectes Coléoptères,

recueillis par M. Gaetano Osculati,

pendant son exploration de la région équatoriale, sur les bords du Napo et de l'Amazone.

Par

M. F. E. Guérin-Méneville,

Chevalier de la Légion d'honneur,

Membre correspondant des académies royales des Sciences de Turin, Madrid etc. etc.; Membre titulaire de la société impériale et centrale d'Agriculture et de la société entomologique de France, et d'un grand nombre d'autres académies et sociétés savantes, nationales et étrangères.

Au Lecteur!

Si l'humanité doit sa reconnaissance aux grands voyageurs qui, soutenus par leurs Gouvernements, qui leur en donnaient les moyens, ont porté leurs pas intrépides dans les coins les plus reculés du monde avec tant d'avantage pour les sciences positives et morales, combien n'en dévrait-on pas à ceux qui supportèrent les mêmes fatigues, affrontèrent les mêmes dangers, sans le secours de personne, à leurs frais, et soutenus seulement par l'amour de la science et des grandes émotions que la nature seule peut donner? Combien ne doit-on pas honorér le nom de ces héros qui laissant dans leur patrie les douces joies et les tendresses de la famille, ont bravé toutes les difficultés dont la nature sauvage aime à chaque pas à barrer le chemin aux courageux qui fouillent dans ses endroits les plus inaccessibles et les plus difficiles? Ni les froids de la mer glaciale ou flottent des montagnes transparentes comme le verre et azurées comme le ciel, ni les chaleurs du désert n'ont pu dompter leur courage et abattre la vigueur de leurs âmes. Malheureusement quelquefois ce sont les forces physiques qui leur ont fait défaut!

L'Italie, la patrie de Colomb et de Marco Polo, n'a pas manqué à plusieurs reprises d'avoir parmi ses fils, des hommes qui sans richesse propre, sans l'argent de l'État ont su graver leurs noms sur les rochers les plus inabordables au pôle et à l'équateur et montrer au monde que lorsqu'on veut on peut et on réussit toujours.

Parmi ces esprits élevés, courageux, dévoués nous devons mettre M. Osculati, nom déjà assez connu dans le monde scientifique et particulièrement cher aux voyageurs et aux naturalistes. L'amour des voyages se déclara bientôt dans le jeune Osculati, et le porta plusieurs fois loin de ses foyers, ou errant parmi les forêts vierges de l'Amérique, ou nomade parmi les déserts de la Perse. — Après avoir, tout jeune, visité l'Égypte et l'Arabie, en 1834, 1835, 1836, il parcourut le Perou, le Chili, la Terre de feu, le Paraguay, dans un voyage dont il donna une excellente description. — En 1843 M. Osculati alla visiter la Perse, l'Arménie et les Indes, recueillant une foule d'objets rares et précieux. De retour de ce long voyage il conçut l'idée de parcourir l'Indostan et les îles de la Polynésie. — Mais, comme dit l'illustre voyageur: „l'uomo propone e Dio dispone.“ Après avoir abandonné l'Europe, un incendie éclata sur le vaisseau où il se trouvait et l'obligea à descendre à New-York. — Dans cette occasion il visita les Étas-Unis et particulièrement le Canada. Après, il chercha de nouveau à recommencer le premier voyage projeté, mais de nouveau à la hauteur des Bermudes un orage abîma tout son équipage et l'obligea à renoncer à son projet. Pas découragé M. Osculati, toutprès de l'Amérique comme il était, conçut le projet hardi de parcourir et de traverser l'Amérique méridionale dans sa plus grande largeur; savoir, de prendre terre au Guayaquil, d'aller à Quito pour descendre après, le long des affluents des Amazones et toucher au Para sur l'Atlantique.

Toutes les objections faites par ses amis à Quito à propos des dangers de cette immense traversée, exécutée tout seul et livré imprudemment aux Indiens des rivages du Napo barbares et anthropophages, ne réussirent pas à changer son idée. Le voyage dura depuis avril 1847 jusqu'à juin 1848 et il fut vraiment horriblement dangereux. Mais le courage et l'amour de la science soutinrent toujours notre voyageur, qui après une année de souffrances a pu revoir sa patrie.

De retour à Milan, M. Osculati rédigea la description de son voyage sous le titre: „Esplorazione delle Regioni equatoriali lungo il Napo ed il fiume delle Amazzoni ecc. Milano 1854“ qui forme un gros volume in 8. avec une carte géographique du Bassin du Droys et 13 planches. Cette narration est très intéressante et on la lit avec un plaisir qui croît toujours, et qu'on éprouve sans pouvoir le décrire.

J'ai rédigé le catalogue des Animaux vertébrés que M. Osculati a recueilli et qu'en partie le Musée de Milan a acheté. A la fin du volume on voit ce catalogue qui a pour titre: „Vertebratorum synopsis in Museo Mediolanensi extantium, quae per novam orbem Cajetanus Osculati collegit. Annis 1846—48. Speciebus novis vel minus cognitis adjectis.

Mais ce fûrent les insectes dont M. Osculati a fait de préférence une collection très-riche. M. Guérin Méneville par déférence pour l'illustre voyageur se chargea de leur classification, laquelle devait être mise dans le volume même de la description historique. Malheureusement ce beau travail du célèbre Entomologiste de Paris ne fut pas prêt lors de la publication du Voyage de M. Osculati et nous avons dû maintenant avoir recours au Recueil de la Société Zoologico-Botanique de Vienne, pour lui donner la publicité qu'il mérite; sûr comme nous sommes de faire une chose agréable à touts les Entomologistes. Même au nom de M. Osculati je dois rendre mes rémerciments au savant Naturaliste de Paris qui a bien voulu faire un travail si long et si important en concourant puissamment à la gloire du voyageur italien.

Doct. Emile Cornalia,
Adj. Direct. au Musée de Milan.

Milan, 15. Août 1855.

Les régions de l'Amérique Méridionale explorées par M. Gaetano Osculati sont encore peu connues des naturalistes, aussi avons-nous accueilli avec plaisir et reconnaissance l'honorable proposition que ce savant et intrépide voyageur nous a faite de donner, dans son bel ouvrage, un Catalogue, avec la description sommaire des espèces nouvelles des Coléoptères qu'il a rapportés de ses pénibles voyages dans ces contrées.

Au premier coup d'oeil, l'ensemble de cette faune de Coléoptères a la plus grande ressemblance avec celles de la Colombie, de la Bolivie, de la Mence, de la Guyane et du Brésil. — Beaucoup de ces Insectes appartiennent aux mêmes espèces; mais il y en a un certain nombre, surtout dans les régions élevées des bords du Napo et de l'Amazone, qui forment des espèces distinctes et dont quelques unes n'avaient pas encore été publiées.

Déjà nous connaissons plusieurs des espèces propres à la région du Napo, grâce aux explorations de Mr. Bourcier qui, pendant un court séjour dans ces pays comme Consul de France, y avait recueilli des oiseaux nouveaux et beaucoup d'insectes d'un haut intérêt. Nous avons aussi reconnu un certain nombre des espèces rapportées par M. Osculati, dans les voyages de Humboldt et de D'Orbigny, et surtout dans un travail plus récent, le „Conspectus insectorum Coleopterorum quae in Republica Peruana observata sunt," que l'on doit à F. Erichson. *) C'est la méthode présentée dans ce travail que nous avons suivie dans l'arrangement des groupes naturels dont ce càtalogue offre des représentants.

Nous n'avons pas eu sous les yeux la totalité des Coléoptères rapportés par M. Osculati, mais une liste dressée par Mr. Ghiliani nous a donné

---

*) Archiv fur Naturgeschichte etc. Von W. F. Erichson. 1847. p. 67 à 186.

les noms des espèces que ce savant Entomologiste a déterminées à Turin en les comparant aux riches Collections du Musée de l'Université Royale de cette Ville.

Fam. Cicindeletae.

Gen. *Tetracha*, Hope, The coleopt. mant. 2, p. 7.

1. *T. Spixii*, Brullé, voyage de D'Orbigny, Ins. p. 3 pl. 1 f. 3.
2. *T. fulgida*, Klug, Jahrb. der Insekt. p. 6.
   Megacephala Hilarii? Laporte, Études Entom. p. 34.

Gen. *Pseudoxycheila*. Guer.-Mén. Dict. Pitor. d'hist. nat. 6, p. 573.

3. *P. bipustulata*, Latr. Voy. de Humboldt, Ins. p. 228 pl. 16 f. 1,2.

Gen. *Oxycheila*. Dej. Spécies des Coléop. 1, p. 15.

4. *O. bisignata*, Guér. Dic. Pitor. d'hist. nat. 16, p. 572. (Var.)

Nota. Les sujets rapportés du haut Pérou, par M. Osculati diffèrent un peu de ceux de Demerari par leurs élytres qui ont une petite épine à la suture et par la tache rouge du milieu de ces organes qui n'est pas légèrement oblique. Comme nous possédons un individu provenant de la Colombie et semblable à ceux de Demerari, nous ne pensons pas que cette petite pointe des élytres puisse motiver la formation d'une espèce nouvelle.

Cette espèce se distingue des *Oxycheila tristis* et *aquatica*, les seules que j'ai actuellement sous les yeux, par un caractère qui motivera probablement, dans l'avenir la formation d'un genre. En effet, dans les deux espèces que je cite, le dessous des tarses antérieurs des fémelles est garni seulement de poils fins, et le dernier article est glabre et plus mince que les précédents, surtout à sa base. Dans l'O. *bisignata* le dessous des mêmes tarses est garni d'un double rang d'épines à tous les articles, et le dernier est notablement plus épais et non aminci à sa base.

Si d'autres espèces venaient se ranger dans ce groupe, que nous ne proposons aujourd'hui que comme une simple section dans le genre, et si on les en séparait pour établir un genre particulier, nous donnerions à ce genre le nom de *Cheiloxya* auquel nous n'attachons aucune signification et qui sera rangé dans les noms propres.

Fam. Carabici.

Gen *Apiodera*, De Chaudoir. Bulletin de Moscou, 1848, p. 35.

5. *A. elegans*. Guér. Noire, luisante; tête lisse avec le devant un peu bosselé. Corselet plissé en dessus, à cotés lisses. Elytres allongées, inégales, striées et ponctuées à la base et à l'extrémité, lisses au milieu, avec une petite tache jaune à la base, quatre autres antérieures remontant obliquement vers l'angle huméral, quatre autres au tiers posté-

rieur et une petite pr s de l'angle postérieur et sutural. Antennes et pattes jaunes; extrémité des cuisses, des jambes et des articles des tarses noirs. — L. 9; l. 2½ millim.

Gen. *Agra*, Fabr. Syst. Eleuth. 1, 224.

6. *A. Osculatii.* Guér. Noire; tête lisse. Corselet allongé, avec de gros points enfoncés ou fossettes, rangés en lignes longitudinales. Èlytres tridentées à l'extrémité, avec des fossettes et de gros points enfoncés plus petits vers la base, à fond vert. Antennes noires avec la base des articles, à l'exception des trois premiers, d'un brun un peu fauve. Pattes noires avec le milieu des cuisses jaune. — L. 16½, l. 4 mill.

Cette *Agra* est très-voisine de celles qui ont été décrites par Klug sous le nom de *geniculata* et par Brullé sous celui *d'erythrocera* (voy. de D'Orbigny, Ins. p 10 ,pl. 1, f. 9). Mais elle s'en distingue par ses pattes dont les jambes sont entièrement noires, et par ses antennes annelées de noir et de brun roussâtre. Mr. De Chaudoir, dans son excellente révision de ce genre, a omis *l'Agra erythrocera* de Brullé, quoiqu'il cite les autres espèces décrites et figurées dans le même ouvrage.

Gen. *Trichognathus*, Latr. Règne Anim. Ins. 4—374.

7. *T. marginipennis*, Latr. Règne anim. 2. Éd. T. 4, p. 375. — Guér. Mén. Icon. du Règne Animal. Ins. pl. 4. f. 5.

Gen. *Pheropsophus*, Solier. Ann. Soc. Ent. 2—466.

8. *P. distinctus.* Dej. Spec. Col. T. 5 p. 415.

9. *P. aequinoxialis*, Lin. — *Complanatus*, Fabr. Syst. Eleuth. 1, 217.

Gen. *Calleida*, Dej. Spec. Coléop. 1, 220.

10. *C. Alcyonea*, Erichs. Consp. Col. Peruana. p. 69.

Gen. *Plochionus*, Dej. Spec. Col. 1, 250.

11. *P. Bonfilsii*, Dej. Spec. Coleopt. 1, 251.

Gen. *Tetragonoderus*, Dej. Spec. 4, 484.

12. *T. figuratus*, Spec. 5, 855.

Gen. *Anisodactylus*, Dej. Spec. Col. 4—132.

13. *A. peruvianus*, Dej. Spec. Col. 4, 289.

14. *A. elatus*, Erichs. Consp. Coléopt. Peruana. p. 70.

Gen. *Anchomenus*, Bonelli, Obs. ent. Part. 1. Tableau.

15. *A. elegans*, Dej. Spec. Col. 5, 725.

16. *A. brasiliensis*, Dej. Spec. Col. 3, 110.

Gen. *Feronia*, Latr. Règne Anim. 3, p. 191.

17. *F.* (Argutor) *confusa*, Dej. Spec. Col. 5, 573.
18. *F.* (Platysma) *chalcea*, Dej. Spec. 3, 300. — Cette espèce a été rencontrée sur beaucoup de points de l'Amérique Méridionale.

Fam. Dytiscidae.

Gen. *Acilius*, Leach. Zool. Miscel. 3, 69.

19. *A. incisus*, Aubé. Spec. des hydr. p. 147.

Fam. Gyrinites.

Gen. *Gyrinus*, Lin. S. n.

20. *G. Buqueti*, Aubé. Spec. hydr. p. 658.

Fam. Lissomites.

Gen. *Lissomus*, Dalm. Eph. Entom. 1, 14.

21. *L. ebeninus*, Blanch. Voy. de D'Orbigny, Ins. p. 145.

Fam. Elaterites.

Gen. *Semiotus*, Esch. Thon. arch. 2.

22. *S. ligneus*, Lin. S. n. 2. 652.
23. *S. seladonius*, Guér.-Mén. Revue Zool. 1844. p. 16. (Variet.)
24. *S. intermedius*, Herbst. Col. 10, 8 pl. 159 f. 4.
25. *S. affinis*, Guér. — D'un jaune fauve, luisant; tête fauve avec deux cornes aigues et deux taches noires, l'une en avant, l'autre en arrière. Corselet allongé et assez étroit, d'un jaune vif presque rouge, avec deux larges bandes longitudinales noires atteignant les deux extrémités et une petite tache noire de chaque côté vers le milieu. Élytres avec la suture, l'écusson et une large bande sur le côté, atteignant l'angle huméral, d'un noir vif. Dessous jaune avec une bande noire interrompue de chaque côté du corselet, de la poitrine et de l'abdomen. Pattes et base des antennes d'un jaune fauve, les autres articles des antennes noirs. — L. 30 ; l. 8. mill. (femelle).

Il ressemble beaucoup au *S. Cornutus* de Kirby, mais il s'en distingue par son corselet plus étroit et par conséquent paraissant un peu plus allongé, par les deux bandes noires qui sont droites, larges et continues, atteignant les extrémités, tandis que chez trois femelles du *S. cornutus*, que nous avons sous les yeux, les bandes sont un peu sinueuses, plus étroites, interrompues près de la base, et qu'elles n'atteignent pas les bords, surtout en avant. D'autres caractères dans la forme des élytres et dans l'ensemble de l'aspect, distinguent encore cette espèce, qui est cependant la plus voisine que nous connaissions de ce *Semiotus cornutus* si commun au Brésil.

26. *S. striatus*, Guér. — Jaune pâle, peu luisant, garni d'un fin duvet jaune, à l'exception des élytres qui sont glabres. Tête arrondie en avant, excavée au milieu, fauve, avec le bord antérieur jaune. Corselet fauve au milieu, jaune sur les bords, avec deux larges bandes noires, longitudinales et n'atteignant pas le bord antérieur. Élytres jaunes, brusquement rétrécies en arrière, fortement striées et presque sillonnées, avec de gros points enfoncés dans chaque strie. Dessous d'un jaune fauve avec une large bande noire de chaque côté et les bords des segments de l'abdomen jaunes. Antennes noires avec les deux premiers articles fauves. Pattes d'un jaune fauve. — L 21. l. 5⅓ mill. (Femelle.)

Gen. *Eucamptus*, Chevr. Col. du Mex. Fasc. 1, Nr. 9.

27. *E. imperialis*, Guér. Revue Zool. 1844, p. 15.
28 *E. cuspidatus*, Chevr. Col. du Mex. 1. Nr. 9.

Gen. *Chalcolepidius*, Esch. Thon arch. 2.

29. *C. porcatus*, Lin. s. n. — 2. 652 — et Var. *Virens* Fabr. S. E. 2. 226. — et Var. *striatus*, Lin. Oliv. Ent. 2. Nr. 31, pl. 1 f. 2.
30. *C. aequinoxialis*, Laporte. Rév. Ent. de Silberm. T. 4. p. 13.
31 *C. Fabricii*, Erichs. Zeitsch. Entom. 1. 3, p. 83.
32. *C. Bonplandii*, Guér. Revue Zool. 1844, p. 17.
33. *C. gossipiatus*, Guér. Rev. Zool. 1844. p. 18.

Gen. *Pyrophorus*, Esch. Thon arch. 2. 32.

34. *P. noctilucus*, Lin. S. n. 1. Part. 2, p. 657. — Germ. Zeitsch. Ent. 3. 13.
35. *P. pellucens*, Esch. Thor. arch. 2. p. 33. — Germ. Zeitsch. Ent. 3—17.

Fam. **Lampyrides.**

Gen. *Megalophthalmus*, Gray. An. Kingd. Ins. 1. 371.

36. *M. marginatus*, Guér. — Tête noirâtre avec les antennes d'un brun enfumé. Corselet de forme transversale, deux fois plus large que long, à peine arrondi au milieu en avant, d'un jaune pâle avec une tache brune au milieu et en arrière sur laquelle il y a deux tubercules. Écusson jaune Élytres d'un brun jaunâtre avec la suture et une assez large bordure latérale jaune. Dessous et pattes bruns avec l'avant dernier segment abdominal jaune. — L. 7; l. 2 mill.
37. *M. costatus*, Laporte. Ann. Soc. Ent. 2. 132. — Syn. *Meg. obsoletus*, Blanch. Voy. de D'Orb. Ins. p. 122, pl. 7 f. 7.

Gen. *Photinus*, Laporte. An. Soc. Ent. 2. 140.

38. *P. albomarginatus*, Lap. Hist. nat. Ins. T. 1, p. 268.

39. *P. subcostatus*, Guér. — Jaune obscur. Corselet jaune pâle, avec deux taches diaphanes en avant et le milieu d'un brun enfumé en arrière. Elytres brunâtres avec le côté externe largement bordé de jaune qui se confond avec le brun du disque qui porte deux ou trois faibles côtes longitudinales effacées en arrière. Dessous et pattes d'un brun jaunâtre avec les trois derniers segments de l' abdomen jaunes. — L. 21. l. 10 mill.

Cette espèce est très-voisine de la précédente, mais elle s'en distingue par une taille moins grande, par le commencement des côtes élevées de ses élytres et par la couleur jaune des trois derniers segments de son abdomen.

40. *P. viduus*, Erichs. Consp. Coleopt. Peruan p. 80.

41. *P. versicolor*, Fabr. Ent. Syst. Suppl. p. 125.

42. *P. scintillans*, Latr. Voy. de Humb. Ins. p. 14, pl. 1 f. 4.

43. *P. linearis*, Latr. n. p. 348. pl. 22 f. 3.

Gen. *Aspisoma*, Laporte. An. Soc. Ent. 2, p. 145.

44. *A. maculatum*, Fabr. Syst. Eleuth. 2. 106.

45. *A. ignitum*, Fabr. id — 2—107.

46. *A. hesperum*, Lin. S. n. 1. 2 p. 644.

47. *A. fenestratum*, Blanch. Voy. de D'Orb. Ins. p. 111.

Gen. *Lucidota*, Laporte. Ann. Soc. Ent. 2. 136.

48. *L. limbata*, Lap. id. 2. 137.

49. *L. thoracica*, Oliv. Ent. T. 2. Nr. 28 pl. 3 f. 29.

50. *L. Osculatii*, Guér. Tête noire avec les antennes grandes, noirâtres à articles larges et aplatis. Corselet aussi long que large, arrondi en avant avec le bord antérieur un peu avancé, d'un jaune d'ocre avec le milieu du disque orné d'une grande tache noirâtre carrée, située en arrière. — Écusson jaune. Élytres allongées, d'un brun noirâtre avec la suture et les bords latéraux jaunes. Dessous et pattes d'un brun noirâtre avec les hanches, la base des cuisses, et le dernier segment abdominal jaunes. — L. 14. l. 4½ mill.

Cette espèce est très-voisine de la *Lucidota modesta*, Lap. An. Soc. Ent. T. 2 p. 138, mais elle est beaucoup plus grande et se distingue en outre par la bordure jaune des élytres qui s'étend jusqu'à l'extrémité et vient rejoindre la suture en arrière.

Nous avons suivi pour ce travail, la classification publiée par Mr. Delaporte dans les Annales de la Société entomologique de France, mais nous avons été bien contrarié par cette foule de noms de catalogues répandus si fâcheusement dans toutes les collections. En effet, les espèces qui ne nous ont pas été envoyées avaient été comparées à des individus nommés d'après ces catalogues, mais publiés sous d'autres noms depuis.

Nous n'avons pas cherché à rapporter ces Insectes aux genres nouvellement établis par M. de Motschoulsky, — dans ses *Études Entomologiques*, Helsingfors 1852. p. 26 à 58, car pour y arriver il faudrait entreprendre une vraie monographie du groupe.

Fam. Lyoides.

Gen. *Calopteron*, Lap Rev. Ent. Silberm. T. 4. p. 25.

51. *C. cyaneum*, Erichs. Consp. Col. Peruan. p. 81.
52. *C. terminatum*, Latr. Voy. de Humb. Ins. p. 32, pl. 32 f. 5.
53. *C. nigricorne*, Latr. id. p. 102. pl. 39 f. 1.
54. *C. gracile*, Guér. Noir, étroit et allongé. Corselet aussi long que large, un peu élargi et terminé par deux épines en arrière, avec une carène longitudinale au milieu. Élytres à peine un peu élargies en arrière, avec deux fortes carènes, une plus petite entre elles, et des réticulations transversales assez distantes. Elles sont noires comme tout l'Insecte avec l'extrémité postérieure fauve remontant un peu à la suture et au bord externe. Les pattes et le dessous du corps sont également noirs. — L. 9; l. 2 mill.
55. *C. speciosum*, Guér. Corps, antennes et pattes noirs. Corselet triangulaire, noir, largement bordé de jaune de chaque côté. Élytres élargies en arrière, à côtes élevées et réticulées, noires jusqu'au milieu et ensuite d'un beau jaune orangé séparé du noir par une ligne droite transverse; une petite tache noire à l'extrémité postérieure. — L. 15; l. 4. (aux épaules) et 9 (en arrière) mill.
56. *C. binotatum*, Guér. — Corps, antennes et pattes noirs. Corselet de forme carrée, un peu plus large que long, terminé en arrière par deux petites pointes, à bords peu relevés et ayant au milieu une faible carène à peine visible. Élytres fortement élargies en arrière chez les mâles, plus étroites chez les femelles, d'un brun noirâtre avec les nervures d'un noir vif et une tache jaune arrondie sur chacune vers le tiers postérieur. Chaque élytre n'a que trois nervures longitudinales et la tache jaune est placée entre la seconde et la troisième, à partir de la suture. — L. 8 à 12; l. 3 à 6 mill.

Gen. *Chauliognathus*, Hentz. Trans. Amer. philos. Soc. III.

57. *C. scriptus*, Germ. Spec. Ins. nov. T. 1. p. 68.
58. *C. tenuis*, Erichs. Consp. Col. Peruan. p. 83.

Fam. Melyrides.

Gen. *Astylus*, Lap. Rev. Ent T. 4. p. 32.

59. *A. rubripennis*, Latr. Voy. de Humb. Ins. p. 258. pl. 17 f. 3.
60. *A. Bonplandi*, Erichs. Consp. Coleopt. Peruan. p. 84.

Fam. Silphales.

Gen. *Necrophorus*, Fabr. Syst. Entom. p. 71.

61. *N. didymus*, Brullé. Voy. de D'Orbigny. Ins. p. 73. pl. 5 f. 3.

Gen. *Silpha*, Lin. Syst. nat. 10e Edit.

62. *S. erythrura*, Blanch. Voy. de D'Orb. Ins. p. 75. pl. 5 f. 4.

C'est par erreur que M. Brullé, en décrivant l'espèce suivante, a cité la figure 4, de la pl. 5, de l'Atlas de D'Orbigny. Cette figure représente bien évidemment une espèce à elytres arrondies en arrière et non le *S. discicollis* qui à les élytres terminées en pointe. M. Erichson a copié cette erreur dans son Conspectus des coléoptères du Perou. p. 88.

63. *S. discicollis*, Brullé. Voy. de D'Orb. Ins. p. 75. (non la figure citée.)

64. *S. anticola*, Guér. — Noir. Tête finement ponctuée, avec une carène transversale en arrière et une fossette de chaque côté entre les yeux. Antennes entièrement noires ayant les trois derniers articles tomenteux. Corselet un peu plus large que long, finement ponctué, arrondi sur les côtés, avec quatre côtes longitudinales peu élevées, dont deux au milieu partant du bord antérieur, se rapprochant et se terminant assez près du bord postérieur, et deux autres partant du bord postérieur et formant un arc pour rejoindre chacune des deux carènes médianes vers le milieu du corselet. Ecusson et élytres couverts de points enfoncés assez forts et serrés: les élytres ayant chacune trois côtes lisses dont l'externe se termine en arrière, un peu au délà du milieu, à un tubercule ou nodosité de l'élytre qui s'observe chez toutes les espèces du même groupe Américain. Segments de l'abdomen offrant une carène transversale au milieu, le dernier fauve obscur, surtout dans les femelles, quelquefois tout-à-fait noir chez quelques mâles.— L. 17; l. 7 mill.

Cette espèce est très-voisine des *S. lineatocollis* Delaporte, et *apicalis* Brullé (Voy. de D'Orb. Ins. p. 74 pl. 5 f. 5.); mais elle s'en distingue par les antennes qui n'ont pas les derniers articles d'un jaune orangé et par d'autres caractères. Dans le mâle les élytres sont arrondies en arrière; dans la femelle elles sont un peu acuminées. Nous avons vu un assez grand nombre d'individus de cette espèce particulière aux sommets des Andes, parce que M. Bourcier en a rapporté aussi plusieurs qu' il a bien voulu nous remettre. Parmi ces individus il s'en trouve un qui offre une petite anomalie. Son élytre droite présente sous l'angle huméral le commencement d'une quatrième carène, et en arrière, la troisième, interrompue au tubercule, se continue ensuite et va s'anastomoser avec la seconde.

Fam. **Staphylinii.**

Gen *Staphylinus*, Lin. — Erich. Gen. et Spec Staph. p. 345.

65. *S. Osculatii*, Guér. — D'un noir verdâtre, Tête et corselet fortement ponctués. Ecusson noir, lisse. Elytres d'un noir bronzé, bordées de fauve, très-finement chagrinées. Abdomen d'un noir un peu verdâtre, avec le bord postérieur des segments d'un fauve obscur et l'anus d'un fauve plus vif. Pattes noires avec des cils et un duvet brun jaunâtre. — L. 18; l. 4 mill.

Il est assez voisin du *St. caliginosus*, pour la forme et la taille, et il a aussi des affinités avec le *St. Antiopus* d' Erichson, mais il diffère des deux et de tous les autres de la même division par la couleur et par les segments abdominaux bordés de fauve.

Gen. *Belonuchus*, Nordm. Er. id. p. 419.

66. *B. mordens*, Er. Gen. et Sp. Staph. p. 422.

Gen. *Philonthus*, Leach. Er. id. p. 426.

67. *P. candens*, Erich. Gen. et Sp. Staph. p. 460.
68. *P. feralis*, Erich. id. p. 469.

Gen. *Latona*, Guér Revue Zool. 1844. p. 13.

69. *L. Spinolae*, Guér. id. p. 13.

Gen. *Cryptobium*, Mann. Er. id. p. 561.

70. *C. prolixum*, Erichs. id. p. 564.

Gen. *Leptochirus*, Germ. Er. id. p. 824.

71. *L. scoriaceus*, Germ. — Erichs. id. p. 825.

Fam. **Histerini.**

Gen. *Saprinus*, Erichs., Klug. Jahrb. 1. 176.

72. *S. impressifrons*, Blanch. Voy. de D'Orb. Ins. p. 72.
73. *S. decoratus*, Erichs., Klug Jahrb. 1. 176.

Fam. **Hydrophilii.**

Gen. *Tropisternus*, Solier. Ann. Soc. Ent. de France. T. 3. p. 308.

74. *T. lepidus*, Brullé. Voy. de d'Orb. Ins. p. 57 pl. 4 f. 4.
75. *T. dorsalis*, Brullé. id. p. 57. pl. 4 f. 6.

Gen. *Cyclonotum*, Erichs. Käf. der M. Brandenb. T. 1. p. 212.

76. *C. striatopunctatum*, Muls. An. Sc. phys. et nat. de Lyon. T. 7. p. 179.

Fam. Nitidulariae.

Gen. *Camptodes*, Erichs. Germ. Zeitsch. t. 4. p. 321.

77. *C. obscurus*, Erichs. id. p. 338.

Fam. Dermestini.

Gen. *Dermestes*, Latr. Gen. Crust. et Ins. T. 2. p. 30.

78. *D. carnivorus*, Fabr. Syst. El. T. 1. p. 312.
79. *D. peruanus*, Lap. hist. nat. des Ins. T. 2. p. 33.

Fam. Scarabaeides.

Gen. *Enema*, Hope. — Burm. Handb. der Entom. T. 5. p. 233.

80. *E. infundibulum*, Burm. id. p. 234.
81. *E. Pan*, Fabr., Burm. id. p. 235.

Gen. *Podischnus*, Burm. Handb. der Ent. 5. 237.

82. *P. Agenor*, Oliv., Burm. id. 238.

Gen. *Strategus*, Hope. — Burm. id. p. 128.

83. *S. Antaeus*, Oliv., Fab., Burm. id. p. 129.

Gen. *Heterogomphus*, Burm. id. p. 224.

84. *H. Bourcieri*, Guér. Revue Zool. 1851. p. 160.
85. *H. dilaticollis*, Burm. Handb. der Ent. T. 5. p. 229.

Gen. *Democrates*, Burm. Handb. T. 5. p. 28.

86. *D. Burmeisteri*, Reiche. Revue Zool. 1852. p. 21. pl. 1 f. 1.

Gen. *Cyclocephala*, Latr. R a. T. 4. p. 552.

87. *C. Scarabaeoïdes*, Burm. Handb. T. 4. p. 39.
88. *C. pubescens*, Burm. id. p. 68.
89. *C. Castanea*, Oliv., Burm. id. p. 49.
90. *C. frontalis*, Burm. id. p. 50.

Gen. *Chalepus*, Mac-Leay, Horae Ent. T. 1. p. 149.

91. *C. geminatus*, Fabr., Burm. Handb. T. 5. p. 78.

Gen. *Chasmodia*, Mac-Leay. Horae. Ent. 155.

92. *C. trigona*, Fabr., Burm. Handb. Ent. T. 4. p. 339.

Gen. *Macraspis*, Mac-Leay. id. p. 156.

93. *M. hemichlora*, Laporte. hist. nat. des Ins. T. 2. p. 118.
94. *M. anticola*, Burm. Hand. Ent. T. 4. p. 252.
95. *M. fucata*, Fab. Burm. id. p. 353.

Gen. *Chrysophora*, Latr. fam. nat. p. 370.

96. *C. chrysochlora*, Latr. Voy. de Humb. Ins. p. 106, pl. 15 f. 1. 2. — Guér. Icon. du Règne animal, Ins. pl. 24 f. 1.

Gen. *Rutela*, Latr. Gener. Cr. et Ins. T. 2. p. 106.

97. *R. lineola*, Latr. — Burm. Handb. der Ent. T. 4. p. 284.
98. *R. laeta*, Weber. — Burm. id. p. 385.

Gen. *Pelidnota*, Mac-Leay. Horae. Ent. T. 1. p. 157.

99. *P. Osculatii*, Guér. — Entièrement d'un bronzé vert en dessus et couleur de cuivre rouge en dessous. Tête triangulaire avec le chaperon rétréci et tronqué en avant, criblée de gros points enfoncés en partie confluents. Corselet transversal, assez anguleux sur les côtés, criblé de gros points enfoncés qui deviennent de grosses rugosités sur les côtés, avec une ligne longitudinale enfoncée au milieu, terminée en arrière par une espèce de fossette. Ecusson trois fois plus large que long avec une petite échancrure au milieu en arrière, lisse, avec quelques points enfoncés vers sa base. Elytres allongées, avec quelques traces de stries, lisses, assez marquées, à la base, quelques plis transversaux, qui deviennent très-profonds sur les côtés et au dessous des angles huméraux. Elles sont couvertes d'un grand nombre de petits points enfoncés donnant chacun attache à une petite écaille grise et couchée. Le dessous est d'un cuivreux rouge, avec les pattes fortement ponctuées et le reste du corps garni de petits points et de poils d'un jaune roussâtre, couchés et assez longs. — L. 26; l. 13 mill.

Cette magnifique espèce se distingue de toutes celles connues jusqu'ici par les petites écailles grises insérées dans les points enfoncés des élytres. Nous en avons vu un second individu dans la collection de M. Deyrolle, provenant des rives de l'Amazone.

Gen. *Cnemida*, Kirby. Zool. Journ. T. 3. p. 146.

100. *C. retusa*, Fabr. — Burm. Handb. Ent. 4—379.

Gen. *Platycoelia*, Burm. Handb. Ent. T. 4. p. 452.

101. *P. valida*, Burm. Handb. id. p. 453.
102. *P. lutescens*, Cat. des Coll. Ent. du Mus. de Paris. Coléopt. p. 227.
103. *P. scutellata* Guér. — Ovalaire d'un beau vert avec l'écusson jaune et le milieu du ventre noir. Tête finement chagrinée, avec la partie antérieure

un peu plus fortement rugueuse, plus avancée que dans les autres espèces (*Boliviensis* et *flavostriata*) moins arrondie en avant. Antennes et palpes fauves. Corselet transversal, lisse, bordé d'un fort sillon en avant et sur les côtés, entouré d'un fin liseré jaune fortement échancré de chaque côté vers les angles postérieurs, ce qui le distingue nettement de toutes les espèces connues, qui ont les côtés du corselet régulièrement arrondis et élargis vers l'angle postérieur. Ecusson triangulaire, d'un beau jaune et lisse. Elytres lisses, finement bordées de jaune, avec quelques faibles côtes larges et peu élevées dont les sillons n'offrent aucune trace de points enfoncés. Dessous et pattes verts, garnis de poils jaunes assez épais. Abdomen très-lisse et sans poils, avec le milieu des segments d'un noir vif qui se prolonge au milieu de la poitrine jusqu'à la pointe sternale. Tarses fauves. — L. 28; l. 16 mill.

Gen. *Bolax*, Fisch. — Bull. Mosc. 1829.

104. *B. Anticola*, Burm. Handb. Ent. T. 4. p. 490.

Gen. *Philochlaenia*, Erichs. Consp. Col. Peruan. p. 103.

105. *P. compacta*, Erichs. Consp. id. p. 103.

Gen. *Gymnetis*, Mac-Leay, Horae. Ent. T. 1. p. 152.

106. *G. meleagris*, Burm. Handb. Ent. T. 3. p. 294.

Gen. *Cyclidius*, Mac-Leay. Ill. of the Zool. of South. Afr. III. 17.

107. *C. elongatus*, Oliv. Ent. t. 1. Nr. 6. p. 24. pl. 6 f. 51.

Gen. *Hyboma*, Serv. et St. Farg. Encycl. meth. Ins. T. 10. p. 352.

108. *H. Icarus*, Oliv. Ent. T. 1. Nr. 3. p. 155. Nr. 189. pl. 15 f. 131. a.
109. *H. dentipes*, Esch. Entomogr. (Edit. franc) p. 37. pl. 1 f. 4.
110. *H. Chalcea*, Buq. Revue Zool. 1844. p. 19.
111. *H. hyppona*, id. p. 19.

Gen. *Canthon*, Hoffm. — Wiedm. Zool. Mag. T. 1. p. 161.

112. *C. rugosum*, Blanch. Voy. de D'Orb. Ins. p. 159.
113. *C. histrio*, Lepell. et Serv. Encycl. T. X. p. 352.
114. *C. Sanguinicollis*, Guér. — Tête et corselet d'un rouge de sang, luisants. Chaperon quadriépineux: Massue des antennes fauve. Corselet lisse, anguleux de chaque côté, avec le bord postérieur d'un noir violet fondu avec le rouge et n'occupant que la partie qui touche aux élytres. Il offre sur le milieu du disque trois gros points noirs disposés transversalement, et l'on voit de chaque côté les vestiges d' une autre tache, ce qui doit en porter le nombre à cinq et peut-être même former une bande transverse chez certaines varietés. Elytres d'un beau bleu

violet à reflets verdâtres, avec de fines stries peu marquées surtout en arrière. Dessous noir à reflets bleuâtres, avec le pygidium rouge. Pattes d'un noir verdâtre à reflets métalliques avec toutes les cuisses rouges au milieu. Jambes antérieures terminées par trois grosses dents denticulées à leur bâse et qui sont précédées de denticulations. — L. 11; l. 7½ mill.

115. *C. sexspilotum* Guér. — Corps jaune avec les élytres d'un brun violet terne. Tête jaune, lisse, bidentée avec les bords teintés de verdâtre. Corselet jaune, lisse, un peu anguleux de chaque côté, orné de six gros points noirs ainsi disposés: un au milieu du bord antérieur; quatre placés transversalement sur le disque, du côté antérieur, et un plus gros et carré plácé au bord postérieur devant la suture. Élytres d'un brun terne à reflet violet, montrant des traces à peine visibles de stries longitudinales, avec le bord réfléchi sous la côte latérale d'un jaune d'ocre. Dessous et jambes jaunes avec les trochanters, la base et l'extrémité des cuisses et des jambes intermédiaires et postérieures noirs. Jambes antérieures noires terminées par trois fortes dents denticulées à leur base et qui sont précédées de denticulations très-fines sur la tranche. — L. 8; l. 5 mill.

Cette jolie espèce a des affinités avec le *C. sexpunctatum* de Fabricius; mais elle est beaucoup plus petite et les taches de son corselet sont autrement disposées.

116. *C. quadripustulatum* Guér. — Noir avec de faibles reflets bleuâtres. Tête très faiblement ponctuée, avec le chaperon terminé par deux pointes très-rapprochées et arrondies, precédées chacune d'un petit angle indiquant la place de deux autres pointes; antennes jaunes. Corselet bombé, finement ponctué, arrondi sur les côtés. Elytres d'un noir terne avec de faibles traces de lignes enfoncées et ayant chacune deux taches fauves peu visibles placées-sous l'angle huméral et à l'extrémité externe. Pattes noires à reflets verdâtres. Les antérieures semblables a celles des deux espèces précédentes. — L. 6; l. 3½ mill.

Cette petite espèce ressemble assez à celle que M. Blanchard à décrite dans le voyage de D'Orbigny sons le nom de *Tetraaechma sanguineo-maculata*, mais chez celle-ci le chaperon a quatre épines en avant, ce qui a motivé ce genre, que, du reste M. Blanchard n'a pas caractérisé et qui ne pourra être conservé. Le *Canthon sanguinicollis* ci-dessus appartiendrait à ce genre.

Gen. *Chaeridium.*

117. *C. cupreum*, Blanch. Voy. de D'Orb. Ins. p. 169.
118. *C. prasinum*, Blanch. „ „ „ „ „ 169.

Gen. *Copris*, Geoff.

119. *C. assifera*, Esch. Entomogr. (Édit. franç.) p. 27.

120. *C. triangulariceps*, Blanch. Voy. de D'Orb. Ins. p. 177.
121. *C. conicollis*, Blanch. „ „ „ „ 179.
122. *C. alexis*, Blanch. „ „ „ „ 180.
123. *C. nisus*, Fabr. Syst. El. T. 1, p. 44.
124. *C. cotopaxi*, Guér. Noir. Tête un peu avancée au milieu, de forme un peu triangulaire, avec une petite dent obtuse de chaque côté en avant des yeux, fortement chagrinée, portant chez le mâle une corne assez courte, un peu élargie et tronquée au bout, placée près du bord antérieur, dirigée en avant et dont la base se prolonge un peu en arrière en forme de carène. Palpes et antennes fauves, celles-ci ayant la massue grise. Corselet plus large que long, arrondi sur les côtés, fortement chagriné, tronqué antérieurement, avec la tranche supérieure de cette troncature élevée, un peu sinuée, lisse, et aboutissant de chaque côté à une grande fossette latérale à fond et bord antérieur très-lisse. Elytres faiblement chagrinées, à rugosités comme effacées, avec sept lignes longitudinales enfoncées et à fond garni de petits points assez distants; dessous ponctué, avec quelques cils fauves sous la tête et sur les côtés du thorax. Jambes antérieures à bord externe faiblement sinué, sans dents, avec le dessus orné d'une sculpture formant un fort sillon composé d'une série de fossettes en gros points enfoncés.

La femelle ressemble entièrement au mâle; seulement sa tête porte en arrière une élévation en carène transversale, et la carène supérieure du corselet ne se prolonge pas tout-à-fait jusqu'aux fossettes latérales. — L. 24; l. 15 mill.

Gen. *Phanaeus*, Mac-Leay. Hor. Entom.

125. *P. lancifer*, Fabr. Syst. El. T. 1. p. 43.
126. *P. Jasius*, Oliv. Ent. T, 1. Nr. 3. p. 109. pl. 7 f. 50, e. f.
127. *P. mimas*, Fabr. Syst. El. T. I. p. 45.
128. *P. imperator*, Guér. Icon. Règn. Anim. Ins. pl. 21 f. 8.
129. *P. splendidulus*, Fabr. Syst. El. T. 1. p. 32.
130. *P. floriger*, Kirby. Centurie d'Ins. (Édit. franç.) p. 21. Nr. 29.
131. *P. planicollis*, Perty. Voy. de Spix et Martius, Ins. p. 40, pl. 8, f. 13.
132. *P. Meliboeus*, Blanch. Voy. de D'Orb. Ins. p. 176. pl. 10 f. 7.
133. *P. Meleagris*, „ „ „ p. 176.
134. *P. conspicillatus*, Fabr. Syst. El. T. 1. p. 32.
135. *P. Silenus*, Lap. hist. nat. des Ins. T. 2. p. 82. Nr. 3.
136. *P. palens*, Lap. „ p. 82. Nr. 4.

Gen. *Ontophagus*

137. *O. compressus*, Guér. — Noir, luisant; tête triangulaire, presque aigue en avant, aplatie avec des rides transverses et deux tubercules aigus en arrière, réunis par une faible élévation transverse. Antennes fauves. Corselet de forme carrée, presque aussi long que large, très-lisse, élargi en avant, avec une large et profonde échancrure pour

l'insertion de la tête. Il offre de chaque côté une forte dépression oblique et dirigée en avant, comme dans l'*Ont. obliquus* de Fabricius, terminée en arrière, près des angles postérieurs externes, par une crête transversale très-saillante formant une espèce de pointe de chaque côté. Les élytres sont arrondies, très-lisses, avec sept stries bien marquées et fortement ponctuées. Le dessous est lisse et luisant avec les côtés du thorax et de l'abdomen ponctués. Les pattes antérieures sont terminées pas trois fortes dents externes. — L. 14. l. 8 mill.

138. *O clypeatus*, Blanch. Voy. de D'Orb. Ins. p. 182. pl. 10 f. 8.

139. *O. nasutus,* Guér. — Noir, luisant; tête arrondie et large sans cornes ni saillies, très-finement ponctuée en avant, avec le bord antérieur du chaperon prolongé en une corne plate recourbéc et relevée avec l'extrémité tronquée et arrondie. Le corselet est épais, tronqué droit en avant, avec le milieu très-élevé formant une forte éminence quadrilobée dont les lobes du milieu sont plus avancés et cachent l'insertion de la tête lorsqu'on regarde l'insecte en dessus. Les côtés antérieurs sont fortement excavés et ponctués, il y a une petite fossette en arrière de ces excavations, près des bords latéraux qui sont arrondis et assez saillants, et le dessus est très-lisse et très-luisant. Les élytres sont très-lisses et luisantes, avec des stries ponctuées. Le dessous est fortement ponctué avec les antennes et les tarses fauves. — L. 7.; l. 4½ mill.

Cette espèce est très-voisine de la précédente; mais elle s'en distingue facilement par l'absence de cornes, par la couleur et par le luisant de tout le corps. Notre individu est évidemment un mâle.

140. *O. Osculatii* Guér. — D'un vert foncé et terne tirant sur le bleu, surtout aux élytres et en dessous; tête finement ponctuée, arrondie, à bord antérieur un peu relevé, avec deux cornes assez longues, droites, insérées en arrière, au dessus des yeux et dirigées en arrière. Ces cornes ne sont pas réunies par une petite carène élevée, et l'on ne voit aucune trace d'une autre carène en avant, comme cela a lieu chez une autre espèce voisine, connue dans les collections sous le nom d'*Ont. hirculus*. Corselet ponctué, excavé en avant de chaque côté pour recevoir les cornes, avec le milieu avancé, arrondi et peu élevé et un sillon médian assez marqué en arrière. Elytres à stries ponctuées. Dessous et pattes luisants, ponctués, antennes et tarses fauves. — L. 7. l. 4. mill.

141. *O. rubescens* Blanch. Voy. de d'Orbigny, Ins. p. 183.

Gen. *Vroxys* Westw. Trans. Ent. Soc. Lond. Vol. 4 p. 229.

142. *V. cuprascens* Westw. Trans. Ent. Soc. Lond. Vol. 5. p. 229. pl. 16. f. 5.

Gen. *Eurysternus* Dalm. Ephem. Entom. fasc. 1.

143. *E. marmoreus* Laporte, hist. nat. des Ins. T. 2. p. 93.

144. *E. pectoralis* Guér. — D'un noir verdâtre terne avec les élytres d'un brun rougeâtre obscur et une forte protubérance au milieu de la poitrine. La tête est lisse, avec le bord antérieur un peu échancré et les côtés un peu avancés. Le Corselet est ponctué avec quelques faibles fossettes vaguement marquées en avant et un sillon médian en arrière. Les élytres d'un brun roussâtre terne ont de fines stries sans points, avec leurs intervalles plans et garnis d'une rangée de petits points. La suture, le cinquième intervalle et la carène humérale sont un peu élevés et d'un brun noir. Le dessous et les cuisses sont ponctués et l'on remarque au milieu du Mésothorax, entre l'insertion des pattes intermédiaires, un tubercule élevé, comprimé latéralement et formant une carène courte terminée en points. Les jambes antérieures sont courtes et épaisses, armées de trois fortes dents au bord externe, creusées en dessous et garnies autour de cette excavation de quatre forts tubercules dentiformes dirigés en bas. Les jambes postérieures sont fortement arquées dès leur base et ciliées en dedans. — L. 17. l. 8 mill.

Cette curieuse espèce est très-voisine de l'*Eurysternus magnus* de Laporte, mais elle est un peu plus grande et se distingue de toutes celles connues par le tubercule pectoral qui doit être un attribut des mâles.

Gen. *Passalus* Fabr. Syst. Ent. T. 1. p. 240.

145. *P. crassus* Smith. Nomencl. des col. du British Mus. Passalodae p. 14. n 61.

146. *P. Compar* Erichs. Comp. Ins. col. Peruan. p. 112.

147. *P. aduncus* Erichs. id. p. 112.

148. *P. transversus* Dalm. Percher. Monogr. des Passalides p. 37. pl. 7. f. 3.

Fam. Tenebrionites.

Gen. *Nyctelia* Latr. Fam. nat. du Règne animal. p. 375.

149. *N. laevigata* Erichs. Meyen Reis. Zool. 369. pl. 48 f. 3.

Gen. *Scotobius* Germ. Spec. Ins. nov. spec. p. 135.

150. *S. punctatellus* Blanch. Voy. de d'Orb. Ins. p. 195. pl. 13. f. 5.

Gen. *Nyctobates* Guér. Mag. Zool. 1834. p. 34.

151. *N. gigas* Linné. Fabr. syst. El. T. 1. p. 144.

Gen. *Stenochia* Kirby. Trans. Lin. Soc. Vol. XII.

152. *S. haemorrhoidalis* Fabr. Syst. El. T. 1. p. 159.

Fam. Curculionites.

Gen. *Arrhenodes* Schoen. Gen. et Spec. Curcul. T. 1. p. 313.

153. *A. dispar* Lin. Sch. id. p. 315.

Gen. *Belorhynchus* Latr. R. A. T. 3. p. 390. Sch. id. p. 340.

154. *B. curvidens* Fab. Sch. id. p. 341.

Gen *Brenthus* Illig. Mag. 3. 101. Schoen. ibid. p. 342.

155. *B. Anchorago* Lin Sch. id. T. 1. p. 343.
156. *B. vulneratus* Sch. id. T. 1. p. 345.

Gen. *Cephalobarus* Sch. Gen. et spec. Curc. T. 5. p. 517.

157. *C. macrocephalus* Sch. id. p. 519.

Gen. *Claeoderes* Sch. gen., T. 1. p. 362.

158. *C. radulirostris* Sch. id. p. 363.

Gen. *Vlocerus* Dalm. Eph. Ent. T. 1. p. 25.

159. *V. laceratus* Dalm. Sch 1. 374.

Gen. *Entimus* Germ. Sch. T. 1. p. 454.

160. *E. imperialis* Fabr. Sch. id. p. 455.
161. *E. nobilis* Oliv. Sch. id. 455.

Gen. *Polyteles* Sch. T. 1. p. 452.

162. *P. Guerini* Sch. id. T. 5. p. 743.

Gen. *Naupactus* Sch. T. 1. p. 567.

163. *N. decorus* Fab. Sch. id. T. 1. p. 571.

Gen. *Cyphus* Schoen. Curc. disp. Meth. p. 107.

164. *C. gibber* Lin. Sch. Sch. Gen. et Spec. Curc. T. 1. p. 621.

Gen. *Platyomus* Sch. Curc. disp. p. 109.

165. *P. piscatorius* Germ. Sch. id. T. 6. p. 161.
166. *P. Bourcieri* Guér. — Oblong, noir, entièrement couvert de petites écailles d'un beau vert. Front plan à peine un peu excavé en avant du rostre, avec le chaperon faiblement échancré. Antennes grandes, noires avec la massue blanche. Corselet oblong, très inégal avec le dessus un peu aplati et les élévations des côtés en forme de gros plis obliques et transversaux. Elytres aplaties sur le dos, avec des stries de grosses fossettes produisant des espèces de plis transversaux sur chaque intervalle, et trois faibles côtes dont la seconde, la plus courte, se termine assez loin de l'extrémité en un petit tubercule gris. L'extrémité des élytres est terminée par deux fortes pointes mousses

et grises, garnies de poils roux, divergeant un peu entre elles et dont le gris remonte sur la suture jusqu' au milieu de la longueur à peu près. Les pattes et le dessous ont des écailles vertes, plus brillantes que celles du dessus. — L 25; l. 8 mill.

Cette belle espèce se placera à côté et avant le *Pl. viridipes* de Schoenherr.

167. *P. furcatus* Guér. — Oblong, noir, couvert en dessus de petites écailles vertes, tête noire, avec quelques écailles vertes autour des yeux. Une petite impression à la naissance du rostre, entre les yeux, suivie d' un fort canal médian, élargi en avant au milieu du rostre, et donnant lieu à deux fortes carènes latérales qui divergent brusquement en avant et dépassent un peu l' insertion des antennes. Corselet oblong, avec des fossettes irrégulières et peu profondes, ayant le dessus déprimé et excavé longitudinalement au milieu, ce qui donne lieu à deux fortes côtes à sommet lisse et dépourvu d' écailles par le frottement. Elytres allongées, fortement acuminées à l' extremité, avec des fossettes assez fortes, rangées longitudinalement, sans côtes élevées ni tubercules postérieurs, et ayant les pointes postérieures très-fortes, divergeantes et assez aigues. Dessous, pattes et antennes d' un noir luisant sans écailles. Massue des Antennes d' un gris cendré. — L. 12. l. 4. mill.

168. *P. canescens* Schoen. Gen et Spec. Curcul. T. 6. p. 181.

169. *P. viridivittatus* Guér. — Ovale, allongé, noir, couvert d' écailles d'un blanc argenté et d'un vert luisant. Front argenté avec le vertex vert et le chaperon noir, profondément échancré. Corselet garni de gros points, argenté avec les côtés et trois lignes longitudinales verts. Elytres à séries de gros points enfoncés, avec les intervalles un peu élevés en faibles côtes d'un beau blanc argenté, ornées chacune de deux larges lignes longitudinales vertes, l'une en dessus, l' autre sur la côte. Extrémité des élytres peu avancée. Dessous et pattes argentés, cuisses tachées de vert. — L. 14. l. 5 mill.

Cette délicieuse espèce a été trouvée aussi en Colombie et nous lui avons conservé le nom que nous lui avions imposé dans notre collection et qu' a adopté M. Jeckel dans la sienne. [1])

---

[1]) Parmi les espèces qui nous ont été envoyées par M. Osculati, se trouvait un individu du *Lachnopus splendidus* de Schoen. T. 6. p. 382. Jusqu' à présent cette espèce, ainsi que toutes celles du même genre qui sont exclusivement des Antilles, n' avait été trouvée que dans l' île de Cuba. Il est difficile d' admettre que cet insecte ait été pris dans le haut Pérou; il doit avoir été ajouté par erreur aux Insectes de M. Osculati, et plus probablement comme M. Osculati a dû visiter aussi, avant cette exploration, les Antilles, il l' aura confondu avec les autres du haut Pérou.

Gen. *Hypsonotus* Germ. Sch. T. 2. p. 253.

170. *H. umbrosus* Germ. Sch. T. 2. p. 258. et T. 6. p. 152.
171. *H. clericus* Sch. id. T. 2. p. 268 et T. 6. p. 169.

Gen. *Lordops* Sch. T. 2. p. 268 et T. 6 p. 173.

172. *L. Gyllenhali* Sch. ibid. T. 6. p. 177.
173. *L. navicularis* Germ. Sch. 6 — 178.
174. *L. variabilis* Jeckel, Fabricia Entomol. 1ère Partie, I. V. 15.

Gen. *Lixus* Fabr. Sch. T. 3. p 1.

175. *L. impressus* Sahlb. Sch T. 3 p. 27.
176. *L. pulvinatus* Sch. id. T. 3 p. 38.

Gen. *Heilipus* Germ. Sch. T. 3. pag. 154 et T. 7. p. 27.

177. *H. Osculatii* Guér. — Entièrement d'un brun noir, allongé, rostre peu arqué, cylindrique et lisse. Corselet allongé, rétréci en avant, avec quelques gros points, peu profonds en dessus et une fossette assez large en arrière. Il est orné de quatre lignes longitudinales blanches et minces, deux de chaque côté, et ses bords inférieurs sont garnis de poils blancs. Elytres offrant quelques lignes longitudinales de gros points peu marqués, et ornées chacune de quatre minces lignes blanches ainsi disposées: la première près de la suture et aboutissant à l'extrémité; la seconde au milieu de la partie supérieure, arquées, venant se confondre en arrière avec la première; la troisième près du bord supérieur, partant du dessus de l'angle huméral, d'abord parallèle à la seconde, puis en divergeant pour se diriger en arrière vers le bord externe et se confondre avec la quatrième qui longe ce bord externe. En arrière, les seconde et troisième lignes laissent un espace qui est occupé par deux courtes lignes blanches très-minces qui sé réunissent en avant et en arrière et entourent ainsi la callosité postérieure. Le dessous de l'abdomen a quelques bandes transversales de poils blancs. Les pattes sont noires. — L. 13. l. 4. mill.

Cette espèce a beaucoup d'affinités avec celles que nous avons publiées sous le nom d'*Heilipus norresii* et *elegans*, dans le texte de notre Iconographie du Règne animal (Ins. p. 148.); mais elle en diffère par les lignes blanches et minces, formées de fines écailles, qui ornent son corselet et ses élytres.

178. *H loqueatus* Erichs Comp. Ins. col. Peruan. p. 130.
179. *H. difficilis* Sch. T. 7. p. 106.

Gen. *Ambates* Sch. T. 3. p. 278 et T. 7. p. 150.

180. *A. griseolus* Erich Comp. α. p. 131.
181. *A. clitellatus* Sch. id. T. 7. p. 152.

Gen. *Sternechus* Schoen. T. 3. p. 472 et T. 7. p. 353.

182. *S. Guerini* Schoen. id. T. 7. p. 353.

Gen. *Leprosomus* Guér. Icon. Règne anim. Texte Ins. p. 168.

183. *L. lancifer* Guér. ibid. p. 169.

184. *L. aries* Guér. ibid. p. 168.

185. *L. deplanatus* Guér. — Noir terne, complètement plat et horizontal en-dessus, avec les côtés parallèles et tranchants, surtout aux élytres. Tête lisse, noire, avec le rostre brusquement inséré en avant, presque aussi long que le corselet, un peu arqué au bout, couvert de fortes rugosités formant au milieu, ou avant, une espèce de petite carène élevée et en arrière laissant un enfoncement peu marqué comme un sillon postérieur. Corselet plus long que large, un peu plus large au milieu qu'à la base, brusquement rétréci ensuite, couvert en dessus et sur les côtés d'assez fortes granulations, avec une espèce de ligne longitudinale à peu près lisse au milieu, un peu enfoncée. Elytres un peu plus larges que le corselet, s'élargissant un peu à partir des épaules qui sont assez anguleuses, à côtés parallèles et droits, jusqu'au tubercule postérieur où elles s'abaissent brusquement en arrière. Leur dessus, très-plat, offre quelques plis obliques et vagues, quelques points enfoncés, le plus souvent cachés par une matière grise, mêlée à quelques courts poils fauves, et de petits tubercules lisses vaguement dispersés Leur extrémité postérieure, à l'endroit où la déclivité commence, offre une sorte de carène transversale formée par les tubercules latéraux et par six faibles bosses velues, et l'on observe de chaque côté, au dessous de cette espèce de carène, un tubercule assez fort. Les côtés des élytres, embrassant l'abdomen, sont ornés de gros points enfoncés presque rangés en séries longitudinales et de petits tubercules luisants placés sans ordre. Les dessous est garni de petits tubercules avec le dernier segment abdominal fortement chagriné. Les pattes sont couvertes de matière grise et de petits tubercules luisants et noirs. Les tarses et les antennes sont bruns. — L. 15.: l. 5 mill.

186. *L. complanatus* Guér. — Semblable au précédent pour la taille, la forme générale et la couleur; mais ayant le dessus un peu moins aplati. Le rostre est fortement tuberculeux et n'offre ni trace de carène ni sillon. Le corselet est un peu noir, élargi au milieu, couvert de rugosités beaucoup plus fortes et confluentes formant de gros plis obliques. Les élytres ont en dessus des bosses peu saillantes, elles ont le dessus un peu convexe vers l'arrière et la carène postérieure et transversale qui marque la déclivité postérieure, est formée, outre le tubercule externe, d'un seul gros tubercule. Leurs côtés ont de grosses fossettes laissant des intervalles élevés qui forment des espèces de plis en zigzag, et toute leur surface, dessus et côtés, est couverte de tu-

bercules très-lisses, à sommet d'un rouge fauve luisant et portant de l'enduit et des poils gris. Cette espèce, qui est de la même taille que la précédente, ne serait-elle que l'autre sexe? Je ne le pense pas; car ces deux individus ont l'abdomen tout à fait semblable.

187. *L. margaritatus* Guér. — Très-allongé, aplati en dessus, acuminé en arrière, d'un noir terne. Tête lisse, avec le rostre très-arqué en avant, lisse à l'extrémité et granulé ensuite jusqu'à son insertion avec la tête qui en est distinguée par un petit sillon transversal. Corselet beaucoup plus long que large, un peu arrondi sur les côtés, rétréci en avant, fortement chagriné et plissé et offrant deux larges carènes de chaque côté qui laissent un large espace excavé au milieu et une fossette longitudinale assez marquée de chaque côté. Les élytres sont fortement ponctuées, à peine plus larges que le corselet, à leur base, elles s'élargissent un peu sur les côtés; mais vont en se rétrécissant bientôt et avant même le milieu de leur longueur et se terminent par deux pointes mousses formant fourche. Elles ont comme le corselet, deux grosses carènes élevés: l'une partant de l'angle huméral et se terminant à l'extrémité de la pointe postérieure, l'autre au milieu du côté et arrivant aussi en ligne droite à cette même pointe. Ces deux carènes sont ornées sur leur sommet d'une série de gros tubercules lisses, ronds, un peu inégaux et à milieu fauve, et l'on voit sur le disque aplati en dessus, et sur l'intervalle supérieur des bords lateraux une série de ces mêmes tubercules, mais beaucoup moins forts. Le dessous est lisse, terne et un peu ridé. Les pattes sont granuleuses, avec les tarses noirs, luisants; les antennes sont brunes. L. 16. l. 4½ mill.

Cette curieuse espèce se distingue de toutes celles connues jusqu'ici par sa forme très-allongée et par les tubercules en forme de perles qui se voient alignés sur les côtés de ses élytres.

Gen. *Solenopus* Schoen. Curc T. 3. p. 597 et T. 8. p. 24.

188. *S. Cacicus* Sahlb. Schoen. id. T. 8, p. 24.
189. *S. sexmaculatus* Oliv. Schoen. T. 8. p. 25.

Gen. *Dionychus* Germ. Schoen. T. 3, p. 580 et T. 8. p. 18.

190. *D. squamulosus* Sch. T. 8. p. 19,

Gen. *Amerhinus* Sch. T. 3. p. 599. et T. 8. p. 26.

191. *A. Dufresnii* Kirby. Sch. id. T. 8. p. 26.
192. *A. Ynca* Sch. id. T. 8. p. 26.

Gen. *Baridius* Sch. T. 3. p. 643 et T. 8. p. 114.

193. *B. Mutilus* Sch. id T. 8. p. 149

Gen. *Cylindrocerus* Sch. T. 3. p. 789 et T. 8. p. 260.

194. *C. Comma* Sch. id. T. 8. p. 261.

Gen. *Dactylocrepis* Sch. T. 8. p. 265.

195. *D. flabellitarsis* Sch. id. T. 8. p. 266.

Gen. *Diorymerus* Sch. T. 3. p. 799 et T. 8. p. 275.

196. *D. armatus* Guér. Presque aussi large que long, avec les angles huméraux très-saillants. Tête et rostre noirs, finement rugueux. Corselet d' un rouge fauve avec les côtés inférieurs, le bord antérieur et le dessous noirs, et une corne noire comprimée en lame, dirigée en haut et en avant, dentée en arrière à sa base et insérée au bord postérieur qui s' avance fortement sur l'écusson en un lobe arrondi. Elytres fortement striées, noires, avec la moitié antérieure jaune et la protubérance humérale noire. Dessous et pattes noirs, avec les cuisses d' un fauve obscur — L. 6. : l. 4 mill.

Cette curieuse espèce est très-voisine du *Diorymerus monoceros* de Schoenherr (T. 3, p. 800), à cause de la corne aplatie en lame qu' elle porte en arrière du corselet; mais elle s' en distingue facilement par sa coloration. Elle devra être placée aussi dans le voisinage de deux autres espèces très-remarquables que nous avons publiées dans le magazin de Zoologie, 1839, pl. 13, sous les noms de *D. Pradieri* et *lancifer*.

Gen. *Cratosomus* Sch. T. 4. p. 1 et T. 8. p 293.

197. *C. stellio* Oliv. Sch. T. 8. p. 299.
198 *C lucifugus* Sch. T. 8. p. 300.
199. *C. Lafontii* Guér. Icon. Règne anim. Texte, Insect. p. 163.
200. *C. fasciatopunctatus* Guér. id. p. 164,

Gen. *Catapycnus* Sch. T. 4. p. 39.

201. *C. granulosus* Sch. id. T. 4. p. 40.

Gen. *Cryptorhynchus* Illig. Sch. T. 4. p. 47 et T. 8. p. 303.

202. *C. lirinus* Sch. T. 8. p. 305.
203. *C. lemniscatus* Sch. T. 4. p. 51.
204. *C. stigma* Lin. Sch. T. 4. p. 63.
205. *C. circulus* Sch. T. 4. p. 64.
206. *C. leucophaeus* Erichs. Consp. Col. Peruan. p. 133.

Gen. *Macromerus* Sch. T. 4. p. 183 et T. 8. p. 356.

207. *M. grallipes* Schoen. T. 4. p. 187.
208 *M. innoxius* Herbst. Sch. T. 4. p. 189.
209. *M. numenius* Erichs. Consp. Col. Peruan. p. 133.

Gen. *Coelosternus* Sch. T. 4. p. 198 et T. 8. p. 359

210. *C. Occatus* Germ. Sch. T. 4. p. 205.
211. *C. rugicollis* Schoen. T. 4. p. 210.

Gen. *Conotrachelus* Sch. T. 4, p. 392 et T. 8, p. 15. (Pars. 2).

212. *C. tricostatus* Sch., T. 8, p. 19.
213. *C. corallifer* Sch., T. 8, p. 34.
214. *C. pilosellus*, Sch., T. 8, p. 50.

Gen *Peridinetus* Schoen. T. 4, p. 467 et T. 8 (2), p. 56.

215. *P. irroratus* Fabr. Sch. T. 4, p. 468.

Gen. *Zygops* Sch. T. 4, p. 601 et T. 8 (2), p. 88.

216. *Z. Striæ* Fabr. Sch. T. 4, p. 606.
217. *Z. albicollis* Erichs. Consp. Col. Peruan. p. 134.

Gen. *Piazurus* Sch T. 4, p. 651. et T. 8. (2), p. 110.

218. *P. defector* Schoen. T. 4, p. 667.
219. *P. varipes* Erichs. Consp. Col. Peruan. p. 135.

Gen *Rhina* Olivier, Sch. T. 4, p. 790 et T. 8 (2) p. 205.

220. *R. barbirostris* Fabr. Sch. T. 4, p. 792.
221. *R. costalis* Sch, T. 4,, p. 793.

Gen. *Sipalus* Sch. T. 4, p. 800 et T. 8 (2) p. 209.

222. *S. striatus* Schoen., T. 4. p. 805.
223. *S. immundus* Erichs. Consp. Col. Peruan. p. 135.

Gen *Rhynchophorus* Herbst. Sch. T. 4, p. 816 et T. 8 (2) p. 216.

224. *R. Borassi* Fab. Sch. T. 4, p. 818.
225. *R. politus* Sch. T. 4, p. 819.
226. *R. palmarum* Lin. Sch. T. 4, p. 820.
227. *R. nitidulus* Guér. Icon. du règne anim. Texte Insectes p. 175.

Gen. *Sphenophorus* Sch T. 4, p. 874 et T. 8 (2) p. 234.

228. *S. perforatus* Sch., T. 8 (2) p. 236.
229. *S. hemipterus* Lin. Fab. Sch. T. 8, p. 237.
230. *S. dispar*. Sch. T. 4, p. 892.
231. *S. loetus* Erichs. Consp. Col. Peruan. p. 137.
232. *S. variabilis* Sch. T. 4. p. 898.

Fam. **Cerambycini** Latr.

Gen. *Mallodon* Serv. Ann. Soc. Ent. de France, T. 1, p. 176.

233. *M. spinibarbe* Lin. Fabr. Syst. Eleuth. T. 2, p. 263.
234. *M. bajulum* Erichs. Consp. Col. Peruan. p. 138.

Gen. *Psalidognathus* Griff. An. Kingd. Ins. T. 2, p. 115.

235. *P. limenius* Erichs. id. p. 139.

Gen. *Pyrodes* Serv. Ann. Soc. Ent. T. 1, p. 186.

236. *P. fastuosus* Erichs. Consp. etc. p. 139.

237. *P. nigricornis* Guér. — Raccourci, fauve, à reflets verts métalliques surtout en dessous. Antennes noires avec le premier, le second et plus de la moitié du troisième article fauves. Tête plus large que longue, à gros points enfoncés, avec une forte excavation longitudinale au milieu et rétrécie en arrière. Corselet transversal, rétréci en avant, denticulé sur les côtés antérieurs, avec deux épines de chaque côté, séparées par une profonde excavation, l'une en arrière, au delà du milieu, l'autre à l'angle postérieur. Dessus du corselet fortement rugueux et ponctué avec une large fossette transversale au milieu. Ecusson grand, ponctué. Elytres courtes, larges, presque parallèles sur les côtés, rugueuses, presque aussi larges en arrière qu'à leur base, comme tronquées et ayant l'angle sutural manifestement épineux. Dessous lisse et luisant avec les pattes assez fortement ponctuées. — L. 19 : l. 9½ mill.

Cette petite espèce, qu'au premier aspect l'on prendrait pour un individu piqué avant d'avoir pris ses couleurs métalliques, me semble cependant arrivée à son état normal, car les téguments ont la fermeté de ceux des Insectes éclos dans de bonnes conditions. Elle se distingue par la double épine des côtés de son corselet et quoique voisine du *P. bifasciatus* par ce caractère et par la brievété de son corps, elle diffère de ce dernier parce que celui-ci a la seconde épine des côtés du corselet bifide et que l'angle sutural de ses élytres ne montre aucune trace de saillie épineuse.

238. *P. heterocerus* Erichs. Consp. Ins. col. Peruan. p. 139.

Syn. *P. antennatus* White, Cat. col. Ins. Coll. Brit. mus. part. VII. *Longicornia*, p. 51. pl. 2 f. 6.

L'examen de plusieurs individus de cette espèce nous a démontré qu'elle varie assez et que celle que notre ami M. White a décrite comme nouvelle ne diffère pas essentiellement de l'espèce publiée primitivement par Erichson.

Gen. *Mallaspis* Serv. An. Soc. Ent. de France T. 1, p. 188.

239. *T. xanthaspis* Guér. Icon R. An. Insectes, Texte p. 214.

Gen. *Trachyderes* Dalm. in Sch. Syn. Ins. T. 1. pars 3, p. 364.

240. *T. succinctus* Lin. Syst. nat. T. 2, p. 627. — Mag. Zool. 1838. pl. 191. f. 2.

241. *T. Reichei* Dup. Mag. de Zool. 1836. pl. 155.

242. *T. rufipes* Fabr. Syst. Eleut. T. 2. p. 275.
243. *T. Juvencus* Dup. Mag. de Zool. 1840. pl. 34.

Gen. *Ancylosternus* Serv. Ann. Soc. Ent. de Fr. T. 3. p. 49.

244. *A. albicornis* Erichs. Consp. col. Peruan. p. 139.

Gen. *Chlorida* Serv. Ann. Soc. Ent. de Fr. T. 3. p. 31.

245. *C. festiva* Lin. Syst. nat. Ins. T. 2. p. 623. — Serv. ibid. p. 32.

Gen. *Eburia* Serv. Ann Soc. Ent. de Fr. T. 3. p. 8.

246. *E. sulphureo-signata* Erichs. Consp. Ins. col. Peruan. p. 140.
247. *E. quadrinotata* Latr. Humb. obs. T. 1. p. 165. pl. 16. f. 9.

Gen. *Chrysoprasis* Serv. Ann. Soc. Ent. de Fr. T. 3. p. 5.

248. *C. rufiventris* Germ. Ins. sp. nov. T. p. 495. n. 660.
249. *C. hypocrita* Erichs. Consp. Ins. col. Peruan. p. 142.

Gen *Achryson* Ann. Soc. Ent. de Fr. T. 2. p 572.

250. *A. circumflexum* Serv. id. — Oliv. Ent. T. 4. g. 67, p. 127, pl. 23 f. 182.

Gen. *Macropus* Thunb. Serv. id. T. 4. p. 18.

251. *M. trochlearis* Oliv. Serv. id. T. 4. p. 19.

Gen. *Steirastoma* Serv. id. T. 4. p. 24.

252. *S. depressa* Oliv. Fabr. Syst. El. T. 2. p. 276.

Gen. *Polyrhaphis* Serv. id. T. 2. p. 26.

253. *P. papulosa* Schön. Spn. Ins. T. 3. p. 395.

Gen. *Anisocerus* Serv. id. T. 4. p. 79.

254. *A. scopifer* Germ. Ins. sp. nov. p. 476.
255. *A. stellatus* Guér. — D'un brun noirâtre, avec de nombreuses taches roudes, jaunes, formées par un duvet court, sur la tête, le corselet les élytres et le dessous du corps. Antennes fauves avec les deux premiers articles et l'extrémité des suivants, noirs. Un pinceau de poils noirs à l'extrémité du troisième article. Jambes fauves avec la base et l'extrémité noires, tarses jaunes, fortement ciliés. — L. 17; l. 8 mill.

Gen. *Acanthoderes* Serv. id. T. 4. p. 29.

256. *A. antennatus* Guér. — Corps allongé, subdéprimé, noir. Tête carrée, avec les antennes à peu-près de la longueur du corps, noires, avec le troisième article et les suivants fauves à la bâse. Ce troisième

article est garni, dans presque toute sa longueur, de longs poils noirs et serrés qui forment un long pinceau cylindrique. Corselet transversal, épineux sur les côtés, avec un fort tubercule aigu de chaque côté, au dessus de l'épine latérale. Elytres couvertes d'un fin duvet couleur marron, avec une forte carène médiane qui s'élève en crête, denticulées à leur base, et ornées d'une grande tache grise commune derrière l'écusson et d'une large bande oblique de la même couleur au milieu. Dessous noir avec les côtés du thorax et de l'abdomen tachés de gris. Pattes noires à cuisses fortement renflées, avec les jambes et les tarses d'un jaune orangé. — L. 17; l. 6½ mill.

257. *A. Daviesii* Oliv. Ent. T. 4. capr. p. 104 pl. 6 f. 42.

258. *A. leucogaeus* Erich. Consp. Ins. col. Peruan. p. 148.

Gen. *Taeniotes* Serv. id. T. 4 p. 90.

259. *T. scalaris* Fabr. Syst. El. T. 2. p. 273.

Gen. *Oncideres* Serv. id. T. 4. p. 67.

260. *O. amputator.* Fab. Syst. El. T. 2. p. 293.

Gen. *Colobothaea* Serv. id. T. 4. p. 69.

261. *C. Osculatii* Guér. — Noire, entièrement couverte d'un duvet gris cendré assez foncé avec des lignes sur la tête et le corselet et des points sur les élytres d'un blanc jaunâtre. Tête de forme carrée en avant, avec deux fines lignes blanches et deux autres lignes semblables sur le sommet, réunies en avant entre l'insertion des antennes. Corselet plus long que large, un peu rétréci en avant, avec quatre fines lignes longitudinales blanches. Elytres rétrécies en arrière, carénées sur les côtés, échancrées à l'extrémité, avec un forte épine à l'angle extérieur, et couvertes d'un grand nombre de petites taches blanches, rondes, inégales et jettées sans ordre. Dessous noir, tacheté de blanc. Antennes deux fois plus longues que le corps, noires, avec la moitié antérieure du sixième segment blanc. Pattes noires, avec un fin duvet grisâtre. — L. 20; l. 5½ mill.

262. *C. femorosa* Erichs. Consp. Ins. col. Peruan. p. 149.

Gen. *Hemilophus* Serv. id. T. 4, p. 49.

263. *H. brachialis* Guér. — Noire terne. Tête et corselet d'un jaune orangé soyeux. Elytres fortement ponctuées, avec une côte latérale lisse n'atteignant pas l'extrémité qui est échancrée et armée d'une épine à l'angle externe. Pattes antérieures à cuisses fauves et base des articles des antennes pâle, avec leur dessous faiblement cilié dans toute la longueur des antennes. — L. 14; l. 4 mill.

264. *H. tuberculicollis* Guér. — Noir, avec la tête et les côtés du corselet d'un fauve obscur, ainsi que la base des articles des antennes, qui sont faiblement ciliées en dessous dans toute leur longueur. Le corselet est plus large que long, et il offre en dessus et au milieu de la longueur, trois tubercules arrondis et lisses, dont le médian est le plus gros, et un peu, en arrière, et sur les côtés un autre tubercule placé plus bas. Les élytres sont ponctuées, avec une côte latérale et l'extrémité échancrée avec l'angle sutural aigu et une épine à l'angle externe. Dessous et pattes noirs, luisants, avec les trochanters et les hanches d'un brun roussâtre. — L. 10; l. 3 mill.

265. *H. frontalis* Guér. — D'un jaune fauve, avec le milieu du corselet en arrière et une large bande longitudinale, au milieu de chaque élytre, noirs. Front très-ponctué, bombé au milieu, avec la partie avancée échancrée au milieu et comme bidentée. Yeux et côtés de la tête, derrière les antennes, noirs. Antennes noires à la base, jaunes à partir du quatrième article, avec l'extrémité de chaque articulation noire; des cils peu nombreux dans toute leur longueur. Corselet fauve, avec une tache noire de chaque côté et au milieu, en arrière. Les bords latéraux offrent, dans la partie fauve, une bande d'un jaune soyeux qui ne s'apperçoit bien que lorsqu'on fait jouer la lumière. Elytres jaunes, assez finement ponctuées, arrondies à l'extrémité, sans carène sur les côtés, avec une large bande longitudinale d'un noir de velours, partant de la base et arrivant à l'extrémité où elle se courbe pour venir toucher à la suture. Dessous jaune avec les côtés de la poitrine et deux longues bandes confondues en arrière sur l'abdomen, noirs. Pattes jaunes avec les jambes et les tarses noirs. — L. 11; l. 3 mill.

Fam. **Chrysomelinae** Latr.

Gen. *Lema* Fabr. Lacord. Phytoph. T. 1. p. 303.

266. *L. saphirea* Lac. Monogr. des Phytoph. T. 1. p. 504.
267. *L. tricolor* Oliv. Lacord. id. p. 514.
268. *L. ioptera* Erichs. Consp. Ins. col. Peruan. p. 150.

Gen. *Mastostethus* Lacord. Mon. Phyt. T. 1. p. 614.

269. *M. atrofasciatus* Blanch. Voy. de d'Orb. Lac. Mon. Phyt. T. 1. p. 623.
270. *M. trifasciatus* Guér. Ic. R. A. Texte Ins. p. 256.

Gen. *Cephaloleia* Chevr. Dict. univ. d'hist. T. 3. p. 272.

271. *C. Pertyi* Guér. Icon. R. A. Texte Ins. p. 282.
272. *C. corallina* Erichs. Cons. Ins. col. Peruan. p. 151.
Nous avons un individu de cette espèce qui nous vient de Cayenne.

Gen. *Alurnus* Fabr. Syst. El. T. 2. p. 25.

273. *A. D'Orbignyi* Guér. Revue Zool. 1840. p. 231.
274. *A. nigripes* Guér. id. p. 231.

Gen. *Imatidium* Fabr. Syst. El. T. 1. p. 245.

275. *I. fasciatum* Fabr. S. E. T. 1, p. 246.
Nous avons des individus de cette ancienne espèce provenant des bords de l'Amazone et de Cayenne.
276. *I. rubricatum* Guér. — Ic. Règne anim. Ins. Texte p. 285.

Gen. *Desmonota* Bohem. Mon. Cass. T. 1. p. 137.

277. *D. multicava* Latr. Humb. Obs. zool. T. 2, p. 352. pl. 22. f. 8. 9.
278. *D. salebrosa* Bohem. Mon. Cass. T. 1, p. 142.

Gen. *Canistra* Erichs. Boh. Mon. Cass. T. 1. p. 166.

279. *C. Osculatii* Guér. — Arrondie, élytres peu bossues: noire, à élytres couvertes de fossettes; une bande de chaque côté du corselet, et des taches réticulées et transversales près des bords latéraux des élytres; dessus et dessous d'un rouge vif. — L. 19: l. 16. mill.
Cette belle espèce appartient à la seconde division du genre, établie par M. Boheman.

Gen. *Dolichotoma* Hope. Bohem. Mon. Cass. T. 1. p. 176.

280. *D. Bohemanii* Guér. — Arrondie, avec les épaules un peu saillantes comme dans la *D. variegata* (Boh. p. 185); d'un noir métallique à reflets violets. Corselet presque lisse, avec une fossette transversale de chaque côté et un pli en arrière, devant l'écusson. Elytres élevées au milieu, réticulées, avec les côtés presque lisses, et le dessous d'un bleu foncé. Antennes, pattes et dessous du corps, noirs, à reflets bleuâtres. L. 17· l. 17 mill.
281. *D. Peruviana* Bohem. Mon· Cass. T. 1, p. 196.
282. *D. strigata* Bohem. id, p. 203.

Gen. *Mesomphalia* Hope. Bohem. Mon. Cass. T. 1, p. 218.

283. *M. quadraticollis* Bohem. Mon. Cass. T. 1, p. 219.
284. *M. gibbosa* Fabr. Boh. id. p. 223.
285. *M. plagiata* Boh. id. p. 312.
286 *M. elocata* Boh. id. p. 315.
287. *M. reticularis* Fabr. Boh. p. 317.
288. *M. bipustulata* Fab. Boh. id. p. 303.
289. *M. lateralis* Fab. Boh. p. 301.
290. *M. quatuordecimsignata.* Boh. p. 338.
291. *M. fastuosa* Bohem. T. 1, p. 383. — *Illustris* Erichs. Consp. Ins. Col. Peruan. p. 153.

M. Boheman a été obligé de changer le nom donné par Erichson à cette espèce, parce que ce nom: *Illustris* a été employé et publié par M. Chevrolat en 1835 dans le troisième fascicule de ses *Coléoptères du Mexique*.

Gen. *Chelymorpha* Bohem. Mon. Cass. T. 2, p. 1.

292. *C brunnea* Fabr. Boh. mon. Cass. T. 2, p. 6.
293 *C gibba* Fab. Boh. p. 9.
294. *C. cribraria* Fab. Boh. p. 35.
295. *C. Klugii* Boh. p. 75.
296. *C. areata* Erichs. Boh. p. 94.

Gen. *Selenis* Hope Boh. id. T. 2, p. 94.

297. *S. venosus* Erichs. Boh. id. T. 2, p. 98.

Gen. *Omoplata* Hope. Boh. id. T. 2, p. 101.

298. *O. flava* Lin. Boh. id. T. 2, p. 110.
299. *O trichroa* Boh. id. p. 117.

Gen. *Batonota* Hope. Boh. id. T. 2, p. 153.

300. *B. truncata* Fab. Boh. id. T. 2, p. 173.

Gen. *Aspidomorpha* Hope. Boh. id. T. 2, p. 242.

301. *A. limbipennis* Boh. id. T. 2, p. 285.

Gen. *Cassida* Lin. Boh. id. T. 2, p. 329.

302. *C. heteropunctata* Boh. id. T. 2, p. 459.
303. *C. glaucovittata* Erichs. Consp. Ins. Col. Peruan. p. 154.
304. *C. judaïca* Fabr. Syst. El. T. 1, p. 392. Erichs. id. p. 155.
305. *C. aurofasciata* Erichs. id. p. 155.

Gen. *Doryphora* Illig. Mag. des Ent. T. 3, p. 124 (1802).

306. *D. reticulata* Fabr. Syst. El T. 2, p. 3 (*Erotylus*).
307. *D. histrio* Oliv. (*albicincta* Germ.) Ins nov. p. 581.
308. *D. Fabricii* Guér. Icon. R. A. Ins. Texte p. 228.
309. *D. testudo* Demay. Rev. Zool. 1838, p. 23. Syn *margaritae* Blanch Voy. de d'Orbigny, Ins. p. 212, pl. 25. f. 2.
310 *D. subdepressa* Guér. Icon. R. A. Ins. Texte p. 299.
311. *D. catenulata* Oliv. Entom.
312. *D. Osculatii* Guér. — Noire. Corselet couvert de gros points enfoncés groupés et laissant des espaces lisses. Elytres fortement ponctuées, à points presque rangés en lignes longitudinales, avec trois larges bandes transversales et fortement dentelées, jaunes. — L. 15. : l. 11½ mill.

Cette belle espèce est très-voisine de ma *D. Olivierii* (Icon. R. A. p. 298) et un examen superficiel la ferait confondre avec elle. Cependant dans ma *D. Olivierii* la tête et le corselet sont d'un noir verdâtre le labre et le bord antérieur du chaperon sont jaunes, avec une grande tache noire transversale sur le labre, et la tête et le corselet sont presque lisses, n'offrant que de très-petits points enfoncés et également dispersés.

313. *D. fulvicornis* Guér. — Ovalaire, d'un noir verdâtre, avec le labre et les palpes jaunes, les antennes fauves, jaunes à l'extrémité. Tête et corselet finement ponctués. Elytres ayant de forts points enfoncés, assez bien rangés en lignes. Elles ont chacune une large bande jaune à la base, une autre oblique, au milieu, et l'extrémité jaunes et dentelées ainsi que le bord externe. La bande antérieure offre trois petites taches brunes dans sa partie la plus large; celle du milieu, rétrécie en pointe vers la suture, présente quatres taches rondes au milieu; et la grande tache de l'extrémité est ornée de quatre lignes de la même couleur dont deux sont parallèles au bord externe, une à la suture et la quatrième plus courte dans l'espace laissé en haut par les autres. Le dessous et les pattes sont d'un noir verdâtre luisant, avec l'extrémité des jambes et le dessous de tarses garnis de duvet fauve. — L. 11. l. 8. mill.

314. *D flavocincta* Guér. — Arrondie, d'un bronzé obscur peu luisant, avec une large ligne jaune, lisse, près du bord externe de chaque élytre. Le labre est jaune taché de noir au milieu. La tête et le corselet sont finement et vaguement ponctués. Les élytres offrent de grosses fossettes distantes et rangées en lignes, entre lesquelles il y a plusieurs petits points qui semblent destinés à compléter des stries ponctuées. La bordure jaune forme une espèce de bourrelet, qui part de l'angle huméral, marche parallèlement au bord externe et va se terminer très près de la suture. — L. 17. l. 13. mill.

315. *D. Bourcierii* Guér. — Arrondie, d'un bronzé verdâtre obscur et peu luisant en dessus, avec la bouche, les bords du corselet et des élytres, les antennes, les pattes et le dessous d'un cuivré rouge très-brillant. Tête et corselet couverts de petits points enfoncés. Ecusson lisse, bordé de rouge cuivreux. Elytres ayant de gros points en petites fossettes, très-rapprochés, placés sans ordre. Dessous et pattes finement ponctués.—L. 17. l. 12½ mill.

316. *D. bivittata* Guér. — Ovalaire, d'un noir de poix peu luisant. Labre jaune taché de noir au milieu. Tête et corselet finement ponctués, celui-ci rebordé sur les côtés, avec une série de gros points ou fossettes près de ce rebord. Ecusson lisse. Elytres ayant chacune neuf sillons à fond ponctué et un commencement de strie près de la suture et de l'écusson; les troisième et neuvième intervalles lisses et jaunes, formant deux bandes partant du bord antérieur, où elles ne se touchent pas et allant aboutir près de l'extrémité où elles sont réunies. Dessous et pattes finement ponctués, d'un bronzé plus luisant et plus métallique. Antennes de la couleur du dessus. — L. 14. l. 9½ mill.

317. *D. Humboldtii* Guér. Arrondie, noire, peu luisante. Labre finement bordé de jaune. Tête et corselet assez fortement ponctués. Ecusson lisse, brun. Elytres couvertes de points enfoncés assez bien rangés en stries géminées, avec une tache carrée jaune au milieu de la base, réunie extérieurement avec une large bande de la même couleur qui longe le bord externe sans le toucher et va se terminer près de l'angle sutural postérieur. Antennes, pattes et dessous du corps d'un noir bronzé assez luisant. — L. 11, l. 8. mill.

Cette espèce se rapproche assez de ma *Dor. limbata* (Icon. R. A. Ins. Texte p. 299), mais elle en diffère par la couleur du fond et surtout par les stries ponctuées qui sont simples et plus distantes.

318. *D. glaucina* Guér. Icon R. A. Ins. Texte p. 300 (1843—44) ibid. Erichs. Consp. ins Col. Peruan. p. 155 (1847).

319. *D. Dejeanii* Germ. Col. Spec. nov. p. 580.

320. *D. olivacea* Guér. Icon. R. A. id. p. 300.

321. *D. axillaris* Germ. Col. Spec. nov. α p. 579.

322. *D. congregata* Guér. — Ovalaire, noire, une petite tache jaune sur le vertex, avec le bord du labre de la même couleur. Corselet très-finement ponctué, avec deux taches en arrière très-grandes et deux gros points en avant, un de chaque côté, noirs. Quelquefois ces points et taches se réunissent et ne laissent que les bords antérieur et latéraux et une petite tache au milieu et en arrière jaunes Ecusson noir. Elytres jaunes avec quatre bandes maculaires noires, quelquefois à taches réunies, avec le bord externe toujours jaune et la suture noire. Elles offrent des stries géminées de points enfoncés assez distincts. Les antennes, les pattes el le dessous sont noirs avec l'extrémité de la pointe sternale jaune. — L. 10; l. 7 mill.

Nous possédons aussi quelques individus de cette espèce pris dans les environs de la Plata.

323. *D. suturella* Guér. — Arrondie, d'un noir tirant au bleu avec le dessous à reflets verdâtres, fortement ponctuée, avec les élytres jaunes, à suture et bords d'un noir bleu. Palpes jaunes à extrémité noire. Antennes noires avec les cinq premiers articles jaunes. — L. 12. l. 8. mill.

Gen. *Dorysterna* Guér.-Mén.

Ce nouveau genre est très facile à distinguer des *Doryphores* par un caractère apparent. Ses Antennes, au lieu d'être presque de la même épaisseur dans toute leur longueur, s'élargissent brusquement à partir du septième article et forment une large massue aplatie comme celles du genre d'*Eumolpides* nommé par M. Chevrolat *Platycerymus* et caractérisé par Hope (Coléopt. manual. 3 partie p. 162) sous le nom de *Corynodes*.

324. *D. Bourcierii* Guér. — Ovalaire, d'un vert foncé avec les élytres violettes, ornées chacune de trois grandes taches jaunes. Tête assez fine-

ment ponctuée, avec une faible et large impression au milieu du front. Corselet presque deux fois plus large que long, avec de gros points enfoncés assez distants et formant des groupes irréguliers. Ecusson lisse et vert. Elytres d'un brun violet foncé, avec neuf fortes stries à fond garni de gros points et quelques points sur les intervalles. Elles offrent chacune trois taches jaunes: l'une à la base, sur l'épaule et transversale oblique; la seconde un peu au delà du milieu, formant une bande oblique commencant près du bord externe et se terminant, en descendant, assez près de la suture, et la troisième, oblongue, près de l'angle inférieur. Les antennes sont un peu plus longues que la tête et le corselet réunis, d'un beau vert foncé et luisant jusqu'au septième article, qui commence la massue, et d'un beau bleu ensuite. Les pattes sont finement ponctuées, vertes, avec les tarses d'un noir bleuâtre. — L 12. : l 8. mill

Ce magnifique insecte a été découvert sur les bords du Napo. M. Bourcier en a aussi rapporté un individu.

Gen. *Polyspila* Hope. Coléopt. Man. Part. 3, p. 165.

325. *P. vulgaris* Guér. — Syn. *Chrysomela polyspila* Germ. Mag. des Ent. T. 4, p. 176.

Il est fâcheux que M. Hope ait assigné à ce genre, caractérisé pour la première fois par lui en 1840, le nom d'une de ses espèces, mais ce n'est pas une raison pour le rejetter. Nous avons cependant été obligé de changer le nom de l'espèce et comme elle est commune dans toute l'Amérique méridionale; que nous en possédons des individus du Brésil, de la Plata, de la Colombie, de la Bolivie, des Bords de l'Amazone etc. nous avons pensé que le nom de vulgaire lui convenait.

326. *P. flavitarsis* Guér. — D'un beau vert luisant avec les élytres jaunes bordées de noir sur les côtés et à la suture, avec trois raies longitudinales d'un noir bleu, les deux premières, commencant près de la base et se réunissant avant l'extrémité, la troisième partant du milieu où elle touche à la seconde par un épaississement et se terminant aussi avant l'extrémité. La première offre en outre, vers le milieu, un épaississement qui touche presque la suture. Antennes noires, avec les cinq premiers articles jaunes, tachés de noir. Extrémité des jambes et tarses d'un beau jaune orangé. — L. 10. l. 6½ mill.

327. *P. scalaris* Guér. — D'un vert bronzé obscur. Elytres jaunes, avec une large ligne suturale émettant de chaque côté quatre dents et bordée d'un fin liseré jaune plus pâle, une grosse tache à l'épaule, une autre moins forte sur le bord externe, au milieu de sa longueur, et douze petits points ronds, également d'un vert bronzé et entourés aussi d'un petit liseré jaune plus pâle. Antennes noires avec les quatres premiers articles fauves tachés de noir. Pattes de la couleur du corps. — L. 10½: l. 6½ mill.

328. *P. matronalis* — *Calligrapha matronalis* Erichs. Consp. Ins. Col. Peruan. p. 158.

Gen. *Plagiodera* Erichs. Consp Ins. Col. Peruan. p. 158.

329. *P. proecincta* Erichs. id. p. 158.

330. *P. encausta* Guér. — Ovalaire, assez aplatie, rouge. Tête ayant une tache noire en arrière. Corselet transversal, avec deux grosses taches arquées au milieu et un point près des bords, noirs. Elytres vertes, très-brillantes, ponctuées, avec le bord externe et une large bande près de la suture et réunie à l'extrémité avec la bordure, rouges. Antennes noires avec les cinq premiers articles rouges. Tarses noirâtres. L. 9. l. 5½ mill.

331. *P. Germarii* Guér. — Arrondie, moins aplatie que la précédente, rouge. Une petite tache derrière la tête et sept points sur le corselet, noirs. Elytres d'un bleu peu luisant, à ponctuation à peine visible à une forte loupe, avec le bord externe et une large bande rouges, réunis en arrière. Antennes, dessous et pattes comme dans l'espèce précédente. — L. 6. l. 4½ mill.

332. *P. toeniata* Guér. — Semblable à la précédente pour la forme et la couleur, mais plus luisante. Elytres assez fortement ponctuées, d'un bleu vert très-brillant, avec le bord externe, la suture et une large bande longitudinale au milieu, n'atteignant pas l'extrémité, d'un beau rouge. — L. 6½. l. 5 mill.

Gen. *Phaedon* Latr. Règne Anim. 2. Ed. T. 5, p. 151.

333. *P. semimarginatum* Latr. Voy. de Humb. Ins. p. 376. pl. 22. f. 11.

Gen. *Colaspis* Fabr. Syst. El. T. 1, p. 411

334. *C. crenata* Fabr. id. p. 411.
335. *C. flavicornis* Fab. id. p. 412.
336. *C. bicolor*. Oliv. Ins. Fol. 6. p. 879. genre 96, pl. 1, f. 2,
337. *C. coelestina* Erichs. Consp. Ins. Col. Peruan. p 160.
338. *C. gemmula* Erichs. id. p. 161.
339. *C. albicincta* Erichs. id. p. 161.

Gen. *Chalcophana* Chevr. Dict. de d'Orb T. 3, p. 372.

340. *C. illustris* Erichs. Consp. T. p. 161.
341. *C. atricornis* Erichs. id. p. 162.
342. *C. fulva* Fabr. Syst. El. T. 1, p. 414.

Gen. *Typophorus* Erichs. id. p. 163.

343. *T. nigritus* Fabr. Syst. El. T. 1, p. 421. — Oliv. Ins. T. 6, p. 912, genre 96. pl. 2. f. 24.

344. *T. 5-maculatus* Erichs. id. p. 163.
345. *T. spinipes* Latr. Voy. de Humb. Ins. p. 71. pl. 4. f. 12.

Gen. *Eumolpus* Fabr. Syst. El. T. 1, p. 418.

346. *E. fulgidus* Oliv. Ent. T. 6. p. 898, pl (*Eumolpus*) 1. f. 3.
347. *E. cupreus* Oliv. id. pl. 1. f. 2.
348. *E. prasinus* Erichs. Consp. Ins. col. Peruan. p. 164.

Gen. *Eudocephalus* Chevr. Dict. d'hist. d'Orb. T. 5. p. 210.

349. *E. geniculatus* Guér. — Entièrement d'un jaune pâle avec les yeux, l'extrémité des antennes, les genoux, les jambes et les tarses, noirs. — L. 17. l. 9 mill.
350. *E. flavipennis* Guér. — Totalement noir, avec les élytres d'un jaune uniforme. Tête et corselet finement ponctués, avec un fort sillon longitudinal au milieu du front; deux impressions transversales de chaque côté du corselet. Une petite tache jaune à l'extrémité du dernier segment abdominal. — L. 12. l. 8 mill.

Gen. *Coelomera* Erichs. Consp. Ins. col. Peruan. p. 165.

351. *Ç. Çayennensis* Fabr. Syst. El. T. 1. p. 480.
352. *C. Peruana* Erichs. id p. 165.

Gen. *Galeruca* Geoff. hisi. des Ins. de Paris, T. 1, p. 251.

353. *G. hebes* Erichs. id. p. 165.
354. *G. illigata* Erichs. id. p. 165.

Gen. *Diabrotica* Chevr. Dict. d'hist. d'Orb. T. 4. p. 717.

355. *D. lucifera* Erichs. Consp. α. p. 166.
356. *D. 7-liturata* Erichs. id. p. 167.
357. *D. tumidicornis* Erichs id. p. 167.
358. *D. rubripennis* Erichs. id. p. 168.
359. *D. flavolimbata* Erichs. id. p. 169.

Gen. *Cerotoma* Chevr. Dict. d'Orb. T. 3. p. 342.

360. *C. facialis* Erichs. id. p. 170.
361. *C. nodicornis* Erichs. id. p. 170.

Gen. *Oedionychis* Latr. Regne Anim. T. 5. p.

362. *Oe. opulenta* Erichs. id. p. 171.
363. *Oe. opima* Germ. Col. spec. nov. p. 608.

Gen. *Homophoita* Erichs. id. pag. 172.

364. *H. albicollis* Fabr. Oliv. Ent. T. 6. p. 682. pl. 2. f. 22.
365. *H. quadrinotata* Fabr. Oliv. Ent. T. 6. p. 683. pl. 2. f. 23.

Gen. *Aspicela* Chevr. Dict. d'hist. nat. de d'Orb. T. 2. p. 233.

366. *A. cretacea* Latr. voy. de Humb. Ins. 2. Part. p. 51. pl. 3. f. 6

367. *A. Osculatii* Guér. Ovalaire, noire, avec le dessus du corselet, à l'exception d'une bande longitudinale au milieu, et les élytres, d'un jaune obscur. — L. 12½ l. 7 mill.

Cette espèce a beaucoup de rapports avec la précédente, et l'on pourrait la considérer comme n'en étant qu'une variété ayant une ligne noire au milieu du corselet, si celui ci n'offrait pas une forme un peu différente, plus large, plus arrondie sur les côtés, et si l'ensemble de son corps n'était pas plus élargi.

368. *A. unipunctata* Latr. Voy. de Humb. Ins. 2. Part. p. 63. pl. 4. f. 4.

369. *A. rugosa* Guér. — Ovalaire, d'un noir vif, avec les côtés du corselet et le bord externe des élytres ornés d'une bordure jaune qui descend jusqu'à l'extrémité pour remonter à la suture jusqu'au milieu de leur longueur. Tète petite, avec une forte impression au milieu du front. Corselet très-finement ponctué, à angles antérieurs aigus, noir, avec les côtés largement bordés de jaune. Elytres couvertes de grosses fossettes séparées par des élévations formant un réseau réticulé. — L. 10. l. 6 mill.

370. *A. scutata* Latr. Voy. de Humb. Ins. 2 Part. p. 52. pl. 3. f. 7.

371. *A. albo-marginata* Latr. id p. 53. pl. 3. f. 8.

372. *A Bourcierii* Guér. — Ovalaire, noire, corselet aplati, lisse et luisant, d'un blanc jaunâtre, avec une grande tache transversale noire au milieu, pointue aux deux côtés. Elytres finement rugueuses ou chagrinées, d'un jaune pâle, avec la base et une large bande près des bords, n'atteignant pas l'extrémité, d'un noir vif; on voit une teinte verdâtre près de la suture. Le dessous et les pattes sont d'un noir luisant avec les deux derniers segments de l'abdomen jaunes. — L. 10 l. 7½ mill.

373. *A. nigroviridis* Guér. — Ovalaire, noire. Corselet vert, très lisse. Elytres assez fortement ponctuées, noires, avec les bords et l'extrémité verts. Dessous noir luisant avec le dernier segment abdominal jaune. — L. 8 à 10. l. 5 à 6 mill.

Nous avons sous les yeux une variété chez laquelle les élytres sont entièrement vertes. Elle a été trouvée dans les Andes, sur les hautes montagnes du Quindiu, dans la nouvelle Grenade.

Gen. *Graptodera* Chevr. Dict. d'hist de d'Orb. T. 6. p. 307.

374. *G. plicata* Erichs. Consp. Ins. col. Peruan. p. 173.

Gen. *Ocnoscelis* Erichs. id p 174.

375. *O. purpurata* Erichs. id. p. 174.

Fam. Erotylenae Latr.

Gen. *Pselophacus* Perch. Gener. des Ins. fasc. 4. N. 6.

376. *P. transversalis* Lacord. Monogr. des Erotyl. p. 77.
377. *P. puncticollis* Guér. Revue zool. 1841. p. 158. Lacord. id. p. 87.

Gen. *Ischyrus* Lacord. Monogr. $_{\alpha}$. p. 89.

378. *I. venustus* Lacord. id. p. 109.

Gen. *Mycotretus* Lacord. Mon. p. 139.

379. *M. tigrinus* Oliv. Lac. Mon. p. 145.
380. *M. marginicollis* Lac. Mon. p. 159.
381. *M. melanophthalmus* Dupouch. Lac. Mon. p. 179.

Gen. *Thonius* Lacord. Mon. p. 252.

382. *T. unicolor* Guér. Icon Regn. Anim. Texte. Ins. p. 309.

Gen. *Coccimorphus* Hope, Rev. Zool. 1841, p. 114.

383. *C. coccinelloides* Dupouch. Monogr. — Lacord. Mon. p. 272.
384. *C. unicolor* Oliv. — Lacord. Mon. p. 272.

Gen. *Oegythus* Fabr. Syst. El. T. 2. p. 9.

385. *Oe. cyanipennis* Guér. Rev. Zool. 1841. p. 120. — Lac. Mon. p. 279.
386. *Oe. consularis* Guér. — Très-large, arrondi, noir; élytres d'un bleu d'acier violet, avec une grande tache rouge de chaque côté, commençant derrière l'angle huméral, n'atteignant pas l'extrémité, occupant la moitié de la longueur de l'élytre, à partir de son bord externe, dilatée en arrière et formant un grand crochet qui se rapproche de la suture, et garnie de gros points noirs. Tête lisse, terne, avec le chaperon ponctué, séparé du front par un petit sillon transverse. Labre jaunâtre. Corselet lisse, terne, avec les bords un peu plissés et deux gros points enfoncés au milieu. Ecusson noir, triangulaire, arrondi, lisse, sans enfoncement en arrière, ce qui le distingue de l'*Oeg. cyanipennis*. Elytres lisses, avec quelques taches luisantes comme celles de l'autre espèce, mais moins nombreuses et moins visibles. Antennes, pattes et dessous noirs, avec le bord postérieur et les côtés des segments de l'abdomen roussâtres. — L. 16. l. 14.
387. *Oe. Bourcierii* Guér. — Très-large, arrondi, noir, corselet inégal en dessus. Elytres lisses, couvertes de gros points enfoncés ou fossettes irrégulièrement dispersées et laissant par place des intervalles plus grands. — L. 17. l. 14 mill.

Cette belle espèce, découverte sur les bords du Napo par M. Bourcier, à qui l'histoire naturelle et la sériciculture doivent tant, diffère de toutes celles du genre par les fossettes de ses élytres et les impressions de son corselet. En effet, on ne connaissait jusqu'ici que l'*Oeg. cribrosus*, dont les élytres soient couvertes de points enfoncés.

388. *Oe. Surinamensis* Lin. Fabr. Lacord. Mon. p. 285.

Gen. *Brachysphaenus* Lacord. Monogr. p. 296.

389. *B. (Megaprotus) duplicatus* Lacord. Mon. p. 299.
390. *B. (id) moniliferus* Guér. Rev. Zool. 1841. p. 155. Lac. Mon. p. 302.
391. *B. (Acronotus) annularis* Guér. Rev. Zool. 1841. p. 119. Lac. Mon. pag. 333.
392. *B. (Morphoides) ruficeps* Guér. Rev. Zool. 1841. p. 118. — Lac. Mon. p. 359.
393. *B. (Barytopus) alternans* Oliv. Fab. Lac Mon. p. 379.
394. *B. (id.) nigropictus* Lac. Mon. p. 387.

Gen. *Erotylus* Fabr. Genera Ins. p. 36.

395. *E. vinculatus* Lacord. Mon. p. 427.
396. *E. taeniatus* Latr. Voy. de Humb. Ins. 2. Part. p. 9. pl. 31. f. 1. — Lac. Mon. p. 428.
397. *E. Lacordairei* Lacord. Monogr. p. 446.
398. *E. maculiventris* Lacord. Monogr. p. 444.
399. *E. Cornaliae* Guér. — Oblong, noir, assez luisant. Tête lisse, fortement excavée en avant, entre l'insertion des antennes, ce qui produit, quand on l'observe en dessus, deux petites saillies en avant des yeux. Corselet presque deux fois plus large que long, fortement rétréci en avant, à côtés peu arrondis, lisse, avec un faible sillon longitudinal au milieu, sur lequel il y a une fossette mediane, et des fossettes et plis latéraux peu marqués. Elytres jaunes, lisses, avec quelques faibles traces de gros points enfoncés, sur le milieu et vers la base. Elles ont chacune une bande noire et fortement dentelée à la base; deux autres larges bandes également dentelées, l'une au tiers antérieur, l'autre au delà du milieu, entre lesquelles on remarque deux petites taches vers le côté; quatre taches carrées en arrière et l'extrémité noires. Les antennes, les pattes et le dessous sont noirs et luisants. — L. 21. l. 12 mill.

Cette belle espèce, dont nous n'avons vu qu'un seul individu mutilé ira se placer près de l'*Erotylus Lacordairei* de M. Lacordaire. Nous l'avons dédiée à notre savant ami M. E. Cornalia, professeur de Zoologie et Directeur-Adjoint du musée Civique d'histoire naturelle de Milan.

400. *E. Ghilianii* Guér. — Presque arrondi, d'un noir luisant. Elytres très convexes, portant de gros points enfoncés disposés sans ordre sur les côtés, mais assez bien rangés en lignes longitudinales au milieu et vers la base et ornées d'un grand nombre de grosses taches d'un rouge de brique, dont la plupart sont confluentes et forment même, dans certains

endroits, des espèces de cercles, et qui sont presque rangées en des espèces de bandes transversales très-irrégulières. Bord des élytres et leur repli latéral en dessous, d'un rouge vif sans taches. — L. 19. l. 11 mill.

Cette belle espèce a beaucoup de rapports avec les *Erotylus giganteus*, *incertus* et *papulosus*, mais elle s'en distingue facilement par la bordure rouge de ses élytres et surtout de leur repli latéral. Nous l'avons dédiée à M. Victor Ghiliani, aide naturaliste au museum royal d'histoire naturelle de Turin, qui a rendu tant de services à l'Entomologie par ses voyages et qui vient de publier il y a peu de temps, un excellent ouvrage ayant pour titre: „Materiali per servire alla compilazione della fauna entomologica Italiana, ossia elenco delle specie di Lepidotteri riconosciute esistenti negli Stati Sardi.

Gen. *Omoiotelus* Hope, Rev. Zool. 1841. p. 112.—Lac. Mon. p. 506.

401. *O. testaceus* Fabr. Syst. Ent. app. p. 822. — Guér. Icon. R. A. Texte Ins. p. 312. Dans sa Monographie des Erotyliens, p. 508, M. Lacordaire a confondu avec cette ancienne espèce mon *O. d'Orbignyi* publié dans la Revue zoologique 1841. p. 119. J'ai démontré dans mon texte de l'Iconographie du Règne animal qu'il l'avait fait à tort.

Fam. Endomychides Leach.

Gen. *Amphyx* Casteln. hist. nat. des Ins. T. 2. p.

402. *A. tarsatus* Erichs. Consp. Ins. col. Peruan. p. 181.

Fam. Coccinellidae Latr.

Gen. *Eriopis* Muls. spec. des sécurip. p. 5.

403. *E. connexa* Germ. Muls. id. p. 7.

Gen. *Daulis* Muls. id. p. 296.

404. *D. sanguinea* Lin. Muls. id. p. 328.

Gen. *Epilachna* Chevr. Dict. de Orb. T. 5. pag. 358. — Muls. spec. pag. 700.

405 *E. Bomplandi* Muls. Spec. des secur. p. 721.

406 *E. proteus* Guér. Icon. R. A. Texte Ins. p. 319. — Muls. spec. p. 713.

407. *E. cacica* Guér. Icon. R. A. id. p. 319. — Muls. spec. p. 842.

DIPTERA AUSTRIACA.

Aufzählung

aller im Kaiserthume Oesterreich bisher aufgefundenen

Zweiflügler.

Von

Dr. J. R. Schiner.

II.

Die österreichischen Stratiomyden und Xylophagiden.

VORWORT.

In diesem Theile meines Verzeichnisses werden die *Stratiomyden* und *Xylophagiden* abgehandelt und zwar aus keinem anderen Grunde, als, weil ich diese beiden Familien vorläufig am besten kenne und über dieselben auch das reichhaltigste Materiale benützen konnte. Für den nächsten Theil werden hoffentlich die *Syrphiden* vorbereitet sein und ich würde meinen Herren Collegen recht dankbar sein, wenn sie mich bis dahin durch Zusendung ihres Materiales in die Lage versetzen möchten, die österreichischen Fundorte recht reichlich anführen zu können. Für dieses Mal waren folgende Herren so freundlich, mich bei meinem Verzeichnisse durch Mittheilung ihrer Erfahrungen und ihrer Vorräthe zu unterstützen: Die Herren Dr. Emerich und Johann v. Frivaldsky aus Ungarn, Vinzenz Gredler aus Tirol, Franz Micklitz und Carl Mürle aus Steiermark, Dr. Tomek aus Böhmen und Wilhelm Schleicher, Dominik Bilimek, Dr. Johann Egger und Dr. Giraud aus Oesterreich. Allen diesen Herren sage ich hiermit meinen verbindlichsten Dank und ebenso Herrn Dr. G. W. Schneider aus Breslau, der so gütig war, mir die schlesischen Standorte der hier verzeichneten Arten brieflich mitzutheilen.

Dass ich von Seite des Herrn Directors V. Kollar, und meines geehrten Herrn Collegen G. Frauenfeld, alle mögliche Unterstützung auf die bereitwilligste Weise erhielt, versteht sich bei der bekannten Liberalität dieser Herren wohl von selbst. Am meisten bleibe ich jedoch meinem lieben Freunde L ö w verpflichtet, auf dessen Antheil wohl das Meiste entfallen wird, wenn meine Verzeichnisse irgendwo Beifall finden sollten. Seinem Rathe folgend, führe ich von nun an, auch die wichtigsten Citate der nicht österreichischen, e u r o p ä i s c h e n Arten an, und setze zu allen Arten die Jahreszahl der ersten Beschreibung.

Auch die Revision meines sämmtlichen Materiales verdanke ich diesen ausgezeichneten Kenner, wesshalb über die Richtigkeit der Determinationen wenige Zweifel entstehen dürften; eben so glaube ich die systematische Anordnung des Materiales, durch s e i n e gewichtigen Rathschläge in naturgemässer und richtiger Weise getroffen zu haben.

Und somit wünsche ich, dass meine Arbeit recht viel nützen, und dem Studium der *Dipteren* recht warme Freunde gewinnen möge.

EINLEITUNG.

Bei der Wahl des Systemes, nach welchem ich die hier aufgezählten Arten anordnen sollte, hatte ich diessmal nicht die leichte Mühe, wie bei den *Asilicis*, wo ich nur Dr. L ö w's Monographie zum Vorbilde zu nehmen brauchte. Die verschiedenartigsten Ansichten der Systematiker boten sich mir dar.

L a t r e i l l e vereinigte die hier aufgezählten Gattungen, mit Ausnahme von *Coenomyia* und *Pachystomus* in seine Familie der *Notacanthen*, die er in zwei Zünfte: *Xylophagei* und *Stratiomydes* zerlegte; *Coenomyia* und *Pachystomus* aber führte er als besondere Zunft *(Sicarii)* in seiner Familie der *Tanystomen* auf.

M a c q u a r t nahm die F a m i l i e der *Notacanthen* an, doch brachte er zu derselben auch die *Sicarier*. — H a l i d a y (bei W e s t w o o d) bildete eine A b t h e i l u n g *Notacantha* mit den F a m i l i e n der *Stratiomydae*, *Beridae* und *Coenomydae*. Bei F a l l e n sind alle hier aufgezählten Arten in den F a m i l i e n der *Xylophagei* und *Stratiomydae* untergebracht, was auch bei M e i g e n, Z e t t e r s t e d t und W a l k e r (in seiner »List of dipterous insects etc.«) der Fall ist.

R o n d a n i errichtete die G r u p p e der *Coenomydae*, in welche er die *Notacanthen* im Sinne H a l i d a y's mit den F a m i l i e n der *Scenopinen* und *Tabaniden* vereinigt. B i g o t stellte eine G r u p p e der *Tabanidii* auf und theilte sie in die untergeordneten Gruppen (Sous tribus) der *Tabanidae*, *Acanthomeridae*, *Sicaridae*, *Xylophagidae* und *Stratiomydae*.

Zur Uebersicht dieser verschiedenartigen Ansichten lasse ich hier eine synoptische Tabelle folgen:

Genus.	Latreille.	Macquart.	Halliday.	Fallen, Meigen, Zetterstedt, Walker.	Rondani.	Bigot.	Im Verzeichnisse.
Alliocera	Familie: *Notacantha*,	Familie: *Notacantha*,	Abtheilung: *Notacantha*.	Familie: *Stratiomydae*.	Gruppe: *Coenomydae*.	Tribus: *Tabanidii*.	Familie: *Stratiomydae*.
Stratiomys							
Odontomyia	Zunft: *Stratiomydes*.	Zunft: *Stratiomydae*.	Familie: *Stratiomydae*.	„	Familie: *Stratiomydae*.	Curie: *Stratiomydae*.	„
Oxycera	„	„	„	„	„	„	„
Ephippium	„	„	„	„	„	„	„
Clitellaria	„	„	„	„	„	„	„
Lasiopa	„	„	„	„	„	„	„
Cyclogaster	„	„	„	„	„	„	„
Nemotelus	„	„	„	„	„	„	„
Sargus	„	„	„	„	„	„	„
Chrysomyia	„	„	„	„	„	„	„
Exochostoma	„	„	„	„	„	„	„
Pachygaster	„	„	„	„	„	„	„
Beris	Zunft: *Xylophagei*.	Zunft: *Xylophagidae*.	Familie: *Beridae*.	Familie: *Xylophagii*.	„	Curie: *Xylophagidae*.	„
Subula					„		„
Xylophagus	„	„	Familie: *Coenomydae*.	„	„	„	Familie: *Xylophagidae*.
Pachystomus	Familie: *Tanystoma*, Zunft: *Sicarii*.	Zunft: *Sicarii*.		„	„	Curie: *Sicaridae*.	
Coenomyia		„	„	„	„		„

Es muss noch erwähnt werden, dass Fallen, Meigen und Walker die Familien der *Xylophagiden* und *Stratiomyden* in ihren Systemen weit von einander und durch eine Menge von Zwischenfamilien getrennt aufführten, während sie die Uebrigen als nahe Gruppen nebeneinander stellten; Latreille aber nur die *Sicarii* ausschied und sie, wie bereits erwähnt, mit den *Tabaniern*, *Asiliern*, *Bombyliern* u. A. zu den *Tanystomen* brachte.

Obwohl ich mich mit keinem der obigen Systematiker ganz einverstanden erklären konnte, so neigte ich mich anfänglich doch noch am meisten zu den im Anhange zu Westwood's »Introduction« niedergelegten Ansichten Haliday's, wozu ich hauptsächlich durch sein Ausscheiden der *Beriden* von den *Xylophagiden* mich angeregt fand. Die Fühlerbildung und die Anzahl der sichtbaren Hinterleibssegmente hatte die Veranlassung geboten, die *Beriden* mit den *Xylophagiden* zu vereinigen. Eine genauere Untersuchung der Flügelbildung, die Lebensart und die Berücksichtigung der Metamorphose stellte sie, abgesehen von den meist metallisch-grünen Farben, wodurch sie an die *Sargiden* erinnern, naturgemässer zu den *Stratiomyden* selbst, von denen sie sich am allerwenigsten durch die Anzahl der Hinterleibsabschnitte trennen, da auch die echten *Stratiomyden* mehr als fünf Hinterleibsabschnitte haben, wenn auch gewöhnlich nur fünf sichtbar sind. Ich vereine die *Beriden* desshalb mit den *Stratiomyden* und nehme für alle *Notacanthen* im Sinne Haliday's die zwei Familien der *Stratiomydae* und *Xylophagidae* an.

Beide gehören zu der zweiten Hauptgruppe des *Dipteren*-Systemes: zu den *Brachyceris*.

Die »*Stratiomydae*« unterscheiden sich von allen verwandten Familien durch folgende Merkmale:

Sie haben die Schwinger unverdeckt, die dritte Flügellängsader ist vorne mit einem Aste versehen (gegabelt)*), die Randader läuft nur bis zur Flügelspitze und das dritte Fühlerglied ist geringelt oder wenn es einfach ist (was nur bei wenigen exotischen Arten vorkömmt), so ist es mit einem Griffel oder einer Borste versehen.

Die »*Xylophagidae*« haben das Unverdecktsein der Schwinger, die gegabelte dritte Längsader und das geringelte dritte Fühlerglied mit den *Stratiomyden* gemein; sie unterscheiden sich aber von diesen dadurch, dass die Randader bei ihnen um den ganzen Flügelrand herumläuft; auch haben sie verkümmerte Deckschüppchen.

Die angegebenen Familien-Diagnosen gelten auch für die exotischen Arten. Um mein Verzeichniss der österreichischen *Dipteren* recht brauchbar zu machen, will ich die Merkmale anführen, durch welche die einhei-

*) Dieses Merkmal fehlt zuweilen, wie überhaupt die Natur, dem schematisirenden Forscher zum Trotze, überall neben der Regel auch die unvermeidlichen Ausnahmen hinpflanzt.

mischen Arten leicht und sicher in einer der beiden genannten Familien untergebracht und gleichzeitig von allen verwandten Familien geschieden werden können.

Es gehören zu den *Stratiomyden* alle Arten mit nur drei Fühlergliedern (alle *Diptera brachycera*), deren drittes Fühlerglied geringelt und deren dritte Längsader gegabelt ist, vorausgesetzt, dass die Flügel-Randader nur bis an die Flügelspitze reicht und nicht um den ganzen Flügelrand herumläuft.

Läuft die Flügelrandader um den ganzen Flügelrand herum und sind die übrigen, den *Stratiomyden* eigenthümlichen Merkmale vorhanden, so gehört die Art sicher zu den *Xylophagiden*, vorausgesetzt, dass die Deckschüppchen verkümmert sind (was sie von den *Tabaniden* unterscheidet).

Ein geringeltes drittes Fühlerglied haben von den einheimischen Arten nur die *Tabaniden*, *Stratiomyden* und *Xylophagiden*. Die *Tabaniden* zeigen die Hauptmerkmale der *Xylophagiden*, unterscheiden sich aber von diesen durch die ausgebildeten Deckschüppchen.

Die Familie der Stratiomyden (*Stratiomydae*).

§. 1. Anordnung des Materiales *).

A. Der Hinterleib zeigt fünf sichtbare Abschnitte.

I. Die Discoidalzelle sendet vier Adern gegen den Flügelrand hin.

1. Mit metallischer Färbung:

a) Schildchen gedornt . . . . **Alliocera** Saund.
Stratiomys Geoffr.
Odontomyia Meig.
Oxycera Meig.
Ephippium Latr.
Clitellaria Meig.

b) Schildchen ungedornt . . . . **Lasiopa** Brullé.
Cyclogaster Macq.
Nemotelus Geoffr.

---

*) Die einzelnen Gattungen lassen sich auf folgende Weise analytisch unterscheiden:

1. { Der Hinterleib mit fünf oder höchstens mit sechs (*Exochostoma*) sichtbaren Abschnitten . . . . *a*.
   Der Hinterleib mit sieben sichtbaren Abschnitten . . . . *Beris*.

2. { Das Schildchen mit Dornen bewaffnet . . . . 3.
   Das Schildchen unbewehrt . . . . . . 9.

2. **Mit metallischer Färbung:**

a) Schildchen gedornt . . . . **Exochestoma Macq.**

b) Schildchen ungedornt . . . . **Sargus Fabr.**

Chrysomyia Macq.

3.	Die Fühler mit nur rudimentären oder ohne Endgriffel	*4.*
	Die Fühler mit ausgebildeten Endgriffel . . .	*7.*
4.	Das dritte Fühlerglied am Ende breit gedrückt, fast zweilappig	*Alliocera.*
	Das dritte Fühlerglied am Ende nicht breit gedrückt	*5.*
5.	Das erste Fühlerglied mehr als doppelt so lang als das zweite	*6.*
	Das erste Fühlerglied so lang oder höchstens nur doppelt so lang als das zweite . .	*Odontomyia.*
6.	Der Mundrand vorstehend	*Exochestoma.*
	Der Mundrand nicht vorstehend	*Stratiomys.*
7.	Der Rückenschild über der Flügelwurzel mit je einem Dorne	*Ephippium.*
	Der Rückenschild ohne Seitendornen	*8.*
8.	Der Hinterleib flach	*Clitellaria.*
	Der Hinterleib stark gewölbt	*Oxycera.*
9.	Das Untergesicht kegelförmig zugespitzt . .	*Nemotelus.*
	Das Untergesicht nicht kegelförmig zugespitzt .	*10.*
10.	Der Fühlergriffel borstenförmig	*12.*
	Der Fühlergriffel nicht borstenförmig . . .	*11.*
11.	Das dritte Fühlerglied fast so lang als das erste und zweite zusammengenommen; das dritte Tasterglied nicht kugelförmig . .	*Lasiopa.*
	Das dritte Fühlerglied länger als das erste und zweite zusammengenommen; das dritte Tasterglied kugelformig	*Cyclogaster.*
12.	Der Hinterleib kurz, fast kugelig, aus der kleinen Discoidalzelle laufen drei Adern gegen den Flügelrand hin	*Pachygaster.*
	Der Hinterleib meist mehr oder weniger verlängert; aus der kleinen Discoidalzelle laufen stets vier Adern gegen den Flügelrand hin	*13.*
13.	Die Augen des Männchens g e t r e n n t, die Fühlerborste etwas vor der Spitze des dritten Fühlergliedes eingefügt	*Sargus.*
	Die Augen des Mannchens aneinanderstossend, die Fühlerborste endständig	*Chrysomyia.*

II. Die Discoidalzelle sendet drei Adern gegen den Flügelrand hin . **Pachygaster** Meig.

B. Der Hinterleib zeigt sieben sichtbare Abschnitte **Beris** Latr.

---

§. 2. Die Gattungen mit fünf sichtbaren Hinterleibsabschnitten *).

I. Mit vier aus der Discoidalzelle gegen den Flügelrand hingehenden Adern.

1. Gattungen mit unmetallischen Arten.

a) mit gedornten Schildchen.

A. Gattung **Alliocera** Saunders Transact. Entom. Soc. Lond. IV. 62. (1845).

(Europa 1 Art. — Oesterreich 1 Art.)

1. ***graeca*** Saunders. l. c. p. 62. pl. 4. Fg. 1. (1845).

Stratiomys clavicornis Egger. Verh. d. zool-botan. Ver. p. 3. Tfl. 2, Fig. 3 u. 4.

Von Herrn Mann aus der Gegend von Fiume mir mitgetheilt. — In den Sümpfen der Salona in Dalmatien sehr gemein an Dolden; auch bei Stagno piccolo (Frauenfeld). — Albanien (Saunders). — Im k. k. Museum aus Fiume durch Herrn Mann.

B. Gattung **Stratiomys** Geoffr. H. d. Ins. II. (1764), Fabr. — Panz. — Latr. — Fallen. — Meig. — Macq. — Zetterst. — Löw.

Musca Linné. — Gmel. — Schrnk.
Hirtea Scop.
Stratiomyia Macq. Dipt. exot.
Hoplomyia Zeller, Löw.

(Europa 13 Arten. — Oesterreich 8 Arten.)

---

*) *Exochostoma* hat einen kleinen sechsten Abschnitt.

1. ***Chamaeleon*** *) Deg. Ins. VI. 64. 1. (1752).

Musca Chamaeleon Deg. l. c.
Stratiomys Chamaeleon Fabr. Spec. Ins. II. 416., Ent. System. IV. 263. 3. und Antl. 77. 1.
— — Fall. Strat. 7. 1. ♂ ♀.
— — Latr. Gen. crust. IV. 274. et Cons. gén. 443.
— — Panz. Fauna VIII. 24.
— — Schrnk. Faun. boic. III. 2376 und Ins. Austr. 886.
— — Meig. Classif. I. 126. 4. Tb. VII. Fg. 19 ♀ und System. Beschr. III. 134. 1.
— — Macq. S. à Buff. I. 243. 1.
— — Zetterst. Dipt. Scand. I. 134. u. VIII. 2951. 1.
— — Löw. Isis. 1840. 556.
— — Walk. Ins. brit. I. 15. pl. I. Fg. 3.

Ich fing diese allenthalben verbreitete Art im Frühjahre auf *Carum carvi*, im Sommer auf *Daucus Carota* bei Wien und im heurigen Jahre am Neusiedlersee ziemlich häufig. Sie setzt sich im hellen Sonnenscheine an Dolden und erscheint von Blumenstaub oft wie eingepudert. In ihrem Benehmen ist sie ziemlich träge und fliegt, aufgescheucht, sogleich wieder an die nächste Dolde.

Oesterreich (Rossi, Bilimeck und Schleicher). — Böhmen (Tomek). — Ungarn, überall gemein (J. v. Frivaldsky). — Steiermark, Schlesien (Micklitz). — Von Schweden (Zetterstedt) bis nach Sicilien (Zeller in coll. Löw). — Württemberg (v. Roser). — Schlesien; in den Vorbergen und im Gebirge häufiger (Schneider). — Preussen, (Hagen). — Um Posen gemein (Löw). — Lief- und Kurland (Gimmerthal). — Dänemark (Stäger). — England und Frankreich (Walker, Macquart).

2. ***cenisia*** Meig. System. Beschr. III. 136. 2. (1822).

Stratiomys cenisia Löw. Linnaea I. 465. ff.
— — Luc. Expl. d'Alg. Zool. III. 427. pl. 2. Fg. 11.

Ich fing die Art mit der Vorigen, doch viel seltener im heurigen Jahre am Neusiedlersee zur Blüthezeit von *Carum carvi*.

---

*) Die Larven leben im fliessenden Wasser und gehen zur Verpuppung in den feuchten Uferschlamm. Die Metamorphose wurde beobachtet von Swammerdam (Bibel d. Natur t. 39, 40, 41), Sparman (Act. Holm. 1804), Schrank (Naturf. Stück 27), Geoffr. (H. d. Ins. II. 17), Frisch (Beschr. I. 5. 10), Westwood (Introd. II, 532) und v. Roser (Meigen, S. Beschr. VI. 346). — Ich selbst habe die Fliege mehrmals aus Puppen gezogen, die ich in feuchtem Ufersande bei Nussdorf gesammelt hatte.

Dalmatien (Frauenfeld). — Bei Ofen und im Banate (J. v. Frivaldsky). — Vom Berge Cenis (Meigen). — Algier (Lucas).

3. **flaviventris** Löw. Linnaea I. 464. 2. (1846).
Sicilien (Zeller coll. Löw).

4. **ventralis** Löw. Ent. Ztg, 8. Jg. 369. (1847).
Odontomyia ventralis Löw. Neue Beitr. 2. 17.
Sibirien, (Sedakoff Mus. Löw. — Kindermann Mus. Frivaldsky).

5. ***Potamida*** Meig. System. Beschr. III. 136. 3. (1822).
Stratiomys Chamaeleon Meig. Classif. I. 126. 4. Tb. VII. Fg. 13 ♂.
— *Potamida* Zetterst. Dipt. Scand. VIII. 2952. 1—2.
— — Macq. S. à Buff. I. 243. 3.

Ich entdeckte unter meinen Vorräthen ein einzelnes Exemplar, das ich, ohne es zu beachten, mit *Str. Chamaeleon* gesammelt hatte, und von dem ich auch den sicheren Standort nicht anzugeben vermag, doch stammt es zuverlässig aus Oesterreich.

Kärnthen (Micklitz). — Im k. k. Museum aus Oesterreich (Ullrich). — Deutschland (Löw). — Schlesien; auf dem Zopten (Schneider). — Herr Baumhauer fing die Art nach Meigen's Zeugnisse am Mont Cenis. — Frankreich (Macquart). — Im südlichen Schweden im Juli; aus Dänemark durch Stäger (Zetterstedt).

6. ***furcata**** *) Fabr. Entom. System. IV. 264. 5. (1794).
Stratiomys furcata Fabr. Antl. 78. 3.
— — Meig. System. Beschr. III. 138. 5.
— — Macq. S. à Buff. I. 242. 5.
— — Zetterst. Dipt. Scand. I. 135 u. VIII. 2952. 2.
— — Walk. Ins. brit. I. 16.
— *panthaleon* Fall. Strat. 7. 2.
? *Musca Chamaeleon* L. Faun. Suec. 1780.

In der Nähe Wiens habe ich diese Art noch niemals beobachtet; am Neusiedlersee fand ich sie im heurigen Jahre auf *Carum carvi* und *Heracleum Sphondylium* in zahlloser Menge; sie ist viel träger als *Str. Chamaeleon* und kann leicht mit den Fingern angefasst werden, ohne wegzufliegen.

Oesterreich (Rossi). — Dalmatien (Frauenfeld). — Pesth und Ofen, im Mai und Juni (J v. Frivaldsky). —

*) Nach Zetterstedt's Zeugnisse (Dipt. Scand. I. 135) lebt die Larve in stehenden Wässern.

Preussen (Hagen); namentlich um Posen, wo sie häufig ist (Löw), um Bresslau gemein (Schneider). — In Württemberg (v. Roser). — In Frankreich ziemlich selten (Macquart). — In England (Walker). — In Schweden gemein; Juni bis August (Zetterstedt).

7. ***riparia*** Meig. System. Beschr. III. 138. 6. (1822).
Stratiomys strigata Meig. Classif. I. 124. 2.
— *riparia* Walk. Ins. brit. I. 16.

Meigen erhielt die Art aus Oesterreich durch Herrn Megerle v. Mühlfeld. — Schlesien (Schneider). — Württemberg (v Roser). — England (Walker). — Frankreich (Macquart). — Algier (Lucas).

8. ***longicornis****) Scop. Ent. carn. 999 (1763).
Hirtea longicornis Scop. l. c.
Musca strigata Gmel. Syst. nat. V. 2834. 153.
Stratiomys strigata Fabr. Spec. Insect. II. 417. 4., Entom. Syst. IV. 265. 10 und Antl. 80. 9. ♂.
— — Latr. Gen. crust. IV. 274.
— — Panz. Fauna XII. 20.
— — Schrk. Faun. boic. III. 2377.
— — Meig. System. Beschr. III. 139. 7.
— — Macq. S. à Buff. I. 244. 7.
— — Löw. Isis. 1840. 556.
— — var. *pallida* Löw. l. c.
— — Zetterst. Dipt. Scand. I. 135 und VIII. 2953.
♀ — *thoracica* Fabr. Antl. 79. 7.
♂ — *villosa* Meig. Classif. I. 125. 1.
♀ — *nubeculosa* Meig. Classif. I. 125. 3.
— *longicornis* Walk. Ins. brit. I. 15.

Um Wien hier und da auf Blättern, zur Zeit der Weissdornblüthe bis zur Rosenzeit. Am Neusiedlersee war sie im heurigen Jahre auf den Blüthen von *Crataegus* und auf *Carum carvi* und *Chaerophyllum* ziemlich gemein. Die Farbe der Behaarung ist sehr veränderlich.

Nieder-Oesterreich (Rossi). — Pesth im April und Mai (J. v. Frivaldsky). — Dalmatien, doch nicht so häufig wie bei Wien (Frauenfeld). — Von Schweden bis zur Südspitze Italiens; Zeller fing sie vom Mai an wiederholt in

*) Scholz fand die Larve, welche der von *Str. Chamaeleon* ganz ähnlich sieht, Anfangs Juni in einem Haufen ausgeworfener *Lemna* am Rande einer durch Mistjauche sehr verunreinigten Pfütze und erhielt am 12. Juni die ersten Fliegen (Bresslauer Entom. Zeitung 4 — 34.)

Sicilien; Rhodus im März (Löw). — Baumhauer fing sie in Süd-Frankreich (Meigen). — Um Posen (Löw). — Preussen (Hagen). — Württemberg (v. Roser). — Schweden (Zetterstedt). — Dänemark (Stäger). — England (Walker). -- Frankreich (L. Dufour und Macquart). — Malta (Schembri). — Albanien (Walker). — Im k. k. Museum aus Taurien (Parreyss).

9. ***concinna*** Meig. System. Beschr. III. 137. 4. Tf. 26. F. 14. (1822).

Ich erhielt durch die Güte des Herrn V. Gredler ein einzelnes Stück, welches bei Botzen gefangen wurde. — Bei Mehadia im Juni (J. v. Frivaldsky). Sicilien (Saunders auct. Wlk.) — Von Baumhauer aus Piemont (Meigen). — Lief- und Kurland (Gimmerthal).

10. ***equestris*** Meig. System. Beschr. VII. 106. 29. (1838). Löw. Linnaea. I. 462. 1.

Ich fing diese schöne Art im vorigen Jahre auf dem Bisamberge auf *Anthemis*-Blüthen, wo sie gar nicht selten zu sein schien; leider erkannte ich sie nicht sogleich, und sammelte daher nur wenige Exemplare; am folgenden Tage war sie ganz verschwunden. Im heurigen Jahre traf ich sie in beiden Geschlechtern im Leithagebirge, wo sie sich auf Dolden herumtrieb.

Deutschland (Löw). — Preussen (Hagen). — Bayern (Meigen).

11. **laevifrons** Löw. Neue Beitr. II. 17. (1854).

Hoplomyia laevifrons Löw. l. c. Sibirien (Sedakoff coll. Löw).

12. **validicornis** Löw. Neue Beitr. II. 17. (1854).

Hoplomyia validicornis Löw. l. c. Sibirien (Sedakoff coll. Löw.).

13. **hirtuosa** Meig. System. Beschr. VI. 347. 26. (1830.)

C. Gattung **Odontomyia** Meig. Classificat. I. 126. (1804). — Latr. — Macq. — Löw.

Musca L.

Stratiomys Geoffr. — Fabr. — Meig. — Zett. — Walker.

(Europa 21 Arten. — Oesterreich 15 Arten.)

1. ***tigrina*** Fabr. Spec. insect. II. 417. 6. (1781).

Musca tigrina Gmel. Syst. nat. V. 2835. 157.

Stratiomys tigrina Fabr. l. c. Antl. 82. 18. und Entom. system. IV. 267. 16.

— — Panz. Fauna LVIII. 20.

— — Schrk. Faun. boic. III. 2381.

— — Meig. System. Beschr. III. 158. 22.

— — Walk. Ins. brit. I. 18.

Odontomyia tigrina Latr. Gen. Crust. IV. 275.
— — Meig. Classif. I. 130. 3.
— — Macq. S. à Buff. I. 246.
— — Löw. Linnaea. I. 468. 1.
Stratiomys nigrita Fall. Strat. 9. 4.
— — Zett. Dipt. I. 138. u. VIII. 2953. 7.

In der nächsten Umgebung Wiens scheint die Art sehr selten zu sein, wenigstens fing ich sie hier nur ein einziges Mal, und zwar im vorjährigen Sommer auf einer feuchten Waldwiese. Heuer traf ich sie in beiden Geschlechtern am Neusiedlersee auf *Carum carvi*, *Daucus Carota*, *Pastinaca sativa* und andern Dolden nicht selten.

Nieder-Oesterreich und Dalmatien (Frauenfeld). — Ober-Oesterreich im Traunthale Juni und Juli (Rossi). — Ungarn bei Pesth im Mai (J. v. Frivaldsky). — Zetterstedt erhielt sie aus Mecklenburg und Berlin. — Um Posen sehr häufig (Löw); bei Bresslau gemein (Schneider). — Preussen (Hagen); Württemberg (v. Roser). — Lief- und Kurland (Gimmerthal). — England (Walker). — Frankreich (Meigen), (Paris und Marseille coll. Löw.) — Schweden (Zetterstedt).

2. **splendens** Fabr. Ent. System. IV. 264. 4. (1794).
Spanien.

3. ***ornata*** *) Meig. System. Beschr. III. 144. 13 (1822).
Stratiomys ornata Meig. l. c.
— — Zetterst. Dipt. Scand. I. 136. u. VIII. 2. 953. 4.
— — Löw. Isis. 1840. 557.
— — Walk. Ins. brit. I. 17. u. 18.
Odontomyia ornata Macq. Dipt. 125. 3.
— — Löw. Linnaea I. 476. 6.
Stratiomys furcata Latr. Gen. Crust. IV. 275.
Odontomyia — Meig. Classif. I. 129. 1.
— — Macq. S. à Buff. I. 245. 1.

Ich fand die Art im heurigen Jahre im Leithagebirge auf Weissdornblüthe ziemlich häufig und ebenso häufig an den Ufern des Neusiedlersees auf Dolden gleichzeitig mit *Stratiomys furcata*, die sie an Scheuheit übertrifft, obwohl auch sie ein ziemlich träges Benehmen hat, und aufgejagt nicht sehr weit abfliegt.

Nieder-Oesterreich bei Wien auf den Donauinseln stellenweise (Rossi). — Ungarn, bei Pesth im Mai (J. v. Fri-

---

*) Die Larve abgebildet von Réaumur (Mém. IV. pl. 25.); das vollständige Insect ist von Roser aus ihr gezogen worden.

valdsky). — Dalmatien in den Sümpfen der Narenta einzeln (Frauenfeld).

Ganz Europa mit Ausnahme der allernördlichsten Theile, auch nicht in Spanien und Griechenland gefunden, wohl aber in Italien und Sicilien (Löw). — Preussen (Hagen). — Bei Breslau zuweilen sehr häufig (Schneider). — Um Posen (Löw). — Württemberg (v. Roser). — England (Walker). — Dänemark (Stäger). — Schweden (Zetterstedt).

4. **signaticornis** Löw. Linnaea. I. 477. 7. (1846).
Klein-Asien (Löw).

5. ***flavissima*** Fabr. Entom. System. IV. 265. 8. (1794).
Stratiomys flavissima Fabr. l. c. u. Antl. 79. 6.
— — Meig. System. Beschr. III. 153. 25.
— — Panz. Fauna. XXXV. 24.
Odontomyia flavissima Meig. Classif. I. 131.
— — Löw. Linnaea. I. 469. 2.
— *decora* Macq. S. à Buff. I. 245. 2.
Stratiomys decora Meig. System. Beschr. III. 144. 12.
? — *infuscata* Meig. System. Beschr. VI. 347. 27.
Odontomyia semiviolacea Brull. Exped. en Morée. pl. 47. 5.

Ich besitze zwei Exemplare dieser schönen Art aus Syrien, welche ich der Güte des Herrn General-Consuls Gödl verdanke.

Nieder-Oesterreich, auf den Donauinseln bei Wien (Rossi). — Macquart gibt für seine *O. decora* Oesterreich an; Meigen bezeichnet Italien als Vaterland dieser Art; nach Löw kommt sie in Oesterreich, Ungarn, Italien, Griechenland, Klein-Asien und auf Rhodus vor. — Frauenfeld brachte sie aus Dalmatien mit; Mann's Exemplare des k. k. Museums stammen aus Toskana, Krain und Brussa; J. v. Frivaldsky fing sie bei Ofen. — Montferrat (v. Kiesewetter; coll. Löw).

6. ***infuscata*** Meig.*) System. Beschr. VI. 347. 27. (1830).
Meigen erhielt die Art durch Herrn Demel aus Prag.

*) Ich halte diese Art für eine südliche, welche den ganzen Norden zu fehlen scheint, und bezweifle desshalb auch vorläufig Rossi's Angabe, dass sie auf den Donauinseln bei Wien gefunden worden sei. Ich bin eher geneigt, diese Angabe auf Meigen's *O. infuscata* zu beziehen, die auf ein aus Böhmen stammendes Exemplar begründet wurde, und sich doch wohl als selbstständige Art bewähren mag. Dafür sprechen zwar nur kleine Differenzen der Beschreibung, doch nicht unwesentlich fällt zu Gunsten des Artrechtes, das Vorkommen von *O. infuscata* um Prag in die Wagschale. Ich habe nach Löw's Vorgang *O. infuscata* zwar einstweilen als fragliches Synonym zu *O. flavissima* gestellt, führe sie aber dennoch auch als Art hier besonders auf.

7. ***annulata*** Meig. System. Beschr. III. 143. 11. (1822).

Stratiomys annulata Meig. l. c.

Odontomyia annulata Macq. S. à Buff. I. 246. 3.

— — Löw. Linnaea. I. 471. 3.

Stratiomys septemguttata Meig. System. Beschr. III. 150. 20.

Ich erhielt ein Männchen*) durch Herrn Frauenfeld, das sicher aus Oesterreich stammt, ein ungarisches Exemplar (♂) (aus dem Banate) wurde mir durch Herrn J. v. Frivaldsky zur Bestimmung eingesendet, das ♀ befand sich in einer Sendung tyrolischer Dipteren, die mir Herr V. Gredler zur Benützung einzusenden so gütig war. — Im k. k. Museum ♂ et ♀ aus Oesterreich (Ullrich, Megerle). — Nieder-Oesterreich (Goldegg). — Herr Baumhauer fing die Art bei Frejus in der Provence, auch erhielt sie Meigen durch Herrn Megerle v. Mühlfeld aus Oesterreich. Ein ♀ der Hoffmannsegg'schen Sammlung stammt nach Wiedemann's Zeugnisse aus Istrien. Bordeaux (coll. Löw).

8. **discolor** Löw. Linnaea. I. 473. 4. (1846).

Patara in Klein-Asien (Löw), und wenn, wie es unzweifelhaft scheint, die *Odont. limbata* Macq. der Expl. d'Alg. das ♀ dieser Art ist auch Algier.

9. ***Microleon*** Linn. Faun. Suec. 1781. (1746).

Musca Microleon. L. l. c.

— — Deg. VI. 152. 2. Tf. 9. Fg. 1.

— — Gmel. Syst. nat. V. 2834. 4.

— — Schrank. Ins. Austr. 887.

Stratiomys Microleon Fabr. Spec. Ins. II. 417. 3., Ent. Syst. IV. 265. 9. u. Antl. 80. 8.

— — Fall. Strat. 8. 2.

— — Meig. Syst. Beschr. III. 149. u. VI. 446.

---

*) Da das Männchen meines Wissens bisher noch nirgends beschrieben wurde, so lasse ich hier eine kurze Beschreibung desselben folgen:

Der Kopf ist verhältnissmässig sehr gross, die Augen stossen vorne in eine Linie zusammen. Die Fühler sind braun, das Untergesicht schwarz mit weisser, ziemlich dichter Behaarung. Der Thorax ist schwarz, dicht messinggelb behaart, vorne mit einer Spur zweier genäherter Striemen, das Schildchen ist schwarz mit gelben, an der Spitze schwarzen Dornen. Der Hinterleib wie beim ♀, doch sind die zwei ersten Fleckenpaare gleichgross und etwas grösser als beim ♀, das dritte aber sehr klein. Der Bauch ist gelb, die Füsse wie beim ♀, nur sind die schwarzen Schienenringe nur an den Hinterfüssen vorhanden.

Dass Macquart *Stratiomys splendens* Meig. als Synonym zu *O. annulata* stellt, beruht, wie die beigesetzte Nummer beweiset, wohl auf einem Irrthume.

Stratiomys Microleon Germ. et Abr. Faun. fasc. 8. Tb. 23.
— — Zetterst. Dipt. Scand. I. 137. u. VIII. 2953.
— — Walk. Ins. brit. I. 17.
Odontomyia Microleon Latr. Gen. Crust. IV. 274.
— — Macq. S. à Buff. I. 246. 5.

Im k. k. Museum aus Oesterreich (Megerle). Von Schranck gleichfalls in Oesterreich aufgefunden.

In Schlesien sehr selten (Schneider). Meseritz (Löw.). — Lief- und Kurland (Gimmerthal); Schweden (Zetterstedt); England (Walker).

10. **limbata** Meig. System. Beschr. III. 151. 21. (1822).

Portugal.

11. ***argentata*** *) Fabr. Entom. System. IV. 266. 15. (1794).
Stratiomys argentata Fabr. l. c. u. Antl. 82. 17.
— — Fall. Strat. 9. 5.
— — Panz. Faun. LXXI. 20. ♂ CVIII. 10. ♀.
— — Meig. System. Beschr. III. 141. 9.
— — Zeller. Isis. 1842. 287.
— — Walker. Ins. brit. I. 17.
Odontomyia argentata Meig. Classif. I. 131.
— — Macq. S. à Buff. I. 246. 4.
— — Latr. Gen. Crust. IV. 275.
— — Löw. Isis. 476. 5.
— — Gimmerthal. Bull. Soc. Imp. Nat. Mosc. 1847. 169. 2.
Stratiomys paludosa Schumm. Schles. Gesellsch. 1836. 85. und 1840. 15**).

Nach Rossi in den Donauauen nächst Wien auf Blüthen von *Berberis* und *Crataegus*; — bei Pesth im April (J. v. Frivaldsky). — Im k. k. Museum aus Oesterreich. — Diese schöne Art fliegt nach Zeller's Angabe bei Glogau auf allen

---

*) Zeller (Isis 1842) fand die Larve mit jener von *Penthetria holosericea* in feuchten Erlengehölzen im Spätherbste, Winter und Frühjahre bis April unter faulen Laub, Taubnesseln und anderen, die Erde deckenden Vegetabilien; sie zeichnet sich durch eine sehr helle, über den ganzen Körper laufende, dunkel eingefasste Mittellinie aus.

**) Schummel errichtete die Art auf ein ♀, später entdeckte er das ♂ und sagt, dass es sich von *O. argentata* durch den rothgelben Bauch mit zwei braunen Querflecken, gelbe Schenkelspitze und das Fehlen des braunen Flügelpunctes unterscheide (Arb. d. schles. Gesellsch. 1840. Ent. 15.). Erichson (Jahresber. 1841) hält nichts auf diese Unterschiede. Auch Zeller (Isis 1842. 287. 10.) und Löw, der die Schummel'schen Exemplare untersucht hat (Linnaea. I. 476.), sind derselben Ansicht, wesshalb ich sie auch hier nur als Synonym anführe.

Sümpfen zwischen Erlengehölzen mehr oder weniger zahlreich zu Ende April und Mai; sie ist sehr träge und ruht an sonnigen, grasreichen Orten auf dürrem Grase am liebsten, weniger gern auf grünen Blättern und nicht auf Blumen; ihr Flug ist langsam und geht nicht weit. — Nach Meigen auf den Blüthen des Weissdorns; Schummel fing die ♀ an Weidenblüthen; Stäger beobachtete, dass die ♂ auf Weidenblüthen, die ♀ auf verwelkten Grashalmen vorkommen.

Nord- und Mittel-Europa (Löw). — Schlesien (Schneider). — Kur- und Liefland (Gimmerth.) — Dänemark (Stäger und Jacobsen). — Schweden (Zetterstedt). — Frankreich (Macquart). — Süd-England (Walker).

12. **plctifrons** Löw. Neue Beitr. II. 16. (1854).

Sibirien (Sedakoff coll. Löw.).

13. ***Hydroleon*** *) Linné. Faun. Suec. 1782. (1746).

Musca Hydroleon L. l. c.
— — Gmel. Syst. nat. V. 28. 2835. 35. 5.
— — Deg. VI. 154. 3. Taf. 19. Fg. 4.
— — Schrk. Ins. Aust. 437. 888.
Stratiomys Hydroleon Fabr. Spec. Ins. 417. 7., Ent. Syst. IV. 267. 17. u. Antl. 82. 19.
— — Fall. Strat. 8. 4.
— — Panz. Faun. VII. 21.
— — Meig. System. Beschr. III. 148. 17.
— — Zetterst. Dipt. scand. I. 140. und VIII. 2954. 10.
— — Walker. Ins. brit. I. 19.
Odontomyia Hydroleon Latr. Gen. Crust. IV. 275.
— — Meig. Classif. I. 131.
— — Macq. Dipt. 127. 6. u. S. à Buff. I. 247. 9.
— — Löw. Linnaea. I. 481. 8.
— *angulata* Meig. Classif. I. 133.
? *Stratiomys vulpina* Panz. Faun. LVIII. 24.

Ich besitze von dieser Art mehrere von mir im heurigen Jahre am Schneeberge gesammelte Exemplare, drei ♀, welche Herr Dr. Giraud aus Gastein brachte und ein krainerisches Stück von Herrn Mann.

Herr Frauenfeld brachte die Art aus Dalmatien mit. — In Ober-Oesterreich um Linz (Schrank). — Im Banat und im Trentschiner Comitate (J. v. Frivaldsky). — Im k. k. Museum durch Herrn Ulrich aus Oesterreich.

Das nördliche und mittlere Europa (Löw). — Württemberg (v. Roser). — Schlesien in Vorbergen und im Gebirge

*) Die Metamorphose von Degeer (Mém. Tom. VI. pl. 9. Fg. 4.) beobachtet.

nicht selten (Schneider). — Im mittäglichen Schweden vom Juni bis September gemein (Zetterstedt). — Dänemark (Stäger). — England sehr selten (Walker). — In Lief- und Kurland (Gimmerthal). — Sibirien (Sedakoff coll. Löw).

14. **Hydrodromia** Meig. System. Beschr. III. 146. 15. (1822).
England (Walker).

15. ***angulata*** Panz. Fauna LVIII. 19. (1798).
Stratiomys angulata Panz. l. c.
Odontomyia angulata Löw. Linnaea. I. 483. 9.
— — Meig. Class. I. 133.
? *Stratiomys Hydropota* Meig. System. Beschr. III. 147. 16.
? — — Zetterst. Dipt. Scand. I. 138. 8. et VIII. 295. 4.
Odontomyia Hydropota Macq. Dipt. Strat. 126. 5. u. S. à Buff. I. 247. 8.
Stratiomys ruficornis Zett. Dipt. Scand. I. 139. u. VIII. 2934. 9.
— *brevicornis* Löw. Isis. 1840. 537. 8.

Ich fing die Art im heurigen Jahre im Leithagebirge auf Dolden (insbesonders *Daucus Carota*), wo sie gar nicht selten und niemals mit *O. Hydroteon* vermischt vorkam; am Neusiedlersee war sie einzeln zu treffen; einige vorjährige Exemplare meiner Sammlung stammen vom Bisamberge, wo ich auch heuer ein Stück auf einer feuchten Wiese sammelte. Durch die Güte des Herrn Billimek erhielt ich mehrere Stück aus Ungarn. Mehrere krainerische Stücke, welche ich Herrn Mann verdanke, zeichnen sich durch auffallende Grösse von dem hiesigen aus.

Im k. k. Museum durch die Herren Scheffer, Mann und Ullrich aus Oesterreich. — Mit Rücksicht auf obiges Synonym *Stratiomys Hydropota* Meig. und bei dem Umstande, dass *O. felina* Pz., wozu Meigen's *Str. Hydropota* ebenfalls als fragliches Synonym gestellt werden kann, in der Wiener Gegend sehr selten zu sein scheint, dürften Rossi's Standorte: „Auf Moorwiesen zwischen Wien und Wiener-Neustadt stellenweise; bei Urschendorf (Goldegg), Himberg, Ebreichsdorf u. s. w., Juli“ hierher zu beziehen sein. — Bei Ofen im Juni und Juli (J. v. Frivaldsky).

Das nördliche und mittlere Europa (Löw). — Preussen (Hagen). — Um Posen (Löw). — Schlesien selten (Schneider). — Bei Aachen (Meigen). — In Lief- und Kurland (Gimmerthal). — Schweden (Zetterstedt). — England (Walker).

16. **latifasciata** Macq. S. à Buff. I. 248. 11. (1834).
Frankreich.

17. **hydrophila** Löw. Linnaea. I. 486. 10. (1846).
Süd-Europa, Syrakus, Klein-Asien (Löw).

18. **marginata** Fabr. Antl. 84. 27. (1805).

19. **lunata** Encycl. meth. Ins. Tom. VIII. 436. (1811).
Normandie.

20. **halterata** Schrk*). Fauna boica. III. 2380. (1801).
Ingolstadt in Baiern.

21. **personata** Löw. Linnaea. I. 490. 12. (1846).
Aus Dalmatien (Löw).

22. ***felina*** Panz. Fauna. LVIII. 22. (1798).
Stratiomys felina Panz. l. c.
? — *hydropota* Meig. System. Beschr. III. 147. 16.
? — — Zett. Dipt. Scand. I. 139. var. β. ♀.
? — *felina* Meig. System. Beschr. III. 145. 14.
? — *vulpina* Panz. LVIII. 24.
Odontomyia felina Löw. Linnaea. I. 487. 11.

Von dieser Art, bei deren Auffassung ich ganz den Ansichten meines lieben Freundes Löw folge, erhielt ich ein einzelnes Stück durch Herrn Dr. Giraud aus Gastein.
Deutschland (Löw). — Württemberg (v. Roser).

23. ***viridula*** **) Fabr. Spec. Insect. II. 418. 8. (1781).
Stratiomys viridula Fabr. l. c., Entom. System. IV. 267. 18. und Antl. 84. 25.
— — Schrk. Faun. boic. III. 2383.
— — Fall. Strat. 10. 6.
— — Meig. System. Beschr. III. 149. 18.
— — Zetterst. Dipt. Scand. I. 140. u. VIII. 2954. 11.
— — Löw. Isis. 1840. 557.
— — Walk. Ins. brit. I. 19.
Odontomyia viridula Latr. Cons. Gen. 442. u. Gen. Crust. IV. 275.
— — Macq. Dipt. 128. 7. u. S. à Buff. 247. 10.
— — Meig. Classif. I. 133.
— — Löw. Linnaea. I. 491.
— *canina* Meig. Classif. I. 132.
— *dentata* Meig. Classif. I. 130.
Stratiomys canina Panz. Faun. LVIII. 18.

---

*) Dr. Löw spricht die Vermuthung aus, dass die drei Arten (*O. lunata*, *halterata* und *personata*) sich vielleicht seiner Zeit als Varietäten von *O. marginata* Fabr. erweisen dürften und zu letzterer Art als Synonyme gebracht werden möchten. Da ich keine dieser Arten besitze, bin ich nicht im Stande über dieselben hier eine Ansicht auszusprechen und fordere daher jene Dipterologen, welche Gelegenheit haben, die typischen Exemplare zu untersuchen, zu entscheidenderen Mittheilungen und Aufschlüssen über dieselben auf.

**) Scholz fand die Larve unter gleichen Verhältnissen mit jener von *Stratiomys longicornis* (Breslauer Ent. Zeitg. 4. 34.).

Diese Art traf ich bei Wien vereinzelt in jedem Jahre zur Zeit der Kornreife; im heurigen Jahre aber in grosser Anzahl an den Ufern des Neusiedlersees, wo sie einige Dolden ganz und gar bedeckte. Unter allen Exemplaren, welche ich sammelte und die ich an Ort und Stelle untersuchte, war auch nicht ein einziges Stück, welches als *O. jejuna* Schrank hätte betrachtet, und nur einige, die auf *O. subvittata* Meig. hätten gedeutet werden können, wesshalb ich diese nicht ganz sicheren Arten bis auf weitere Aufklärungen besonders aufzuführen mich veranlasst sehe. *O. viridula* ist ein wenig scheues Insect, und kann leicht mit den Fingern ergriffen werden, ohne wegzufliegen. Acht Tage nach meinem ersten Besuche des Neusiedlersees war sie bereits selten geworden und an ihre Stelle, wenn auch nicht sehr häufig, war *O. angulata* Pz. getreten. Bei verdecktem Himmel ruhet sie an der Unterseite der Dolden aus.

In ganz Oesterreich auf Schirmblumen in der Nähe von Bächen und Teichen stellenweise in Mehrzahl, Sommer (Rossi). — Bei Pesth, Ofen und im Trentschiner Komitate (J. v. Frivaldsky). — In Dalmatien (Frauenfeld). — Im k. k. Museum vom Schneeberge.

Mittel- und Nord-Europa mit Ausnahme des höchsten Nordens (Löw). — Um Posen gemein (derselbe). — Um Breslau gemein (Schneider). — Preussen (Hagen). — Württemberg (v. Roser). — Lief- und Kurland (Gimmerthal). — Schweden (Zetterstedt). — England (Walker). — Frankreich und die Ukraine (Meigen). — Algier (Lucas). — Bordeaux (coll. Löw). Sibirien (Sedak. coll. Löw).

24. ***subvittata*** Meig. System. Beschr. III. 150. (1822).

Stratiomys subvittata Meig. l. c.

Ich besitze einige problematische Exemplare dieser unsicheren Art, die vom Neusiedlersee stammen, und ebenso zwei ♀, die ich im heurigen Jahre auf der Saualpe in Kärnthen sammelte. Es ist sehr wahrscheinlich, dass, wie schon Meigen vermuthete, und auch Löw bestätiget, hier nur eine Varietät von *O. viridula* als eigene Art beschrieben wurde. — Bei Aachen (Meigen). — Württemberg (v. Roser). — England (Walker).

25. ***jejuna*** Schrank. Fauna boica III. 2384. (1801).

Stratiomys jejuna Schrk. l. c.

— — Meig. System. Beschr. III. 153. 24.

Ich fing ein Stück dieser durch ungefleckten Hinterleib von *O. viridula* unterschiedenen Art auf einer feuchten Wiese oberhalb Klosterneuburg im August 1853. ♀. Schlesien (Löw).

Im k. k. Museum befinden sich drei Stücke aus Oesterreich (von Ullrich und Mann).

Baiern (Meigen).

26. *interrupta**) Löw. Linnaea. I. 493. 14. (1846).

Diese der *O. viridula* zwar sehr nahe stehende aber, wie die Beobachtung im Freien beweist, sicher von ihr verschiedene Art brachte Herr Mann in grösserer Anzahl aus Istrien mit, von wo auch die Exemplare des k. k. Museums stammen.

Klein-Asien (Löw).

27. **bimaculata** Meig. System. Beschr. VII. 106. 30. (1838).

Baiern nach Meigen's Angabe, wahrscheinlicher aus Andalusien, wie mehrere von Meigen im VII. Theile beschriebene Diptern (z. B. *Chrysops ringularis*) die er von Waltl erhielt, wodurch er zu der irrthümlichen Vaterlandsangabe verleitet wurde.

28. **connexa** Walker. Ins. brit. I. 17. (1851).

Stratiomys connexa Walk. l. c.

England.

29. **russica** Gimmerth. Bull. Soc. Imp. Nat. Mosc. 1847. 169. 4. (1847).

Russland, Charkow (Gimmerth.).

D. Gattung **Oxycera** Meig. Classific. 136. (1804). — Zetterstedt. — Stäger. — Löw. — Walker.

Musca Linné. — Scop.

Hypoleon Duméril.

Stratiomys Fabr. — Gmelin. — Panzer. — Fallen.

(Europa 19 Arten. — Oesterreich 11 Arten.)

1. *Meigenii***) Stäger. Ent. Ztg. V. 410. 2. (1844).

Stratiomys Hypoleon Fabr. Spec. Ins. II. 418. 20. Ent. System. IV. 267. 20. und Antl. 85. 29.

— — Preyssler. Verz. I. 81. Nro. 75.

— — Panz. Faun. I. 14. ♂.

Oxycera Hypoleon Meig. System. Beschr. III. 124. 1.

— — Macq. Dipt. 117. 1. and S. à Buff. I. 250. 1.

---

*) Der Name ist an eine exotische Art vergeben, die M. Bosc aus Carolina brachte (v. Encycl. méth. Ins. VIII. 483.).

**) Nach Scheffer's Beobachtungen (v. Rossi's Verzeichniss) lebt die Larve in feuchtem Schlamme, auf dem man auch zuweilen eierlegende Weibchen in Mehrzahl antreffen kann.

Oxycera Meigenii Löw. Dipt. Beitr. I. 11. 1. Fg. 1. 2.
— — Zetterst. VIII. Dipt. Scand. 2957. 1—2.
— — Walker. Dipt. Br. Mus. V. 70.
— — Gimmerth. Bull. Soc. Imp. Nat. Mosc. 1847. 168. 1.

Diese ausgezeichnete Art traf ich in früheren Jahren immer nur sehr vereinzelt an den Blättern von Gesträuchen, namentlich bei Mödling; im J. 1853, im vorigen Jahre und heuer fing ich sie an einem Bergabhange nächst Nussdorf in der Nähe eines klaren Wässerchens ziemlich häufig. Sie setzte sich im hellen Sonnenscheine auf die Oberseite der Blätter niederer Gebüsche und schien hier insbesonders die Blätter der Hundsrosen auszuwählen. Ihr Benehmen ist ziemlich träge, doch konnte ich keine einzige wieder auffinden, sobald sie vom Blatte abgeflogen war.

Die Zeit ihres Vorkommens kann ich nach meinen dreijährigen Beobachtungen bestimmt mit der Blüthezeit der *Rosa canina* in Verbindung bringen; an der Saualpe in Kärnthen.

Nach Rossi in Auen und Waldthälern an sumpfigen Stellen durch das ganze Gebiet, aber nirgends gemein; Mai und Juni. — Dalmatien (Frauenfeld). — Trentschiner Komitat (J. v. Frivaldsky). — Im k. k. Museum aus Oesterreich (Dorfmeister, Gürtler, Megerle). — Württemberg (v. Roser). — Preussen (Hagen). — Frankreich, Deutschland; in der Posener Gegend häufig (Löw). — Schlesien (Schneider). — Dänemark (Stäger). — Kur- und Liefland (Gimmerth.).

2. **Falleni** Stäg. Ent. Zeit. V. 410. 3. (1844).
Stratiomys Hypoleon Fall. Strat. 10. 7. I. 142. 1.
Oxycera Hypoleon Zetterst. Dipt. Scand. I. 142. 1.
— *Falleni* Löw. Dipt. Beitr. I. 13. 2. f. 3. 4.
— — Walk. Ins. Brit. I. 20. 2.

Meines Wissens in Oesterreich noch nicht aufgefunden, doch sicher daselbst vorhanden. Deutschland, Posener Gegend (Löw). — Schweden (Zetterstedt). — Dänemark (Stäger). — England (Walker).

3. ***pulchella*** Meig. System. Beschr. III. 125. 2. (1822).
? *Musca rara* Scop. Ent. carn. 339. 912.
Oxycera Hypoleon Meig. Classif. 137. 1. Tf. 8. 3.
— — Stäg. Ent. Zeit. V. 409. 1.
— *pulchella* Macq. Dipt. Strat. 118. 2. und S. à Buff. I. 249. 2.
— — Löw. Dipt. Beitr. I. 14. Fg. 5. 6.
— — Gimmerth. Bull etc. 1847. 168. 2.
— *rara* Walk. Ins. Brit. I. 20. pl. 1. Fg. 4.
— — Walk. Dipt. Br. Mus. V. 71.

Im Jahre 1854 fing ich drei Exemplare dieser Art bei Nussdorf an einem Bache, wo sie auf der Unterseite der Blätter von *Mentha sylvestris* sassen; seither ist sie mir nicht wieder vorgekommen. Ein einzelnes Stück sammelte Dr. Löw in meiner Gegenwart bei Obdach in Steiermark im Juli des heurigen Jahres.

Nach Rossi auf Gebüsch in der Nähe von Morästen von der Ebene bis in's höhere Gebirge durch ganz Oesterreich, aber stets etwas selten; um Wien bei Mödling (Scheffer), im Prater, bei Weidling im Juni. — Im k. k. Museum aus der Bukowina (Parreyss).

Frankfurt a. M. (v. Heyden, coll. Löw). — Aachen (Förster coll. Löw). — Deutschland (Löw). — Dänemark (Stäger). — Lief- und Kurland (Gimmerthal). — Frankreich (Macquart). — England (Walker).

4. **dives** Löw. Dipter. Beitr. I. 15. 4. Fg. 7. 8. (1845).
? *Stratiomys Hypoleon* Schrk. Faun. boic. III. 96. 2385.
Oxycera dives Walk. Ins. Brit. I. 21.
— — Walk. Dipt. Br. Mus. V. 71.

Diese schöne Art fand ich im Juli des heurigen Jahres auf der Saualpe in Kärnthen, ziemlich hoch oben auf den Blättern eines niederen Erlengebüsches. Sie unterscheidet sich in ihrem Benehmen von *O. Meigeni*, durch mehr Lebhaftigkeit, geht ziemlich schnell, mit aufgerichtetem Oberleibe vorwärts und fliegt mit ruhigem Fluge sehr leicht vom Blatte ab; von etwa sieben bis acht Stücken konnte ich ihrer Scheuheit wegen nur drei erhaschen.

Dr. Egger fing ein Stück bei Wien. — Im k. k. Museum ein Stück aus Oesterreich.

Schlesien: bei Reinerz von Zeller aufgefunden (Löw). — England (Walker).

5. **leonina** Panz. Fauna. LVIII. 21. (1798).
Stratiomys leonina Panz. l. c.
Odontomyia — Latr. Gen. Crust. IV. 275.
Oxycera leonina Meig. Syst. Beschr. III. 130. 8. u. VII. 105.
— — Macq. S. à Buff. I. 251
— — Löw. Isis. 1840. 556. 2.

Ich fing im Sommer 1854 drei Stücke bei Nussdorf an den Blättern des Hufelattichs ganz nahe an einem Bache; ein Stück durch Herrn Kempelen aus Oesterreich. — Steiermark (Mürle). — Grätz in Steiermark, Juli 1812 (Löw).

Nach Rossi in Ober-Oesterreich im Traun- und Ennsthale stellenweise; Hochsommer.

Deutschland, Posen (Löw). — Württemberg (v. Roser). — Schlesien (Schneider). — Dänemark (Stäger). — Frankreich (Macquart).

6. **pardalina** Meig. System. III. 128. 6. Tf. 25. F. 30. 31. (1822).
Oxycera pardalina Zetterst. Dipt. Scand. I. 143. u. VIII. 2959. 3.
— — Walker. Ins. Brit. I. 21. 5.

Ich sammelte sie im heurigen Jahre auf der Saualpe in Kärnthen auf Erlengebüsche mit *O. dives*. in mehreren Exemplaren; Juli.

Nach Rossi an sumpfigen Ufern von Bächen und Flüssen in der Wienergegend; ziemlich selten; Sommer. — Württemberg (v. Roser). — In Schweden sehr selten (Zetterst.); — in England nicht selten (Walker).

7. **maculata** *) Zetterstedt. Ins. Lapp. 576. (1838). Lappland. Schweden.

8. **formosa** Meig. (Wied.) System. Beschr. III. 127. 5. (1822).
Oxycera formosa Macq. S. à Buff. I. 250. 4.
— — Zetterst. Dipt. Scand. I. 145. 5.
— — Walk. Ins. Brit. I. 22. 6.
— *muscaria* Meig. System. Beschr. III. 126. 4.
— — Macq. S. à Buff. I. 251. 6.

Im k. k. Museum aus Oesterreich.

Glogau, Juli (Löw). — Deutschland (Wiedemann). — Württemberg (v. Roser). — Schweden (Zetterstedt). — England (Walker). — Das südliche Europa (Macquart).

9. **muscaria** Fabr. Entom. System. IV. 268. 21. (1794).
Stratiomys muscaria Fabr. l. c. u. Antl. 86. 31.

Ich besitze diese Art aus dem Küstenlande, woher sie von Herrn Mann mitgebracht wurde. Im k. k. Museum aus derselben Quelle. Herr Frauenfeld fand sie in Dalmatien bei Macarsca an den Hecken von *Punica granatum* **).

10. **Morrisii.** Curtis. Brit. Ent. X. (1833).
England.

11. **terminata** Meig. Syst. Beschr. III. 130. 9. (1822).
Oxycera terminata Walk. Ins. Brit. I. 23. 9.

Die Art ist in der Wienergegend nicht selten; ich fing sie alljährlich und namentlich bei Nussdorf an den die Bäche

---

*) Der Name ist viel früher an eine von M. Bosc aus Carolina mitgebrachte Art vergeben. (Vide Enc. méth. VIII. 600.)

**) Rossi's Angabe des Standortes: „Wienergegend an sumpfigen Ufern von Bächen und Flüssen" bezieht sich gewiss nicht auf diese Art, sondern wahrscheinlich auf *O. pygmaea* Fall.

begränzenden Gebüschen, wo sie auf der Unterseite der Blätter gemischt mit der nächsten Art sich aufhält und nur zuweilen auf der Oberseite sich blicken lässt; so oft ich die Blätter mit dem Streifsacke von unten abstreifte, fand sich ein oder mehrere Exemplare in demselben; die Zeit ihres Vorkommens trifft mit der Kornreife zusammen.

Im k. k. Museum aus Oesterreich. Auch Meigen erhielt die Art durch Herrn Megerle von Mühlfeld aus Oesterreich. — England (Walker).

12. ***analis*** Meig. System. Beschr. III. 130. 10. (1822).

Oxycera analis Walker. Ins. Brit. I. 23. 10.

Mit der Vorigen unter ganz gleichen Verhältnissen.

Nach Rossi an sumpfigen Ufern von Bächen und Flüssen, in der Wienergegend ziemlich selten; Sommer. — Im k. k. Museum aus Oesterreich (Scheffer).

Frankfurt a. M. (v. Heyden. coll Löw).

13. ***pygmaea*** *) Fall. Strat. 11. 9. (1817).

Stratiomys pygmaea Fall. l. c.

Oxycera pygmaea Meig. System. Beschr. III. 129. 7.

— — Zetterst. I. 145. und VIII. 2959. 6.

— *muscaria* Walk. Ins. Brit. I. 22. 7.

— *affinis* Dale bei Curtis Brit. Ent.

Ich fing die Art um Wien, alljährlich, auf nassen Wiesen mit dem Mähesacke, weiss daher über das Benehmen derselben keine Auskunft zu geben; im ersten Frühlinge.

Im k. k. Museum aus Brussa (Mann).

Württemberg (v. Roser). — Schweden (Zetterst.) — England (Walker).

14. ***trilineata*** Fabr. Spec. Insect. II. 418. 9. (1781).

Stratiomys trilineata Fabr. l. c., Ent. System. IV. 267. 19. und Antl. 85. 28.

— — Fall. Strat. 11. 8.

— — Panz. Fauna I. 13.

— — Schrk. Faun. boic. III. 2. 386.

Oxycera trilineata Meig. System. Beschr. III. 126. 3.

— — Macq. S. à Buff. I. 250. 3.

— — Latr. Gen. Crust. IV. 278.

— — Löw. Isis. 1840. 556.

— — Walk. Ins. Brit. I. 21. 4.

Musca trilineata Gmel. Syst. nat. V. 2835. 6.

— *pantherina* L. Faun. suec. 1783.

---

*) Meigen (System. Beschr. VI. 346.) hielt die Art nur irrthümlich für identisch mit *O. muscaria* Fabr., die von *O. pygmaea* Fall. ganz verschieden ist.

Es glückte mir nie diese schöne Fliege selbst zu fangen; Heger zog sie im heurigen Jahre aus Larven, die er in Mödling gesammelt hatte.

Nach Rossi findet sie sich auf sumpfigen Ufern von Bächen und Flüssen stellenweise in ganz Oesterreich, doch ist sie nicht häufig. — Bei Ofen und im Banate (J. v. Frivaldsky). — Im k. k. Museum aus Brussa und Fiume (durch Mann). — Dr. Löw hat sie bei Neusiedl einmal gefangen und öfters gesehen.

Preussen (Hagen). — Württemberg (v. Roser). — Schlesien (Schneider). — Um Posen sehr häufig (Löw). — Bei Berlin von Dahlbom gesammelt (aut. Zetterstedt). — Dänemark: auf Blättern, im Juni und Juli stellenweise häufig (Stäger). — In Lief- und Kurland (Gimmerthal). — In England allgemein verbreitet (Walker).

15. **Hypoleon** Linné *) Syst. nat. XII. T. I. p. 2. 980. 7. (1766).
Musca Hypoleon L. l. c.
? *Oxycera trilineata* Zetterst. I. 143. var. 6.
— — Meig. System. Beschr. III. 126. 3. var.
Deutschland, Schweden.

16. **longicornis** Dale. Ann. Nat. hist. VIII 431 (1841).
England.

17. **tenuicornis** Macq. S. à Buff. I. 251. 5. (1834).
Frankreich.

18. **nigra** Macq. S. à Buff. I. 251. 8. (1834).
Frankreich.

19. **nigricornis** Enc. méth. Ins. VIII. 601. (1811).
Nordfrankreich.

*) Rücksichtlich dieser Art, die mit *Oxycera Meigenii* Stäg., für welche sie die früheren Autoren gehalten haben, nicht zu verwechseln ist, schliesse ich mich ganz den Ansichten meines lieben Freundes Löw an, der sie für nahe verwandt mit *O. trilineata* hält, oder falls sich die gelbe Varietät von *O. trilineata* nur als solche bewähren sollte für identisch mit dieser hält. Linné nennt bei seiner *Musca hypoleon* die „*Antennae pallidae*“ und den „*Abdomen flavum*“, was doch keineswegs bei *O. Meigenii* der Fall ist. Zetterstedt's Interpretation, wonach „*Abdomen flavum*“ eigentlich „*Abdomen nigrum*“ heissen sollte, scheint mir doch zu gewagt. — Die Feststellung der nahe verwandten Arten ist ein dankenswerthes Verdienst Löw's. Sollte Linné's *Musca Hypoleon* auch nie aufgefunden werden, so kennen wir doch die bisher aufgefundenen Arten durch Löw's scharfsinnige Kritik mit voller Sicherheit. Linné's Unsterblichkeit bedarf aber wahrlich nicht der gezwungenen Rettung einer Artdiagnose, die nun einmal auf keine der bekannten Arten passt. — Nach einer brieflichen Mittheilung Haliday's an Dr. Löw bestätiget das in der Linné'schen Sammlung aufgefundene Exemplar von *Musca Hypoleon* ganz und gar die Ansicht des Letzteren.

E. Gattung **Ephippium** Latr. Gen. crust. IV. 276. (1809).
Musca Linné. — Schrk.
Stratiomys Fabr. — Panz. — Geoffr.
Clitellaria Meig. — Wiedem.

(Europa 1 Art. — Oesterreich 1 Art.)

1. ***thoracicum*** Latr. *) Gen. crust. IV. 276. (1809).
Ephippium thoracicum Ltr. l. c.
— — Macq. S. à Buff. I. 252. pl. 6 F. 7.
Stratiomys ephippium Fabr. Spec. Ins. II. 417. 2., Ent. System. IV. 264. 6. und Antl. 79. 4.
— — Panz. Fauna. VIII. 23.
— — Schrank. Faun. boic. III. 2379.
Clitellaria Ephippium Meig. System. Beschr. III. 122. 4.
— — Zeller. Isis. 1842. 826.
— — Zetterst. Dipt. scand. IX. 1310.
— — Walker. Ins. brit. I. 24. pl. I. F. 5.
Musca Inda Schrnk. Ins. Austr. 891.
— *Ephippium* Gmel. Syst. nat. V. 2834. 151.

Diese prachtvolle Art fand ich im heurigen Frühjahre zum ersten Male in der nächsten Umgebung Wiens, und zwar im Augarten und in der Brigittenau, wo sie auf den Blättern niederer Gesträuche ganz ruhig sass und leicht gefangen werden konnte.

Herr Sartorius fing sie bei Nussdorf. — Frauenfeld traf sie bei Lilienfeld nicht selten; Rossi sagt, dass sie in Laubwäldern auf blumigen Wiesenplätzen und in Holzschlägen stellenweise im ganzen Gebiete aber nirgends gemein sei und um Wien von Herrn Schäffer bei Weissenbach u. s. w. gesammelt worden sei. — Aus Böhmen durch Se. Durchlaucht Herrn Fürsten von Khevenhüller. — Herr Micklitz fing sie bei Purkersdorf und nach seiner Angabe jedesmal in der Nähe von Ameisencolonien. — Banat (J. v. Frivaldsky). — Im k. k. Museum aus Oesterreich (Fiume und Krain durch Dorfmeister und Mann; Toskana durch Letzteren. — Deutschland (Meigen). — Württemberg (v. Roser). — Bei Frankfurt an der Oder in Gärten und Wäldern, wo sie auf

*) v. Roser fand die Larve in einem anbrüchigen Nussbaume, und nährte sie zwei Jahre, obwohl sie schon halbgewachsen war, als er sie fand (Württemb. Corr. Bl. 1834. I. 267). — Zeller fand sie in Pflanzenerde und bildete sie in der „Isis" ab. (Scholz. Bresl. Ent. Ztg. 1—3. 20). — Märkel fand sie in den Nestern von *Formica fuliginosa*, nahm sie Ende März aus den Neste und erhielt die Fliege gegen Ende April (Germar Zt. V. 366).

glatten Blättern sass (Zeller). — Um Breslau und im Vorgebirge sehr vereinzelt (Schneider). — Berlin (Stein collect. Löw). — In England (Walker). — Frankreich (Macquart). — Schweden (Zetterstedt).

F. Gattung **Clitellaria** Meigen Syst. Beschr. III. 119. (1822).
Ephippium Latr. — Macq.

(Europa 2 Arten. — Oesterreich 1 Art.)

1. **pacifica** Meigen System. Beschr. III. 121. 3. (1822).
Cyclogaster pacifica Walk. Catal. Mus. brit. V. 64.
Portugal (v. Hoffmannsegg). — Sicilien (Zeller coll. Löw.)

2. ***Dahlii*** Meig. System. Beschr. VI. 346. 5. (1830).
Ephippium Dahlii Macq. S. à Buff. I. 252. 3.
Odontomyia Balius Walk. List of dipt. 533.
Aus Ragusa (Dahl. Mus. Berol.) — Albanien, Frankreich (Walker).

b) Mit ungedornten Schildchen.

G. Gattung **Lasiopa** Brullé Exp. de Morèe. (1832).

(Europa 1 Art. — Oesterreich keine Art.)

1. **Peleteria** Brullé l. c. (1832).
Morea.

H. Gattung **Cyclogaster** Macq. S. à Buff. I. 256. (1834).
Clitellaria Meig.
Ephippium Latr.
Musca Schrnk. — Gmel.
Stratiomys Fabr. — Panz.
Nemotelus Fabr.

(Europa 3 Arten. — Oesterreich 3 Arten.)

1. ***villosus*** Fabr. Entom. System. IV. 270. 2. (1794).
Nemotelus villosus Fabr. l. c. und Antl. 88. 2.
— — Panz. Fauna LVIII. 16.
Clitellaria villosa Meig. S. Beschr. III. 120. 1.
Cyclogaster villosus Macq. S. à Buff. I. 257. 1.
Odontomyia villosa Enc. méth. VIII. 434.

Die Art ist bei Wien sehr gemein; ich fand sie alljährlich und fast überall in grosser Anzahl an Dolden, am Kahlenberge auf *Orlaya grandiflora*, bei Mödling, Nussdorf, am Bisamberge und im Leithagebirge auf *Daucus Carota* und *Chaerophyllum sylvaticum*; sie ist ziemlich träge und wenig scheu.

Nach Rossi an Waldrändern und Weinbergrainen zumal auf Schirmblüthen stellenweise durch ganz Oesterreich, um Wien und im Mittelgebirge hier und da gemein; im Frühling und Hochsommer.

Bei Ofen und im Banate: Juni Juli (J. v. Frivaldsky). — Im k. k. Museum durch Gürtler und Ullrich aus Oesterreich. — Aus Dalmatien (Frauenfeld). — Die Art verschwindet mehr nach Norden hin fast plötzlich; sie kommt von Deutschland, wo sie ausser in Oesterreich nur einmal in Schlesien (Schummel) gefunden wurde bis Nizza (Baumhauer) und Sicilien (Meigen, Zeller mus. Löw), Morea (Brullé) vor und wurde auch in Algier (Lucas) beobachtet.

2. ***calvus*** Meig. System. Beschr. III. 121. 2. (1822).

Seltener als die vorhergehende Art, ich fand sie im Jahre 1853 auf den Blüthen von *Bryonia dioica* bei Mödling und im heurigen Jahre am Neusiedlersee und im Leithagebirge auf *Anthemis*-Arten und auf *Achillea millefolium*; man trifft sie meistens von Blüthenstaub wie eingepudert; an Stellen wo sie vorkömmt, ist sie auch immer sehr zahlreich vorhanden; verschwindet aber, wie die vorige Art, weiter nach Norden hin plötzlich.

Nach Rossi an gleichen Plätzen mit *Cl. villosus* im Kahlen- und Leithagebirge, mitunter nicht selten; Mai, Juni August. — Bei Ofen; Mai bis Juli (J. v. Frivaldsky). — Dalmatien (Frauenfeld). — Meigen erhielt die Art aus Oesterreich durch Herrn Megerle v. Mühlfeld. — Im k. k. Museum aus Oesterreich.

3. ***tenuirostris*** Löw. Dipter. Beitr. II. 16. (1854).

Ich besitze die Art durch die Güte des Herrn Mann, der sie aus Fiume mitbrachte, und von dem auch die Exemplare des k. k. Museums stammen.

Löw erhielt sie durch Sturm aus Dalmatien. Anderwärts bisher nirgends gefunden.

I. Gattung **Nemotelus** Geoffr. Insect. II. (1764).

Musca Linné.

Stratiomys Fabr. — Schrank.

Nemotelus Fabr. — Meigen. — Panzer. — Latr. — Macq. — Zetterst. — Walker. — Löw.

(Europa 26 Arten. — Oesterreich 8 Arten.)

1. ***signatus*** J. v. Frivaldsky. Verhandl. d. zool.-bot. Vereins. Bd. V. Abh. p. 1. (1855).

Diese ausgezeichnete Art wurde von Herrn J. v. Frivaldsky in Ungarn entdeckt und ist seither auch von mir und Dr. Egger am Neusiedlersee in nicht geringer Zahl aufgefunden worden; sie ist die grösste der mir bekannten Arten, sieht einem kleineren Exemplare von *Cyclogaster calvus* nicht unähnlich und scheint wie dieser den Blüthenstaub zu lieben und aufzusuchen; wir sammelten sie auf *Chrysanthemum Leucanthemum* und *Carum carvi*.

Pesth, Ofen und im Banate; Juni, Juli (J. v. Frivaldsky).

2. **proboscideus** Löw. Linnaea. I. 433. 1. (1846).
Sicilien.

3. **lasiops** Löw. Linnaea I. 436. 2. (1846).
Sicilien.

4. **anchora** Löw. Linnaea I. 439. 3. (1846).
Sicilien.

5. **uliginosus** Linné. System. nat. II. 982. 22. (1767).
Musca uliginosa Linn. l. c.
— — Gmel. System. nat. V. 2836. 22.
♂ *Nemotelus uliginosus* Fabr. Ent. System. IV. 269. 1. u. Antl. 87. 1.
— — Fall. Strat. 5. 1.
— — Meig. System. Beschr. III. 114. 1. (Die Beschreibung, die Abbild. zu *N. notatus*).
— — Curt. Br. Ent. 729. 1.
— — Macq. S. à Buff. I. 265. 1. u. Dipt. 114. 1.
— — Zetterst. Dipt. Scand. I. 146. und VIII. 2959. 1.
— — Walk. Ins. brit. I. 25. pl. 1. Fg. 6.
— — Löw. Linnaea I. 432. 4.
— *bifasciatus* Meig. Syst. Beschr. VII. 104. 9.
— — Zetterst. Dipt. Scand. I. 146. und VIII. 2960. 2.
Stratiomys mutica Fabr. Spec. Ins. II. 419. 14.

Unter sehr vielen *Nemotelus pantherinus* und *N. globuliceps*, die ich im heurigen Jahre am Neusiedlersee sammelte, befand sich ein einzelnes ♀ dieser Art; sie scheint somit hier ziemlich selten zu sein oder eine verschiedene Flugzeit zu haben.

Rossi berichtet, dass sie auf sumpfigen Wiesen der Ebene und des Mittelgebirges stellenweise in ganz Oesterreich und in manchen Jahren auch in Mehrzahl vorhanden sei; Juli. — Im k. k. Museum aus Oesterreich (Ullrich und Megerle). — Scheinet mehr den nördlichen Gegenden Europa's anzugehören; in Preussen (Hagen), bei Breslau (Schneider) und Posen (Löw) selten; in Württemberg (v. Roser), in Lief- und Kurland (Gimmerthal). — In England, insbesondere am Seeufer allgemein verbreitet (Walker) und ebenso in Schweden an gleichen Stellen (Zetterstedt).

Herr Lucas fand *N. bifasciatus* Meig. in Algier, was wohl dafür sprechen dürfte, dass dieses Synonym nicht ganz sicher bei obiger Art angeführt ist.

6. **Pica** Löw. Isis. 1840. 554. (1840).

Aus der Posener Gegend.

7. ***notatus*** Zetterst. Dipt. Scand. I. 148. 3. (1843).

Löw fing das ♀ bei Neusiedl. — Im Nassauischen (Heyden). — Nordeuropa; Schweden (Zetterstedt).

8. ***globuliceps*** Löw. Linnaea I. 441. 7. (1846).

? *Nemotelus brevirostris* Meig. System. Beschr. III. 117. 6.

? — — Macq. S. à Buff. I. 266. 6.

— *uliginosus* Löw. Isis 1849. 554.

Diese dem *N. brevirostris* sehr nahe stehende Art fand ich in beiden Geschlechtern (es war bisher nur das ♀ allein bekannt) im Mai dieses Jahres zu Hunderten am Neusiedlersee, wo sie sich an den Blütheköpfen von *Chrysanthemum Leucanthemum* aufhielt und mit den Händen abgestreift werden konnte. Löw entdeckte die Art bei Posen.

9. ***brevirostris*** Meig. System. Beschr. III. 117. 6. ♀. (1822).

Nemotelus brevirostris Macq. S. à Buff. I. 266. 6.

— — Löw. Linnaea I. 457. 19.

— — Walker Ins. brit. I. 26.

Mein verehrter Freund Löw fing im heurigen Juli ein einzelnes ♂ am Neusiedlersee in meiner Gegenwart.

Rossi gibt als Standort die Donauauen nächst Wien an, wo sie im Juni an seichten Lachen ziemlich selten sein soll; Meigen erhielt sie aus Oesterreich. In England selten (Walker).

10. ***brachystomus*** Löw Linnaea I. 443. 8. (1846).

Dr. Löw fing ein ♂ am Neusiedlersee. — Dalmatien, Griechenland, Kleinasien (Löw).

11. ***pantherinus*** Linné Fauna suec. ad II. 1783. (1761).

Musca pantherina Linn. l. c.

— — Gmel. Syst. nat. V. 2830. 8.

— *marginella* Gmel. Ibid. 2836. 163.

Stratiomys marginata Fabr. Spec. Ins. II. 419. 13.

— *mutica* Schrk. Fauna boic. III. 2389.

Nemotelus marginatus Fabr. Ent. System. IV. 270. 3. u. Antl. 88. 3.

♀ — — Latr. Gen. crust. IV. 279., Cons. gén. 442. und Hist. nat. XIV. 344. Tb. CXI. 8.

♀ *Nemotelus marginatus* Panz. Fauna. XLVI. 22.
— *uliginosus* Meig. Classif. I. 139. Tb. VIII. F. 7. 8.
♂ — — Latr. Gen. Crust. l. c.
♂ — — Panz. Fauna l. c. 21.
— *marginellus* Fallen. Strat. 5. 2.
— *pantherinus* Meig. System. Beschr. III. 115. 2. Tb. 25. Fg. 20.
— — Curtis Br. Ent. 729. 2.
— — Macq. S. à Buff. I. 265. 1.
— — Zetterst. Dipt. Scand. I. 150. et VIII. 2960. 4.
— — Löw Linnaea I. 445. 9.
— — Walker. Ins. brit. I. 25.

Die gemeinste der hiesigen Arten; den ganzen Sommer hindurch an Dolden und auch an Rohrstengeln; besonders häufig traf ich sie im heurigen Jahre am Neusiedlersee in beiden Geschlechtern.

Rossi gibt denselben Standort, wie bei *N. uliginosus* an; — Frauenfeld fand sie an den Ufern der Narenta in Dalmatien häufig. — Bei Pesth und Ofen (J. v. Frivaldsky).

Im nördlichen und mittleren Europa überall häufig (Löw). — Württemberg (v. Roser). — Um Breslau nicht allzu häufig (Schneider), bei Posen sehr gemein (Löw). — Lief- und Kurland (Gimmerthal). — England (Walker). — Schweden (Zetterstedt). — Algier (Lucas).

12. **fraternus** Löw Linnaea I. 448. 10. (1846).
Deutschland.

13. **gracilis** Löw. Linnaea I. 449. 11. (1846).
Kleinasien.

14. **bipunctatus** Löw Linnaea I. 451. 12. (1846).
Kleinasien.

15. **nigrifrons** Löw. Linnaea I. 452. 13. (1846).
Sicilien.

16. **argentifer** Löw Linnaea I. 453. 14. (1846).
Griechenland; Kleinasien.

17. **nigrinus** Fallen Strat. 6. 3. (1814).
Nemotelus nigrinus Meig. System. Beschr. III. 117. 5.
— — Curtis Br. Ent. 729.
— — Macq. Dipt. 116. 3. und S. à Buff. I. 266. 5.
— — Zetterst. Dipt. suec. I. 151. 5.
— — Löw Isis 1840. 554. u. Linnaea I. 455. 15.
— — Walk. Ins. brit. I. 26.
— *nigritus* Panz. CVII. 17.

Am Neusiedlersee mit *N. pantherinus* und unter ganz gleichen Verhältnissen, doch etwas seltener.

Rossi gibt ähnliche Orte mit *N. uliginosus* an und sagt, dass die Art mitunter nicht selten sei. — Im k. k. Museum aus Oesterreich durch Ullrich und Gürtler. Auch Meigen erhielt die Art aus Oesterreich durch Herrn Megerle von Mühlfeld. — Ofen; Mai bis Juli (J. v. Frivaldsky). — Nord- und Mitteleuropa (Löw). — Württemberg (v. Roser). — Preussen (Hagen). — In Schlesien nicht selten (Schneider). — In England allgemein verbreitet, doch nicht gemein (Walker). — Nordfrankreich (Macquart). — Schweden und Dänemark (Zetterstedt).

18. **longirostris** Wiedem. Annal. entomol. 30. 38. (1824).
Tanger, Algier.

19. **punctatus** Fabr. Entom. System. IV. 271. 4. (1794).
Südfrankreich; Berberei.

20. **nigritus** Meig. System. Beschr. III. 116. 3. (1822).
Frankreich.

21. **aerosus** Gimmerth. Bull. 1847. 167. 2. (1847).
Russland.

22. **ventralis** Meig. System. Beschr. VI. 345. 7. (1830).
Mogador.

23. **paludosus** Meig. System. Beschr. VI. 345. 8. (1830).
?

24. **frontalis** Encycl. méthod. Ins. VIII. 184. (1811).
Pariser Gegend.

25. **lateralis** L. Duf. Ann. Entom. II. 10. 6. pl. I. Tb. 1. Fg. 6. (1852).
Madrid.

26. **cingulatus** L. Duf. Ann. Ent. II. 10. 5. pl. I. Tb. 1. Fg. 1—5. (1852).
Madrid.

2. Metallische Arten.

a) Mit gedornten Schildchen.

K. Gattung **Exochostoma** Macq. Annal. Entom. I. 11. 41. pl. 4. Tb. 1. Fg. 1—6. (1842).

(Europa 1 Art. — Oesterreich keine Art.)

1. **nitida** Macq. l. c.
Frankreich in der Provence.

b) Mit ungedornten Schildchen.

L. Gattung **Sargus** *) Fabr. Entom. System. Suppl. 566. 1. (1798).
Musca Linné. — Scopoli. — Fabr. p. — Schrk. p. — Geoffr. — Gmel.
Nemotelus Degeer.
Rhagio Schrnk. p.
Sargus Fabr. — Latr. — Fallen. — Meigen. — Macquart. — Zetterst. — Walker. — Löw.
(Europa 16 Arten. — Oesterreich 8 Arten.)

1. Gruppe: *Chrysonotus* Löw. Verh. d. zool.-bot. Ver. Band V. p. 131. u. ff.

1. ***bipunctatus*** **) Scop. Entom. carn. 341. Nr. 316. (1763).
Musca bipunctata Scop. l. c.
Sargus Reaumuri Meig. Classif. I. 142.
— — Fabr. Antl. 256. 2.
— — Meig. System. Beschr. III. 109. 6.
— — Macq. S. à. Buff. I. 262. 6.
— — Guér. Ic. Regn anim. Ins. pl. 98 Fig. 9. pag. 545.
— *bipunctatus* Walker Ins. brit. I. 22.
— — Löw Verh. d. zool.-bot. Ver. V. p. 131. u. ff.
var. — — Costa ***) Mem. d. acad. di Napoli.

Ich traf die Art in der Umgebung Wiens dem Sommer über sehr vereinzelt und nur ein einziges Mal ein ♂; die wenigen ♀, welche ich sammelte, sassen auf den Blättern von Gesträuchen, welche Waldwiesen begränzen.

Bei Purkersdorf (Frauenfeld). — Im k. k. Museum aus Oesterreich. — Nach Rossi im Kahlengebirge stellenweise an Waldrändern; von Scheffer bei Giesshübel gefangen; hinter Sievering u. s. w. selten; Herbst.

Elberfeld (Cornelius). — Frankfurt am Main (v. Heyden). — Sicilien (Costa). — Württemberg (v. Roser). — Frankreich (Macquart). — England (Walker).

2. **sulphureus** Meig. System. Beschr. III. 109. 7. (1822).
? Frankreich.

---

*) Ueber viele der hier aufgeführten problematischen Arten, verweise ich auf die vortreffliche kritische Abhandlung meines Freundes Löw in diesen Verhandlungen. Bd. V. p. 131. u. ff.

**) Die Metamorphose von *Reaumur* (Mémoir. tom. IV. Tb. 13. Fg. 19. Tb. 14. Fg. 4. 6.) beobachtet.

***) Costa, welcher die Art für verschieden von *S. Reaumuri* hielt, wählte für sie ganz zufällig den Scopoli'schen Artnamen.

2. Gruppe: *Sargus* Löw Verh. d. zool-bot. Ver. Band V. p. 131. u. ff.

3. ***cuprarius****) Linné Faun. suec. 1853. (1746).

Musca cupraria Linn. l. c.
— — Gmel. System. nat. V. 2849. 92.
— — Schrnk. Ins. Aust. 944.
— — Fabr. Spec. Insect. II. 446. 52. u. Ent. System. IV. 335. 96.
Nemotelus cuprarius Deg. Ins. VI. 81. Tb. 12. Fg. 4.
Sargus cuprarius Fabr. Entom. Syst. suppl. 566. 1. und Antl. 256. 3.
— — Latr. Gen. crust. IV. 278. u. Cons. gen. 442.
— — Fall. Strat. 15. 2.
— — Meig. System. Beschr. III. 106.
— — Macq. S. à Buff. I. 260. 1.
— — Zetterst. Dipt. Scand. I. u. 157. und VIII. 2962.
— — Löw Isis 1840. 553.
— — var. *robustus* Löw und *gracilis* Löw Ibid.
— — Löw Verh. d. zool.-bot. Vereins. V. p. 131.
— — Walker Ins. brit. I. 30. pl. I. Fg. 9.
Musca violacea Scop. Entom. carn. 340. Nr. 915.
? *Rhagio politus* Schrk. Faun. boic. III. 2394.

Die gemeinste der hiesigen Arten; sie findet sich den Sommer hindurch an Blättern von Gesträuchen allenthalben und oft in grosser Menge; im hellen Sonnenscheine ist sie sehr lebhaft und scheu, bei verdeckten Himmel aber leicht zu fangen; ich sammelte sie heuer auch in den Kärntner Alpen und bei Reichenau; doch nur in den Thälern.

Nieder-Oesterreich (Frauenfeld und Schleicher). — Steiermark (Micklitz und Mürle). — Tirol (V. Gredler). — Böhmen (Tomek). — Ungarn (J. v. Frivaldsky). — In Bauerngärten auf Hecken in der Nähe von Viehställen und Hutweiden fast überall gemein; Sommer (Rossi). — Im k. k. Museum aus Oesterreich.

In Deutschland: bei Berlin und Greifswalde (Dahlbom); bei Posen (Löw); in Schlesien (Schneider); um Königs-

---

*) Die Metamorphose beobachtet von Lyonnet (Mem. posth. Tb. 17. Fg. 21). von Bouché (Naturgesch. Th. 4. Fig. 31—36. pag. 48). Bremi, der die Fliege aus Kuhmist zog. Westwood (Intr. II. 533) der die Larve in Gartenerde fand und v. Roser (Württemb. C. Bl. 1834. I. 267). Die Larven sehen denen von *Xylophagus* ähnlich.

berg (Hagen); Württemberg (v. Roser). — Lief- und Kurland (Gimmerthal). — Schweden (Zetterstedt). — England; Frankreich (Walker).

4. **nubeculosus** Zetterst. Dipt. Scand. I. 157. (1842).
Sargus nubeculosus Zetterst. l. c. und VIII. 2963.
— — Walker Ins. brit. I. p. 31.

Ich besitze mehrere mit der früheren Art eingesammelte Exemplare, welche mit Zetterstedt's Beschreibung gut übereinstimmen; doch halte ich sie nicht für verschieden von *S. cuprarius*, von welcher *S. nubeculosus* wohl nur als Varietät betrachtet werden darf.

England (Walker).

5. **coeruleicollis** Meig. System. Beschr. III. 107. 2. (1822).

Meigen erhielt ein ♀ dieser Art durch Herrn Megerle v. Mühlfeld aus Oesterreich. — Württemberg (v. Roser).

6. **nitidus***) Meig. Syst. Beschr. III. 108. 4. (1822).

Preussen (Hagen). — Schweden (Zetterstedt).

7. **minimus** Zetterst. Dipt. Scand. VIII. 2965. (1848).

Schweden (Zetterstedt).

8. **iridatus** Scop. Entom. carn. 340. 915.
Musca iridata Scop. l. c.
Sargus infuscatus Meig. S. Beschr. III. 107. 3.
— — Macq. S. à Buff. I. 261. 2.
— — Zetterst. Dipt. I. 157. VIII. 2963.
— *auratus* Meig. Classif. I. 143. 2.
♀ — *cuprarius* Fall. Strat. 15. 2.
Sargus iridatus Walker Ins. brit. I. 31.
— — Löw. Verh. d. zool.-bot. Ver. V. p. 131. u. ff.

Ich fing einige Weibchen im heurigen Jahre (Juli) auf dem Schneeberge in der Region des Knieholzes, an frischem Kuhdünger, wo sie wahrscheinlich die Eier abzulegen beabsichtigten; es ist mir aufgefallen, dass an dieser Stelle, welche in der unmittelbaren Nähe der sogenannten „Baumgartner Hütte“ sich befand und wohin die aus dem Sommerstalle abfliessende Jauche gelangte, ausschliessend die Weibchen dieser Art schwärmten, während in einiger Entfernung von etwa 3—400 Schritten, gegen den „Saugraben“ zu, auf dem frischen Kuhdünger ausschliessend nur die Weibchen von *S. flavipes* zu treffen waren.

*) Erichson (Jahresber. v. 1842) glaubt, dass Zettersedt's *S. nigripes* als Synonym zu dieser Art gehöre. — In der Winthem'schen Sammlung stecken drei Stücke, die ich für *S. flavipes* Meig. halte, unter obigem Namen.

In Dornbach selten (Frauenfeld). — Bei Grosslobming in Steiermark in Gärten (Micklitz). — Im Thurotzer-Comitat (J. v. Frivaldsky). — Nach Rossi im Kahlengebirge auf Gebüschen stellenweise; Mai, Juni. — Deutschland: in Preussen (Hagen), Schlesien (Schneider). — Württemberg (von Roser). — In Lief- und Kurland (Gimmerthal). — Frankreich, England (Walker). — Schweden (Zetterstedt).

9. **nigripes***) Zetterst. Dipt. Scand. I. 159. (1842).
Schweden.

10. **frontalis** Löw. Verh. d. zool.-bot. Ver. V. p. 133. (1855).
Aus der Gegend von Cassel.

11. ***flavipes*** Meig. System. Beschr. III. 103. 5. pl. 25. f. 14. (1822).
Sargus flavipes Macq. S. à Buff. I. 261. 4.
— — Zetterst. Dipt. Scand. I. 158; VIII. 2962.
— — Walker Ins. brit. I. 31.

Die meisten meiner Exemplare stammen vom Schneeberge, wo ich sie im heurigen Jahre im Monate Juli an frischem Kuhdünger schwärmend traf; sie waren namentlich im heurigen Jahre so häufig, dass ich sie zu Hunderten hätte einsammeln können; ihre Beharrlichkeit an einer gewissen Stelle, die sie wahrscheinlich für ihre Brut als passend erachten, ist so gross, dass man sie ohne Mühe mit den Fingern fassen und erhaschen könnte, obwohl sie im Allgemeinen sehr scheu sind und sogleich das Weite suchen; auf der Saualpe und auf dem Zirbitzkogel in Kärnthen fing ich im Juli dieses Jahres drei Männchen von der verschiedensten Grösse (von 2—5‴); von denen ich namentlich das von der Saualpe stammende für *S. nitidus* gehalten hätte, wenn die Augen nicht eine deutliche Purpurbinde gezeigt hätten. Bei den vielen Zweifeln, welche über diese und die verwandten Arten bestehen, kann ich meinen Herren Collegen das Einsammeln derselben in jeder möglichen Anzahl, nicht genug empfehlen.

Nach Rossi ist die Art von der Ebene bis in die Thäler des Hochgebirges verbreitet, aber immer etwas selten; um Wien von Herrn Scheffer bei Giesshübel und Pernitz gesammelt; im Prater; Juni bis September.

Württemberg (v. Roser. — Preussen (Hagen). — Frankreich, England (Walker). — Schweden, Dänemark, Lappland (Zetterstedt).

12. **rufipes** Wahlberg Oefvers. af k. Vetensk. Akad. Förhandl. 1854. 213. 5. (1855).
Lappland.

---

*) Siehe die Note bei *S. nitidus*.

13. ***angustifrons*** Löw. Verhandl. d. zool.-bot. Vereins. V. Bd. p. 134. (1855).

Löw erhielt durch Zeller ein ♀ dieser Art, welches von Herrn Mann in der nächsten Umgebung von Wien gefangen worden war.

14. ***albibarbus*** Löw. Verhandl. des zoolog.-botan. Vereins. V. Bd. p. 134. (1855).

Dalmatien.

M. Gattung **Chrysomyia** Macq. S. à Buffon. I. 262 (1834).

Musca Fabr. p. — Gmel. — Schrk. — Scop.
Nemotelus Deg.
Rhagio Schrnk.
Sargus Fabr. p. — Meig. — Fall. — Curtis.
Chloromyia Duncan.
Chrysomyia Zett. — Löw. — Walker.

(Europa 5 Arten. — Oesterreich 3 Arten.)

1. Gruppe: *Chrysomyia* Löw. Verh. d. zool.-bot. Ver. V. Bd. pag. 135.

1. ***formosa*** *) Scop. Entom. carn. 339. 910. (1763).

♀ *Musca formosa* Scop. l. c.
♂ — *cupraria* Scop. l. c. 911.
— *formosa* Schrk. Ins. Aust. 899.
Rhagio formosus Schrk. Faun. boic. III. 2395.
Sargus formosus Meig. System. Beschr. III. 110.
Chrysomyia formosa Macq. S. à Buff. I. 262. 1.
— — Zetterst. Dipt. Scand. I. 151. u. VIII. 2962.
— — Walker. Ins. Brit. I. 28.
Musca aurata Fabr. Ent. System. IV. 335. 96.
— — Gmel. System. nat. V. 2850. 218.
♂ *Sargus auratus* Fabr. Entom. System. suppl. 566. 2. u. Antl. 257. 4.
♀ — *xanthopterus* Fabr. Antl. 255. 1.
— — Fall. Strat. 14. 3.
— — Latr. Gen. Crust. IV. 278.
— — Meig. Classif. I. 144. Tb. 8. F. 16—18.
— *azureus* Löw. Isis. 1840. 554.
Nemotelus flavogeniculatus Deg. Ins. VI. 81. 17.

Ich fand diese Art in der Umgebung Wiens allenthalben vom Juni bis August auf Blättern von Gesträuchen und auch auf Dolden, doch immer seltener als *Chr. speciosa*, mit der sie vielfältig verwechselt worden zu sein scheint; um Triest (Juni

*) V. Roser (Württemb. L. Bl. 1834. 267) fand die Larven mit der von *Chr. polita*.

1853), am Neusiedlersee (Juli 1855) und in Kärnthen (1855 Juli) war ausschliessend nur diese Art vorhanden.

Oesterreich und Dalmatien (Frauenfeld) — bei Gresten (Schleicher). — Tyrol (V. Gredler). — Steiermark Micklitz und Mürle). — Böhmen (Tomeck). — Pesth und Ofen; Mai bis Juli (J. v. Frivaldsky).

Nach Rossi auf Hecken in der Nähe von Viehställen und Hutweiden fast überall gemein. — Im k. k. Museum aus Oesterreich, durch Mann (aus Fiume), Gürtler und Ullrich.

Württemberg (v. Roser). - Preussen (Hagen). — Um Posen (Löw). — In Schlesien gemein (Schneider). — Lief- und Kurland (Gimmerthal). — Zetterstedt erhielt Exemplare aus dem südlichen Frankreich (L. Dufour) Greifswalde und Berlin (Dahlbom) und aus Sicilien (Zeller. Löw.), auch kommt die Art in Schweden vor. — In England allgemein verbreitet (Walker). — In Algier (Lucas).

2. ***speciosa*** Macq. S. à Buff. I. 263. 2. ♀ (1834).
Sargus speciosus Meig. System. Beschr. VII. 104. 12.
— — Löw. Isis. 1840. 553. var.
— *melampogon* Zeller. Isis. 1842. 825. ♂.
— — Germ. Fauna XXIII.

Vom ersten Frühjahre bis Juli in der Umgebung Wiens nicht selten und unter denselben Verhältnissen wie die vorige Art; ich erhielt die Art durch Herrn Mann auch aus Corsika.

In Wien gemein; Dalmatien (Frauenfeld). — Bei Pesth und Ofen im Juni; auch im Banate (J. v. Frivaldsky). — Im k.k. Museum aus Oesterreich (Gürtler, Ullrich), aus Fiume (Mann). — Deutschland, um Posen (Löw). — Zeller erhielt die Art durch Herrn Kindermann aus Ungarn.

2. Gruppe: *Microchrysa* Löw. Verhandl. d. zool.-bot. Vereins. V. Band. 135.

3. ***polita*** *) Linné. Faun. suec. 1854. (1746).
Musca polita Linn. l. c.
— — Gmel. Syst. nat. V. 2850. 93.
— — Fabr. Spec. Ins. II. 446. 53. und Entom. system. IV. 335. 99.
Sargus politus Fabr. Entom. System. Suppl. 556. 4. und Antl. 257. 7. ♂.

---

*) Bouché (Naturgeschichte I. 49.) beschrieb Larve und Puppe, die denen von *Sargus cuprarius* ähnlich sehen; von Roser (Württemb. C. Bl. 1834. 267.) fand die Larven unter Steinen und sagt, dass sie denen von *Xylophagus (Subula) varius* sehr ähnlich sehen; Scholz zog die Fliege in Menge aus Kuhmist.

Sargus politus Fall. Strat. 14. 4.
— — Meig. System. Beschr. III. 111. 9. u. Classif. 145. a.
— — Zetterst. Ins. Lapp. 577. 4.
♀ — *cyaneus* Fabr. Antl. 258. 10.
— *splendens* Meig. Classif. 144. 4.
Chrysomyia polita Macq. S. à Buff. I. 263. 3.
— — Zetterst. Dipt. Scand. I. 155. u. VIII. 2962.
— — Walker. Ins. Brit. I. 28. pl. I. Fg. 8.
Nemotelus auratus Deg. Ins. VI. 81. 18.

Diese Art fand ich bei Wien hier und da auf feuchten Wiesen, wo ich sie mit dem Mähsacke fing; ich kann daher über deren Benehmen keine Auskunft geben; mein geehrter Freund Braunhofer sammelte sie an einem Wässerchen im Garten des k. k. Theresianums in ziemlicher Anzahl.

Bei Gresten (Schleicher). — Nach Frauenfeld's Zeugnisse in den Sümpfen der Narenta in Dalmatien höchst gemein. — Bei Pesth im Mai (J. v. Frivaldsky). — Im k. k. Museum aus Oesterreich durch Gürtler und Ullrich. — Nach Rossi auf Hecken und Gebüschen im ganzen Gebiete; hier und da fast gemein; Sommer.

Deutschland: Württemberg (v. Roser). — Preussen (Hagen); um Posen äusserst gemein (Löw). — In Schlesien häufig (Schneider). — Greifswalde (Dahlbom). — In Lief- und Kurland (Gimmerthal). — Dänemark und Schweden (Zetterstedt). — England allgemein verbreitet (Walker). — Frankreich (L. Dufour).

4. **flavicornis** Meig. System. Beschr. III. 112. 10. (1822).
Sargus pallipes Meig. System. Beschr. VI. 344. 11.

Deutschland. — England. — Schweden. — Sibirien (Sedakoff).

5. **cyaneiventris** Zetterst. Dipt. Scand. I. 156. (1842).

England. — Schweden.

II. Mit drei aus der Discoidalzelle zum Flügelrande gehenden Adern.

N. Gattung **Pachygaster** Meigen. Classif. I. 146. (1804).
Vappo Latr. — Fabr.
Nemotelus Panz. p.
Sargus Fall. p.
Pachygaster Meig. — Macq. — Zetterst. — Walker.
(Europa 6 Arten. — Oesterreich 2 Arten.)

1. **ater** *) Fabr. Antliat. 254. 1. (1805).

Vappo atter Fabr. l. c.

— — Latr. Gen. Crust. IV. 278. u. Cons. gén. 442.

Nemotelus ater Panz. Fauna LIV. 5.

Pachygaster ater Syst. Beschr. III. 102. T. 24. F. 16 — 23., VI. 344. u. VII. 103.

— — Macq. S. à Buff. I. 264. 1.

— — Zetterst. Dipt. Scand. I. 152. und VIII. 2961. 1.

— — Walker, Ins. Brit. I. 27. pl. I. F. 7.

Diese niedliche Art konnte ich in ihrem munteren Treiben einmal recht sattsam beobachten; sie schwärmte Anfangs Juli 1854 in grosser Anzahl über einer niedern Hecke auf dem Nussberge bei Wien; die einzelnen hoben und senkten sich ganz ruhig, verwirrten sich dann in einen Knäuel alle durcheinander, worauf sie wieder ruhig auf- und abwärts schwenkten; einzelne, zu zwei bis drei verliessen aber den Knäuel, um sich auf ein oder das andere Blatt niederzulassen, und dort auf der Ober- und Unterseite geschäftig hin- und herzurennen, ich traf daselbst auch mehrere copulirte Pärchen, weshalb ich nicht zweifle, dass die kleinen Wesen ihre Luftspiele zur Ehre der Liebesgöttin feierten; in ähnlicher Lage, wenn auch nicht mehr so häufig, traf ich sie auch anderwärts; sie scheint überhaupt bei uns weit verbreitet zu sein, da ich sie auch in Kärnthen, Frauenfeld in Dalmatien, ober den blühenden *Paliurus aculeatus* zu Hunderten in der Luft schwebend fand, J. v. Frivaldsky als Standorte Ofen, Mehadia und Orsowa angibt, und Mann dieselbe in Fiume sammelte. Nach Rossi im ganzen Gebiet und meist gesellig; Juni. Im k. k. Museum aus Oesterreich.

In Deutschland, an mit Honigthau bedeckten Birnbäumen oft in Menge schwärmend (Löw); in Schlesien (Schneider); Württemberg (v. Roser). — Frankreich, England (Walker).

2. **meromelas** **) L. Duf. Ann. des scienc. natur. XVI. 264. Tb. 14. Fg. 17 — 19. (1840).

Frankreich.

---

*) Carcel (Encycl. méth. Ins. X. 779.) beschrieb die Larve und Puppe; er fand erstere im faulen Ulmenholze. Macquart (Dipt. du Nord.) und Meigen (6. 344. u. 7. 104.) wiederholen die Beschreibung; bei Westwood (Intr. II. 532. 127. 9.) die Larve abgebildet. Auch Schilling hat sie in den Entomologischen Beiträgen vol. I. pag. 94. Tab. VIII. Fg. 8. abgebildet; er fand sie unter der Rinde von *Pinus sylvestris*. Heeger (Sitzungsber. d. k. k. Akad. d. Wiss.) gab die ganze Metamorphose.

**) Erichson (Jahrb. 1841) vermuthet, dass die Art mit *P. ater* identisch sei. L. Dufour gibt die vollständige Metamorphose in den „Ann. d. scienc. nat.“ XVI. 264. Tf. 6. Fg. 17 — 19.

3. ***Leachii*** Curtis. Brit. Ent. 42. (1824).

Pachygaster pallipennis Macq. S. à Buff. I. 265. 2. pl. 6. Fg. 14.
— — Zetterst. Dipt. Scand. I. 153. u. VIII. 2961.
— *pallidipennis* Meig. System. Beschr. VII. 104. 2.
— *Leachi* Curtis. l. c.
— — Walk. I. 27.

Nach Frauenfeld's und Dr. Egger's Mittheilungen fliegt diese Art mit *P. ater*; ich verdanke die Exemplare meiner Sammlung der Güte des Herrn Dr. Egger, der sie im hiesigen Prater gefangen hatte.

Im k. k. Museum durch Herrn Mann aus Fiume.

In England selten (Walker). — Süd-Frankreich (Macquart). — Schweden (Zetterstedt und Boheman).

4. **tarsalis** Zetterst. Dipt. Scand. I. 152. 2. (1842).

Schweden; Frankfurt a. M. (Heyden. Mus. Löw).

5. **minutissimus** *) Zetterst. Dipt. Scand. I. 153. 4. (1842).

Schweden.

6. **orbitalis** Wahlberg. Oefvers. af k. Vetensk. Akad. Förhandl. 1854. pag. 212. 4. (1855).

Ost-Gothland.

§. 3. Die Gattungen mit sieben sichtbaren Hinterleibsabschnitten.

O. Gattung **Beris** Latr. Hist. nat. tom. XIV. Ins. pag. 340. 497. (1802).

Musca Linné p. — Först. — Fabr. — Schrnk.
Stratiomys Fabr. p. — Förster. — Gmel. — Geoffr. Panz. — Fallen.
Actina Meig. Classif.
Beris Ltr. — Meig. — Macq. — Wied. — Zetterst. — Löw. — Walk.
Xylophagus Latr. p.

(Europa 9 Arten. — Oesterreich 6 Arten.)

1. Gruppe *Beris* Latr.

1. ***clavipes*** Linné. System. nat. II. 981. 12. (1767).

Musca clavipes Linn. l. c.
— — Fabr. Mant. Insect. II. 332. 17. System. Entom. 761. 9.
— — Schrnk. Ins. Austr. 894.

---

*) Die Larven finden sich nach Boheman unter der Rinde von alten Tannenstöcken, Zetterstedt (Dipt. Scand. VIII. 2961.) beschreibt die Puppe.

Stratiomys clavipes Fabr. Spec. Insect. II. 418. 11. und Entom. System. IV. 268. 24.
— — Gmel. System. nat. V. 268. 24.
— — Panz. Faun. IX. 19.
— — Fall. Dipt. Strat. 12. 10.
— *nigra* Geoffr. Ins. II. 403. 8.
Beris clavipes Ltr. Cons. gén. 442.
— — Meig. System. Beschr. II. 5. 5.
— — Macq. S. à Buff. I. 233. 6.
— — Zetterst. Dipt. Scand. I. 132. u. VIII. 2950. 3.
— — Löw. Entom. Zeit. 1846. 259. 2.
— — Walker. Ins. Brit. I. 11.

Ich fand die Art immer einzeln auf Blättern von Gesträuchen, im Prater, bei St. Veit und in Nussdorf zur Zeit der Blüthe von *Crataegus Oxyacantha.*

Im k. k. Museum aus Oesterreich.

Nach Rossi im Kahlengebirge auf Gebüschen von Laubholz, Sommer; nicht gemein.

Nord- und Mittel-Europa; Mai (Löw); in Württemberg (v. Roser); in Schlesien wenig verbreitet (Schneider); Lief- und Kurland (Gimmerthal). — Schweden, Dänemark (Zetterstedt). — In England allgemein verbreitet (Walker).

2. **vallata** Förster. Nova spec. Insect. cent. I. 96. (1771).
Musca vallata Först. l. c.
Stratiomys vallata Gmel. System. nat. V. 2837. 166.
Actina vallata Meig. Classif. I. 119. 2.
Beris vallata Meig. System. Beschr. II. 5. 6.
— — Macq. S. à Buff. I. 233. 7.
— — Zetterst. Dipt. Scand. I. 133. u. VIII. 2950. 4.
— — Löw. Ent. Ztg. 1846. 222. 1.
— — Walker. Ins. Brit. I. 11.
Actina clavipes Meig. Classif. I. 119. 2.
Beris nigritarsis Latr. Gen. Crust. IV. 273.

Mit der früheren, doch seltener. — Bei Gresten; Mai (Schleicher).

Im k. k. Museum aus Oesterreich.

Nach Rossi in Birken- und Espenwäldchen stellenweise durch ganz Oesterreich; Mai, Juni.

Nord- und Mittel-Europa (Löw); Württemberg (v. Roser). — Preussen (Hagen). — Schlesien (Schneider); bei Posen etwas später als *B. clavipes* (Löw). — Lief- und Kurland (Gimmerthal). — In Schweden stellenweise häufig (Zetterstedt). — England (Walker).

3. ***chalybeata**** *) Förster. Novae spec. Insect. cent. I. 95. (1771).
Stratiomys chalybeata Först. l. c.
— — Gmel. System. nat. V. 2837. 165.
Beris chalybeata Meig. System. Beschr. II. 4. 4.
— — Macq. S. à Buff. I. 232. 5.
— — Walker. Ins. Brit. I. 11. pl. 1. Fg. 2.
Stratiomys 6-dentata Fabr. Spec. Insect. II. 418. 12. Ent. Syst. IV. 269. 25. u. Antl. 87. 26.
— — Gmel. System. nat. V. 2536. 162.
Actina 6-dentata Meig. Classif. I. 118.
Beris 6-dentata Zetterst. Dipt. Scand. I. 132. 2.
— — Latr. Dict. d'hist. nat. XXIV. 192. 552.
— — Meig. System. Beschr. VI. 315. 2.
— — Löw. Ent. Zeit. 1846. 261. 3.
— *flavipes* Macq. S. à Buff. I. 233. 9.
— — Meig. System. Beschr. VII. 56. 14.
♂ — *obscura* Zetterst. Dipt. Scand. I. 133. 5.
♀ — — Meig. System. Beschr. II. 4. 3.
— — Macq. S. à Buff. I. 232. 4.
Actina atra Meig. Classif. I. 118. 2.

Ich fand im vorigen Jahre zwei Exemplare dieser Art an derselben Stelle und zwar nahe bei Nussdorf in einem mit Gestrippe reich begränzten und ein klares Wässerchen vom Nussberge abführenden Graben; Blüthezeit von *Rosa canina*. — Bei Gresten Mai (Schleicher). — Im k. k Museum aus Oesterreich (Ullrich. Scheffer). — Nach Rossi in Bergwäldern, zumal auf jungen Eschen und Rothbuchen stellenweise durch das ganze Gebiet, aber seltener als *B. nitens*.

Nord- und Mittel-Europa (Löw). — Schlesien (Schneider). — Schweden (Zetterstedt). — England (Walker). — Nord-Frankreich (Macquart).

4. ***fuscipes*** Meig. System. Beschr. II. 8. 11. (1820).
♂ *Beris fuscipes* Macq. S. à Buff. I. 137. 7.
♂ ♀ — — Löw. Ent. Zeit. 1846. 282. 4.
— — Walker. Ins. Brit. I. 12.
— — Zetterst. Dipt. Scand. VIII. 2949. 2—3.
♀ — *nigra* Meig. System. Beschr. II. 7. 8.
— — Macq. Dipt. 138. 6.

Ein einzelnes ♀ aus der Gegend von Wien, das ich ohne den genaueren Standort zu kennen, wahrscheinlich mit *B. Morrisii* eingesammelt hatte.

*) Die Puppe wurde im Moose gefunden (Walker. Ins. Brit. I. 12.).

Nach Rossi im Mittel- und Hochgebirge (bis ungefähr 4000′) durch das ganze Gebiet verbreitet, aber nirgends häufig; von Herrn Scheffer auf den Gahns; auf den Grünschachen bei Reichenau; Kapuzinerberge bei Salzburg, in der Gegend von Kremsmünster.

Nord- und Mittel-Europa (Löw). — Nord-Frankreich (Macquart). — Süd-England selten (Walker). — In Schweden sehr selten (Zetterstedt).

5. ***Morrisii*** Dale. Entom. 175. 75. (1842).

Beris Morrisii Walker. Ins. Brit. I. 12.
— *pallipes* Löw. Ent. Zeit. 1846. 284. 5.

Diese Art ist bei Wien nicht selten; ich fing sie alljährlich bei Nussdorf im Sommer (Blüthezeit von *Sambucus Ebulus*) in wasserreichen Bergschluchten, wo sie an den Blättern der Gesträuche auf- und ablief in grosser Menge und zahlreicher am Nachmittage, als in früheren Stunden; auch am Bisamberge, im Leithagebirge, am Schneeberge ziemlich hoch oben, auf dem sogenannten „Alpel," auf der Saualpe in Kärnthen und bei Märzzuschlag. Löw gibt das nördliche Deutschland als Standort an, nach Walker ist sie in Süd-England selten. — Im k. k. Museum mit der Angabe *Germania*. — Schweden (Wahlberg).

6. ***geniculata*** Haliday bei Curtis Brit. Ent. 837. (1830).

Beris geniculata Walk. Ins. Brit. I. 12.

Ich kann diese Art nur mit einigem Zweifel als österreichische anführen, da mein einzelnes in der Umgebung von Wien gefangenes Exemplar mit Haliday's Diagnose nicht genau stimmt, obwohl ich auch keinen anderen Namen auf mein Stück anwenden könnte. Mit einem von Haliday selbst erhaltenem Exemplare in Dr. Löw's Sammlung stimmt es völlig überein.

Die Art ist bisher in England (Walker) und Lappland (Wahlberg) aufgefunden worden.

7. ***dubia*** Zetterst. Insecta Lapp. 512. 1. (1838) *).

Beris dubia Zetterst. l. c. u. Dipt. Scand. I. 131., VIII. 2948. 1.

Ich verdanke mein Exemplar der Güte des Herrn Dr. Giraud, der es in Gastein sammelte. — Im k. k. Museum ein Stück aus Oesterreich (v. Megerle).

In Schlesien im Gebirge (Scholz). — Norwegen, Lappland (Zetterstedt).

---

*) Diese Art steckt in Wiedemann's Museum als *Coenomyia coerulans*.

2. Gruppe: *Actina* Meig.

8. ***nitens*** Latr. *) Gen. Crust. IV. 273. (1809).

Xylophagus nitens Latr. l. c.

Beris nitens Meig. System. Beschr. II. 2. 1.

— — Macq. S. à Buff. I. 231. 1.

— — Löw. Ent. Ztg. 1846. 187. 7.

♂ — *hirsuta* Macq. S. à Buff. I. 232. 3.

— *nigripes* Meig. System. Beschr. II. 7. 9.

— *femoralis* Meig. l. c. 9. 7.

— *flavofemorata* Meig. l. c. 8. 10.

Actina chalybea **) Meig. Classif. I. 117. 1.

? — *scutellata* Meig. Classif. I. 119.

Stratiomys similis Förs t. Nov. Ins. Spec. I. 97.

Diese Art fing ich im Jahre 1853 zwischen Hütteldorf und St. Veit auf den Blättern eines niedrigen Gebüsches in beträchtlicher Anzahl; im Jahre 1854 war sie ebenso häufig an den Gesträuchen, welche zwischen der Militär-Schwimmschule und dem Freibade die Ufer der Donau begränzen; sonst traf ich sie nur hier und da ganz vereinzelt; sie ist nicht sehr scheu und sitzt gewöhnlich an der Unterseite der Blätter, von wo sie plötzlich auf der Oberseite erscheint, um suchend oder sich sonnend dort munter auf- und abzurennen. Blüthenzeit von *Crataegus Oxyacantha*.

Im k. k. Museum aus Oesterreich. — Rossi bezeichnet als Standort dieser Art Bergwälder, zumal junge Eschen und Rothbuchen stellenweise durch das ganze Gebiet; nach Scheffer's Zeugnisse soll diese Fliege an *Pachymeria femorata*, die sich im Fluge auf sie stürzet und tödtet, einen furchtbaren Feind haben, was ich bei der Raubsucht des genannten *Empiden* gerne zugebe, ohne hieraus zu folgern, dass es gerade auf *B. nitens* abgesehen sei; wenigstens beobachtete ich *Pachymeria femorata* auf ihrer Jagd nach den verschiedensten Insecten. — Meigen erhielt die Art aus Oesterreich.

Ganz Europa mit Ausnahme der nördlichsten Theile (Löw). — Schlesien im Gebirge (Schneider). — Frankreich (Macquart).

*) Aus den von Dr. Löw in der entomologischen Zeitung 1846 pag. 203 angegebenen Gründen, worunter ich den voranstelle, dass *Stratiomys similis* Förster nicht ganz mit Evidenz als die gegenwärtige Art betrachtet werden kann, lasse ich der Art den obigen Namen und führe diess ausdrücklich an, um bei den von mir beachteten Prioritätsrechten Förster's bei *B. chalybeata* und *vallata* nicht der Unconsequenz beschuldiget zu werden.

**) Der Name *B. chalybea*, der sich auch wegen *B. chalybeata* als unpassend erweiset, wurde von Meigen selbst aufgegeben.

9. ***tibialis*** Meig. System. Beschr. II. 8. 2. (1820).
Beris tibialis Macq. S. à Buff. I. 232. 2.
— — Löw. Ent. Ztg. 1846. 304. F. 8.
Actina tibialis Walk. Ins. Brit. I. 12. pl. 1. Fg. 2.

Ich fing diese schöne Art im heurigen Juli im Leithagebirge, wo sie auf Blättern hier und da zu treffen war; sie ist die scheueste ihrer Stammgenossen. — Im k. k. Museum durch Ullrich und Scheffer aus Oesterreich. — Fast ganz Europa (Löw). — Schlesien (Schneider). — England (Walker). — Frankreich (Macquart).

Die Familie der Xylophagiden *(Xylophagidae)*.

§. 4. Anordnung des Materiales.

A. Der Hinterleib schmal, das Schildchen ungedornt.

I. Das erste Fühlerglied viel länger als das zweite.

1. Das dritte Fühlerglied achtringlig . . **Xylophagus** Meig.
2. Das dritte Fühlerglied dreiringlig . . **Pachystomus** Latr.

II. Das erste Fühlerglied so lange oder kaum länger als das zweite . . . . **Subula** Megerle.

B. Der Hinterleib breit, das Schildchen gedornt. . . . . **Coenomyia** Latr.

§. 5. Die Gattungen mit ungedornten Schildchen.

P. Gattung **Xylophagus** Meig.

Nemotelus Deg.

(Europa 2 Arten. — Oesterreich 2 Arten.)

1. *ater* *) Fabr. Antl. 64. 1. (1805).

Xylophagus ater Meig. System. Beschr. II. 11. 1.

— — Latr. Gen. Crust. IV. 272. 16. Tb. 12. F. 14., VI. 318.

— — Macq. S. à Buff. I. 229. 1. Tb. 5. F. 13.

— — Zetterst. Dipt. Scand. I. 128. u. VIII. 2947. 1.

— — Löw. Ent. Ztg. 1847. 70. 9.

— — Walk. Ins. Brit. I. 33. pl. 1. Fg. 10.

— *compeditus* Wiedem. Meig. System. Beschr. I. 13. 3.

Ich besitze zwei Exemplare, welche Herr Frauenfeld in Oesterreich und wahrscheinlich bei Purkersdorf gesammelt hatte; ein drittes Stück fand ich im Mai des heurigen Jahres in der Brigittenau; es lief an den Baumstämmen hurtig auf und ab und richtete hierbei den Hinterleib aufwärts; andere Stücke, die ich daselbst sah und beobachtete, konnte ich ihrer Scheuheit wegen nicht erhaschen.

Im k. k. Museum aus Oesterreich.

Nach Rossi in Holzschlägen von Buchen- und Föhrenwäldern stellenweise durch ganz Oesterreich und mitunter in Mehrzahl; Frühling.

In Deutschland (Löw). — Württemberg (v. Roser). — Schlesien am Zobten (Schneider). — Crefeld (Winnertz). — Lief- und Kurland (Gimmerthal). — In Schweden vom Mai bis Juli nicht häufig; an Baumstämmen von Birken und Pappeln (Zetterstedt). — Dänemark (Stäger). — England sehr selten (Walker). — Frankreich (Macquart).

2. *cinctus* **) Degeer. Ins. VI. 75. 6. Tf. 9. Fg. 19—21. (1752).

Nemotelus cinctus Deg. l. c.

Xylophagus cinctus Latr. Gen. Crust. IV. 272.

— — Fabr. Antl. 65. 2.

— — Meig. System. Beschr. II. 12. 2. u. VI. 317.

— — Zetterst. Dipt. Scand. I. 128. 2.

— *ater* Fall. Xyloph. 13. 1.

*) Die von Réaumur (Mém. IV. pl. 13. Fg. 12 — 16) gegebene Metamorphose gehört nach Westwood (Introd. II. 536.) sicher zu dieser Art. Réaumur zog die Art aus Larven, die er in faulen Baumstämmen fand (Meigen Syst. Beschr. II. 11.). V. Roser (Württemb. C. Bl. 1834. 264.) sagt, dass die Larve von der von *X. varius* und *maculatus* verschieden sei, und unter der Rinde abgestorbener Birkenstämme lebe. Drewsen (Kröjer's Tidskr. IV. 103.) glaubt, dass die Larven vom Raube leben, namentlich von *Pyrochroa coccinea* und *Tipularien*). Schilling fand die Larve unter Fichtenrinde (Bresl. Ent. Zeit. 1 — 3. S. 19.).

**) Die Larven sollen nach Meigen (System. Beschr. II. 12.) unter Fichtenrinden leben.

Ein einzelnes Exemplar durch Herrn Bilimeck, der es in Oesterreich sammelte. — Im k. k. Museum durch Gürtler und Ullrich aus Oesterreich. — Frankfurt a. M. (v. Heyden, Mus. Löw). — Schlesien im Gebirge (Schneider). — Lief- und Kurland (Gimmerthal). — Frankreich (Macquart) *).

O. Gattung **Pachystomus** Latr. Gen. Crust. IV. 287. (1809).

Rhagio Panz.
Empis Panz.
Xylophagus Zetterst.

(Europa 1 Art. — Oesterreich 1 Art.)

1. ***syrphoides*** **) Panz. Fauna LIV. 23. ♀.
♀ *Rhagio syrphoides* Panz. l. c.
♂ *Empis subulata* Panz. l. c. LXXVII. 19.
Pachystomus syrphoides Meig. System. Beschr. VII. 57. 1.
— — Macq. S. à Buff. I. 226. 1.
? *Xylophagus cinctus* Zetterst. Dipt. Scand. I. 128. 2.

Nach Rossi's Angabe auf den Voralpen Ober-Oesterreichs stellenweise in Nadelwäldern, selten; Hochsommer.

Pommern (Triepke, Mus. Berol.). — Nach Macquart in Deutschland. — In der Winther'schen Sammlung aus Breslau.

P. Gattung **Subula** Megerle bei Meigen. System. Beschr. II. 15. (1820).

Xylophagus Fabr. — Meig. — Zetterst.
Subula Macq. — Walker.

(Europa 4 Arten. — Oesterreich 3 Arten.)

1. ***varia*** ***) Meig. System. Beschr. II. 14. 5. (1820).
Xylophagus varius Meig. l. c.
Subula varia Macq. S. à Buff. I. 230. 2.
— — Walk. Ins. Brit. I. 34. 2.

---

*) Ich wage es nicht, die Zetterstedt'schen Angaben hier anzuführen, da ich nicht weiss, ob er mit seinem *X. cinctus* I. 128. 2. nicht etwa *Pachystomus syrphoides* Panz. gemeint habe.

**) Latreille (Gen. Crust. IV. 286.) beschrieb die Puppe, welche unter Fichtenrinde lebt; Zetterstedt (Ins. Lapp. 513.) desgleichen; siehe auch Westwood's Intr. II. 585.

***) V. Roser entdeckte die Larve in einer Eiche und erhielt auch die Fliege (Naturw. Abh. der Tübinger Ges. vol. II. 1828). Meigen reproduzirt die Beschreibung (VI. 319.) und Westwood (Intr. II. 534. Fig. 127. 14.) bildet die Exuvien ab. Vergl. Ferussac Bullet 1829.

Ich fing ein einzelnes Stück im Prater an einem Baumstamme; Dr. Egger sammelte die Art ziemlich häufig an dem ausfliessenden Safte von *Aesculus Hypocastanum* im hiesigen Augarten im Monate Mai.

Nach Rossi um Wien in Eichenwäldern, selten; April, Mai; auch Meigen erhielt die Art aus Oesterreich durch Hrn. Megerle von Mühlfeld. — Württemberg (v. Roser). — Frankreich (Macquart). — England sehr selten (Walker).

2. ***maculata*** *) Fabr. Antl. 65. 3. (1805).
Xylophagus maculatus Fabr. l. c.
— — Latr. Gen. Crust. IV. 272.
— — Meig. System. Beschr. II. 13. 4. Tab. 12. Fg. 15.
— — Fall. Xyloph. 14. 1.
— — Stephens Ill. Brit. Ent. Haustell. pl. 46. Fg. 3.
— — Zetterst. Dipt. Scand. I. 129. 3.
Subula maculata Macq. S. à Buff. I. 230. 1.
— — Walk. Ins. Brit. I. 34. pl. I. Fg. 11.

Durch die Güte Friedr. Brauer's, der die Art im hiesigen Prater in dem Mulme eines Ross-Kastanienbaumes sammelte, besitze ich zwei Stücke derselben in meiner Sammlung.

Frankfurt a. M. (v. Heyden, Mus. Löw). — Im k. k. Museum mit dem Standorte Wien.

Meigen erhielt die Art durch Herrn Megerle von Mühlfeld aus Oesterreich; Württemberg (v. Roser). — Frankreich (Macquart). — England (Walker). — Schweden (Zetterstedt).

3. ***marginata*** **) Meig. System. Beschr. II. 15. 6. (1820).
Xylophagus marginatus Meig. l. c.
Subula marginata Macq. S. à Buff. I. 231. 3.

Einige Exemplare dieser Art fanden sich unter den wenigen Fliegen, die ich aus dem Nachlasse Dr. Rossi's acquirirte. Rossi gibt als Standort an: „In Auen an Weidenstämmen stellenweise im ganzen Gebiete, aber nicht gemein; um Wien im Prater, bei Klosterneuburg; Hochsommer.“ Auch Meigen erhielt die Art aus Oesterreich durch Herrn Megerle von

*) Nach Sahlberg lebt die Larve in faulem Pappelholze (Zetterst. Dipt. Scand. I. 130.).

**) Wesmaël fand die Larven im Frühjahre 1837 zwischen den Bastblättern eines gefällten Pappelbaumes und beschreibt die Exuvien (Bull. de l'Ac. d. Sc. de Bruxelles 4. Vol. 1837). — L. Dufour (Ann. d. sc. nat. III. Ser. 7. tom. pag. 12.) beschreibt die Puppe, welche er 1840 unter Pappelmulme fand. — Scholz fand die Larve unter der Rinde von *Carpinus betulus* und erzog ♂ und ♀ (Bresl. Ent. Zeit. 1 — 3. 8. u. 19.).

Mühlfeld. — Im k. k. Museum aus Oesterreich (Megerle) und aus Corsika (Mann). — Um Bresslau (Schneider). — Posen (Löw). — Frankreich: bei Avignon, Paris (Macquart).

4. **citripes** *) L. Duf. Ann. d. Scienc. nat. III. Ser. 7. vol. 12. (1847). Süd-Frankreich.

§. 6. Die Gattung mit gedornten Schildchen.

Q. Gattung **Coenomyia** Latreille Précis de caract. génér. d. Ins. (1797).

Musca Scop.
Tabanus Fabr. p. — Gmel.
Stratiomys Panz. — Schrk.
Sicus Fabr. — Fall. — Meig. p. — Zett.
Coenomyia Latr. — Meig. — Macq.

(Europa 1 Art. — Oesterreich 1 Art.)

1. ***ferruginea*** **) Scop. Entom. carn. 912. (1763).
Musca ferruginea Scop. l. c.
Tabanus bidentatus Fabr. Spec. Insect. II. 459. 25. und Entom. system. IV. 372. 40.
— — Gmel. System. nat. V. 2885. 33.
— *bispinosus* Fabr. Spec. Insect. II. 459. 26. und Entom. system. IV. 372. 41.
— — Gmel. System. nat. V. 2885. 34.
var. ♂ *Stratiomys errans* Fabr. Entom. system. IV. 263. 2.
Sicus ferrugineus Fabr. Entom. system. suppl. 555. 2. und Antl. 75. 2.
— — Dum. Cons. Gén. pl. 47. Fig. 3.
— — Fall. Xyloph. 12. 1.
— — Meig. Classif. I. 121. 1.
— — Zetterst. Dipt. Scand. I. 130. 1.
var. ♂ — *bicolor* Fabr. Ent. system. suppl. 555. 3. u. Antl. 76. 3.
♀ *Stratiomys Macroleon* Panz. Fauna IX. 20.
var. ♂ — *unguiculata* Panz. Fauna XII. 22.
var. ♂ — *errans* Panz. Fauna LVIII. 17.

---

*) Die vollständige Metamorphose von L. Dufour in den Ann. d. sc. nat. III. Sér. 7. tom. (pl. tom. 6. 17.) gegeben. Er fand die Larven im Mulme der Ulmen, sie haben grosse Aehnlichkeit mit *Sargus*-Larven.

**) Nach Zetterstedt (Dipt. Scand. I. 130.) leben die Larven in faulem Pappelholze.

Stratiomys grandis Schrnk. Fauna boica. III. 2373.
— *major* Schrnk. Ibid. III. 2374.
— *palatina* Schrnk. Ibid. III. 2375.
Sicus unicolor Meig. Classif. I. 122. 2.
— *bicolor*. Meig. Classif. I. 122. a.
— *aureus* Meig. Ibid. I. 122. b.
Coenomyia ferruginea Latr. Gen. crust. IV. 281.
— — Meig. System. Beschr. II. 19.
— — Macq. S. à Buff. I. 228. 1.

Ich fing die Art im Jahre 1853 (Juni) bei Laibach am Rande einer Wiese auf dem Gebüsche, das ein klares Wässerchen begränzte, ziemlich häufig; ein einzelnes Stück erhielt ich heuer auf dem Schneeberge in der Nähe der sogenannten Baumgartner Hütte; in der nächsten Umgebung Wiens ist sie mir nirgends vorgekommen.

Bei Gresten (Schleicher). — Im k. k. Museum aus Oesterreich. — Auf Waldwiesen im Mittelgebirge und in den Voralpen hier und da eben nicht selten; Juni, Juli; sitzt gewöhnlich träge auf niedrigen Pflanzen (Rossi).

Deutschland: bei Dresden (Meigen). — Preussen (Hagen). — Württemberg (v. Roser). — Der norddeutschen Ebene scheint sie ganz zu fehlen, findet sich aber im Harz und ist im schlesischen Gebirge häufig (Löw). — Frankreich (Macquart). — Schweden (Zetterstedt).

---

§. 8. Frühere Arbeiten über Stratiomyden und Xylophagiden Oesterreichs.

In Scopoli's „*Entomologia carniolica*“ werden folgende Arten aufgeführt, die ich zu den hier abgehandelten Familien rechnen zu sollen glaube.

Musca formosa (= Chrysomyia formosa ♀).
— *cupraria (= formosa ♂). In pratis.*
— *rara (= Oxycera pulchella). In arboribus Carnioliae mediae rarissime reperitur.*
— *ferruginea (= Coenomyia ferruginea). Labace accepi.*
— *irridata (= Sargus irridatus). In pratis non rara mellisuga.*
— *violacea (= Sargus cuprarius). Cum priore.*
— *bipunctata (Sargus bipunctatus). Cum prioribus.*
— *spatula. Inveni circa Idriam 23. Junii, in herbido colle.*
Hirtea longicornis (= Stratiomys longicornis). In horto collegii Labacensis captam communicavit R. P. Wulfen.

Im Ganzen also neun Arten.

Schrank zählt in seiner „*Enumeratio insectorum Austriae indigenorum*" folgende Arten auf:

Musca Chamaeleon (= Stratiomys ead). Habitat larva in aquis stagnantibus pigris, plerumque conspurcatis. Musca vicinos flores adit.
— *Microleon (= Odontomyia ead). Habitat in Austria.*
— *Hydroleon (Odontomyia ....). Habitat Lincii.*
— *nova ? Habitat Lincii.*
— *Inda (= Ephippium thoracicum). Habitat Viennae, Lincii.*
— *clavipes (= Beris ead). Habitat Lincii, Viennae.*
— *formosa (= Chrysomyia formosa). Viennae in ponte supra torrentem cognominem.*
— *cupraria (= Sargus idem). Habitat in hortis, flores foliaque plantarum insitans volatus Sphyngis.*

Im Ganzen also acht Arten.

Aus Schultes „Ausflüge nach dem Schneeberge mit beigefügter Fauna und Flora der südwestlichen Gegend um Wien bis auf den Gipfel des Schneeberges" kommen folgende Arten hier anzuführen:

Musca cupraria (=Sargus cuprarius).
— *formosa (= Chrysomyia formosa).*
— *polita (= Chrysomyia polita).*
Nemotelus auratus.
— *uliginosus.*
— *villosus(=Cyclogaster villosus)*
Stratiomys Chamaeleon
— *clavipes (= Beris clavipes).*
— *Ephippium (= Ephippium thoracicum).*
Stratiomys hydroleon (Odontomyia).
— *hypoleon (Oxycera Meigeni).*
— *microleon (Odontomyia microleon).*
— *splendens ? *).*
— *strigata (= Str. longicornis).*
— *trilineata (= Oxycera trilineata).*
Tabanus bidentatus (= Coenomyia ferruginea).

Im Ganzen also sechzehn Arten.

In Rossi's „Verzeichnisse der zweiflügeligen Insecten des Erzherzogthums Oesterreich" sind aufgeführt:

Beris nitens.
— *chalybeata.*
- *vallata.*
— *clavipes.*
— *fuscipes.*
Pachystomus syrphoides.
Xylophagus ater.
— *varius (Subula varia).*
— *marginatus (Subula marginata).*
Coenomyia ferruginea.
Pachygaster ater.
Sargus cuprarius.
— *formosus (= Chrysomyia formosa).*
- *flavipes.*
— *Reaumuri (= S. bipunctatus).*
-- *politus (Chrysomyia polita).*
Nemotelus uliginosus.
— *pantherinus.*
— *nigrinus.*
— *brevirostris.*
Clitellaria villosa(Cyclogaster idem.).
— *calva (Cyclogaster idem.)*

*) Ist zuverlässig nicht *Str. splendens* Fabr., die in Oesterreich kaum vorkommen dürfte.

Ephippium thoracicum.	*Stratiomys furcata.*
Oxycera Hypoleon (O. Meigenii).	— *strigata (= Str. longicornis).*
— *pulchella.*	— *riparia.*
— *trilineata.*	— *argentata.* (Odontomyiae species).
— *muscaria* (wahrscheinlich *O. pygmaea*).	— *annulata.*
— *pardalina.*	— *onnata.*
— *analis.*	— *hydropota.*
— *leonina.*	— *tigrina.*
Stratiomys Chamaeleon.	— *hypoleon.*
	— *viridula.*

Es sind also von österreichischen *Stratiomyden* und *Xylophagiden* bisher aufgeführt:

von Scopoli	9	Arten,
„ Schrank	8	„
„ Schultes	16	„
„ Rossi	42	„
im vorliegenden Verzeichnisse	77	„

§. 7. Anhang.

Tabelle zur leichteren Determinirung der österreichischen Arten aus den Familien der *Stratiomyden* und *Xylophagiden*.

Es wird vor allem Anderen, nach den oben gegebenen Tabellen, die Gattung zu suchen sein, in welche die zu determinirende Art gehört. Bei den *Stratiomyden* wird der Anfänger leicht das Merkmal der gegabelten dritten Längsader übersehen, wenn er sich nicht gegenwärtig hält, dass die ersten Flügel-Längsadern bei diesen am Aussenrande des Flügels sehr zusammengedrängt sind und die dritte daher nahe am Aussenrande liegt. Die obere Zinke der Gabel erscheint aus diesem Grunde oft nur wie ein kleines Queräderchen an der Flügelspitze, ja sie fehlt bei einigen Arten aus den Gattungen *Odontomyia*, *Nemotelus* und *Beris* oft constant oder doch grösstentheils. Zur Vermeidung jedes Irrthums führe ich daher hier noch weiter an, dass bei den genannten Familien die meist sehr kurze und kleine Discoidalzelle, aus welcher drei oder vier Adern zum Flügelrande hingehen, sehr characteristisch ist*) und dass über der-

*) In der diesem Bande unserer Vereinsschriften beigegebenen Abbildung des *Nemotelus signatus* Friv. wird man übrigens die Discoidalzelle schwer auffinden, da das Flügelgeäder daselbst sehr schlecht gerathen ist.
Anm. d. Autors.

selben, und mit ihr durch eine Querader verbunden, die dritte Längsader zu suchen ist, an welcher die Gabeltheilung vorne vorhanden sein soll. Was die Artbestimmung anbetrifft, so wird diese bei *Stratiomys* keine Schwierigkeiten bieten. Man möge sich nur hüten *Odontomyia microleon* und *argentata* nicht für Arten der Gattung *Stratiomys* zu nehmen. Zur Vermeidung einer solchen Verwechslung ist sich gegenwärtig zu halten, dass das erste Fühlerglied dieser beiden Arten zwar fast doppelt so lange als das zweite, aber nie mehr als doppelt so lange als das zweite ist, was den Arten der Gattung *Stratiomys* zukömmt. Die grüngefärbten *Odontomyia*-Arten verlieren beim Eintrocknen sehr leicht ihre Farbe und es erscheint oft der ganze Hinterleib, besonders beim Weibchen einfärbig dunkel. Auch variirt die grüne Farbe öfters in ein nur sehr wenig grün tingirtes Gelb. Bei *Oxycera formosa* und *muscaria* ist es nöthig sich gegenwärtig zu halten, dass mit unserer *O. muscaria* die echte Fabricius'sche Art gemeint ist, welche weder mit *Oxycera muscaria* Meig., noch mit *O pygmaea* Fallen verwechselt werden darf. Dasselbe gilt von *Oxycera Hypoleon* Meigen, die mit unserer *Oxycera Meigenii* Stäger identisch ist, während die echte *O. Hypoleon* Linné, welche Meigen und die meisten älteren Autoren verkannt haben, eine ganz andere Art zu sein scheint. Es ist überhaupt jedesmal darauf Acht zu nehmen, welcher Autorname einer Art beigesetzt ist, da Meigen'sche Arten, mit Beachtung der fleissig eruirten Prioritäts-Rechte in meinem Verzeichnisse vielfältig unter anderen Namen aufgeführet sind, und durch eine Verwechslung leicht die Richtigkeit und Brauchbarkeit dieser Bestimmungstabellen bezweifelt werden könnte. Bei *Nemotelus* und *Beris* habe ich durchaus die beiden Geschlechter gesondert angeführt, wodurch die Bestimmung der oft ganz verschieden aussehenden Geschlechter erleichtert werden sollte. Bei *Nemotelus* fehlt in der Tabelle *N. brachystomus*, eine dem *N. brevirostris* und *globuliceps* sehr nahestehende Art, die ich nicht kenne und über deren Characteristik ich nichts weiter sagen konnte, da Dr. Löw zwei Varietäten dieser dalmatinischen Art und nur das ♂ beschrieben hat. Bei *Coenomyia* darf man sich durch die oft sehr abweichenden Varietäten nicht beirren lassen, da keine derselben sich bisher als selbstständige Art bewährt hat.

Es gilt übrigens auch hier alles dasjenige, was ich bereits im ersten Theile dieses Verzeichnisses, rücksichtlich der Benützung analytischer Tabellen überhaupt gesagt habe und insbesondere, dass die beste nur nothdürftig zur sicheren Erkenntniss der Arten beitragen kann, und dass es überall nöthig sein wird, zu irgend einem grösseren Werke Zuflucht zu nehmen.

Ich möchte meinen geehrten Herren Collegen hier gelegentlich noch den auf Erfahrung gestützten Rath ertheilen, sich mit der Bestimmung einzelner Individuen anfänglich gar nicht zu befassen. Es geht hiermit viel Zeit nutzlos verloren, während in der Folge die Determinirung ganzer Reihen ganz leicht von Statten geht.

Allioceras

graeca.

Stratiomys.

1. Das erste Fühlerglied kürzer als das dritte . Str. equestris.
   Das erste Fühlerglied so lange oder länger als das dritte . . . . 2.

2. Der Hinterleib auf der Oberseite mit gelben oder weisslichen Flecken oder Binden . 3.
   Der Hinterleib auf der Oberseite einfärbig oder höchstens mit fleckenartiger Behaarung an den Einschnitten . . . . . . Str. longicornis

3. Die Oberseite des Hinterleibes mit drei Paaren gelber Seitenflecken . . . 4.
   Die Oberseite des Hinterleibes mit zwei Paaren gelber Seitenflecken und am dritten Abschnitte mit einer durchgehenden gelben Binde . . . Str. Potamida.

4. Der Bauch schwarz mit lichten Hinterrandssäumen . . . . 5.
   Der Bauch gelb mit schwarzen Flecken . . 7.

5. Der Rückenschild rothgelb- oder grau behaart, die Fühler immer schwarz . 6.
   Der Rückenschild schwarz behaart, die Fühler meistens braun oder auch gelbroth Str. concinna.

6. Die Oberseite des Hinterleibes an den Einschnitten mit sehr schmalen, weisslichen Seitenflecken . . . . . . Str. riparia.
   Die Oberseite des Hinterleibes an den Einschnitten mit ziemlich breiten, gelben Seitenflecken . . . . Str. furcata.

7. Das Schildchen mit einem halbkreisrunden schwarzen Wurzelflecken; der hintere weisse Augenrand des Männchens bis oben hinauf deutlich sichtbar; der gelbe Augenrand des Weibchens schmal . . Str. cenisia.
   Das Schildchen mit einem kleinen dreieckigen schwarzen Wurzelflecken; der hintere weisse Augenrand des Männchens nach oben zu verschwindend; der gelbe Augenrand des Weibchens sehr breit Str. Chamaeleon.

Odontomyia.

1. Das erste Fühlerglied so lange oder kaum länger als das zweite . . . 2.
Das erste Fühlerglied beinahe doppelt so lange als das zweite . . . . 14.

2. Die Oberseite des Hinterleibes einfärbig schwarz . . . . O. tigrina.
Die Oberseite des Hinterleibes nicht einfärbig schwarz . . . . 3.

3. Der Hinterleib grün oder grüngelb mit oder ohne schwarze Zeichnung . . 7.
Der Hinterleib schwarz mit gelben Seitenflecken oder Binden . . . 4.

4. Die Flügel an der Wurzel und am Vorderrande schwarzbraun . . . 5.
Die Flügel von gleichmässiger Färbung 6.

5. Die Oberseite des Hinterleibes mit einem schmalen rothgelben Seitenrande . . . O. infuscata.
Die Oberseite des Hinterleibes mit einem breiten rothgelben Seitenrande, so dass die schwarze Zeichnung wie eine winkelige Rückenstrieme erscheint . . . . O. flavissima.

6. Die Oberseite des Hinterleibes mit drei Paaren gelber Seitenflecken von fast gleicher Grösse . . . . O. ornata.
Die Oberseite des Hinterleibes mit drei Paaren gelber Seitenflecken, wovon das dritte Paar auffallend kleiner ist als die übrigen . . . . O. annulata.

7. Der Hinterleib einfärbig grün oder grüngelb . . . . O. jejuna.
Der Hinterleib oben auf mit schwarzen Zeichnungen . . . . 8.

8. Die schwarzen Zeichnungen auf der Oberseite des Hinterleibes bestehen aus getrennten Flecken oder Binden . . . 9.
Die schwarzen Zeichnungen auf der Oberseite des Hinterleibes bilden eine zusammenhängende mehr oder weniger breite Rückenstrieme . . . . . 10.

9. Auf der Mitte des Hinterleibes stehen obenauf entweder drei ganz getrennte schwarze Flecken, oder der zweite und dritte sind mit einander verbunden . . . . O. subvittata.
Auf der Mitte des Hinterleibes steht obenauf entweder ein einziger schwarzer Flecken oder eine fleckenartig erweiterte Querbinde . . . O. interrupta.

10. Die schwarze Rückenstrieme auf der Oberseite des Hinterleibes erweitert sich fast bis zum Seitenrande hin und lässt dort nur einen schmalen Saum übrig . . . 11.
Die schwarze Rückenstrieme auf der Oberseite des Hinterleibes ist nur mässig breit, so dass die Seiten breit grün oder grüngelb erscheinen . . . . 12.

11. Die Beine ganz gelb; das Schildchen am Hinterrande gelb gesäumt; die erste aus der Discoidalzelle zum Flügelrande gehende Ader vollständig vorhanden . . . . O. felina.
Die Beine gelb mit schwarzen nur an der Spitze gelben Schenkeln; das Schildchen einfärbig schwarz; die erste aus der Discoidalzelle zum Flügelrande gehende Ader nur rudimentär vorhanden . . . . O. personata.

12. Die erste aus der Discoidalzelle zum Flügelrande gehende Ader ist nur rudimentär vorhanden, die dritte fehlt gänzlich . . . . O. viridula.
Die erste aus der Discoidalzelle zum Flügelrande gehende Ader ist vollständig vorhanden, die dritte verkürzt oder rudimentär . . . . . 13.

13. Die Rückenstrieme ist an den Einschnitten bindenartig erweitert, die Fühler schwarz . . . . O. Hydroleon.
Die Rückenstrieme ist an den Einschnitten nicht bindenartig erweitert; die Fühler meistens licht gefärbt . . . . O. angulata *).

14. Die Oberseite des Hinterleibes mit einem kurzen dichten Haarfilze bedeckt . O. argentata.
Die Oberseite des Hinterleibes ohne Haarfilz O. microleon.

Oxycera.

1. Der Hinterleib schwarz mit gelben Zeichnungen 2.
Der Hinterleib grün mit schwarzen Zeichnungen O. trilineata.

2. Die Flügel mit einem deutlichen schwarzbraunen Mittelflecken . . . O. analis.
Die Flügel ohne solchen Flecken . . . 3.

3. Die gelben Zeichnungen auf der Oberseite des Hinterleibes bestehen aus zwei oder drei Flecken-Paaren . . . . . . 5.
Die gelben Zeichnungen auf der Oberseite des Hinterleibes bestehen aus einem gelben Flecken am After oder aus einem solchen und einem Flecken an der Wurzel des Hinterleibes . . . . . 4.

4. Ein gelber Flecken nur am After . . . O. terminata.
Ein gelber Flecken am After und an der Wurzel des Hinterleibes . . . . O. leonina.

5. Das Schildchen schwarz, entweder gelb gerandet oder wenigstens mit gelben Dornen . O. pygmaea.
Das Schildchen einfärbig gelb . . . . . 6.

6. Die Beine vorherrschend gelb . . . 7.
Die Beine vorherrschend schwarz . . O. dives.

7. Die Schenkel durchaus gelb . . . . 8.
Die Schenkel an der Wurzel und öfters bis vornehin schwarz . . . . . . 9.

*) Wer Exemplare von beiden dieser schwer zu unterscheidenden Arten besitzt, kann sich zur sicheren Determinirung noch folgende Unterschiede gegenwärtig halten: Die Fühler von *O. Hydroleon* sind immer und deutlich länger als die von *O. angulata*; auf dem Untergesichte des ♂ von *O. Hydroleon* findet sich nie der lichte Schimmer am Mundrande wie bei *O. angulata* und das ♀ hat gewöhnlich schwarze Flecken am Untergesichte, die bei *O. angulata* ♀ höchstens schwach angedeutet sind oder auch gänzlich fehlen.

8. Die gelben Seitenflecke auf der Oberseite des Hinterleibes hängen am Rande unter sich und mit dem Afterflecke zusammen . O. formosa.
Die gelben Seitenflecke auf der Oberseite des Hinterleibes hängen unter sich nicht zusammen . . . . O. muscaria.

9. Auf der Oberseite des Hinterleibes jederseits zwei gelbe Seitenflecken und ein gelber Flecken am After . . . . . 10.
Auf der Oberseite des Hinterleibes jederseits drei gelbe Seitenflecken und ein gelber Flecken am After . . . . 11.

10. Die strohgelben Seitenflecken des Hinterleibes sind am Rande unter sich und mit den Afterflecken durch eine feine strohgelbe Linie verbunden . . . . . . O. pardalina.
Die hochgelben Seitenflecken des Hinterleibes stehen getrennt . . . . . O. pulchella.

11. Die gelben Zeichnungen am Thorax bilden vorne jederseits einen kleinen Halbmondflecken . . . . O. Meigenii.
Die gelben Zeichnungen am Thorax bilden keinen Halbmondflecken . . . . O. Falleni.

Ephippium
thoracicum.

Clitellaria
Dahlii.

Lasiopa.

Cyclogaster.

1. Der Rüssel am Ende knopfförmig verdickt . . . . 2.
Der Rüssel bis zu seinem Ende dünn stielförmig . . . . C. tenuirostris.

2. Die weissen, mässig breiten Seitenflecken auf der Oberseite des Hinterleibes an den inneren Enden abgestutzt, 5‴ . . C. villosus.
Die weissen sehr schmalen Seitenflecken auf der Oberseite des Hinterleibes an den inneren Enden spitzig auslaufend, 3½‴ . . . . C. calvus.

Nematelus.

1.	Die Oberseite des Hinterleibes vorherrschend gelblichweiss mit schwarzen Flecken oder Striemen .	8.
	Die Oberseite des Hinterleibes entweder ganz schwarz oder schwarz mit gelben Flecken	2.
2.	Die Oberseite des Hinterleibes einfärbig schwarz	N. nigrinus ♂ u ♀
	Die Oberseite des Hinterleibes schwarz mit gelben Flecken	3.
3.	Die Schnauze weit vorgezogen, rüsselartig	4.
	Die Schnauze kurz und nicht rüsselartig verlängert	5.
4.	Ueber den Fühlern zwei weisse schiefliegende Linien	N. uliginosus ♀.
	Ueber den Fühlern keine solchen Linien .	N. pantherinus ♀
5.	Die letzten Hinterleibsabschnitte obenauf mit silberglänzender Behaarung .	N. signatus ♂.
	Die letzten Hinterleibsabschnitte ohne solcher Behaarung	6.
6.	Die gelben Mittelflecken auf der Oberseite des Hinterleibes sind auf dem zweiten, dritten und vierten Abschnitte vorhanden	7.
	Die gelben Mittelflecken auf der Oberseite des Hinterleibes fehlen auf dem dritten Abschnitte	N. brevirostris ♀
7.	Die Schulterschwielen sind weiss . . .	N. globuliceps ♀
	Die Schulterschwielen sind schwärzlich .	N. signatus ♀.
8.	Die Unterseite des Hinterleibes ist gelblichweiss	9.
	Die Unterseite des Hinterleibes ist schwarz mit gelbweissen Hinterrandssäumen . .	10.
9.	Die schwarzen Flecken auf der Oberseite des Hinterleibes sind nur an der Wurzel und den beiden letzten Abschnitten vorhanden	N. pantherinus ♂.
	Die schwarzen Flecken auf der Oberseite des Hinterleibes sind auf allen Abschnitten vorhanden	N. brevirostris ♂.

10. Die schwarzen Striemen auf der Oberseite der letzten Hinterleibsabschnitte erreichen den Seitenrand nicht . . N. uliginosus ♂.
Die schwarzen Striemen auf der Oberseite der letzten Hinterleibsabschnitte erreichen denSeitenrand vollstandig N. globuliceps ♂

Exechostoma.

Sargus.

1 Die Punctaugen stehen in gleicher Entfernung von einander . . . . . . S. bipunctatus.
Die Punctaugen stehen in ungleicherEntfernung von einander . . . . . . 2.

2. Die Beine dunkel . . . . 3.
Die Beine gelb . . . . 6.

3. Die Beine ganz schwarz . . . . . S. iridatus.
Die Beine dunkel mit lichteren Stellen 4.

4. Der Rückenschild blau; der Hinterleib goldgrün . . . . S. coeruleicollis.
Der Rückenschild goldgrün; der Hinterleib kupferfarbig . . . . . . 5.

5. Die Knie und die Tarsen der Hinterbeine an der Basis gelb. 4''' . . . . . . S. cuprarius.
Die Knie gelb, die Tarsen der Hinterbeine ganz schwarz. 2—3''' . . . . . . S. nubeculosus.

6. Die Stirne verhältnissmässig schmal . . S. angustifrons.
Die Stirne ziemlich breit . . . . . 7.

7. Die Fühler einfärbig schwarzbraun . . S. flavipes.
Die Fühler schwarzbraun, die beiden ersten Glieder gelbbraun . . . . . S. albibarbus.

Chrysomyia.

1. Die Augen stark behaart . . . . . 2.
Die Augen fast nackt . . . . . . C. polita.

2. Die Hintertarsen gelblich, die Flügel schwärzlich, Behaarung des Kopfes schwarz C. speciosa.
Die Hintertarsen dunkel, die Flügel gelblich; Behaarung des Kopfes gelbbraun . C. formosa.

Pachygaster.

Die Flügel mit einem braunen Wisch auf der Mitte . . . . , . P. ater.
Die Flügel glashelle . . . . P. Leachii.

Beris.

1.	Die Taster unscheinbar	2.
	Die Taster lange, dreigliederig . .	13.
2.	Der Hinterleib gelbroth	3
	Der Hinterleib metallisch oder schwarz .	6.
3.	Die Flügel ziemlich gleichmässig rauchbraun getrübt	4.
	Die Flügel fast glashelle mit dunkeln Randmaüle	B. vallata ♀.
4.	Die Einschnitte auf der Oberseite des Hinterleibes schwarzgesäumt . . .	B. clavipes ♂.
	Der Hinterleib obenauf einfärbig gelbroth	5.
5.	Die Augen durch die breite schwarze Stirne getrennt	B. clavipes ♀.
	Die Augen zusammenstossend . . .	B. vallata ♂.
6.	Der Hinterleib sehr breit und dick . .	B. dubia.
	Der Hinterleib ziemlich schmal und flachgedrückt	7.
7.	Die Flügel ziemlich gleichmässig rauchbraun getrübt	8.
	Die Flügel fast glashelle mit dunkeln Randmahle	10.
8.	Die Beine fast durchgehends braungelb . .	B. chalybeata ♂.
	Die Beine fast durchgehends dunkel mit gelben Knieen	9.
9.	Die Strahlen des Schildchens schwarz . .	B. fuscipes ♂.
	Die Strahlen des Schildchens erzgrün . .	B. geniculata ♂.
10.	Die Beine vorherrschend schwarzbraun gefärbt	B. geniculata ♀.
	Die Beine vorherrschend gelb . . .	11.
11.	Die Augen durch die sehr breite ungefähr den dritten Theil der ganzen Kopfbreite einnehmende Stirne getrennt . . .	12.
	Die Augen entweder zusammenstossend (♂) oder durch eine schmale, höchstens den fünften Theil der ganzen Kopfbreite einnehmende Stirne getrennt (♀) .	B. Morrisii.

12. Der Metatarsus der Hinterbeine merklich länger als die übrigen vier Tarsenglieder zusammen; die Hinterschenkel vor der Spitze mit einem braunen Bändchen . . . B. fuscipes ♀.
Der Metatarsus der Hinterbeine so lang oder kaum länger, als die übrigen vier Tarsenglieder zusammen; die Hinterschenkel einfärbig gelbbraun . . . . . . B. chalybeata ♀.

13. Das Schildchen mit schwarzen Strahlen; Hinterleib obenauf dunkel, metallisch glänzend . . . . B. nitens ♂ ♀.
Das Schildchen mit gelben Strahlen; Hinterleib obenauf mit rothgelben Binden . . . . B. tibialis ♂ ♀.

Xylophagus.

Hinterleib einfärbig schwarz . . . X. ater.
Hinterleib auf der Mitte mit einem rothen Gürtel . . . . X. cinctus.

Pachystomus
syrphoides *).

Subula.

1. Die Schulterschwielen und einige Flecken auf der Mitte des Rückenschildes hellgelb S. maculata.
Die Schulterschwielen und der Rückenschild auf der Mitte schwarz . . . 2.

2. Beine gelb mit gelben Hüften . . . S. varia.
Beine gelb mit schwarzen Hüften . . S. marginata.

Coenomyia
ferruginea.

*) *Pachystomus syrphoides* unterscheidet sich von *X. cinctus*, dem er im Habitus und Färbung ganz ähnlich sieht, wesentlich durch die Bildung der Fühler, was aber leicht zu übersehen ist, wesshalb er mit *X. cinctus* verwechselt werden kann.

Alphabetisches Register.

(Die Buchstaben bezeichnen die Gattung, die arabische Ziffer die Art. *A.* ist *Alliocera*; *Str.* ist *Stratiomys*; *Od.* ist *Odontomyia*; *Oxyc.* ist *Oxycera*; *E.* ist *Ephippium*; *Cl.* ist *Clitellaria*; *N.* ist *Nemotelus*; *Ex.* ist *Exochostoma*; *Sarg.* ist *Sargus*; *Chr.* ist *Chrysomyia*; *P.* ist *Pachygaster*; *B.* ist *Beris*; *X.* ist *Xylophagus*; *Pst.* ist *Pachystomus*; *Sub.* ist *Subula*; *Coen.* ist *Coenomyia*; *L.* ist *Lisopa.*)

Stratiomys ventralis Löw. . . . . Str. 4.

villosa Meig. V. *Str. longicornis* Scop.

viridula Fabr. V. *Odontomyia viridula.*

vulpina Panz. V. *Odontomyia Hydroleon* L.

***Subula** citripes* L. Duf. . . . . Sub. 4.

maculata Fabr. . . . . Sub. 2.

marginata Meig . . . . Sub. 3.

varia Meig. . . . . Sub. 1.

Vappo ater Fab. V. *Pachygaster ater.*

Xylophagus ater Fabr. . . . . X. 1.

ater Fall. V. *X. cinctus.*

cinctus Deg. . . . . X. 2.

compeditus Wied. V. *X. ater.*

maculatus Fabr. V. *Subula maculata.*

marginatus Meig. V. *Subula marginata.*

nitens Latr. V. *Beris nitens.*

varius Meig. V. *Subula varia.*

zur

Flora des V. U. M. B.

Von

Hermann Kalbrunner,
in Langenlois.

Der durchforschte Bezirk liegt im nördlichen Theile des Viertels unter dem Manhartsberge, wird im Süden vom Ernstbrunnerwalde, im Norden vom Pulkaubache umschlossen, und hat den Ort Hadres zum westlichen, die Stadt Laa aber zum östlichen Gränzpuncte.

Der nördliche Theil des Bezirkes bildet eine ausgedehnte Ebene von sehr niederer Lage, indem die längs des Pulkaubaches gelegenen Ortschaften Seefeld 600,90 W.-Fuss und Zwingendorf 581,40 W.-F. über Meereshöhe haben. In südlicher Richtung erhebt sich der Boden zum Hügelland, wo Grossharras mit 661,14 W.-F. und Stronsdorf mit 662,70 W.-F. Meereshöhe liegen.

Die höchste Lage hat die südliche Begränzung, welche aus der Bergreihe des Ernstbrunnerwaldes besteht, wo sich die Hochstrasse bei Enzersdorf im Thale zu 1172,76 W.-F. über dem Meere erhebt.

Die geognostischen Verhältnisse sind ziemlich einfach, indem theils Diluviallehm, grösstentheils aber tertiäre Schichten, als Lehm, Sand und Schotter den Boden bedecken; am Puchberge bei Mailberg und an den Bergen bei Eggendorf, Pazmannsdorf und Stroneck tritt Gestein von tertiärem Conglomerate zu Tage.

Der Bezirk ist im Allgemeinen wenig bewässert, und die meiste Bedeutung hat in dieser Beziehung der Pulkaubach, der bei Pernegg im V. O. M. B. entspringt, über Pulkau und Haugsdorf durch einen Thalweg fliesst, bei Hadres dieses Gebiet erreicht, die Sümpfe und Teiche von Seefeld, Zwingendorf und Wulzershofen durchfliesst, und zwischen letzterem Orte und Laa sich in der Thaya verliert. Der Pulkaubach und die Thaya wurden im Jahre 1832 einer grossartigen Regulirung unterzogen, wodurch eine bedeutende Anzahl von Gründen theils gegen Beschädigung geschützt, theils beurbaret, oder zu besserer Cultur verwendet wurden.

Die eben geschilderten Verhältnisse der Lage ergeben in botanischer Beziehung eine ziemlich natürliche Eintheilung in drei Sectionen, nämlich in das Sumpf-, Hügel- und Berggebiet.

I. Das Sumpfgebiet umfasst jene Niederung, welche sich längs des Pulkaubaches und zum Theile der Thaya erstreckt, und Teiche, Sümpfe und überschwemmte Plätze nebst einigen Wiesen und Ackerland enthält. Der Boden ist schwerer schwarzer Thonboden, den man nach der darauf vorkommenden Vegetation füglich als Salzboden bezeichnen kann. Hierher sind vorzüglich jene Stellen zu rechnen, welche ganz mit *Glaux maritima* L. überzogen sind, wie die Ränder des Schlossteiches bei Mailberg, und die ausgedehnte Ebene von Seefeld über Zwingendorf bis Wulzershofen. Zwingendorf ist eine botanisch interessante Localität; ich fand dort nebst dem für die Flora Nieder-Oesterreichs neuen *Lepidium latifolium* Linn., welches häufig an Zäunen und wüsten Plätzen vorkommt, auch an nassen Stellen *Apium graveolens* L. wirklich wild, und den echten *Sonchus palustris* L. an Wassergräben.

Im nachstehenden Verzeichnisse habe ich die bemerkenswerthen Pflanzen nebst den Fundorten, wo sie am häufigsten vorkommen, aufgeführt.

Phragmites communis Trin. Sehr gemein.
Carex disticha Huds. Gemein.
— *acuta* Linn. a) *major* Neilr. Ebenso.
b) *minor* Neilr. Ebenso.
— *distans* L. Gemein.
Scirpus uniglumis Link. Stellenweise häufig.
— *maritimus* Linn. In massenhafter Menge.
Eriophorum latifolium Hoppe. Gemein.
— *angustifolium* Rth. Ebenso.
Allium acutangulum Schrad.
a) *pratense* Neilr. um Seefeld.
Typha angustifolia L. Gemein.
Plantago maritima L. Um Zwingendorf.
Dipsacus sylvestris Mill. Um Laa.
— *laciniatus* L. Um Zwingendorf.
Schoberia maritima Mayer. Um Hadres.
Scorzonera parviflora Jacq. Bei Mailberg.
Inula Britanica L. Um Zwingendorf.
Sonchus palustris L. Eben dort.
Galium palustre L. Eben dort.
Mentha Pulegium L. Bei Laa.
Teucrium Scordium L. Um Kadolz.
Gratiola officinalis L. Bei Laa.
Glaux maritima L. Von Seefeld bis Wulzershofen sehr häufig.
Apium graveolens L. Bei Zwingendorf.
Lepidium latifolium L. Eben dort.
Spergularia marina Bess. Um Mailberg.
Althaea officinalis L. Um Wulzershofen.
Tetragonolobus siliquosus Rth. Gemein.
Galega officinalis L. Um Laa und Kadolz.

II. Das Hügelgebiet, welches den mittleren Theil des Bezirkes umfasst, besteht grösstentheils aus Ackerland, wo bei der vorzüglichen Beschaffenheit des Bodens der Weizen als die meist verbreitete Culturpflanze auftritt; und da mit wenigen Ausnahmen die Dreifelder-Wirthschaft allgemein betrieben wird, so ist die Flur in Weizen-, Hafer- und Brachfeld getheilt. Nebst dem Vorkommen der gewöhnlichen landwirthschaftlichen Pflanzen verdient der Knoblauch als Handelsgewächs besondere Erwähnung, welcher im Orte Hanfthal bei Laa auf Aeckern in grosser Ausdehnung gebaut wird. Die sonnigen Anhöhen sind mit Reben bepflanzt, wobei der weisse Muskateller (*Plinia austriaca* Burger) der prädominirende Rebsatz ist, welcher an mehreren Orten, wie in Mailberg ein vorzügliches Gewächs liefert. Da der Boden grösstentheils der Cultur zugewiesen ist, so kann die botanische Ausbeute auch nur eine geringe sein, und wird zur näheren Bezeichnung der Vegetationsverhältnisse nachstehende Eintheilung genügen.

a) Unkräuter des bebauten Bodens.

Cirsium arvense Scop. Gemein.
Asperula arvensis L. Um Kammersdorf.
Bupleurum perfoliatum L. Um Mailberg.
Sinapis arvensis L. Höchst gemein.
Rapistrum perenne All. Sehr gemein.
Melilotus officinalis Desr. Gemein.
Vicia villosa Roth. Ebenfalls häufig.
Lathyrus tuberosus L. Gemein.

b) Schutt- und Wegpflanzen.

Atriplex latifolia Wahlb.
b) *inappendiculata* Neilreich. Bei Hadres.
— *angustifolia* Linn.
c) *tatarica* Neilr. Bei Pazmannsdorf.
Amarantus sylvestris Desf. Gemein.
Anthemis Cotula Linn. Massenhaft.
Chrysanthemum Chamomilla Griess. Gemein.
Marrubium vulgare L. Ebenso.
— *peregrinum* L. Um Laa.
Conium maculatum L. Um Pazmannsdorf.
Diplotaxis tenuifolia Dec. Um Mailberg.

c) Pflanzen der trockenen Hügel.

Allium oleraceum L. Mailberg.
Cynoglossum officinale L. Um Laa.
Verbascum Lychnitis L. Eben dort.
Caucalis daucoides L. Um Pazmannsdorf.
Reseda luteola L. Eben daselbst.
Bryonia alba L. Gemein.
Lavatera thuringiaca L. Um Pazmannsdorf.
Althaea pallida W. et K. Um Hadres.
Dictamnus albus L. Um Stronek.
Linum hirsutum L Um Mailberg und Schotterleh.
— *flavum* L. Um Pazmannsdorf.
— *tenuifolium* L. Um Stronek.
Rosa rubiginosa L.
a) *minor* Neilr. Gemein.

III. Das Berggebiet, welches den südlichen Theil ausmacht, ist ganz bewaldet und gehört zum grossen Ernstbrunnerwalde. Obschon hier die schattigen Felsparthien, so wie die rieselnden Quellen und Bächlein fehlen, die den Wäldern des V. O. M. B. einen eigenthümlichen Reiz verleihen, so ist doch der Pflanzenwuchs im Allgemeinen üppig, obschon in botanischer Hinsicht die Flora sich einförmig darstellt.

Von Waldbäumen ist die Eiche vorherrschend, wovon sich noch einzelne riesige Exemplare vorfinden; es kommt sowohl *Q. pedunculata* als *Robur* vor, erstere jedoch viel häufiger. Die Föhre behauptet den zweiten Rang, während Fichte und Tanne in erwachsenen Stämmen selten sind; Birken und Atlasbeerbäume sind häufig eingesprengt, und der rothe Hartriegel ist das gemeinste Unterholz.

Ich fand durchaus keine seltene Pflanze, und bezeichnend scheint nur das häufige Vorkommen von *Cypripedium Calceolus* L. und *Vicia pisiformis* Linn., *Aconitum variegatum* L., welches in hochstämmigen Exemplaren ziemlich häufig wächst, konnte ich nicht in Blüthe finden, eine Beobachtung, die auch von Herrn Josef Kerner im Göllersdorfer Walde gemacht wurde.

Indem ich die in Holzschlägen, an Waldrändern und in Wäldern wachsenden Pflanzen aufzähle, bemerke ich in Betreff der besonderen Fundorte, dass sie sämmtlich im Pfarrwalde zu Pazmannsdorf und in den übrigen in der Nähe dieses Ortes liegenden Wäldern vorkommen.

Milium effusum L.
Calamagrostis sylvatica Dec.
Festuca heterophylla Lam.
(**Iris variegata* L.
Lilium Martagon L.
Orchis militaris L.
Platanthera bifolia Rich.
Cephalanthera ensifolia Rich.
Listera ovata R. Br.
Cypripedium Calceolus L.
Valeriana officinalis L.
(**Carex montana* L.
— *pallescens* L.
— *Michelii* Host.
(* — *sylvatica* Huds.
Senecio Jacobaea L.
γ. *erraticus* Neilr.
— *nemorensis* L.
— α. *latifolius* Neilr.
Pulmonaria azurea Bess.
Digitalis ambigua Murr.
Lysimachia punctata L.
Astrantia major L.
Laserpitium latifolium L.
β. *asperum* Koch.
Chaerophyllum aromaticum L.
— *bulbosum* L.
Thalictrum vulgare Kitt.
β. *viride* Neilr.
Trollius europaeus L.
Aquilegia vulgaris L.
Aconitum variegatum L.
Viola mirabilis L.
— *sylvestris* Lam.
β. *nemorosa* Neilr.
Dianthus Armeria L.
Hypericum hirsutum L.
Evonymus verrucosus Scop.
Euphorbia angulata Jacq.
Rubus saxatilis L.
— *fruticosus* L.
γ. *velutinus* Neilr.
Cytisus nigricans L.
— *capitatus* L.
Trifolium rubens L.
Astragalus glycyphyllos L.
Vicia pisiformis L.
Lathyrus sylvestris L.
β. *latifolius* Neilr.

Ueber die Gattung

Eumerus.

Vom

Director Dr. **H. Löw** in Meseritz.

Die Bereicherung, welche die Gattung *Eumerus* und zunächst die Fauna Oesterreichs durch den höchst interessanten, von den Herren Egger und Schiner in den Berichten des Vereines für 1853 beschriebenen *Eum. elegans* erhalten hatte, veranlasst mich auch nochmals auf diese von mir bereits in der Stettiner entomologischen Zeitung von 1848 monographisch behandelte Gattung zurück zu kommen und zu den bisher bekannten Arten derselben zwei neue, ebenfalls in den österreichischen Staaten einheimische hinzuzufügen.

Das Dankenswertheste, was über dieselbe publicirt werden könnte, würde eine tüchtige kritische Berichtigung der Synonymie sein. Leider ist dafür bisher von keiner Seite das Geringste geschehen, ja die Schwierigkeiten derselben haben sich sogar noch vermehrt; es ist diess namentlich durch die übrigens höchst verdienstliche Monographie dieser Gattung geschehen, welche Herr Rondani im achten Theile der „Ann. d. l. Soc. ent. de Fr.“ bekannt gemacht hat, ohne meine bereits früher publicirte Arbeit über denselben Gegenstand zu kennen. Er zählt in derselben als bereits vor ihm beschriebene Arten *Eum. sabulonum* Fall., *tricolor* Fbr., *ornatus*

Meig., *funeralis* Meig. und *barbarus* Wied. auf, und beschreibt als neue Arten *Eum. exilipes*, *uncipes*, *barbiventris*, *cavitibius*, *Delicatae* und *angusticornis*. Meine Ansicht über diese Arten, soweit ich sie mir lediglich aus Herrn Rondani's Arbeit selbst bilden konnte, ist im Jahresberichte des Dr. Schaum über die Leistungen der Entomologie im Jahre 1850 pag. 110 mitgetheilt. Der Wunsch, ein gründlicheres Urtheil zu gewinnen, liess mich an Herrn Rondani die Bitte um Mittheilung typischer Exemplare richten, welche derselbe mit nicht genug zu rühmender Gefälligkeit erfüllt hat. Ich erhielt von demselben ein Männchen von *Eum. Delicatae*, welches vollständig mit dem Männchen meines *Eum. pulchellus* übereinstimmt; ferner ein Männchen von *Eum. uncipes*, welches mein Urtheil zu Gunsten der Selbstständigkeit dieser ausgezeichneten Art, auf welche sich keine früher bekannt gemachte Beschreibung deuten lässt, bestätigt; ein von *Eum. angusticornis* empfangenes Männchen ist mit meinem *Eum. basalis* vollkommen identisch, nicht mit *Eum. amoenus*, wofür ich diese Art nach Herrn Rondani's Beschreibung gehalten hatte. Endlich erhielt ich mit der Bezeichnung *Eum. nivipes* ein Männchen meines *Eum. agyropus* *); ich weiss nicht, ob Herr Rondani vielleicht später eine Art dieses Namens bekannt gemacht hat; die Beschreibung, welche er in den Annales von seinem *Eum. exilipes* gibt, passt so vollständig auf meine Männchen des *Eum. argyropus* und auf das von ihm erhaltene Exemplar seines *Eum. nivipes*, dass ich an eine Verschiedenheit durchaus nicht glauben kann. Eben so bin ich noch jetzt vollständig überzeugt, dass sein *Eum. cavitibius* mit meinem *Eum. emarginatus* und sein *Eum. barbiventris* mit *Eum. ruficornis* Meig. identisch ist.

Herr Zetterstedt kommt im achten Theile seiner *Diptera Scandinaviae* auf die Gattung *Eumerus* zurück, und erwähnt meiner Arbeit in der entomologischen Zeitung mit folgenden Worten: „Professor Löw *Monographiam hujus generis dedit, 18 species europaeas recensentem, quarum tamen quaedam dubiae videntur, nec synonymia semper fidelis videtur.*" Ich würde Herrn Zetterstedt zu recht aufrichtigem Danke mich verpflichtet fühlen, wenn er mir auch nur einen Fehler in der Synonymie nachgewiesen hätte, da Niemand mehr, als ich selbst, überzeugt sein kann, dass in Beziehung auf dieselbe noch gar Manches zu berichtigen ist; die Ertheilung einiger aufklärenden Auskünfte hätte ihm wohl nahe genug gelegen, namentlich: 1. über die Identität oder Verschiedenheit des *Eum. lateralis* mit *Eum. annulatus* Panz., da ich in meiner Arbeit (pag. 113) ausdrücklich darauf

*) In der Beschreibung dieser Art (Entomol. Zeitung 1848, pag. 186., Zeile 6) steht Stirndreieck statt Scheiteldreieck, ein Versehen, welches der aufmerksame Leser wohl aus dem Zusammenhange der Stelle berichtigt haben wird.

aufmerksam gemacht hatte, dass seine Beschreibung des *Eum. lateralis* einige Angaben enthält, welche diesen Punct zweifelhaft machen; 2. über die von mir bezweifelte Verschiedenheit der von mir als *Eum. strigatus, grandicornis* und *funeralis* beschriebenen Arten. Er schweigt über beide Puncte vollständig. Es lässt sich diess Stillschweigen nicht anders deuten, als dass die von mir am angeführten Orte erwähnten Merkmale des *Eum. lateralis* in der That ungenaue Angaben sind und dass Herr Zetterstedt zu einer haltbaren Unterscheidung der drei letzten Arten in der That nichts beizubringen weiss. Wenn er meine Arten für zum Theil zweifelhafte erklärt, so lasse ich seiner Eitelkeit, welche sich getroffen gefühlt hat, die Satisfaction, welche für sie darin liegen mag, ganz gern; wer die Arbeit genauer durchsieht, wird doch nicht verkennen, dass sämmtliche Arten sehr wohl begründet sind; ob sich nicht noch eine oder die andere derselben auf eine bereits früher beschriebene Art wird zurückführen lassen, wage ich nicht bestimmt zu verneinen; doch war es mir auch bis jetzt nicht möglich eine derselben in einer ältern Beschreibung zu erkennen.

Obgleich sich meine Kenntniss der europäischen *Eumerus*-Arten seit Abfassung der in der entomologischen Zeitung enthaltenen Arbeit nicht unwesentlich erweitert hat, so vermag ich doch zur grössern Aufklärung der Synonymie nur sehr wenig beizutragen.

Ich wende mich zunächst zu den Arten mit an den Seiten rothgefärbten Hinterleibe. Als ich in der entomologischen Zeitung über *Eumerus* handelte, kannte ich 1. *ovatus* m. ♂ et ♀, 2. *annulatus* Panz. ♂, 3. *tarsalis* m. ♂ 4. *sabulonum* Fall. ♂ et ♀. — Ich habe seitdem kennen gelernt: 1. *annulatus* Pnz. ♀, 2. *tarsalis* m. ♀, 3. beide Geschlechter einer Art, welche unzweifelhaft *Eum. tricolor* Meig. ist, 4. das Weibchen einer Art, die ich mit Sicherheit auf eine früher beschriebene zurückzuführen nicht vermag und *Eum. sinuatus* nenne. Ich danke diese Vermehrung meines Materiales freundlichen Mittheilungen von verschiedenen Seiten, ganz vorzugsweise aber der Liberalität meines geehrten Freundes, des Herrn Dr. Schiner, welcher mir seine in der Wiener Gegend an Arten dieser Gruppe gemachte reiche Ausbeute zur freien Benützung überliess; er ist auch der glückliche Entdecker des *Eum. sinuatus*.

Das Weibchen von *Eum. tarsalis* hat dieselbe charakteristische Färbung der Tarsen wie das Männchen, auch die diese Art auszeichnenden Borstchen am Ende der einzelnen Tarsenglieder, woran es sehr leicht zu erkennen ist. Die rothe Färbung des Hinterleibes ist ausgebreiteter, als bei dem Männchen und die Fühler sind für ein Weibchen nicht sehr gross.

Auch das Weibchen des *Eum. annulatus* gleicht seinem Männchen sehr; die Behaarung auf der Oberseite des Thorax zeichnet sich durch ihre Kürze aus, und ist auf der Mitte desselben in grösserer oder geringerer Ausdehnung schwarz gefärbt, während sie bei dem Männchen ebenda allerdings dunkler, aber nur zuweilen und stets in viel geringerer Ausdehnung schwärzlich gefärbt ist. Die rothe Farbe an den Hinterleibsseiten ist auch bei den Weibchen dieser Art ausgebreiteter als bei dem Männchen. Fühler wie gewöhnlich etwas grösser als bei dem Männchen. Die Punctaugen stehen, wie bei dem Weibchen gewöhnlich, in einem ziemlich gleichseitigen Dreieck, doch die hinteren etwas näher bei einander; die Entfernung von einer der hintern Ocellen bis zur Oberecke des Auges ist so gross wie diejenige von ihr bis zur vordersten Ocelle.

Die Beschreibung, welche Meigen von *Eum. tricolor* gibt, ist ziemlich genau und charakterisirt die Art gut. Sie steht durch die Kleinheit der Fühler und die sich nur mit einer Ecke nähernden Augen des Männchen dem *Eum. sabulonum* am nächsten, unterscheidet sich aber von ihm leicht durch erheblichere Grösse, starkbehaarte Augen, welche bei dem Männchen nicht so nahe aneinander treten wie bei jenem; ferner durch die schwarze Behaarung des Scheiteldreiecks bei dem Männchen, die schwärzere Farbe des Thorax und Schildchen, die völlige Undeutlichkeit der hellen Thoraxstriemen, die dunklere Färbung der Flügel und durch die ganz schwarze Färbung der Beine, an denen nur die Kniee in sehr geringer Ausdehnung braun gefärbt sind. Von allen andern Arten der ersten Abtheilung unterscheidet er sich ausser durch die abweichende Stellung der Augen des Männchens auf den ersten Blick durch die völlige Undeutlichkeit der Thoraxstriemen und die viel kleinern Fühler.

Das Untergesicht ist glänzend schwarz mit weissen, bei dem Männchen dichtern Haaren besetzt. Fühler klein, schwarz mit weissem Schimmer, das dritte Glied zuweilen schwarzbraun, am Ende etwas abgestutzt; die Fühlerborste an ihrer Basis dick. Das Stirndreieck des Männchens mit dichter weisser Behaarung. Das Scheiteldreieck desselben tiefschwarz, gleissend, schwarzhaarig, nur auf der Vorderecke desselben einige mehr anliegende weisse Härchen; das vorderste Punctauge von den hintern nur wenig weiter entfernt, als diese von einander; hinter den obersten Punctaugen geht die Farbe der Behaarung allmälig in das Weissliche über. Die Stirn des Weibchens ist tiefschwarz und ziemlich glänzend, die Behaarung derselben kurz, in der Gegend der in einem gleichseitigen Dreieck stehenden Ocellen schwarz, sonst weisslich. Die Farbe von Thorax und Schildchen ist tiefschwarz, mehr gleissend als glänzend, durchaus nicht in das Metallische übergehend. Die Behaarung derselben ist bei beiden Geschlechtern hell, aber ganz ausserordentlich kurz; von den gewöhnlichen weisslichen Striemen ist kaum eine Spur zu bemerken. Bei den Männchen ist die Oberseite des ersten Hinterleibsringes schwarz; der zweite und dritte Ring sind gewöhnlich ganz roth, doch zeigt sich auf ihnen zuweilen eine schwärzliche Mittelstrieme. Der vierte und fünfte Ring ist in der Regel ganz schwarz, etwas glänzend, doch durchaus nicht metallisch. Bei dem Weibchen pflegt der ganze Hinterleib mit alleiniger Ausnahme der Oberseite des ersten Ringes beiderseits roth gefärbt zu sein, doch finden sich auch Exemplare, bei denen der fünfte, zuweilen auch der hintere Theil des vierten Ringes schwärzlich ist, wie sich zuweilen auch die Spur einer schwärzlichen Rückenlinie zeigt. Die gewöhnlichen drei Paar weissliche Mondchen sind deutlich, doch nicht so in die Augen fallend und nicht so scharf gezeichnet, wie bei *Eum. annulatus* Pnz. Die Behaarung des Hinterleibes ist bei beiden Geschlechtern, ganz besonders aber bei dem Weibchen, überaus kurz; bei dem Männchen ist sie auf dem vierten Abschnitte schwarz, nur auf der Hinterecke weisslich; auf dem fünften Abschnitte aber überall schwarz; bei dem Weibchen hat sie daselbst dieselbe Färbung, welche aber wegen der ausserordentlichen Kürze derselben schwerer wahrnehmbar ist. Die Beine sind ganz schwarz, nur die Kniee in geringer Ausdehnung braun. Hinterschenkel mässig verdickt; die Doppelreihe der scharfen Dörnchen reicht nicht bis zur Mitte. Die Aussenseite der Schienen und die Oberseite der Füsse mit kurzen weisslichen Härchen, deren Farbe aber, besonders auf der Oberseite der Füsse, nur im reflectirten Lichte deutlich wahrnehmbar ist, und sich auf den Hinterfüssen nur gegen das Ende der Glieder hin deutlicher zeigt. Die Schwinger und Schüppchen weiss. Flügel ziemlich stark rauchgrau getrübt; dritte Längsader wenig geschwungen. Grösse: 3¾ — 4½ Linien.

So unzweifelhaft die eben beschriebene Art mit der von Meigen als *Eum. tricolor* beschriebenen identisch ist, so wenig klar ist es, ob sie auch der wahre *Eum. tricolor* des Fabricius ist. Um keinen neuen Namen einzuführen, will ich sie als *Eum. tricolor* Meig. bezeichnen und erwarten, ob spätere Aufklärungen ihre Identität mit *Eum. tricolor* Fbr. nachweisen, oder die Wahl eines neuen Namens für sie nöthig machen werden.

Meigen hat im dritten Theile seines Werkes *Eum. mixtus* Pnz. als Synonym zu *Eum. tricolor* gezogen, im siebenten Theile beschreibt er dagegen *Eum. ovatus* als *Eum. mixtus* Pnz. Dass die letztere Deutung der Panzer'schen Art sicher unrichtig ist, habe ich bereits in der entomologischen Zeitung nachgewiesen; viel wahrscheinlicher ist die Identität des *Eum. mixtus* Pnz. mit *Eum. tricolor* Meig.

Die vom Herrn Dr. Schiner bei Wien entdeckte, mir bis jetzt nur im weiblichen Geschlecht bekannte neue Art, welche ich *Eum. sinuatus* nenne, unterscheidet sich von *Eum. annulatus*, *tarsalis*, *tricolor* Meig. und *sabulonum*, von allem andern abgesehen, schon durch die viel längere Behaarung und durch die viel stärkere Bucht, welche die dritte Längsader bildet, leicht und sicher; bei weitem am nächsten steht sie dem *Eum. ovatus*, doch reicht schon die Stellung der Ocellen zur sichern Unterscheidung der Weibchen beider aus; bei beiden stehen die Punctaugen in einem gleichseitigen Dreieck; bei *Eum. ovatus* ist die Entfernung von der obern Augenecke bis zu einem der hintern Punctaugen halb so gross, als die von einem der hinteren bis zu dem vordersten, während bei *Eum. sinuatus* diese Entfernungen gleich sind. Ich lasse die ausführlichere Beschreibung folgen.

Eum. sinuatus ♀. — Untergesicht metallisch schwarz, weiss behaart. Fühler schwarz, gross, das dritte Glied am Ende nur wenig abgestutzt. Stirn metallisch schwarz, auf der vordern Hälfte fast etwas in das Grüne ziehend, über den Fühlern mit einem ansehnlichen Grübchen. Die Behaarung derselben ist verhältnissmässig lang, vorne schmutzig weisslich, von der Ocellengegend an schwarz, doch gegen den Scheitel hin mit gelblichen Härchen untermengt. Thorax glänzend metallisch schwarz, etwas in das Grüne ziehend; die beiden weissen Striemen deutlich und bis zum dritten Viertheile seiner Länge reichend. Die Behaarung desselben im Verhältnisse zur Gattung und zum Geschlecht lang, licht fahlgelblich. Farbe und Behaarung des Schildchens wie die des Thorax. Hinterleib an den Seiten roth; eine breite Mittelstrieme und der kleine letzte Abschnitt glänzend schwarz; die gewöhnlichen drei Paare weisse Mondchen sehr deutlich. Die Behaarung des Hinterleibes ist, ausser auf den weissen Mondchen, schwarz, und auf dem Hinterende des vorletzten, so wie auf dem letzten Abschnitte nach Verhältniss lang. Beine schwarz, Hinterschenkel mehr grünschwarz; die Schienen an der Wurzel braun, was an den vordern bis über das erste Drittheil, an den hintersten nur bis gegen das Ende des ersten Viertheils reicht. Vorderfüsse schwarzbraun, die Spitze der einzelnen Glieder braunroth; Mittelfüsse rothbraun, die letzten Glieder von der Wurzel aus schwarzbraun; jedes Glied derselben hat am Ende an der Vorderecke ein Paar kleine, schwer wahrnehmbare, schwarze Borstchen; Hinterfüsse schwarz. An der Hinterseite der Vorder- und Mittelschenkel findet sich ziemlich lange, grösstentheils schwarze Behaarung. Hinterschenkel wenig verdickt. Die Doppelreihe der spitzen Dornen reicht nur bis zum dritten Theile derselben. Hinterschienen wenig gebogen, auf der Aussenseite mit weissen Härchen. Die Behaarung der Oberseite der Hinterfüsse ist auf den vier ersten Gliedern schwarz, auf dem letzten Gliede weisslich. An den Vorder- und Mittelbeinen haben die Schienen und die Oberseite der Füsse überall weissliche

Behaarung. Schüppchen weisslich, Schwinger schmutzigweiss, der untere Theil des Kopfes schwärzlich. Flügel graulich glasartig; die dritte Längsader noch etwas stärker geschwungen als bei *Eum. ovatus*; Randmal braun, Grösse: 4⅓ Linien.

Die sechs mir bekannten Arten der ersten Gruppe lassen sich übersichtlich in folgender Weise anordnen:

Hinterleib an den Seiten roth.

A. Fühler gross, Augen des ♂ in einer Linie zusammenstossend.

a) Behaarung auf Thorax und Schildchen verhältnissmässig lang, die dritte Längsader stark geschwungen.

1. Thorax ohne deutliche weisse Längslinien . . *Eum. ovatus.*
2. Thorax mit sehr deutlichen weissen Längslinien . . . . *Eum. sinuatus.*

b) Behaarung auf Thorax und Schildchen verhältnissmässig kurz, die dritte Längsader wenig geschwungen.

1. Füsse ganz schwarz . . *Eum. annulatus.*
2. Füsse hell geringelt . . *Eum. tarsalis.*

B. Fühler klein, die Augen des Männchens nur mit einer Ecke genähert.

1. Augen stark behaart . . *Eum. tricolor.*
2. Augen fast nackt . . . . *Eum. sabulonum.*

Die genannten sechs Arten sind sämmtlich in den österreichischen Staaten einheimisch; *sinuatus*, *annulatus* und *tricolor* wurde vom Herrn Dr. Schiner bei Wien entdeckt; *ovatus* und *sabulonum* habe ich selbst in Böhmen gefangen, und von *tarsalis* besitze ich ein von Herrn Megerle von Mühlfeld an J. Sturm mitgetheiltes, bei Wien gefangenes Exemplar.

In der an Arten reichern zweiten Abtheilung hat sich meine Kenntniss um Folgendes erweitert: 1. *Eum. ornatus* Meig. ♂, den ich in Thüringen fing; 2. *Eum. uncipes* Rond. ♂ aus der Gegend von Parma, den mir mitzutheilen Herr Rondani die Güte hatte; 3. *Eum ruficornis* ♀, den ich in Böhmen fing; 4. *Eum. elegans* Egg. et Schin. ♂ aus der Wiener Gegend, den ich der Mittheilung meines geehrten Freundes, des Hrn. Dr. Schiner verdanke; 5. *Eum. longicornis* nov. sp. ♀ aus Ungarn, eine interessante Entdeckung des Herrn Dr. E. v. Frivaldsky und mir von ihm unter der Bedingung der wissenschaftlichen Publication mitgetheilt, welcher ich hierdurch mit Vergnügen nachkomme.

Ueber *Eum. ornatus* und *uncipes* habe ich weiter nichts hinzuzufügen, da ersterer durch Meigen's, letzterer durch Herrn Rondani's Beschreibung zur Genüge kenntlich gemacht ist. *Eum. ruficornis* ♀ ist ebenfalls nicht wohl zu verkennen, wenn man sich nicht durch die viel erheblichere Grösse und viel dunklere Färbung des dritten Fühlergliedes, wodurch es vom Männchen abweicht, irre machen lässt. Der vierte Hinterleibsabschnitt ist ausser an den Seiten schwarzhaarig, der fünfte ganz schwarzhaarig.

Hinsichtlich des schönen *Eum. elegans* möchte, wie es mich bedünken will, nur das Verhältniss zu *Eum. flavitarsis* Zetterst. einer Erörterung bedürfen, welche allerdings einige Schwierigkeit hat, da von *Eum. elegans* nur das Männchen, von *Eum. flavitarsis* nur das Weibchen bekannt ist. Was Herr Zetterstedt über *Eum. flavitarsis* sagt, passt zum Theil recht gut auf *Eum. elegans*, soweit nämlich überhaupt die Beschreibung eines Weibchens auf ein Männchen passen kann; es gilt diess namentlich von der Beschreibung der Antennen, der gesammten Körperfärbung, der allgemeinen Färbung der Beine und der Zeichnung des Hinterleibes; auch die Angabe, dass sich bei *Eum. flavitarsis* kaum eine Spur der gewöhnlichen weisslichen Thoraxstriemen findet, passt recht gut. Die eigenthümliche Bildung und Behaarung der Hinterfüsse des *Eum. elegans* ♂ darf man in der Beschreibung des Weibchens zu finden nicht erwarten. Während die angeführten Merkmale gar sehr für die Identität beider Arten zu sprechen scheinen, erheben sich gegen dieselbe folgende Bedenken. Erstens sollen bei

Eum. flavitarsis die Augen nackt sein, während sie bei *Eum. elegans* zwar nicht stark, aber doch deutlich behaart sind; ich halte diess Bedenken für nicht sehr erheblich, da einmal bei dem Weibchen die Augen stets minder behaart sind als bei dem Männchen, und da Herr Zetterstedt auch in andern Gattungen gar häufig kurz und sparsam behaarte Augen als nackt bezeichnet. Einen ernstlichern Zweifel an der Identität beider Arten kann meines Ermessens der Umstand erregen, dass bei *Eum. flavitarsis* der obere Theil der Stirn schwarz behaart sein soll, während bei *Eum. elegans* die Behaarung derselben auch oben hell ist, so dass sich wohl vermuthen lässt, dass diess bei dem Weibchen desselben gleichfalls der Fall sein werde. Da sich aber bei *Eum. elegans* ♂ auf dem Vorderrande des Scheiteldreieckes zuweilen einige schwarze Härchen finden, so lässt sich nach der Analogie anderer Arten vermuthen, dass die Behaarung der weiblichen Stirn in der Ocellengegend schwärzlich oder schwarz sein werde. Sollte Herr Zetterstedt diess gemeint haben, wenn er den obern Theil der Stirn seines *Eum. flavitarsis* schwarz behaart nennt, so würde in der That jedes erhebliche Bedenken gegen die Einerleiheit beider Arten wegfallen. Nach alledem lässt sich die Identität beider mit grosser Wahrscheinlichkeit vermuthen, aber noch nicht mit voller Gewissheit nachweisen.

Eum. longicornis ist eine so ausgezeichnete Art und schon ganz allein durch den Bau der Fühler von allen andern Arten so wesentlich verschieden, dass ein näherer Vergleich mit denselben nicht nöthig ist, und eine kürzere Beschreibung zur sichern Kenntlichmachung desselben ausreichen wird.

Eum. longicornis ♀ nov. sp. — Von plumpem und breitem Körperbau, Kopf schwärzlich erzfarben; das Untergesicht mit kurzen weissen Härchen besetzt. Fühler schwarz, ganz ungewöhnlich lang und schmal; das erste Glied sehr kurz; das zweite Glied (von der Aussenseite gesehen) fast so lang als das dritte; das dritte Glied länglich-eiförmig mit fast geradem Unterrande. Behaarung der Stirn leicht fahlgelblich, in der Ocellengegend zum Theil schwärzlich. Die Ocellen bilden ein kleines gleichseitiges Dreieck und sind der obern Augenecke ziemlich genähert. Thorax schwärzlich erzfarben, hinten und an den Brustseiten fast etwas kupfrig; die licht fahlgelbliche Behaarung seiner Oberseite überaus kurz; die bei den gewöhnlichen weisslichen Striemen ziemlich deutlich, schmal, bis über das zweite Drittheil desselben reichend. Schildchen wie der hintere Theil des Thorax gefärbt und behaart. Hinterleib breit, schwarz, an den Seiten glänzender und von düsterer kupfriger Erzfarbe; der vierte Abschnitt hinter den weissen Mondchen glänzender erzfarben und daselbst wie an den Seiten mit heller, ganz kurzer Behaarung. Die gewöhnlichen drei Paar weisse Mondchen deutlich; die vordersten an den Seiten sehr abgekürzt; auch das zweite und dritte Paar erreicht den Seitenrand nicht. Beine schwarz; die Wurzel der

Schienen rothbraun, doch die der hintersten nur in geringer Ausdehnung. Hinterschenkel nur mässig verdickt, an der Spitze von zwei Reihen scharfer Dornchen gesägt, welche bei weitem nicht bis zur Mitte derselben reichen. Schüppchen und Schwinger schmutzigweisslich. Flügel graubräunlich glasartig mit dunkelbraunem Randmale; die dritte Längsader äusserst wenig geschwungen; der Vereinigungspunct der beiden letzten Längsadern etwas verdickt. Grösse: 3 Linien. Vaterland: Ungarn.

Ueber

Beschädigung des Roggens in den Scheuern

durch

die Raupen eines Nachtfalters,

Noctua (Apamea) basilinea W. V.

(Quecken-Eule.)

Von

Vincenz Kollar.

Im heurigen Sommer ist auf den Gütern des Grafen Wilczek in Oesterreichisch-Schlesien zwischen Troppau und Teschen ein ungewöhnlicher Feind des Roggens aufgetreten. Als unmittelbar nach der Ernte der gräfliche Güter-Inspector, Herr Hirnczirs, das eben eingebrachte Korn untersuchte, fand er, dass einzelne Körner angefressen waren. Er liess in Folge dieser Wahrnehmung mehrere Garben in der Scheuer durchschütteln, und überzeugte sich von der Gegenwart brauner Würmer, welche von den Aehren zur Erde fielen.

Aehnliche Würmer wurden auch an den Wänden herumkriechend in der Scheuer entdeckt.

Der Herr Inspector unterliess nicht, auf den verschiedenen gräflichen Meierhöfen ähnliche Untersuchungen anzustellen und traf überall den ungebetenen Gast bald in grösserer oder geringerer Menge. Um sich zu überzeugen, ob das Thier vielleicht schon auf dem Felde das Korn anfalle, untersuchte er die hier und da noch in Schwaden auf den Aeckern liegende Frucht, und fand eine gleiche Beschädigung durch dieselben Würmer, welche in den Aehren steckten.

Da ihm ein solcher Feind des Roggens noch nicht vorgekommen, und auch keiner der herrschaftlichen Verwalter sich einer ähnlichen Beschädigung zu erinnern wusste, so überschickte mir Herr Hirnczirs ein Bund Roggen-Aehren mit noch daran befindlichen Würmern, und liess mich um Auskunft und nähere Belehrung über diese verderblichen Würmer ersuchen.

Ein flüchtiger Blick auf die Würmer belehrte mich, dass ich es mit der Raupe oder Larve eines Nachtfalters *(Noctua)* zu thun habe, und bei genauer Untersuchung fand ich, dass es die Larve der *Noctua (Apamea) basilinea* sei. Es war mir erinnerlich, dass ich vor mehreren Jahren von einem Güterbesitzer aus Böhmen eine Partie Roggen erhielt, der auf dieselbe Weise in der Scheuer beschädigt worden war, ohne dass man dem Thäter auf die Spur gekommen, und dass mir in demselben Jahre einige Wochen später durch Vermittlung des verstorbenen erzherzoglichen Hofrathes, Herrn v. Kleyle, mehrere Cerealien von den Gütern Sr. kaiserl. Hoheit des Herrn Erzherzogs Albrecht aus Teschen eingeschickt worden, die gleichfalls in der Scheuer von einem Wurm angegriffen worden sind. Unter den letztgenannten Zusendungen befanden sich einige Stücke von dem Verwüster, aber leider schon todt und in eingeschrumpftem Zustande. Indess schon damals glaubte ich in den verstümmelten Thieren die Larve der obengenannten *Noctua* mit ziemlicher Sicherheit zu erkennen, obschon weder in den ökonomischen, noch in naturwissenschaftlichen Werken ihr Vorkommen auf Cerealien angegeben war.

Herr Freyer in Augsburg, welcher die Raupe gezogen, sagt: „Ihre Nahrung ist nur gemeines Gras, das sie bis auf die Wurzel abnagen."

Der französische Naturforscher, Herr Guenée, ist der erste, welcher ihrer Beschädigung an den Cerealien erwähnt. In seinem vortrefflichen Werke: „Species général des Lépidoptéres (Noctuélites)" T. I. p. 205 beschreibt er den Haushalt dieses in Frankreich wahrscheinlich schon öfter als Getreideschädling beobachteten Thieres, er sagt an erwähnter Stelle:

„Jetzt habe ich vorzugsweise von der *Basilinea* zu reden, deren Larve insbesondere unsere Cerealien angreift, und sich bisweilen so ausserordentlich vermehrt, dass sie wirkliche Verwüstungen anrichtet. Diese Larve entwickelt sich in den Aehren des Weizens selbst, und bringt daselbst ihre erste Jugend wie auch einen Theil ihres weiter fortgeschrittenen Alters zu. Sie entwickelt sich auf den einzelnen Aehren in kleinen Familien und die jungen Räupchen durchbohren die Weizenkörner, um sich von ihrer Mehlsubstanz zu nähren, welche um diese Zeit fester zu werden anfängt. Ich habe mehrere auf diese Art angegriffene Aehren vor mir, deren Körner ganz ausgenagt, obschon die Hülle und der Balg des Samens unversehrt geblieben, bis auf eine kleine Oeffnung, durch welche das Ausnagen stattgefunden."

Wenn die Raupe eine solche Grösse erreicht hat, dass sie in dem Körnchen nicht mehr Platz hat, versteckt sie sich zwischen den Hüllen und Granen der Aehren und es ist schwer, sie daselbst zu entdecken, da sie fast eben so gefärbt ist, wie die sie umgebenden Theile. Um diese Zeit beginnt nun die Ernte: Die Raupe lässt sich auf den Aehren sitzend, mit diesen in Garben binden, und in die Scheuer bringen. Wenn man um diese Zeit die Tennen oder den Boden der Scheuer untersucht, so sieht man die Raupen, welche bereits die Dicke eines Halmes erreicht haben, zu Dutzenden darauf herumkriechen, da sie durch das Abladen der Garben aus ihrem Versteck geschleudert worden sind.

Mittlerweile ist die Zeit gekommen, wo ihrer Verheerung Einhalt gethan wird. Das Getreidekorn ist bedeutend härter geworden, und die Winterkälte macht die Raupen erstarren, die sich nur ein leichtes Gespinnst anfertigen, in welchem sie die strenge Jahreszeit zubringen. Beim Eintritt des Frühjahres verändern sie ihre Lebensweise, sie verlassen ihren gegenwärtigen Aufenthalt, und begeben sich an die Wurzeln oder die untersten Blätter der Gräser. Im März graben sie sich in die Erde, um sich daselbst zu verpuppen.

Der Schmetterling erscheint nach Guenée's Angabe Ende Mai und ist allenthalben in cultivirten Gegenden häufig anzutreffen. Um Wien scheint er jedoch weniger häufig aufzutreten, als z. B. in Böhmen, wo ihn Herr Mann in der Gegend von Reichstadt alljährig im sogenannten Thiergarten in der Nachbarschaft von Getreidefeldern häufig von den Bäumen klopfte.

Wenn diese Raupe zufällig in grosser Menge auf dem Getreide sich zeigt, so gibt es nur ein, und zwar das sicherste Mittel, ihrer Verheerung Einhalt zu thun, nämlich den schnellen Ausdrusch der eingeernteten Feldfrüchte, da sie bis zum Eintritt der kalten Jahreszeit, wo sie erstarrt, immerhin einen bedeutenden Schaden zu verursachen im Stande ist.

Dieses Mittel hat auch der Herr Güter-Inspector Hirnczirs, dem wir diese Mittheilung zu danken haben, sogleich nach Wahrnehmung des Feindes in Anwendung gebracht.

Beiträge
zur
Kenntniss des inneren Baues und der Verwandlung
der
Neuropteren.

Von
Friedrich Brauer.

Die freundliche Aufnahme, welche meine früheren Arbeiten gefunden haben, ermuthigt mich der geehrten Versammlung die Resultate neuer Untersuchungen mitzutheilen, deren Mangelhaftigkeit ich nur selbst sehr fühle.

Vorerst sei es mir jedoch erlaubt, einen Blick auf die Anatomie der *Neuropteren* zu werfen, in wie weit sie uns nämlich aus den Werken von Ramdohr, Pictet, Burmeister, Löw, Leidig, Leon Dufour, Hagen u. a. bekannt ist, und die natürlichen Gruppen derselben vergleichend durchzugehen.

Einige Worte über vergleichend-anatomische Untersuchungen der *Neuropteren*-Genera.

Verdauungsorgane.

Imagines. Der Darmkanal hat nur bei den *Trichopteren* eine viel grössere Länge als der Körper und diese ist bedingt durch den entwickelten Dünndarm, welcher bei den übrigen sich meist nach rechts neigt, bei *Chrysopa* und *Ascalaphus* *) aber ganz gerade ist.

Der Schlund ist 1. allmälig weiter, und geht in einen kleinen Vormagen über, bei den *Trichopteren*; 2. schliesst er in seiner Mitte, gerade im Prothorax einen dunklen cylindrischen Körper ein, der im Innern aus feinen Borsten besteht, deren Spitzen gegen die Achse des Körpers sehen, und die auf rhombischen Feldern aufsitzen, bei den *Panorpiden*; 3. trägt er an der eben erwähnten Stelle im Prothorax eine muskulöse kugelige Anschwellung, und hinter derselben einen grossen Saugmagen, bei den *Raphidiiden*; 4. ist der Saugmagen nicht vorhanden (*Sialis* Löw), oder nur rudimentär (*Corydalis*) und keine Anschwellung oder Haare am Schlunde, bei den *Sialiden*; 5. der Schlund, wie bei den *Trichopteren*,

*) Die Spiritus-Exemplare zeigen falsche Windungen, die ich beschrieb.

mit folgendem Vormagen, aber vor diesem ein, stets nach links geneigter, auf der Rückenseite des Magens liegender Saugmagen, bei allen untersuchten *Megalopteren*. Der Saugmagen ist leer, sehr klein und stark faltig, gefüllt erreicht er oft die halbe Länge des Magens, und seine Gestalt ist dann birnförmig oder die einer Retorte. Der Vormagen, wenn er vorhanden, ist kugelig, und zeigt im Innern muskulöse Leisten *(Mantispa)* oder nach hinten convergirende Hornplatten, die zusammen kelchförmig sind und eine Art Klappe zu bilden scheinen. *(Phryganea, Limnophilus, Myrmeleon, Ascalaphus, Drepanopteryx.)* Der eigentliche Magen ist gross, wurstförmig und, wenn er nicht gerade verläuft, mit der convexen Seite nach rechts gewendet. *(Phryganea, Limnophilus, Raphidia, Mantispa, Drepanopteryx.)* Er zeigt, gefüllt, deutliche Drüsenpuncte und muskulöse Einschnürungen. Sein Ende ist meist schmäler. Der Dünndarm ist nur bei den *Trichopteren* länger und bei diesen, den *Raphidiiden* und *Sialis* in zwei Theile getrennt. Er zeigt deutliche Längsfaserung. Der Dickdarm ist bei den *Trichopteren* und *Glaphyropteren* rübenförmig, und trägt im weiten Theile grosse Drüsen, bei den *Panorpiden* besteht er aus zwei dicken cylindrischen, und bei den *Raphidiiden* und *Sialis* aus zwei kugeligen Abschnitten, deren Ende cylindrisch ist. Ein Blinddarm findet sich nur bei *Corydalis*. Mit dem Saug- und Vormagen tritt der Darmkanal in das Abdomen.

L a r v a e. Mundöffnung bei den *Glaphyropteren* vollständig geschlossen. Der Schlund communicirt durch zwei seitliche Röhren mit den Saugzangen. Der Schlund ist bei den *Panorpiden* und *Trichopteren* enge und erweitert sich ohne vorausgegangenen Saug- und Vormagen zu einem weiten Magen. Bei den *Sialiden (Corydalis)* ist ein Kau- oder Vormagen vorhanden. Von den *Glaphyropteren* fehlt *Myrmeleon* der Saugmagen, und es ist nur ein weiter Schlund vorhanden, die übrigen Gattungen sind, ausser *Osmylus*, nicht bekannt. Bei letzterem ist der Saugmagen dem Schlunde angekapselt. Wichtig erscheint die Verschliessung des Magens an seinem hinteren Ende, vor der Einmündung der Harngefässe, wodurch die folgenden Darmstücke abgeschlossen werden. Sie sind feiner, klar und der Dünndarm zeigt drüsige Beschaffenheit. Bei *Corydalis* bleibt der Magen zum Durchgang des Kothes offen. Bei *Raphidia, Panorpa* und *Sialis* ist diess Verhalten noch nicht genau erwiesen.

N y m p h a e. Bei den *Glaphyropteren* der Mund geschlossen, ebenso der Magen hinten. Bei *Corydalis* tritt der Saugmagen mächtig auf, an die Stelle des Kaumagens, die Blindsäcke am Magen schwinden allmälig und fehlen der Imago.

Speichelgefässe.

I m a g i n e s. Die Speichelgefässe sind, soweit sie bekannt sind, sackförmig *(Sialis, Panorpa, Ascalaphus)*, oder verästelt *(Chrysopa, Phryganea)* und gehen in einen gemeinschaftlichen Ausführungsgang über. Sie liegen zu beiden Seiten des Thorax *(Panorpa ♂ u. d. a.)* oder im Kopfe *(Panorpa ♀)*.

Athmungsorgane.

Imagines. Es finden sich bei der Imago immer zehn Stigmen, drei an den Brustringen und sieben am Abdomen; kurze Tracheenäste führen von diesen zu zwei stärkeren Seiten-Längs-Tracheen (eine auf jeder Seite). Besonders reich an Tracheen sind der Darmkanal, die Genitalien und der Kopf.

Larvae et Nymphae. Die erwachsenen Larven und die Nymphen der *Trichopteren* athmen durch Kiemenfäden, bei jungen aber und gewissen Gattungen (*Hydropsyche* und *Rhyacophila* ist die Athmung gänzlich dunkel, da ihnen nebst den Kiemenfäden die Stigmen auch fehlen. Die übrigen bekannten *Panorpen* und *Glaphyropteren* *) besitzen neun Stigmen, indem das zweite Thorax-Stigma fehlt. Bei *Sialis* sind Kiemenfäden. Die fragliche *Sisyra*-Larve besitzt Kiemen.

Nervensystem.

Imagines. Alle *Neuropteren* zeigen ein grosses gewölbtes Kopf-Ganglion, von dem die *N. optici* zu beiden Seiten ausgehen. Nach vorne laufen seitlich ein Paar Nerven zu den Fühlern und, wenn *Ocelli* vorhanden, geht ein dickerer Ast von der Mitte des Ganglions vorne, und zwei von der Wurzel der Sehnerven nach oben zu denselben. Das Schlundganglion ist immer vorhanden und sendet seine Zweige zu den Mundtheilen. Hierauf folgen drei Brustknoten, die meist gross sind, mit drei Nervenpaaren und sieben Bauchknoten **), ausser den *Trichopteren*. Die sechs ersten derselben sind klein, das siebente gross und versorgt die Genitalien mit zahlreichen verzweigten Aesten. Ihre Abstände wachsen gewöhnlich bis zum dritten Ganglion des Abdomen und nehmen von diesen an langsam ab. Die zwei letzten Ganglien stehen immer nahe hintereinander.

Larvae et Nymphae. Die Larven und Nymphen zeigen dieselbe Ganglienzahl, aber dabei gewisse, durch die Gestalt des Körpers und geringere Ausbildung einzelner Organe bedingte Differenzen (z. B. Länge des Abdomen, Ausbildung der Augen). Bei der Larve von *Osmylus* fand Hagen einen Eingeweidenerv längs des ganzen Kropfes bis zum Magen verlaufen.

Harngefässe.

Imagines ***). Die Harngefässe sind stets fein und lang, haben einen wellenförmigen Verlauf, zuerst nach vorne über den Magen hin, dann zum Dünndarmende, welches sie umschlingen oder sich daran anlegen. Ihre Enden fand ich nur bei *Limnophilus* und *Mantispa* fester haftend. Bei den *Trichopteren* finden sich sechs, bei *Sialis* sechs, bei *Corydalis* acht, bei *Panorpiden* und

*) Auch bei *Ascalaphus* und *Mantispa* sind nur neun Stigmen, wovon sieben dem Abdomen angehören. In meiner Beschreibung derselben heisst es fälschlich „acht Abdominal-Stigmen."

**) Meine Angabe von acht Bauchknoten bei *Ascalaphus* ist unrichtig und beruht auf einen aus vielen Sectionen zusammengetragenen Resultat. Es ist das dritte Ganglion wegzulassen und die Stränge zwischen dem zweiten und nun erhaltenen dritten länger zu denken. Die *Trichopteren* besitzen nach Pictet acht Bauchknoten, die drei letzten liegen alle im sechsten Ringe.

***) Die so verschiedenen Angaben der Zahl derselben haben wohl ihren guten Grund in der schwierigen Präparation und anschaulichen Blosslegung.

Anmerkung. Vom Rückengefäss lässt sich in Bezug der verschiedenen Genera nichts sagen, und ist überhaupt zu wenig studirt.

Raphidiiden sechs, bei *Glaphyropteren* acht, mit Ausnahme von *Sisyra* (sechs? Hagen). Leydig deutet ein blasiges Organ in der Nähe des *Rectums* als Harnblase bei *Corydalis*.

Larvae et Nymphae. Auffallend ist die geringere Zahl derselben bei *Osmylus* (Hagen), indem die Imago acht, die Nymphe sechs, die Larve nur sieben Harngefässe besitzt.

Männliche Genitalien.

Imagines. Die Hoden liegen etwas hinter der Mitte des Abdomen, sind oval, oder nierenförmig und bestehen aus mehreren Säckchen, die von einer gemeinsamen Membran umschlossen sind. Bei *Osmylus* sind beide Hoden in einem gemeinschaftlichen Scrotum. Ihre Farbe ist citronengelb (*Myrmeleon*, *Osmylus*), orange- (*Mantispa*), oder grauroth (*Panorpa Bittacus*). Die Samenleiter sind sehr lang und bei den *Panorpiden* in der Umhüllungshaut der Säckchen des Hodens zu einer Schleife verschlungen, nach ihrem Austritte aber im Bogen zur Samenblase laufend. Bei den *Glaphyropteren* verlaufen sie fast gerade, ebenso mit leichter Biegung bei *Sialis* und *Raphidia*. Die Samenblase hat Hagen bei *Osmylus* genau beschrieben. Eine ähnliche Bildung zeigen alle *Glaphyropteren* und *Mantispa*. Es müssen zuerst zwei Theile unterschieden werden: 1. die eigentlichen Samenblasen und 2. der Ausführungstheil. Die eigentliche Blase (eine auf jeder Seite) besteht aus drei hintereinander liegenden, durch Querfurchen getrennten Theilen. Der mittlere Theil verwächst mit dem der andern Seite, und nur eine Längsfurche zeigt dessen paarige Natur. In ihm münden die Samenleiter und von seiner Unterseite geht der unpaare Ausführungstheil ab. Der vordere Theil (einer auf jeder Seite) verwächst nie mit dem der andern Seite und ist kegelförmig mit auswärts gebogener Spitze (*Mantispa*), hufeisenförmig (*Osmylus*), oder in zwei Lappen getheilt (*Ascalaphus*). Der hintere Theil ist ebenfalls von dem der andern Seite getrennt, und stellt ein gekrümmtes Säckchen dar. Der Ausführungstheil ist kurz und geht meist in einen von Hornplatten geschützten Penis über. Bei den *Trichopteren* ist der vordere Theil der Samenblase zu einem langen, weiten, vielgewundenen Gefäss geworden. Der mittlere Theil der *Glaphyropteren* bleibt hier getrennt, nimmt die Samenleiter auf, und geht dann dicht neben dem der andern Seite in den birnförmig erweiterten Ausführungstheil über. Bei den *Panorpiden* ist der vordere freie Theil sehr klein und bildet nur ein kleines ovales Säckchen, der mittlere Theil ist anfangs sehr weit und mündet als feineres Gefäss wieder in einen blasigen Ausführungstheil. Das hintere Paar der Samenblasen fehlt den *Trichopteren* und *Panorpen*. — Die Höhlen der dreitheiligen Blase communiciren im Innern

Weibliche Genitalien.

Die Ovarien sind büschel- oder kammförmig, ersteres bei den *Trichopteren*, *Sialiden*, *Raphidiiden*, *Mantispiden*, *Drepanopteryx*, letzteres bei den *Panorpiden* und übrigen *Glaphyropteren*. Die Eierröhren gehen nach vorne jede in einen Faden aus. Die Fäden sämmtlicher legen sich aneinander, und laufen mit einer Trachee (einer auf jeder Seite), die aus feineren, die einzelnen Eierröhren versehenden Aesten zusammengesetzt wird, nach vorne, wo ich sie bis zum Schlunde verfolgen konnte. Die Eileiter vereinen sich bald zu einem dicken Eiergang, der bei *Raphidia* am Ende sehr fein wird (Löw). Das Receptaculum seminis ist eine niern- *(Trichoptera)*, oder birnförmige *(Panorpa)*, oder flache, mit Zipfel versehene Blase (Mantispa), mit einem langen geschlungenen Ausführungsgang der dem vas deferens in seiner Bildung ähnlich sieht.— Anhangsdrüsen finden sich bei den *Trichopteren* und *Panorpen* mächtig entwickelt und scheinen wohl immer vorhanden zu sein.

Larvae et Nymphae. Die Genitalien entwickeln sich bei der Larve schon und sind deutlich zu sehen; die Hoden enthalten nach Leydig schon Samenfäden.— Sie erscheinen als spindelförmige Körper, die nach vorne und hinten in einen Faden ausgehen und zwar sowohl Hoden als Eierstöcke bei erwachsenen *Trichopteren*-Larven. Bei *Panorpa*-Larven und *Osmylus* liegen sie am hinteren Magenende und sind mit Tracheen hier befestiget. Hoden und Eierstöcke sind schon bei der Larve zu kennen, doch bei *Osmylus* nur ein Samenleiter vorhanden (Hagen). Bei der Nymphe sind dieselben schon der Imago sehr ähnlich. Nach Hagen bildet sich in der Zeit der Penis und seine Hilfsapparate aus.

Merkwürdige Drüsen der männlichen Imago von *Osmylus*.

Die von Dufour und Hagen bei *Osmylus* ♂ beschriebene, in der Hinterleibspitze liegende paarige Drüse, welche aus einem weissen, losen Beutel besteht, der eine sammetschwarze Platte enthält, die Dufour mit einer Schuhsohle vergleicht, ist noch bei keinem anderen *Neuropteron* gefunden, und ihre Function gänzlich dunkel. Mit den Genitalien und Darmkanal steht sie nach Hagen nicht in Verbindung.

Spinnorgane der Larven.

Bei den *Trichopteren* liegen die zwei Spinngefässe zu beiden Seiten des Nahrungskanals, sind weiss, vielfach geschlängelt, stärker als die Harngefässe und münden im Kopfe in der Spindel an der Unterlippe. Bei den *Glaphyropteren* tritt die Spindel aus dem After hervor, und das innere Gefäss ist noch zweifelhaft. Hagen hält den Dünndarm, Andere nehmen den Dickdarm für das Spinngefäss, Zaddach jedoch erscheinen die bei *Osmylus*-Larven so entwickelten, dem Spinnorgan der *Trichopteren* ähnlichen Harngefässe für die absondernden Drüsen. Den vollendeten Thieren fehlen die Spinngefässe.

Limnophilus fuscus L.

Die Speiseröhre ist fein und erweitert sich in ihrem Verlauf durch die Brustringe zum kugeligen, mässig weitem Schlunde, der im leeren Zustande stark gefaltet ist. Deutlich von diesem abgeschnürt ist ein kleiner kugeliger Vormagen, der im Innern drei festere hornartige, nach hinten convergirende dreieckige Theile enthält, deren hinterer Rand haarig erscheint. Sie bilden eine Art Klappe am Eingang des eigentlichen Magens. Dieser ist dick, wurstförmig und sein hinteres schmäleres Ende nach links gedreht. Hinter einer kleinen Einschnürung desselben sitzen die Harngefässe. Der Dünndarm ist durch eine starke Einschnürung abgetrennt, läuft zuerst quer nach links und neigt sich dann mit einem kleinen abgeschnürten Darmstück nach hinten. Der Dickdarm ist rübenförmig und enthält im weiteren Theile bei 20 Drüsen, die gepresst oval sind, mit dunkler sternförmiger Zeichnung.

Harngefässe fand ich deutlich sechs, die an den angegebenen Platze entspringen. Sie sind lang und derb, und verlaufen wellenartig nach vorne über den Magen und dann nach hinten zwischen den Genitalien und Darmkanal bis an das hintere Dünndarmende, wo sie sich anlegen. Ihre Farbe ist gelbbraun. Im Innern zeigen sie einen wellenlinienförmig laufenden Kanal, der abwechselnd von Drüsen begleitet wird. Diese sind in kreisförmiges faseriges Stratum eingebettet.

M ä n n l i c h e G e n i t a l i e n. Die Hoden liegen etwas hinter der Mitte des Abdomen, sind nicht sehr gross und bestehen aus vier Säckchen, die von einer Membran lose umgeben sind, sie bildet die äussere Haut des Samenleiters, die die Säckchen umgebende aber die innere desselben. Die Samenleiter sind fein und sehr lang. Sie münden in das Ende des ersten Zehntels einer höchst merkwürdigen Samenblase. Der länglich birnförmige Ausführungstheil der Blase (Duct. ejaculator.) läuft nämlich in ein paariges Organ (Samenblase) nach vorne aus, welches im ersten Zehntel feiner und weiss ist, nach der Einmündung der Samenleiter aber nach vorne in einen doppelt so dicken, 1 Zoll langen, viel verschlungenen, mit dem der andern Seite sich deckenden Theil übergeht, welcher fast die ganze Rückenseite des Abdomen ausfüllt, und von violetter Farbe ist. Ich glaube ihn mit den paarigen, kürzeren, nach vorne laufenden Theilen der *Megalopteren* und *Panorpen* gleichstellen zu dürfen. An einer Seite zeigt sich ein weisser Kanal, die Umhüllungshaut ist schön netzartig. Der Penis ist am Ende hakenförmig und wird zwischen zwei hornartigen, spatelförmigen, innen zweizähnigen Theilen eingeschlossen.

W e i b l i c h e G e n i t a l i e n. Die Ovarien sind gross, und zählen viele Eierröhren, die auf den Eileitern in mehreren kammförmigen Reihen aufsitzen, und deren jede drei grössere und ebenso viele kleinere Eikeime enthält, am vordern Ende aber in den bekannten Faden ausläuft. Die Eileiter sind kurz und vereinen sich zu einem dicken Eiergang, der mit einem grossen drüsenartigen Gebilde verbunden ist. Dieses ist sehr breit, zu beiden Seiten kugelig gewulstet, und läuft nach vorne in zwei dicke spindelförmige, und nach hinten in zwei feinere hufeisenförmig, nach innen gekrümmte, am Ende spindelförmig erweiterte Zipfel aus. Verletzt man dieses Organ, so fliesst eine klare, eiweissartige, dickflüssige Masse heraus, die im Wasser gallertartig wird und ganz dem Schleime gleicht, mit dem die gelegten Eier umgeben sind, daher wohl damit identisch ist. Das Receptaculum seminis ist bedeutend gross und stellt eine nierenförmige Blase dar. Das vordere

Ende ist lichter gefärbt, das hintere breitere Ende ist von einer violetten Masse erfüllt. Es zeigt eine lose, grobnetzartige Umhüllungshaut und eine straffe innere Membran, auf der borstenartige Körper in kleinen Bögen gestellt reihenweise aufsitzen. Der Ausführungsgang hat am Anfang eine kleine Anschwellung, die muskulös erscheint und verlauft dann als langes feines, vielgeschlängeltes Gefäss hinter der grossen Schleimdrüse in den Eiergang. Vor dem Ursprung desselben geht vom Receptaculum ein feineres Gefäss aus, dessen Verlauf ich nicht verfolgen konnte.

Taf. I. Fig. 1 ♀ *a)* Speiseröhre. *b)* Schlund. *c)* Vormagen. *d)* Magen. *e)* Dünndarm. *f)* Dickdarm. *g)* Harngefässe.

„ 1′ ♂ Mit derselben Bezeichnung.

„ 2 Vormagen. *a)* Die drei Klappen.

„ 2′ Einmündungsstelle der sechs Harngefässe.

„ 2″ Ein Harngefäss stärker vergrössert. *a)* Drüsen. *b)* Ausführungsgang.

„ 2‴ Drüsen des Dickdarms.

„ 3 Männliche Genitalien. *a)* Hoden, *a′)* Samenleiter, *b)* Paarige Endzipfel der Samenblase. *c)* Einmündungsstelle der vasa deferentia. *d)* Paariger zweiter Blasentheil. *e)* Blasig angeschwollener ductus ejaculat. *f)* Penis. *g)* Die ihn schützenden Hornplatten.

„ 3′ Aeussere Genitalien ♂. *a)* Penis. *b)* Hornplatten.

„ 3″ Spitze des Endzipfels der Samenblase.

„ 3‴ *a)* Hoden und Samenleiter stark vergrössert.

„ 3⁗ Männliche Genitalien in natürlicher Lage im Körper von oben, gleiche Bezeichnung wie Fig. 3.

„ 4 Weibliche Genitalien. *a)* Ovarium. *b)* Eileiter. *c)* Grosse Anhangsdrüse. *d)* Receptaculum sem., *e)* dessen Ausführungsgang.

„ 4′ Receptaculum seminis.

„ 4″ Dessen Häute. *a)* Aeussere, *b)* innere.

Bittacus tipularius Latr.

Der Darmkanal ist fast gerade, nur der Dünndarm macht eine kleine Wendung nach rechts. Die Speiseröhre ist kurz und enge. Sie läuft bis in die Mitte des Prothorax, wo sie sich plötzlich kugelig erweitert, im Innern einen dunklen Körper einschliesst, und so zum haarigen Schlundcylinder wird (Siehe die allgemeine Schilderung). Hinter diesem verlauft der Darmkanal als feines, meist leeres, cylindrisches Rohr durch Meso- und Methathorax und bildet vom Hinterleib an, ohne merkliche Abschnürung, den langen, weiten, mit bräunlicher Masse gefüllten Magen. Der Dünndarm ist anfangs kugelig erweitert, dann aber cylindrisch und nach rechts gezogen. Sein Endstück ist durch mehrere Einschnürungen scheinbar in verschiedene Darmstücke getheilt und es scheint diess von der Füllung des Kanals abhängig, da diese Einschnürungen nicht immer gleichmässig vorhanden waren. Aus demselben Grunde findet sich auch öfter bei *Panorpa* der Dünndarm abgetheilt. Der Dickdarm ist weit und besteht aus einem kürzeren vorderen und längeren hinteren Abschnitt.

Harngefässe sah ich sechs. Sie entspringen am schmäleren Magenende, sind fein, gelbbraun und verlaufen in Wellenlinien nach vorne über den Magen hin, und dann rückwärts um das Dünndarmende zu umschlingen.

Das Nervensystem zeigt zwei Kopf-, drei Brust- und sieben Bauchknoten. Das Schlundganglion ist vom ersten Brustknoten durch seinen dreifachen Durchmesser entfernt, die drei Brustknoten sind einander sehr genähert. Die Verbindungs-Stränge erreichen nicht den Durchmesser der Knoten. Das erste Adominal-Ganglion ist vom Metathoraxknoten durch dessen dreifachen Durchmesser entfernt, gleichweit von diesen ist der zweite Bauchknoten, am weitesten von diesen der dritte. Dann nähern sich die Knoten allmälig wieder. Die beiden letzten liegen einander sehr nahe, der letzte ist gross und länglichrund. Von den Brustringen sah ich drei Nervenpaare, von den Bauchknoten zwei vordere feinere Paare und ein hinteres bald gabeliges Paar entspringen. Der letzte Knoten sendet vorne ein gabeliges Paar, hinten zwei dickere gabelige und zwei inzwischen liegende feinere, lange einfach bleibende Paare aus.

Männliche Genitalien. Die männlichen Zeugungstheile sind sehr gross zu nennen, und denen von *Panorpa* (Löw) ähnlich. Die Hoden liegen im siebenten Hinterleibsringe und reichen bis über die Mitte des Abdomen nach vorne zu. Sie sind von eiförmiger Gestalt mit dem breiteren Theile nach hinten gerichtet. Im Inneren bestehen sie aus drei Zipfel, die sich beim Oeffnen der Umhüllungshaut fingerförmig auseinander legen. Die Farbe der sie umhüllenden Haut ist rothgrau. Beide Hoden liegen dicht nebeneinander und schienen mir einmal in eine gemeinschaftliche Membran eingeschlossen. Auf dem breiteren Theile zeigt sich ein gelblichgrüner Fleck, der beim Oeffnen der die Säckchen einschliessenden Haut, sich als eine Schlinge des Samenleiters herausstellt. Dieser nämlich entsteht an der Vereinigung von den drei Säckchen mit einer kleinen Anschwellung und verschlingt sich nach kurzem Lauf zu einer aus vielen Windungen bestehenden Schlinge, verlässt dann die Membran, um als kurzer, fast gerade nach vorne und innen laufender Theil in einen paarigen blasenartigen Theil (Samenblase) zu münden. Dieser ist weit, cylindrisch und trägt vorne zwei kurze abgerundete Zipfel. An seiner inneren Vorderecke mündet der Samenleiter. Nach hinten ist ein feinerer Theil durch eine Einschnürung abgetrennt, der anfangs eine kurze Schlinge nach aussen macht, dann aber fast gerade nach hinten und innen läuft, um mit demselben Theile der andern Seite zusammen in eine kurze einfache Blase zu münden.

Weibliche Genitalien. Die Ovarien sind kammförmig. Jedes Ovarium zählt zehn Eierröhren, die jede drei grössere und vier kleinere fassförmige Eikeime enthalten und nach vorne in einen feinen Faden auslaufen. Die Eileiter sind kurz und münden in einen etwas weiteren Eiergang. An der Stelle der Eierröhren bleiben nach dem Legen der Eier kurze herzförmige Lappen. Das Receptaculum seminis besteht aus einer zweimal flaschenartig erweiterten, zusammengebogenen Kapsel, die einen langen geschlängelten Ausführungsgang trägt. Die erweiterten Theile sind mit rothbrauner Masse gefüllt.

Ueber die Lebensweise der Imago habe ich meine Beobachtungen bereits früher mitgetheilt. Das Wesentliche besteht in Folgendem: Dieselbe erscheint bei uns Mitte Juli, und fliegt bis September. Sie sitzt am Tage meist ruhig in schattigen Auen an den Zweigen von *Parietaria erecta*. Gegen Abend im Dämmerungslichte flattert sie in ausdauernden, aber zitternden, am meisten den *Agrioniden* ähnlichen Fluge knapp über den Graswipfeln auf die angränzenden Wiesen umher. Um Nahrung zu erhalten, hängen sich diese Thiere mit den Vorderbeinen an Pflanzenstengel auf und haschen mit den spinnenartig ausgebreiteten hinteren Fusspaar nach vorüberfliegenden Insecten. Der Tarsus umschlingt die Beute fest, und die einzelnen Glieder rollen sich so zusammen, dass die an der Unterseite der Glieder vorhandenen Sporen in dieselbe dringen, und ein Entrinnen unmöglich machen. Grössere Thiere werden so lange zwischen den Tarsen hin- und hergerissen, bis sie wehrloss gemacht sind, und dann erst die Beine gekrümmt, und die Beute so zum Maule geführt. Während des Fressens findet auch die Begattung statt. Wenn das Weibchen an seiner Beute zehrt, nähert sich das Männchen, um auch davon zu fressen, dabei krümmt es die Hinterleibsspitze gegen die des Weibchens, erfasst sie mit den Zangen seines äusseren Copulations-Apparats und die Begattung erfolgt. Diese dauert oft mehrere Stunden. Das Männchen stirbt in wenigen Tagen. Das Weibchen streut die Eier durch vierzehn Tage auf die Erdoberfläche, sie gelangten aber nicht zur Entwicklung. Merkwürdig ist noch, dass während des Fressens zwischen den letzten Hinterleibssegmenten die Verbindungshaut blasig herausgetrieben wird; die Ursache hiervon vermag ich nicht anzugeben, der Hinterleib ist hierbei bogenartig nach unten gekrümmt, und bald darauf erfolgt die Entleerung der Excremente.

Taf. II. Fig. 1 Nervensystem.

„ 2 Darmkanal. *a)* Speiseröhre. *b)* Schlund mit dem haarigen Cylinder. *c)* Magen. *d)* Dünndarm. *e)* Dickdarm. *f)* Harngefässe.

„ 2′ Haarcylinder vergrössert. *a)* Verticaler Durchschnitt.

„ 2″ Ursprungsstelle der Harngefässe. *f)* Die am Darm anliegenden Harngefässe.

„ 2‴ Ein Stück der Magenwand mit Drüsen.

„ 3 Männliche Genitalien. *a)* Hoden. *a′)* Einer derselben mit auseinandergelegten Säckchen. *b)* Samenleiter und ihre Schlinge. *c)* Samenblase. *d)* Vorderer Zipfel derselben. *e)* Hinterer dünnerer Theil. *f)* Einfache Samenblase.

Fig. 3′ Aeussere ♂ Genitalien von der Seite.
„ 3″ Aeussere ♂ Genitalien von oben.
„ 4 Weibliche Genitalien. *a)* Eierröhren. *b)* Eileiter. *c)* Eiergang.
„ 4′ Receptaculum seminis.
„ 5 Die Imago fressend. *a)* Die blasenartig vorgetriebene Zwischenhaut der letzten Segmente.
„ 6 Begattung. *a)* ♂, *b)* ♀.

Boreus hiemalis Latr.

Ich zergliederte nur ein Weibchen, die Resultate sind folgende: Der Darmkanal ist dem von *Panorpa* und *Bittacus* im Wesentlichen ähnlich gebildet. Er ist gerade, nur der Dünndarm ist nach rechts hin gekrümmt. Die Speiseröhre ist fein und kurz, sie erweitert sich im Prothorax zu den kugelförmigen Theil, der im Innern den haarigen Cylinder einschliesst. Hinter diesen ist ein kurzes dickes Darmstück, das durch Meso- und Metathorax läuft, und sich im Abdomen zum langen weiten Magen erweitert, der vom vorigen durch seinen dunklen Inhalt geschieden erscheint. Sein hinteres Ende ist kegelförmig zulaufend, und trägt an einer kugeligen Erweiterung die Harngefässe. Der Dünndarm ist sehr fein, etwa dreimal so dick als ein Harngefäss und von gelblicher Farbe. An ihm reiht sich ein weiter cylindrischer Dickdarm, dessen Ende mir nicht gut darzustellen gelang. Harngefässe sah ich sechs. Sie sind gelb und verlaufen wellenförmig über den Magen und dann hinten zum Dünndarmende, welches sie umschlingen.

Weibliche Genitalien. Die Ovarien sind kammförmig und bestehen aus zehn Eierröhren, die jede vier grössere fassförmige, und zwei kleinere Eikeime einschliessen. Im Verhältniss zum Thiere sind erstere gross zu nennen. Die Eileiter sind kurz und vereinigen sich zu einem etwas dickeren Eiergang. Das Receptaculum seminis ist von aussen nierenförmig, zeigt aber durch Pressen seine Bildung aus zwei flaschenförmigen zusammengebogenen Theilen. Der Ausführungsgang ist stark entwickelt und sehr lang, vor seiner Mündung in das Ende des Eierganges zu einer grossen Schlinge zusammengewunden. Der Fettkörper bildet mehrere grössere zusammenhängende Lappen. Vom Nervensystem konnte ich sieben Bauchknoten deutlich sehen, sechs senden drei Nervenpaare aus, vom letzten sah ich am hinteren Ende ein dickes, sich vielfach gabelndes, und zwischen diesen ein lang einfach bleibendes feines Paar entspringen. Die Knoten stehen um ihren doppelten Durchmesser von einander und den Brustknoten ab, nur die zwei letzten liegen einander näher.

Lebensweise. Die Imago erscheint schon im October und bleibt den ganzen Winter hindurch bis zum Monat April. Herr Fr. Löw fand dieses interessante Thier in Schönbrunn in einem Eichenwalde am 6. Jänner bei einer Temperatur von +4° R. auf einem abgefallenen moosigen Rindenstück herumkriechen. Bei einem Ausfluge in dieselbe Gegend am 16. März bei einer Temperatur von +5° R. konnte ich auf den gerade im Schmelzen begriffenen einzelnen Schneeflecken die Imago in mehreren munter springenden Exemplaren beobachten. Es gewährt einen höchst merkwürdigen Eindruck, diese kleinen zierlichen Thierchen bei einer spärlichen Sonne, vollkommen zufrieden, auf dem weissen Bahrtuche der Natur ironisch Hochzeit halten zu sehen.

Ich hielt die Imago in einem Glase, in welches feuchte Erde mit Rinden, Steinen und Moos überdeckt gelegt wurde. Noch am Abend des 16. März begattete sich ein Pärchen. Die Stellung ist merkwürdig. Das Weibchen wird vom Männchen am Rücken getragen. Wie diess zu Stande kommt, konnte ich einmal genau beobachten. Das Männchen läuft dem Weibchen entgegen, und bleibt in einer Entfernung von mehreren Linien mit dem Kopfe gegen die Mitte des Hinterleibes des Weibes gerichtet stehen. Durch einen geschickten Sprung wendet sich das Männchen nun so um eine verticale Achse, dass die Hinterleibsspitze unter die Bauchschilde des Weibchens gelangt. Mit den zangenförmigen äusseren Copulations-Apparat wird dieses festgefasst und aufgehoben. Zuerst liegt das Weibchen mehr seitlich quer am Rücken des Männchens, bis durch Hin- und Herzerren die Zangen des letzteren an den Bauchschildern allmälig nach hinten den weiblichen Genitalien zugleiten, die ganz von denselben, welche nach vorne und aufwärts gestreckt sind, umfasst werden. Mit dem Eintritte der Begattung nun zieht das Weibchen die Schenkel gegen die Seiten des Thorax an und streckt die Schienen und Tarsen gerade nach unten und hinten aus. Kopf und Fühler werden zwischen die Schenkel eingezogen. Die Begattung dauert viele Stunden, oft Tage lang, und das Männchen läuft nicht selten mit seiner Last nach Futter umher. Die Nahrung schien Moos zu sein, denn sie frassen zwischen den jungen Trieben desselben, vielleicht aber auch die zahlreich vorhandenen *Poduren*. Bis 20. März wechselten Begattungen und Eierlegen ab. Die Eier werden bald nach der Begattung gelegt. Das Weibchen setzt sich ordentlich wie die *Locustinen* auf die Legeröhre auf, und hält den Leib mit den übrigen Beinen im Gleichgewichte. Durch langsames Drehen des ganzen Leibes um seine nun vertical stehende Längsachse wird die Legeröhre ganz in die weiche Erde eingesenkt. Es war mir hierdurch unmöglich, die Eier selbst heraustreten zu sehen. Vom 21. bis 30. März starben die Männchen, und vom 31. März bis 3. April die Weibchen ab. Schon im April zeigten sich raupenähnliche Larven im Glase. Am 11. Mai fand ich im Glase unter Moos eine etwas grössere, $\frac{1}{2}'''$ lange Larve, die ich, ohne mit Gewissheit bestimmen zu wollen, ob sie *Boreus* wirklich angehört, hier beschreibe.

Der Kopf ist kugelig, hornig und vertical gestellt. Nach vorne ist er verdickt. Die nach unten gerichteten Mundtheile bestehen aus einer wulstigen gerundeten, am Vorderrande in der Mitte eingebogenen Oberlippe, kräftigen dreiseitigen, mit zwei Zähnen versehenen, hornigen Oberkiefern, lappenförmigen, häutigen Unterkiefern mit dreigliedrigen, geraden, dicken, mit kegelförmigem Endgliede versehenen Tastern und kurzer Unterlippe, auf welcher dicke, zweigliedrige kurze Taster dicht nebeneinder aufsitzen. Die

Fühler sind dreigliedrig, mit zwei cylindrischen, dickeren, kurzen Grundgliedern und fadenförmigen, doppelt so langem Endgliede. Noch auf der unteren Kopfhälfte liegen zwei grosse ovale Augen (eins auf jeder Seite), die wahrscheinlich aus vielen kleinen zusammengesetzt sind, wie bei *Panorpa*-Larven (zwanzig und mehr) und von einem lichteren Kreis umschlossen werden. Eine ähnliche Bildung haben die Augen der *Strepsipteren*-Männchen (Siebold). Die Brustringe sind dick und cylindrisch, am Rücken wulstig; der Prothorax trägt selbst noch eine kleine Hornplatte. Die Beine sind kegelförmig und undeutlich, dreigliedrig. Der Tarsus ist sehr kurz und bildet die Spitze des Kegels. Die Hüften scheinen in den Leib einziehbar. Der Hinterleib ist cylindrisch und besteht aus zehn nach hinten länger und dicker werdenden Segmenten. Die vier ersten haben an der Rückenseite am Ende jedes Segments zwei kurze, fleischige Spitzen, auf welchen Borsten stehen. An der Bauchseite ragen an diesen Segmenten Bauchfüsse ähnliche Gebilde vor. Aus den letzten Segment ist eine Gabel hervorstreckbar, die zum Festhalten dient. Der Thorax und die vier ersten Hinterleibssegmente tragen an der Rückenseite einige längere, nach vorne gebogene Borsten. Die Farbe der Larve ist am Kopfe gelbbraun, am Leibe weissgrau und durchschimmernd. Aus der Aehnlichkeit mit der Larve von *Panorpa* schloss ich bei dieser auf *Boreus*, obwohl ich ein Auskriechen aus den Eiern, die in der Erde versteckt waren, nicht nachweisen und beobachten konnte, und dieselben auch mit Moos oder Erde in das Glas verschleppt worden sein konnten.

Taf. III. Fig. 1 Nervenstrang des Abdomen.
- „ 1' Letztes Abdominalganglion.
- „ 2 Nahrungskanal der Imago ♀. *a)* Schlund. *b)* Haariger Cylinder. *c)* Magen. *d)* Dünndarm. *e)* Dickdarm. *f)* Harngefässe.
- „ 3 Weibliche Genitalien. *a)* Eierröhren. *b)* Eierleiter. *c)* Eiergang mit der Legeröhre.
- „ 3' Receptaculum seminis mit dem vielgewundenen Ausführungsgang.
- „ 3'' Ausführungsgang stärker vergrössert.
- „ 4 Oberkiefer der Imago.
- „ 5 Imago in Begattung.
- „ 6 Imago Eierlegend.
- „ 7 Larve.
- „ 7' Kopf derselben von oben.
- „ 7'' Fühler.
- „ 7''' Bein derselben.
- „ 9 Darmkanal der *Panorpa*-Larve. *a)* Schlund. *b)* Magen. *c)* Dünndarm. *d)* Dickdarm. *e)* Harngefässe. *f)* Genitalien.
- „ 8 Nervensystem derselben.

Mantispa pagana Fabr.

Der Nahrungskanal ist fast gerade. Die Speiseröhre ist enge und lang wie es die Körperform des Thieres bedingt, da sie ihren Verlauf durch den langen Prothorax nimmt. Sie erweitert sich dann allmälig zum Schlunde, der ziemlich weit ist, und einen sehr weiten grossen, den Magen an Länge fast gleichen, birnförmigen Schlundanhang trägt, welcher durch einen deutlichen engeren Grundtheil vom Schlunde abgeschnürt ist. Die Farbe des *Oesophagus* ist röthlich, die des Schlundes und Anhanges schwärzlichgrau (beides vom Inhalte herrührend). Der Vormagen (Kaumagen) gleicht dem Kaumagen mancher *Orthopteren*, hat innen mehrere (acht?) deutliche erhabene, derbe Leisten, die der Länge nach verlaufen, und ist vom Magen durch einen deutlichen Ringmuskel abgeschnürt. Von aussen ist er länglich spindelförmig und zeigt Furchen, die den Verlauf der Leisten andeuten. Der Schlundanhang liegt bereits im Abdomen, und zwar an dessen linker Seite. Der eigentliche Magen ist cylindrisch und nach links convex. Starke ringförmige Einschnürungen zeigen seine muskulöse Beschaffenheit. Er nimmt den vierten Theil der Länge des ganzen *Tractus intestinalis* ein und ist von gelbbrauner Farbe. Sein Ende lauft spitzer zu und trägt acht Harngefässe. Der Dünndarm ist vorne schmal und erweitert sich nach hinten flaschenförmig im gefüllten Zustande. Sein Inhalt ist schwärzlich. Der Dickdarm besteht aus einem ersten kugelförmigen und zweiten kurzen, cylindrischen Theile. Beide zusammen geben ihm ein rübenförmiges Aussehen, wie bei *Myrmecoleon* etc. Der kugelförmige Theil zeigt an der inneren Seite bei zwanzig Drüsen, deren Umhüllungs-Membran ein facettirtes Aussehen hat. Die Drüsen selbst sind gelbbraun, und von ovaler Form. Um sie herum laufen in Kreisform zahlreiche Faserbündel.— Sein Inhalt besteht aus schwärzlichen festen Klumpen, die leicht in kleine Stücke zerfallen, und zum grossen Theil wahrscheinlich aus der Chitinhülle der verzehrten Insecten bestehen.

Die Harngefässe entspringen acht in der Zahl vom hinteren schmäleren Magenende, sind fein und gelblich. Sie verlaufen zuerst nach vorne auf dem Magen und dann längs dessen Seiten herab nach hinten zum Dünndarmende, an welches sie sich fest anlegen, so dass sie öfter und leichter in ihrer Substanz zerreissen, als sie vom Dünndarm zu trennen sind.

Das Nervensystem zeigt durch die Körperform bedingte Verschiedenheiten. Das Kopf-, Schlund- und Prothoraxganglion liegen dicht hintereinander, letzteres über den Fangfüssen, zu welchen kräftigen Zweige (ein Ast auf jeder Seite) abgehen im vorderen Ende des Prothorax, das des Mesothorax ist daher mit vorigem durch sehr lange mit dem Metathoraxganglion aber durch sehr kurze Stränge verbunden. Das erste Abdominalganglion ist um den doppelten Durchmesser des Metathoraxganglion von diesem entfernt. Die grösste Entfernung ist wie bei *Myrmeleon* zwischen dem zweiten und dritten Ganglion, und nimmt von da bis zum letzten, siebenten Ganglion ab. Dieses letztere ist bedeutend grösser als die sechs ersten Hinterleibsganglien und sendet vom vorderen drei, vom hinteren Ende sechs, sich zahlreich auf den Genitalien verzweigende Nervenpaare aus. Von *Raphidia* unterscheidet sich das Nervensystem durch die Lage des Prothorax-Ganglion, welches dort dem Mesothorax-Ganglion näher liegt, und somit die längeren Prothorax-Stränge das Schlundganglion mit dem Prothorax-Ganglion verbinden, und nicht, wie hier bei *Mantispa* letzteres mit dem Ganglion des Mesothorax. Im Uebrigen findet sich nichts auffallend Abweichendes.

Männliche Genitalien. Die Hoden liegen im vierten Hinterleibsringe und sind von ovaler Form, nicht gross und orangegelb. Sie bestehen im Inneren aus mehreren Säckchen, die beim Zerdrücken des Hodens sich fächerförmig entfalten. Die Samenleiter sind sehr fein und lang, laufen aber fast gerade bis zur Samenblase. Diese lauft nach vorne in zwei längliche Zipfel aus, die am Ende je ein kleineres Bläschen abschnüren, das nach aussen gebogen ist. In der Ebene, in der die Samenleiter einmünden, wird die Samenblase einfach, und zeigt nur eine mittlere Furche zwischen zwei kugeligen Erhöhungen. Nach hinten lauft sie wieder in zwei eingebogene Zipfel aus, zwischen welchen wie bei *Myrmeleon* der Duct. ejaculatorius lauft. Im Ganzen zeigt sich in der Samenblase eine Aehnlichkeit mit *Raphidia*. Ihre Farbe ist weissgelb.

Weibliche Genitalien. Die Ovarien bestehen aus einer ungeheueren Menge Eierröhren. Die Eileiter spalten sich in mehrere Aeste (drei?), die sich wieder in die Zweige theilen (neun oder zehn?), auf welchen die Eierröhren kammförmig aneinander gereiht sind. Im Vergleich mit *Myrmeleon* sind also hier eigentlich mehrere kammförmige Ovarien zusammengetreten, und bilden so ein büschelförmiges Ovarium, das an der Oberfläche Furchen zeigt, die die Zahl der Kämme von Eierröhren andeuten. Die Eikeime sind länglich, fast cylindrisch und am vorderen Ende mit einem kleinen Knöpfchen von runder Gestalt versehen. Sie sind sehr klein, ungefähr $^1/_3$ mm lang. Das Ovarium ist von röthlichgelber Farbe. — Dieses Resultat ist jedoch nur aus einer Section gezogen. Die Eileiter sind übrigens kurz und vereinen sich zu einen nicht viel breiteren Eiergang, der jedoch länger ist als die Eileiter. Das Receptaculum seminis ist gross halbkreisförmig mit zwei cylindrischen Zipfeln endigend. Der Ausführungsgang läuft anfangs fast gerade, dann aber im Zikzak um den Dickdarm, und hat vor seinem Ende, welches sehr fein ist, eine grosse bläschenförmige Anschwellung, die jener bei *Chrysopa* nach Löw am Duct. ejaculatorius vorkommenden sehr ähnlich geformt ist. Vielleicht ist nur letztere das Receptaculum und die vordere Blase ein Schleimgefäss für die Stiele der Eier, da ich kein anderes accessorisches Organ fand. Der Inhalt ist orangefarben. Der Ausführungsgang mündet am Ende des Eierganges in denselben.

Vom Interesse war mir, die Art des Eierlegens genau beobachten zu können. Ein am 25. Juli gefangenes Weibchen legte die ersten Eier am 1. August Mittags. Die Function besteht in folgenden Puncten:

1. Die Seiten des siebenten Abdominal-Segments werden stark eingezogen.

2. Die beiden letzten Segmente werden stark ausgestreckt und der Fläche genähert, auf die das Ei gelegt werden soll.

3. Ein glasiges zähes Schleimtröpfchen tritt aus der Genitalien-Oeffnung hervor, und wird auf die Fläche gesetzt, so dass die Spitze des Hinterleibes in dasselbe getaucht ist.

4. Das achte und neunte Segment wird in die übrigen Segmente stark eingeschoben und zugleich das ganze Abdomen gehoben, wodurch der an dem Schleim klebende Hinterleib diesen zu einen $^1/_2$mm langen Faden auszieht.

5. Die Genitalien-Oeffnung wird weit und es tritt das Ei hervor, bereits an den Faden angeklebt.

6. Die Genitalien-Oeffnung verengt sich und der Hinterleib wird seitwärts geschnellt, wodurch das Ei vom Thiere frei wird.

Die Zeit, in der ein Ei gelegt wird, ist sehr kurz; ein bis zwei Sekunden.

Von $^1/_2$2 Uhr Mittags bis 4 Uhr Nachmittags wurden in der Weise mit kleinen Intervallen an fünfhundert Eier gelegt. In den zwei folgenden Tagen wurden ebenfalls je fünfhundert Eier abgesetzt, und die in wenigen Tagen darauf vorgenommene Section wies im Ovarium weit über tausend Eikeime nach. Obwohl die Hälfte der gelegten Eier einfielen, und somit mit dem Samen in keine Berührung gekommen sein mussten, so ist doch die Zahl der Eikeime mit dem Vorkommen der Imago in keinem Verhältniss. Die an jedem dieser Tage zuerst gelegte Partie enthielt die meisten unbefruchteten Eier.

Die Farbe der frischgelegten Eier ist weiss, im durchfallenden Licht jedoch röthlichgelb. In der zweiten und dritten Entwickelungsperiode ist die Farbe rosenroth.

Entwickelungsgeschichte.

Die erste Entwickelung der Eier wurde nicht beobachtet. Die Umrollung des Embryo beginnt am achten Tage und ist am neunten Tage vollendet. Die Eihäute sind deutlich zu sehen und bestehen aus einem fast glatten Chorion und einer den Embyro eng umschliessenden, vom Chorion aber nur lose umgebenen Dotterhaut. Am sechsten Tage liegt der Embryo, der mit der Bauchseite dicht am Chorion anliegt, in einer länglichen Spirale. Die Hinterleibssegmente, so wie die des Thorax sind durch bräunliche Flecke, wahrscheinlich Bildung von Fettkügelchen deutlich sichtbar. Das fünfte Segment liegt in der Umbiegung des Hinterleibes gegen die Rückenseite des Embryos und das letzte mit dem zweiten in gleicher Durchschnittsebene. Der Kopf zeigt deutliche Punctaugen (sechs?) auf einem dreieckigen schwarzen Fleck. Die Scheitelplatten erscheinen vollkommen geschlossen. Auf diesen erhebt sich nach vorne eine wulstige Hornplatte, die wahrscheinlich zur späteren Sägeplatte wird. Neben und hinter den Augen, gegen die Bauchseite des Embryo zu liegen Fühler, Ober- und Unterkiefer und Lippentaster hintereinander. Die Unterlippe ist versteckt. Die Beine zeigen sich als kegelförmige, hintereinander liegende Zipfel. In der Nacht vom achten am neunten Tage musste die Umrollung erfolgt sein, da sie sich der Beobachtung entzog. Der Embryo zeigt, von der Rückenseite gesehen, die jetzt dem Chorion anliegt, die verwachsenen Scheitelplatten (ihr hinteres Ende nämlich), dann die drei grösseren Brustringe und sechs Hinterleibssegmente hintereinander liegend, das sechste lag zum Theil in der Biegung, die übrigen waren an die Bauchseite in Spiralform geschlagen. Der dritte Brustring und die sechs Hinterleibsringe waren in der Mitte dunkel und zeigten einen spindelförmigen Fleck, der am dritten Segment am breitesten war. Es war nämlich das Hautblatt hier an der Rückseite noch nicht geschlossen und somit der Dotter in der Spalte zu sehen. Bis zum zwölften Tage sind die Segmente auf der Rückseite vom Hautblatt geschlossen. Bei der allmäligen Ausbildung der Brustringe und Wachsen derselben und der Hinterleibssegmente verlängert sich der ganze Körper und das zweite Segment rückt in die Biegung gegen die Bauchseite vor. In dieser Lage bleibt der Embryo bis zu seiner völligen Ausbildung am einundzwanzigsten Tage. Der Kopf ist nach der Seite des Leibes gewendet, an die Bauchseite geschlagen, und zeigt deutlich dreigliedrige Fühler, die nach innen zwischen die Kiefer laufen. Ober- und Unterkiefer liegen nebeneinander, so dass die Spitzen sich nicht decken, sonst gleichen sie der Larve. Unter denselben sind die Lippentaster gerade ausgestreckt. Die Sägeplatte ist, von oben gesehen, spindelförmig, am Hinterhaupt in der Mitte eine Reihe Zähne führend, zwischen den Augen theilt sich diese in zwei Reihen Zähne, die auf den umgeschlagenen Rändern der nun paarigen Platte stehen, die nach unten, oder besser zwischen den Kiefern mit zwei Spitzen endiget. Die Beine liegen der Bauchseite an, die Hüften, Schienen und Tarsen der Länge, die Schenkel der Quere nach. Im Baue sind sie denen der Larve ähnlich. Der Tarsus des ersten Fusspaares stösst mit dem letzten Hinterleibssegment zusammen. Am einundzwanzigsten Tage durchbricht der Embryo die Eihäute in Form eines Längsrisses neben dem Knöpfchen. Das Hinterhaupt tritt zuerst aus dem Ei hervor. Durch eine starke Saftbewegung von hinten nach vorne schieben sich die übrigen Segmente nach und nach heraus, Kopf und Beine werden von der Bauchseite abgehoben, bis endlich das letzte Segment frei geworden. Die jungen Larven verweilen mehrere Stunden zwischen den verlassenen Eiern, wahrscheinlich bis ihre Oberhaut eine festere Consistenz erhält.

Weit entfernt davon, mit den gegebenen Daten einen Beitrag zur Entwickelung der Insecten-Eier zu geben, wollte ich nur die an den Eiern dieses Thieres gemachten Beobachtungen hier anführen. Eine genauere Untersuchung konnte ich nicht anstellen, da ich diess während meines Landaufenthaltes beobachtete, und mir daselbst die Mittel hierzu fehlten. — Zur Beschreibung der Larve, die ich in Wiegmann's Archiv 1852, 1. gegeben, füge ich noch hinzu, dass die geraden Kiefer derselben wahre Saugzangen sind, nach dem Typus von *Osmylus* u. v. a. gebildet. Der Oberkiefer ist breiter und deckt den zarteren Unterkiefer. Aus dem letzten Segment ist eine Haltgabel hervorstreckbar wie bei *Osmylus*. Von der Seite gesehen, erscheint der Prothorax aufrecht in einer schiefen Ebene gerichtet und erinnert an seine Stellung bei der Imago. Die vorderen Beine sind nur Schreitfüsse und nicht merklich dicker an den Schenkeln als die übrigen. — *Aphiden*, *Coccus*, Larven von Borkenkäfern, *Dorthesia*, Ameisen-Larven, Puppen und kleine Imago, so wie andere zum Futter versuchte Insecten wurden gänzlich verschmäht. Nach Westwood zeigen auch die jungen *Raphidia*-Larven eine ebensolche Hartnäckigkeit im Fressen.

Taf. IV. Fig. 1 Nervensystem der Imago.
„ 1' Letztes Ganglion.
„ 2 Nahrungskanal ♀. *a)* Schlund. *b)* Schlundanhang. *c)* Vormagen. *d)* Magen. *e)* Dünndarm. *f)* Dickdarm. *g)* Harngefässe.
„ 2' Darmkanal ♂ mit gleicher Bezeichnung.
„ 3 Genitalien des ♂. *a)* Hoden. *b)* Samenleiter. *c)* Samenblase. *d)* Vorderer paariger Theil. *e)* Hintere Zipfel.
„ 3' Vorderer paariger Theil mehr vergrössert mit seinem Endzipfel.
„ 4 Genitalien ♀. *a)* Eierröhren. *b)* Eileiter. *c)* Eiergang.
„ 4' Eierröhren.
„ 4'' Receptaculum seminis. *a)* Receptaculum. *b)* Ausführungsgang mit blasiger Anschwellung.
„ 5 Hinterleibsspitze des ♀ beim Eierlegen, von der Seite.
„ 6 Dieselbe von unten gesehen.
„ 7 Ei am 6. August.
„ 8 „ „ 9. „
„ 9 „ „ 11. „
„ 10 „ „ 18. „
„ 11 Larve aus dem Ei fallend.
„ 11' Kopf derselben. *a)* Sägeplatte.
„ 11'' Larve.
„ 11*a* und 11*b* Vorder- und Mittelbein des Embryo.
„ 11c Kopf der Larve, von unten. *a)* Unterkiefer. *b)* Oberkiefer. *c)* Lippentaster. *d)* Fühler. *e)* Durchscheinende Augenflecke.
„ 11*d* Kiefer der Larve, getrennt.
„ 11*e* Larve in natürlicher Stellung von der Seite gesehen.

Drepanopteryx phalaenoides L.

Der Nahrungskanal ist fast gerade. Die Speiseröhre ist enge und erweitert sich langsam zum weiten Schlunde, der einen grossen, den Magen in seiner Weite fast gleichen Schlundanhang trägt. Eine mässige Einschnürung gränzt diesen vom Schlunde ab. Der Vormagen ist von aussen kugelig und enthält im Innern sechs hornige Plättchen, die sich nach vorne kelchförmig auseinander biegen und denen der übrigen *Megalopteren* ähnlich sind. Eine Einschnürung schliesst den Vormagen vom eigentlichen Magen ab. Letzterer ist gross, mehrere ringförmige Einschnürungen zeigen seine muskulöse Beschaffenheit. In seinem netzförmigem Gewebe finden sich zahlreiche kleine Drüsen von ovaler Form und gelbbrauner Farbe. Er verlauft in einem Bogen nach rechts. Der Dünndarm verlauft anfangs gerade nach hinten, neigt sich aber dann nach links und unten. Er ist röthlich von seinem Inhalt. Auf ihm folgt, wie bei den übrigen *Megalopteren*, ein rübenförmiger Dickdarm, der sechs deutliche Drüsen enthält und zwar in seinem dickern kugeligen Theile. Harngefässe finden sich acht, sie sind lang und fein, gelb und entspringen vom dünneren Mageneude, von wo sie nach vorne, und dann nach hinten zum Dünndarmende verlaufen.

Weibliche Genitalien. Diese erinnern an den Bau derselben bei *Mantispa*. Die kurzen Eileiter theilen sich je in mehrere (drei?) aus kammförmig gestellten Eierröhren bestehende Büschel. Die Eierröhren enthalten drei grössere und mehrere kleinere Keime von ovaler länglicher Form, am oberen Ende mit einem Knöpfchen versehen. Die Büschel werden von zahlreichen Tracheen durchsetzt und umzogen, und sind nebst diesen von den Endfäden der Eierröhren je zu einem spindelförmigen Ovarium vereinigt. Mit den Fäden der Eierröhren vereinen sich auch die zum Eierstock gehenden Tracheen-Zweige, bis zuletzt der Tracheen-Hauptstamm (einer auf jeder Seite) mit dem Endfaden sämmtlicher Eierröhren zum Schlundende gelangt, von wo aus ich den Faden nicht weiter verfolgen konnte. Die Eileiter vereinen sich zu einem kurzen breiten Eiergang. Das Receptaculum seminis ist meiner Untersuchung an einem Weibchen entgangen.

Wahrscheinlich sind die in Allem so verwandten *Hemerobius*-Arten nach ähnlichem Typus gebildet.

Das Nervensystem zeigt zwei Kopf-, drei Brust- und sieben Abdominal-Knoten und ist im Ganzen nicht abweichend. Meso- und Metathorax-Ganglion stehen sehr nahe. Von ersterem etwas weiter ist das Prothorax-Ganglion entfernt, sonst ist die Vertheilung der Ganglien ebenfalls, wie bei allen Megalopteren.

Taf. V. Fig. 1 Nervensystem.
„ 2 Nahrungskanal, von der Seite gesehen. *a)* Schlund. *b)* Dessen weiterer Theil. *c)* Schlundanhang. *d)* Vormagen. *e)* Magen. *f)* Dünndarm. *g)* Dickdarm. *h)* Harngefässe.
„ 3 Genitalien ♀. *a)* Eierröhren. *b)* Eileiter. *c)* Eiergang.

Formicaleo m.*)

Tetragrammicus Pllas.

Larve. Der Nahrungskanal ist fast gerade, nur der Magen liegt mehr rechts geneigt. Der *Oesophagus* ist schmal und zart, er geht in den sich ziemlich stark erweiternden Schlund über, der jedoch keinen Schlundanhang trägt. Am Mageneingang ist dieser stark zusammengezogen, und die Cardia sehr enge. Der Magen ist sehr lang und dick, cylindrisch und mit dunkelbrauner Flüssigkeit gefüllt. Sein Ende ist schmäler, durchsichtiger und vor der Einmündung der Harngefässe vom vorderen Darmtheil abgeschlossen. Der Dünndarm ist nur wenig dicker als ein Harngefäss, gelb durchsichtig und von drüsiger Structur. Der Dickdarm ist kugelförmig und geht in einen schmalen cylindrischen Theil aus. Um den dicken Theile schlingt sich ein drüsiges Organ in einer Zikzaklinie herum, dessen Darstellung mir jedoch nicht weiter gelang.

Harngefässe fand ich acht vor. Sie entspringen vom dünnen Magenende und verlaufen zuerst vorwärts zum Magen und dann längs des Dünndarms, um dessen hinteres Ende sie sich schlingen. Sie sind dünn fadenförmig und von orangegelber Farbe.

Nervensystem. Das Kopf-Ganglion ist breit und auf beiden Seiten spitz zulaufend, von wo die Sehnerven nach vorn ausgehen. An der vordern Seite sind je zwei kugelige Erhabenheiten, von welchen mehrere Nerven entspringen. Einen kräftigeren konnte ich von den äusseren Erhöhungen zu den Fühlern gehend verfolgen. Das Schlund-Ganglion ist klein, kreisrund und mit ersterem durch sehr kurze Stränge verbunden. Die drei Brust-Ganglien sind mit dem Schlund-Ganglion und untereinander durch lange Stränge verbunden, jedoch nehmen diese von vorne nach hinten an Länge etwas ab, so dass zwischen Meso- und Metathorax-Ganglion die kürzesten Stränge sind. Ihre Gestalt ist sternförmig mit acht Spitzen, von welchen theils Nerven entspringen, theils aber die Verbindungen der vor- und rückwärts gelegenen Ganglien durch die Stränge vermittelt werden.

Am schmälsten ist das Prothorax-Ganglion, am breitesten das des Metathorax. An ersteren entspringen zwei, von letzterem und dem Mesothorax-Ganglion vier Nervenpaare. Das zweite Paar liess sich gut verfolgen, es theilt sich zuerst dichotomisch, von welcher Theilung sich der vordere Ast, nachdem er einen Nerven abgegeben, aus einer Art kleinen Ganglion in fünf, der hintere in drei Aeste spaltet,

Die Hinterleibs-Ganglien sind untereinander und mit dem Metathorax-Ganglion durch sehr kurze Stränge, die ihren Längsdurchmesser nicht übertreffen, verbunden, so dass der ganze Strang eine perlschnurartige Gestalt erhält. Ich fand sieben Ganglien. Sechs derselben senden zwei Nervenpaare aus, das siebente ist etwas grösser und sendet vom vorderen Ende zwei, vom hinteren sechs Paar Nerven aus.

---

*) *Myrmeleon aut.*

Imago. Der Nahrungskanal ist fast gerade. Die Speiseröhre ist enge und erweitert sich langsam zum sackförmigen Schlunde, der, ohne deutliche Abschnürung, einen kurzen aber weiten Anhang trägt. Der Vormagen ist enge und muskulös. Er enthält hornige Leisten (sechs?), die bogenförmig sind und mit der zwischen ihnen befindlichen gespannten Haut die Form eines Kelches repräsentiren. Der eigentliche Magen nimmt ein Drittel der Länge des Nahrungskanals ein, ist cylindrisch, von sehr zartem Baue und meistens leer. An seinem Ende trägt er acht Harngefässe, die bräunlich und sehr dünn sind. Der Dünndarm ist etwas kürzer als der Magen, dünn und mit schwärzlicher Flüssigkeit gefüllt. Um das hintere Ende schlingen sich die Harngefässe. Der Dickdarm ist rübenförmig und enthält im vorderen weiten Theile mehrere (acht) regelmässig, in kugeligen Erweiterungen des Darmes gelagerte grosse Drüsen von gelber Farbe.

Das Nervensystem weicht durch die gestreckte Form, die abgerundeten Thorax-Ganglien und grossen kugeligen Augentheile des Kopf-Ganglions, von dem der Larve beträchtlich ab. Zwischen Schlund-Ganglion und Prothorax-Ganglion sind die Stränge viermal so lang als der Durchmesser dieser Ganglien. Sehr kurze Stränge verbinden die drei Thorax-Ganglien. Das erste Abdominal-Ganglion ist vom Metathorax-Ganglion um drei Durchmesser des letzteren entfernt. Die grösste Länge der verbindenden Stränge ist zwischen dem zweiten und dritten Ganglion und nimmt von da bis zum siebenten allmälig ab. Die Nervenpaare gleichen der Larve, nur sind die des Thorax kräftiger und die Theilung der Wurzel näher. Im Verhältniss zur Grösse des Thieres sind die Ganglien sehr klein.

Genitalien ♂. Die Hoden liegen am Anfang des vierten Hinterleibssegments, sind oval und von citronengelber Farbe. Sie enthalten mehrere (sechs) Säckchen, die von oben nach aussen und unten in Spiralform aneinander gereiht sind. Die Samenleiter haben an ihrem Austritt am oberen Ende eine kleine bläschenartige Erweiterung, sind dann fein und lang und laufen bis zum siebenten Segment. Die Samenblase ist gross und läuft nach vorne in zwei dicke abgerundete, am Innenrande eingekerbte Theile aus. Die Vereinigung derselben liegt in der Ebene, in der die Samenleiter seitwärts einmünden. Vor dem Eintritt erweitern sich die Samenleiter. Hinter ihrer Einmündungsstelle biegt sich ein zipfelförmiger Theil der Samenblase in Hufeisenform (einer auf jeder Seite), nach aussen und dann neben dem Ductus ejaculatorius nach rückwärts und innen. Der Ductus ejaculatorius ist ziemlich weit aber kurz. Der Penis besteht aus einen dickeren weichen Grundtheile und zwei gegeneinander gebogenen langen Hornkräten, die am Innenrande mit einem Zahn bewaffnet sind.

Weibliche Genitalien. Die Ovarien sind kammförmig und zeigen je zehn Eierröhren mit drei grösseren und zwei kleineren Eikeimen von anscheinend gleicher Entwickelung in jeder Eierröhre. Die Eileiter sind kurz aber weit. Der Eiergang ist etwas länger und wenig weiter als ein Eileiter. Das ganze Ovarium ist von weisser Farbe.

Taf. V. Fig. 4 Nervensystem der Larve.

„ 5 Nahrungskanal derselben. *a)* Schlund. *b)* Schlunderweiterung. *c)* Magen. *d)* Dünndarm. *e)* Dickdarm. *f)* Harngefässe. *f')* Deren Einmündungsstelle.

„ 5' Drüsiges Organ am Dickdarm.

„ 6 Mundtheile der Imago.

„ 7 Nervensystem.

„ 8 Nahrungskanal. *a)* Schlund. *b)* Schlundanhang. *c)* Vormagen. *d)* Magen. *e)* Dünndarm. *f)* Dickdarm. *g)* Harngefässe.

„ 9 Genitalia ♂. *a)* Hoden. *b)* Samenleiter. *c)* Blase von der Rückseite gesehen. *d)* Ductus ejaculator und Penis mit seinen Muskeln hervorgezogen.

„ 10 Genitalia ♀. *a)* Eierröhren. *b)* Eileiter. c) Eiergang.

Ramdohr Abhandlung 153. Taf. 17. Fig. 1 — 5.

Burmeister Tom. II. p. 991.

Léon Dufour Recherches anatom. sur les Neuropt. p. 591.

Verzeichniss der um Wien aufgefundenen *Neuropteren*.

Zunft. *Trichoptera.*

Heteropalpoidea.

1. *Limnophiloidea.*

Grammotaulius atomarius Fbr. Prater gemein.
— *lineola* Schrank. Prater. October selten.

Chaetotaulius flavicornis Fabr. Juni überall gemein.
— *rhombicus* L. Mödling, Juni selten.
— *vitratus* Degeer. Juni und October. Prater, Mödling.
— *striola* K. September selten.
— *nobilis* K. September und October gemein.

Goniotaulius vittatus Fbr. Im ganzen Sommer und Herbst gemein.
— *griseus* L. August und September gemein, mehr im Gebirg.

Limnophilus fuscus L. September und October gemein.

Stenophylax pilosus K. Juli sehr selten.
— *pantherinus* Pict. Baden und Mödling September.

Hallesus flavipennis K. Prater September und October.
— *digitatus* P. Brühl August October.
— *nigricornis* Pict. (Kollar).

Chaetopteryx villosa Fabr. Brühl October.

2. *Phryganeoidea.*

Agrypnia pagetana Curtis Roesel. Prater Juni.

Oligostomis analis Fabr. September. Mödling.

Phryganea grandis L. Juni selten.
— *striata* L. Mai sehr gemein. Die Larven kriechen Mitte April an seichtere Stellen dem Ufer zu, um sich zu verpuppen. Die Imago erscheint schon Anfangs Mai. Die Eier werden Ende Mai gelegt, und bis Mitte Juni sterben die Imago ab.

Phryganea varia Fabr. Mitte Juni. Prater.

Notidobia ciliaris K. Juni selten, Mödling.

Hydronautia maculata Oliv. (Kollar).

Goëra vulgata Steph. September.
— *hirta* Fabr. September selten.

Hydroptila tineoides Dalm. (Kollar).

(Ein Verzeichniss der *Isopalpoidea* kann vorläufig nicht gegeben werden.)

Zunft. *Planipennia*.

I. Fam. Leptophya.

Larven mit beissenden Mundtheilen.

Panorpidae. Die Imagines haben einen festen, aus steifen Haaren bestehenden Cylinder im Schlunde und keinen Schlundanhang.

Boreus hiemalis L. Im Monat März auf schmelzenden Schneeflecken in Laubwäldern, Schönbrunn, Burkersdorf, October (Frauenfeld), Türkenschanze (Kollar, Heeger).

Panorpa communis L. Haltzange des Männchens mit sanft nach einwärts gebogenen Endspitzen, die sich im Spitzbogen treffen. Letztes Abdominal-Segment oval, sanft erweitert, ohne Haltzangen länger als breit. An der Flügelspitze ein schwarzer Fleck. Flügelweite gespannt 14‴. Länge des Körpers 5‴ ♀, 6‴ ♂. Im Prater vom Mai bis October gemein auf *Urticeen*. Nährt sich in Gefangenschaft von Aepfeln und besonders rohem Fleische. In das Glas, in welchem sie beobachtet werden soll, muss feuchte aber lockere Erde gegeben werden. Die Larve wurde von mir stets nur aus Eiern gezogen.

Var. *germanica.* Flügelzeichnung blässer, Kopf röthlich.

montana m. Haltzange des Männchens dick an der Basis, die Endspitzen treffen sich im Kreisbogen. Letztes Abdominal-Segment wie bei *communis*, nur plötzlicher verdickt. An der Flügelspitze ein schwarzer Fleck. Stets kleiner als die vorige Art. Flügelhaut blass grünlichbraun mit kleinen braunen Fleckchen. Mödling Juni bis September. Flügelweite gespannt höchstens 12'''. Länge des Körpers 4'''—5'''.

variabilis Bremi. Haltzangen an der Basis sehr breit, mit mässig gebogener Endspitze, letztes Abdominal-Segment ebenso lang als breit, sehr aufgetrieben, Flügelhaut bräunlichgelb, Pterostigma milchweiss, vor und hinter demselben ein brauner Fleck. Flügelspitzen ohne braunen Fleck. Flügelweite 10'''. Länge des Körpers 5'''. Um Wien bei Weidlingau, Schneeberg bis zu einer Höhe von 4000 Fuss.

Bittacus tipularius Latr. Am Bindlwasser im Prater auf *Parietaria erecta* unter Erlen. Mitte Juli. Schwarze Lacken und Hinterbrühl (Frauenfeld). Grinzing (Kollar). Nährt sich von kleinen Fliegen, die er mit dem letzten Fusspaar geschickt erhascht.

Sialidae. Die Imago haben keinen haarigen Schlundcylinder und auch keinen Schlundanhang.

Sialis lutaria L. Leib schwarz, Kopf mit gelben runden und länglichen Flecken. Flügelhaut schmutzig bräunlich. Im Prater am Bindlwasser. Mitte April auf Bäumen am Wasser. Die Larven kriechen schon Anfangs März zur Verpuppung aus Land.

fuliginosa Pict. Tiefschwarz. Flügelhaut grau, an der Wurzel braun, dunkel; die Haare auf derselben sind zahlreicher und dichter. Im Ganzen dunkler als *lutaria*. An Bächen bei Mödling im Mai selten.

Raphidiidae. Die Imago haben einen im Prothorax verdickten Schlund und einen ziemlich grossen Schlundanhang.

Raphidia ophiopsis Fabr. Bei Grinzing und am Kahlenberg nicht häufig.

xanthostigma Schrnk. Im Prater am Feuerwerksplatz und den anstossenden Auen auf *Parietaria erecta* und andern Pflanzen.

affinis Schneid. Am Kalenderberg und im Kienthal bei Mödling auf *Pinus laricio.*

notata Fabr. Im Prater mit *xanthostigma* an einem Platz.

major Schum. Mödling Juni bis September auf *Pinus laricio.*

Inocellia crassicornis Schum. Anfangs Juni auf Eichen, selten. Vöslau.

II. *Megaloptera.*

Imago mit einem Saugmagen und kugeligen Vormagen hinter demselben. Larven mit saugenden Mundtheilen.

1. *Mantispidae.* Beine des Prothorax zu Raubfüssen umgestaltet.

Mantispa pagana Fabr. Im Juli und August in Mödling auf *Pinus laricio* und andern Pflanzen, fliegt geschickt. Baden (Kollar). Gersthof (Schiner). Scheint allenthalben im Gebirge verbreitet aber sehr local.

2. *Coniopterigidae.* Saugzangen der Larve bis zur Spitze von einer mächtigen Oberlippe bedeckt.

Coniopteryx tinieformis Curt. Auf *Pinus laricio* in Mödling gemein. August.

3. *Glaphyropteridae.* Beine der Imago an allen Brustringen gleichgebildet.

a) Hemerobini. Lippentaster der Larven frei, nach vorne zwischen die Kiefer laufend.

Osmylus maculatus Fabr. An schattigen Gebirgsbächen. Mödling, Grinzing, Dornbach. Von Mitte Mai bis Anfangs August gemein.

Sisyra fuscata Fabr. Im Prater selten.

Drepanopteryx phalaenoides L. In Wien, Bastei auf Ulmen, Franzensthor. Brunn am Gebirg und Mödling auf Pfirsichbäumen. Mitte Juni und Juli. Die Imago nährt sich von *Lepidopteren*, deren Flügelschuppen man im Magen noch gut erkennen kann.

Hemerobius hirtus L. Mödling auf *Liguster* und *Pinus laricio*. Juni bis September.

— *cylindripes* Wesm. Mödling Kienthal, Juli, auf *Acer platanoid.* —

— *nervosus* Wesm. Prater auf *Acer platanoid.*, Schneeberg auf Krummholz 5000′.

— *humuli* L. Ueberall gemein. Mai bis October.

— *affinis* Wesm. Kahlenberg selten.

— *micans* Wesm. Kahlenberg gemein.

— *limbatus* Wesm. Mödling auf *Pinus laricio.* Mai bis October. Vielleicht zwei verschiedene Arten; eine kleinere ohne Flecken und eine grössere mit deutlichen Makeln.

Hemerobius pygmaeus Fabr., *coccophagus* Gözsy. Auf *Acer platanoides*. Mai bis August.

— *variegatus* Burm. Auf *Liguster*, Mödling selten.

— *intricatus* Wesm. Kahlenberg und Mödling selten.

— *paganus* Villers. Auf Zwetschkenbäumen im September. Baden Krainerhütte. Schneeberg auf Krummholz, 5000′ Juli, Saugraben.

Chrysopa nobilis Heyden. Baden Hauswiese. (In Herrn Scheffer's Sammlung.)

— *pini* m. Mödling auf *Pinus laricio*.

— *perla* L. Prater, Laaerberg, Mödling und andern Orten. Mai bis October.

— *abbreviata* Curtis. Reichenau bei Gloggnitz. August.

— *phyllochroma* Wesm. Prater, Laaerberg, Mödling. Juni.

— *formosa* m. Auf Disteln und andern Pflanzen. Fluss Wien selten. Juni und Juli.

— *septempunctata* Wesm. Wien Paradiesgarten, Prater, Mödling auf *Acer pseudoplat.*, *Pinus laricio*. Juli bis September.

— *aspersa* Wesm. Mödling auf *Aesculus hyppocast.* und andern Pflanzen gemein. Juli bis September.

— *prasina* Burm. Prater auf *Alnus* am Bindlwasser. Mödling auf Eichen. Von allen *Chrysopen* überwintert nur ihre Larve und trägt die Bälge der Blattläuse auf den Rücken. Mai bis September.

— *tenella* Schneid. Schönbrunn, Gloriette auf Eichen, selten. März.

— *alba* L. Prater selten Juli.

— *flavifrons* m. Mödling auf *Pinus laricio*. Juli bis September.

— *nigricostata* m. Auf *Populus pyramidalis*. Im Stadtgraben um Wien gemein. Mai bis September.

— *pallida* Schneid. Wildeck bei Sparbach auf *Pinus abies* September, höchst selten.

— *vittata* Wesm. Im Prater auf *Acer pseudoplat.*, Juni, Juli.

— *vulgaris* Schneid. Das ganze Jahr, in den bekannten Varietäten auch im Winter gemein.

— *capitata* Fabr. Schneeberg auf Krummholz. 5000′ (Mann).

b) *Myrmecoleontini*. Lippentaster der Larven an der Unterseite des Kopfes anliegend, seitwärts laufend und neben den Augen vorragend.

Ascalaphus macaronius Scop. Mödling, Breiteföhre, Kalenderberg, Kaltenleutgeben am Wege zum Gisshübel, Baden, auf moosigen Waldwiesen. Juni bis Anfangs August gemein.

Formicaleo m. *tetragrammicus* Pallas. Mödling, Kalenderberg, auf *Pinus laricio* gemein, sitzt auch gern an *Aronia rotundifolia*. Ausser den Charakteren von *Myrmeleon* hat diese Gattung, für die ich den von Reaumur auch für die Larve angewendeten Namen gebrauche, verschiedene Beine und Hinterleib und schliesst sich durch die Larve an *Acanthaclisis* und *Palpares* an. Auch finden sich exotische Repräsentanten. Eine weitere Begründung behalte ich mir vor.

Myrmeleon formicarius L. Mödling in Föhrenwälder gemein. Die Imago auf *Aronia rotundifolia*.

— *formicalynx* Fabr. Mödling an denselben Plätzen aber selten. Imago auf *Pinus laricio*.

Zur Erinnerung

an

einen österreichischen Naturforscher.

Von

Julius Schröckinger Ritter von Neudenberg.

Der geehrten Versammlung wurde soeben mitgetheilt, dass ich unserem Vereine eine Anzahl naturhistorischer Werke zur Verfügung gestellt habe. Diese Bücher stammen aus dem Nachlasse des einstigen Custos-Adjuncten am k. Naturalienkabinete, Johann Natterer, und indem ich denselben keine würdigere Bestimmung geben zu können glaube, benütze ich diese Gelegenheit, das Andenken eines österreichischen Naturforschers durch einen kurzen Abriss seiner persönlichen Verhältnisse und seiner Leistungen aufzufrischen.

Johann Natterer wurde am 9. November 1787 zu Laxenburg bei Wien geboren. Sein Vater war dort kaiserlicher Falkenier, und selbst ein eifriger Sammler von Vögeln und Insecten. Wenigen, welche die Säle des kaiserl. zoologischen Kabinets durchwandeln, dürfte bekannt sein, dass die Privatsammlung des einfachen Laxenburger Hof-Falkeniers den Krystallisationskern dieser jetzt so überaus reichen Schätze bildete.

Kaiser Franz kaufte nämlich im Jahre 1793 Natterer's, des Vaters, Vogel- und Insecten-Sammlung, liess sie in Wien aufstellen, und stellte den frühern Besitzer als Aufseher derselben an.

Die Liebe des Vaters ging auch auf seinen Sohn Johann über, welcher am Piaristen-Gymnasium studirte, und dann an verschiedenen Lehranstalten der Residenz Collegien über Chemie, Anatomie und beschreibende Naturgeschichte als Hospitant besuchte. Zugleich warf er sich auf mehrere Sprachen und Handzeichnen, worin er es zur grossen Vollkommenheit brachte. Von seinem Vater zugleich zum tüchtigen Jäger und Ausbälger ausgebildet, hatte Natterer, obwohl grösstentheils Autodidact, sich Alles eigen gemacht, was ihm seine spätere Laufbahn so wesentlich erleichterte.

Bereits 1806 und 1808 bereisete Natterer die ungarischen Kronländer, dann Steiermark und das österreichische und ungarische Littorale, wurde 1809 unbesoldeter Aspirant bei dem k. zoologischen Museum und begleitete als solcher die vor der gallischen Invasion nach Ungarn geflüchteten Natur- und Kunstschätze der Residenz. Diese Gelegenheit benützte Natterer zu Excursionen im Banate und in Slavonien, worauf er 1810 nach

Wien zurückkehrte. Er betrieb nun sehr eifrig Helminthologie, bereisete in den Jahren 1812 bis 1814 auf eigene Kosten Italien bis nach Calabrien, und untersuchte wiederholt unsere Küsten am adriatischen Meere.

1815 wurde Natterer nach Paris gesendet, um bei der Zurücksendung der reaquirirten Natur- und Kunstgegenstände mitzuwirken und er benützte den Aufenthalt in dieser Weltstadt zur Erweiterung und Vermehrung seiner naturhistorischen Kenntnisse. 1816 ward er Assistent am kaiserl. Naturalienkabinete, und 1817 zum Mitgliede der Expedition bestimmt, welche aus Anlass der Vermählung der kaiserl. Prinzessin Erzherzogin Leopoldine mit dem Kronprinzen Don Pedro von Brasilien zur naturwissenschaftlichen Durchforschung dieses Landes ausgesendet wurde.

Diese Expedition bestand ausser Natterer noch aus dem Professor Mikan und Dr. Pohl aus Prag, dem botanischen Hofgärtner Schott, dem Hof-Leibjäger Sochor und den Malern Ender und Buchberger Die k. baierische Regierung benützte diese Gelegenheit um die DDr. Spix und Martius, jene von Toskana um den Naturforscher Radi mitzusenden. Die Einschiffung der einzelnen Glieder dieser Expedition fand folgendermassen Statt: Dr. Pohl und der Maler Buchberger, dann Radi im Gefolge Ihrer k. k. Hoheit der Erzherzogin Braut zu Livorno, auf dem portugiesischen Linienschiffe Dom Joao; Professor Mikan, Maler Ender und die Baiern Dr. Spix und Martius in Triest auf der österreichischen Fregatte „Austria," Natterer mit Gärtner Schott und Jäger Sochor ebenfalls zu Triest auf der kaiserlichen Fregatte »Augusta.«

Diese beiden Fregatten verliessen den Hafen von Triest im März 1817, wurden jedoch schon nach wenigen Tagen durch einen schweren Sturm getrennt, welcher die „Augusta" so übel zurichtete, dass sie, ein mastenloses Wrak, nur mühsam den Hafen von Chioggia erreichte und dort durch sieben Wochen Havarie bessern musste. Natterer benützte diese unfreiwillige Muse zu Excursionen, während die durch den Sturm weniger beschädigte und in Pola eingelaufene Fregatte „Austria" ihre Fahrt nach Brasilien fortsetzte, und dort schon im Juli 1817 anlangte.

Von Chioggia segelte die „Augusta" am 31 Mai nach Gibraltar und erwartete dort bis 1. September die Ankunft der kaiserlichen Erzherzogin Braut auf dem portugiesischen Linienschiffe „Dom Joao" bis 1. September, wodurch Natterer Gelegenheit zur Durchforschung der südlichen Spitze Spaniens erhielt. Auf der Weiterreise nach Brasilien wurde noch Funchal, die Hauptstadt der Insel Madeira angelaufen, wo jedoch nur anderthalb Tage zu einem Ausfluge erübrigten, und am 5. November 1817 liess endlich die Fregatte „Augusta" an der Ilha das Cobras in der herrlichen Bai von Rio de Janeiro die Anker fallen.

So war nun die ganze Expedition an dem Ausgangspuncte ihrer Bestimmung vereinigt, jedoch nur um bald wieder in einzelne Caravanen sich aufzulösen. Denn als es zur Entwerfung des Hauptplanes kam, zeigte sich bei der ungeheuren Ausdehnung des zwischen dem 37. und 75.° westlicher Länge und 4° nördlicher, dann 33° südlicher Breite gelegenen Kaiserthums Brasilien, die Aufgabe der Expedition von solchem Umfange, dass nur durch Theilung der vorhandenen Kräfte eine wenigstens theilweise Bewältigung zu hoffen stand. Der unsern Naturforschern für ihr Verweilen in Brasilien ursprünglich festgesetze Zeitraum betrug nur zwei Jahre, allein Professor Mikan kehrte schon am 1. Juni 1818 mit dem ersten Haupttransporte der bis dahin zusammengebrachten Sammlungen nach Europa zurück und mit ihm die beiden Maler Ender und Buchberger, ersterer, weil er das Clima durchaus nicht vertrug, der zweite wegen den Folgen eines unglücklichen Sturzes, die auch bald nach seiner Rückkunft nach Europa tödtlichen Ausgang nahmen. Dr. Pohl verweilte zwar länger und bereiste die Provinzen Goyaz, Mattogrosso, Minas Geraes und einen Theil Pará, kehrte jedoch schon im April 1821 nach Europa zurück. Ihm folgte in wenigen Wochen Hofgärtner Schott, so dass jetzt nur noch Natterer mit dem Jäger Sochor zurück blieb. Die Reisen nun, welche dieser unermüdliche Naturforscher in Brasilien während eines fast achtzehnjährigen Aufenthaltes bewerkstelligte, zerfallen in zehn Zeitabschnitte, und zwar:

I Reise vom November 1817 bis November 1818 beschränkte sich nur auf die Umgebungen von Rio de Janeiro.

II. Reise vom October 1818 bis März 1820 in dem District von Ilha grande an der Ostküste und in einem Theil der Provinz S. Paulo.

III. Reise vom Juli 1820 bis Februar 1821 nach dem östlichen Theile von S. Paulo bis nach Curitiba, von wo jedoch Natterer über Auftrag des österreichischen Gesandten über Paranagua nach Rio zurückkehrte. Er sollte nun zuerst nach Mattogrosso gehen, da sich jedoch hierbei Schwierigkeiten zeigten, beauftragte ihn der Gesandte von Ypanema, wo Natterer seine Effecten und den Jäger Sochor zurückgelassen, diese zu holen und nach Europa zurückzukehren. Hiergegen machte jedoch Natterer Vorstellungen mit der Erklärung, schlimmstenfalls auf eigene Gefahr und Kosten bleiben zu wollen, um die bereits entworfenen Pläne grösserer Reisen auszuführen.

IV. Reise vom Februar 1821 bis September 1822 von Ypanema aus, wohin Natterer in Erwartung der Entscheidung von Wien zurückkehrte, und die noch nicht besuchten Theile der Provinzen S. Paulo und Rio de Janeiro bereiste.

V. Reise, begonnen im October 1822, nachdem Natterer die Bewilligung zum fernern Verbleiben, und die erforderlichen Fonds erhalten, und durch die Provinz bis nach Cuyaba in der Provinz Mattogrosso fortgesetzt, wo im December 1824 kurzer Halt gemacht wurde.

VI. Reise vom Jänner 1825 über Caissara nach Villa bella Citade de Mattogrosso, der hart an der Gränze von Bolivia gelegenen Provinzial-Hauptstadt, wo mehrere unangenehme Verhältnisse längern Aufenthalt bedingten. Auf einer Excursion nach S. Vicente erkrankte der Jäger Sochor an einem bösartigen Fieber, welches auch seinen Tod veranlasste, ungeachtet

Natterer ihn mit Aufopferung pflegte. Hierauf wurde dieser selbst vom Fieber ergriffen und bedurfte, da eine gefährliche Recidive eintrat, so lange zur vollständigen Herstellung, dass, da auch die Vorbereitungen zur Lösung der jetzt bevorstehenden schwierigsten Aufgabe sich verzögerten, die

VII. Reise erst im Juli 1829 begonnen werden konnte. Diese ging mit den unsäglichsten Schwierigkeiten auf und längs der Flüsse Guaporé und Madeira bis nach Villa Borba.

VIII. Reise. Im Juni 1830 wurde auf dem Amazonenstrom und Rio negro die Reise bis nach S. Josè de Marabitana an der Gränze von Guyana unter dem Aequator und bis an den Fluss Cassiquiari fortgesetzt, welcher die Verbindungsstrasse mit dem Orinoko bildet, und die Gränzen von Venezuela berührt. Hierauf beschiffte Natterer die Flüsse Xié, Icanna und Vaupé bis zu ihren Fällen, und kehrte dann wieder in die Provinz und an den Fluss Rio negro zurück, wo er Anfangs 1831 in Barcellos anlangte.

IX. Reise vom August 1831 bis 1834 in der brasilianischen Provinz Guyana auf dem Rio Branco bis zu dem Fort S. Joaquim an der Gränze von Englisch-Guyana.

X. Reise. Im Jahre 1835 sollte noch die so ausgedehnte Provinz Pará an die Reihe kommen, um sodann durch die Provinzen Maranhan, Rio grande, Parahiba und Pernambuco an der Ostküste nach Bahia und von da nach Rio de Janeiro zurück zu kehren. Allein der in Pará ausgebrochene Bürgerkrieg unterbrach das Unternehmen und Natterer verlor bei der Besetzung und Plünderung der Stadt Pará durch die eingebornen Insurgenten fast seine ganze Habe und insbesondere auch die bedeutende Sammlung der für den kaiserlichen Hof bestimmten lebenden Thiere, welche von den Aufständischen getödtet und zum Theil, wie z. B. der darunter befindliche schöne Tapir sogleich verzehrt wurden. Natterer schiffte sich am 15. September 1835 auf einem brittischen Regierungsschiffe nach Europa ein, und kehrte 1836 über London nach achtzehnjähriger Abwesenheit nach Wien zurück.

Die in theilweisen Transporten nach Wien gelangten Sammlungen Natterer's auf seinen sämmtlichen Reisen in Brasilien bestanden in

430 Stück Mineralien,
1729 Gläsern mit Helminthen,
1024 Exemplaren Mollusken,
409 — Crustaceen,
32825 — Insecten,
1671 — Fischen,
1678 — Amphibien,
12293 — Vögel,
1146 — Mammalien,
125 — Eier,
192 Stücken Schädel,
42 — zootomische Präparate,
242 Samenproben,

147 Holzproben,
216 Stück Münzen,
1492 ethnographischen Gegenständen, als Kleidungen, Geräthe, Waffen u. s. w. süd-amerikanischer Ureinwohner, ebenso einigen sechzig Sprachproben der letztern.

Nach seiner Rückkehr trat Natterer bei dem kaiserlichen Naturalienkabinete als Custos-Adjunct ein, und erhielt eine Gehaltszulage. Er begann sofort die Vorarbeiten zu einem kritischen Werke über die gesammte Ornithologie, und bereiste zu diesem Zwecke in den Jahren 1838 und 1840 zuerst Nord-Deutschland, Dänemark, Schweden und Russland, sodann Süd-Deutschland, Frankreich, England und Holland. Leider setzte ein wiederholter Lungenblutsturz am 17. Juni 1843 Natterer's vielbewegtem Leben ein plötzliches Ziel, und es blieb somit nicht nur sein grosses ornithologisches Werk im Manuscripte unvollendet, sondern letzteres ging noch überdiess bei dem Brande im kaiserlichen Naturalienkabinete am Schlusse des Jahres 1848 mit dem grössern Theile der dort aufbewahrten Privat-Sammlungen, Bibliothek und Tagebücher Natterer's zu Grunde. Durch den plötzlichen Tod Natterer's unterblieb auch die im Vereine mit Professor Andreas Wagner in München beabsichtigte Bearbeitung der brasilianischen Säugethiere; und so haben wir von Natterer's Hand nur zwei, in den leider eingegangenen Annalen des Wiener Museums veröffentliche Monographien über die mit Fitzinger bewerkstelligte Untersuchung des von Natterer in Brasilien entdeckten Ichthyodeen *Lepidosiren paradoxa* Fitz., und über die süd-amerikanischen Krokodile.

Der Gedanke, dass die durch die österreichischen Naturforscher in Brasilien gesammelten, so überreichen Materialien bis jetzt durch wissenschaftliche Bearbeitung noch so wenig allgemein zugänglich gemacht wurden, muss mit um so grösserem Bedauern erfüllen, wenn man auf die Veröffentlichungen des Prinzen Max zu Neuwied, und der bairischen Naturforscher Spix und Martius über ihre brasilianischen Entdeckungen blickt, welche dafür gesorgt haben, dass ihnen Engländer und Franzosen die Früchte ihrer Sammlungen nicht vorwegnahmen. Wir aber halten unser Pfund vergraben, denn was bis jetzt über die Entdeckungen unserer brasilianischen Expedition veröffentlicht wurde, ist nur wenig und meist unvollständig. So erschienen von Mikan's „Delectus florae et faunae Brasiliensis" nur vier Hefte, von Schreiber's „Fauna Brasiliensis" gar nur Ein Heft. Dr. Pohl gab wohl eine vollständig erschienene Beschreibung seiner Reise heraus, doch ist der wissenschaftliche Werth dieser Veröffentlichung ein sehr problematischer. Heckel schrieb eine Abhandlung über die von Natterer entdeckten neuen brasilianischen Fische *), in einer der letzten Sitzungen unserer Akademie der Wissenschaften hörten wir einen Vortrag über einige von Natterer entdeckte brasilianische Vögel — et voilà tout!

*) Annalen des Wiener Museums.

Bedauernswernswerth bleibt es auch, dass die von Natterer gesammelten ethnographischen Gegenstände gegenwärtig nicht aufgestellt sind, sondern in Kisten verpackt bei der heicklen Beschaffenheit der fast durchgängig aus Vogelfedern verfertigten Kleidungs- und Schmuckstücke der Wilden Gefahr laufen zu verderben. Diess wäre ein unersetzbarer Verlust, weil die amerikanischen Aborigines im Contacte mit der Civilisation stets mehr zusammenschmelzen, und endlich vom Boden ihrer Väter verschwindend nur ihre in wenigen Sammlungen befindlichen Geräthe als Zeugen ihres Seins, ihrer Sitten und ihrer Gebräuche zurücklassen werden.

Aus der vorhergehenden Darstellung dürfte erhellen, dass Natterer's Verdienste gerade in seinem Vaterlande nur nach den alten Sprichwörtern vom Pfennig und vom Profeten gewürdigt wurden. Welcher Autorität derselbe hingegen in den naturforschenden Kreisen des Auslandes, besonders in der Ornithologie, zu deren Coryphäen er unbedingt gehörte, sich erfreute, geht aus dem Reste seiner in meinen Händen befindlichen Correspondenz hervor. Lucian Bonaparte, Liechtenstein, Menetrier, Baér, Prinz Neuwied, Lamarrepiquot, Brandt, Querin-Menéville und viele andere sprechen in ihren Briefen ihre hohe Achtung vor Natterer's Wissen aus, appelliren in zweifelhaften Fällen an seine Autorität und bezeugen überdiess die Achtung und Zuneigung, welche ihnen seine Humanität und Anspruchslosigkeit einflöste. Von der Universität Heidelberg erhielt Natterer noch während seines Aufenthaltes in Brasilien ohne allem eigenen Zuthun das Diplom des Doctors der Philosophie „honoris causa," und viele ausländische naturwissenschaftliche Gesellschaften erwählten ihn zu ihrem Mitgliede, wie die Senkenbergische in Frankfurt a. M., jene in Berlin u. s. m. Der Société Cuviérienne in Paris gehörte er als membre fondateur an.

Natterer vermählte sich in Brasilien zu Barcellos am Rio negro mit Maria do Rego, welche jedoch sammt zwei Kindern bald nach der Ankunft in Europa dem ungewohnten Clima erlag, und es überlebte ihn nur seine älteste in den Wildnissen bei Barra do Rio negro geborne Tochter Gertrude, welche meine Frau zu nennen ich so glücklich bin. Uebrigens ist der Name Natterer auf dem Felde der Naturwissenschaften auch jetzt noch von gutem Klang, denn sein auch unserem Vereine angehöriger Neffe, Med. Dr. Johann Natterer, hat sich im Gebiete der Chemie, besonders durch seine Versuche über die Compression der Gasarten, rühmlichst bekannt gemacht.

Zur
Coleopterenfauna
der
Steiner-Alpen und des Vellach-Thales.

Von
Josef Gobanz.

Im zweiten Jahrbuche des naturhistorischen Landesmuseums von Kärnten hat Pf. David Pacher eine systematische Uebersicht der Käfer von Sagriz und Heiligenblut veröffentlicht, eines Terrains, dessen tiefster Punct bereits 3000 Fuss über dem Meere liegt und das in geologischer Beziehung ganz dem Urgebirge angehört. Bei Erwägung dieser Umstände hielt ich es für wünschenswerth, eine ähnliche Zusammenstellung in Bezug auf eine Localität zu machen, die zwar minder günstige Erhebungsverhältnisse aufzuweisen hat, doch zum grössten Theile Kalk- und Dolomitboden besitzt. Es war mir nämlich daran gelegen, zu erfahren, ob sich irgend ein Einfluss der Formation auf die Coleopterenfauna nachweisen lasse, oder nicht; beim theoretischen Eingehen auf diese Frage kann man diess sogar in Vorhinein vermuthen. Jedem Laien in der Pflanzenkunde ist es bekannt, dass sich besonders Urgebirge und Kalk durch eine specifische Flora auszeichnen; da nun die Coleopteren in ihrer Hauptmasse auf vegetabilische Nahrung angewiesen sind, so scheint der Hauptgrund zur Erklärung bereits gegeben zu sein, wenn es auch andererseits ebenso erwiesen ist, dass so manche Arten und Familien niemals auf Pflanzen beobachtet worden sind. Zur nähern Kenntniss des Beobachtungsterrains wird eine kurze topisch-geognostische Skizze desselben nicht überflüssig sein.

Am Scheitel des südöstlichen Winkels von Kärnten liegt der mächtige Gebirgsstock der Steineralpen mit Erhebungen von mehr als 8000 Fuss, den höchsten in Unterkärnten. Sie bilden ein merkwürdiges geographisches Analogon zur Hochgebirgsgruppe des Triglav, indem beide Massen von den Endpuncten der von Westen nach Osten gehenden Streichungslinie der Karavankenkette etwas nach Süden abspringen, und ihre Culminationspuncte weit übertreffen. Nur ist die Triglavgruppe durch ein Längenthal von ihr getrennt, während diese mit derselben in unmittelbarer Verbindung stehen. Von ihrem Mittelpuncte na križi, diesem triplex confinium zwischen Kärnten, Krain und Steiermark, laufen zwei niedrigere Züge nach Norden, die das Vellachthal einschliessen. In diesem reichen die Beobachtungen bis zur engen Klause unterhalb Kappel, das noch eine Erhebung von 1680 Fuss ü. d. M. hat. Das ganze Thal erreicht bei einer Längenausdehnung von vier Stunden nur in seiner obersten und untersten Partie die Breite einer Viertelstunde, während in seinem grössern Theile die Commercialstrasse nur in Windungen an den beiden Gehängen geführt werden konnte, da die Thalsohle vom Gewässer des Vellachbaches eingenommen ist.

Ein geologisches Profil des westlichen Zuges zeigt in klarer Weise die Aufeinanderfolge der Formationen vom Granit und den krystallinischen Schiefern, die ganz untergeordnet in räumlicher Beziehung im untern Vellachthale auftreten, bis zum Dolomit des untern Lias. Die erwähnte Klause bilden senkrechte Wände des Triasdolomits; sie trägt noch jetzt Spuren alter Befestigungen, die zum Schutze gegen die durchs Jaunthal einbrechenden Türkenhorden erbaut wurden. Unmittelbar von derselben mündet in die Vellach der ebenbürtige Ebriachbach, der seine Quellen am südlichen Gehänge des bleierzreichen Obir hat. Ausschliesslich in dieser Partie wurden gefunden: *Nebria picicornis* Fabr., *Carabus intricatus* L., *Brachynus crepitans* L., *Bembidium minimum* Sturm., *B. fasciolatum* Dftsch., *Lathrobium fulvipenne* Gyll. Darauf erscheinen, wie oben bemerkt wurde, Diorit und Syenitschiefer, Granit, Gneiss und Urthonschiefer, deren Terrain durch keine besonders characteristischen Arten markirt werden kann. Oberhalb des Schlosses Hagenegg beginnen die Schiefer, Kalke und Dolomite der Steinkohlenformation in ausgedehnter und mächtiger Wechsellagerung und reichen bis ins oberste Vellachthal, wo innerhalb ihres Terrains viele eisenhältige Sauerquellen zu Tage treten, von denen die reichsten und günstig gelegenen die Gründung des Badeortes Vellach veranlassten. Vorzüglich diesem Gebiete eigenthümlich sind: *Clivina fossor* L., *Leistus rufibarbis* Hoffm., *Cychrus rostratus* Fabr., *Carabus attenuatus* Fabr., *C. hortensis* L., *C. convexus* Fabr., *Procrustes coriaceus* L., *Feronia Illigeri* Dft., *Dyschirius gibbus* Fabr. die meisten *Bostrichi* und *Staphylini* und andere. Das oberste Vellachthal bietet mit seinen üppigen Matten und seinem hochstämmigen Buchenwalde, aus dessen Physiognomie man lesen kann, dass die Bergregion seine eigentliche Mutter ist, ferner mit den gewaltigen Dolomitwänden der Steineralpen im Hintergrunde ein hohes landschaftliches Interesse. Auf den Kohlenkalk des Golen Vrh folgt abermals der Dolomit der Trias an der bei 6000 Fuss hohen Baba, dem ersten Ausläufer der Steineralpen. Am Fusse dieser dehnt sich halbkreisförmig eine Schutthalde aus, die mit kriechenden Föhren und Buchen bewachsen ist, da die alljährlich niederbrausenden Lawinen ein senkrechtes Wachsthum derselben verhindern. Unter Steinen finden sich hier: *Carabus Creuzeri* Fabr., *Pterostychus variolatus* Dej. und *Cychrus attenuatus* Fbr. Die Vorkommnisse an den Steineralpen selbst, deren Dolomit dem untern Lias zuzurechnen ist, werden bei der systematischen Uebersicht ohnehin näher bezeichnet.

Viele Belehrung und Unterstützung in der Bestimmung schwieriger Familien, besonders der *Staphylinen*, fand ich in dem reichen Schatze entomologischer Kenntnisse des Herrn Kokeil in Klagenfurt, dem ich für diese freundliche Theilnahme den wärmsten Dank ausspreche. In der systematischen Anordnung folgte ich der keinem österreichischen Coleopterologen entbehrlichen „Fauna austriaca" Redtenbacher's.

Systematische Uebersicht.

1. Familie: *Cicindelae*.

Cicindela germanica L. Bei Kappel (Bauer Repnik) nicht selten.
— *campestris* L. Auf sonnigen Feldwegen durch das ganze Thal, häufig.
— *hybrida* L. Auf sonnigen Waldwegen, überall häufig.
— *riparia* Meg. Am Vellachufer, häufig.

2. Fam. *Carabi*.

Elaphrus riparius Fabr. Am Vellachufer, selten.
— *uliginosus* Fabr. Ebenda, sehr selten.

Notiophilus aquaticus L. An feuchten Orten unter Brettern, Laub und Steinen, nicht selten.

— *semipunctatus* L. Ebendort, häufig.

Nebria picicornis Fabr. Im untersten Vellachthale, besonders im Sommer, gemein.

— *brunnea* Duftsch. Auf den Steineralpen über der Holzgränze an den Rändern von Schneefeldern, mit derem Abschmelzen sie zurückweicht, häufig.

— *Jokischii* Sturm. An den Ufern der Vellach, selten.

— *Gyllenhallii* Schönherr. Ebenda, häufig.

— *Dahlii* Duftsch. In den Wäldern am Obir unter Steinen, ziemlich selten.

— *angustata* Dej. Eine erst vor Kurzem auf den Steineralpen entdeckte Species, kommt mit *N. brunnea*, jedoch seltener vor. Ihre Verwandte *N. Hellwigii* Pz. scheint bloss dem Urgebirge anzugehören.

Leistus nitidus Duftsch. Auf den Steineralpen unter Steinen, sehr selten.

— *rufibarbis* Hoffmsgg. An feuchten Orten und unter Steinen im oberen Vellachthale, selten.

Cychrus rostratus Fabr. Unter Steinen und Brettern im oberen Vellachthale, sehr selten.

— — var. *elongatus* Dej. Daselbst, sehr selten.

— *attenuatus* Fabr. Unter Steinen am Fuss der Steineralpen, nicht selten.

— *Schmidtii* Chaud. Auf der Höhe des Obir, sehr selten.

Procrustes coriaceus L. An dunklen feuchten Orten, häufig.

Procerus gigas Creuzer. Nach Regen, sehr selten.

Carabus emarginatus Duftsch. Auf Wegen, im Frühling und Sommer, häufig.

— *intricatus* L. An felsigen Orten unter Steinen im untersten Vellachthale, nicht häufig.

— *violaceus* L. Unter alten Baumstöcken, sehr selten.

— — var. *Germarii* Sturm. Ebenda, selten.

— *convexus* Fabr. Unter Steinen und altem Holze, selten.

— *arvensis* Fabr. An sandigen Stellen im untern Vellachthale, häufig.

— — var. *pomeranus* Oliv. Unter Baumrinden, äusserst selten.

— *hortensis* L. Unter Steinen und altem Holze (oberes Vellachthal) selt.

— *alpestris* Sturm. Auf den Steineralpen über der Holzgränze, sehr selten.

— *Creuzeri* Fabr. Am Fuss der Steineralpen, nicht häufig.

Cymindis humeralis Fabr. Am Golen Vrh unter Steinen, selten.

— *punctata* Bonelli. Am Obir, äusserst selten.

Dromius 4maculatus L. Unter Baumrinden und Steinen, sehr häufig.
— *truncatellus* Fabr. Ebenda, selten.
— *linearis* Oliv. Unter Baumrinden, sehr selten.

Lionychus quadrillum Duftsch. Am Vellachufer unter Steinen, selten.
Lebia chlorocephala Ent. H. Unter Steinen bei Kappel, selten.
— *crux minor* L. Ebenda, sehr selten.
— *cyanocephala* L. Ebenda, selten.

Brachynus crepitans L. Unter Steinen im untern Vellachthale, sehr selten.
Aptinus mutilatus Fabr. Unter Steinen bei Kappel, sehr selten.
Clivina fossor L. Unter Steinen, sehr selten.
Dyschirius gibbus Fabr. An feuchten Orten im oberen Vellachthale, häufig.
— *rotundipennis* Chaudoir. Auf den Steineralpen, selten.
Panagaeus crux major L. Unter Steinen bei Kappel, sehr selten.
Licinus Hoffmanseggi Panz. Am Obir unter Steinen, nicht häufig.
Callistus lunatus Fabr. Unter altem Holze, nicht häufig.
Chlaenius Schrankii Duftsch. Unter Steinen, häufig.
— *nigricornis* Fabr. Ebenda, seltner.
— *vestitus* Fabr. Ebenda, selten.
Calathus melanocephalus L. Unter Steinen, überall häufig.
— *cisteloides* Illg. Ebenda, nicht häufig.
Sinuchus vivalis Panz. Unter Moos und Steinen, ziemlich selten.
Anchomenus scrobiculatus Fabr Unter Steinen und Brettern im obern Vellachthale selten.
— *angusticollis* Fabr. Ebenda, selten.
— *6punctatus* L. Auf Wegen, sehr häufig.
— *prasinus* Fabr. Unter Steinen und faulem Holze, ziemlich selten.
— *parumpunctatus* Fabr. Unter Steinen, nicht selten.

Poecilus cupreus L. Auf Wegen, sehr gemein.
— *lepidus* Fabr. Ebenda, nicht selten.

Feronia (Steropus) aethiops Illg. In den Wäldern am Obir, zieml. selt.
— *(Steropus) Illigeri* Duftsch. Unter Steinen und Brettern im obern Vellachthale, sehr selten.
— *(Argutor) vernalis* Fabr. Unter Steinen, nicht selten.
— *(Argutor) unctulata* Duftsch. Unter Moos, Steinen und Brettern, ziemlich selten.
— *(Abax) ovalis* Duftsch. Im obern Vellachthale, nicht selten.
— *(Abax) striola* Fabr. Ebenda, nicht selten.
— *(Abax) Beckenhauptii* Duftsch. Auf den Steineralpen, häufig.
— *(Abax) parallela* Duftsch. Ebenda, häufig.
— *(Abax) transversalis* Duftsch. Unter Steinen und Brettern, ziemlich häufig.
— *(Pterostychus) fasciato-punctata* Fabr. Im oberen Vellachthale, häufig.
— *(Pterostychus) Ziegleri* Duftsch. Auf den Steineralpen, nicht selten.

Feronia (Pterostychus) varielatus Dej. Am Fuss der Steineralpen im Frühjahre, nicht selten.
— *(Pterostychus) Jurinei* Pnz. Auf den Steineralpen und am Obir unter Steinen, nicht selten.
— *(Pterostychus) Mühlfeldtii* Duftsch. Auf den Steineralpen, nicht häufig.
— *(Pterostychus) nigra* Fabr. Im obern Vellachthale, selten.
— *(Platysma) oblongo-punctata* Fabr. Am Fuss der Steineralpen, häufig.
— *(Molops) metallica* Fabr. Unter Steinen in Wäldern, sehr häufig.
— *(Molops) elata* Fabr. In Wäldern im oberen Vellachthale, ziemlich häufig.
— *(Molops) terricola* Fabr. Ebenda, nicht häufig.
— *(Omasius) melanaria* Illg. Ebenda, selten.

Zabrus gibbus Fabr. In Getreidefeldern, selten.

Amara (Lejocnemis) nobilis Duftsch. Am Hochobir unter Steinen, sehr häufig.
— *vulgaris* Fabr. Auf Wegen, gemein.

Anisodactylus binotatus Dej. Unter Steinen, gemein.

Diachromus germanus L. Unter Steinen, sehr selten.

Harpalus azureus Fabr. Unter Steinen an Wegen, selten.
— *ruficornis* Fabr. Unter Steinen und faulem Holze, nicht selten.
— *griseus* Pnz. Ebenda, seltner.
— *distinguendus* Duftsch. Ebendort, nicht häufig.
— *impiger* Duftsch. Unter faulendem Holze, häufig.
— *tardus* Panz. Ebenda, häufig.
— *aeneus* Fabr. Häufig.

Stenolophus vaporariorum Fabr. Unter Steinen, sehr selten.

Trechus rotundatus Dej. Auf den Steineralpen, selten.
— *rotundipennis* Duftsch. Ebendort, selten.
— *longicornis* Sturm. Am Vellachufer unter Steinen, sehr selten.
— *discus* Fabr. Am Vellachufer unter Steinen, selten.

Bembidium (Tachypus) picipes Duftsch. Am Ebriachufer unter Steinen, nicht häufig.
— *(Leja) celere* Fabr. Am Vellachufer unter Steinen, nicht selten.
— *(Lopha) 4maculatum* L. Ebendaselbst, sehr selten.
— *(Peryphus) scapulare* Dej. Ebendaselbst, nicht selten.
— *(Peryphus) femoratum* Sturm. Nicht häufig.
— *(Peryphus) Andreae (rupestris)* Fabr. Ebenda, sehr häufig.
— *(Peryphus) virens* Gyll. Am Vellachufer, selten.
— *(Peryphus) eques* Sturm. Ebendort, nicht häufig.
— *(Peryphus) tricolor* Fabr. Ebendort, selten.
— *(Peryphus) fasciolatum* Duftsch. Am Ebriachufer, nicht selten.
— *(Peryphus) tibiale* Duftsch. Ebenda, nicht häufig.

Bembidium (Tachys) 4signatum Duftsch. Am Ebriachufer unter Steinen, sehr häufig.

— *(Tachys) minimum* Sturm. Ebenda, nicht selten.

3. Fam. **Dytisci.**

Dytiscus marginalis. L. In grössern Wassertümpeln bei Kappel, selten.
Acilius sulcatus Fabr. Wie voriger, nicht selten.
Ilybius ater Degeer. In Lachen bei Kappel, ziemlich häufig.
— *fuliginosus* Fabr. Ebenda, nicht selten.
Agabus guttatus Payk. In Lachen, nicht selten.
— *Sturmii* Schönh. Ziemlich selten.
— *congener* Payk. Sehr selten.
— *paludosus* Fabr. Wie vorige, häufig.
Hydroporus picipes Fabr. In stehendem Wasser bei Kappel, zieml. selten.
— *geminus* Fabr. Ebendort, häufig.
— *halensis* Fabr. Ist seltener.
— *palustris* L. Häufig.
Haliplus oblignus Fabr. In Lachen, häufig.

4. Fam. **Gyrini.**

Gyrinus natator Payk. In Wassertümpeln, selten.

5. Fam. **Hydrophili.**

Helephorus grandis Ill. }
— *griseus* Herbst. } In Schneelachen auf den Steineralpen, nicht selten.
Lacrobius minutus L. In Lachen bei Kappel, häufig.
Hydrobius fuscipes L. Ebenda, nicht häufig.
Phylhidrus griseus Fabr. Wie vorige, ziemlich häufig.
Cyclonotum orbiculare Fabr. }
Cylidium seminulum Payk. } In Lachen häufig.
Sphaeridium scarabaeoides Fabr. Im Kuhmist, sehr häufig.
Cercyon haemorrhoidale Fabr. }
— *melanocephalum* L. }
— *unipunctatum* L. } Im Kuhmist, nicht häufig.
Cryptopleurum atomarium Fabr. Im Pferde- und Kuhmist, nicht selten.

6. Fam. **Parni.**

Parnus prolifericornis Fabr. }
— *auriculatus* Pnz. } An Bächen, ziemlich selten.

7. Fam. *Silphae*.

Necrophorus mortuorum Fabr. } Bei Aas, häufig.
— *vespillo* Fabr. }
— *fossor* Erichs. Bei Aas, sehr selten.
— *humator* Fabr. } Bei grösserem Aas, häufig.
Necrodes litoralis Fabr. }
Silpha thoracica Fabr. An Aas und faulenden Pflanzenstoffen, nicht selten.
— *rugosa* Fabr. Ebenda, häufig.
— *sinuata* Fabr. } Wie vorige, selten.
— *reticulata* Fabr. }
— *atrata* Fabr. } An Wegen und Feldern, häufig.
— *obscura* Fabr. }
— *carinata* Ill. } Wie vorige, jedoch sehr selten.
— *opaca* Fabr. }
— *laevigata* Fabr. Auf Wegen, selten.
Necrophilus subterraneus Ill. An feuchten Stellen der Steineralpen, sehr selten.
Catops morio Fabr. In faulen Schwämmen, selten.

8. Fam. *Scaphidii*.

Scaphidium 4maculatum Fabr. In Buchenschwämmen und faulen Strünken, sehr selten.

9. Fam. *Ptilii*.

Trichopteria fascicularis Herbst. Einige Mahle fliegend gefangen.

10. Fam. *Anisotomae*.

Anisotoma ferruginea Schmidt. In faulem Holze, sehr selten.

11. Fam. *Nitidulae*.

Epuraea aestiva L. In faulenden Pflanzenstoffen, nicht selten.
Nitidula bipustulata Fabr. Im Speck und faulenden Thierstoffen, häufig.
Omosita colon L. In faulem Holze, nicht häufig.
Meligethes rufipes Gyll. } Auf Blumen und Gesträuchen, selten.
— *pedicularius* Gyll. }
Cychramus luteus Fabr. In Blüthen, häufig.
Ips 4pustulata Fabr. } An Brettern, selten.
— *ferruginea* Fabr. }
Rhyzophagus politus Fabr. Unter Baumrinden, selten.

Peltis dentata Fabr. In Baumschwämmen, sehr selten.
— *ferruginea* L. Unter Rinden abgestorbener Bäume, nicht selten.
— *oblonga* L. An Mauern, sehr selten.
Thymalus limbatus Fabr. In Baumschwämmen, sehr selten.

12. Fam. *Colydii.*

Ditoma crenata Fabr.
Cerylon histeroides Fabr. } Unter Baumrinden, häufig.
— *deplanatum* Gyll. Wie vorige, selten.

13. Fam. *Cucuji.*

Brontes planatus. Unter Rinden abgehauener Bäume, häufig.

14. Fam. *Cryptophagi.*

Sylvanus unidentatus Fabr. Unter Baumrinden, sehr selten.
Cryptophagus collaris Scop. In Schwämmen, nicht selten.
Atomaria fuscata Schönh. In faulen Pilzen, nicht häufig.
— *atra* Herbst. Ebenda, selten.
Engys humeralis Fabr. In Baumschwämmen, nicht häufig.
Tritoma bipustulata Fabr. Ebendort, häufig.

15. Fam. *Lathrydii.*

Lathrydius minutus L. Auf Holz und in Häusern, nicht selten.
Corticaria gibbosa Herbst. An Häusern und Mauern, häufig.

16. Fam. *Mycetophagi.*

Mycetophagus 4pustulatus L. In Schwämmen, sehr selten.

17. Fam. *Dermestae.*

Dermestes lardarius L. In Felzen und an Mauern, häufig.
— *murinus* L. Bei Aas, nicht selten.
Attagenus pellio L. Auf Blüthen und Häusern, nicht selten.
Trinodes hirtus Fabr. Unter Holz, ziemlich selten.
Anthraenus scrophulariae L. An Doldenblüthen, häufig.
— *pimpinellae* Fabr. Ebenso, selten.
— *museorum* L. In Naturalien, nicht selten.

18. Fam. *Byrrhi.*

Lymnichius versicolor Waltl. Unter angeschwemmten Reisig am Vellachufer, selten.

Byrrhus gigas Fabr. Am Fuss der Steineralpen, ziemlich selten.
— *fasciatus* Fabr. Auf Moos im obern Vellachthale, selten.
— *scrabipennis (alpinus)* Steph. Auf den Steineralpen, zieml. selten.
— *pillula* L. Auf Moos, häufig.
— *varius* Fabr. Selten.
— *nitens* Pnz. Nicht häufig.
— *aeneus* Fabr. Nicht häufig.
— *picipes* Meg. Wie vorige auf Moos, sehr selten.
— *inaequalis* L. Auf den Steineralpen, nicht selten.
— *Dianae* Fabr. Auf Moos, selten.

19. Fam. *Histri.*

Platysoma depressum Fabr. Unter Baumrinden, nicht selten.
Hister unicolor Fabr. Im Dünger und bei Aas, nicht selten.
— *bissexstriatus* Payk.
— *merdarius* Ent. Hefte.
— *stercorarius* E. H.
— *carbonarius* E. H.
— *bimaculatus* L.
} In Mist und auf Wegen, nicht häufig.
— *purpurascens* Herbst. Wie vorige, sehr selten.

20. Fam. *Scarabaei.*

Platycerus caraboides L. In alten Buchenstöcken, ziemlich selten.
Lucanus cervus L. Auf Eichen und in hohlen Bäumen, selten.
— *capreolus* Fabr. Ebendort, häufiger.
Dorcus parallelepipedus L. In faulenden Strünken, nicht selten.
Geotrupes vernalis L. Im Dünger, häufig.
— *alpinus* Hoppe. Im obern Vellachthale, nicht selten.
— *stercorarius* L. Ueberall sehr gemein.
— *sylvaticus* Fabr. Im Mist, ziemlich selten.
Copris lunaris L. Im untern Vellachthale, nicht selten.
Onthophagus Schreberi L. Nicht selten.
— *taurus* L. Selten.
— *coenobita* Fabr. Nicht selten.
— *fracticornis* Pnz. Nicht selten.
— *vacca* L. Häufig.
} Im Dünger.
Oniticellus flavipes Fabr. Im untern Vellachthale, ziemlich selten.
Aphodius fossor L. Im Mist, nicht selten.
— *fimetarius* L. Im Kuh- und Pferdemist, sehr häufig.
— *inquinatus* Fabr. Im Pferdemist, sehr häufig.
— *erraticus* L. Im Dünger, häufig.
Trox sabulosus L. Im vertrockneten Kuhmist, ziemlich selten.

Melolontha vulgaris Fabr. Sehr zahlreich.
— *hippocastani* Fabr. Seltner.
Amphimallus solstitialis Fabr. Auf Getreideähren, sehr zahlreich.
Anomala Julii Fabr. } Auf Gesträuchen, nicht häufig.
— *Frischii* Fabr. }
— *aurata* Fabr. Auf Föhren, sehr zahlreich.
Phyllopertha horticola L. Auf Gesträuchen und Grashalmen, sehr gemein.
Homaloplia holosericea Scop. Auf trockenen Grasplätzen unter Steinen, sehr selten.
Hoplia squammosa Fabr. Auf Weiden, sehr häufig.
Cetonia aurata L. Gemein. }
— *marmorata* Fabr. Sehr selten. } Auf Blüthen.
— *metallica* Fabr. Nicht selten. }
— *(Epicometis) hirtella* L. Auf Löwenzahn, häufig.
Valgus haemipterus L. Auf Mauern, nicht häufig.
Osmoderma eremita Scop. In faulen Weidenstöcken, selten.
Trichius fasciatus L. Auf Doldenblüthen; sehr häufig.
Gnorimus nobilis L. Auf blühendem Liguster, nicht selten.

21. Fam. **Buprestí.**

Dicerca berolinensis Fabr. Auf gefälltem Holze, selten.
— *acuminata* Fabr. Auf Erlenstöcken, sehr selten.
Calcophora Mariana L. Auf Föhrenstrünken, nicht selten.
Ancylocheira 8guttata L. Sehr selten. }
— *rustica* L. Nicht selten. } Auf gefälltem Holze.
— *punctata* Fabr. Selten. }
Eurythyrea austriaca L. An Brettern, sehr selten.
Melanophila tarda Fabr. Auf gefällten Föhren und Fichten, zieml. selten.
Chrysobothris affinis Fabr. Auf gefällten Erlen, nicht häufig.
Anthaxia 4punctata L. Auf Blüthen und gefälltem Holze, gemein.
Agrilus cyanescens Ratzeburg. Auf gefällten Erlen, nicht selten.
Trachys minuta Fabr. Auf Gesträuchen, selten.

22. Fam. **Elateres.**

Melanotus niger Fabr. Nicht selten. } Auf Gesträuchen.
— *castanipes* Payk. Zieml. selten. }
Adelocera fasciata L. In Kieferstrünken, sehr selten.
Lacon murinus L. Auf Sträuchern und Getreideähren, häufig.
Athous haemorrhoidalis Fabr. Auf Gesträuchen, sehr häufig.
— *hirtus* Herbst. Nicht selten. } Auf Blumen und Gesträuchen.
— *longicollis* Fabr. Selten. }
Campylus denticollis Fabr. Im obern Vellachthale nur einmal fliegend gefangen.

Limonius cilindricus Payk. Häufig.
— *nigripes* Gyll. Selten.
} Auf Gras und Blumen.

Cardiophorus thoracicus Fabr. Auf Grashalmen, sehr selten.
— *rufipes* Fabr. Auf Blumen und Gesträuchen, sehr selten.

Elater sanguineus L. Auf Gesträuchen und unter Baumrinden, nicht häufig.
— *ephippium* Fabr. Auf Gesträuchen, sehr selten.

Cryptohypnus pulchellus L. Auf sonnigen Grasplätzen im Frühjahre, häufig.
— *riparius* Fabr.
— *minutissimus* Germ.
} Am Vellachufer, häufig.

Corymbites haematodes Fabr. Auf Gesträuchen, ziemlich selten.
— *aulicus (signatus)* Pnz. Sehr häufig.
— *pectinicornis* L. Häufig.
— *tessellatus* L. Seltner.
} Auf Alpen im Frühjahre.
— *aeruginosus* Fabr. Gemein.
— *cupreus* Fabr. Nicht häufig.
} Auf Alpen und Voralpen, im Frühjahre.
— *haemopterus* Ill. Nur Ein Exemplar fliegend gefangen.

Diacanthus holosericeus Fabr. Auf Gesträuchen, nicht selten.
— *aeneus* L. Unter Steinen im Frühjahre, nicht selten.
— *metallicus* Payk. Unter Steinen, ziemlich selten.

Agriotes segetis Bierk. Häufig.
— *sputator* L. Sehr häufig.
} Auf Blumen und Gesträuchen.

Dolopius marginatus L. Auf Gesträuchen häufig.

23. Fam. *Telephori.*

Lygistopterus sanguineus Fabr. Auf Blumen im Frühjahr, nicht selten.

Dictiopterus aurora Fabr. Auf Blumen, nicht selten.

Lampyris splendidula L. Um das Sommersolstitium, sehr häufig.

Telephorus fuscus L. Sehr häufig.
— *dispar* Fabr. Sehr häufig.
— *rufus* L. Ziemlich selten.
— *obscurus* L. Nicht selten.
— *abdominalis* Fabr. Selten.
— *assimilis* Payk. *(nigricornis* Meg.*)* S. selt.
} Auf Gesträuchen im Frühjahre.

Ragonycha melanura Fabr. Auf Blumen und Getreide, sehr gemein.

Malthinus biguttatus L. Auf Pflanzen, sehr selten.

24. Fam. *Malachii.*

Malachius aeneus Fabr. Nicht selten.
— *bipustulatus* Erich. Ziemlich selten.
} Auf Gesträuchen im Frühjahre.

Anthocomus equestris Fabr. Auf Gesträuchen, sehr selten.

Dasytes coeruleus Fabr. Sehr selten.
— *niger* Fabr. Ziemlich selten.
} Auf Blumen.

25. Fam. *Cleri*.

Opilus mollis Fabr. Auf Blumen, selten.
Trichodes apiarius L. Auf blühenden Gesträuchen, nicht selten.
Clerus formicarius L. Auf gefällten Föhren und Fichten, gemein.

26. Fam. *Ptini*.

Ptinus fur L. In Häusern, nicht selten.
— *latro* Fabr. In Naturaliensammlungen, selten.

27. Fam. *Anobii*.

Anobium striatum Ill. Auf Holz und Mauern, nicht häufig.
— *pertinax* L. Ebendort, häufig.
Cis boleti Fabr. } In Baumschwämmen gemein.
— *micans* Fabr. }
Ptilinus pectinicornis L. In Baumschwämmen, häufig.
Apate capucina L. In altem Holze, sehr selten.

28. Fam. *Lymexylones*.

Hylecoetus dermestoides Fabr. In Baumstränken im Frühjahr, häufig.

29. Fam. *Bostrychi*.

Bostrychus typographus L. }
— *stenographus* Duftsch. } Im Nadelholz, sehr zahlreich.
— *laricis* Fabr }
Crypturgus pusillus Gyll. Unter Fichtenrinde, ziemlich häufig.
Xyloteres lineatus Gyll. } Auf Nadelholz, selten.
— *domesticus* L. }

30. Fam. *Hylesini*.

Hylesinus fraxini Fabr. In Eschen, nicht selten.
Hylurgus piniperda L. Auf gefällten Föhren und Fichten, häufig.

31. Fam. *Curculiones*.

Dryophthorus lymexylon Fabr. Unter Baumrinden, sehr selten.
Sitophilus granarius L. Bei altem Getreide, selten.
Gymnetron campanulae L. Auf Pflanzen und Gesträuchen, nicht selten.
Cionus scrophulariae L. Im obern Vellachthale auf *Scroph. canina*, gemein.
— *thapsus* Fabr. Nicht selten. } Auf *Verbascum*-Arten.
— *verbasci* Fabr. Häufig. }
Ceutorrhynchus echii Pnz. Auf *Echium vulgare*, selten.

Ceutorrhynchus erysimi Fabr. Auf Pflanzen, ziemlich selten.
— *asperifoliarum* Kirby. Selten. } Auf Gesträuchen.
— *troglodytes* Fabr. Nicht selten. }
Coeliodes lamii Herbst. Auf Zäunen und Gesträuchen, ziemlich selten.
Cryptorrhynchus lapathi L. Auf Erlen, selten.
Baridius chlorizans Germ. Auf Pflanzen und Gesträuchen, nicht selten.
Orchestes populi Fabr. Nicht selten. } Auf Gesträuchen.
— *fagi* L. Seltner. }
Tachyerges salicis L. Auf Weiden, sehr selten.
Tychius tomentosus Herbst. Auf Pflanzen, ziemlich selten.
Anthonomus pomorum L. In Blüten der Aepfel- und Birnbäume, nicht selten.
— *druparum* L. Auf gefällten Bäumen, nicht häufig.
Magdalinus violaceus L. Auf Nadelholz, selten.
Pisodes pini L. Auf Fichten, nicht häufig.
— *notatus* Fabr. Auf Föhren, häufig.
Larinus sturnus Schaller. Auf gefällten Bäumen, sehr selten.
— *cinerascens* Sturm. Häufig. } Auf Disteln.
— *oblongus* Payk. Nicht häufig. }
Lixus angustatus Fabr. Auf Gesträuchen, sehr selten.
Tyloderes chrysops Herbst. Unter Steinen, sehr selten.
Otiorrhynchus carinthiacus Germ. } Auf Gesträuchen, nicht selten.
— *multipunctatus* Fabr. }
— *gemmatus* L. Ebendort, sehr häufig.
— *morio* Fabr. Auf den Steineralpen, sehr selten.
— *austriacus* Fabr. Auf Wegen und unter Steinen, häufig.
— *planatus* Fabr. Auf Bäumen, häufig.
— *niger* Fabr. Am Fuss der Steineralpen unter Steinen, selten.
— *pinastri* Herbst. Unter Steinen, selten.
— *bisulcatus* Zgl. Auf den Steineralpen und am Obir unter Steinen, häufig.
— *ligustici* L. Auf Wegen, nicht selten.
— *cupreomaculatus* Kok. Am Obir unter Steinen, nicht selten.
— *pupillatus* Schönh. Selten. } Auf Gesträuchen.
— *perdix* Oliv. Ziemlich selten. }
— *rhaeticus* Heer. Am Christoffelsen bei Vellach unter Steinen, sehr selten.
— *mastix* Oliv. Nicht häufig. } Auf Gesträuchen.
— *geniculatus* Meg. Sehr häufig. }
Trachiphloeus scrabiculus L. Unter Steinen, nicht häufig.
Phyllobius argentatus L. } Auf Gesträuchen, nicht selten.
— *oblongus* L. }
— *calcaratus* Fabr. }
Phytonomus polygoni Fabr. } Auf Gesträuchen und Pflanzen, selten.
— *punctatus* Fabr. }

Molytes germanus L. Unter Steinen, auf Wegen und auf *Petasites alba*, sehr häufig.
Hylobius abietis Fabr. Unter liegenden Föhren, häufig.
— *pineti* Fabr. Unter liegenden Lärchen, selten.
Lepyrus colon L.
— *binotatus* Fabr. } Auf Weiden, nicht selten.
Lyophloeus nubilus Fabr. Auf Wegen, nicht selten.
Alophus triguttatus Fabr. Unter Steinen, selten.
Cleonus albidus Fabr. In Blüthen der Rosskastanie, sehr selten.
— *marmoratus* Fabr. Unter Steinen, sehr selten.
— *sulcirostris* L. Auf niedern Gesträuchen, ziemlich selten.
Polydrusus micans Fabr. Auf Buchen, häufig.
— *sericeus* Schaller. Häufig.
— *undatus* Fabr. Selten. } Auf Gesträuchen.
Chlorophanus graminicola Schönh. Auf Gesträuchen, selten.
Sitones hispidulus Fabr. An Mauern, ziemlich selten.
— *lineatus* L. Auf Mauern und Pflanzen, nicht selten.
Strophosomus coryli Fabr. An Mauern, selten.
Apion frumentarium L. Bei aufgehäuftem Getreide, auch unter Steinen, selten.
— *flavipes* Fabr.
— *morio* Germ. } Im Frühjahre unter Moos und auf Gesträuchen, selten.
— *apricans* Herbst. Auf Pflanzen und Gras, nicht selten.
Rhynchites betulae L.
— *populi* L.
— *betuleti* Fabr.
— *cupreus* L. } Auf jungen Birken und Pappeln, nicht selten.
— *Bachus* L.
Attelabrus curculionoides L. } Auf Gesträuchen, selten.
Apoderus coryli L. Auf Haselnuss, nicht häufig.
Anthribus albinus Fabr. Unter Rinden morscher Bäume, sehr selten.
Platyrhinus latirostris Fabr. Auf gefälltem Holz und Strünken, selten.
Tropideres albirostris Fabr. Auf Erlenstöcken, sehr selten.
Brachytarsus varius Fabr. Auf alten gefällten Bäumen, selten.

32. Fam. *Cerambyces.*

Spondylis buprestoides Fabr. Auf geklaftertem Holze und Kieferstrünken, häufig.
Ergates faber Fabr. Unter liegenden Bäumen, selten.
Tragosoma depsarium Fabr. Unter der Rinde alter liegender Bäume, sehr selten.
Prionus coriarius Fabr. Unter gefälltem Holze, selten.
Hammaticherus cerdo Fabr. Auf gefällten Buchen und Blüthen der Gesträuche, selten.

Rosalia alpina L. Auf gefälltem Holze bis ins unterste Vellachthal, sehr selten.
Aromia moschata L. Auf Weiden und Doldenblüthen, nicht selten.
Saphanus spinosus Fabr. Auf gefällten Bäumen, sehr selten.
Phymatodes variabilis L. Auf frisch gefälltem Holze, sehr selten.
Callidium violaceum L. Zwischen Brettern, ziemlich selten.
Semanotus undatus L. Auf gefällten Bäumen und an Mauern, sehr selten.
Criocephalus rusticus L. Zwischen Brettern, nicht selten.
Asemum striatum L. Häufig. } Auf gefällten Föhren.
Isartron luridum Fabr. Nicht selten. } Auf gefällten Föhren.
Hylotrupes bajulus L. Bei Holzlagern, häufig.
Clitus arcuatus L. Auf gefällten Eichen, selten.
— *mysticus* L. Auf blühenden Sträuchern, selten.
— *arietis* L. Auf Mauern und gefälltem Holze, ziemlich selten.
— *ornatus* Fabr. Auf Wiesenblumen, sehr selten.
— *plebejus* Oliv. Auf blühender *Rosa canina*, selten.
— *gazella* Fabr. An Mauern, selten.
Necydalis (Molorchus) dimidiatus L. } Auf gefällten Bäumen, selten.
— *pygmaeus* Fabr. } Auf gefällten Bäumen, selten.
Leiopus nebulosus L. Auf geklaftertem Holze, nicht selten.
Astynomus aedilis L. Auf gefällten Kiefern und an Mauern, häufig.
— *atomarius* Fabr. Auf gefällten Erlen, häufig.
Pogonocherus fascicularis Pnz. Auf Mauern und gefälltem Holze, sehr selten.
Monochamus sutor L. Gemein. } Auf gefällten Fichten.
— *sartor* Fabr. Selten. } Auf gefällten Fichten.
Lamia textor L. In Strünken und auf Weiden, selten.
Mesosa curculionoides L. An Zäunen und gefälltem Holze, selten.
Saperda populnea L. Auf jungen Birken, ziemlich selten.
— *carcharias* L. Auf Pappeln, sehr selten.
— *scalaris* L. Auf gefällten Birken und Erlen, nicht häufig.
— *tremulae* Fabr. Auf Birken, sehr selten.
Oberea oculata L. Auf Weiden, sehr selten.
— *linearis* L. Auf Haselnuss, sehr selten.
Rhagium bifasciatum Fabr. Nicht häufig. } Auf gefällten Fichten und Tannen.
— *indagator* Fabr. Häufig. } Auf gefällten Fichten und Tannen.
— *mordax* Fabr. Selten. } Auf gefällten Fichten und Tannen.
— *inquisitor* L. Häufig. } Auf gefällten Fichten und Tannen.
Toxotus cursor L. Auf Blumen, selten.
— *4punctatus* L. Auf blühendem Gesträuch und Doldenblüthen, sehr häufig.
Pachyta 8maculata Fabr. } Auf Blüten, häufig.
— *virginea* L. } Auf Blüten, häufig.
— *collaris* L. } Auf Blüten, häufig.

Strangalia 7punctata Fabr.
— *nigra* Fabr. } Auf blühenden Gesträuchen, nicht selten.
— *pubescens* Fabr. Häufig.
— *4fasciata* L. Nicht häufig.
— *armata* Herbst. Häufig.
— *melanura* L. Nicht selten. } Auf Doldenblüthen.
Leptura virens L. Auf *Heracleum spondylium*, selten.
— *rubrotestacea* L. Gemein.
— *scutellata* Fabr. Sehr selten. } Auf Blumen und gefällten Bäumen.
Grammoptera lurida Fabr. Auf Blumen, sehr häufig.

33. Fam. **Chrysomelae.**

Lema merdigera L. Auf *Lilium Marthagon*, selten.
— *12punctata* L. Auf Spargel, sehr häufig.
— *melanopa* L. An Mauern, sehr selten.
— *asparagi* L. Auf Spargel, nicht selten.
Cassida equestris Fabr. Nicht häufig.
— *vibex* L. Seltner.
— *nobilis* L. Selten. } Auf Pflanzen.
Adimonia rustica Fabr. Auf Gras, selten.
— *tanaceti* L. Auf Wiesen und Wegen, sehr gemein.
Galeruca lineola Fabr. Auf Gesträuchen, nicht selten.
Agelastica alni L. Auf Erlen, sehr zahlreich.
Luperus rufipes Fabr.
— *flavipes* L. } Auf Gesträuchen, nicht selten.
Haltica oleracea Fabr. Auf Gemüse, häufig.
— *flexuosa* Ill. Auf Gräsern, nicht selten.
— *euphorbiae* Fabr.
— *nemorum* L. } Auf Pflanzen, häufig.
— *helxines* L. Auf Weiden und Gras, nicht häufig.
Timarcha metallica Fabr. Unter Steinen, selten.
Chrysomela sanguinolenta L. Auf Wegen, selten.
— *fastuosa* L. Auf *Mentha*-Arten, häufig.
— *coerulea* Duftsch. Auf *Salvia glutinosa*, sehr selten.
— *goettingensis* L. Auf Blumen und unter Steinen, selten.
— *marginata* L. Unter Steinen, sehr selten.
— *phalerata* Dej. Auf den Steineralpen, sehr selten.
— *gloriosa* Fabr. Auf *Cacalia alpina*, nicht selten.
— *staphyleae* L. Unter Steinen und Brettern, nicht häufig.
— *Schach* Fabr. An Wegen, sehr selten.
— *crassimargo* Germ. Wie vorige, selten.
— *geminata* Payk. Unter Steinen und auf Gesträuchen. sehr selten.
— *haemoptera* L.
— *varians* Fabr. } Auf Gesträuchen, selten.

Chrysomela graminis L. Am Vellachufer auf *Mentha aquatica*, nicht selten.
— *violacea* Fabr. Auf Gesträuchen, sehr selten.
Lina populi L.
— *tremulae* Fabr. } Auf jungen Pappeln, häufig.
— *aenea* L. Auf Gesträuchen, ziemlich selten.
Phratora vitellinae L. Auf Weiden, mit der blauen Varietät (*Phr. vulgatissima* L.), sehr häufig.
Phaedon carniolicus Duftsch.
— *cochleariae* Fabr. } Unter Moos und nassen Brettern, selten.
Gonioctena viminalis Gyll. Auf Weiden am Vellachufer nebst einer schwarzen und rothen unpunctirten Varietät, häufig.
Chrysuchus pretiosus Fabr. In Wäldern auf Blumen, selten.
Clytra 4punctata L.
Lachnaia longipes Fabr. } Auf Gesträuchen, nicht häufig.
Labidostomis longimana L. Auf *Trifolium*-Arten, nicht selten.
Cyaniris cyanea Fabr. Auf Gras, ziemlich selten.
— *aurita* L. Auf Gesträuchen, sehr selten.
— *affinis* Ill. Auf Blüthen, nicht selten.
Pachybrachys hieroglyphicus Fabr. Auf Weiden, häufig.
— *histrio* Fabr. Auf Sträuchern, selten.
Cryptocephalus variegatus Fabr. Auf Gesträuchen, selten.
— *violaceus* Fabr. Auf Blumen, nicht häufig.
— *sericeus* L. Sehr häufig.
— *frenatus* Fabr. Selten.
— *flavilabris* Payk. Selten.
— *geminus* Gyll. } Auf Blumen und Gesträuchen.
— *6punctatus* L. Auf Weiden, nicht selten.
— *flavipes* Fabr. Ziemlich selten.
— *bipunctatus* L. Nicht häufig.
— *Moraei* L. Nicht selten.
— *nitens* L. Sehr selten. } Auf Sträuchern.
— *bipustulatus* Fabr. Auf *Trifolium*-Arten, häufig.

34. Fam. Coccinellae.

Coccinella 7punctata L. Auf Getreidehalmen und Sträuchern, sehr gemein.
— *oblongo-punctata* L. Selten.
— *ocellata* L. Sehr selten. } Auf Kiefern.
— *bipunctata* Ill.
— *conglobata* L. } Auf Gesträuchen häufig.

35. Fam. Lycoperdinae.

Endomichus coccineus L. Auf Blüthen, ziemlich selten.

36. Fam. ***Diaperides.***

Diaperis boleti L. In Kieferstöcken und Schwämmen, nicht selten.
Scaphidema bicolor Fabr. Unter Steinen, sehr selten.

37. Fam. ***Tenebriones.***

Uloma culinaris L. Im Mulm alter Bäume, ziemlich selten.
Tenebrio molitor L. In Häusern und im Mehl, nicht häufig.
— *curvipes* Fabr. Mit dem Vorigen, doch viel seltner.

38. Fam. ***Opatri.***

Boletophagus reticulatus L. In Schwämmen und zwischen Brettern, selten.
Opatrum subulosum L. Im ersten Frühjahr auf Wegen, häufig.

39. Fam. ***Blapes.***

Blaps mortisaga L. An dunklen Orten in Häusern, nicht selten.
Laena Pimelia Fabr. Unter Moos, sehr selten.

40. Fam. ***Helopes.***

Helops lanipes Fabr. Auf Föhren, nicht selten.

41. Fam. ***Cistelae.***

Cteniopus sulfureus L. Auf blühenden Linden und Blumen, häufig.

42. Fam. ***Serropalpi.***

Pytho depressus L. Nur Ein Exemplar auf geklaftertem Holze.
Serropalpus striatus Hellen. Auf alten Brettern, sehr selten.
Dircaea laevigata Hellen. Auf alten Kieferstöcken, sehr selten.

43. Fam. ***Mordellae.***

Mordella fasciata Fabr. Auf Doldenblüthen, sehr häufig.
— *aculeata* L. Auf gefälltem Holze, nicht selten.

44. Fam. ***Cantharides.***

Meloë proscarabaeus L. Im Frühjahre auf Wegen und Wiesen, nicht selten.

45. Fam. ***Oedemerae.***

Anoncodes collaris Pz. Am Fuss der Steineralpen auf Blumen, ziemlich selten.
— *melanura* L. Auf Doldenblüthen, nicht selten.
— *ustulata* Fabr. Auf Blumen, nicht häufig.
Chrysanthia viridissima L. Auf Blüthen, häufig.

Oedemera flavipes Fabr. Auf Blumen, selten.

— *podagrariae* L. Nicht selten.
— *flavipes* Fabr. Häufig.
— *virescens* L. Selten.
} Auf Sträuchern und Doldenblüthen.

46. Fam. ***Lagriae.***

Lagria hirta L. Auf Gesträuchen, nicht häufig.

47. Fam. ***Pyrochroae.***

Pyrochroa coccinea L. Auf Gesträuchen, sehr selten.

48. Fam. ***Rhinosimi.***

Rhinosimus ruficollis Pnz. Auf gefällten Birken, sehr selten.

49. Fam. ***Anthici.***

Anthicus pedestris Rossi. In faulen Bäumen, sehr selten.

50. ***Staphylini.***

Myrmedonia canaliculata Payk. Unter Steinen, nicht selten.
Boletochara lunulata Payk. In Schwämmen, selten.
Tachyusa coarctata Erichs. Am Vellachufer, sehr selten.
Homalota elongatula Grav. In faulenden Pflanzenstoffen, ziemlich selten.
Aleochara rufipennis Erichs. Am Vellachufer, sehr selten.
— *bipunctata* Fabr. In faulenden Pflanzenstoffen und im Dünger, ziemlich selten.
Tachyporus hypnorum Fabr. In faulen Schwämmen, nicht selten.
— *chrysomelinus* L. Ebendort, häufig.

Tachinus ruficollis Grav.
— *pullus* Erichs.
— *rufipes* De Geer.
— *collaris* Grav.
} In faulen Schwämmen, nicht selten.

Boletobius atricapillus Fabr.
— *lunulatus* L.
} In Schwämmen, selten.

Xantholinus punctulatus Payk. Selten.
— *tricolor* Fabr. Selten.
— *glaber* Grav. Nicht häufig.
— *fulgidus* Fabr. Sehr selten.
— *lentus* Grav. Sehr selten.
} Am Vellachufer unter Steinen.

Staphylinus maxillosus L. Im Dünger und bei Aas, nicht selten.
— *hirtus* L. Im Kuhmist im obern Vellachthale, selten.
— *pubescens* De Geer. Im Dünger, häufig.
— *murinus* L. Bei Aas und im Dünger, ziemlich selten.
— *erythropterus* L. Auf Wegen, ziemlich häufig.
— *caesareus* Cederh. Wie voriger, häufig.
— *fulvipes* Scop. An Mauern und Wegen, selten.

— *latebricola* Grav. In faulenden Pflanzenstoffen, sehr selten.
— *nebulosus* Fabr. Im Dünger, nicht selten.
Ocypus olens Müll.
— *alpestris* Er.
— *megacephalus* Nordm.
} Unter Steinen, ziemlich selten.
Philonthus laminatus Fabr. Unter Steinen und Moos, häufig.
— *nitidus* Fabr. Unter Steinen, ziemlich selten.
— *cyanipennis* Fabr. In faulen Schwämmen, sehr selten.
— *aeneus* Rossi. Ebenso, nicht selten.
— *varians* Payk.
— *vernalis* Grav.
} Unter Moos, selten.
— *fulvipes* Fabr. Am Vellachufer unter Steinen, ziemlich selten.
— *politus* Fabr. In faulen Schwämmen, nicht häufig.
— *varius* Gyll. Ebendort, selten.
— *splendens* Fabr.
— *atratus* Grav.
} Im Dünger, häufig.
— *marginatus* Fabr. Sehr selten.
— *procerulus* Grav. Selten.
} In faulen Schwämmen.
— *fimetarius* Grav.
— *xantholoma* Grav.
— *(Quedius) impressus* Gr.
} Im Dünger und in faulen Schwämmen, selten.
Oxyporus rufus L. In Schwämmen, sehr selten.
Lathrobium fulvipenne Gyll. Am Ebriachufer, sehr selten.
— *rufipenne* Gyll. Selten.
— *elongatum* L. Sehr selten.
} Am Vellachufer unter Steinen.
Stilicus rufipes Germ. Ebendort, sehr selten.
Sunius angustatus Fabr. Ebendort, sehr selten.
Paederus ruficollis Fabr. Am Vellachufer bei Kappel, sehr häufig.
— *riparius* L. An feuchten Orten, häufig.
Stenus biguttatus L. Am Vellachufer unter Steinen, nicht häufig.
— *buphthalmus* Grav. An feuchten Orten, nicht selten.
— *humilis* Er.
— *tarsalis* Ljungh.
— *bipunctatus* Er.
} Am Vellachufer, selten.
Platysthethus morsitans Payk.
— *cornutus* Grav.
Oxytelus depressus Grav.
— *nitidulus* Grav.
} Im Dünger, häufig.
Anthophagus testaceus Grav. Auf Blüthen, nicht häufig.
Anthobium ophthalmicum Oliv. Auf Blumen, nicht selten.
— *minutum* Fabr. Auf den Steineralpen, ziemlich häufig.
Omalium rivulare Payk. Nicht selten.
Deleaster dichrous Grav. Nicht häufig.
Lesteva bicolor Fabr. Sehr selten.
} Am Vellachufer unter Steinen.

Da ich die Arbeit des Herrn Pacher zum Ausgangspunct genommen, so möge es mir erlaubt sein, dieselbe auch zur Basis der Schlussfolgerungen zu benützen. Aus der Vergleichung beider Specialfaunen ergeben sich unmittelbar folgende Resultate:

1. Die Coleopterenfauna des Kalks und Dolomites ist im Allgemeinen reicher als die des Urgebirges.

2. Ungeachtet der geringen geographischen Entfernung (der directe Abstand beträgt kaum fünfzehn Meilen) haben beide Beobachtungsterrains nur zum dritten Theile gemeinsame Formen.

3. Die auffallendsten Differenzen in den Formverschiedenheiten zeigen folgende Genera: *Carabus*, *Nebria*, *Amara*, *Trechus*, *Byrrhus*, *Aphodius*, *Anomala*, *Telephorus*, *Apion*, *Otiorhynchus*, *Leptura*, *Chrysomela*, *Homalota*, *Anthophagus* und die Familie der *Bupresti*.

Dasselbe bis zu den einzelnen Species zu verfolgen, ist wegen dem Mangel hinreichender Beobachtungen derzeit noch unmöglich, oder doch mindestens sehr gewagt; daher kann ich es nicht unterlassen, besonders jene Coleopterologen, die in Alpengegenden Beobachtungen anstellen, zu ersuchen, auch auf die geologische Beschaffenheit des Bodens Rücksicht zu nehmen.

Drei neue Schmetterlinge

aus der

Fauna des österreichischen Kaiserstaates.

Psyche Ecksteini n. sp.

Beschrieben von

Julius Lederer.

(Hierzu die Abbildung.)

Diese interessante Art ist eine Entdeckung des Herrn Johann Eckstein in Pesth, und ich erlaube mir sie zu Ehren dieses biedern Entomologen, dessen seltene Gefälligkeit und Uneigennützigkeit alle Anerkennung verdient, zu benennen.

Der Schmetterling (Figur 1 Mann, 5 Weib) steht der *villosella* zunächst und auch das Geäder des Männchens (Figur 6) ist wie bei dieser Art, denn darin, dass Rippe 4 und 5 der Vorderflügel bald (wie bei dem Figur 7 abgebildeten Exemplare von *villosella*) gestielt sind, bald gesondert, bald aus einem Punct entspringen, variiren die einzelnen Exemplare beider Arten.

Die Grösse ist ein klein wenig unter *villosella*, der Flügelschnitt ist derselbe, der Schmetterling ist aber etwas schlanker, Kopf, Rücken und Hinterleib sind minder dicht behaart, und die Färbung ist weisslich gelbgrau, während sie bei *villosella* entschieden in's Braune fällt.

Die Flügel haben denselben Farbenton und zeichnen sich überdiess durch zartere Beschuppung, mehr Glanz und dunkelgraue Fransen aus.

Kopf und Fühler (Figur 2), so wie die Beine sind wie bei *villosella* gebildet, nur stehen bei *Ecksteini* die Kammzähne der Fühler etwas mehr ab und sind auch etwas regelmässiger gestellt, als bei *villosella*.

Die Unterseite ist wie die obere, Brust und Vorderrand der Vorderflügel haben aber eine mehr schwärzliche Färbung.

Das Weibchen (Figur 5) habe ich nur getrocknet vor mir, und ich kann an ihm ausser etwas hellerer Färbung und lichter braunem Kopfe keinen Unterschied von dem von *villosella* entdecken.

Von den Säcken waren mir zur Zeit, als die Platte gestochen wurde, nur die weiblichen bekannt, Herr Eckstein theilte mir aber seitdem auch die männlichen mit.

Der männliche Sack hat die Form von dem von *unicolor* Hufnagel (*graminella* S. V.); er ist nämlich wie bei dieser Art nur bis etwa zur Hälfte bekleidet, und endet dann in einen langen dünnen Schlauch, aus welchem sich die Puppe beim Auskriechen zur Hälfte herausschiebt. Zur Bekleidung wählt die Raupe kurze, abgestorbene Grasstengel, welche sie der Länge nach parallel nebeneinander, aber in so geringer Menge anspinnt, dass sie den Sack höchstens an der Basis ganz bedecken.

Der weibliche Sack (Figur 3 und 4) endet in einen weit kürzeren Schlauch und ist mit denselben Material bekleidet; während jedoch beim männlichen Sacke die obere Hälfte ganz unbedeckt ist, ist beim weiblichen gerade dieser Theil mit so langen dünnen Grasstengeln besponnen, dass sie weit über das Ende des Sackes hinausreichen.

Die Raupen fand Herr Eckstein in Pesth im Spätherbst und erstem Frühjahre. Sie überwintern erwachsen und halten sich in hohen dichten Grasbüschen stets nahe am Boden auf. Die Verpuppung erfolgt im März und die Raupe befestigt dann ihren Sack am Boden an Sträuchern, Wurzeln oder Grashalmen derart, dass der Sack senkrecht aufwärts oder doch nur wenig seitlich steht, eine Eigenthümlichkeit, die ich auch beim Männchen von *Psyche atra* (nicht beim Weibchen, welches sich seitwärts an Sträucher etc. anspinnt) bemerkte, und die sich nach Herrn Bruand auch bei *Psyche angustella* Herr.-Schäffer (*Stomoxella* Bruand) findet.

Der Schmetterling entwickelt sich im April. Das Weibchen windet sich nach Herrn Eckstein stets ganz aus dem Sacke heraus, was auch bei *villosella* und *opacella* der Fall ist.

Von *Psychen* in der Nähe von *villosella* kenne ich nur *febretta* nicht. Nach Herrn Herrich-Schäffer ist sie aber braun mit weisslichen Fransen und hat auf den Hinterflügeln eine Rippe (die sechste) mehr; nach Herrn Bruand (*Essai monographique du Tribu des Psychides*) ist überdiess der Sack ganz verschieden, nämlich mit Strohhalmen bekleidet und dem von *villosella* sehr ähnlich.

Psyche Zelleri n. sp.

Beschrieben von

Josef Mann.

(Hierzu die Abbildung.)

Diese *Psyche* steht der *opacella* Herr.-Schäffer ungemein nahe, unterscheidet sich aber im männlichen Geschlechte durch viel kürzere Fühler und verschiedene Flügelform, im weiblichen durch die röthlichgelbe Färbung.

Das Männchen (Figur 1 und 2) hat die Grösse und Färbung von *opacella*; sein Kopf, Rücken und Hinterleib sind eben so weisslichgrau behaart und die Fühler haben ebenso geformte Kammzähne, reichen aber kaum bis zum halben Vorderrand der Vorderflügel, während sie bei *opacella* weit darüber hinaus, fast bis zu zwei Drittel des Vorderrandes reichen.

Die Flügel sind viel kürzer und runder als bei *opacella*, besonders die vorderen, deren Vorderrand kaum länger als ihr Innenrand, deren Spitze stärker gerundet und deren Saum viel mehr bauchig, als bei *opacella* ist. Die Schuppen stehen dichter als bei dieser Art, und sind besonders an den Rippen und am Zellenschlusse der Vorderflügel sehr gehäuft, daher die Rippen wie verdickt aussehen.

Die Unterseite ist wie die obere; Palpen, Beine und das Geäder (Figur 3) sind wie bei *opacella* (Figur 9).

Das Weib (Figur 4) ist madenförmig, röthlichgelb mit glänzend braunem Kopf und Nacken.

Der männliche Sack (Figur 5) sieht dem von *opacella* sehr ähnlich. Er ist ganz mit feinen bräunlichen Sandkörnchen belegt und überdiess mit abgebissenen Stücken lanzettförmiger Pflanzenspitzchen besponnen, welche aber so locker befestigt sind, dass sie sich bei Berührung leicht schütteln lassen. Dem weiblichen Sack (Figur 6) fehlt diese Bekleidung fast ganz, dafür stehen bei ihm aber die Sandkörnchen viel dichter und sind auch gröbere weisse Kiesstückchen mit eingesponnen.

Die Säcke fand ich Mitte April bei Draga in Kroatien an der Strasse zwischen Weingärten, wo sie an Mauern angesponnen waren. Die Schmetterlinge entwickelten sich vom Anfang bis Ende Mai, meistens in den Vormittagsstunden von 10 bis 12 Uhr.

Mein Freund, Herr Lederer, erhielt diese Art auch aus Pesth von Herrn Eckstein. Die Schmetterlinge stimmen in beiden Geschlechtern ganz mit meiner kroatischen überein, die Säcke (Figur 7 der männliche, 8 der weibliche) differiren aber in der Bekleidung, welche hier in beiden Geschlechtern aus kleinen Blättchen von Rinden und nur sehr wenig Pflanzenspitzchen besteht und fest angesponnen ist.

Tortrix aurofasciana n. sp.

Beschrieben von

Josef Mann.

(Hierzu die Abbildung.)

Dieser Wickler hat den Habitus von *rutilana*, und ist nur wenig grösser; seine Zeichnung hält ungefähr das Mittel zwischen dieser Art und *tesserana*.

Die Farbe des Körpers ist grau, die der Beine zieht etwas mehr in's Gelbliche. Die Fühler sind rostbraun, borstenförmig, beim Manne mit feinen kurzen, dicht gestellten grauen Wimpern besetzt. Der Kopf hat ziemlich dichte, zusammengestrichene Haare und ist nebst dem Rücken rostbraun; die Palpen stehen in Kopfeslänge vor, sind hängend, dicht beschuppt, am Ende abgestutzt, rost- oder schwärzlichbraun; die Zunge ist schwach.

Die Vorderflügel sind licht goldgelb (wie bei *tesserana*), seidenglänzend. Die Zeichnungsanlage hat Aehnlichkeit mit der von *rutilana*, die Querbänder stehen aber auswärts, während sie bei *rutilana* einwärts ziehen und haben auch eine andere Form und erzglänzende Einfassung.

Die Mitte des Flügels ist von zwei dunkel ziegelrothen Querbändern derart durchzogen, dass durch sie der Flügel in fünf ziemlich gleiche Felder getheilt wird. Das erste, dritte und fünfte Feld sind goldgelb, ersteres an der Basis, Vorder- und Innenrand, letzteres längs des Saumes und am Innenwinkel ziegelroth beschuppt. Die beiden Mittelbinden, von denen die äussere nahe vor dem Innenwinkel ausläuft, ziehen schräg nach aussen, sind an ihren äussern Seiten fast gerade abgeschnitten oder doch nur sehr wenig geschwungen, an den innern aber etwas unregelmässiger, besonders die äussere Binde, welche daselbst einen mehr oder weniger deutlichen Zahn in die gelbe Farbe macht. Diese zwei Binden sind jederseits von einer dicken stahlblauen, erzglänzenden Linie eingefasst und gleichfarbige, aber spärlichere Begränzung findet sich noch hinter dem Ziegelroth des Wurzel- und vor dem Ziegelroth des Saumfeldes. Die Fransen sind schmutziger gelb als der Flügelgrund, gegen den Innenwinkel zu bräunlichgrau. Die Hinterflügel sind dunkel aschgrau mit etwas lichteren, gegen den Vorderrand zu gelblichen, von einer dunkleren Theilungslinie durchzogenen Fransen.

Unten sind alle Flügel dunkelgrau mit gelblichen Fransen, die vordern mit zwei bleichgelben Flecken am Vorderrande an der Stelle der zweiten und dritten gelben Binde der Oberseite.

Das Weib unterscheidet sich vom Manne nur durch plumperen Körper, mindere Grösse und etwas rundere Flügel.

Den Schmetterling fand ich einzeln im Anfang Juni 1844 auf dem Schneeberge beim sogenannten Königssteige, und traf ihn auch im Juli 1848 und 1852 in einigen Exemplaren auf dem Grossglockner unweit den Pasterze. Häufiger fand ihn Freund L e d e r e r am 28. Mai dieses Jahres im Lavantthale in Kärnthen, wo er in der sogenannten Stelzing (zwei Stunden von *Lölling*) an derselben Berglehne, wo sich das Gasthaus befindet, in den Morgen- und Abendstunden im Grase flog.

Beitrag
zur
Phanerogamen-Flora
der nächsten Umgebung Cilly's.

Von

Dr. A. Tomaschek,

k. k. Gymnasial-Lehrer in Cilly.

Bei Gelegenheit der Revision des für das Museum unserer Lehranstalt angelegten Herbars begann ich zugleich nach der von Herrn A. Fleischmann in den Verhandlungen des zoologisch-botanischen Vereins 1853 pag. 286 gegebenen Flora an der südlichen k. k. Staats-Eisenbahn von Laibach bis Cilly, die *Phanerogamen*-Flora unserer nächsten Umgebung besonders aufzustellen. Ich erlaube mir das Ergebniss mitzutheilen, da ich eine grosse Zahl hier vorkommender Pflanzen als Ergänzung jenes Verzeichnisses aufzuzählen vermag.

Ich habe bei den meisten Arten die Angabe des Standortes und Daten über den Eintritt einiger Entwickelungsphasen derselben, wie sie im laufenden Jahre beobachtet wurden, in der Weise beigefügt, dass zuerst Tag und Monat des Eintrittes angegeben ist. Die Zeichen bedeuten: > Anfang des Blühens, V Blütenfülle, < entschiedenes Abnehmen der Anzahl blühender Individuen, F. R. > Beginn der Fruchtreife. Z. B. bei *Vaccinium Myrtillus*, L. 9 — 5 > F. R. 12 — 6 > am 9. Mai zum erstenmal blühend, 12. Juni die ersten reifen Früchte beobachtet.

I. Verzeichniss derjenigen Species aus der Umgebung Cilly's, die in dem genannten Aufsatze des Herrn Andreas Fleischmann an entfernteren Fundorten notirt sind.

Tofieldia calyculata Wahl. Guttenegg 24. — 7. V *Colchicum autumnale* 15. — 10. V *Erythronium Dens canis* L. Am Slovnik 8. — 3. V *Lilium bulbiferum* L. Am Süd-Abhang des Pecovnik. *L. carniolicum* Bernh. S.-A. des Pecovnik 2. — 6. > *Muscari comosum* Mill. Am Fusse des Schlossberges 12. — 6. < *Ornithogalum pyrenaicum* L. An allen Bergwiesen und in der Ebene sehr häufig 6. — 6. > *Paris quadrifolia* L. 26. — 4. V *Asparagus tenuifolius* Lam. Unweit des Felsens Jungfernsprung 9. — 5. V. *Convallaria majalis* L. In Wäldern um Bischofsdorf u. a. O. *Crocus vernus* Al. 11. — 3. V *Orchis militaris* L. S.-W. Seite des Schlossberges 17. — 5. V *O. globosa* L. 30. — 5. Bergwiesen *O. latifolia* L. 15. — 5. *Ophrys arachnites* Reich. Ebene an der Sann u. a. O. 23. — 5. V *Alnus glutinosa* Gaert., *A. viridis* D. C. Schlossberg. *Salix capraea* L., *Salix incana* Schr. Schlucht unter dem Pecovnik. *Quercus pedunculata* Ehrh. In der Ebene und auf den Bergen. 20. — 5. V *Parietaria officinalis* Willd. Nikolaiberg u. a. v. O. *Daphne Mezereum* 13.—3. V F. R. 1.—7. > *Aristolochia Clematitis* L. 29. — 5. > *Petasites officinalis* Mönch. Bergschluchten und an steinigen Plätzen der Sann. 19. — 3. V *Tussilago Farfara* L. An v. O. *Erigeron acris.* 1—10. V An v. O. *Doronicum austriacum* L. Bergschluchten. 30. — 5. V (4.—7. F. 1. >) *Arnica montana* L. Bei Salloch u. a. O. 4. — 6. V; 27.—5. > *Hypochoeris maculata* L. Bei Swetina 24. — 6. V *Prenanthes purpurea* L. Schlossberg u. a. O. 3.—7. V *Hieracium Pilosella* L. 15. — 10. V *Sambucus Ebulus* L. Fuss des Pecovnik. 24. —6. V *Marrubium vulgare* L. *Cynoglossum officinale.* An der Sann. 17.—5. > *Verbascum Blattaria* L. An v. O. 4.—6. > ; 15.—10. V das zweitemal. *Scrophularia canina* L. An der Sann. 6. — 5. > F. R. 8. — 7. > *Digitalis grandiflora* Lam. Schlucht beim Schlossberg. 30. — 5. > *Rhinanthus major* Ehrh. Ebene. 18. — 5. > *Lathraea squamaria* L. A. v. O. 10. — 4. V *Vaccinum Myrtillus* L. A. v. O. 9. — 5. > F. R. 12. — 6. > *Pyrola secunda.* 24. — 6. V Nadelwald Swetina. *Haquetia Epipactis* 15. — 3. > Schlossberg. *Sedum maximum* Suter. Bergfelder. 1. — 10. V *Sedum album* L. Kosjek. 24. — 7. V *Thalictrum angustifolium* Jacq. An der Sann sehr häufig. 19.

— 5. > *Anemone ranunculoides.* Teufelsgraben. 5. — 5. V *Helleborus niger.* Am Vipata. 4. — 3. V *Aquilegia vulgaris* L. Neuhaus. 22. — 5. V *Berberis vulgaris* L. Ueberall in der Ebene und an den Bergen. 9. — 5. > *Arabis hirsuta* Scop. Schlossberg. *A. turrita* L. Am Wege nach Tüffer. 8. — 5. > *Dentaria enneaphylla* L. Pecovnik. 31. — 3. V *D. trifolia* W. Kit. Teufelsgraben. 1. — 5. V *Sisymbrium Alliaria* Scop. 30. — 4. V. O. *Sisymbrium Thalianum* Gaud. Schlossberg. 10. — 4. V *Reseda lutea* L. An der Sann. 23. — 5. V; 28. — 10. < *Viola sylvestris* Lam. 25. — 4. V *Tilia parvifolia* Ehrh. 27. — 6. > *T. grandifolia* Ehrh. 14. — 6. > *Acer pseudoplatanus* L. Nikolaiberg. *Evonymus verucosus* L. 19. — 5. Auf den Bergen. *Euphorbia carniolica* Jacq. Schlucht beim Schlossberg. 30.—4. >; 12. — 5. V *E. amygdaloides* L. Hinter dem Ringschen Bierkeller. *Geranium pheum.* Zäune. 6. — 5. > F. R. 30. — 6. >, *sanguineum* L. Nikolaiberg 28. — 5. > *Linum flavum* L. Koszek. 24. — 7. < *L. tenuifolium* L. Am Wege nach Tüffer (Jungfernsprung). *Oxalis Acetosella* L. V. O. *Epilobium montanum* L. Schlossberg. 28. — 6. > *Sanguisorba officinalis* L. *Potentilla argentea.* 16. — 5. > Hügel. *Cytisus hirsutus* L. Schlossberg. 16. — 5. V F. R. 3. — 7. > *Centaurea nigrescens* Wild. Am Fusse des Schlossberges. 29. — 6. > *Dorycnium pentaphyllum* Scop. Rückseite des Schlossberges. 8. — 6. >; 10. — 10. < F. R. 1. — 10. V

II. Verzeichniss derjenigen Species aus der Umgebung Cilly's, die in dem genannten Aufsatze nicht vorkommen.

Ornithogalum umbellatum L. An der Sann. 9. — 5. > *Lilium Martagon* L. Schlucht hintern Pecovnik. 6. — 6. > *Convallaria multiflora* L. 20. — 5. V *C. verticillata* L. 24. — 7. Λ (Verblüht) *Majanthemum bifolium* D. C. Abhang des Pecovnik. 5. — 5. >; 27. — 5. V *Ruscus Hypoglossum* L. Am Berge Vipota und am entgegengesetzten Berg. 21. — 3. V *Tamus communis* L. Schlucht beim Bierkeller 16. — 6. V *Iris sibirica* L. Ebene bei Sachsenfeld. 19. — 5. > *Leucojum aestivum* L. Mit der vorigen. 29. — 5. V *Orchis fusca* Jacq. Weinbüchel bei Neuhaus. 28. — 5. V *O. pallens* L. Schlossberg. 10. — 4. V *O. Simia* Lam. Wiesen an der Sann. 10. — 5. V *O. ustulata* L. Wiesen, Ebene. 9. — 5. > *Anacamptis pyramidalis* Richard. 30. — 5. >; 24. — 6. < *Platanthera bifolia* Richard. 26. — 5. > *P. chlorantha* Custor. Beim Teufelsgraben. 16. — 6. > *Cephalanthera ensifolia* Richard.

Am Podgora und am Srabotnik. 28. — 5. < *C. rubra* Richard. Am Laisberg. 24. — 6. V *Listera ovata* Brown. 21. — 5. *Neottia nidus avis* Richard. Schlossberg und Schönbründel. 22. — 5. V *Epipactis rubiginosa* Gaudin. 24. — 7. V Im nördlichen Gebirgszug. *E. palustris* Crantz. Ebenso. 24. — 7. V *Coeloglossum viride*. 17. — 5. V; 24. — 6. *Acorus Calamus* L. In einer Quelle am Nikolaiberg. *Taxus baccata* als Strauch am Pecovnik. *Potamogeton fluitans* Roth. *P. crispus*. Im stehenden Wasser an der Lahn. *Ilex Aquifolium* L. Strauchartig vereinzelt. Zwischen Cassessa und dem Laisberg. *Urtica urens* L. 1. — 6. >; das zweite Mal 25. — 10. > *Populus pyramidalis* Borier. *Morus alba* L. angepfl. *Ulmus campestris* L. et *suberosa* Ehrh. *Juglans regia* L. Verwildert. *Castanea vesca* L. Pecovnik. Verwildert. 17. — 6. >; 4. — 7. V (1. — 10. T. R. <). *Chenopodium hybridum* L. Kult. O. 5. — 6. > *Rumex sanquineus* L. 53. — 5. > *R. crispus* L. 24. — 5. > Auf der Anhöhe des Pulverthurms. *Polygonum amphibium* Var. *natans* B. Im stehenden Wasser an der Lahn. 20. — 6. V *P. Fagopyrum* L. Kult. O. 1. — 6. > *Daphne Laureola* L. Srabotnik. 5. — 5. < *Aristolochia pallida* Willd. Teufelsgraben nach Koch's Syn. *Bellidiastrum Michelii* Cass. Am Berge Podgora. 28. — 5. V *Gallium luteo-album* L. Josephsberg. 16. — 7. < *Achillea Ptarmica* 26. — 6. > Im Sannthale an trockenen Wegen. 16. — 8. An feuchten Orten *Senecio erraticus* Bertolon. Ebene und an den Bergen bis im November. *Cirsium carneolicum* Scop. Schlucht hinterm Pecovnik. 20. — 6. V *C. lanceolatum* Scop. 15. — 10. < *C. panonicum* Gaud. mit *C. carneo*. 20. — 6. V *Carduus acanthoides* L. 17. — 6. > *C. collinus* W. K. 16. — 6. >; 15. — 10 > zum zweiten Mal. V. O. *C. crispus* L. 12. — 6. >; 8. — 11. < *C. crispo-nutans*. 19. — 6. > Strasse nach Tüffer. *Onopordum Acanthium* L. 11. — 7. > Unterm Josephsberg. *Chrysanthemum corymbosum* L. Schlossberg. 6. — 6. > *Ch. Parthenium* Perr. 19. — 6. An Wegrändern. *Centaurea montana*. 6. — 6. V Berg Srabotnik. *Lactuca muralis* Fresenius. 24. — 6. V Beim Bierkeller. *Sonchus asper* Vill. 1. — 11. *Crepis virens*. Unterm Schlossberg. Oct. *C. succisaefolia*. 15. — 5. > *Hieracium Auricula* L. *H. praealtum* Koch. Weg nach Tüffer. Oct. *H. pellucidum*. 30. — 5. V *H. villosum* L. 30. — 5. V *H. boreale* Fries. Oct. Unterm Schlossberg u. a. O. *H. vulgatum* K. Oct., *decipiens* Froel. *Orobanche cruenta* Bertoloni. Reifenstein u. a. O., *caerulea* Vill. Am Weg nach Sachsenfeld. 20. — 6 V *O. ramosa* L. Unter der Schiessstätte. *O. Rapum* Tuill. Ueberall auf Wiesen. 19. — 5. V *Campanula patula*. 20. — 6. > F. R. 18. — 6; 8. — 11. zum zweiten Mal. *Lonicera alpigena* L. Am Malic.

16. — 5. > *L. caerulea* L. Bei Neuhaus. 18. — 5. > *L. nigra* L. Neuhaus u. a. O. 17. — 5. > *Sambucus racemosa* 16. — 5. V F. R. 1. — 7. > Malic und oberhalb Schönbründel. *Galium Bauhini* R. Nikolaiberg. *G. sylvaticum* L. Auf allen Bergen. 6. — 6. >. *Gentiana Pneumonanthe* L. Schlossberg. 9. — 7. > *G. excisa* Presl. Bachergebirge. *G. ciliata* L. Oct. Pecovnik. *Chaiturus Marubiastrum* Rchb. 20. — 7. > M. O. *Origanum thymiflorum* Rchb. Pecovnik. October. *Teucrium montanum.* Guttenegg (Bierkeller). *Lamium album* L. Oct. Friedhof Cilly. *L. amplexicaule* L. Weg nach Sachsenfeld. *Galeopsis pubescens* Bes. Felder. *Stachys alpina* L. 24. — 6. > Schlucht beim Pecovnik. *St. germanica* L. 1. — 7. > *St. arvensis* L. Felder. 27. — 6. > *Prunella grandiflora* Jacq. 10. — 6. > Rückseite des Nikolaiberges. *Ajuga genevensis* L. Nikolaiberg. 17. — 6. > *Scutellaria galericulata* L. Erste Eisenbahnbrücke am Damm *Pulmonaria azurea* Besser. Abhang des Nikolaiberges. *Lithospermum purpureo-caeruleum* L. Am Fusse des Slovnik. 16. — 5. > *Physalis Alkekengi* L. 24. — 6. > F. R. 1. — 10. V Pecovnik. *Scopolina atropoides* Schult. *Sc. viridiflora* Freyer. In den meisten Bergschluchten. > 29. — 3. bis 6. — 5. < *Datura Stramonium* L. In der Stadt-Kaserne. *Verbascum Lychnitis* L. Josephsberg. *Scrophularia Hoppii* Koch. Unter *Sc. can.*, *Sc. vernalis* L. Weg nach Tüffer. *Chaerophyllum aromaticum* L. Stadtweg nach Tüffer. Oct. *Scandix Pecten veneris.* 30. — 5. < Auf Aecker in Vire bei Neuhaus. *Sedum dasyphyllum* L. 24. — 7. < *Cardamine impatiens* 20 V — 5. F. R. 20. — 6. Pecovnik. *C. trifolia.* 15. — 4. V Schlucht bei der Nagelschmiede. *Erucastrum Pollichii* Schimp. u. Spenn. Häufig *Viola odorata* L. 10. — 12. V zum zweiten Mal. *Genista diffusa* Willd. 30. — 4. Schlossberg. *G. procumbens* W. K. 20. — 6. V. *Cytisus capitatus* Jacq. Nikolaiberg Rückseite. *C. nigricans* L. 6. — 6. > Schlossberg. *C. sagittalis* Koch. 16. — 5. > Josephsberg u. a. O. *Ononis hircina* Jacq. 12. — 6. > Storie. *Trifolium alpestre.* Rückseite des Schlossberges. *Epimedium alpinum* L. Rechts von der Strasse nach Tüffer beim Felsen (Jungfernsprung). 30. — 4. V *Arabis alpina* L. Gipfel des Schlossberges. *Atragene alpina* L. Podgora beim Schloss Einöd. 28. — 5. V *Atropa Belladonna* L. Am Folst, Schönbründel. *Lycium barbarum* L. Zaun beim Kirchhof. *Bryonia alba* L 24. — 6. V Pecovnik. *Chrysosplenium alternifolium* L. 21. — 3. V Schlossberg. *Evonymus latifolius* Scop. 19. — 5. F. R. 1. — 10. < *Diplotaxis tenuifolia* D. C. Am Bahnhof. *Euphorbia angulata* Jacq. 5. — 5. > *E. fragifera* Jan. Storie. 5. — 3. *E. lathyris* L. Nikolaiberg. Verwildert. 20. — 6. < *E. micrantha* 5. — 6. > *E. platyphyllos* L. 5. — 6. > *E. stricta.* 5. — 6. >

Die drei letztern meist in den Eichenhainen der Ebene. *E. verrucosa* Lam. 8. — 5. > *E. virgata* W. K. 8. — 5. An der Sann. *Galeopsis bifida.* 19. — 6. > Felder. *Homogyne sylvestris* Cassin. 28. — 5. > Podgora. *Impatiens noli-tangere* L. Schlucht beim Bierkeller. *Isopyrum thalictroides* L. Uebern Grenadierwirth. 15. — 3. > *Lepidium Draba* L. In Lehndorf. *Myriophyllum spicatum* L. 4. — 7. V Im Sumpf beim Grabner'schen Obstgarten. *Rubus Idaeus* L. F. R. 30. — 6. Obern Schönbrändel auf allen Bergen. *R. saxatilis* L. 24. — 7 < F. R. 24. — 7. Kosizek. *Saxifraga crustata* Vest. 28. — 5. > Am Fusse des Kosjek bei Einöd. *S. cuneifolia* L. 24. — 4. V An den Ruinen des Schlossberges. *S. muscoides* Wulfer. 28. — 5. > Kosjek? *Veronica urticifolia* L. Schlucht beim Schlossberg. *V. scutellata.* 29. — 5. > Bächlein. *Vicia oroboides* Wulf. 5. — 5. > Im Walde ober dem Teufelsgraben. *Glechoma hirsuta* W. K. *Saxifraga rotundifolia* L. *Pyrola rotundifolia* L.

Beiträge
zur
Kenntniss der Karpathen - Flora.

Von

Friedrich Hazslinszky.

VII. Laubmoose.

Der vorliegenden Uebersicht habe ich folgende Bemerkungen voranzuschicken.

Das Gebiet über dessen Moosflora ich hier meine bisherigen Erfahrungen mittheile, begreift in sich ausser dem in der Wahlenberg'schen „Flora carpathorum principalium" begränzten Terrain, auch das Branisko-Gebirge mit den anliegenden Gespannschaften Zips und Sarós (Scharosch).

Bei Untersuchung des Blattnetzes des Peristoms und der Antheridien nahm ich stets eine Vergrösserung von 140.

Zum Vergleiche meiner Erfahrungen mit denen Anderer, führe ich nur die Nummer, unter welcher die Pflanze in der Wahlenberg'schen Flora vorkommt, an, indem mir ausser Wahlenberg keine andere Quelle über die Moose dieses Gebietes, ja auch kein anderer Botaniker, der hier Moose gesammelt hat, bekannt ist. Nur des fleissigen Forschers C. Kalchbrenner's muss ich rühmlichst erwähnen, der mir seine in der südlichen Zips gesammelten Cryptogamen zur Bestimmung und Benützung überliess.

I. Andraeaceae.

Andraea alpina Hedw. wächst nur auf Felsen des Centralgebirges, in einer Höhe über 5000'. Die Blätter unserer Pflanze sind lanzett-geigenförmig, mit seichter über der Blattmitte befindlichen Einbuchtung und abgerundeter Spitze. Sie sind ganzrandig, und nur wenige zeigen der eintretenden Zellenwände wegen, einen fein gekerbten Rand. Die äusseren Hüllblätter sind länglich, wenig zugespitzt, die innern lanzettlich, alle von der

Mitte an gezähnt, und mit chlorophyl-leerer abgerundeter Spitze. Die Stengel sind kätzchenförmig, und nur die Spitze der Blätter abstehend. Auch beobachtete ich nie sichelförmig-einseitige Blätter. Diesen Merkmalen nach steht unsere Pflanze der *A. alpina* näher als der *A. rupestris* und ist, wie Wahlenberg n. 1080 gethan, zu ersterer zu zählen.

II. Sphagneae.

Von der Armuth dieses Gebietes an Torfmooren zeugen die sparsam vertretenen *Sphagneen*, von denen ich drei Arten beobachtete: *Sphagnum cymbifolium* Dill. b *pycnocladum* wächst stellenweise in der südwestlichen Zips. *S. squarrosum* P. Wahl. n. 1073 ist in der Wald- und subalpinen Region gemein. Es hat gerandete, eiförmige, kurz zugespitzte Blätter, mit gestutzter, dreizähniger Spitze, übrigens den Zellenbau des *cymbifolium*. *S. acutifolium* Ehr. Wahl. n. 1074 ist sehr verbreitet, steigt höher als die vorhergehende Art, aber auch nicht bis in die alpine Region.

III. Bryaceae.

1. *Phasceae.*

Pleuridium subulatum Rbh. wächst am nächsten zur Tatra bei Eperjes an lehmigen Ackerrainen, ist lebhaft glänzend grün, mit, aus eiförmiger Basis, in eine lange gezähnelte Spitze, verlaufenden Blättern, Nerv breit in der Spitze verschwindend.

Phascum cuspidatum Schreb. Wahl. n. 1071 auf Garten- und Ackerland gemein bis an den Fuss des Gebirges bei Kesmark. Die Var. *o piliferum* fand ich auf einem faulen Baumstock bei Eperjes.

Physcomitrium pyriforme Brid. nur an den Gränzen des Gebietes an Quellen, nassen Wald- und Wiesenlande, wie bei Nagyfalu (Velkaves) in Arva, bei Wallendorf, bei Eperjes.

Enthosthodon fascicularis C. Müll. habe ich bis jetzt nur auf Gartenland bei Eperjes gesammelt.

2. *Funariaceae.*

Funaria hygrometrica L. Wahl. n. 1148 ist auf Mauern, Schutt- und Brandplätzen gemein, fehlt aber im Central-Gebirge.

3. *Splachnaceen.*

Aus dieser Gruppe fand ich im ganzen Gebiete nicht eine einzige Art, nur Wahl. hat n. 1081 am Kriwan *Splachnum urceolatum* Hedw. bemerkt.

4. *Pottiaceae*

Pottia cavifolia Ehr. Wahl. n. 1076 wächst stellenweise auf trockenen lehmigen Boden, fern vom Gebirge. Auch *Pottia truncata* Br. et Sch. Wahl. n. 1075. Sie wächst meist auf Brachäckern, oft in Gesellschaft von *Riccia glauca*, und reift ihre Früchte entweder im Spätherbst, oder am Anfange des Frühjahres. Das Peristom ist gewimpert, die Wimpern aber sind hinfällig. Wenig unterschieden von dieser ist *P. intermedia* Rbh. Wahl. n. 1075 in Hohlwegen überhaupt an schattigen Orten. Sie ist kräftiger, hat schmälere Blätter und längere Kapseln. *P. Heimii* Fürnrohr wächst in der südlichen Zips auf Lehmboden. Die Zellen des Blattparenchyms sind stark warzig, mit Ausnahme der randenden. Der Blattrand ist schwach ausgeschweift gezähnt.

Anacalypta lanceolata Rochl. Wahl. n. 1101 stellenweise auf lehmigen sonnigen Abhängen im März. Die trockene Pflanze hat bald anliegende, bald gedrehte abstehende Blätter, mit quadratischen Randzellen. Die Zähne des Peristoms sind warzig und unter den Spalt durchbrochen.

5. *Trichostomeae*.

Desmatodon latifolius Brid. Wahl. n. 1131 auf Schutt und in Felsenspalten ober und in der Krumholzregion, z. B. ober den langen und unter dem rothen See. Unsere Pflanze steht der Form b *muticus* nahe, indem sie granenlose, zugespitzte, verschieden gekrümmte, aber nicht spiralig eingerollte Blätter, und bald aufrechte, bald wenig geneigte Büchsen hat. Eine zweite *Desmatodon*-Art mit dem dichten Blattnetze des *D. Laureri* Brid. fand ich unter *Bryum*-Arten im Trachytgebirge.

Barbula rigida Schultz wächst nur bei Eperjes. *B. aloides* Br. et Sch. nur auf dem Drevenyik bei Kirchdrauf, *B. unquiculata* Hedw. Wahl. n. 1091 u. 1092 ist gemein und steigt bis in die subalpine Region. *B. fallax* Hedw. Wahl. n. 1093 nur so weit das Culturland reicht. Sie hat oft, wie *B. rigida* zelligfädige Auswüchse auf der Blattrippe. *B. tortuosa* ist in der Wald und subalpinen Region verbreitet, und variirt mit gerader cylindrischer, lanzettlicher, eilänglicher und gekrümmter cylindrischer Büchse. *B. muralis* Timm. Wahl. n. 1095 ist stark verbreitet, erreicht aber nicht die subalpine Region, b *incana* auf sonnigen Felsen, c *aestiva* auf schattigen Mauern. Letztere sammelte ich bisher nur in Sáros in Kükemező. *B. subulata* Brid. Wahl. n. 1090 kommt zerstreut in der Waldregion des ganzen Gebietes vor, gewöhnlich zwischen andern Moosen, selten rein rasenbildend in Felsenritzen. *B. ruralis* Hedw. Wahl. n. 1096, gemein auf Dächern, lehmigen Abhängen, auf Trachytschutt, die b *rupestris* in der subalpinen Region der Tatra, und auf den höhern Bergen des Branisko-Gebirges.

Trichostomum rigidulum Sm. hat Wahl. n. 1088 bei Kesmark, ich bei Göllnitz gesammelt. *T. rubellum* Rbh. wächst stellenweise in Felsenspalten der Wald und subalpinen Region. Wahl. n. 1102. *T. tortile* Schr. an feuchten Abhängen im Singlener Thale des Branisko, die Form b *pusillum* hat Wahl. n. 1089 bei Kesmark beobachtet. *T. flexicaule* Br. et Sch. Wahl. n. 1087 fand ich bis jetzt nicht. *T. glaucescens* Hedw. bis jetzt nur in Felsenspalten des Trachytgebirges bei Eperjes. Die Blätter sind von der Mitte an gesägt, und haben auch hier den lepraartigen Ueberzug.

Distichium capillaceum Br. et Sch. überzieht am Grunde steiler Felsen ausgedehnte Flächen, so wie bei Német Jakabvágás und Lipócz in Sáros und steigt bis in die alpine Region, z. B. am Chocs. An höheren Standorten entwickelt sie kürzere Kapseln. *D. inclinatum* Br. et Sch. fand ich am nördlichen Abhange des Stirnberges. Die Frucht der hiesigen Pflanze ist etwas kürzer, als an meinen Schweizer Exemplaren von Splügen.

6. *Leucobryaceen.*

Leucobryum vulgare Hampe hat Kalchbrenner unweit Wallendorf in der Zips gesammelt.

7. *Dicranoideae.*

Gymnostomum curvirostrum Hedw. c *microcarpum* bildet dichte 1—1½″ hohe Rasen am nordöstlichen Abhange des Stirnberges.

Weissia viridula Brid. Wahl. n. 1104 ist sehr verbreitet und zieht sich bis in die subalpine Region, die Formen c *stenocarpa* und d *densifolia* habe ich nur bei Eperjes gesammelt. *W. cirrhata* Hedw. fand ich auf einem Schindeldache in Kesmark. *W. crispula* Hedw. ist als c *atrata* über der Krummholzregion allgemein verbreitet. Die grössere grüne Form wächst sparsam in der subalpinen Region. Wahl. hat unter n. 1103 wahrscheinlich diese Pflanze verstanden.

Rhabdoweisia fugax Hedw. Wahl n. 1105 stellenweise in der Wald- und subalpinen Region.

Seligeria pusilla Br. et Sch. nur fern vom Gebirge und zwar auf Kalktuf bei Lipócz, auf Alpenkalk bei P. Peklén, auf Sandstein bei Német Jakabvágás u. a. O.

Ceratodon purpureus Brid. Wahl. n. 1137 ist von der Ebene bis in die alpine Region allgemein verbreitet. *C. cylindricus* Hab. fand ich nur im Walde bei P. Peklin in Sáros.

Dicrana zählt unsere Flora 18, von denen nur *D. falcatum* und *D. heteromallum* mit den straffen Blättern die alpine Region erreicht. In der Krummholzregion findet man neben *D. falcatum* und *heteromallum* *D. squarrosum* Schwgr. im Felkaer Thale am Wasserfalle. *D. Schreberi* Hedw. beim eisernen Thor und *D. longifolium* mit der Form *orthophyllum*, aber auch dieses wächst weit üppiger in der Waldregion, wo es ausschliesslich grosse Felsblöcke überzieht. Die Waldungen am Fusse Tatra beherbergen neben einigen früher benannten noch *D. polycarpum* Ehr. mit b *strumiferum* *D. subulatum* Hedw., *D. montanum* Hedw., *D. scoparium* L. oft mit keulenförmigen Kapseln. *D. Schraderi* W. et M. und *D. majus* Schwgr. Auf dem Branisko und den anliegenden Hügeln findet man noch *D. varium* Hedw., *D. rufescens* Turn., *D. cerviculatum* Hedw. und *D. Starkii* W. et M. *D. scotianum* endlich *D. pellucidum* mit der kleinen Form *fagimontanum*, *D. gracilescens* W. et M. und *D. crispum* fand ich nur in der Umgegend von Eperjes.

8. *Grimmieae*.

Hedwigia ciliata Hedw. Wahl. n. 1077, durch das ganze Gebiet bis in die subalpine Region mit den Formen b *leucophaea* und d *viridis* besonders auf Trachyt und Granitblöcken, seltener auf dem Lias-Sandstein.

Schistidium apocarpum Br. et Sch. Wahl. n. 1098, 1099 ist, auch mit den Formen *gracile* und *robustum* eines der gemeinsten Moose und steigt als *alpicolum*, und *rivulare* bis in die alpine Region.

An *Racomitrien* zählt die Tatra 6 Arten, von denen drei an specielle Standorte gebunden sind, *R. aciculare* Hedw. fand Wahl. n. 1128 im Minksdorfer Thale, *R. sudeticum* Wahl. n. 1100, wächst im Felkaer Thale stellenweise in ausgedehnten Rasen, und *R. canescens* fand ich im schlechten Grunde. Letzteres ist desto gemeiner auf einigen Faroser Bergen, wo es als c *ericoides* weite Strecken ausschliesslich bedeckt, z. B. auf den Gergelylakaer Strasch. Die andern drei findet man in ihren Zonen in dem ganzen Central-Gebirge und zwar *R. heterostichum* Brid. Wahl. n. 1108 in ausgedehnten Rasen am Fusse des Gebirges. *R. microcarpum* Brid. Wahl. n. 1109 in der subalpinen und alpinen Region, *R. lanuginosum* Brid. Wahl. n. 1107 in der alpinen und stets unfruchtbar.

Die *Grimmien* sind sparsam vertreten, nur *Grimmia ovata* W. et M. Wahl. n. 1129 ist im ganzen Gebiete verbreitet, *G. obtusa* Schwgr. ist seltener, ich sammelte sie im Felkaer Thale, *G. pulvinata* Hook, habe ich nur an den Grenzen des Gebietes am Choes, auf dem Branisko und bei Eperjes beobachtet. *G. patens* Br. et Sch. gehört der alpinen Region an. — Hierher ist ohne Zweifel auch *Dicranum cortortum* Wahl. n. 1130 u. Tab. IV. zu stellen, wenn man sich an die vergrösserte Abbildung hält, mit welcher die Wahlenberg'sche Diagnose nicht ganz übereinstimmt. Mir gelang es bis jetzt nicht, ihren Standort ausfindig zu machen.

Gümbelia elliptica Hampe bildet grosse dunkelgrüne Rasen auf dem Trachyte bei Eperjes und begleitet die Bergreihe bis Tokay.

9. *Encalypteae.*

Unsere 4 *Encalypta*-Arten *vulgaris*, *ciliata*, *streptocarpa* und *commutata* zeigen nichts eigenthümliches. Alle sind bei Eperjes, auf dem Branisko, in der Tatra zu finden, aber nur die letzte steigt bis in die alpine Region, Wahl. n. 1082—1085.

10. *Orthotricheae.*

Neben den von Wahlenberg n. 1160—1164 beobachteten *Orthotrichum*-Arten: *anomalium* Hedw., *affine* Schrad, *obtusifolium* Schrad., *crispum* Hedw. und *leiocarpum* Br. et Sch. habe ich hier folgende gesammelt: *O. cupulatum* Hoffm. auf Kalk im Hernader Thale, auf Trachyt bei Eperjes. *O. nigritum* Br. et Sch. im Felkaer Thale. *O. pumilum* Schwgr. im ganzen Gebiete bis zur alpinen Region, *O. patens* Brid. bei Eperjes, *O. speciosum* Nees auf der Westseite des Branisko und auf dem Cserhó in Sáros. *O. curvifolium* Wahl. an einem Tannenstamme im Drechselhäuschen. *O. Hutchinsiae* Pal d'Beau. auf rothen Sandstein bei P. Peklin und auf dem Cserhó. *O. crispulum* Hornsch. auf Tannen auf der Nesselblösse, und *O. diaphanum* fand Kalchbrenner bei Wallendorf.

11. *Bartramioideae.*

Catascopium nigritum sammelte ich einst mit der Alpen-Form der *Moesia uliginosa* im Herabsteigen vom Stirnberge gegen das Hegwasser, mein Exemplar ging mir verloren und ich fand die Pflanze nicht wieder.

An *Bartramien* sammelte ich nur die von Wahlenberg n. 1156—1159, 1106 u. 1144 angeführten Arten: *Oederi*, *pomiformis*, *crispa*, *Halleri*, *conostoma* und *fontana*, nebst der auffallenden Varietät der letzten g *falcata*. Diese hat einseitig gekrümmte, breitere und gröber gezähnte Blätter als die Normalform, ihre Büchse ist kugeliger und auch im trockenen Zustande nicht gekrümmt, stimmt aber in Form und Grösse der Sporen mit der Normalform überein, was nach der C. Müller'schen Diagnose entscheidend ist. Sie wächst sparsam auf feuchten Wiesen am Fusse des Sároser Trachyt-Gebirges, *B. conostoma* fand ich beim Steinbachsee und in der kleinen Kohlbach, aber stets unfruchtbar.

12. *Meesiaceen.*

Wir haben nur zwei Arten aus dieser Gruppe, nämlich *M. longisita* Hedw. Wahl. n. 1149 im Kesmarker grossen Walde und *M. uliginosa* Wahl. n. 1150 b *alpina* beim eisernen Thore und in den Leiten.

13. *Bryoideae.*

In der alpinen Region sah ich nur *B. capillare* Hedw. Wahl. n. 1155 und *B. argenteum* L., letzteres in bedeutender Höhe über dem langen See. In der subalpinen sammelte ich *B. longicollum* Brid. Wahl. n. 1152 und *B. elongatum* Dicks Wahl. n. 1148. In der Waldregion am Fusse der Tatra beobachtete ich neben den obgenannten nur die allgemein verbreiteten *B. caespititium* L. und *B. nutans* Schreb. Wahl. n. 1151, 1154. Reicher hingegen ist das Branisko-Gebirge und die Umgegend von Eperjes, woher ich folgende Arten besitze: *B. uliginosum* Br. et Sch. aus der Klause ober Sávár, *B. carneum* L. Das kleinste unserer *Bryen* vom Eperjeser Calvarienberge und von Wallendorf, *B. roseum* L. vom Calvarienberg bei Eperjes. *B. pallens* aus dem Walde bei Lipocz. Es hat schmal gerandete, ganz randige sehr locker gewebte Blätter, und einen stark gekrümmten Büchsenhals. *B. obconicum* Hornsch. von Eperjes und Wallendorf. *B. pseudotriquetrum* Schwgr. mit gelben glänzenden concentrisch gefurchtem Deckel von Wallendorf. *B. bimum* von Lublan, *B. acuminatum* Br. et H. aus dem Singlerer Thale in Sáros und vom Berge Werpusch in der Zips, ausgezeichnet durch den langen Hals der Kapsel, und die zweigestaltigen Blätter. *B. pyriforme* vom Branisko und *B. crudum* Schreb. aus dem Singlerer und Sebeser Thale in Sáros.

14. *Mnioideae.*

Mnium punctatum Hedw. ist eines der gemeinsten Moose an den Bächen des Trachytgebirges, selten am Branisko, fehlt in der Tatra. *M. undulatum* Hedw. Wahl. n. 1146 wächst im ganzen Gebiete bis nahe zur subalpinen Region. *M. hornum* L. meist mit vielen Früchten aus einer Hülle, bedeckt grosse Strecken unter den Tannen im Drechselhäuschen. *M. rostratum* Schwgr. habe ich bisher nur bei Eperjes beobachtet. *M. spinosum* Schwgr. fand ich im Felkaer Thale. *M cuspidatum* L. Wahl. n. 1145 ist im ganzen Gebiete bis zur subalpinen Region verbreitet. *M. affine* Bland. in den Thälern auf der östlichen und westlichen Seite des Branisko-Gebirges z. B. im Singlerer Thale, bei Wallendorf und andern Orten. Der Blattnerv löst sich gegen die Spitze in eine Gruppe rundlicher Zellen auf. *M. turgidum* hat Wahl. n. 1143 im Minksdorfer Thale gesammelt, ich fand diese Pflanze noch nicht.

Aulacomnion palustre Schwgr. ist gemein in den sumpfigen Wiesen am Fusse des Trachytgebirges bei Eperjes, und in der Zips bei Baldócz.

Georgia pellucida Rbh. Wahl. n. 1079 nur stellenweise an faulen Baumstämmen in der Waldregion.

Timmia megapolitana Hedw. wächst auf nassen steilen Felsen im Thale Wapenetz ohnweit Wallendorf in der Zips.

15. *Polytrichaceae.*

Catharinea undulata W. et M. Wahl. n. 1141 gehört zu den gemeinsten Pflanzen unserer Wälder, ihre Form a *abbreviata*, welche bei Eperjes in Gesellschaft des *Boeomyces roseus* wächst, variirt sehr in der Länge des Schnabels, welcher bald kürzer als die Hälfte der Büchse, bald mehr als doppelt so lang als diese ist. *C hercynica* Ehr. beobachtete Wahlenberg auf lehmigen Boden bei Kesmark n. 1140 *C. tenella* Kühl. sammelte Kalchbrenner auf den Bergen bei Szalok.

An *Polytrichum*-Arten hat die Flora neben den von Wahl. n. 1132—1139 angeführten Formen noch *P. strictum* Menzies, welches in der Tatra an mehreren Orten in Gesellschaft von *Sphagnum*, und in Sáros auf dem Gipfel des Berges Cserhó gesammelt wurde. In der subalpinen Region ist *P. alpinum* sehr verbreitet, höher und beschränkt sind die Standorte des *P. formosum* zwischen dem grünen und rothen See, und auf den Thörichtergern, am höchsten steigt *P. septentrionale* von mir ober dem Steinbachsee, von G. Jermy beim gefrornen See, von Kalchbrenner auf dem Kriván, von Wahlenberg beim grünen See gesammelt.

16. *Buxbaumiaceae*.

Buxbaumia aphylla Hall. sammelte ich nur in Sáros bei P. Peklin. *B. indusiata* fand Kalchbrenner in einigen Exemplaren an faulen Lärchenstämmen auf dem Galmus-Berge bei Wallendorf.

Diphyscium foliosum W. et M. Wahl. n. 1201 wächst sparsam am Fusse der Tatra, und in den Eperjeser Waldungen, häufiger auf dem Trachytfelsen Sólyomkö.

17. *Ripariaceae*.

Cinclidotus aquaticus Br. et Sch. Wahl. n. 1078 wächst nur in der alpinen Region der Tatra, hier stets unfruchtbar.

18. *Fontinaliae*.

Fontinalis antipyretica L. Wahl. n. 1200 stellenweise gemein, erhebt sich aber nicht über die Region des Laubwaldes.

19. *Fabroniaceae*.

Anacamptodon splachnoides Brid. wächst in dichten Rasen auf Kalk in Sáros bei Radács.

20. *Leskeaceae*.

Leptohymnium gracile Hub. Wahl. n. 1097 wächst meist auf Felsen in der Waldregion fructificirt aber selten. Die Stelle des Blattnervs bezeichnet ein dunklerer Strich. *L. repens* Rbh. stellenweise an alten Stämmen vom Branisko bis Eperjes. *L. filiforme* Hüb. wächst sowohl auf Felsen, wie auch an Baumstämmen, vom Branisko angefangen südöstlich. Es hat stark warzige zwei, seltener einrippige kurz zugespitzte Blätter mit scharfen Sägezähnen. *L. striatum* Rbh. fand ich auf einer Baumwurzel unweit Schmeks. Characteristisch für diese Form sind neben den durchlaufenden Nerv die zwei dunkeln, dem Blattrande parallel laufenden Streifen.

Anomodon viticulosus Hoop. Wahl. n. 1165 gehört zu den verbreitetsten Moosen der Wälder im ganzen Gebiete, *A. curtipendulus* wächst in den Thälern zu beiden Seiten des Branisko, gemein im Sinalerer Thale, aber stets unfruchtbar.

Leskea complanata Hedw. auf dem Berge Sip in Arva, und besonders üppig auf den zum Branisko gehörenden Kalkfelsen. Ich fand sie stets unfruchtbar. *L. trichomanioides* Hedw. Wahl. n. 1167, so weit der Laubwald reicht, überall gemein, *L. sericea* Hedw. Wahl. n. 1172 überzieht als dichter Rasen im Trachytgebirge und auf den Drevenyik ganze Felspartien, wird gegen die Tatra seltener, zieht sich jedoch bis in die subalpine Region herauf. *L. polyantha* Hedw. Wahl. n. 1171 bis zur Grenze des Laubwaldes auf Bäumen und alten Holzwerk überall gemein, selten auf Steinen. *L. paludosa* Hedw. und *L. polycarpa* Ehr. Beide von Süden her nur bis Eperjes. Bei Untersuchung vieler Exemplare verliert man alle Unterscheidungs-Merkmale. Bei beiden besteht das Blattnetz aus gedrängten länglich runden, nur an der Blattbasis gedehnten lockern Zellen. Die meist weniger zugespitzten Blätter der *L. polycarpa* können die Species nicht begründen. An Peristomien von *L. paludosa* beobachtete ich auch zweispaltige unter der Bucht durchbrochene Zähne. *L. exilis* fand ich auf einem Baumstock im Lipóczer Thale. *L. subtilis* Hedw. Wahl. 1170 ist im ganzen Gebiete bis zur Grenze des Laubwaldes an alten Baumstämmen gemein. *L. attenuata* Hedw. bildet besonders am Grunde alter Stämme ausgebreitete gelblich grüne Rasen, bleibt aber auch im Laubwalde zurück und fructificirt selten. *L. nervosa* Rbh. und *L. longifolia* Rbh. habé ich bis jetzt nur bei Eperjes beobachtet.

Climacium dendroides W. et M. Wahl. n. 1173, an sumpfigen Stellen gemein, sein höchster Standort ist der Kesmarker grosse Wald am Fusse des Störzchens.

Die reiche Gattung *Hypnum* ist auch hier durch viele Arten vertreten, von denen aber die wenigsten die alpine und subalpine Region erreichen, auch sind wenige an specielle Standorte gebunden.

Ich will, wie ich bisher gethan, in der Aufzählung Rabenhorst „Deutschlands Cryptogamen-Flora, Leipzig 1848“ folgen:

a *catenulata*: *H. pulaceum* Vill. kommt sparsam im Drechselhäuschen vor. Die Blätter des Stengels haben einen deutlichen, bis über die Mitte verlaufenden Nerv, die der Aeste sind nervenlos. *H. dimorphum* Brid. fand ich auf den Bergen Cserhó und Simonkö in Sáros. An mehreren Blättern bemerkt man eine schwache, gegen die Mitte verschwindende Rippe, Zellnetz lineal. *H. atrovirens* S. auf feuchten und schattigen Felsen der Berge Tlusta und Cserho im Sáros. Die Blätter aus kleinen rundlichen Zellen. Die Form b *brachyclados* sammelte ich beim langen See. Diese hat ganz randige Blätter, deren Randzellen beim durchfallenden Lichte auffallend lichter gefärbt erscheinen.

b *abietina*. Aus dieser Gruppe haben wir nur *H. abietinum* L. Wahl. n. 1180 auch dieses unfruchtbar, d. h. ohne Kapseln. Die grosse üppige gelbgrüne Form, auf sumpfigen Boden hat eiförmige zugespitzte fast ganzrandige Stengel- und eiförmige spitze ganzrandige Astblätter.

c *tamariscina* *H. recognitum* Hedw. Wahl. n. 1179 trifft man im ganzen Gebiete bis zur subalpinen Region häufig, meist mit Früchten.

d *neckeroideae*: *H. alopecurum* L. hat bisher nur Wahlenberg im Kesmarker grossen Walde beobachtet. n. 1198. *H splendens* Hedw. Wahl. n. 1178 auf sumpfigen Wiesen und Waldboden gemein.

e *adunca: H. aduncum* L. Wahl. n. 1193, besitze ich aus dem Drechselhäuschen und vom Berge Csorgo. *H. fluitans* L. nahm ich aus einem quelligen Sumpfe des Sebeser Thales im Trachytgebirge. Die Form c *diffusum* von ähnlichen Stellen des Felkaer Thales, hat lange einfache oder wiederholt gefiederte, gelbbraune, gerade oder an der Spitze hackig eingekrümmte Aeste, mit ganzrandigen oder an der Spitze schwach gesägten Blättern. Früchte sah ich nicht. *H. lycopodioides* Schwgr. erhielt ich aus der Gegend von Wallendorf, ebenfalls ohne Früchte. *H. rugosum* Ehr. Wahl. n. 1190 hat von allen *Hypnum*-Arten die grösste Verbreitung, indem es von den Thalsohlen bis in die alpine Region steigt. Auf Trachyt bei Eperjes, auf Klippenkalk bei Lipócz, auf Kalktuf bei Kirchdrauf, auf Quarzgesteinen in der Tatra, Unfruchtbar. *H. scorpioides* Dill. auf langsam austrocknenden Sumpfboden am Fusse des Trachytgebirges bei Eperjes.

f *palustria: H. palustre* L. habe ich im Bache unter dem Chots, und im Trachytgebirge bei Eperjes gesammelt. Es hat zweigestaltige Aeste, mit aufrechten und mit zurückgekrümmten Spitzen, mit allseitig abstehenden und einseitig gekrümmten Blättern. *H. molle* Dicks. brachte Kalchbrenner vom Kriván. Es hat Aehnlichkeit mit *H. fluitans diffusum*, unterscheidet sich aber durch breit eiförmige Spitze, zweinervige Blätter.

g *cupressiformia: H. cupressiforme* L. Wahl. n. 1189 ist durch das ganze Waldgebiet in mehreren Formen verbreitet. *H. callichroum* Brid. wächst bei Eperjes. *H. fastigiatum* Brid. bei Eperjes und in der südlichen Zips. *H. silesiacum* W. et M. Wahl. n. 1186 stellenweise bei Kesmark. *H. pallescens* Pal de Beauv. Wahl. n. 1169, ist in der Wald-, Krummholz und alpinen Region verbreitet. Characteristisch für diese Art ist, neben den an der Spitze gesägten, in eine Haarspitze auslaufenden Blättern, der gelbe kurz geschnäbelte Deckel. *H. incurvatum* Schrad. Wahl. 1168 in den Leiten; die Blätter sind eiförmig zugespitzt, ganzrandig, zweinervig, der grössere Nerv reicht nur bis zur Mitte des Blattes.

h *uncinata: H. uncinatum* Hedw. stellenweise bei Eperjes und im Drechselhäuschen. *H. crista castrensis* Hedw. Wahl. n. 1191 durch das ganze höhere Waldgebiet. *H. molluscum* Hedw. Wahl. n. 1192 häufiger als das vorhergehende, selbst in den tiefer liegenden Waldungen. An trokkenen Orten wird es sehr kraus. Stengelblätter noch einmal so gross als die Astblätter.

filicina: H. filicinum L. an quellreichen Abhängen des Branisko und im Trachytgebirge. *H. commutatum* Hedw. Wahl. n. 1194 in grosser Menge fast in allen subalpinen und alpinen Bächen und Quellen der Tatra, aber selten fructificirend.

k *squarrosa: H. squarrosum* L. Wahl. n. 1182 nur sparsam in den Wäldern der Tatra und des Branisko. *H. triquetrum* L. Wahl. n. 1181, ist sehr verbreitet, fructificirt aber nur an feuchten und schattigen Stellen. Bei Göllnitz wächst auf den dortigen Grauwackefelsen eine braungrüne Form, deren Blätter und Stengel die doppelten Dimensionen der gewöhnlichen bleichgrünen Form zeigen. *H. brevirostre* Ehr. auf dem Berge Simonkö bei Eperjes, auffallend durch den dicken Stamm mit den verdünnten Aesten, und durch die kurz eiförmige Büchse. *H. striatum* Schreb. stellenweise im ganzen Waldgebiete Eperjes, Rehberg, Branisko, Kesmark. Auch von *H. loreum* besitze ich ein Bruchstück, welches Kalchbrenner bei Wallendorf gesammelt hat.

l *polymorpha: H. stellatum* b *minus* Wahl. n. 1183 im Kreutzer Wald unweit Kesmark von Wahlenberg entdeckt, blieb mir bis jetzt unbekannt. *H. Halleri* L. Wahl. n. 1184 ist das höchste *Hypnum* der subalpinen Region, wo es z. B. am nordöstlichen Abhange des Stirnberges, in lebhaft grünen Rasen feuchte Felsen überzieht.

m. *praelonga: H. strigosum* Hoff. Die einzige Art aus dieser Gruppe sammelte Kalchbrenner in den Wäldern bei Wallendorf.

n *sylvatica: H. denticulatum* L. Wahl. n. 1174 durch das ganze Gebiet, oft in ausgedehnten Rasen, besonders an lehmigen Ufern der Bäche, bis in die subalpine Region. *H. sylvaticum* L. stellenweise an Waldgräben. Es ist schwer von *H. denticulatum* Exemplare für *H. sylvaticum* auszusuchen.

o *muralia: H. ruscifolium* Heck. gemein in allen Bächen des Braniskogebirges. Die Blätter sind breit, eiförmig, mit abgerundeter Spitze, die Kapsel derbhäutig, mit fein stachelig-warzigen, an der Spitze farblosen Zähnen. Die Formen b *prolixum* und c *inundatum*, mit schwärzlichgrünen ei-lanzettlichen Blättern, sammelte ich in den Bächen des Trachytgebirges bei Eperjes. *H. murale* Neck. wächst am Ufer des Hernads in der Zips, und im Singlerer Thale in Sáros. Die Zähne des äusseren Peristoms sind meist durchbrochen. *H. depressum* Bruch. auf den Bergen Cserhó und Simonkö, ist abgesehen von einigen kriechenden Aesten, dem *H. denticulatum* ähnlich, von dem es sich durch ovale Frucht mit kurz schiefgeschnäbeltem Deckel und den doppelten oder vielmehr gabeligen Nerv der Blätter unterscheidet. Diese sind entweder spitz dreizähnig oder kurz zugespitzt, oft nervenlos.

p *illecebra: H. purum* L. Wahl. n. 1176 und *H. Schreberi* Willd. Wahl. n. 1177 mit der Var. b *neglectum* fehlen beinahe in keinem Walde.

q *cuspidata: H. cordifolium* Hedw. Wahl. 1188 an sumpfigen Stellen am Fusse der Tatra und des Saroser Trachytgebirges. *H. cuspidatum* L. Wahl. n. 1187 an sumpfigen Wiesen und Waldboden durch das ganze Gebiet. *H. sarmentosum* Wahl. fand ich unter den von Kalchbrenner gesammelten Moosen, doch ohne Früchte.

r *myosuroidea: H. curvatum* Sw. in ausgedehnten Rasen auf den Branisko, und von hier gen Süden und Osten gemein. *H. myosuroides* L. sammelte ich auf Kalk im Drechselhäuschen und auf Lias-Sandstein im Singlerer Thale, Wahl. n. 1197.

s *serpentia*: *H. serpens* L. Wahl. n. 1185 im Laubwalde in vielen Formen gemein, mit nervigen und nervenlosen Blättern. *H. fluviatile* L. wächst auf Steinen im Bache bei Lipócz, *H. riparium* L. Wahl. n. 1175 auf quelligen Wiesen und an Bachufern von Kesmark bis Eperjes an vielen Orten. Die Perichaetialblätter sind länglich kurz zugespitzt, die Stengelblätter lang zugespitzt, die Blattflügelzellen nur breiter und kürzer als die übrigen und nicht abgesetzt.

t *plumosa*: *H. populeum* Hedw. auf Trachytblöcken bei Kapi in Sáros. *H. gloreosum* Brid et Sch. und *H. salebrosum* Hoff. stellenweise in den Waldungen bei Eperjes. *H. lutescens* Hedw. bildet ausgedehnte Rasen in den Fichtenwaldungen des Thales Szulova und bei Wallendorf. Es hat viel Aehnlichkeit mit *Leskea sericea*. Characteristisch für diese Art ist die stark warzige Borste. *H. nitens* L. Wahl. n. 1195, meist in Gesellschaft des *Climacium dendroides* in Eperjes, Wallendorf und Kesmark, Früchte fand ich bis jetzt nicht. *H. rufescens* Dicks. wurde an nassen Felsen des Ray bei Wallendorf durch Kalchbrenner gesammelt.

u *rutabula*: *H. piliferum* Schreb. Wahl. n. 1196 zerstreut meist zwischen *G. purum* und *Schreberi*. *H. Laureri* Flk. auf nassen Felsen bei Göllnitz. *H. velutinum* L. Wahl. n. 1199 gehört mit den Formen *intricatum* und *intertextum* zu den verbreitetsten Moosen, erreicht aber nicht die subalpine Region, ebenso auch *H. rutabulum* L. mit der Form b *flavescens*.

21. *Leucodonteae.*

Leucodon sciuroides Schwgr. fand ich stets unfruchtbar. Zur Zeit Wahlenberg's fructificirten alle, denn er schreibt n. 1113 von *Fissidens sciuroides*: „hic ubique capsulifer occurit.“ Ausgezeichnet ist die üppigere Form mit 4—5″ langen Aesten, und nach einer Seite gekrümmten, an der Spitze gezähnelten Blättern.

22. *Neckeraceae.*

Neckera pennata Hedw. wächst an Buchenstämmen der höchsten Waldungen im Sároser Trachytgebirge. *N. crispa* Hedw. Wahl. n. 1166 auf Kalkfelsen der Tatra im Drechselhäuschen, auf dem Berge Sturets, auf dem Branisko, bei Eperjes.

23. *Fissidenteae.*

Fissidens bryoides Hedw. Wahl. n. 1112 und *F. taxifolius* Hedw. Wahl. n. 1111 sind durch das ganze Gebiet bis zum Fusse der Tatra verbreitet. *F. adianthoides* hat Kalchbrenner auf feuchten Felsen des Zeleni bei Wallendorf gesammelt, ich auf einer quellreichen Wiese bei Bisztra. Die Pflanze von letzterm Standorte hat bei bedeutenderer Grösse um $\frac{1}{3}$ kürzere Kapseln, und längere Fruchtstiele als die von Wallendorf.

Beiträge

zur

Kenntniss der Verwandlung

der

Neuropteren.

Von

Friedrich Brauer.

Einleitung.

Dr. Hagen übersendete mir im September dieses Jahres sämmtliche ersten Stände der *Acanthaclisis occitanica* *) ausser dem Eie, mit dem Wunsche, dieselben für unsere Vereinsschriften zu bearbeiten. Herr Oberlehrer Bachmann, der Entdecker dieser Verwandlungsgeschichte, war so freundlich mir eine ausführliche Beschreibung der Lebensweise des Thieres in den drei Ständen zukommen zu lassen, so dass bis auf das Ei Alles von demselben erforscht ist. — Ich spreche daher beiden Herren für das in mich gesetzte Vertrauen und die mir erwiesene Ehre meinen wärmsten Dank aus.

Ueber das Vorkommen und die Lebensweise

der

Acanthaclisis occitanica Villers. **)

auf der frischen Nehrung.

Von

Oberlehrer **Bachmann** in Insterburg.

Die Sommer-Ferien des Jahres 1854 brachte ich in dem Fischerdörfchen Liep auf der frischen Nehrung zu. Ich traf hier mit einem andern Insecten-Freunde, dem Seminar-Lehrer Sadrinna, aus der benachbarten Stadt

---

*) Ueber das Vorkommen und der geogr. Verbreitung. Siehe Entomol. Zeitung, 1854, October.

**) *Pisanus* Burm.

Braunsberg zusammen, welcher mir mittheilte, dass er bereits zwei Species von *Myrmeleontiden*, eine grössere und eine kleinere gefangen habe. Da ich hierin nun gerade nichts Auffallendes finden konnte, indem ich zwar wusste, dass es bei uns zwei Arten gebe, selbst aber dieselben nicht kannte, so begnügte ich mich damit, mir ein paar Stücke von jeder Art zu besorgen.

Die Larven der kleinen Art *(Myrmeleon formicarius)* waren überall in grosser Menge vorhanden und ich habe mich stundenlang an ihren Trichtern verweilt; die der grösseren konnte ich aber lange nicht finden. Kurz vor meiner Rückkehr in die Heimath jedoch hob ich mir etwa dreissig Stück der kleinen Ameisenlöwen aus dem Sande, um sie mitzunehmen und zu Hause zu erziehen, theils um ihre vollständige Entwicklung kennen zu lernen, besonders aber um möglicher Weise aus denselben schmarotzende *Hymenopteren* und *Dipteren* zu erhalten.

Während ich nun bei den Einsammeln mit dem Spaten im Sande herumstöberte, warf ich zufällig an einer Stelle, wo keine Spur von einem Trichter vorhanden war, einen grossen Ameisenlöwen heraus. Ich sperrte ihn zu den andern, traf zugleich allerlei Vorkehrungen um den Transport gehörig zu sichern, namentlich füllte ich die Schachtel, in der derselbe ausgeführt werden sollte, fast bis zum äussersten Rande mit Sand, damit dieser bei der Bewegung des Fahrens fest läge, und liess Nacht über den Deckel offen, damit den Thieren nicht unnöthig die Luft entzogen würde, da ich bei der scheinbaren Unbehilflichkeit derselben an eine Flucht nicht dachte. Als ich am andern Morgen, dem meiner Abreise, meine Gefangenen nochmals zum Appell rief, zeigte es sich leider, dass gerade die Hauptperson sich aus dem Staube gemacht hatte. Zeit, ihn oder einen Stellvertreter für ihn zu erhalten, war nicht mehr. Wehmüthig musste ich abziehen. Diese Wehmuth verwandelte sich in bitteren Aerger, als ich erst durch Herrn Dr. Hagen in Königsberg den ganzen Werth des Verlorenen schätzen lernte. Die grosse Species erwies sich eben als *Acanthaclisis occitanica*, deren Vorkommen bei uns zwar vermuthet, aber bis dahin nicht bestätigt war. Ausserdem aber war ihre Larve bis auf die Bemerkung Rambur's, dass dieselbe keinen Trichter bilde, überhaupt unbekannt.

Auch in diesem Sommer besuchte ich das mir auf diese Weise wirklich lieb gewordene Liep. Natürlich sah ich mich ganz besonders nach diesen interessanten Bewohnern um und zu meiner grossen Befriedigung zeigten Erwachsene sowohl wie Unerwachsene hinreichende Lust, die vorjährige Bekanntschaft während meines ganzen Aufenthaltes daselbst, also während der letzten Hälfte des Juli und der ersten des August fortzusetzen. Die Imagines sassen am Tage ruhig in fest angedrückter Stellung auf geschälten, verwitterten Pfählen und Brettern oder an glatten Weidenstämmen, so dass sie sich ihrer grauen Farbe, ihrer Stellung und Unbeweglichkeit wegen trotz ihrer Grösse nur wenig von dem Grunde, auf dem sie ruhten, unterschieden, und für Denjenigen wenigstens, der sich nicht absichtlich nach ihnen umsah, schwer zu bemerken waren. Sie liessen sich ruhig mit der Hand abnehmen, und machten auch nicht den geringsten Fluchtversuch. Von allen Seiten konnte man sie anstossen, sie rührte sich nicht von der Stelle. Warf man sie gewaltsam in die Höhe, so flogen sie nicht, sondern flatterten nur fort und klammerten sich an den ersten Gegenstand, den sie berührten. Sie wurden also ganz und gar durch das Tageslicht geblendet. Doch scheinen es überhaupt träge Thiere zu sein, oder man muss behaupten, dass Wärme zu ihrer Munterkeit nothwendiger ist als Dunkelheit. Ich bin selbst spät des Abends, wo gerade nicht besondere Kälte herrschte, in solcher Dunkelheit, dass ich das Thier kaum noch erkennen konnte, dicht neben denselben gestanden, habe es berührt und geschoben, und es doch nicht zum Auffliegen gebracht. Vielleicht war es, also wenigstens ihm, doch zu kühl, vielleicht auch wartete es auf eine noch grössere Dunkelheit, oder es erhob sich erst in den frühen Morgenstunden. In der Nacht mussten sie geflogen sein, denn hatte ich an dem einen Tage bestimmte Zäune abgesucht, und die zwischenliegende Nacht war nicht zu kalt oder regnerisch gewesen, so fand ich auf denselben Zäunen am folgenden Morgen wieder andere sitzen.

Um die Larven zu finden, ging ich an dieselbe Stelle, die mir im vorigen Jahre ein Exemplar geliefert hatte, und ich durfte auch nicht lange suchen, so förderte ein Aufwurf mit meinem Excursions-Spaten wieder eine zu Tage. An demselben Orte fand ich dann bei weiterem Suchen noch mehrere. Es war aber dieser Ort die höchste Stelle eines nach Süden gerichteten Sandbergabhanges, über welcher sich durch die verschlungenen Wurzeln und Würzelchen der auf den Berggipfel stehenden Kiefern und durch die zwischen denselben hängen gebliebenen Erdtheilchen ein Vordach gebildet hatte das Schutz gegen den Regen gewährte. Ein genaueres Nachsuchen verschaffte mir die Fähigkeit sicher den Ort bezeichnen zu können, wo die Larven zu vermuthen wären. Während nämlich ringsum Kieferabfälle und schwarze Erdstückchen den Boden dunkel machten, zeigte die Oberfläche des besonderen Aufenthaltes der Larven reinen hellen Sand, in dem kein Trichter sich befand, und nur zuweilen der Weg, den die kriechende Larve im Innern genommen hatte, äusserlich durch eine Furche sich bemerkbar machte, denn sie scheinen nicht still auf einer Stelle zu lauern, sondern viel, wenn auch in beschränkten Gränzen, hin- und herzukriechen. Oft leiteten mich auch die Reste ihrer Mahlzeiten zu ihnen. Bestanden diese auch meistentheils, in Formiciden, so fanden sich zuweilen doch auch andere, einmal sogar eine *Chrysis*.

Ich fing mir nun vier Larven, die ich beobachten. und erziehen wollte. Da ich kein passenderes Gefäss hatte, so nahm ich den Deckel der Pappenveloppe, in welche ich meine Insecten-Gläschen für Excursionen einzuschliessen pflege. Dieser bildet ein vierseitiges Behältniss von 9 □″ Grundfläche und 2½″ Höhe. Ich füllte ihn zur Hälfte mit Sand, so dass noch ein Rand von mehr als 1¼″ Höhe übrig blieb, der ganz senkrecht und dabei so glatt war, dass er für die schwarzen Ameisen, wenn auch nicht für *Formica rufa* und *herculeana*, ein unübersteigliches Hinderniss bildete. Jeden Morgen fing ich eine Anzahl Ameisen und setzte sie auf den Sand. Sie wurden dann entweder sogleich vor meinen Augen ergriffen oder es geschah diess später und ich fand ihre ausgesogenen Häute auf dem Sande. Kurz vor der Abreise untersuchte ich die Zahl der Larven und fand statt vier nur zwei. Zwei waren wieder spurlos fort und hatten bei dieser Flucht also eine glatte Mauer überstiegen, mit welcher die beweglichen *Formiciden* nicht fertig werden konnten. Die Verschwundenen konnte ich aber durch drei neue Gefangene ersetzen und hatte so wieder fünf. Als ich am letzten Morgen nachsah, steckte einer von diesen in den mörderischen Zangen eines Gefährten, der ihn so weit gebracht hatte, dass er in seinem Hinterleibe nicht mehr die Kraft besass, sich in den Sand zu verkriechen. Eine Fliege, die ich ihm zwischen die Kiefer steckte, sog er noch aus, dann aber starb er.

Nach vollständiger Trennung in besondere Räume brachte ich vier Exemplare wohlbehalten nach Königsberg und nahm zwei von ihnen mit nach Insterburg. Auf dem Postwagen hatte sich die trennende Wand zwischen diesen beiden verschoben und der Schwächere war wieder dem Stärkeren unterlegen. So besitze ich nun noch eine lebendige Larve. Diese habe ich bis in die Mitte des September regelmässig mit *Musca domestica* oder *Stomoxys calcitrans* gefüttert. Sie zeigte auch stets vielen Appetit zu denselben, so dass sie allmälig gegen achtzig Stück verspeisete. Nur einmal, als sie eine grosse *Musca vomitoria* ausgesogen hatte, musste sie so gesättiget sein, dass sie den folgenden Tag an den neuen Frass nicht gehen wollte. Seit der Mitte des September hat sie alle Fresslust verloren, selbst Ameisen greift sie nicht an, sondern hat sich auf den Boden zurückgezogen und liegt dort ruhig, aber ohne Anstalten zum Einspinnen zu machen, also vielleicht nur um ihre Winterruhe zu halten. Ihr Betragen bei der Fütterung hat mich stets sehr interessirt. Gewöhnlich lauerte sie unter der Oberfläche des Sandes versteckt und verrieth sich nur durch den kleinen Sandhügel, den ihr dicker Hinterleib bewirkte, nur zuweilen streckte sie die Spitzen der Kiefer aus dem Sande hervor. Kam die Fliege, der ich vorher die Flügel beschnitten hatte, ihr an die passende Stelle, nämlich auf jenen Hügel, so warf sie blitzschnell den Kopf in die Höhe, erfasste ihr Opfer mit den Zangen, und zog es unter den Sand. Dabei musste sie aber doch wohl hauptsächlich ihrem Gefühle *) folgen, denn stand die Fliege selbst über ihrem Kopfe ganz still, so schien sie ihre Anwesenheit gar nicht zu bemerken.

*) Es scheint mir wahrscheinlich, dass die vier tiefen, grubigen Falten an der Rückenseite des zweiten und dritten Brustringes die empfindlichen Stellen sind, da eine Berührung derselben ein Schnappen der Larve sogleich zur Folge hatte. F. Brauer.

An demselben Platze in Liep, wo die Larven nicht selten waren, fanden sich auch eine nicht unbedeutende Zahl Sandkugeln von 8‴ Durchmesser. Sie lagen oben auf dem Sande und schienen mit demselben herabgeglitten, und so von ihrem ursprünglichen Platze entfernt zu sein. Bei ihrer Oeffnung zeigten sie sich als Nymphengehäuse der *Acanthaclisis*. Ihre innere Seite war dicht mit weisser Seide ausgesponnen, so dass sie dadurch eine viel grössere Festigkeit als die gleichen Bildungen von *Myrmeleon formicarius* erhielten. Bei einigen fanden sich im Innern die vertrockneten Nymphen, bei den meisten aber bloss die zurückgelassenen Häute der Larve und Nymphe. Besonders merkwürdig waren mir diejenigen, in welchen ausser einigen Bruchstücken der Nymphe, insbesondere deren Kopftheil, noch ein paar andere, walzenförmige, etwas gebogene, an beiden Enden abgerundete, glatte Körper von rother Farbe und etwa 2‴ Länge und 1‴ Breite lagen, die auf der einen Seite eine Oeffnung und inwendig einen hohlen Raum zeigten. So erinnerten sie unwillkürlich an Parasiten-Cocons, namentlich an solche von Ichneumonen. Sehr freuen würde es mich, wenn ich anderweitig Belehrung über dieselben erhalten könnte. Später glaubte ich diese mir selbst zu verschaffen, ich fand nämlich in den Sandkugeln des *Myrmeleon formicarius* auch ein Paar ähnliche und dabei noch geschlossene Körperchen, erwarte aber auch jetzt noch vergeblich ihre Entwickelung. An einen zurückgelassenen Ausscheidungsstoff der Larven oder Nymphen lässt sich aus verschiedenen Gründen nicht denken. Erstlich haben die Körperchen dafür eine zu regelmässige Form und sind inwendig hohl; dann aber finden sie sich nicht in solchen Sandkugeln, deren rechtmässige Bewohner dieselben in Folge ihrer Entwickelung verlassen haben, sondern, wo sie sich finden, sieht man auch immer den Kopf der Nymphe, die also umgekommen sein muss. Sehr viele habe ich zwar nicht untersuchen können, aber die wenigen, die ich untersucht habe, haben immer das Angegebene gezeigt.

Beschreibung der Larve und Nymphe

der

Acanthaclisis occitanica Villers. Ramb.

Von

Friedrich Brauer.

Ich kann nach den, an der lebend eingetroffenen Larve gemachten Beobachtungen die Angaben Bachmann's nur bestätigen, füge aber hinzu, dass dieselbe auf ganz glatten Gegenständen, wie z. B. Glas, nicht emporkriechen kann. Was die am Schlusse erwähnten Körperchen im Cocon betrifft, die Bachmann für Parasiten-Cocons zu halten glaubt, so habe ich Folgendes beobachtet.

Bei *Myrmeleon formicarius* sah ich, dass die Imago, sobald sie den Cocon verlassen *) und auf einen Zweig zur weiteren Entwickelung emporgekrochen ist, in dem Moment, wo die Flügel fast schon die normale Ausdehnung erreicht haben und der Hinterleib, der ebenfalls kurz aus der Nymphenhaut heraustritt, bedeutend gestreckt wurde, mit gut sichtbarer mächtiger peristaltischer Bewegung desselben, einen der Beschreibung nach ähnlichen, von Rösel schon erwähnten Körper durch den After ausscheidet. Er ist walzenförmig, hart, glatt und röthlichgrau; im Innern aber enthält er im frischen Zustande eine lockere, faserige, scharfriechende schwarze Masse.

Vergleicht man diese Beobachtung mit der Angabe des Vorkommens dieser Körper, nach Bachmann, zufolge welcher in den normal verlassenen Cocons sich keine derselben befanden, so erklärt sich diess daraus, weil das Thier diesen Körper erst ausserhalb des Cocons ausschied, während da, wo die Nymphe sich vertrocknet, im Cocon vorfand, dieselbe vielleicht während des Durchbrechens verletzt oder im Cocon durch andere schädliche Einflüsse, vielleicht Kälte, zu lange zurückgehalten wurde und den Ausscheidungsstoff noch im Cocon von sich geben musste.

Larve. Kopf quadratisch, an den Seitenrändern nach hinten zu mässig gewölbt; Oberlippe zwischen den Kiefern vorragend, rund, in der Mitte ausgeschnitten und mit Borsten am Rande besetzt. Die Kiefer (Ober- und Unterkiefer in ihrer Verbindung) erweitern sich vom Grunde aus bis zum ersten Drittel oder bis zum mittleren Zahn, nehmen dann bis zum letzten (dritten) Zahn an Breite ab und verlaufen in eine starke, lange (Hälfte der ganzen Kieferlänge), im Bogen nach einwärts gekrümmte Spitze, die mit der der andern Seite im Kreisbogen zusammentrifft. Die drei Zähne sitzen in der ersten Hälfte des Oberkiefers. Der erste steht nahe dem Grunde und ist etwas vorwärts gebogen, der zweite befindet sich am Ende des ersten Drittels und der dritte am Ende der ersten Hälfte der Kieferlänge.

---

*) Ich erlaube mir hier die Bemerkung, dass ich nie die langsame Ausbildung der Flügel bei *M. formicarius* und *formicalynx* beobachtete, wie diess (Ent. Zeit. 1847. S. 224) Nolken (Schaum Ent. Jahresbericht 1848) angibt. In einer Stunde haben alle Theile des Thieres die normale Länge. Die Farbe der Flügeladern ist roth und die Bildung der Flecken, sowie die Umfärbung ersterer dauert dann noch mehrere Stunden, nie aber mehrere Tage. Werden die Flügel in der Zeit nicht völlig ausgebildet, so bleiben sie auch verkrüppelt. Einige solche Exemplare lebten noch mehrere Tage ohne weitere Ausbildung. Die von N. gegebene, allerdings sehr geistreiche Erklarung wird jedoch dadurch genügend widerlegt, dass Thiere, welche nicht gleich Gegenstände zum Emporkriechen fanden, wohl nicht ganz verkümmerte Flügel bekamen, aber dieselben durch Falten und Weichheit unbrauchbar waren.

Der mittlere ist mit der Convexität nach vorne gerichtet und länger als die beiden andern. Von den Kiefern nach aussen stehen die Fühler. Ihr Grundglied ist grösser, cylindrisch mit dickerer Basis, die übrigen sind klein, cylindrisch. Das Ende des Fühlers ist fein, aber von den vorhergehenden Gliedern etwas abgeschnürt.

Die sechs Augen (auf jeder Seite) sind auf einen kleinen Hügel, der nach vorne und aussen gerichtet ist, so angebracht, dass eines nach oben, zwei nach innen, eines nach vorne, eines nach aussen und eines nach rückwärts sieht. Die Lippentaster ragen zwischen Kiefer und Fühler mit ihrem Endgliede an der Seite vor. Ihr Grundglied ist gross, eliptisch, das zweite und dritte klein, successiv länger, keulenförmig, das vierte etwas länger spindelförmig mit gebogener Spitze, die drei letzten Glieder zusammen so lang wie das erste und dieses am Vorderrande mit langen Borsten besetzt. Die Form des übrigen Körpers stimmt mit den bekannten Larven der Gattung *Myrmeleon* überein.

Die Beine zeigen ebenfalls diese Uebereinstimmung, nur sind die zwei vorderen Paare kräftiger im Verhältniss. Die Krallen sind wenig gebogen, an der Basis verdickt und an der Spitze abgestumpft. Das letzte Hinterleibssegment ist kugelig, in der Mitte des Hinterrandes eingebogen und mit zahlreichen hornigen, runden und konischen Warzen unten besetzt. Am Seitenrande steht ein starker Borstenkranz, dessen Borsten in der Mitte kürzer werden.

Die Farbe ist am Kopfe oben schwarz. Am Scheitel eine rothgelbe T-förmige Zeichnung. Augen und Oberlippe röthlichgelb. Die Seiten des Kopfes sind bräunlich, nach unten zu aber schwarz. Unterseite des Kopfes ochergelb, Unterlippe und Taster schwarzbraun. Fühler lichter braun, Beine gelb mit braunen Krallen. Die Saugzangen sind dunkel schwarzbraun. Die Brustringe und der Hinterleib ist schmutzig rosenfarben mit den reihenweise gestellten schwarzen Flecken und seitlichen Haarbüscheln der bekannten *Myrmeleon*-Larven. Stigmen fand ich neun. Das zweite Thoraxstigma fehlt. Das erste liegt in der Verbindungshaut von Pro- und Mesothorax seitwärts. Die hornigen Ränder desselben sind nicht spitz ausgezogen, wie bei *Palpares libelluloides* und *M. tetragrammicus*. Das zweite liegt in der Verbindungshaut von Metathorax und ersten Hinterleibssegment, an der Rückenseite des Thieres. Die sieben übrigen liegen an der Seite der folgenden Segmente unter den schwarzen Haarbüscheln und in eine Furche eingezogen. Länge der Larve von der Spitze der Zangen bis zum After 25^{mm}.

Die Larve spinnt einen Cocon von Kugelform, der aussen mit Sand übersponnen ist, nach Art der bekannten *Myrmeleonen*. Sein Durchmesser beträgt $8'''$. Die Spindel ist am After des Thieres und besteht aus zwei fernrohrartig einschiebbaren cylindrischen Theilen wie bei *Palpares* und *Myrmeleon*. Der Larvenbalg ist im Cocon so gelegt, dass der Kopf der Bauchseite anliegt und das letzte Segment mit der Spindel gegen die Rückenseite gekehrt nach oben sieht Die Beine sind in normaler Stellung der sitzenden Larve. Die Tracheen häuten mit.

Nymphe. Die Nymphe ist im Cocon stark gekrümmt. Das letzte Hinterleibssegment ist vom Kopfe fast nur eine Linie entfernt. Kopf breit mit den grossen sehr fein facettirten Augen, auf welchen zwei sich rechtwinklig treffende Furchen verlaufen, die wahrscheinlich die Trennungsstelle beim Ausschlüpfen andeuten. Die Fühler sind dicker und kürzer als bei der Imago, sie verlaufen im Bogen nach hinten bis zur Vorderflügelwurzel. Endknopf entwickelt. Das grössere Grundglied, Clypeus und Oberlippe sind röthlichochergelb, die Augen stahlgrau. Zwischen dem Fühlergrunde ragen zwei divergirende kleine Haarbüschel vor. Oberlippe am Vorderrande ausgeschnitten wie bei der Imago. Oberkiefer stark vorragend, rothbraun mit kräftiger Endspitze und am Innenrande mit zehn gegen den Grund zu kleiner werdenden, sägeartig gestellten Zähnen besetzt. Die kleineren Kiefer der Imago bereits durchscheinend. Kiefer- und Lippentaster massiv, sonst wie bei der Imago, ebenfalls aber durchsichtig, die zarteren Glieder der Imago durchscheinend. Scheitel schwarz, mässig behaart.

Prothorax nur halb so lang als beim vollendeten Thier, Meso- und Metathorax etwas kürzer aber durch die Flügelscheiden breiter erscheinend. Alle Brustringe sind röthlichgelb mit zwei dunklen Längsstriemen und seitlichen Flecken. Die Flügelscheiden laufen längs den Leibesseiten bis zum fünften Abdominalsegment, über welches die Spitzen hinausragen. Die einer Seite convergiren, d. h. die Flügelscheide des Mesothorax bedeckt die des Metathorax von ihrem vorderen Rande schräg bis zum letzten Drittel des hinteren Randes, während die Spitze frei bleibt und vor die der Vorderflügelscheiden zu liegen kommt. Ihre Breite beträgt 3^{mm}. Die Länge 11^{mm}. Die Farbe ist grau und zeigt durch schwarze, wellenförmige Linien den Aderverlauf.

Die Beine des Pro- und Mesothorax sind so eingezogen, dass sie nur wenig nach aussen divergiren und mehr längs dem Leibe anliegen. Die Schenkel laufen nach vorne, die des ersten Fusspaares bis in die Mitte des äusseren Augenrandes, die Schienen und Tarsen nach rückwärts bis zum siebenten (erstes Fusspaar), und sechsten (zweites Fusspaar) Hinterleibssegment. Das dritte Fusspaar liegt unter den Flügelscheiden und verlauft quer nach oben und aussen, so dass das Schenkelende und ein Theil der wieder zurücklaufenden Schiene hinter dem Grunde des zweiten Flügelscheidenpaares am zweiten Hinterleibssegment vorragen. Sie gleichen jenen der Imago, sind aber weniger behaart.

Jedes einzelne Segment, und daher der ganze Hinterleib, ist doppelt so breit aber nur halb so lang als bei der Imago. Er ist, wie erwähnt, stark gekrümmt. Die Farbe der einzelnen Segmente ist dunkelbraun, an der

Rückenseite sind seitlich röthlichbraune Flecke und der Hinterrand in der Mitte lichtgelb, wie beim vollendeten Thier. Am ganzen Körper stehen längere, zerstreute, wollige Haare, dichter jedoch um die Mundtheile. Sonst ist das Haarkleid im Vergleich zur Imago schwach. Die Nymphe unterscheidet sich nebst dem von jenen der bekannten *Myrmeleontiden* noch durch die dem vollendeten Thier zukommenden Merkmale und wie natürlich durch die bedeutende Grösse. Länge der Nymphe im gekrümmten Zustande im Cocon vom Scheitel bis zum fünften Hinterleibssegment 14mm. Grösste Breite an der Wurzel der Flügelscheiden 9mm.

Betrachtet man die vier Gattungen: *Palpares*, *Acanthaclisis*, *Formicaleo* *) und *Myrmeleon* in Betreff ihrer bis jetzt beobachteten Larven, so lassen sich diese folgendermassen gruppiren:

1. Larven mit Appendices anales, 2. ohne Append. anal. — Zu der ersten Gruppe gehört *Palpares* Ramb. und *Formicaleo* Reaumur. m., beide Gattungen haben gleich gut vor- und rückwärtsgehende Larven, die keinen Trichter bilden. Zu der zweiten Gruppe kommt *Acanthaclisis* Ramb. und *Myrmeleon*. Erstere Gattung mit gleich gut vor- und rückwärtsgehenden Larven. Letztere mit nur rückwärtsgehenden Larven, die aber einen Trichter graben.

Es fragt sich aber noch, ob es den Larven der Gattung *Myrmeleon* wirklich unmöglich ist, vorwärts zu gehen, oder ob sie nur selten diese Bewegung vollführen. Die Beine sind genau analog den vorwärts gehenden Larven gebaut, es müsste demnach im Muskel- oder Nervensystem der Grund zu suchen sein. Ich kam auf diesen Gedanken besonders dadurch, weil auch die Larven von *Formicaleo* sehr eigensinnig sind, und oft geradezu nur rückwärts gehen. Auch sah ich, dass ein *Myrmeleon*, der sich aus seinem Trichter zurückgezogen hatte, beim Hineinstürzen eines Insectes in denselben plötzlich durch einen im Sande deutlich sichtbaren Vorwärtsruck den Trichter erreichte. Durch einen Ruck konnte er sich unmöglich zugleich um seine Achse gedreht haben, nachdem er vorher sich zuerst mit dem Hintertheil nähern hätte müssen. Die ungemeine Scheu der Thiere erschwert die Beobachtung sehr. Das mindeste Geräusch macht sie auf lange Zeit bewegungslos.

Erklärung der Abbildungen.

Fig. 1 Die Larve etwas vergrössert.
„ 1a Dieselbe von der Seite.
„ 1b Saugzangen vergrössert.
„ 1c Augenhügel.

*) Siehe meine Abhandlung im Monat October.

Fig. 1*d* Lippentaster.
„ 1*e* Klauen.
„ 1*f* Letztes Hinterleibssegment, von unten gesehen, vergrössert.
„ 1*g* Dasselbe am Larvenbalg mit herausgetretener Spindel.
„ 2 Larvenbalg im Cocon. Natürliche Grösse.
„ 3 Cocon. Natürliche Grösse.
„ 4 Nymphe, etwas vergrössert.
„ 4*a* Nymphe von der Seite.
„ 4*b* Nymphe von hinten.
„ 4*c* Kopf derselben, vergrössert.
„ 4*d* Mundtheile.
„ 4*e* Fuss derselben, vergrössert.

Die Flora der Bauerngärten
in Deutschland.

Ein Beitrag zur Geschichte des Gartenbaues

von

Dr. A. Kerner.

Das gesteigerte Interesse des Publikums an der Blumenzucht, die Versuche, Nutzpflanzen fremder Länder einzuführen, welche die einheimischen ersetzen sollen, bringen eine Unzahl von Gewächsen in unsere Gartenbeete. Von Jahr zu Jahr vergrössert sich ihre Zahl und unter unseren Augen wechselt mit der Mode der Character der Gartenflora. Nur in den von grösseren Städten und Verkehrsstrassen entfernten Orten, ganz vorzüglich in den abgeschlossenen Gebirgsthälern ist der Character der Gartenflora unangetastet von dem Einflusse der Mode durch Jahrhunderte hindurch bis in die Gegenwart derselbe geblieben.

Fast bei jedem Bauernhause finden wir dort einen kleinen mit Obstbäumen und Gemüsen bepflanzten Garten, Salat und Kohlarten, Selleri, Zwiebeln und Gurken breiten sich über die Beete aus, Bohnen ranken sich an Stangen empor, Petersilie, Kerbelkraut, Dill und Saturey, die als Zugabe zu den Speisen täglich Verwendung finden, haben hier ein bestimmtes Plätzchen, so wie auch einer anderen Gruppe von Gewächsen, die von Alters her als Hausmittel gegen Krankheiten der Menschen und Thiere in grossem Rufe gestanden, hier ein Fleckchen Erde gewahrt ist. Neben Liebstöckl, Meisterwurz, Eibisch, Raute und Salbei wuchert die Krausemünze, die übrigen schier verdrängend. Ein Busch von Yssop und Kudelkraut wimmelt zur Blüthezeit von Bienen des nahen Bienenstockes und an der Mauer steht ein Strauch des Sadebaums und Buchsbaumes, deren immergrüne Zweige mit Epheublättern und kätzchentragenden Weidenreisern zusammengebunden am Palmsonntage zur Weihe getragen werden. In einem Topfe prangt an der sonnigsten Stelle des Gartens ein Nelkenstock, und mit Sehnsucht erwartet das Mädchen die erste erblühte Nelke, um sie ihrem Liebhaber auf den Hut zu stecken. Ein alter ästiger Quittenstrauch, dessen Früchte in den

Schrank zu den Sonntagskleidern gelegt werden, steht am Zaune, der den Garten umschliesst oder er bildet selbst, mit Haselnuss und Cornelskirsche dicht verwachsen, die Einfriedung. Endlich fehlt es wohl in keinem Bauerngarten an einem Rosenstocke, an weissen Lilien und Päonien, an Iris, Akley und Bandgras, die zu Sträussen und Kränzen gewunden das Fenster zieren, oder zum Schmucke einer Mariensäule oder des Altars am Frohnleichnamstage benützt werden. Ebensowenig vermissen wir einen Frauenmünzenstock, von dem sich die Bäuerin ein Blatt in ihr Gebetbuch legt, und einen Rosmarinstock, mit dessen Zweigen Braut, Bräutigam und Kranzeljungfrau und die andern Gäste der Hochzeit ebenso geschmückt werden, wie die der Todtenbahre folgenden Verwandten und Freunde eines Verstorbenen.

Dieses Bild der Bauerngärten bleibt mit geringen Abänderungen durch ganz Deutschland dasselbe und wenn es auch ganz natürlich erscheint, dass wir hier die täglich gebrauchten Gemüse und Küchenkräuter vorfinden, so erregt doch die Allgemeinheit und grosse Gleichmässigkeit der Verbreitung der übrigen medicinischen und Zierpflanzen unsere Aufmerksamkeit in hohem Grade.

Der Umstand, dass die Mehrzahl dieser Gewächse Volksnamen trägt, welche die griechische oder lateinische Abstammung nicht verkennen lassen, weist darauf hin, dass sie als Fremdlinge in die Gärten des deutschen Landmannes aus dem Bereiche lateinischer und griechischer Sprache gebracht wurden und in der That finden wir in der erwähnten Gartenflora nur das getreue Spiegelbild der Gärten griechischer und römischer Landbauer; fast alle Pflanzen unserer Bauerngärten finden wir schon von Theophrast als cultivirt angeführt und aus den Schriften von Virgilius, Columella, Dioscorides, Galenus und Plinius sind wir im Stande, uns eine deutliche Vorstellung der Gärten ihrer Zeit zu verschaffen und ersehen, dass die Römer die meisten Obstbäume, Gemüse und heilkräftigen Gewächse in ihren Gärten gepflanzt, die noch heutzutage in unseren Bauerngärten gezogen werden.

Dankbar nennt die Geschichte Carl den Grossen, welcher nach langer Barbarei den Anbau des Landes nach römischem Muster in seinem Reiche anbefahl und im Jahre 812 eigene Capitularia erliess, in deren einem alle die Pflanzen angeführt werden, die man in den Gärten erziehen sollte. Unzweifelhaft waren es die dazumal an Carl's Hof sich aufhaltenden Benedictiner-Mönche, welche das Verzeichniss dieser Pflanzen verfassten; sie allein waren es ja, bei denen man in jenen finsteren Zeiten noch Spuren der Wissenschaft finden konnte und denen die Urbarmachung des Landes, der Gartenbau zur Pflicht gemacht war. In Italien mochte sich wohl der Gartenbau bis auf die Zeit Carl des Grossen in demselben Zustande erhalten haben, wie wir ihn aus den Schriften der Römer kennen lernen und die Benedictiner kannten denselben zum Theile aus eigener Anschauung aus jenem Lande, zum Theile aus den erwähnten Schriften und es lässt sich unschwer erkennen, dass ganz vorzüglich L. J. M. Columella de re rustica zur Abfassung des Verzeichnisses von ihnen benützt wurde.

Aus den Berichten, welche die Missi dominici über einige im Auftrage des grossen Kaisers bereiste kaiserliche Güter abgaben, ist auch schon der Erfolg jener Anordnung zu ersehen, wir vermögen uns ein deutliches Bild der Gärten jener Zeit aus ihnen zu entwerfen, und werden nicht wenig überrascht, dasselbe genau mit jenem von unseren Bauerngärten entnommenen übereinstimmend zu finden, und wenn diese Thatsache, dass die Flora der Gärten in jenen Gegenden, wo die Cultur der Neuzeit noch nicht modelnd und umändernd eingewirkt hat, durch ein Jahrtausend sich gleichgeblieben, einerseits von dem gewaltigen Einflusse eines grossen Mannes Zeugniss gibt, so dient sie ebenso als kräftiger Beweis der Beharrlichkeit des Bauers, der bei vielen der Pflanzen den Zweck der Cultur gewiss längst nicht mehr kennend, dieselben dennoch heute in seinem Garten zieht.

Die auf den Gartenbau sich beziehende Stelle des „Capitulare de villis vel curtis Imperatoris" heisst wortlich:

LXX. *Volumus quod in horto omnes herbas habeant, id est lilium, rosas, fenigraecum, costum, salviam, rutam, abrotanum, cucumeres, pepones, cucurbitas, fasiolum, ciminum, rosmarinum, careium, cicerum italicum, squillam, gladiolum, dragantea, anesum, coloquentidas, solsequiam, ameum, silum, lactucas, git, eruca alba, nasturtium, parduna, puledium, olisatum, petresilinum, apium, levisticum, savinam, anetum, fenicolum, intubas, diptamnum, sinape, satureiam, sisimbrium, mentam, mentastrum, tanaritam, neptam, febrefugiam, papaver, betas, vulgigina, ibischa, mismalvas id est alteas, malvas, carnitas, pastenacas, adripias, blidas, ravacaulos, caulos, uniones, britlas, porros, radices, ascalonicas, cepas, alia, warentiam, cardones, fabas majores, pisos mauriscos, coriandrum, cerfolium, lacteridas, sclareiam, et ille hortulanus habeat super domum suam Jovisbarbam. De arboribus volumus quod habeant pomarios diversi generis. pirarios diversi generis, prunarios diversi generis, sorbarios, mespilarios, castaneanos, persicarios diversi generis, cotoniarios, avellanarios, amandalarios, morarios, lauros, pinos, ficus, nucarios, ceresarios diversi generis. Malorum nomina Gormaringa, Geroldinga, Crevedella, spirauca, dulcia, acriores, omnia servatoria et subito comessura, Primitiva, Per ariciis servatoria trium, et quartum Genus, dulciores, et cocciores, et serotina.*

Es hat dieses Capitulare bereits eine vielfache Besprechung gefunden und wurde schon mehrfach ins Deutsche übersetzt und commentirt. Die erste gedruckte Ausgabe desselben von Hermanus Conringius schreibt sich vom Jahre 1647, der dann in späterer Zeit jene von Eckhart, Bruns, Heuman, Tresenreuter, Ress, Anton, Sprengel, Pertz und mehreren anderen folgten. Am Besten und Ausführlichsten erläutert ist die auf den Gartenbau sich beziehende Stelle durch Kinderling in den „Beiträgen zu den deutschen Rechten des Mittelalters" von P. J. Bruns. Helmst. 1799; doch finden sich hier ebenso, wie in den übrigen angeführten Schriften viele auffallende Irrthümer, die nur zu deutlich beweisen, dass die Autoren in der Botanik nicht sehr bewandert waren, und selbst Sprengel in seiner Geschichte der Botanik und Anton in seiner Geschichte der deutschen Landwirthschaft liefern fehlerhafte Uebersetzungen.

Freilich ist es bei einigen der oben aufgeführten Pflanzennamen schwierig zu ermitteln, welche Pflanze eben gemeint sei, und bei mehreren muss diess auch für immer zweifelhaft bleiben, aber die Mehrzahl lässt sich mit grosser Bestimmtheit determiniren. Wie schon oben erwähnt, wurde wahrscheinlich von den Benedictiner-Mönchen, welche das Verzeichniss verfassten, Columella und Dioscorides benützt und wir finden auch die von diesen gegebenen Namen grösstentheils im „Capitulare" wieder, wenn auch oft im barbarisch verstümmelten Zustande.

Die Verstümmlung und Verdrehung der Namen durch die Abschreiber, zum Theile aus Nachlässigkeit, zum Theile aus Unkenntniss der alten Sprachen geht im Mittelalter bis ins Fabelhafte. Der deutsche Landbauer hatte nun die Pflanzen, die er in seinem Garten zog, mit diesen verstümmelten lateinischen Namen überkommen, modelte und änderte so lange an ihnen, bis sie seiner Zunge bequem und geläufig waren, und so sind die noch heute bei dem Volke üblichen und als deutsche Namen auch in die botanischen Werke aufgenommenen Benennungen der erwähnten Gartenpflanzen entstanden. Auf diese Weise ist *lactuca* in Ladduch, Lactick und Lattich, *πραικοκκια* in Apricosen und *Libysticum* in Liebstöckl umgewandelt worden.

Sehr beschränkt sind die Anhaltspuncte, die uns über den Zustand des Gartenbaues der Jahrhunderte, welche auf Carl des Grossen Zeitalter folgten, Aufschluss zu geben im Stande sind. Die aus jener Zeit stammenden Glossarien *), einige alte Recepte u. dgl., sind fast die einzigen Quellen. Auch finden wir in den Initialien alter Handschriften häufig Blumen abgebildet, die noch heute als Zierpflanzen in den Gärten prangen und wahrscheinlich auch schon damals gezogen wurden, wie die Nelke, die Narcisse, das Sinngrün, obschon diese nicht im Capitulare aufgezählt werden. Auch von den im Helmstädtischen Glossarium **) aufgeführten Gartenpflanzen sind

*) Glossarium ex manuscripto Lindenbrogii aus dem X. Jahrhundert, das Glossarium San-Blasianum aus dem XII. Jahrhundert, das Glossarium Helmstadtiense, welches wohl gleichfalls diesem Zeitalter angehört, u. m. a.

**) In diesem von Bruns in seinen Beiträgen zu den deutschen Rechten des Mittelalters veröffentlichten lateinisch-plattdeutschen Glossarium finden sich unter anderen Pflanzennamen auch: Wilde neghelken, Wild rode, Wild ryngholde, Wild safferan, Wild scarleye, Wild schynword, Wilt everitte, Wilt karte, Wild knovelock, Wilt kol, Wilt lilie, Wilt merk. Wilt rose, Wilt rude, Wild salveye u. dgl., und als Gegensatz zu diesen, dieselben Namen ohne dem Zusatze „wild" aufgeführt, ein Beweis, dass alle diese Pflanzen zu jener Zeit sich zahm in Garten fanden.

mehrere, wie z. B. *Aquilegia vulgaris* (Ackeleye), *Viola tricolor* (Tag und Nacht), *Cheiranthus Cheiri* (Fiole) nicht im „Capitulare“ angeführt. Merkwürdiger Weise sind diess gerade lauter Pflanzen, die weder als Gemüse, noch als Heilmittel Anwendung fanden, sondern nur aus Schönheitssinn in den Gärten gezogen wurden und diese ästhetische Seite des Gartenbaues scheint Carl bei seinem Gesetze durchaus nicht berücksichtigt zu haben.

Gerne möchte man dem Gesetzgeber, der uns zur Bewunderung in so hohem Grade hinreisst, diese Absicht unterschieben, dass er mit seinen Verordnungen auch den ästhetischen Sinn des Volkes heben wollte, und man wird versucht, die an der Spitze des Verzeichnisses stehende Lilie, die Rose und noch einige andere Pflanzen des Capitulars als Beweise hierfür aufzubringen, wenn nicht anderseits gerade von diesen Pflanzen bekannt wäre, dass sie wegen ihrer Heilkräfte in grossem Ansehen gestanden und dass z. B. noch heutzutage die Blumenblätter der weissen Lilie als Hauptbestandtheil zu einem Oele gebraucht werden, das als Volksmittel im grössten Rufe steht.

Ausser den oben angeführtrn sparsamen Quellen haben wir auch keine weiteren Anhaltspuncte, die dazu dienen könnten, uns ein Bild des Gartenbaues zu verschaffen, wie er sich in der auf Carl des Grossen Zeitalter folgenden und bis zum Ende des Mittelalters währenden Periode gestaltete und vergebens würden wir in den von den Mönchen jener Periode verfassten Schriften Aufklärung in dieser Richtung suchen. Erst die Väter der deutschen Pflanzenkunde im XV. und XVI. Jahrhunderte Otto Brunfels, Hieronimus Bock, Fuchs, Matthioli und ihre Zeitgenossen entwerfen uns wieder ein deutliches Bild der Gärten ihrer Zeit. Sie erwähnen vieler Pflanzen, die erst kürzlich in die Gärten des deutschen Reiches gebracht wurden, anderer, die schon seit langer Zeit in diesen sich eingebürgert hatten und unter den letzteren begegnen wir wieder allen Pflanzen, die im Capitulare de villis genannt werden.

Nachstehend folgt nun ein Versuch, die auf den Gartenbau bezügliche Stelle des „Capitulare“ zu erläutern und namentlich zu ermitteln, welche Pflanzen mit den im Verzeichnisse enthaltenen Namen gemeint seien:

Lilium ist *Lilium candidum* L., die weisse Lilie. Schon Theophrast führt sie unter den Kranzgewächsen auf*), Virgil verherrlicht sie in seinen Gesängen, Columella erwähnt sie als Gartenpflanze, welche auch von den Bienen gerne besucht wird: „At in hortensi lira consita nitent candida lilia nec his sordidiora leucoia.“ lib. 9. cap. 4., auch führt er dieselbe als Heilmittel gegen eine Krankheit des Rindes auf (lib. 6. cap. 12).

*) Fraas (Flor. class.) gibt an, dass er sie in Griechenland nur in jenen Gärten gefunden habe, welche erst kürzlich von Fremden angelegt wurden.

Althochd. *lilio*, *lilia*. Mittelhd. *lilge*. Die deutschen Väter der Botanik führen sie als weiss Gilgen oder Lilgen auf, und erwähnen das Gilgenöly oder Lilgenöl als ein kostbares Heilmittel.

rosas. Die Rose, die Königin der Blumen, wurde von den Dichtern aller Zeiten verherrlicht und spielt eine wichtige Rolle in der Pflanzensymbolik. Bei Theophrast steht sie gleichfalls in der Reihe der Kranzgewächse. Die römischen Schriftsteller unterschieden schon mehrere Arten *(punica, milesia, campana* etc.) Auch die botanischen Schriftsteller Deutschlands im XVI. Jahrhundert zählen viele Spielarten der Rosen auf und da im Texte des Capitulare der Plural steht, so sind wohl auch mehrere Arten gemeint. Die häufigste in den Bauerngärten ist gegenwärtig die *Rosa centifolia*, seltener sind *Rosa alba* und *cinamommea*. Eine Menge von Arzneimitteln wurden von der Rose genommen und Tragus sagt: „niemandts vermag alle tugendt der edlen Rosen beschreiben" 3. Theil cap. 20.

fenigraecum ist *Trigonella foenum graecum* L. Bockshorn. (Anton übersetzt fehlerhaft mit Steinklee und Tresenreuter ebenso unrichtig mit Siebengezeit). Eine seit den ältesten Zeiten bekannte Pflanze. Aus Galenus, der schon sagt, dass man sie auch Bockshorn nenne, ist zu ersehen, dass sie als Nahrungsmittel benützt wurde. Columella führt sie als gutes Viehfutter unter dem Cap.: de genere pabulorum auf und sagt: „foenum graecum, quod siliquam vocant rustici". Derzeit findet sich diese Pflanze an mehreren Orten Deutschlands in Grossem gebaut, und werden ihre im Handel vorkommenden Samen dem sogenannten Kehlenpulver zugesetzt. In Gärten sah ich sie selten, doch wird sie von den Schriftstellern des XVI. Jahrhunderts als eine Pflanze der Gärten aufgeführt und erzählt, dass ihre Cultur bei Strassburg und im Westerich unlängst aufgekommen.

costum ist wahrscheinlich *Tanacetum Balsamita* Linn., die Frauenmünze. Der Name *κοστον*, *κοστος*, *Costum*, *costus* wurde von den griechischen und römischen Schriftstellern sehr verschiedenen Pflanzen beigelegt. Die neueren Schriftsteller glauben, dass *Costus speciosus* W. darunter zu verstehen sei. Von den Botanikern des XVI. Jahrhunderts wird *Tanacetum Balsamita* L. *Costus hortorum* genannt, und es erscheint dieselbe als eine schon zu jener Zeit auf Kirchhöfen und in Gärten sehr häufige Pflanze. Ihr deutscher Name war dazumal Unser Frawen Müntz, der sich auch schon im Mittelalter: unser vrowen mynte (Helmst. Lex.) marienmynte, veltminte in den Glossarien als gleichbedeutend mit *costus*, *costo*, *cost* findet. Man scheint also zu Carl des

Grossen Zeit mit *Costus* unsere Frauenmünze gemeint zu haben, die auch ganz allgemein in den Bauerngärten verbreitet ist und vom Oesterreicher Liabfraunbladl oder Fraunbladl genannt wird.

salviam ist *Salvia officinalis* L. φακὸς des Theophrast? Der Gartensalbei war zu Columellas und Galenus Zeiten noch nicht in den Gärten cultivirt, Plinius beschreibt zuerst *Salvia*. Im Helmstaedt. Wörterbuch steht *salveye*, bei den Schriftstellern des XVI. Jahrhunderts *Salbey*, von dem man die Gartenvarietäten breit und spitz unterschied. Die Benützung als Küchengewürz musste in früherer Zeit sehr bedeutend gewesen sein. „Under allen Teutschen kreutern ist nichts breuchlicheres dann Edel Salbey, würt nicht unbillich als eyn köstliche wurtz inn die Kuchen und Keller geordnet“ (Tragus). Der Salbei ist sehr verbreitet in den Bauerngärten und dient auch gegenwärtig noch als Zusatz zu manchen Speisen, so wie als Arzneimittel. Balt. Ehrhart nennt ihn Muskatellerkraut, der Oesterreicher sagt Salfa.

rutam ist *Ruta graveolens* L. Die Raute wurde schon von den Griechen und Römern als Heilmittel verwendet und in den Gärten gepflanzt. Sie findet sich auch in einem aus dem Mittelalter herstammenden Recepte (Anton Geschichte der Landwirthschaft) aufgeführt. Im Helmst. Lexic.: *rude*. Die deutschen Väter der Botanik nennen sie Rauten und hielten sie hoch in Ehren. Sie wurde als Mittel gegen alle Gifte angesehen, auch glaubte man, dass das Kraut Schlangen und Kröten vertreibe und pflanzte es darum gewöhnlich neben Salbei, unter dessen Büschen sich dieses Ungeziefer gerne aufhalten soll. Auch gegenwärtig meist neben Salbei in den Bauerngärten und Weingärten. Im österreichischen Dialecte Raudn̄, Weiñraudn.

abrotanum ist *Artemisia Abrotanum* L. ἀβρότονον Diosc. *abrotanum* bei Columella, Plin. als Arzenei den Alten bekannt und auch noch gegenwärtig als solche nicht selten in Gärten gepflanzt. Im Mittelalter hiess sie evericke (Helmst. Gl.) everwort (Gloss. ms.), stabwurz (Gl. St. Blas.), kertiwurz (Gl. Mons.). Bei den Schriftstellern des XVI. Jahrhunderts führt die Pflanze die Namen Stabwurtz, Garthaber, Schosswurtz. Fast alle diese Namen sind nach der ruthen- oder gertenförmigen Form der Zweige gebildet. Die Namen Eberraute, Aeberute, Abraute und Everitte sind durch Umwandlung des lateinischen *abrotanum* hervorgegangen.

cucumeres: *Cucumis sativus* L. σίκυος Theoph. Galen. *Cucumis* bei Virg. Colum. Plin. Cucumer und Gurken der deutschen

Väter der Botanik. Derzeit Gurken, in Oesterreich auch Umurken*) genannt und häufig der Früchte wegen gebaut. Ital.: *cocomero*, franz.: *cocombre*.

pepones: *Cucumis Melo* L. Die Melone. *σίκυον* Diosc. *μηλοσίκυον* des Galenus, wird noch heute in Griechenland nach Fraas *σικώνια* genannt. Die Botaniker des XVI. Jahrhunderts nennen sie Melaunen, Melonen, Pfeden, Pfeben, Peponen. Ihre Cultur scheint in Deutschland nicht zu allen Zeiten gleich ausgebreitet gewesen zu sein. In Bauerngärten sah ich sie nie.

cucurbitas: *Cucurbita Pepo* L. *κολοκύνθη* Theoph. Gal. Dios. noch heute in Griechenland *κολοκυνθι* genannt. Althochdeutsch curibiz, churpiz, curbez, churpitza. Bei den deutschen Vätern der Botanik: Kürbs, heutzutage Kürbis. In Oesterreich, wo diese Pflanze wohl nicht in Gärten, desto häufiger aber an den Rändern der Weingärten und Aecker gezogen und die Frucht als Viehfutter benutzt wird, kennt man den Namen Kürbis nicht und ist derselbe hier durch Pluzer vertreten. Sprengl übersetzt *Pepones* mit Kürbisse und *Cucurbitas* mit Melonen, aber offenbar unrichtig, da Galenus ausdrücklich bei den letzteren (*κολοκυνθης*) sagt, dass sie ungekocht unangenehm seien. Die deutschen Väter der Botanik haben die griechischen Bezeichnungen ganz richtig angewendet.

fasiolum ist *Phaseolus vulgaris* L. Die Bohne, welche wahrscheinlich durch Alexander's Begleiter aus Indien gebracht wurde, wird von Theoph. *δόλιχος* genannt. Zu den Zeiten des Galenus, der zuerst den Namen *φάσεολος* hat, ebenso wie zu Columella's Zeit, wurde sie schon häufig gebaut. Letzterer führt sie in lib. II. cap. VII. De generibus leguminum gleichzeitig mit *faba*, *lenticula*, und *pisum* als *phasellus* auf und beschreibt ihre Cultur im cap. X. desselben Buches. Der griechische und lateinische Name hat sich bis auf den heutigen Tag in *φασουλια* bei den Neugriechen (Fraas) und in Fisolen bei den Oesterreichern erhalten. Die Schriftsteller des XVI. Jahrhunderts nennen sie Faseln und Faeselen. Ausserdem wurde sie auch Schminkbohne genannt und Matthioli sagt, dass sie zu einer Weiberschmink diene.

Ob die Namen Vietzbohne, Vitsbone, Fisebohne, welche von den meisten Commentatoren des Capitulars angeführt werden, hierher gehören, ist sehr zweifelhaft. In alten Glossarien finden wir die Namen vichbona, vickbone, doch wird aus

*) Schwenk leitet den deutschen Namen Gurken von dem griechischen *ἀγγούριον*, daher niedsächs. Angurke, dän. agurke, baier. und österr. Umurke.

einer Stelle in einem alten Wörterbuche, wo steht *Lupini* = *fícbane*, wahrscheinlich, dass sich alle diese Namen auf *Lupinus* beziehen, welche Ansicht auch der noch heute übliche deutsche Name des *Lupinus*, nämlich Feigbohne zu bestättigen scheint.

ciminum ist *Cuminum Cyminum* L. Wird nach S p r e n g l schon von J e s a i a s angeführt. Von den alten Griechen wurde der römische Kümmel (*κύμινον*) ebenso, wie von den Römern (*Cuminum*) in den Gärten häufig angebaut. Gegenwärtig ist seine Cultur nur auf den Süden Europa's beschränkt und er scheint auch früher niemals in Deutschland gebaut worden zu sein. Die Schriftsteller des XVI. Jahrhunderts führen ihn wohl auf, doch wird er als ein „fremhder Gast" behandelt und römischer Kümmel auch Kramkümmel, Kram genannt. Letzteres Wort ist offenbar aus dem gleichfalls für Kümmel gebrauchten Worte *Carmenum* herstammend. Althochdeutsch chumi. Das lateinische *ciminum* hat sich im Munde des Oesterreichers in dem Worte Kim am reinsten erhalten.

rosmarinum ist *Rosmarinus officinalis* L. Der Rosmarin, gleichfalls von den Griechen und Römern schon in Gärten gepflanzt, wurde früher in Deutschland als Gewürz und Zusatz der Speisen häufig benützt: „gehört in unserm Land auch inn die Kuchen und Keller, darumb das alle Kost Speiss und Trank mit Rossmarein bereit, lieblich wol schmecken" T r a g u s. In alten Kochbüchern, die aus den ersten Decennien unseres Jahrhundertes stammen, findet sich der Rosmarin ebenfalls noch als Zusatz zu den Speisen, gleichwie Raute, Salbey u. dgl., die jetzt fast alle aus den Küchen verbannt werden. Uebrigens ist der Rosmarin eine der verbreitetsten Pflanzen in den Bauerngärten und wird von dem österreichischen Landvolke bei jeder Feierlichkeit, bei Kindstaufen, Hochzeiten, Leichenbegängnissen an die Gäste vertheilt.

careium ist *Carum Carvi* L. *κάρος* D i o s c. *Careum* P l i n. C o l u m. Karwei, Korvei, Karwe, Carvi, Caron, Carum, Kymmich, Kymmel, Wisskymmel, Mattkymmel, Kümmel, gemeiner Kümmel, Feldkümmel sind die Namen, die ihm von den Schriftstellern verschiedener Zeiten in Deutschland gegeben wurden. Der Kümmel wird nur selten in Oesterreich in Gärten gesehen, scheint aber in früherer Zeit häufiger gebaut worden zu sein, als jetzt.

cicerum italicum ist *Cicer arietinum* L. Die deutschen Väter der Botanik nennen die Pflanze Ziser, Zyser, Zysererbeissen, Zisererbsen; erst später findet sich der Name Kichern, der wohl ebenso, wie die früheren Namen seine Abstammung nicht verkennen lässt. Die Pflanze ist in Bauerngärten selten und wird überhaupt in Deutschland nur wenig gebaut und als Gemüse benützt, während sie doch in früheren Zeiten, namentlich bei den Griechen und Römern, aber auch noch im XVI. Jahrhunderte bei den Deutschen eine ausgebreitete Anwendung als Gemüse gefunden zu haben scheint. Galenus sagt nämlich in seinem Capitel *περὶ ἐρεβίνθου* *), dass aus dem Mehle derselben mit Milch ein Muss bereitet werde, dass man aber auch die Blätter mit Salz oder mit zerriebenen trockenen Käse bestreut, geniesse. Columella führt sie als gutes Viehfutter auf, sagt aber auch: „hominibus non inutilis neque injucunda est, sapore certe nihilo differt a cicercula." Matthioli sagt: Die Zisererbsen sindt ein gemein zugemüss. Plinius unterschied drei Arten: *arietinum*, *columbinum* und *dulcissimum*. Columella unterscheidet *arietinum* und *punicum*; auch von den Schriftstellern des XVI. Jahrhunderts werden mehrere Arten unterschieden und durch das Beiwort „*italicum*" im „Capitulare" dürfte das *arietinum* des Columella im Gegensatze zu *punicum* gemeint sein.

squillam. Der Meerzwiebel, *σκίλλα* des Theoph. und Diosc. wurde seit den ältesten Zeiten als Arzneimittel angewendet und wegen seiner ausgezeichneten heilkräftigen Wirkungen in Egypten göttlich verehrt. Columella lehrt uns im lib. XII. cap. 33 und 34, *vinum scyllites* und *acetum scylliticum* bereiten, Medicamente, die noch gegenwärtig in unseren Pharmakopöen stehen. Doch scheint der Meerzwiebel niemals in Deutschland in Gärten gezogen worden zu sein. Im Helmst. Gloss. steht *Squille*. Die deutschen Väter der Botanik nennen ihn Meerzwybel (auch Meusszwibel, *Cepam muris*, weil er den Mäusen ein tödtliches Gift abgibt) und sie rühmen hoch die Wirkung des Meerzwiebel-Weines und Essigs.

gladiolum. Die meisten Commentatoren des Capitulars sind der Ansicht, dass hier *Gladiolus communis* L. gemeint sei, eine Pflanze, die sich auch wirklich nicht selten in Bauerngärten gezogen findet.

Von den älteren wie von den neueren Schriftstellern wurde unser *Gladiolus commun.* auf das *ξίφιον*, welches Theophrast unter den Kranzgewächsen aufführt und auf die Pflanze, welche Dioscorides unter eben diesen Namen beschreibt, bezogen. Auch glaubt man den *Gladiolus com.* L. und den *Gladiolus segetum* G. auf den *hyacinthus ferrugineus* des Columella und auf den *ὑάκινθος* der Dichter beziehen zu müssen. Die verschiedensten Pflanzen, wie *Delphinium Ajacis*,

*) Nach Fraas werden die Zisererbsen von den Neugriechen *ῥεβίνθια* genannt, und gedörrt und geröstet genossen.

Muscari comosum, *Scilla bifolia*, *Lilium Martagon*, ja selbst *Corydalis cava* wurden, übrigens zu verschiedenen Zeiten, für den *Hyacinthus* der Dichter gehalten und gegenwärtig wird der *Hyacinthus orientalis* L. mit diesem Namen belegt, eine Pflanze, die erst im XVI. Jahrhunderte durch D. Rauwolf aus dem Oriente nach Deutschland gebracht wurde. Matthioli beschreibt sie als Frembd Hyacinth und erkennt in ihr den ὑάκινθος des Dioscorides, der wohl zu unterscheiden ist von dem früher erwähnten ὑάκινθος der Dichter. Es sagt auch schon Matthioli, sie sei nicht der *Hyacinthus*, „von welchem die Poeten fabuliren, er habe zween Buchstaben von dem Blut Ajacis." *)

Weder der Name *Hyacinthus*, noch ξιφιον hat sich für unseren *Gladiolus communis* L. erhalten, sondern Seigwurz, Siegwurtz, wohl auch braun Schwertel sind die Namen, die ihm von den deutschen Schriftstellern ertheilt wurden. Der Name *Gladiolus* findet sich bei keinem der römischen Schriftsteller, mit Ausnahme des Columella, bei dem an einer Stelle *Gladiolus narcissi* steht, doch ist schwerlich zu ermitteln, welche Pflanze er hierunter verstanden habe. Häufig hingegen finden wir das deutsche Wort Schwertl, womit man der schwertförmigen Blätter wegen die Arten unserer Gattung *Iris* bezeichnete. Althochdeutsch suertula, suertella, mittelhochdeutsch swert; die Schriftsteller des XVI. Jahrhunderts nennen die *Iris*-Arten Schwertel, Schwertlein, Schwertkreuter, Schwertblümen, Himmelschwertel und noch gegenwärtig werden dieselben von dem deutschen Volke Schwerdtlilien **) genannt, und es ist wohl nicht zu zweifeln, dass mit dem *Gladiolus* im Capitulare diese Schwertel gemeint seien. Fuchs nennt auch die *Iris Pseudacorus* L. geradezu *Gladiolus luteus* und Tragus sagt, die Schwertel seien unter das Capitel ξιφις des Dioscorides zu setzen und heissen „zu latein auch *Gladiolus*."

---

*) Unsere Garten-Hyacinthe scheint den Römern schon bekannt gewesen zu sein. Unter den Pflanzen der Gärten, welche den Bienen angenehm sind, führt Columella auf: „Violae nec minus caelestis numinis hyacinthus;" weiters heisst es in einem Gedichte: De cultu hortorum desselben Schriftstellers: „nec non vel niveos vel coeruleos hyacinthos."

**) Neben dem Namen Schwerdtlilien finden sich in Oesterreich im Munde des Volkes auch die Namen Jüling, Ueling, Juln, Jüln für die *Iris*-Arten, die mit dem Worte Lilie (mittelhd. ilige, schweizerisch ilge, albanisch ijulie) zu vereinigen sind.

Iris germanica und *sambucina* waren schon im XVI. Jahrhunderte auf alten Mauern in Deutschland verwildert und deren Wurzel fand als deutsche Veilchenwurzel in der Medizin Anwendung, ähnlich der echten Veilchenwurz oder Violwurz, die von Italien her bezogen wurde, und deren Anwendung als Heilmittel uns schon Columella, lib. XII., cap. 28. lehrt.

Es wäre also nach alledem: *gladiolus* im Capitulare = einer Art der Gattung *Iris* L. = ἶρις, *iris* der griechischen und römischen Schriftsteller; hingegen Linné's *Gladiolus communis* = ξιφίον des Theoph., Diosc. und Plinius = ὑάκινθος der Dichter; endlich *Hyacinthus orientalis* = ὑάκινθος des Diosc. und Columella.

Sowohl *Iris germanica*, wie *sambucina* findet sich heutzutage häufig in Bauerngärten cultivirt und nicht selten auf alten Mauern, Dächern und Felsen neben den Weingärten verwildert.

dragantea. Das *Δρακόντιον* des Diosc. Dragontea, der römische Schriftsteller, bezieht sich ohne Zweifel auf *Dracunculus polyphyllos* Tournef, eine Pflanze, die, wie uns Galenus in seinem Capitel *περι δρακόντιον* berichtet, ähnlich so wie noch heutzutage andere *Arum*-Arten *) als Nahrungsmittel benützt wurde. Doch scheint diese Anwendung nur eine sehr beschränkte gewesen zu sein, und das Capitulare meint auch nicht diese Pflanze, sondern unsere *Artemisia Dracunculus* im Mittelalter *dragant* (Helmst. Wörterb.) von Mattioli *Dragoncell*, *Dragoncellus*, *Dracuncellus* und *Dracunculus*; von Balt Ehrhart *Dragun*; von den Franzosen *Estragon*; von den Engländern *Dragoon* genannt. Der *Dragun*, der sich nicht selten in Bauerngärten findet, scheint den Griechen und Römern unbekannt gewesen, und erst durch den Verkehr mit den Saracenen bekannt geworden zu sein, die ihn wahrscheinlich aus seinem natürlichen Vorkommensorte im mittleren Asien in die Gärten verpflanzten.

anesum ist *Anisum vulgare* Gaertn. eine seit den ältesten Zeiten bekannte, von den Griechen (*ἄνισον*) u. Römern gebaute Pflanze, deren Name sich durch das Mittelalter (anis, enis, aenis) bis auf die Gegenwart ziemlich unverändert erhalten hat. Sie findet sich nur selten in Bauerngärten der deutschen Länder, hingegen häufiger in Böhmen und Mähren gebaut.

---

*) Die *Colocasia esculenta*, *macrorhiza* etc. sind wichtige Nahrungspflanzen, übrigens werden auch die Knollen von *Arum maculatum* von dem Volke in England gekocht gegessen.

coloquentidas ist *Cucumis Colocynthis* L. κολοκύνθη Diosc.

Die *Coloquinten* scheinen in früherer Zeit ihrer heilkräftigen Wirkungen wegen in Gärten gebaut worden zu sein. Althochdeutsch wildcurbez, wilda churpitza, in welchen Namen das wild so viel als herbe bedeuten soll. Die Schriftsteller des XVI. Jahrhunderts liefern Beschreibungen und Abbildungen der Pflanze, die sie *Coloquinth*, *Coloquinten* nennen, beklagen sich aber darüber, dass sie in Deutschland nicht gerne wachsen wolle und nur selten Früchte bringe. Gegenwärtig ist diese Pflanze ganz und gar aus den Bauerngärten verschwunden.

solsequiam. Kinderling, Sprengel und Pertz glauben, dass hiermit *Heliotropium europaeum* L. gemeint sei. Anton, Ress übersetzten mit Sonnenblume *Helianthus annuus* *). Die verschiedensten Pflanzen wurden von den Alten unter *Heliotropium Solsequium* verstanden; zur richtigen Erklärung des Wortes im Capitulare dienen uns ganz vorzüglich die Glossarien aus dem Mittelalter. So steht im Gloss. S.Blas. *Elotropium Ringila vel solsequia* und es geht daraus hervor, dass mit *solsequia* die Ringelblume *Calendula officinalis* gemeint sei, die auch wirklich noch heutzutage eine der verbreitetsten Gartenpflanzen ist. Ihr zukommende althochdeutsche Namen sind: sunnenvirpila, sunnenwervel, sonnenwirbila, ringila, in der neueren Zeit Ringelblume (auch Todtenblume, weil sie häufig an die Gräber der Verstorbenen auf Friedhöfen gepflanzt wird).

Die Ringelblume ist gleichbedeutend mit *Caltha* der römischen Schriftsteller, und wird schon von Columella als Gartenpflanze aufgeführt:

Candida leucoia et flaventia lumina calthae,
Narcissique comas et hiatis saeva leonis.
Ora . . . . . . Lib. X.

Nach Matthioli wurden die Blätter dieser Pflanze zu seiner Zeit als Salat gegessen.

ameum. Ob unter diesen Namen, der sich bei allen griechischen und lateinischen Schriftstellern findet, unser *Ammi majus* L. zu verstehen sei, ist wohl schwer zu entscheiden. Von den Vätern

---

*) *Helianthus annuus* wurde erst im XVI. Jahrhundert aus America nach Europa gebracht und kann daher mit *solsequiam* im Capitulare nicht gemeint sein.

Matt. III. Buch, Cap. 49 bildet diese Pflanze unter den Namen Gross-Indianisch Sonnenblum ab, und sagt: „Vor etlichen Jaren hat man diesen gewechs auss Amerika und Peru, da es von ihm selber wechset, zu uns gebracht." Zuerst beschrieben wurde *Helianthus annuus* von Monardes 1580 (siehe Sprengel 353.)

der Botanik im XVI. Jahrhunderte wird mit dem Namen *Ammium Ammeas*, deutsch Ammey, Ammeypeterlein, Ammi jedenfalls das Linné'sche *Ammi majus* gemeint, und es dürfte somit auch das *Ameum* im Capitulare sich auf diese Pflanze beziehen, obschon ich sie niemals in Gärten Deutschlands gebaut sah und schon Tragus sich beklagt, dass sie ihm erst nach sechsunddreissig Jahren im Garten reife Früchte gebracht habe, in den übrigen Jahren aber nie zeitig geworden. *Bunium copticum*, welches Sprengel auf das *ἄμμι αἰθιοπικον* des Diosc. bezieht, und welches möglicherweise gemeint sein könnte, findet sich ebensowenig in Deutschland gebaut, und wurde wohl auch niemals gebaut.

silesse. Die Namen *Sion*, *Sium*, *Silum*, *Sil*, *Sili*, *Sile*, *Seli*, *Seseli*, *Silion*, *Sinon*; *Senon*, *Sison*, *Sisarum* wurden von den Alten so vielfach verwechselt, dass es mir unmöglich dünkt, eine klare Einsicht erhalten und bestimmen zu können, welche Pflanzen mit diesen Namen gemeint wurden, um so mehr unmöglich, als die oft sehr oberflächlichen Beschreibungen fast auf alle *Umbelliferen* passen, so dass schon Matthioli, der sonst in der Erklärung alter Namen der gewandteste und glücklichste ist (lebte 1500—1577), sagt: „Es sindt mancherley meinung von dem *Seseli* und seinen geschlechtern, wie auch von allen andern *Ferulaceis* oder *Umbelliferis*, dass man sich schwerlich daraus wirren und etwas gewisses statuiren kann."

Sprengel glaubt in dem *silum* des Capit. *Sium angustifolium* zu finden. Die Schriftsteller des XVI. Jahrhunderts erwähnen zwar, dass man sich die Blätter dieser Pflanze im Winter zu Salat aus den Quellen und Bächen geholt habe, und es ist sehr wahrscheinlich, dass sich das *σίον* des Theoph. und das *sion* des Plinius auf die erwähnte Pflanze beziehe, doch ist nicht anzunehmen, es sei dem Verfasser des im Capitulare enthaltenen Pflanzenverzeichnisses unbekannt gewesen, dass das nur in Wassergräben und Quellen vorkommende *Sium angustifolium* in der Gartenerde nicht gedeihen werde; übrigens findet sich dasselbe auch gegenwärtig nirgends cultivirt und niemals wird erwähnt, dass *Sium angustifolium* Gegenstand der Cultur gewesen.

Von den übrigen Commentatoren erklärt die Mehrzahl das *Silum* des Capit. als *Seseli massiliense*, ein Pflanzenname, der die Werke aller älteren botanischen Schriftsteller durchwandert, aber in jedem auf eine andere Doldenpflanze bezogen wird. Dass mit *Silum* ein *Umbellist* gemeint sei, der als Küchen- oder Medizinal-Pflanze in Gärten gezogen wurde, ist wohl zu vermuthen und zunächst könnte man auf *Sium Sisarum* rathen, welches von den meisten Botanikern für das *Siser* des Columella gehalten wird. Nach Endlicher soll jedoch *Sium Sisarum* erst im Mittelalter von der chinesischen Gränze gebracht worden sein *); und es müsste dann das *Sisarum* und *Siser* des Galenus und Columella auf die Möhre *Daucus Carrota* bezogen werden, die jedoch im Capitulare mit dem Worte „charvitas" (siehe dieses) gemeint ist.

Auch auf *Sison Amomum* könnte man rathen, eine Pflanze, die von den alten deutschen Schriftstellern auch *Silion*, *Sinon* genannt wird, und deren Samen auch fälschlich von den Apothekern als *Amomum* verkauft wurde. Uebrigens findet sich diese Pflanze gar nicht, das früher erwähnte *Sium Sisarum* nur äusserst selten in Bauerngärten gebaut, und es bleibt daher die Erklärung des Wortes *Silum* weiteren Forschungen überlassen.

lactucas. *Lactuca sativa* L. *θρίδαξ* der Griechen, *lactuca* der Römer, war schon in frühester Zeit ein hochgeschätzter Salat, und man unterschied schon zu Columella's Zeiten mehrere Spielarten **). Im Mittelalter: *lactick*, *ladduch*, *lattoch*; im XVI. Jahrhunderte *Lattich*. Das Wort „Salat," welches eigentlich alle mit Essig, Oel und Salz abbereiteten Blätter, Sprossen und andere Pflanzentheile begreift, bezeichnet, wenn es allein gebraucht wird, oder wenn von der Salatpflanze die Rede ist, gleichfalls *Lactuca sativa*, und der Name Salat scheint mit *Lattich* nahe verwandt. Doch liegen beiden Namen ganz verschiedene Wurzeln zum Grunde. Während *Lattich* von lac (Milch) abstammt, liegt dem Worte Salat sal (Salz) zum Grunde, worauf das ital. „insalata" hinweist. Da im Capitulare der Plural *lactucas* steht, so sind hier schon mehrere Spielarten des *Lattichs* gemeint.

git ist *Nigella sativa* das *μελάνθιον* der Griechen, eine seit der ältesten Zeit als Küchengewürz und Arzneimittel benützte Pflanze, die früher häufiger als jetzt, in den Gärten Deutschlands gebaut worden zu sein scheint und deren Samen, namentlich als Zusatz

---

*) Der deutsche Name dieser Pflanze Gerla (später Gerlein, Gierlein; in der Neuzeit Zuckerrüblein, Zuckerwurzel) findet sich schon in Pflanzenverzeichnissen des XII. Jahrhunderts.

**) Sunt autem complura lactucae genera, quae suo quoque tempore seri oportet, eorum quae fusci et veluti purpurei, aut etiam viridis coloris et crispi folii uti Caeciliana mense Januario recte disseritur. At Cappadociae quae pallido et pexo densoque folio viret mense Februario, quae deinde candida est et crispissimi folii ut in provincia Boetica est finibus Gaditani municipii mense Mart. recte pangitur. Est et Cyprii generis ex albo rubicunda levi et tenerrimo folio . . . . . Colum. Lib. XI. cap. III.

zum Brod, Verwendung fanden. Im Mittelalter nannte man sie Githwurz. brodwurz. Im XVI. Jahrhundert Schwartz Coriander, in der Neuzeit Schwartzkümmel; der Name „git" hat sich in dem ital. „gittone" erhalten.

eruca alba ist das *εὔζωμον* der alten Griechen, *Eruca* der Römer, *Eruca sativa* Lam., eine heutzutage nur in südlichen Gegenden gebaute und dort als Salat benützte Pflanze, die, wie aus den Schriftstellern des XVI. Jahrhunderts hervorgeht, dazumal häufiger auch im nördlichen Deutschland in Gärten zum Küchengebrauche gepflanzt, namentlich mit *Lattich* genossen und Raucke, Rukula genannt wurde. Das Gloss. S. Blas. hat Wiz Senaph und dieser Name verleitete mehrere Commentatoren, *Erucam albam* mit *Sinapis alba* zu übersetzen, was jedoch offenbar unrichtig ist.

nasturtium ist *Lepidium sativum*. Diese Pflanze wurde schon bei den alten Griechen (*κάρδαμον* Theoph. Diosc.) und Römern (*nasturtium*) in Küchengärten gebaut und stand im Rufe, dass der Genuss derselben gegen giftige Schlangen sichere.

Quare age quod sequitur parvo discrimine sulci.
Spargantur caecis nasturcia dira colubris.
Indomito male sana cibo, quas educat alvas. Colum. Lib. X. de cult. hort.

Althochd. chresso, kresso, kressa; im XVI. Jahrhunderte Cress, Kress. Der Name Kress wurde übrigens mehreren *Cruciferen*, die sich durch den scharfen Geschmack ihres Krautes auszeichnen, gegeben, und man unterschied Salatcress = *Nasturtium hortense* Fuchs. Gartenkress Matthioli. = *Lepidium sativum* L.; zweitens Brunn Cress, im Mittelalter Brunecrassum = *Nasturtium officinale*, und endlich Wiesenkress = *Cardamine pratensis* L.

Auffallend ist, dass in dem Gesetze *Cochlearia Armoracia* nicht erwähnt wird, eine Pflanze, die schon den Römern (*amoracia* Colum.) und Griechen (*αμωρεα*?) bekannt war und auch in den Schriften des Mittelalters als merrattich aufgeführt findet. Die deutschen Väter der Botanik nannten diese Pflanze *Raphanus rusticanus*, *marinus*, *major*, Merrhetich, Gren. Letzterer Name, slavischen Ursprungs, ist in allen deutschen Ländern, die mit Slaven in Berührung gekommen, üblich geworden. Die neuere Schreibart Meerrettig ist unrichtig, da die erste Sylbe hier nicht Meer (mare), sondern mar, Mähre, Pferd bedeutet und der Name so viel, als Pferderettig (englisch horse raddish) bezeichnet.

ardusna scheint durch Verdrehung aus dem Worte *παρθένιον*, *parthenium* hervorgegangen zu sein, ein Pflanzenname, den man zu verschiedenen Zeiten auf sehr verschiedene Pflanzen übertrug. Das *παρθένιον* der alten Griechen scheint sich auf unser *Pyrethrum Parthenium* D. C. zu beziehen, und der Umstand, dass diese schon im XVI. Jahrhunderte in den Gärten allgemein verbreitete, als Hausmittel hochgeschätzte Pflanze sich fast in jedem Bauerngarten findet, spricht sehr dafür, dass sie im Capitulare hier gemeint sei. Sie wurde im Mittelalter meterne, später Metter, Metterkraut, Mutterkraut genannt.

Von den meisten Commentatoren wird *parduna* auf *Bardana* der Alten, unsere *Lappa major* bezogen, eine Pflanze, die wohl niemals Gegenstand der Cultur war. Sprengel vermuthet, dass mit *parduna*, *Rumex acutus* gemeint sei, ohne jedoch anzugeben, welchen Anhaltspunct er zu dieser Vermuthung habe.

puledium der Poley, *Mentha Pulegium* L. (*γλήχων*, *πολυανθής*, *puleium pulegium)* eine seit der ältesten Zeit als Hausmittel hochgeschätzte Pflanze ist hier ohne Zweifel gemeint, obschon ich sie niemals in Gärten gezogen sah. Der Name Poley hat sich seit alter Zeit unverändert bis auf den heutigen Tag erhalten.

olisatum. Die römischen Schriftsteller führen unter anderen Küchengewächsen auch das *olusatrum* auf und Colum. beschreibt lib. XI., cap. 3 die Cultur desselben, er sagt daselbst: „*Atrum olus*, quod Graecorum quidam vocant *ἱπποσέλινον*, nonulli *σμύρνιον*." Auch aus *Galenus* ist zu ersehen, dass *Smyrnium* und *Olusatrum* Synonima sind, und die Pflanze, auf welche sich diese Namen beziehen, ist *Smyrnium Olusatrum* L., eine Doldenpflanze, die wohl niemals in Gärten Deutschlands gebaut wurde. Desto häufiger finden wir in den Bauerngärten ein anderes Doldengewächs, welches seit ältester Zeit eine grosse Rolle als Volksmittel spielte, nämlich die Meisterwurz, die auch schon in alten Glossarien als Mesterword angeführt wird, und es ist sehr wahrscheinlich, dass mit dem *olisatum* des Capit. diese Pflanze gemeint sei. Diese Ansicht wird um so mehr bekräftigt, wenn wir finden, dass auch Tragus die Meisterwurz für das *Smyrnium* und *Hipposelinum* der Alten hält, und es ist sogar nicht sehr unwahrscheinlich, dass die im XVI. Jahrhundert der Meisterwurz beigelegten lateinischen Namen *Ostrutium*, *Osteritium* durch Verdrehung aus *olisatum* hervorgegangen.

petresilinum ist *Petroselinum sativum* Hoffm. Die Petersilie (Peterlein, Peterling, Petersilg, Petersilgen), eine seit den ältesten Zeiten gebaute Doldenpflanze fehlt in keinem Küchengarten und dient ganz vorzüglich als Suppenwürze.

apium ist *Apium graveolens* L. Der Eppich gehört gleichfalls in die Reihe der seit frühester Zeit in Gärten gezogenen Küchengewächse. *ἐλειοσέλινον* des Diosc. *σέλινον ἕλειον* Theoph. *Apium* der Römer. Althochd. epphi, epfi, ephfi; bei den Schriftstellern des XVI. Jahrhunderts Eppich, Epff; in der Neuzeit auch Selleri, im österreichischen Dialekt Zeller (böhm. celler, ital. sceleri, celeri). So wie die Worte apphi, epf, Eppich ihre Abstammung aus *apium* nicht verkennen lassen, ebenso ist es unzweifelhaft, dass der Name Selleri aus *σέλινον* hervorgegangen. Der deutsche Name für *Apium graveolens* ist Merk (in einem alten Recepte „Appio sem. merk.“).

levisticum ist *Levisticum officinale* Koch, der Liebstöckel ist eines der verbreitetsten Gartengewächse; sein Name ist ein merkwürdiges Beispiel der Namenverstümmlung, und zeigt am Besten, wie der Deutsche an einem ihm überkommenen fremden Worte so lange modelt, bis dasselbe seiner Zunge endlich geläufig und seinem Ohre deutschklingend wird. Diosc. beschreibt die Pflanze als *λιγυστικόν*, lat. *libysticum, ligusticum, lupisticum*; althochd. lubistechal, lubistekil, laubstukel (in Helmst. Glossar. Leverstock); im XVI. Jahrhunderte Liebstöckel, welcher Name sich bis in die Gegenwart erhalten hat.

savinam. *Juniperus Sabina* L. Der Sadebaum (*βράθυς* Diosc.) scheint ganz vorzüglich der Verordnung Carl des Grossen seine so allgemeine Verbreitung in den Gärten zu verdanken, denn die römischen Schriftsteller kennen noch nicht die Cultur desselben. Interessant ist, dass dieselbe Pflanze, welche damals zu erziehen anbefohlen wurde, durch in der neueren Zeit ergangene Verordnungen aus den Gärten verbannt wurde. Dass diese späteren Gesetze aber nicht von demselben Erfolge gekrönt waren, wie Carls Anordnung, beweist der Umstand, dass noch heutzutage fast in keinem Bauerngarten der Sadebaum fehlt. Eine Unzahl von deutschen Namen, die alle durch Verdrehung des lateinischen hervorgegangen sind, finden wir in den botanischen Werken.

Althochd. Seuinbom, seuina, seuin, stuina, savenbom. Im XVI. Jahrhundert gebrauchte und spätere Namen des Strauches sind: Sevenbaum, Sebenbaum, Segenbaum, Sefelbaum, Segelbaum, Sefler, Sadel, Sadelbaum, Sabenbaum, Siebenbaum u. s. f.

anetum ist *Anethum graveolens* L. eine der wenigen Pflanzen, wo der lateinische Name in den Mund des Volkes nicht übergegangen, sondern der alte deutsche Name tilli, dil, till unverändert erhalten wurde. Die Schreibart im XVI. Jahrhunderte war Dyll und Dill. Der Dill, von den Römern schon in Gärten gezogen, findet sich nicht selten in den Bauerngärten und wird auch noch häufig in der Küche benützt.

fenicolum. *Foeniculum vulgare* G ä r t n. Der Fenchel, gleichfalls schon von den Römern als Gewürz gebaut, lässt den Ursprung seines deutschen Namens aus *foeniculum* nicht verkennen. Im österreichischen Dialekte hat sich der lateinische Name in Fenikl, Fenigl, am reinsten erhalten. Er findet sich häufig gebaut in Gärten und Weingärten.

intubas. *Cichorium Endivia* L. Eine seit ältester Zeit (κιχώριον T h e o p. intubus V i r g. intyba C o l u m.) gebaute Salatpflanze. Im Gloss. Helmst. steht schon Endivie. Die Schriftsteller des XVI. Jahrhunderts führen die Pflanze gleichfalls unter dem bis heute gebliebenen Namen Endivie auf. Andere ihr zukommende deutsche Benennungen sind: Zam Wegwart, Gartenwegwart. In Wien wird gewöhnlich eine Spielart der *Lactuca sativa* L. mit dem Namen Endivie (mundartlich Ůndivi) belegt, obschon auch *Cichorium Endivia* daselbst gebaut wird; eine solche Verwechslung lässt sich auch schon T r a g u s zu Schulden kommen, aus dessen Schriften, ebenso wie aus jenen seiner Zeitgenossen hervorgeht, dass die Endivie im XVI. Jahrhunderte nur sehr selten in deutschen Gärten gepflanzt wurde.

diptamnum. Der δίκταμνος des T h e o p. und D i o s c. scheint sich auf *Origanum Dictamnus* zu beziehen und auch V i r g i l i u s meint mit *dictamnus* unzweifelhaft diese Pflanze *) und nicht L i n n é's *Dictamnus albus*. Schon in sehr früher Zeit hatte man auf diese letztere Pflanze den Namen *Dictamnus* übertragen und die Commentatoren sind einstimmig der Ansicht, dass *Dictamnus albus* L. im Capitulare gemeint sei. Aber weder zur Zeit des V i r g i l i u s, C o l u m e l l a, noch später wird diese Pflanze als Gartengewächs erwähnt und findet sich auch gegenwärtig nirgends in den Bauerngärten, ebensowenig, wie das früher erwähnte *Origanum Dictamnus*. Die althochd. Namen des *Dictamnus albus* sind: vuizwurz, weiswurz, wizwurz. Von einigen Schriftstellern des XV. und XVI. Jahrhunderts (die schon ganz richtig erkannten, dass diese Pflanze nicht der *Dictamnus* der Alten sei) wird diese Pflanze auch *Paeonia mascula* genannt und diese Beziehung zwischen den beiden Pflanzennamen *Paeonia* und *Dictamnus* lässt die Vermuthung aufkommen, dass unter dem

---

*) Dictamnum genetrix Cretaea carpit ab Ida.
Puberibus caulem foliis, et flore comantem.
Purpureo, non illa feris incognita capris
Gramina, quum tergo volucres haesere sagittae. V i r g. Aen. lib. 12.

Diptamnus des Capit. die in allen Bauerngärten Deutschlands verbreitete, in früherer Zeit wegen ihrer Heilkraft so hochgeschätzte *Paeonia officinalis* gemeint sein könnte, doch spricht der Umstand dagegen, dass der Name dieser von den Griechen *παιωνια*, von den Römern *peonia* genannten Pflanze, sich schon in den ältesten Recepten *(Plionia, Pyonia, Pionia)* findet, und zwar gleichzeitig mit dem Namen *Dictamnus*; aber sonderbar bleibt es immerhin, dass diese in alter Zeit so sehr geschätzte Pflanze, deren Name (von *παιᾶν*, heilen) sogar nach ihrer ausgezeichneten Wirkungskraft gebildet wurde und die eben darum auch in späterer Zeit Benedicta, Benedicke, Benignenrose genannt wurde, im Capitulare ausgelassen sein sollte.

sinape ist *Brassica Melanosinapis* Koch. Die Senfpflanze wird seit den ältesten Zeiten ihrer Samen wegen gezogen, welche zur Bereitung jener Speisenwürze, welche bei den Deutschen den Namen Senf führt, dienen. Die Griechen und Römer gebrauchten den Senf ganz in derselben Form wie wir noch heutzutage und Columella liefert uns lib. XII., cap. 55. überschrieben: „Sinapim quemadmodum facias“ ein ausgezeichnetes Senf-Rezept, welches einen Senf liefern würde, der unserem sogenannten französischen Senf (Essigsenf) entspricht. Matthioli erwähnt der Bereitung eines Senfes, wobei Most in Anwendung kommt und der dem Kremser Senf entsprechen würde: „Bey den Deutschen wirdt auss dem Most und Senff dergleichen zugericht, welches man zum essen braucht und Senff genannt wird.“ Im Althochd. senepf, senapf, senaf; bei den Schriftstellern des XVI. Jahrhunderts Senff; im österreichischen Dialekte Senef.

In Bauerngärten findet sich der Senf nirgends gebaut und auch auf freien Felde sah ich denselben in Oesterreich nirgends cultivirt, dass derselbe aber in früherer Zeit in Deutschland auch in Gärten gezogen wurde, geht aus den Schriften der deutschen Väter der Botanik hervor.

satureiam ist *Satureia hortensis* L. *θύμβρη* Theoph. Diosc. tymbra, satureia, cunila der Römer. Columella führt sie als Küchengewürz auf und sagt, als er die Bienenzucht bespricht (lib. IX. cap. 3): „tum etiam tymbrae, vel nostratis cunilae, quam satureiam rustici vocant.“ In früherer Zeit wurde die Saturey auch in Deutschland *cuenela* genannt *) und die althochdeutschen Namen sind: quenula, quenila, cuenela, die auf diese Pflanze und nicht auf *Thymus vulgaris* L. zu beziehen sind,

*) In den alten Glossarien wird saturei mit curnela, quenula übersetzt.

welch letztere erst viel später*) nach Deutschland gebracht und mit den Namen wälscher Quendel, römischer Quendel belegt wurde. Von dem lateinischen *cunila* stammt ein ganzes Heer von deutschen Namen ab, als da sind: quenila, quenula, Quendel, Quindel, Gundl, Gundling, Kundling, Künel, Kienlin, Künlein, Könl, Kunl, Künl, Kundl, Kudelkraut. Letzterer Name ist in Oesterreich für *Thymus vulgaris*, mit dem Zusatze wild für *Thymus Serpyllum* gebräuchlich. Auch *Satureia hortensis* L. trägt sehr mannigfaltige deutsche Namen, wie Pfefferkraut, Bohnenkraut, Wurstkraut, Zwiebel-Hysop, Garten-Hysop, Josephle, Sedeney, Zatrey, Sergenkraut.

sisimbrium. *Mentha crispa* L., das σισύμβριον des Theoph. Nach der Ansicht der neueren Botaniker nur eine durch Zucht entstandene Abart der *Mentha aquatica*. Im Glos. Helmst. *Crusiminte*. In den botanischen Werken des XVI. Jahrhunderts Krauss Minz oder Müntz, krauss Balsam, Balsamita, Sisymber.

Die Krausemünze findet sich mit den folgenden ganz allgemein in den Bauerngärten verbreitet.

mentam ist *Mentha piperata* Huds. μίνθη der Griechen, *menta* der Römer. Columella schreibt von ihr: si forte semina defecerunt, licet de novalibus sylvestre mentastrum colligere, atque ita inversis cacuminibus disponere, quae res feritatem detrahit, atque edomitam reddit. Im Mittelalter minza, gartminza; bei den deutschen Vätern der Botanik Deyment, rote Münz, Gartenmünz (römische *Mentha*?) In der Neuzeit Pfeffermünze, Gartenmünze; im österreichischen Dialecte Braminzen, Priminzen.

mentastrum ist *Mentha sylvestris* L., *sylvestre mentastrum* Colum. Althochdeutsch roseminte, rosmynte, perdemynte, bachminza; bei den Schriftstellern des XVI. Jahrhunderts Bachmünz, Rosmünz, Katzenbalsam, spitz Münz. Die Bachmünze findet sich, wenn auch nicht so häufig wie die beiden früheren Münzenarten, doch eben nicht selten in Bauerngärten in mannigfaltigen Spielarten gezogen.

tanaritam ist *Tanacetum vulgare* L. der Reinfarren, scheint den Griechen und Römern unbekannt gewesen, oder wenigstens nicht in Gärten von ihnen gezogen worden zu sein. Althochdeutsche Namen sind: reinefano, reinevano, reynevane. Im XVI. Jahrhundert: Reinfar, Reinfarn. Die Schreibweise späterer Schrift-

---

*) „ist nicht vor längst ins Deutschland als ein frembder Gast gekommen." Matth. „ist nit lang in Germania gewesen, sondern wie andere frembde gewächss von fleissigen Gärtnern und Küchenmeistern erstmals auffkommen und gepflanzt werden." Tragus.

steller: Rheinfahrn (bei Balt. Ehrhart und nach ihm bei vielen anderen), die an den Rheinfluss denken lässt, ist offenbar unrichtig, da die erste Silbe des Namens nach dem Standorte der Pflanze, dem Rein (althochd. rinan) gebildet ist. „Wechst gern auff alten Rechen, hohen gräben und auff den reinen der Wysen, darumb nennets man Reinfarn“ .. „hat Bletter fast wie ein Farnkraut“ Matth.

Das gewöhnliche *Tanacetum vulgare* L. sah ich niemals in Gärten gebaut, wohl aber die Spielart mit gekrausten Blättern, namentlich in Bauerngärten von Ober-Oesterreich. Auch die deutschen Väter der Pflanzenkunde gedenken dieser Abart, die sie *crispum* und *anglicum* nennen und erwähnen ihrer als einer in den Gärten auferzogenen Pflanze.

neptam ist *Nepeta Cataria* L. Columella erwähnt zuerst *Nepeta* als Zusatz zu Speisen und als Heilmittel gegen eine Krankheit der Schafe. Der althochdeutsche Name ist wizminza (Weissmünze) (im Gloss. S. Blas. *simitsa?)* Auch der Name Katzenmünze ist sehr alt und findet sich schon im Gloss. Helmst.: Kackemiate. Im XVI. Jahrhundert Nept, Zam Katzenkraut, Katzennept. — Die Katzenmünze ist eine der verbreitetsten Gartenpflanzen und fand sich schon im XVI. Jahrhunderte an Zäunen und alten Mauern verwildert, so wie sie auch gegenwärtig oft auf Schuttstellen in den Dörfern sich vorfindet.

febrefugiam. Mit dem Namen *Febrifugia* und *fel terrae* wurden sehr verschiedene Pflanzen, die wegen der in ihnen enthaltenen bitteren Stoffe gegen das Fieber Anwendung fanden, belegt, namentlich *Erythraea Centaurium* Pers., *Pyrethrum Parthenium* Willd. und *Helleborus viridis* L. Alle Commentatoren sprechen sich dahin aus, dass hier im Capitulare *Erythraea Centaurium* gemeint sei, eine Pflanze, die zu den gemeinsten und verbreitetsten in Deutschland gehört. Das häufige wilde Vorkommen dieser Pflanze konnte dem Verfasser des Pflanzenverzeichnisses, das wir im Capitulare de villis finden, nicht fremd gewesen sein und es ist daher sehr unwahrscheinlich, dass eine solche Pflanze in der Reihe jener Gewächse aufgeführt wurde, welche von dem Landbauer in seinen Garten gezogen werden sollten, um so unwahrscheinlicher als die Thatsache, dass sich *Erythraea Centaurium* Pers. mit der grössten Sorgfalt kaum im Garten aufziehen lässt, gewiss auch damals schon bekannt war. Mit viel mehr Wahrscheinlichkeit lässt sich annehmen, dass mit dem *febrefugiam* im Capitulare entweder *Pyrethrum Parthenium* Willd. oder *Helleborus viridis* L. gemeint sei, da beide Pflanzen zu den in Bauerngärten verbreitetsten gehören. In dem Gloss. S. Blas. steht als gleichbedeutend mit *febrifugia*: *Centauria minor*, *Matrana ibisca vel multiradix vell helleborites.* Im Gloss. Helmst. sind als Synonyma *Centerion*, *Centaurea*, *Eleborica*, *febrifuga*, *fel terre*, *Aurine* etc. aufgeführt und es passt der angeführte Name *Multiradix* sehr gut auf *Helleborus viridis* und *Pyrethrum Parthenium* *), am allerwenigsten aber liesse sich das Tausendguldenkraut damit in Einklang bringen. Die Namen *helleborites* und *Eleborica* geben uns aber den besten Fingerzeig, dass mit all' diesen Namen *Helleborus viridis* L. verstanden sei, eine Pflanze, die noch heutzutage als Arzneimittel zum sogenannten Gilben von dem Volke angewendet wird. Höchst interessant ist zu finden, dass diese Operation schon von den Römern und zwar ganz in derselben Weise, wie sie noch heutzutage von unseren Bauern ausgeführt wird, geübt wurde. Columella, der die Pflanze *Consiligo* nennt, sagt lib. 6. cap. 5.: „Praesens etiam remedium cognovimus radiculae, quam pastores consiliginem vocant. Ea in Marsis montibus plurima nascitur, omnique pecori maxime est salutaris. Laeva manu effoditur ante solis ortum, sic enim lecta majorem vim creditur habere. Usus ejus traditur talis, aenea subula pars auriculae latissima circumscribitur, ita ut manante sanquine tanquam O literae ductus appareat orbiculus. Hoc et intrinsecus, et ex superiore parte auriculae cum factum est, media pars descripti orbiculi eadem subula transuitur, et facto foramini praedicta radicula inseritur, quam cum recens plaga comprehendit, ita continet ut elabi non possit: in eam deinde auriculam omnis vis morbi pestilensque elicitus ....“

papaver ist *Papaver somniferum* L. *μήκων*, *papaver*, wird von den griechischen und römischen Dichtern häufig genannt (findet sich schon in Homer's Gesängen), und spielt überhaupt eine grosse Rolle in der Pflanzensymbolik. Das althochdeutsche mago und maga stammt unstreitig von dem griechischen *μήκων* her; mittelhochdeutsch: mage; bei den Schriftstellern des XVI. Jahrhunderts: Maegle, Magn, Magsamen, Mahen, Mohe, Mon. Im niederösterreichischen Dialecte Magn. Wird häufig in Bauerngärten gezogen.

betae. *Beta vulgaris* L. *τεύτλιον* Theoph.? *beta* Colum. Plin., der Mangold, die Runkelrübe der Deutschen. Schwenk **) vermuthet, dass das Wort Mangold, manegolt so viel als Goldhalsband bedeutet und von dem althochdeutschen manikold =

*) *matrana* liesse auf *Pyrethrum Parthenium*, Mutterkraut, Meter schliessen, siehe *parduna*, Seite 804.

**) Konrad Schwenk Wörterbuch der deutschen Sprache.

goldenes Halsband abzuleiten sei, welcher Name sich auf die oft goldgelb gebänderte Durchschnittsfläche der rübenförmigen Wurzel beziehen würde.

Der Name Runkelrübe findet sich schon im XVI. Jahrhunderte: Rungelsen, und der Oesterreicher nennt die Pflanze heutzutage Ronersen, Roners, (anderwärts finden sich auch die Namen Ronne, Rangers, Raunsche.) Da im Capitul. der Plural steht, so sind schon mehrere Spielarten der *Beta vulgaris* L. gemeint. Von diesen finden sich heutzutage *Beta burgundica* und *silesiaca* zum Viehfutter und zur Zuckergewinnung auf freiem Felde, *Beta italica*, die rothe Rübe auch in Gärten gebaut. Gegenwärtig hat, mit Ausnahme der letzteren, der Mangold seine früher wichtige Rolle als Küchenpflanze ausgespielt. Tragus sagt noch von ihm er sei „under allen Kochkreutern ungefährlich das aller gebreuchlichst in unsern Landen, Armen und Reichen angenem," an einer andern Stelle „Nichts gemeineres in unsern Kuchen ist, als dieser Garten Mangolt."

vulgigina. Aemilius Macer (X. Jahrhundert) sagt: Haselwurz heisse zu Latein *Vulgago*; in dem, aus dem X. Jahrhunderte stammenden Glossarium S. Blasianum steht: Haselwurz vel Asaro, und es wäre demzufolge im Capitulare hier *Asarum europaeum* L. (ἄσαρον Diosc.) gemeint, welche Ansicht auch von allen Commentatoren ausgesprochen wird. Doch dünkt es mir sehr unwahrscheinlich, dass man eine Pflanze zu bauen anbefohlen, die in allen Wäldern gemein ist und ich finde auch nirgends erwähnt, dass die Haselwurz jemals in Gärten gezogen worden wäre, ebenso wenig als sie sich gegenwärtig irgend wo angebaut vorfindet. Viel wahrscheinlicher ist, dass irgend eine andere Pflanze wie *Inula Helenium*, und andere die fast in keinem Bauerngarten fehlen, gemeint sei; bei dem Mangel jedes Anhaltspunctes muss jedoch die Erklärung weiteren Forschungen überlassen bleiben.

ibischa. Nach Bruns heisst es hier im Texte des Codex „ibischa, mismalvas id est alteas", und es wären demnach zwei Pflanzen hier zu verstehen, im Breviarium rerum fiscal. Caroli M. steht jedoch über *mismalvas* „id est alteas quod dicitur ibischa", woraus hervorgeht, dass *ibischa, mismalva* und *altea* eine und dieselbe Pflanze bezeichnen*), die keine andere als Linné's *Althaea officinalis* ist, welche fast in keinem Bauerngarten fehlt. (ἰβίσκος ἀλθαία Diosc. *hibiscus* Virg.) Althochdeutsch *ibisca*;

*) Auch im Glossar. Helmst. werden *Altea*, *Bismalva* und *Ibiscus*, *Yuesche* als Synonyma aufgeführt.

bei den Schriftstellern des XVI. Jahrhunderts Ibisch, Ibischwurtz, Eibisch, auch wurde sie damals noch von den Aerzten *Bismalva* genannt, welchen Ausdruck man mit Doppelpappel übersetzte, doch jedenfalls irrig, denn *bismalva* ist nur aus *mismalva* hervorgegangen, und die erste Sylbe *mis* *) drückt hier keine Verdopplung aus, sondern scheint hier die Bedeutung des Falschen zu haben, so dass also *mismalva* so viel als falsche, unächte Malva, im Gegensatze zu der nachfolgenden wahren, echten Malva bedeutete.

malvas. Hiermit ist entweder *Althaea rosea* Cav. von der die Blumenblätter in früheren Zeiten als Arzneimittel angewendet wurden und die sich seit alter Zeit in mannigfaltigen Spielarten in den Gärten selbst der abgelegensten Gebirgsdörfer findet, oder *Malva sylvestris* L., die gleichfalls manchmal in Gärten gezogen vorkommt und als Arzneimittel Anwendung findet, gemeint, vielleicht auch beide, da im Texte des Capitulare der Plural steht. Der lateinische Name *malva*, (μαλάχη Diosc. *malache* Colum.) hat sich bei dem deutschen Volke nicht erhalten, sondern es werden die beiden angeführten Pflanzen, so wie überhaupt die Mehrzahl der Arten aus der Gattung *Malva* L. mit dem Namen *Papel* (*Althaea rosea:* Römische Pappeln, Gartenpappeln, Papelrosen; *Malva sylvestris*: Käspappel, Hasenpappeln) bezeichnet. Popelenblomen (Glossar. Helmst.) **).

carvitas. *Daucus Carota* L. Der französische und italienische Name (*carotte, carota*) weisen darauf hin, dass diese Pflanze hier zu verstehen sei. In den Mund des deutschen Volkes ist der lateinische Name dieser Pflanze nicht übergegangen, sondern die althochdeutsche Benennung morach, moraha erhalten worden. Bei den Schriftstellern des XVI. Jahrhunderts führt sie den Namen Möre, gäl Rüb. In der Neuzeit: Mohrrübe, gelbe Rübe, im niederösterreichischen Dialecte Mährn, gelbe Ruabn.

Die Möre zuerst von den Griechen *Diphylus* καρωτὸν genannt, (nach Sprengel) findet sich häufig in Küchengärten, seltener auf freiem Felde gebaut.

---

*) Schwenk Wörterbuch der deutschen Sprache. „in der Zusammensetzung bezeichnet miss (althochdeutsch missa, missi, mis) gewöhnlich das Fehlen, Irren, das Falsche, Mangelnde.

**) Unwahrscheinlich ist anzunehmen, dass dieser deutsche Pflanzenname nach der Aehnlichkeit der Blätter der *Malvaceen* mit den Blättern des *Populus*, Pappelbaumes gebildet sei. Das Wort poppel scheint einen runden knopfförmigen Körper zu bezeichnen und die Pflanze wegen den knopfförmigen Blüthenknospen so genannt worden zu sein.

pastenacas. *Pastinaca sativa* L. *σταφυλῖνος* der Griechen, *pastinaca* bei Columella, der die Cultur dieser Pflanze bespricht. Die seit ältester Zeit angewendeten deutschen Namen (*pestinack* Gl. Pez. *Pestnachen* im XVI. Jahrhundert, *Pasternac*, *Pastnack* in der Neuzeit) sind sämmtlich aus dem lateinischen Namen entsprungen.

Der Gebrauch des Pastinaks war niemals von grosser Ausdehnung, in früherer Zeit aber jedenfalls bedeutender als in der Gegenwart, wo sich derselbe auch nur äusserst selten zum Küchengebrauche in Gärten gezogen findet.

adripias. *Atriplex hortensis* L. *ἀτράφαξις* der griechischen, *Atriplex* (*olus atriplicis*) bei den römischen Schriftstellern. Der lateinische Name ist nicht in die deutsche Sprache übergegangen, die nach dem eigenthümlichen mehlartigen Ueberzuge der Blätter dieser und anderer verwandter Arten einen Namen bildete: altdeutsch melta, melda, malta, multa, mouhlta; bei den deutschen Vätern der Botanik Milte, Melte.

Die schon von Theophrast als Küchengewächs aufgeführte Melde findet sich eben nicht selten in Gärten, wurde ähnlich dem Spinat in der Küche noch unlängst benützt, ist aber gegenwärtig fast gänzlich ausser Gebrauch gekommen.

blidas. *Amaranthus Blitum* L. *βλίτον* Theoph.? Der deutsche Name dieser Pflanze bei den Schriftstellern des XVI. Jahrhunderts ist Maier, Meyer (später bei Balt. Ehrhart: *Malta*, welcher Name Form von Melde ist, mit welcher der Maier gewöhnlich zusammen abgehandelt wurde.) — Der Maier wurde in früherer Zeit als Salat genossen und noch im XVI. Jahrhunderte als solcher in den deutschen Küchen verwendet, aus denen er jetzt ganz und gar verbannt ist. „Meyer wirdt von vielen zu der Speiss bereitet wie andere Kochkreutter, aber bissweilen empört solch essen den Magen, bringt das würgen und grimmen." Matthioli.

Gegenwärtig wird die Pflanze nirgends mehr in Deutschland in Küchengärten gezogen.

ravacaulos. *Brassica oleracea β.*, *caulocarpa*. Der Kohlrabi ist ein seit den ältesten Zeiten gebautes noch gegenwärtig sehr beliebtes Gemüse. Unklar sind mir die in alten Glossarien enthaltenen deutschen Namen, wie z. B. im Gloss. S. Blas. *Rabacaulis* = Rübegras. — Gloss. Pez. *Rabacaulis vel Gras*. — *Rava* und *Raba* sind verderbte Worte aus *rapa* und die wörtliche Uebersetzung von *ravacaulis* ist Rübenkohl, ein Name, der auch von den Schriftstellern des XVI. Jahrhunderts auf den Kohlrabi angewendet wird.

caulos. *Brassica oleracea* var. *sabauda, viridis* und *capitata* L. *κράμβη ἥμερος* Diosc. *Brassica Cato*, Colum. Plin. — Columella unterscheidet von *Brassica: caulem* und *cymam*, welche Namen er in einem folgenden Capitel (lib. 12. cap. 7.) selbstständig anführt. Auch Plinius unterscheidet mehrere Abarten: *apianam*, *crispam*, *cauloden* etc. Die deutschen Väter der Botanik unterscheiden vornämlich drei Formen des Kohls *) 1. glatt Kölkraut, der Wirsing **) (Kelch, in niederösterr. Mundart) = *Brassica oler.* var. *sabauda*. 2. Kraus Kölkraut, blauer Kohl, Krauskohl = *Brassica oler.* var. *viridis*. 3. *Cappes* ***) (Kraut der Oesterreicher) Kopfkohl = *Brassica oler.* var. *capitata*. Das Vorhandensein althochdeutscher Namen für diese Spielarten (chol, chola, kol — capuz) beweist, dass man sie schon in jener Zeit cultivirte und dass also unter *caulos* im Capitulare bereits mehrere Kohlarten zu verstehen seien.

Der Blumenkohl, Carviol (*Cauliflori*, *Caulis floridus*) scheint erst im XVI. Jahrhunderte nach Deutschland aus Italien gebracht worden zu sein.

uniones. Wahrscheinlich *Allium fistulosum* L. Columella unterscheidet drei Arten von *Cepa*. „Pompeianam, vel Ascaloniam cepam, vel etiam Marsicam simplicem quam vocant unionem rustici" lib. 12. cap. 10. Von diesen scheint die erste unser *Allium cepa* L., die zweite *Allium ascalonicum* L. und die dritte, von der er sagt, dass die Landleute sie *unio* nennen, das *Allium fistulosum* L. zu sein. (*Oignons* der Franzosen.) In die deutsche Sprache ist das Wort *unio* nicht übergegangen, sondern *Allium fistulosum* und *Cepa* werden unter dem Namen Zwiebel zusammengefasst und in Winter und Sommerzwiebel unterschieden.

britlas. *Allium Schönoprasum* L. *σκοροδον σχιστον* Theoph.? *Porrum sectivum* Colum.? In den aus den XI. und XII. Jahrhundert herstammenden Glossarien: *Brittula Snitelouch*, *pretula Sniteloch*. Bei den Schriftstellern des XVI. Jahrhunderts Brysslauch, Pryslauch, Schnidlauch, Schnittlauch, welch' letzterer Name

---

*) Interessant ist, wie der Name Kohl (althochd kol, chol, latein. *caulis*, griech. *καυλός*) der ursprünglich einen Stengel bezeichnet, später auf eine Gruppe von Gemüsepflanzen, die sich durch dicke fleischige Blattnerven auszeichnen, angewendet wurde, gegenwärtig nur eine einzige Gemüseart bezeichnet. — Aehnlich verhält es sich mit Kraut, welches Wort in seiner ursprünglichen Bedeutung alle Gewächse, die nicht Gras, nicht Baum und Strauch sind, umfasst, im engeren Sinne aber nur eine Spielart der *Brassica oleracea*.

**) Schwenk leitet Wirsing aus dem italienischen Namen dieses Gemüses *verza* ab.

***) Cappes, althochd. capuz, aus dem latein. *caput*, wurde früher auch *Caputium* genannt. Tragus 2. cap. 58.

noch heutzutage gebraucht wird. (Mundartlich in Nieder-Oesterreich Schnidling.) Die Anwendung der zerschnittenen, röhrenförmigen Blätter des Schnittlauchs als Zusatz zu den Speisen, ist, wie aus den obenangeführten Worte Sniteloch hervorgeht, schon zu jener Zeit üblich gewesen. Die Griechen und Römer scheinen nicht bloss von dieser Pflanze, sondern auch von anderen Laucharten die zerschnittenen Blätter den Speisen zugesetzt zu haben. Woher der Name Brysslauch, britla stamme, ist dunkel, vielleicht vom Preis, Priss, der Saum, die Einfassung, das Band, weil der Schnittlauch sich in den Küchengärten gewöhnlich als Einfassung der Gartenbeete findet.

porros. *Allium Porrum* L. *πράσον* der Griechen, *porrum* der römischen Schriftsteller. Althochdeutsch louh, mittelhochd. louch, phorre*). Im XVI. Jahrhunderte Lauch. Dieses Wort hat ehemals Pflanze überhaupt bedeutet**). später besonders das Gemüse, dann eine Gruppe der Zwiebelgewächse, (Schnittlauch, Eschlauch, Knoblauch). Matthioli im XVI. Jahrhunderte wendet den alleinstehenden Namen Lauch auf *Allium Porrum* L. an. Balt. Ehrhart im XVIII. Jahrhundert fasst wieder mehrere als Lauchgewächse zusammen. Das lateinische *Porrum* hat sich auch im Munde des deutschen Volkes in Porre, Porri erhalten.

Gegenwärtig wird der Porri häufig in Gärten gebaut und ist als Suppenwürze sehr beliebt.

radices. *Raphanus sativus* L. ***) *ῥάφανος* Theoph. *radix* Colum. Althochdeutsch ratih, ratich, bei den deutschen Vätern der Botanik Rhetich, Rättich. In der Neuzeit Rettig. Im niederösterr. Dialect Radi. Der Rettig wird in mehreren Spielarten in Gärten gezogen, von denen einige schon im XVI. Jahrhunderte beschrieben wurden.

ascalonicas. *Allium Ascalonicum* L. *σκόροδον ἀσκαλωνικόν* der griechischen, *Ascalonia cepa* der römischen Schriftsteller; nach der Stadt Ascalon in Palästina so genannt.

Mittelhochdeutsch: *Alcloick*, *Astloc*, bei den deutschen Vätern der Botanik: Aschlauch, Eschlauch, Eschleuchel. Heutzutage Schalotte. (Französ. *echalotte*.) Die Schalotten werden

---

*) Im Glossar. S. Blas. „Porrum Louch cujus genera duo sunt, capitatum et sectile. Capitatum est majus, sectile minus." Auch von späteren Schriftstellern werden diese zwei Arten unterschieden und es ist *Porrum capitatum* auf *All. Porrum* L., *Porrum sectile* auf *All. Schönoprasum* L. zu beziehen. Diese Eintheilung wurde offenbar Columella nachgebetet, bei dem sie zuerst vorkommt.

**) Schwenk Wörterb. d. deutschen Sprache.

***) Sonderbar erscheint es, dass hier der Rettig mitten unter die Lauchgewächse eingereiht wird.

nur in den Gärten grösserer Städte in Oesterreich gezogen, in Bauerngärten sah ich sie nie und auch im XVI. Jahrhunderte fanden sie, wie aus den Schriftstellern jener Zeit hervorgeht, nur eine sehr beschränkte Anwendung in der Küche.

cepas. *Allium Cepa*. L. κρόμμυον Theoph. und Diosc. althochdeutsch louh, mittelhochd. zwifal. Bei den deutschen Vätern der Botanik: Zwibel, welcher Name auch heutzutage gangbar ist. Der französische Name *ciboule*, ital. *cipolla*, so wie der schweizerische Name zible, zibele, leiten darauf hin, dass der Name Zwifel aus dem lateinischen *cepa*, *cepulla* entstanden sei. (Vergleiche Schwenk.)

Die Zwiebel, schon in den mosaischen Schriften erwähnt, von den Egyptern göttlich verehrt*), von den Griechen und Römern hoch gepriesen, ist auch gegenwärtig die Würze unzähliger Speisen und eine der verbreitetsten Küchenpflanzen unserer Gärten.

alia. *Allium sativum* L. σκόροδον der griechischen, *allium* der römischen Schriftsteller. Althochd. chlouolouh, chlouolouch, clouolouch, chlopolouch. Mittelhochd. klobelouch; im Helmstädt. Gloss. Knovelock, bei den Schriftstellern des XVI. Jahrhunderts, wie auch noch heutzutage: Knoblauch, in niederösterr. Mundart: Knofel. Dem deutschen Namen liegt entweder das Wort Knauel, Knopf zu Grunde, oder aber es ist derselbe nach der Eigenschaft dieser Pflanze, dass ihre Zwiebel sich in mehrere Theile spalten, kloben lässt, hergenommen. Weder der lateinische, noch der griechische Name hat sich also hier im Munde des Volkes erhalten.

In den römischen Gärten wurde ausser den hier in der Reihe auf einander folgenden Lauchgewächsen auch noch die Rockenbolle *Allium Ophioscorodon* Don. („ulpicum, quod quidam allium punicum vocant, Graeci αφροσκόροδόν" Columella) gebaut, deren die Schriftsteller des XVI. Jahrhunderts ebenfalls als einer in Küchengärten gezogenen Pflanze (Aber-Knoblauch) erwähnen. Ob diese mit unter das *alium* im Capitul. einzubeziehen sei, ist wohl kaum zu ermitteln. Sie fand übrigens niemals ausgebreitete Anwendung und wird nur in grösseren Städten gebaut.

warentiam. *Rubia tinctorum* L. Es wäre schwer, den Namen *warentia* zu erklären, wenn nicht eine andere Stelle in dem Capitulare

---

*) Porrum et cepe nefas violare ac frangere morsu
O sanctas gentes quibus haec nascuntur in hortis
Numina . . . Juvenalis.

de villis darauf hinweisen würde, dass eine Färbepflanze gemeint sei. Es heisst dort: Ad genitia nostra sicut institutum est opera ad tempus dare faciant, id est linum, lanam, uuaisdo*) vermiculo uuarentia, pectinos laninas, cardones, saponem, unctum, vascula, vel reliqua minutia, quae ibidem necessaria sunt. — Neben Lein und Wolle sollten also Waid, Cochenille und Färberröthe, dann noch Wollenkämme, Kardendisteln, Seife u. s. f. vorräthig sein. Auch der französische Name *Garance* und der böhmische *Marena* bestätigen, dass unter *warentia* wirklich die Röthe oder der Krapp verstanden sei. Woher der Name *warentia* stamme ist unklar, ebenso wie die Abstammung des Wortes Krapp. Die deutschen Väter der Botanik nennen die Pflanze wegen der rothen Farbe der Wurzel Rödt, Röte. Die Röthe, die man zum Färben der Leinen und Wollstoffe zu Carl's des Grossen Zeit sich in den Gärten bauen mochte, scheint später aus Deutschland verschwunden und erst im XVI. Jahrhunderte wieder aus Frankreich und Italien gebracht worden zu sein. Zu dieser Zeit wurde sie schon im Grossen auf Aeckern gebaut, so wie noch heutzutage; in die Gärten ist sie jedoch niemals wieder eingedrungen. „Vormals ward dise Rödte wurtzel inn Gallia und Italia gezielet, jetzund haben wir sie auch in Germania, also das etliche Ackerleuth nun mehr nach den Farben dann nach den Früchten trachten" Tragus.

cardones. *Dipsacus fullonum* L. δίψακος Diosc. Althochd. karta (aus lat. *Carduus*), bei den deutschen Vätern der Botanik Kartendistel, Karten, Weberdistel. Sie wurde, wie aus der bei der Färberröthe angeführten Stelle des Capitulars hervorgeht, zum Kratzen und Krämpeln der Wolle zu Carl des Grossen Zeit angewendet und zu diesem Zwecke in den Gärten gebaut. Heutzutage hie und da im Grossen auf Feldern gebaut.

fabas majores. *Vicia faba* L. Die Saubohne, schon von Homer als eine auf Feldern gezogene Pflanze angeführt, wird von den römischen Schriftstellern, aus denen hervorgeht, dass sie zu ihrer Zeit häufig angebaut wurde, *faba* genannt**). Die Schriftsteller des XVI. Jahrhunderts beschreiben sie unter dem Namen *Bone*, und es ist daher auf diese Pflanze das althochdeutsche pona, mittelhochd. bone zu beziehen. In der Neuzeit wurde Bohne auf *Phaseolus vulgaris*, die man früher in Deutschland Fasel, Faesel nannte, und die noch gegenwärtig mundartlich in

---

*) *Isatis tinctoria*, althochd. weit.

**) Warum im Texte des Capit. *majores* beigesetzt wurde, ist nicht klar.

Oesterreich Fisoln geheissen wird, übertragen und um sie von *Vicia faba* zu unterscheiden, nannte man letztere Saubohne.

Die Saubohne ist eine weit verbreitete Gemüsepflanze und wird in Gebirgsgegenden noch häufig angebaut und genossen. In den Küchen der deutschen Städte ist sie heutzutage fast gänzlich ausgemerzt. T r a g u s sagt aber noch, es sei in Deutschland „insonderheit zu Cöllen, Metz, Speier und Strassburg nach den Erweissen kein breuchlicher Legumen oder Köchset als die Bonen."

pisos mauriskcos. *Pisum sativum* L. πίσος Theoph. ὄροβαιος Galen. ἥμερος ἐρέβινθος Diosc., *pisum* der römischen Schriftsteller. Der Name *pisum* ist in die deutsche Sprache nicht übergegangen, sondern wir finden hier Namen, die offenbar aus dem griechischen ὄροβαιος und ἐρέβινθος herstammen, althochdeutsch araweiz, arawiz, mittelhochd. arbeis, erbeis, bei den deutschen Vätern der Botanik Erweissen, Erbeisen, Erbsen; mundartlich heutzutage in Nieder-Oesterreich Orbas, Erwassn. Der Zusatz *maurisicos* im Capit. ist nicht klar. Die Erbse wird gegenwärtig ebenso, wie im Alterthume häufig in Gärten gebaut und ihre Samen grün und ausgereift in der Küche abbereitet.

coriandrum ist *Coriandrum sativum* L. κορίαννον Theoph. κόριον Diosc., *coriandrum* der römischen Schriftsteller. Der schon in den mosaischen Schriften erwähnte Koriander, wegen seiner gewürzhaften Früchte seit jeher gebaut, ist auch heutzutage nicht selten in den Bauerngärten und werden seine Früchte ähnlich jenen von *Nigella sativa* dem Brote zugesetzt, um diesem einen angenehmen Geschmack zu ertheilen.

cerfolium ist *Anthriscus cerefolium* Hoffm. *Chaerephyllum* Columella. Althochd. chervolla, kervolo, bei den deutschen Vätern der Botanik Kerbel, Körffel, Körbel.

Das Kerbelkraut, seit ältester Zeit in den Küchengärten gebaut, fehlt fast in keinen Bauerngarten, wo es sich gewöhnlich durch Selbstaussaat in irgend einem Winkel erhält.

lacteridas. *Euphorbia Lathyris* L. λάθυρις Diosc. In Glossarien aus dem XII. Jahrhundert: Spriuwurz, Sprincwurz vel citocatia, auch citocotia *). Im Gloss. Helmst. sind 17 Namen für diese Pflanze angeführt, darunter Catapucia, Crucesword, Sprinckorn, Spyword, Sprinckword. Die deutschen Väter der Botanik nennen sie *Herba Lactaria* auch *Cataputia minor* (im Gegensatze zu *Cataputia major*, welcher Name sich auf *Ricinus communis*

---

*) Wahrscheinlich aus cito und kotzen, sich erbrechen.

bezieht) und geben ihr die deutschen Namen: Springkorn, Dreybkorn, Springwurtz, Springkraut, Treibkraut, Scheisskraut, die sämmtlich nach der purgirenden Eigenschaft der Samen oder nach der Eigenschaft der Früchte bei voller Reife aufzuspringen und die Samen auszuschnellen, gebildet sind. *Euphorbia Lathyris* findet sich hier und da in Bauerngärten gepflanzt und die Samen derselben werden als Arzneimittel gegen Krankheiten der Thiere von dem Volke verwendet. Auch die Schriftsteller des XVI. Jahrhunderts erwähnen ihrer als einer allenthalben in den Gärten gemeinen Pflanze, die als Purgirmittel Anwendung finde.

sclareiam ist *Salvia Horminum* L. ὅρμινον Theoph. Diosc. Im Gloss. Monseens. *Scaralega,* im Gloss. Helmst. *Scarleye.* Die deutschen Väter der Botanik unterschieden den zahmen Scharlach als Gartenpflanze (*Scarlea* Lobel. *Horminum sativum* Fuchs, *hortense* Matth.) und den wilden Scharlach *Salvia Sclarea* L.? Der Name Scharlach, Scharlei wurde auch noch auf andere Salbeyarten übertragen, die man dann in Wiesen-Scharlach, Muscateller-Scharlach (Balt. Ehrhart) unterschied.

Man verwendete und verwendet noch gegenwärtig die durch einen eigenthümlich aromatischen Geruch und Geschmack ausgezeichneten Blätter der *Salvia Horminum* L., so wie auch anderer Salbeiarten (*S. pratensis, glutinosa, Sclareia*) als Zusatz zu Bier und Wein und ziehet erstere, obwohl nur sehr sehr selten, theils zu diesem Zwecke, theils als Zierpflanze in den Gärten.

et ille hortulanus habeat super domum suam Jovis barbam. Dass hier mit *Jovis barba* *) *Sempervivum tectorum* L. die Hauswurz gemeint sei, unterliegt keinem Zweifel. Mittelhochdeutsch huswurz, buoswurz. Der Glaube, dass dort wo diese Pflanze steht, kein Blitz einschlage, ist uralt, und die Verordnung befiehlt daher, dieses Gewächs zum Schutze der Häuser gegen Wetterschaden auf die Dächer zu pflanzen. Bei den griechischen und römischen Schriftstellern wird dieser Aberglaube, der noch gegenwärtig bei dem deutschen Volke weit verbreitet ist, nirgends erwähnt und er scheint daher in Deutschland selbst seine Wiege zu haben. Hauswurz wird von den deutschen Vätern der Botanik auch Donderbar genannt. (In Oesterreich und Kärnthen Dunerknöpf, Donerknöpf, bei den Siebenbürger Sachsen Donerkrot.)

Die Pflanze findet sich durch ganz Deutschland auf alten Mauern, auf Dächern, über den Einfahrtsthoren gepflanzt und spielt auch als Hausmittel noch eine grosse Rolle.

---

*) *Jovis barba* hat sich in dem französischen *Joubarbe* erhalten.

De arboribus volumus quod habeant

pomarios diversi generis, *Pyrus Malus* L. μηλέα der griechischen, *pomum* der römischen Schriftsteller. Althochd. *aphultra*, *affaltra*; bei den deutschen Vätern der Botanik Apfelbaum *). Am Schlusse der Verordnung werden noch die Namen der Aepfel, welche der Landwirth erzielen sollte, angeführt.

pirarios diversi generis, *Pyrus communis* L. ἄπιος Theoph. *pyrum* Columella. Letzterer unterscheidet schon gegen zwanzig Birnsorten, die zu seiner Zeit gebaut wurden und schliesst seine Aufzählung mit den Worten: „et quaedam alia, quorum enumeratio nunc longa est."

Valerius Cordus (1515 — 1544) unterschied bei fünfzig in Deutschland gebaute Birnsorten und von den Namen, welche man im XVI. Jahrhundert auf diese Sorten anwandte, haben sich einige, wie z. B. Herrenbirn, Schmalzbirn, Muscatellerbirnchen, bis auf unsere Tage erhalten. Die Kunst der Bereitung eines Weines aus Birnen und Aepfeln ist sehr alt, und war ganz vorzüglich in England und Frankreich zu Hause, von wo aus der Name Cider (französ. cidre, engl. cider) in die deutsche Sprache übergegangen zu sein scheint.

prunarios diversi generis, *Prunus domestica* L. Mit „*diversi generis*" sind wahrscheinlich nicht bloss die Spielarten der *Prun. domestica* verstanden, sondern auch *Prunus insititia* L. mit ihren cultivirten Varietäten einbegriffen, was um so annehmbarer erscheint, als letztere sich ziemlich häufig in Bauerngärten gepflanzt findet. *Prunus domest.* L. = κοκκυμηλέα Theoph. Diosc., *prunus* Colum. Pflaumenbaum, Zwetschkenbaum. Der Name Pflaume fasst mehrere Arten der Gattung *Prunus* unter sich (*Prunus insititia* = Krichenpflaume, *Prunus cerasifera* = Kirschenpflaume u. s. f.), wurde und wird aber insbesondere alleinstehend der *Prunus domest.* zugedacht. Der Name Zwetschke, ursprünglich bloss für Pflaumen, welche getrocknet im Handel aus dem Bereiche slavischer Sprache gebracht wurden, in Deutschland angewendet (böhm. sswestka), hat sich in der Neuzeit immer mehr Bahn gebrochen und scheint den Namen Pflaume allmälig zu verdrängen.

sorbarios, *Sorbus domestica* L. οὖον Theoph. Diosc., *sorbum* Columella, der ihn in dem Cap. de arboribus pomiferis aufführt.

Althochd. Speniliach, Spierebaum; mittelhochd. spelling. Der lateinische Name *sorbum* hat sich in dem deutschen Sorb-

---

*) In Oberösterreich und Kärnthen (Josch) nennt man nur die gezogenen, genussbares Obst liefernden Spielarten Apfelbaume; der Holzapfelbaum wird dort Sauerlingbaum genannt.

apfel, Sporbirn erhalten, doch hatten diese Namen, die von Balt. Ehrhart angeführt werden, wohl nur eine sehr geringe Verbreitung und sind vielleicht jetzt ganz eingegangen. Die gewöhnlich gebrauchten deutschen Namen, die sich auch grösstentheils bei den deutschen Vätern der Botanik finden, sind: Speierlingbaum, Spillingbaum, Sperwerbaum, Sperberbaum, Speerbaum, Sperbaum. Die bot. Schriftsteller des XVI. Jahrhunderts handeln unter diesen Namen häufig *Sorbus domestica*, *aucuparia* und *torminalis* zusammen ab und unterscheiden sie dann in zahm und wild etc.*) Wahrscheinlich ist der deutsche Name von Spille, Spule, Spindel oder von Speer abzuleiten, da das wegen seiner Härte ausgezeichnete Holz zu Speeren, Spindeln und sonstigen Geräthschaften, zu denen ein sehr festes Holz nothwendig war, verarbeitet werden mochte, so wie es auch heutzutage zu Spindeln bei den Weinpressen sehr gesucht ist.

mespilarios, *Mespilus germanica* L. μέσπιλον Diosc. Althochd. nespil, nesple. Im XVI. Jahrhundert Nespelbaum, Mespelbaum; bei den botan. Schriftstellern der Gegenwart Mispel; mundartlich in Oesterreich Asperl.

Der Mispelbaum findet sich nur selten in Bauerngärten in Oesterreich, und wenn er schon gepflanzt wird, gewöhnlich nur ein einzelner Baum in irgend einem Winkel des Gartens.

castaneanos. *Castanea vesca* Gärtn. Der Name καστανὸν soll von der Stadt Kastana im Pontus herstammen und ist wenig verändert in die deutsche Sprache übergegangen. Kastanienbaum, mundartlich in die Oesterreich Köstenbam.

In Bauerngärten sah ich den Kastanienbaum niemals, übrigens wird derselbe in Oesterreich auf dem Sandsteingebirge der Nordalpen in der Umgebung des Ortes Wilhelmsburg häufig cultivirt.

persicarios diversi generis, *Persica vulgaris* Mill. μῆλα περσικὰ Diosc. Da im Texte des Capit. hier wieder *diversi generis* steht, so dürften schon mehrere Spielarten der Pfirsiche gemeint sein**) jedenfalls ist auch *Prunus Armeniaca* L., der von den deutschen Vätern der Botanik mit dem Pfirsich zusam-

---

*) *Sorb. aucuparia* wird auch Melbeer, Vogelbeer und *Sorb. torminalis*, auch Aressel, Eschrösel, Adlasbeer genannt.

**) Die deutschen Väter der Botanik unterscheiden schon mehrere Spielarten des Pfirsich- (Pfersing-) baumes. Matthioli sagt unter andern von ihm: „Das Holz ist luck und mürb, die Rinde dünn. Die Wurtzeln sind schwach, stecken nicht tieff in der Erden, derhalb veraltert er bald und fellt umb. Daher auch das alt Teutsche Sprichwort herkommt, Pfersingbaum und Baurngewalt wechst schnell und vergehet bald."

men abgehandelt und gäler Sommerpfersing, St. Johanns Pfersing genannt wird, hier mit einzubeziehen. Diosc. nennt letzteren *μηλα ἀρμηνιακὰ* und *πραικοκια*. Columella *armeniaci* und *praecoca*, und der deutsche Name Aprikose (franz. abricot) scheint von letzterem Worte, das sich auf das Frühreifen der Frucht bezieht, abzustammen. Tragus nennt sie auch Molleten, Möllelein, welcher Name vielleicht nach dem weichen, saftigen (molleten) Fleische der Frucht gebildet wurde, übrigens sehr örtlich sein musste, da er sich sonst nirgends wieder für *Prunus Armeniaca* angewendet findet. Der Oesterreicher nennt die Frucht Marillen*). Der Pfirsichbaum, so wie der Marillenbaum werden gleichhäufig in allen Gegenden Deutschlands, wo nicht die Ungunst des Klimas ihrem Gedeihen Schranken setzt, in Gärten und Weingärten gezogen.

cotoniarios, *Cydonia vulgaris* Persoon. *κυδώνιος* Theoph. *cydonia* der römischen Schriftsteller, bei denen drei Arten desselben unterschieden werden. Althochd. Chuttina, mittelhd. quette. Hildegard, Aebtissin zu Bingen (1180), nennt die Quitte Quotanus. Fuchs, Dodon. Matth. haben: Cotonea, zu deutsch Quittenbaum, Küttenbaum. Die Schriftsteller der Gegenwart schreiben den deutschen Namen Quittenbaum. Seine Früchte, wahrscheinlich die Aepfel der Hesperiden, schon im hohen Liede um ihres Wohlgeruches gepriesen**), werden noch heutzutage dieserwegen von den Bauern unter die Kleidungsstücke gelegt, in den Städten auch mit Zucker eingemacht und anderwärtig in der Kochkunst verwendet. Nach den Schriftstellern des XVI. Jahrhunderts zu schliesen, spielte übrigens die Quitte sowohl in der Küche, wie in der Apotheke in früherer Zeit eine viel grössere Rolle, als heutzutage. Der Quittenbaum wird in Oesterreich häufig in den Bauerngärten und am Rande der Weingärten angetroffen, wo auch mehrere Spielarten derselben erzogen werden.

avellanarios, *Corylus Avellana* L., *tubulosa* Willd., *Colurna* L.

Von den griechischen Schriftstellern werden Kastanien, Pinien, Haselnüsse und Wallnüsse sämmtlich unter *κάρυα* zusammengefasst und in *κάρυα καστανаϊκά*, *πιτύϊνα*, *Ἡρακλεωτικα* und *βασιλικὰ* unterschieden. Auch die römischen Schrift-

---

*) Schwenk sagt von diesem Worte, es sei zuerst von dem ital. amarella entlehnt; Schmeller sucht es vom spanisch. amarillo, gelb, herzuleiten, was mir sehr zustimmenswerth dünkt, da man in Oesterreich von den Pflaumenarten auch nur die gelbgefärbten Amarellen nennt.

**) Sprengl Geschichte d. Bot. 1. Theil.

steller handeln sie gewöhnlich zusammen ab und Columella hat ein eigenes Capitel: De nuce serenda, in welchem er zuerst den Anbau der Mandel *(nux graeca)* und Haselnuss *(avellana Tarentina)* bespricht und dann selbes mit den Worten schliesst: „Eodem tempore junglandem et pineam et castaneam serere oportet." Auch die deutsche Sprache vereinigt durch Nuss die Haselnuss, Lambertusnuss, Zirbelnuss, Wallnuss u. s. f.

Da Columella wiederholt *Avellana Tarentina* sagt, so ist anzunehmen, dass er nicht die gemeine Haselnuss *(Cor. Avellana* L.), sondern *Coryl. Colurna* L. oder *tubulosa* Willd. hiermit bezeichnen wollte, die beide auch noch heutzutage Gegenstand der Gartenzucht sind, und wenn aus den Verhältnissen der Gegenwart ein Rückschluss auf die Zeit, in welcher das Capitulare erlassen wurde, erlaubt ist, so wird es sehr wahrscheinlich, dass mit *Avellanarios* die Lamberts-Haselnuss *(Cor. tubulosa* Willd.) gemeint sei, da sich diese ganz vorzüglich in Bauerngärten, namentlich an den einfriedenden Hecken gemeinschaftlich mit Quitten und Cornelskirschen gepflanzt findet. Auch die Schriftsteller des XVI. Jahrhunderts beschreiben unter den Namen zahme Haselnuss, Lambertusnuss *), Rotnuss, Rurnuss die beiden Arten *Coryl. tubulosa* Willd. und *Colurna* L., die auch zu ihrer Zeit in den Gärten gezogen wurden.

amandalarios, *Amygdalus communis* L. ἀμυγδαλῆ der griechischen, *nux graeca* und *Amygdala* der römischen Schriftsteller. *Amandala* ist offenbar verderbt aus *Amygdala* hervorgegangen und hat sich in den deutschen Namen Mandel erhalten. Die Zucht des Mandelbaumes war in Deutschland ganz vorzüglich in jenen Gegenden zu Hause, wo die Cultur des Bodens zuerst sich Platz gemacht, nämlich an den Ufern des Rheines. „Derselben finden wir zwei- oder dreierlei auff dem Rheinstrom wachsen fürnemlich an der Hart ...." Trag. „In Deutschland am Rein, fürnemlich umb Landau, findet man ihr gar viel und werden für die besten in Deutschland gehalten." Matth. In Oesterreich finden sich gegenwärtig Mandelbäume nur höchst selten in Bauerngärten, häufiger dagegen in den Weingärten, wo sie aber weniger gezogen werden um die Früchte für die Küche oder Apotheke zu gewinnen, als vielmehr um junge Mandelbäume aus den Samen zu erziehen und auf diese dann Pfirsiche zu pfropfen. Daher kommt es auch, dass man gewöhn-

---

*) Schwenk leitet Lambertusnuss von Lombardei ab, woher sie, wie er sagt, zu uns gekommen ist, und nach ihm würde sie daher richtiger Lombardsnuss heissen. Die deutschen Väter der Botanik schreiben Lampertische Nüsse. Mundartlich in Nieder-Oesterreich Bartlnuss.

lich nur einen einzelnen Mandelbaum in einem Weingarten oder Garten gepflanzt findet, weil derselbe eine zu obigem Zwecke hinreichende Menge Früchte erzeuget.

morarios, *Morus nigra* L. *συκάμινος* der griechischen *morus* der römischen Schriftsteller. Althochd. murbouma, mithd. mulberboum, bei den deutschen Vätern der Botanik Maulbeerbaum. Seine Früchte wurden ganz vorzüglich zur Darstellung des Morettrankes und eines Latwerges Diamoron, das noch heutzutage (Roob. Mororum) in den Apotheken verfertigt wird, verwendet. Die Zucht des schwarzen Maulbeerbaumes war früher und ist noch heutzutage sehr beschränkt; in Bauerngärten sah ich ihm nie. Der weisse Maulbeerbaum, in China einheimisch, wurde erst in der Mitte des XVI. Jahrhunderts in Deutschland angepflanzt. Zu Brunfels, Fuchs und Tragus Zeit war derselbe in Deutschland noch nirgends gezogen. „Maulbeeren findet man zweierlei, weiss und schwarz, diese beide findet man in Etschland wachsen. Aber auff dem Rheinstrom hat man allein die schwarzen Maulbeeren.“ Trag.

lauros. *Laurus nobilis* L. *δάφνη* Diosc. von hoher Bedeutung in der Pflanzen-Symbolik. Zu der Anordnung den Lorbeer in den Gärten zu erziehen, dürfte einerseits die heilkräftige Wirkung seiner Beeren und Blätter Anlass gegeben haben, vielleicht auch hatte man den alten Aberglauben, dass dort, wo ein Lorbeerbusch steht, kein Wetter einschlage, im Auge gehabt.

Sonderbar ist es, dass bei diesem Aberglauben immer Pflanzen eine Rolle spielen, die sich durch immergrünende Blätter auszeichnen, wie die schon früher erwähnte Hauswurz, der Lorbeer, die Stechpalme*), der Buxbaum und der Sadebaum**) und merkwürdig ist es jedenfalls, dass hier der Lorbeer und die beiden folgenden Pflanzen, deren Zucht in den deutschen Gärten durch klimatische Verhältnisse eine Schranke gesetzt wird, in dem Capitulare aufgeführt werden.

---

*) Die Stechpalme *Ilex aquifolium* (in Oesterreich nach den stacheligen Blättern Schradelbam genannt, von schraggen = ritzen, kratzen, schrah = rauch; in Baiern aus eben dem Grunde Waxlaub geheissen, von wax = rauh) findet sich im Gebiete der östlichen Nord-Alpen hier und da neben den Bauerhöfen gepflanzt, und der erwähnte Aberglaube, der übrigens auch von den Schriftstellern im XVI. Jahrhunderte besprochen wird, ist auch hier bei dem Volke noch eingewurzelt.

**) Der Aberglaube, dass durch das Anzünden eines am Palmsonntage geweihten Palmbuschens (siehe Seite 1) während der Dauer eines Gewitters, die Gefahr des Einschlagens behoben werde, ist noch heutzutage bei dem Volke verbreitet.

pinos, *Pinus Pinea* L. *πίτυς, κάρυα πιτύϊνα* der Griechen, *pinus* der Römer. Die Pinie wird im Bereiche deutscher Sprache nicht gezogen; in den südlichen Gegenden, wo man sie auch in Gärten pflegt, hat sich ihr lateinischer Name erhalten. Die Früchte (Piniole) spielten in dem Arzneischatze und in der Kochkunst in früherer Zeit eine viel wichtigere Rolle als gegenwärtig, wo sie fast gänzlich aus beiden verdrängt wurden. Die deutschen Väter der Botanik nennen sie Edeler oder zamer Hartzbaum, zahme Fichte (Vichtannen?)

ficus, *Ficus Carica* L. Der Feigenbaum, seit ältester Zeit in vielen Spielarten in Gärten der südlichen Gegenden gezogen, verträgt gleichfalls die Ungunst unseres Winters nicht. Da es kaum zu glauben ist, dass man diese Gewächse schon damals in Glashäusern auferzog, so lässt sich nur annehmen, dass es dem Verfasser unseres Pflanzenverzeichnisses noch unbekannt war, dass Lorbeer, Pinie und Feige in Deutschland kein Gedeihen finden. Auffallen muss uns übrigens, dass gerade diese drei Gewächse, die unter den im Capitulare aufgezählten die einzigen sind, die nur in wärmeren Landstrichen gedeihen, hier zuletzt zusammengestellt werden.

nucarios, *Juglans regia* L. *κάρυα βασιλικὰ, ευβοϊκα* der Griechen, *juglans (Jovis glans)* bei Columella. Bei den Schriftstellern des XVI. Jahrhunderts Baumnuss, Welsche Nuss. Mit dem alleinstehenden Worte Nuss wird immer nur die Wallnuss gemeint. Sie findet sich häufig in Gärten und von den deutschen Vätern der Botanik werden schon mehrere zu ihrer Zeit gepflanzte Spielarten unterschieden.

ceresarios diversi generis. *Prunus avium* und *Cerasus* L. Dass beide Bäume hier zu verstehen seien, unterliegt keinem Zweifel, da hier wieder *diversi generis* beigesetzt ist. In den Kräuterbüchern des XVI. Jahrhunderts findet man noch die Weichsel unter dem Capitel „Vom Kirssenbaum" abgehandelt, und zwar werden dort unterschieden 1. die in Gärten gezogenen zahmen, süssen oder Bundkirssen *(Cerasus Juliana, avium* und *Duracina* D. C.), 2. die sauren Kirssen oder Weichseln *(Cerasus Caproniana* D. C.), 3. die auch in Wäldern wildwachsenden kleinen Waldkirschen *(Pr. avium* $_{\alpha}$ *sylvestris* Seringe.). Der Name der Kirschen stammt von der Stadt Cerasum; *κέρασος* der Griechen; mhd. kirse, im XVI. Jahrhunderte Kirsse und Kirsche, in niederösterreichischer Mundart Kerschen. Der Name Weichsel für *Pr. Cerasus* L. kommt vielleicht aus dem slavischen wischnza. Sämmtliche Spielarten der Kirschen finden sich ebenso, wie die Weichsel häufig in Gärten, Weingärten am Rande von Aeckern und Strassen gepflanzt.

Der Sinn der nun folgenden Stelle im Capit. dürfte beiläufig folgender sein: Aepfelsorten, die ganz vorzüglich angepflanzt werden sollen sind: *Gormaringa, Crevedella, Spirauca* *) süsse und saure, ferner sowohl jene, welche sich aufbewahren lassen, so wie auch die bald abzupflückenden Frühäpfel. In den Sandkellern **) soll man die dritte und vierte Sorte, dann die süssen, die herben und die Winteräpfel aufbewahren.

Wenn wir schliesslich die Pflanzen, welche in dem hier besprochenen Verzeichnisse vorkommen, nochmals überblicken, so finden wir nur wenige von den Griechen und Römern in ihren Gärten gezogene Nutzgewächse ausgelassen. Ganz übergangen werden aber die auf freiem Felde gebauten Gewächse, wie die Getreidearten, der Flachs, die Ackerrüben, der Weinstock. Schon eingangs wurde erwähnt, dass auch die Zierpflanzen keine Berücksichtigung finden und dass nur Gewächse aufgezählt werden, die entweder als Nahrungsmittel, als Färbepflanzen oder endlich aus abergläubischen Vorurtheilen gezogen wurden; es unterliegt aber gar keinem Zweifel, dass in der Zeit, aus welcher das Capitulare stammt, auch schon viele der Blumen in den Gärten erzogen wurden, die noch heute zur Zierde der Bauerngärten dienen.

Die deutschen Namen dieser Zierpflanzen stehen aber ganz im Gegensatze zu jenen, welche den Nutzpflanzen zukommen, denn während letztere ihre lateinische Abstammung nicht verkennen lassen, besitzen die Zierpflanzen mit wenigen Ausnahmen rein deutsche Volksnamen. Fast durchgehends sind es Gewächse, die auch wild in Deutschland vorkommen und die nur durch längere Zucht manchmal ein verändertes Aussehen, gefüllte Blüthen u. d. gl. bekommen haben. In den Gärten unserer Nord-Alpen sieht man häufig aus dem nahen Walde *Epilobium angustifolium*, *Campanula persicifolia*, *Vinca minor* u. dgl. in die Gärten verpflanzt, und so mochte man auch damals die durch ihre Farbenpracht oder Wohlgeruch sich auszeichnenden Blumen der Wiesen, Auen und Wälder in die Gartenerde versetzt haben und nachstehende Gewächse dürften wohl als die ältesten deutschen Zierpflanzen angesehen werden:

Ranunculus auricomus L. flor. plen. Gefüllter Hahnenfuss. Schmalzblume. In Oesterreich hörte ich diese Pflanze auch Rukerl nennen, welcher Name offenbar verderbt aus *Ranunculus* hervorgegangen.

Hepatica triloba DC. Leberkraut, Edles Leberkraut, Guldenklee, blaues Windröschen.

Aquilegia vulgaris L. Aglei (Alhd. *acoleia* aus *Aquilegia*).

Delphinium Ajacis L. Rittersporn.

Aconitum Napellus und *variegatum* L. Eisenhut, Eisenhütlein, Wolfswurz, Napell, Fuchsblüh.

Cheiranthus Cheiri L. Gelb Negelveiel, Lambertsveigl, Goldlack.

---

*) Welche Sorten hier gemeint seien, lässt sich kaum ermitteln.

**) Kinderling erklärt wohl ganz richtig, dass es hier im Texte „per aricia servatoria" heissen sollte, und dass man unter aricium einen Sandkeller, eine Kammer zum Aufbewahren des Obstes über den Winter zu verstehen habe.

Cheiranthus annuus. Roth, leibfarb und weiss Violaten, Negelveieln, Feigl Levkoien.
Hesperis matronalis L. Mondviolen, Nachtviolen.
Viola tricolor L. Freisam (wurde gegen die Freisen, fallende Sucht angewendet), Dreifaltigkeitskraut, Dreifaltigkeitsblume, Tag- und Nachtveilchen, Stiefmütterchen.
Viola odorata L. Mertzenviolen, Mertzenveieln, Veilchen, Maerzveilchen.
Dianthus Caryophyllus L. Grassblume, Negelein, Nelke.
— *plumarius* L. Pfingstnelke.
Lychnis Coronaria Lamarck. Maergenrösslein.
Lonicera Caprifolium L. Waldlilgen, Specklilgen, Waldwinde, Zeunling, Geisblatt, Je länger je lieber.
Centaurea Cyanus L. Kornblume, Roggen-, Sichelblume.
Bellis perennis L. Masslieben (Mas so viel als Matte, Wiese), Maslieben, Angerblümlein, Marienblümlein, Buntblümlein, Zeitlosen, Monatblümlein, Frühblümlein, Tausendschön, Gänsblümlein.
Helichrysum arenarium DC. Rheinblume, Jüngling, Sandstrohblume, Mottenblume, Immerschön, Strohblume, Imortelle, Schabenkraut.
Achillea Ptarmica L. Weisser Reinfar, Wilder Bertram, Niesenkraut.
Omphalodes verna Mönch. Garten Vergissmeinnicht.
Antirrhinum majus L. Sterckkraut, Brackenhaupt, Kalbsnase, Hundskopff, Orant, Löwenrachen, Löwenmaul.
Digitalis purpurea L. Waldglöcklein, Fingerkraut, rother Fingerhut.
Primula officinalis Jacq. Schlüsselblume, Himmelsschlüssel, St. Petersschlüssel, Fastenblume.
Vinca minor L. Ingrün (in ist hier Verstärkung und Ingrün bedeutet so viel wie Sehrgrün), Singrün, Weingrün, Todtenviolen, Todtengrün, Immergrün.
Statice elongata Hoffm. Meergras, Seegras, Seenelken, Grasnelken.
Amaranthus caudatus. Dausentschön, Sammetblume, Floromor *(flos amoris)*.
Narcissus poeticus und *Pseudo narcissus* L. Narcissen = Rösslein, Narcisse, Gäl = Hornungsblume, Josephstab.
Phalaris arundinacea β picta L. Bandgras.

Mit Ausnahme von *Aconitum*, *Viola tricolor*, *Lonicera Caprifolium*, *Omphalodes verna*, *Antirrhinum majus*, *Digitalis purpurea*, *Statice elongata* und den zuletzt angeführten drei Arten fanden sich alle übrigen im XVI. Jahrhunderte schon mit gefüllten Blüthen in Ziergärten.

Die eben aufgezählten Zierpflanzen sind es auch, welche von den ältesten deutschen botanischen Schriftstellern als solche beschrieben werden, „welche die Jungfrawen zielen in ihren Kräntzgärten und mit denen die junge Töchter ihr kurtzweil haben."

Nur wenige einheimische Pflanzen fanden in späterer Zeit noch Eingang in die Gärten. Gewächse fremder Länder, den heimatlichen an Schönheit oft weit nachstehend, füllten mehr und mehr unsere Gartenbeete, fremde Arzneien die Laden unserer Apotheken, fremde Gemüse und Gewürze die Töpfe in unseren Küchen.

Celsius.

Phragmites communis
Typha latifolia
Potamogeton densus
Callitriche verna
Lemna trisulca
Caltha palustris
Cardamine amara
Glyceria aquatica
Cirsium oleraceum
Tussilago farfara
Sium angustifolium
Mentha sylvestris
Veronica Beccabunga
Scrofularia aquatica
Epilobium hirsutum
Crepis palludosa
Veronica Anagallis
Eupatorium cannabinum
Cineraria rivularis
Anthriscus alpestris
Geum rivale
Saxifraga rotundifolia
Montia fontana
Stellaria uliginosa
Möhringia muscosa
Arabis bellidifolia
Arabis alpina
Epilobium origanifolium
Ranunculus aconitifolius
Silene alpestris
Campanula pusilla
Viola biflora

5, 0°
5, 1
5, 2
5, 3
5, 4
5, 5
5, 6
5, 7
5, 8
5, 9
6, 0
6, 1
6, 2
6, 3
6, 4
6, 5
6, 6
6, 7
6, 8
6, 9
7, 0
7, 1
7, 2
7, 3
7, 4
7, 5
7, 6
7, 7
7, 8
7, 9
8, 0
8, 1
8, 2
8, 3
8, 4
8, 5
8, 6
8, 7
8, 8
8, 9
9, 0
9, 1
9, 2
9, 3
9, 4
9, 5
9, 6
9, 7
9, 8
9, 9
10, 0
10, 1
10, 2
10, 3
10, 4
10, 5
10, 6
10, 7
10, 8
10, 9
11, 0

Grafische Darstellung des Verhältnisses zwischen der Temperatur des Quellenwassers und der im Rinnsale der Quellen wachsenden Pflanzen.

Lith. u. gedr. b. A. Hartinger in Wien.

Lightning Source UK Ltd.
Milton Keynes UK
UKHW020112310119
336364UK00006BA/157/P

9 780428 421243